Manfred Köhler (Hrsg.) **Handbuch Bauwerksbegrünung**

Handbuch Bauwerksbegrünung

Planung – Konstruktion – Ausführung

2. Auflage 2022

mit 531 Abbildungen und 97 Tabellen

Herausgeber:

Prof. Dr.-Ing. Manfred Köhler

Landschaftsarchitekt BDLA

Autoren:

Prof. Dr.-Ing. Manfred Köhler

Dipl. Biol. Dr. Gunter Mann

Dipl.-Ing. Dr. Bernhard Scharf

Dipl.-Ing. Florian Kraus

RM Rudolf Müller

Bibliografische Information der Deutschen Nationalbibliothek
Die Deutsche Nationalbibliothek verzeichnet diese Publikation in der Deutschen Nationalbibliografie; detaillierte bibliografische Daten sind im Internet über http://dnb.dnb.de abrufbar.

2. Auflage 2022

Maßgebend für das Anwenden von Regelwerken, Richtlinien, Merkblattern, Hinweisen, Verordnungen usw. ist deren Fassung mit dem neuesten Ausgabedatum, die bei der jeweiligen herausgebenden Institution erhältlich ist. Zitate aus Normen, Merkblättern usw. wurden, unabhängig von ihrem Ausgabedatum, in neuer deutscher Rechtschreibung abgedruckt.

Aus Gründen der besseren Lesbarkeit wird bei Personenbezeichnungen und personenbezogenen Hauptwörtern die männliche Form verwendet. Entsprechende Begriffe gelten im Sinne der Gleichbehandlung grundsätzlich fur alle Geschlechter. Die verkürzte Sprachform hat nur redaktionelle Grunde und beinhaltet keine Wertung.

Das vorliegende Werk wurde mit größter Sorgfalt erstellt. Verlag und Autoren können dennoch für die inhaltliche und technische Fehlerfreiheit, Aktualität und Vollständigkeit des Werkes keine Haftung übernehmen.

Wir freuen uns, Ihre Meinung über dieses Fachbuch zu erfahren. Bitte teilen Sie uns Ihre Anregungen, Hinweise oder Fragen per EMail: fachmedien.architektur@rudolfmueller.de oder Telefax: 0221 54976141 mit.

Lektorat: Dr. Doris Kliem, Urbach
Umschlaggestaltung: WMTP Wendt-Media Text-Processing GmbH
Umschlagbild: Vertiko GmbH, Wohnhaus in Berlin
Satz: WMTP Wendt-Media Text-Processing GmbH
Druck und Bindearbeiten: Westermann Druck, Zwickau
Printed in Germany

ISBN 978-3-481-04402-2 (Buch-Ausgabe)
ISBN 978-3-481-04403-9 (E-Book als PDF)
ISBN 978-3-481-04404-6 (Buch + E-Book)

Vorwort zur 2. Auflage

Mitten in der Corona-Pandemie war unser Buch vergriffen. Was wir aus dieser Krankheit gelernt haben, sind 4 Dinge die uns dazu veranlassten, nicht nur einen Nachdruck, sondern eine wesentliche Ergänzung vorzulegen:

- Das exponentielle Wachstum gibt es auch in der Vermehrung des Wissens um die Gebäudebegrünung. War unser Arbeitsfeld vor 10 Jahren eher ein interessantes Nischenthema, ist die Bauwerksbegrünung heute zu einem wissenschaftlich fundierten Lösungsansatz in der Klimakrise geworden, das international unter dem Begriff „Green Infrastructure" firmiert.
- Die Gebäudebegrünung bot schon immer Nischen für die Artenvielfalt in verdichteten Innenstädten. Jetzt kann sie zu einem Lösungsansatz für mehr Biodiversität in Städten werden.
- Der Zusammenhang von Grün und stadtklimatischer Funktion ist vielfach nachgewiesen und bietet viele Möglichkeiten, wie es im Kapitel 7 beeindruckend belegt wird.
- Die veränderte Arbeitswelt mit viel Homeoffice-Tätigkeit unterstreicht die Bedeutung des begrünten Wohnumfelds bei der Arbeitsplatzgestaltung.

Das Buch soll das vielfältige aktuelle Wissen lehrbuchartig präsentieren, um die Bauwerksbegrünung zügig zur Regelbauweise zu machen.

Funktionsfähige Begrünungen bedürfen Profis auf allen Ausbildungsstufen. Daher ist unser Ansatz, aus den vielfältigen bestehenden Quellen Prinzipskizzen abzuleiten, die in der Ausbildung zum Gebäudebegrüner und für die Entscheidungsträger Möglichkeiten aufzeigen, welches Potenzial diese Bauweisen bieten.

Gebäudebegrünung sowie Grüne Infrastruktur mit den Faktoren der energetischen Einsparung, der Bekämpfung des Klimawandels und der wohnungsnahen Versorgung mit frischen Lebensmitteln sind Themen beim Neubau, bei der Bestandsanierung und auch beim massiven Wiederaufbau in Kriegsgebieten, etwa in der Ukraine.

Es bleibt zu hoffen, dass das Interesse an der Gebäudebegrünung in den nächsten 10 Jahren weiterhin zum Wohle der Bevölkerung zunimmt. Die jetzt verfügbaren Rechenmodelle können den Nutzen der Gebäudebegrünung auch in Energie- und CO^2-Äquivalent oder schlicht in Euro/m^2 nachweisen

Neubrandenburg, September 2022 Manfred Köhler

Hinweis

Die Zeichnungen im Buch stellen in der Regel „Prinzipskizzen" dar, die nicht die Ebene einer Normierung aufweisen.

Dank

Im Rahmen der Buchbearbeitung wurde eine Vielzahl von Diskussionen mit zahlreichen Personen geführt, die in der Summe zum Gelingen dieses Buches beitrugen. Ihnen sei dafür gedankt.

Alle Zulieferer von Diskussionsanregungen, Bildmaterial und Beispielprojekten sind an den entsprechenden Stellen genannt. Es ist aber nicht selbstverständlich, zeitaufwendige Buchprojekte mit Material und Zeit zu unterstützen. Den Autoren der einzelnen Kapitel sei gedankt. Darüber hinaus gilt dieser Dank:

- Clemens Belke, grün.raum.planung, Lennestadt
- Dr. Florian Betzler, Hamburg,
- Dr. Hanna Bornholdt, BUKEA, Hamburg
- Thorwald Brandwein, Polygrün, Mechernich
- Bernd Eisenberg, TU München,
- Tobias Fürst, GKR, München,
- Florian Freutel, Vertiko, Buchenbach,
- Anke Hansing, IBA Hamburg,
- Elisa Hörst, VGF, Frankfurt,
- Wolfgang Holfelder, Bauder, Stuttgart,
- Jens Knaisch, Zinco, Nürtingen,
- Alexander König, Mareike Buder, HKK Landschaftsarchitekten, Frankfurt,
- Andreas Lichtblau, die Stadtbegrüner, Wien,
- Rolf Maas, Madeleine Hildebrand, WKM, Landschaftsarchitekten, Düsseldorf,
- Ilona Nipp, Optigruen, Krauchenwies,
- Dr. Marc Ottelé, Delft,
- Carsten Stakalis, Grüne Lebensräume, Neuss,
- Claudia Tomsits, Naomi Reitsema | Sempergreen BV, Odijk, Niederlande,
- Irene Zluwa, Boku, Wien.

Weiterer Dank gilt den Verantwortlichen im Rudolf Müller Verlag, insbesondere Tanja Buß, Lilian Kraft und Katharina Müller, die für die nahezu stressfreie Abwicklung in der gesamten Entstehungsphase des Buches sorgten, sowie unserer Lektorin Dr. Doris Kliem, die dem Ganzen den notwendigen letzten Schliff verlieh.

Zahlreiche Kollegen und Freunde waren in sehr unterschiedlicher Art in die Diskussionsprozesse um dieses Werk eingebunden; auch ihnen gilt mein Dank.

Den Co-Autoren Dr. Gunter Mann, Dr. Bernhard Scharf und Florian Kraus danke ich schließlich für ihre Beiträge – und nicht zuletzt den jeweiligen Angehörigen, die mehr oder weniger freiwillig in unterschiedlicher Intensität unterstützten.

Inhalt

1 Besonderheiten und Vorteile begrünter Architektur

Manfred Köhler

1.1 Einleitung

Die Gebäudebegrünung hat in den letzten 10 Jahren einen gewaltigen Sprung nach vorn gemacht: von einem Nischenprodukt zu einer weithin akzeptierten Lösung als Anpassungs- und Gegenstrategie zum Klimawandel. Die Gebäudebegrünung ist ein vielseitiges Instrument – es erfordert wichtige Entscheidungen in der Planungs-, aber auch in der Betriebsphase. Zunehmend von Bedeutung sind auch die mitgedachten Rückbaumöglichkeiten sowie der energetische und der CO_2-Bedarf bei Produktion, Betrieb und Rückbau der eingesetzten Produkte.

Vegetationsstrukturen an Gebäuden gab es in allen Epochen und gibt es nahezu in allen Klimaregionen der Welt. Pflanzen haben das Potenzial, Siedlungsflächen des Menschen wieder zu besiedeln. Die Tempelanlagen in Teotihuacan in Mexiko wurden erst nach und nach entdeckt, weil die Gebäude von der Natur zurückerobert wurden (Abb. 1.1). Es ist allerdings ein Unterschied, ob die Vegetation durch spontane Ansiedlung schrittweise die komplette Oberfläche bedeckt oder ob Vegetationselemente bewusst in einzelnen Bereichen eingesetzt werden.

Eine spontane Besiedlung mit starkwüchsigen Kletterpflanzen kann im negativen Falle die Gebäude stark beeinträchtigen, wie die Würgefeige an einem thailändischen Tempel zeigt (Abb. 1.2). Pflanzen an Gebäuden sind manchmal ein Zeichen für eine beginnende Zerstörung. Die berühmte Birke auf dem Dach kann eine leckende Regenrinne oder einen ähnlichen Bauschaden anzeigen. In Mitteleuropa sind in diesem Sinne insbesondere Blauregen (*Wisteria spec.*) und Efeu (*Hedera spec.*) mit gewisser Achtsamkeit zu verwenden (Abb. 1.3). Diese Beispiele sind keine Gebäudebegrünung, sondern Bauschäden.

Die Rückeroberung von Gebäuden, in der Gartenkunst als Ruinenfaszination bezeichnet, wurde vielerorts in Parks von Putbus auf Rügen bis nach Kassel-Wilhelmshöhe umgesetzt. Mit der Technik der Gebäudebegrünung wird der Prozess der Pflanzenansiedlung beschleunigt und so ausgeführt, dass bei größtem Nutzen keine Bauschäden entstehen. Von der Art, wie Pflanzen Oberflächen besiedeln, zu lernen und dies technisch perfekt umzusetzen, ist ein Thema, so alt wie der Weinbau, das aktuell unter dem Fachbegriff „Grüne Infrastruktur“ firmiert und im Nachfolgenden vorgestellt wird.

Die Pflanzenauswahl ist riesig. Angepasste Pflanzenarten können vermeintlich unwirtliche, extrem trockene Standorte besiedeln.

Abb. 1.1: Spontanbegrünung von Tempelanlagen nahe Mexico City: Die hier wachsenden Arten sind lokale Arten, die für „Biodiversitätsbrücken“ in die Stadt hinein verwendet werden können.

Abb. 1.2: Thailändischer Tempel mit Würgefeige in Bangkok

Abb. 1.3: Offensichtlicher Bauschaden, Efeu an einer Scheune in Westernkappeln, Steinfurt

Abb. 1.4: Kaktus-Dachgarten auf dem Changi-Airport in Singapur – üppige Pflanzenentwicklung nach ca. 20 Jahren in dieser als Raucherzone genutzten Gartenanlage

Abb. 1.5: Beispiel für die Durchwurzelung eines Extensivsubstrates nach ca. 30 Jahren

„Xeric Gardening" heißt die Verwendung von besonders an Trockenheit angepassten Pflanzen mit kurzen oberirdischen Sprossen und langen Wurzelsystemen zur Verankerung. Sukkulenten, in Europa hauptsächlich *Sedum*-Arten, sind die wichtigsten Vertreter. Der Kaktusgarten auf dem Changi-Airport in Singapur ist seit 2000 ein üppig wachsendes Beispiel für faszinierende Trockenvegetation (Abb. 1.4). Inspirationen für die Gebäudebegrünung können von vielen Standorten kommen, etwa von der Vegetationsentwicklung auf flachgründigen Küstenfelsen. Larson et al. (2006) haben hieraus für Hochhäuser das Bild der „städtischen Klippen" abgeleitet. Es können auf der anderen Seite auch Sumpfdächer gebaut werden, die als Reinigungsbiotope und Teile der Regenwasserbewirtschaftung technisch wie ökologisch eingesetzt werden können.

Gebäudebegrünung ist einerseits eine Spielart der Gartenkunst, andererseits unter dem Begriff der „Grünen Infrastruktur" eine funktionale Variante, mit Pflanzen an Gebäuden umzugehen. Im Idealfall treffen visuelle Qualität und Funktion zusammen; das ist die Herausforderung an die Planer.

Wisteria sinensis, der Blauregen, ist in Deutschland beispielsweise eine üppige und beliebte Pflanze zur großflächigen Fassadenbegrünung. In den südlichen USA gilt die gleiche Art als invasives Unkraut, das Waldsäume überwuchert und wenig erwünscht ist. An Gebäudeoberflächen gilt demnach das Gleiche wie in Gärten: Eine Pflanze kann an der gewünschten Stelle ein beliebtes Kraut sein und gepflegt werden. Die gleiche Pflanze etwa im Kleinsteinpflaster einer Terrasse wird als „Unkraut" entfernt.

Bei Gebäudebegrünung denken viele Menschen zunächst an das mit Kletterpflanzen überwachsene Einzelgebäude oder die typische Brandwand eines Berliner Hinterhofgebäudes. In den 1980er-Jahren wurden in Deutschland jedoch viele Ideen zum ökologischen Bauen beschrieben. In der damaligen Frühphase der Stadtökologiebewegung hatten Stadtplaner den Wunsch, möglichst viel „Biomasse" auf begrenztem Grund neu anzulegen, um die „Steinerne Wüste" optisch abzumildern. Insbesondere die Dachbegrünung boomte. Allerdings führt die Bestrebung, möglichst geringe Gewichte auf die Flächen zu bringen und Kosten zu reduzieren, in der Regel zu einer sehr eingeschränkten biologischen Vielfalt, z. B. *Sedum*-Rasen auf etwa 10 cm Substrat (Abb. 1.5). Die Sukkulenten der Gruppe *Sedum* haben eine besondere Berechtigung, für die Gebäudebegrünung verwendet zu werden: Sie sind robust, trockenresistent und im Hinblick auf die Auswahl von Varietäten von großer gestalterischer Bedeutung. Gerade unter dem Aspekt der Zunahmen von längeren Trockenperioden in Zeiten des Klimawandels gelten sie als robust und sind nicht nur für die Gebäudebegrünung empfehlenswert.

Seit Einführung der Eingriffsregelung und des ökologischen Ausgleichs werden begrünte Dächer als ökologische Ausgleichsmaßnahme in Bebauungsplänen festgeschrieben. Mit den FLL-Dachbegrünungsrichtlinien (2018) sind die Anforderungen an einen dauerhaften Aufbau beschrieben und bieten Architekten und Bauherren Sicherheit im Hinblick auf Fragen der technischen Ausführung. Vergleichbare Richtlinien und die damit verbundenen Prüfverfahren sind die Grundlage für ähnliche Regelungen etwa in Österreich (ÖNorm), in der Schweiz oder in Italien. In den USA bietet die American Society for Testing and Materials (ASTM) vergleichbare Verfahren für Dach- und Wandbegrünungen.

So ist aus einer Bewegung ein Trend in der Architektur geworden. Begrünte Dächer gehören zum Kanon des ökologischen Bauens und werden zunehmend bei der Gebäudezertifizierung nach den verschiedenen Bewertungsverfahren als positiv für die Umwelt gewürdigt. Die Leistungsprinzipien der Gebäudebegrünung sind nicht neu, aber erst in den letzten Jahren verstärkt erforscht und damit in ihrer Wirkung quantifiziert worden. Begrünte Dächer werden bei einer Reihe innovativer Architekten zur Verbesserung des Gebäudeklimas eingesetzt. Stellvertretend sei hier auf die Architekten Ken Yeang, Emilio Ambasz oder die Landschaftsarchitektin Susann Weiler (Weiler u. Scholz-Barth, 2009) verwiesen.

In Downtown-Gebieten in nordamerikanischen Städten ist nahezu jede innerstädtische Freifläche über einer genutzten Fläche, etwa Tiefgarage oder Einkaufszentrum, bewachsen. Diese Parkanlagen haben nur noch selten direkten Anschluss an den gewachsenen Boden und unterlie-

Abb. 1.6: Ein Dachgarten als öffentlicher Stadtpark über einer Parkgarage; voll funktionsfähiges Projekt aus den 1970er-Jahren aus dem Büro Cornelia Hahn-Oberlander in Vancouver, Kanada

Abb. 1.7: Zweistufige intensive Dachbegrünung auf der Bibliothek in Vancouver (Architektin: Cornelia Hahn-Oberlander). Die gelblaubigen Gehölze (Ahorn) stehen auf der unteren Ebene des Daches; sie sind vom oberen Lesesaal aus für Besucher zugänglich, während diese ornamentale Gras- und Heidepflanzung auf dem oberen Teil des Daches für Besucher der Bibliothek verschlossen ist.

Abb. 1.8: Auf diesem Hotel in Bonn wurde durch die Dachbegrünung ein zusätzlich nutzbarer Außenraum geschaffen, der als Grün- und Eventfläche ganzjährig seinen Charme hat.

Abb. 1.9: Dieselbe Dachfläche wird im Winter dekorativ beleuchtet.

gen in diesem Sinne den Richtlinien der Gebäudebegrünung (Abb. 1.6). Trotzdem sind Dachgärten und begrünte Fassaden bis heute in der Stadtlandschaft eher die Ausnahme (Abb. 1.7). Eine Trendwende zeichnet sich allerdings jetzt dank einer Vielzahl von nationalen Förderprogrammen, etwa „Grün in die Stadt“ sowie auch aufgrund der Einbeziehung der Grünen Infrastruktur in die europäischen Förderprogramme Horizon 2020 und Horizon Europe ab.

Praxistipp

Nahezu jede Oberfläche kann begrünt werden. Es gibt allerdings Begrenzungen, die aus limitiertem Bodenvolumen, der mit der Höhe zunehmenden Windbelastung und der erforderlichen Pflege resultieren. Sollen Gehölze verwendet werden, sind kleinkronige und robuste Bäume zu bevorzugen. Die Aufgabe der beteiligten Grünplaner ist es auch, Hochbauarchitekten auf diese begrenzenden Faktoren hinzuweisen und entsprechende Bepflanzungsalternativen aufzuzeigen.

Die saisonalen Unterschiede der Vegetation sind häufig das Unverwechselbare von begrünter Architektur (Abb. 1.8 und Abb. 1.9). Die Erhöhung der Artenvielfalt ist ein Grund für die Gebäudebegrünung – und eine Herausforderung für die Planer. Pflanzenkenntnisse und Erfahrungen zu den Ansprüchen der verwendeten Pflanzenarten sind unbedingtes Grundwissen bei der Gebäudebegrünung.

Pflanzen aus ganz verschiedenen Regionen dauerhaft an oder auf einem Bauwerk zu etablieren, erfordert unterschiedlichste technische Lösungen. Im Einzelfall ist immer die Auseinandersetzung mit Vorschriften und Normen nötig, aber auch mit Statik, Werkstoffen und Technik. Es ist ein interdisziplinäres Unterfangen, weil die Fachleute des Garten- und Landschaftsbaus diejenigen sind, die den Architekten einerseits die Möglichkeiten zur Begrünung aufzeigen sollen, andererseits aber auch auf die Grenzen hinweisen müssen.

Abb. 1.10: Erdarchitektur – Bauwerksbegrünung des Architekten Peter Vetsch in Oerlikon

Abb. 1.11: Die Gebäudebegrünung auf der Hochschule Neubrandenburg schafft einen Lebensraum auch für Honigbienen.

Neue Techniken und Materialien erleichtern die schon in den Anfangszeiten angedachten Konzepte, etwa der Regenwassernutzung, durch ausgefeiltere Steuerungsmöglichkeiten und Monitoring erheblich. Nach den aktuellen Architekturskizzen liegen die Grenzen heute im noch technisch Machbaren. In den letzten Jahren geht der Trend dahin, Begrünung auf immer dünnschichtigeren Substraten und auf immer höheren Gebäuden zu realisieren. Hier stößt die Gebäudebegrünung irgendwann an physikalische, mechanische und allgemein technische Grenzen. Aufzuzeigen, wo diese liegen, ist die Aufgabe der Planer.

Praxistipp

Für nahezu jeden Wuchsort kann eine geeignete Pflanzenauswahl gefunden werden. Die Nutzung der besonderen Eigenschaften, das Prinzip „Planen mit der Natur – nicht gegen die Natur", hilft auch, Unterhaltungskosten zu sparen.

Pflanzen sind lebende Organismen. Soll die Begrünung langfristig funktionieren, ist neben der Technik an die regelmäßige und artspezifische Pflege der Pflanzen zu denken. Die Gärtner müssen die Flächen mühelos erreichen können. Das ist eine Herausforderung für die richtige Planung mit sicheren Wartungsgängen an den Fassaden und im Dachbereich.

Die Baustile weltweit sind sehr unterschiedlich. Architektur und Vegetation bilden idealerweise eine Einheit. Ziel der Architektur ist es, behaglichen Wohn- und Arbeitsraum zu schaffen. Unterschiedliche Baustile mit verschiedensten Pflanzenarten in immer wieder neuen Facetten zu kombinieren, bietet Architekten unerschöpfliche Möglichkeiten. Das kann bis zu einem komplett in der Erde versteckten Gebäude gehen. Außergewöhnliche Varianten hierzu sind etwa die Erdhügelhäuser des Architekten Peter Vetsch (Abb. 1.10).

Vegetation an ungewöhnlichen Orten, etwa in U-Bahnschächten, sind dank moderner Lichttechnik möglich.

Dieses Buch soll Anregungen geben und visionäre Architekten und Spezialisten zusammenführen. An realisierten Architekturbeispielen im Kapitel 7 will dieses Buch aufzeigen, was bisher an Gebäudebegrünung realisiert wurde (Abb. 1.11).

1.2 Definition von Gebäudebegrünung

Im Deutschsprachigen werden Bauwerksbegrünung und Gebäudebegrünung meist synonym verwendet. Der Begriff „Bauwerk" schließt neben Gebäuden für Wohn-, Arbeits- und kulturelle Zwecke auch technische Bauwerke ein, etwa Brücken oder Talsperren. Mit der Gründung der Fachvereinigung Bauwerksbegrünung vor mehr als 20 Jahren wurde genau diese weit gefasste Begrünungsidee verfolgt, da sich jeder Baukörper begrünen lässt.

Im englischsprachigen Raum gibt es mehrere Begriffe für Grüne Architektur, die parallel eingesetzt werden. Kein Begriff hat bisher die endgültige, gebührende Verbreitung erreicht. Der Begriff „Green Infrastructure" wird im Sinne der Gebäudebegrünung angewandt, muss aber noch um einen Zusatz für Vegetation ergänzt werden. Gleiches gilt für den inflationär genutzten Begriff „Green Building". Hierunter werden aktuell fast alle modernen Bautechniken subsumiert. „Biophilic Architecture" hätte das Potenzial, eine organisch orientierte Architektur mit modernen Materialien zu verschmelzen (Kellert, 2005). Es wird also weiterhin parallel genutzte Begriffe geben, die sich aber alle mit der Etablierung von Vegetationsflächen an Gebäuden beschäftigen.

„Ecodesign" nach Ken Yeang ist ein weiterer prägnanter Begriff, der biologische und ökologische Prinzipien in die Architektur übersetzt. Gebäude werden schichtweise in „Ökobausteine" zerlegt und diese in Entwürfe integriert (Yeang, 2006). Ökodesign bedeutet, aus der Auswahl ökologischer Bauweisen die für das jeweilige Projekt sinnvolle Kombination auszuwählen und nicht ausschließlich „Ökospielereien" aneinanderzureihen. Nach diesem Prinzip sind vom Büro Yeang ganze Stadtteile, etwa die Hafenfront in Vancouver oder die neue Bibliothek in Singapur, entwickelt worden (Abb. 1.12).

Abb. 1.12: Die Nationalbibliothek in Singapur, ein Projekt des Architekten Ken Yeang, ist durchdrungen mit ökologischen Funktionselementen, von kühlenden Luftströmen, Dachgärten, Dachbegrünungen, Innenraumbegrünungen und Verschattungssystemen.

Abb. 1.13: Teilansicht des vertikalen Gartens am amerikanischen Pavillon auf der Expo in Mailand 2015. Sowohl die kompletten Module als auch die einzelnen Pflanzflächen konnten bedarfsgerecht zum Sonnenstand optimiert ausgerichtet werden – Begrünung mit der Doppelfunktion von dekorativ und nutzbar.

Begrünte Gebäude sind im Verständnis vieler Laien Green Buildings. Allerdings weisen entsprechend zertifizierte Gebäude häufig nur eine marginale Begrünung auf. Erst jetzt hat ein Dialog zwischen den Gebäudezertifizierern und den Begrünern begonnen, der die Vorteile der Begrünung auch in den Kriterienkatalogen berücksichtigt. Ziel soll es nicht sein, den aktuell bestehenden 94 Prüfkatalogen noch weitere hinzuzufügen, sondern für das Themenfeld eine entsprechende Vereinfachung anzustreben.

Praxistipp

Die Gebäudebegrünung umfasst Dach-, Fassaden- und Innenraumbegrünung und ist als dauerhafte Begrünung für das jeweilige Gebäude konzipiert. Dauerhaft bedeutet mindestens 10 Jahre, besser für die volle Lebensdauer der Gebäude. Pflege- und Wartungsintervalle der entsprechenden Komponenten sind zu berücksichtigen.

Der etwas genauere Blick in die 3 Arbeitsbereiche der Dachbegrünung, der Fassadenbegrünung und der Innenraumbegrünung schafft Klarheit bei den einzelnen Formen der Gebäudebegrünung.

Dachbegrünungen

Dachbegrünung ist in Deutschland seit Jahrzehnten etabliert. Die Grundeinteilung in extensive und intensive Dachbegrünung ist etwas verwirrend und benötigt Erläuterungen. Extensiv steht in der Stadtplanung für Großflächiges. Extensiv im Zusammenhang mit den Dachbegrünungen hat eine doppelte Bedeutung: Einerseits ist damit pflegeextensiv, also wenig pflegeaufwendig, gemeint, andererseits steht der Begriff auch hier für Dachbegrünung, die großflächig im Stadtgebiet zu finden ist.

„Intensiv“ steht im Gegensatz dazu für einen Garten, der auf einem Dach gebaut ist (siehe Kapitel 4).

Im deutschsprachigen Raum ist mit der Dachbegrünung die gesamte Palette der Begrünungsmöglichkeiten gemeint, die auf Gebäudeoberflächen möglich ist. Im englischsprachigen Raum werden die Begriffe „Brown Roof“, „Vegetated Roof“ oder „Bioroof“ häufig parallel verwendet, um bestimmte Aspekte der Artenvielfalt hervorzuheben. Je nach persönlicher Herkunft und Schwerpunktsetzung verwenden Wissenschaftler Begriffe, die sich diesen Begriffen unterordnen (vgl. Oberndorfer et al., 2007; Kolb et al., 2009). Mit der Zunahme an Projekten differenziert sich auch die Begrifflichkeit. Hier wesentliche Beispiele:

- **Living Roof:** Hier wird der Schwerpunkt auf die lokale Artenvielfalt gelegt. „Living Roof“ wird vor allem in England gerne als Oberbegriff verwendet.
- **Bioroof:** Die mögliche biologische Vielfalt wird in den Vordergrund gestellt.
- **Brown Roof:** Diese Dachbegrünungen sind mit einem hohen Anteil an offener Fläche speziell für bestimmte Vogelarten ausgelegt, etwa Haubenlerchen, Flussregenpfeifer u. a.
- **Ökodach/Biodiversitätsdach:** Der Fokus wird hier auf eine vielfältige Vegetation gelegt, die nicht primär bunt blühend und nach gestalterischen Aspekten ausgelegt ist.
- **Biosolardach:** Die Kombination einer Fotovoltaikinstallation auf einem Gründach mit dem Zweck einer Doppelnutzung ermöglicht einen höheren Ertrag der Energieausbeute und die Nutzung der Vorteile des begrünten Daches durch Wasserrückhalt zur Kühlung und zur Vergrößerung der biologischen Vielfalt.
- **Vertical Gardening / Vertical Farming / Dachfarmen:** Dachgärten mit dem Ziel, dort Gemüse anzubauen, beginnen bei einzelnen Pflanzbeeten und reichen bis zu professionellen Gartenbaubetrieben. Der Begriff „vertikal“ wird auch manchmal verwirrend verwendet. Er bezieht sich meist im Vergleich zum ebenerdigen Betrieb auf die Dachfläche als neue Dimension. Es kann aber auch der Gemüseanbau an den Fassaden gemeint sein, wie etwa am Amerikanischen Pavillon auf der Expo in Mailand (Abb. 1.13)

Abb. 1.14: Die klassische Fassadenbegrünung mit wildem Wein auf einem Klinkergebäude der 1930er-Jahre in Wedel ist problemlos, praktisch und immer noch ein Hingucker – bei kleinem Pflegeaufwand.

- **Bioretentionsdach, Bioretentionswandbegrünungen:** Begrünte Flächen stehen in Kontakt mit dem Gebäude, der Kontakt kann dabei innen oder außen stattfinden. Zweck ist die Reinigung von Regen-, Grau- oder Schwarzwasser als eine „Nature based Solution" etwa beim Phosphateintrag mit über 90 % Rückhalt und pflanzenspezifischen Verdunstungen mit 1 bis 5 l/m^2 Dachfläche. Liu et al. kommen beim experimentellen Vergleich der Effektivität der Pflanzengruppen auch zum Ergebnis, dass C3- und C4-Pflanzen besser Schadstoffe aufnehmen als CAM-Pflanzen (Liu et al., 2021).

Dachgärten werden vor allem im asiatischen Bereich gerne als Skygärten bezeichnet. Hinter diesen Begrifflichkeiten verbirgt sich aber die gleiche Bauweise wie bei den Intensivbegrünungen (siehe Kapitel 4). Dachbegrüner haben die Möglichkeit, ganz unterschiedliche thematische Schwerpunkte auf den Dächern zu realisieren. Die Bandbreite reicht von Aufenthalts- und Spieldächern bis hin zu ökologischen Rückzugsräumen von seltenen Pflanzen. Nicht alle Varianten sind auf demselben Dach gleichzeitig möglich. Das Optimum jeweils nach den Anforderungen zu entwickeln, ist eine Herausforderung für die Objektplaner.

Fassaden- und Wandbegrünungen

Wandbegrünung steht für alle Formen der Begrünung von Fassaden und Wänden, insbesondere mit Kletterpflanzen (Abb. 1.14). Für die wandgebundenen Begrünungsformen ist die Diskussion um die Benennung aktuell in vollem Gange. „Living Walls" klingt international und setzt sich im englischsprachigen Gebiet durch. Er ist jedoch nicht eindeutig: In der angloamerikanischen Literatur wird Living Walls als biologisch-medizinischer Begriff in Zusammenhang mit der Durchlässigkeit von Zellen verwendet. Als „Vertical Green Systems", kurz „VGS", bezeichnen andere Autoren diese Begrünungsform.

Aus dem französischen Sprachraum beginnt sich der Begriff „Vertikale Gärten" durchzusetzen. „Mur vegetal" ist auch ein Büro, aber unter verwandten Begriffen läuft eine ganze Reihe weiterer Unternehmen. „Vertikale Gärten" ist ein anschaulicher Begriff, der die Notwendigkeit der Pflege verdeutlicht. Es scheinen sich „bodengebundene Fassadenbegrünung" (ehemals alle Formen von Kletterpflanzenbegrünungen) und „fassadengebundene Begrünungen" oder „Living Walls" für alle neueren, meist modularen Begrünungsformen durchzusetzen. Der englische Begriff „Biowall" umschreibt vor allem Systeme mit bepflanzten Modulen, die zur Reinigung von Innenraumluft beitragen. Eine erste Metaanalyse zu den einschlägigen wissenschaftlichen Untersuchungen liefern Gunawardena und Steemers (2019). Eine wesentliche Forschungsfrage war der Einfluss auf die Oberflächentemperatur (ca. die Hälfte der Arbeiten). Ebenso ist ein großer Teil der Arbeiten experimentellen Charakters. Begrünungen mit Kletterpflanzen stehen immer noch im Hauptfokus der Untersuchungen.

Innenraumbegrünungen

Der Begriff Innenraumbegrünung umfasst die dauerhafte, meist ortsfeste Begrünung in geschlossenen Räumen. Alle Faktoren wie Licht, Wasser, Pflanzenernährung und Pflege müssen technisch gewährleistet werden (siehe Kapitel 6).

1.3 Möglichkeiten und Grenzen von Gebäudebegrünungen

Die jeweilige zeitgenössische Architektur folgte bisher sehr vielen Leitlinien, ökologisches Bauen und konsequente Begrünung sind bis heute allerdings eher die Ausnahme geblieben. Basierend auf den heutigen wissenschaftlichen Erkenntnissen und der Notwendigkeit, auf den Klimawandel auch städtebaulich zu reagieren, stehen die Chancen dafür aktuell allerdings gut.

Pionierprojekte des deutschsprachigen Raumes sind etwa auf der Homepage https://sdg21.eu/ dokumentiert. Konsequent nach ökologischen Kriterien gebaute Stadtteile sind aber im Vergleich zu den vielen Bauprojekten noch die Ausnahme. Meist gehen sie auf engagierte Stadtplaner, Investoren und Architekten zurück. Berlin-Adlershof ist aktuell ein Entwicklungsgebiet, das als herausragendes Beispiel mit begrünter Architektur genannt werden kann und bei dem viele Gebäude als Unikate mit einer Vielzahl von Umweltlösungen ausgestattet sind. Bei anderen aktuellen Großprojekten, etwa der Hafencity Hamburg, sind Umweltelemente ebenfalls vorhanden, allerdings eher als Lösungen individueller Projekte und damit als Ausnahmen zu verstehen.

Dabei sprechen viele Argumente für Gebäudebegrünung.

Mehr Wohnqualität bei weniger Flächenverbrauch

Grundstücke im Grünen erzielen hohe Verkaufspreise. Der Traum vom Häuschen im Grünen ist aber weder finanziell noch städtebaulich für jedermann machbar. Kompakte Städte mit einem hohen Durchgrünungsanteil an Fassaden und auf Dächern können ein Kompromiss sein. Im idealen Fall können Gebäudebegrünungen dazu beitragen, Nischen

Abb. 1.15: Orchard Road im Zentrum Singapurs. Eine aufwendige Dachbegrünung gehört zwingend zu hochpreisigen Wohngebäuden in baulich verdichteten Wohnlagen. Die Dachflächen sind zu wertvoll, um sie nur für eine paar Lüfter zu nutzen.

oder Trittsteinbiotope für Pflanzen und Tiere zu schaffen und eine Biointegration von Baukörpern am Standort zu erreichen. Diese Biointegration wird in dem Maße notwendig, wie der Anteil der Bevölkerung, der in Städten lebt, wächst. In gleichem Maße wächst andererseits der Wunsch nach ausgleichenden und begrünten Strukturen. Singapur verfolgt dieses Ziel in der Stadtplanung konsequent: „City in a Garden" ist das Leitmotiv. Trotz der angestrebten weiteren 2.000.000 Bewohner in Singapur soll die Stadt weitgehend durchgrünt wirken. Das ist nur durch kompakte Bauweisen und eine konsequente Begrünung der Oberflächen möglich. In den letzten Jahren ist dieser Ansatz von der an den Artenzahlen orientierten Zielsetzung um den Aspekt des „Well-Beings" und mit dem technischen Leitbild der „Biophilic City" erweitert worden. Dabei soll die Begrünung qualitativ so ausgeführt werden, dass auch bei kleineren Begrünungsflächen das Wohl der Bewohner im Vordergrund steht. Kleine Begrünungsfläche und hohe Qualität bedeuten im Detail dann auch einen höheren Planungsaufwand und bessere Materialien – ein Spagat, der auch an Grenzen stoßen kann.

In den letzten Jahren wird auch in Singapur zusätzlich zu der reinen flächenmäßigen Kalkulation der Begrünungsflächen ein Wertmaßstab hinzugefügt, der sich an Artenvielfalt orientiert. Biodiversität/Artenvielfalt möglichst auf der Basis der heimischen Arten ist ein Ziel, das auch in Europa mit der Biodiversitätsstrategie 2030 an Bedeutung für alle Städte gewinnt.

Einkaufszentren, Garagen und Versorgungseinrichtungen können unterirdisch sein. Auf den künstlichen Oberflächen können Gärten angelegt werden (Abb. 1.15). Im Idealfall werden die verbliebenen Restflächen mit ursprünglicher Vegetation vor weiterer Versiegelung geschützt. Das wäre auch ein Ziel für Mitteleuropa. Das vom Umweltbundesamt formulierte Ziel, den täglichen Flächenverbrauch für Bebauung bis 2030 auf 20 ha zu begrenzen, ist nur mit konsequentem Flächensparen zu erreichen. Begrünung wäre der Schlüssel, gleichzeitig die Bauqualität zu erhalten. Die Erhöhung der Lebensqualität auf weniger Fläche ist ein Modell, das in den Megacitys der Welt erforderlich ist, um zu überleben. Das gilt auch in Europa sinngemäß zum Schutz der verbliebenen Natur- und alten Kulturlandschaften.

Mehr Wohlbefinden im direkten Wohn- und Arbeitsumfeld

Der Aufenthalt in der Natur ist als Ausgleich zu den zunehmend sitzenden Berufstätigkeiten aus gesundheitlichen Gründen anerkannt. Gartenarbeit kann in Maßen Gesundheitstherapie sein. Der Blick ins Grüne beruhigt und fördert das allgemeine Wohlbefinden. Pflanzen sind ein Mittel gegen das „Sick Building Syndrom". Da gerade Jugendliche das Interesse an der ursprünglichen Natur zu verlieren scheinen (Pergams u. Zaradic, 2006, 2008), kann vielleicht über die angebaute Vegetation im Wohnumfeld wieder ein Zugang geschaffen werden.

So positiv Pflanzen auch bewertet werden, so wenig ist es möglich, diese Wohlfahrtswirkung aus zeitlichen, finanziellen oder anderen Gründen zu genießen. Die positiven Wirkungen sind in einer Vielzahl von Studien nachgewiesen (z. B. bei Bringslimark et al., 2009). Trotzdem haben diese Erkenntnisse noch nicht in ausreichendem Maße Einzug in die Architekturpraxis gefunden.

Ökologischer Mehrwert durch Gebäudebegrünungen

Die Begrünung von Gebäuden kann positive Auswirkungen einerseits auf das Gebäude, andererseits auf die Stadt haben. Damit die Eigentümer die Mehrkosten für ihr Gebäude übernehmen, sind sie vom zu erwartenden Mehrwert zu überzeugen. Die öffentlich positiven Effekte, etwa die Reduktion der sommerlichen Wärmeinsel in der Stadt bzw. die Reduzierung des Regenwasserabflusses des Grundstücks, sind zum Teil mit städtischen Förderprogrammen anzuschieben, damit die Investoren auch hierfür die Mehrkosten übernehmen. Die wesentlichen ökologischen Argumente für die Gebäudebegrünung sind:

- **Bessere Gebäudedämmung durch Begrünung:** Dieser Effekt setzt sich aus der Flächengröße und aus dem Strukturaufbau zusammen und ist sowohl bei Fassaden- als auch bei Dachbegrünung nachweisbar.
- **Regenwasserbewirtschaftung/Blau-Grüne Infrastruktur:** Gründächer sind Teile der Regenwasserbewirtschaftung. Regenwasser zur Bewässerung begrünter Dächer einzusetzen, erschließt neue Möglichkeiten. Andererseits speichern begrünte Dächer auch große Niederschlagsereignisse, sofern entsprechende Dränschichten in den Schichtaufbau integriert sind. Im Idealfall kann ein begrüntes Dach mit dazu beitragen, dass „abflusslose Grundstücke" die städtische Vorflut relevant entlasten. Das spart Kapazitäten im öffentlichen Entwässerungsnetz und wird in vielen Gemeinden in Form der Entlastung bei der Regenwassergebühr finanziell berücksichtigt.
- **Gebäudebegrünung als Rückzugsorte** für Flora und Fauna als Beitrag zu städtischen biologischen Vielfalt/Biodiversität: Der Extremstandort Gebäude bietet einigen Kulturflüchtern Lebensräume, die in dieser Form sonst im städtischen Umfeld nicht vorhanden wären.

Abb. 1.16: Vernetzungsstruktur zwischen Gebäude und Umfeld. Beide Gebäudekomplexe haben das gleiche Bauvolumen. Die Gebäude rechts sind teilweise begrünt und haben 2 Etagen im Untergeschoss. Die teilbegrünten Fassaden und Dächer führen dazu, dass die Bauvolumen weniger Barrierewirkung haben.

- **Nutzpflanzenverwendung:** Frische Küchenkräuter direkt an der Wohnung, Tomaten, Wein, Schnittlauch – was in Ländern mit ärmerer Bevölkerung einen Beitrag zur Basisversorgung darstellen kann, ist in den Industrieländern als Gartenfreude in den Städten möglich und ergänzt die knappen Flächenressourcen in Städten für Gartenland.

Begrünung zur Vernetzung der Grünstrukturen des Umlands mit den Innenstädten

Ähnlich der stadtplanerischen Vernetzung des Stadtrands in die Stadt hinein über Grünkorridore können sich auch an Gebäuden Grünstrukturen über die Gebäudeetagen entwickeln. Von der vorbereitenden bis zur verbindlichen Bauleitplanung werden entscheidende Weichen für ökologisches Bauen gestellt: ausgehend von der Frage, ob an einer Stelle überhaupt eine Bebauung erfolgen sollte, über die Anordnung und die Formgebung der Gebäude bis hin zu „Art und baulicher Nutzung" auf einem Grundstück (vgl. Kapitel 2). In den meisten Fällen ist es sinnvoll, auf der zur Verfügung stehenden Fläche so kompakt zu bauen, dass noch Grundstücksflächen offen bleiben können (Abb. 1.16).

Gründächer und ihre Wirkungen auf das Gebäude

Die Wirkung der Begrünung auf das Gebäude hängt von der Dämmung des Gebäudes und von der Art der Schichten und deren Aufbaustärken sowie vom zusätzlichen Effekt der Begrünung selbst ab. Im Vergleich zu technischen Dämmstoffen schwankt die Wirkung der Begrünung abhängig vom Wassergehalt des Speichermediums und von der Art der Vegetationsschicht (Tabelle 1.1). Am Standort Neubrandenburg werden neben den klimatischen Parametern, wie Strahlungshaushalt (Globalstrahlung, Strahlungsbilanz und Bodenwärmestrom), Temperaturkomponenten und Niederschlagsverteilung, der Ablauf aus dem System sowie die Speicherung im Substrat mittels Lysimeter gemessen. Anhand dieser Werte aus dem Datensatz des Jahres 2004 wurde die Dämmwirkung einer typischen Extensivbegrünung untersucht (Köhler u. Malorny, 2009).

Die **Kühlleistung der Bauwerksbegrünung** lässt sich mit folgender Formel berechnen:

$$\text{Kühlleistung} = f\{\text{Retention} + ET + \text{Verschattung durch Pflanzenteile}\} \quad (1.1)$$

mit

Retention = beeinflusst durch Substrattyp und -menge und damit die potenzielle Speicherkapazität

ET = Evapotranspiration; abhängig von den Pflanzenarten und der Dichte des Bewuchses

Randbedingung: Systeme mit hohen Verdunstungsleistungen benötigen in Zeiten ohne wesentlichen Niederschlag ausreichende Bewässerung, um die Vegetation auch in Dürrezeiten überleben zu lassen – Regenwasserzisternen sind erforderlich.

Die Zahl der wissenschaftlichen Quellen zur Gebäudebegrünung geht schon in die Hunderte. Tabelle 1.1 soll als Schnellübersicht die wichtigsten Kennwerte der ökologischen Wirkungen zusammenfassen – ohne Anspruch auf Vollständigkeit.

Die planerische Herausforderung aus diesen wenigen Stichworten: Es kann für einen „Klimaarchitekten" möglich sein, die Instrumente Gebäudebegrünung, Regenwassernutzung, Gewinn aus solarer Einstrahlung und Verdunstungskühle so zu kombinieren, dass der ökologische Fußabdruck für viele Beispiele von Neubauten umweltneutral, vielleicht sogar umweltpositiv, wird. Die Wirkung von Pflanzen an und in Gebäuden beruhen auf:

- Verschattung,
- Verdunstung,
- Ökosystemfunktion (Begrünung als Trittsteinbiotop in einem Netz städtischer Lebensräume oder als ökologische Nische für städtische Organismen).

Die Vorteile von Begrünungen sind mehrdimensional, netzartig verknüpft. Die „begrünte Architektur" ist etwas Multidisziplinäres. Es ist fast nicht möglich, ausschließlich auf einen positiven Aspekt zu achten. Der Effekt ist allerdings mit einer gewissen Flächengröße oder Blattmasse

Tabelle 1.1: Wirkungen der Gebäudebegrünung, vor allem der Dachbegrünung, auf das jeweilige Gebäude und das städtische Umfeld (die Wirkungen sind abhängig von der Ausführung des Gebäudes und der entsprechenden Dämmung und Ventilation; einige Faustwerte). Diese Aufstellung erhebt keinen Anspruch auf Vollständigkeit, sie vermittelt aber einen Eindruck von der mulitplen Funktionsweise und der Quantifizierung der Bauwerksbegrünung. Was trotz der vielen Untersuchungen immer noch als Forschungsbedarf vorhanden ist, sind regionale Untersuchungen mit besonderen Bauweisen sowie Langszeitstudien.

Faktor	**Größenordnung**	**Literaturquellen**
zusätzliches Gewicht	Für Dachbegrünungen muss mit einem Gewicht bei sehr extensiver Ausführung von 40 kg/m² (ca. 0,4 kN/m²) bis zu 350 kg/m² (ca. 3,4 kN/m²) bei Dachgärten gerechnet werden. Noch höhere Flächengewichte können bei erdüberdeckten Bauwerken auftreten.	Angabe von diversen Dachbegrünungs-firmen
Dämmeffekt durch den Begrünungsaufbau	Je nach Dach-Fassaden-Verhältnis kann ein Extensivbegrünungsaufbau mit etwa 10 cm Substrat und einer Dämmschicht, die einer 1 cm starken Styroporschicht entspricht, in Mitteleuropa bei einem Einfamilienhaus so viel Heizenergie einsparen, wie in einer Woche im Winter benötigt wird.	Köhler u. Malorny, 2009
Dämmeffekt durch unterschiedliche Bewuchsstärke	Der Effekt der Vegetation variiert und ist kalkulatorisch schwer zu bestimmen. Messungen an Extensivbegrünungen beziehen sich meist auf Standard-*Sedum*-Begrünungen. Im Vergleich zum Substrat und zum übrigen Schichtaufbau ist dieser Effekt vernachlässigbar klein. Vielfältige Vegetationsschichten haben höhere Dämmwerte, was an den Oberflächendämmwerten mittels Infrarotthermografie nachweisbar ist.	eigene Messung (Köhler, 2005a)
Dämmeffekt im Hinblick auf winterliche Energieeinsparung	Die Energieeinsparung hängt vom Verhältnis von Dach- zu Wandfläche ab. Exemplarisch ist für ein in typischer Weise gedämmtes Einfamilienhaus in Norddeutschland berechnet worden, dass ein zusätzliches typisches 10 cm starkes Extensivdach eine um etwa 3 bis 10 % bessere Wärmedämmung bewirkt als ein Kiesdach. Bei einem 150 m² großen Dach eines Einfamilienhauses wäre das eine Heizersparnis von ca. 40 m³ Stadtgas (ca. 40 €/Winter).	Köhler u. Malorny, 2009
Dämmeffekt im Hinblick auf Einsparung sommerlicher Kühlkosten	Die Temperaturamplitude im Gebäude konnte durch das Gründach um 50 % gesenkt werden. Die Verdunstungsleistung liegt um das 10-Fache über der eines Kiesdachs. Das entspricht einer Verdunstung von ca. 3 l/m². Die entsprechende Verdunstungskälte könnte technisch mit 40 m³ Stadtgas erzeugt werden.	Köhler u. Malorny, 2009
	Die erzielte Kühlkostenersparnis in einem 8-stöckigen Haus im sommerlich heißen Madrid erreichte 20 %.	Alcazar u. Bass, 2006
	Ottelé et al. (2011) kalkulieren durch Fassadenbegrünung und die damit verbundene Verdunstungskälte für das mediterrane Klima eine Ersparnis von ca. 43 %.	Ottelé et al., 2011
	Alcazar und Bass (2006) schätzen die Einsparung durch ein Gründach für das obere Stockwerk eines Mehrfamilienhauses in Spanien auf etwa 20 %.	Alcazar u. Bass, 2006
	Über den Tag betrachtet beträgt die Energieaufnahme begrünter Dächer etwa 200 W/m². Der Energieverbrauch für die Kühlung konnte um 9 bis 11 % gesenkt werden.	Sailor, 2008
	Der Kühleffekt begrünter Dächer, untersucht am Beispiel einer tropischen Großstadt, beruht überwiegend auf der Verdunstung von gespeichertem Wasser. Bei einem gut wasserversorgten Dach werden 59 % der Energie für die Verdunstung (Evapotranspiration) verbraucht und dienen damit zur Kühlung der Oberfläche. Nur etwa 1,2 % der Energie werden in die darunter liegenden Räume weitergeleitet. Die übrige Energie führt zu einer Temperaturerhöhung an der Oberfläche.	Hongming u. Jim, 2010
	Die Verdunstung durch Pflanzen stellt eine Kühlleistung dar, die nur etwa 10 % der Kosten verursacht, die durch eine typische dezentrale Klimaanlage entstehen.	Feng et al., 2010; Mankiewicz et al., 2009
Metaanalyse aus 202 Quellen	Auswahl zu den Ergebnissen der Dachbegrünung (vereinfacht): • Reduktion der Oberflächentemperatur um 1 bis 3 K • Regenwasserretention über alle Untersuchungen hinweg: durchschnittlich 60 % • Minderung des Spitzenabflusses: ca. 70 % • Staubbindung: etwa 1 bis 2 g/(m² · Jahr) • Steigerung des Fotovoltaikertrags auf einem Gründach: ca. 2 % • Installationskosten: extensiv: unter 100 €/m², intensiv: durchschnittlich 350 €/m² • Steigerung des Grundstückswerts: durchschnittlich 8 %	Manso et al., 2021
Metaanalyse aus 800 Quellen zur Wasserreinigung durch Dachbegrünungen	• Die Grauwasserzusammensetzung variiert zwischen den Projekten. • Je nach Zusammensetzung ist das Substrat zu entwickeln. • Im Idealfall führt es zu einer entsprechenden Wasserreingung und gleichzeitig zu gutem Pflanzenwachstum.	Mahmoudi et al., 2021
Details zur Wasserreinigung	• Die Substratstärke ist entscheidend. • Schon bei einem Dach-Reinigungsbiotop mit 20 cm Substrattiefe werden ca. 90 % der Verunreinigungen gebunden. • Beste Pflanze für diese Aufgaben ist die salzvertragende Pflanze *Atriplex halimus*. • Versuche in Deutschland sind hierzu etwa am UFZ durchgeführt worden.	Thomaidi et al., 2022;Zehnsdorf et al., 2019

Tabelle 1.1: Wirkungen der Gebäudebegrünung, vor allem der Dachbegrünung, auf das jeweilige Gebäude und das städtische Umfeld (die Wirkungen sind abhängig von der Ausführung des Gebäudes und der entsprechenden Dämmung und Ventilation; einige Faustwerte) (Fortsetzung)

Faktor	Größenordnung	Literaturquellen
Klimaanpassung und klimatischer Ausgleich	Eigene Temperaturmessungen über 20 Jahre (1999 bis 2018) belegen an einem extensiven Gründach im Vergleich zu einem Kiesdach, dass der nachweisbare Temperaturanstieg im Kiessubstrat (typische städtische Wärmeinsel) bei dem Gründach nicht vorhanden ist. Grund: Verschattung und Verdunstungskühle des gespeicherten Niederschlags. Die Differenz beträgt in diesem Zeitraum etwa 2 °C. Mit der Dachbebegrünung ist die in der Klimadebatte geforderte Absenkung der Oberflächentemperaturen für Dachflächen erreichbar.	Köhler u. Kaiser, 2019
CO_2-Einsparung	Pflanzen benötigen zum Aufbau der Biomasse CO2. Vergleicht man unbegrünte Dächer mit begrünten Dächern, ist der Aufwuchs zunächst eine CO2-Senke (Tabelle 1.2 und Tabelle 1.3). Extensive Dächer haben aber über die Jahre einen nur geringen Zuwachs. Das heißt, in den Folgejahren ist die CO2-Bilanz im Bezug auf die Bindung und spätere Abgabe nahezu ausgeglichen. Auf die Nutzungsdauer (Life Cycle) bezogen haben Getter und Rowe diesen Wert mit etwa 23,6 kg/m^2 angegeben.	Getter u. Rowe, 2006; Getter et al., 2009
	Eine andere Betrachtung stammt von Köhler u. Malorny (2009): Durch die bessere Dämmung und den geringeren Bedarf an Wärme- und Kühlenergie wird auch CO2 eingespart. Für einen Vierpersonenhaushalt im Beispiel-Einfamilienhaus wären das etwa 55 kg pro Jahr und Gebäude.	Köhler u. Malorny, 2009
CO_2-Absenkung über der Gründachfläche	Metaanalyse zur CO_2-Effektivität von 686 Arbeiten aus dem Web of Sciences: Speicherung und Verbrauch sind dabei die Schlüsselworte. Einige Ergebnisse: • 50 cm über Dach-Vegetationsstandorten gibt es eine geringe Konzentrationsabsenkung im Vergleich zur unbegrünten Fläche von ca. 375 auf ca. 370 ppm. • Die CO_2-Konzentration zeigt im Dachsubstrat eine deutliche Absenkung im Winter im Vergleich zur Vegetationsperiode (etwa um die Hälfte), etwa von 1.400 auf 700 g CO_2/m^2.	Shafique et al., 2020
CO_2-Aufnahme extensiver Gründächer	Mit Messungen auf dem BBI-Flughafen konnten über 5 Jahre zwischen 2014 und 2019 die Kohlenstoffaufnahmen in trockenen Jahren mit 95 g C/(m^2 · Jahr) bzw. für feuchte Jahre mit gutem Zuwachs mit ca. 189 g C/(m^2 · Jahr) bestimmt werden. Die CO_2-Aufnahme ist eine Funktion vom Wasserangebot und von der Temperatur. Trockenheit ist abträglich – Bewässerung ist empfehlenswert, in Zeiten des Klimawandels ggf. mit Grauwasser.	Konopka et al., 2020
CO_2-Reduktion durch begrünte Fassaden	Neben der bewährten Fixierung von Kohlenstoff durch höhere Pflanzen in den Wandbegrünungen bieten Themalkollektoren mit Algen ganz hervorragende Möglichkeiten, CO_2 zu binden und das Produkt zu nutzen.	Dover, 2015; Rezazadeh et al., 2022
Feinstaub	Je nach Oberflächenstruktur wirken Gründächer und begrünte Fassaden als „Stoffsenke". Eine Übersicht zahlreicher Quellen ergibt, dass bei den Pkw-gebundenen Schadstoffemissionen 1 m^2 Gründach etwa den Ausstoß eines Pkw binden und ausgleichen kann.	Rowe, 2011
Lärmreduktion	Die Wirkung störenden Verkehrslärms kann durch Begrünungsschichten reduziert werden, im Wesentlichen durch die Lärmadsorption und die Verhinderung von Schwingungen, die bei nicht begrünten Bauteilen eine Reflexion auslösen. 5 db(A) können erreicht werden.	Connelly, 2011; Wong et al., 2010a; Renterghem u. Botteldooren, 2008
	Vergleichbare Wirkungen können auch mit Living Walls erreicht werden. Dazu gibt es Arbeiten aus Singapur und auch aus Neubrandenburg, die eine vergleichbare Größenordnung bei der Reduktion der Schallreflexion belegen.	Köhler u. Milbrandt, 2012
Biodiversität von Tieren	Die Artenzahl ist abhängig von der Lage im Stadtgebiet, der Größe des Habitats und der Strukturvielfalt (Mikrostandort, grob- oder feinkörniges Substrat, trockener oder feuchter Standort). Gründächer können eine hohe Strukturvielfalt aufweisen.	Brenneisen, 2006; Mann, 1995
	Für Fassadenbegrünungen liegen seit Jahren Artenlisten vor, die sich nicht wesentlich verändert haben. Für Living Walls existieren erste Übersichten in Deutschland etwa seit 2011.	Köhler, 1993; Köhler u. Nistor, 2015
Biodiversität von Pflanzen	Je nach Bewässerung und Region können sich verschiedenste Pflanzen von extrem trockenresistenten bis hin zu typischen Gartenarten entwickeln. Die Art des Substrats ist eine wesentliche Voraussetzung für die Entwicklung von Artenvielfalt auf Dächern und an den Fassaden, aber auch in den weiteren Bauweisen der Blau-Grünen Infrastruktur. Moderne Gründächer mit unterschiedlichen Substraten sind meist artenreicher als die etwa 100 Jahre alten „Holzzementdächer". Bei entsprechender Auswahl bei der Planung können sich Gründächer zu Trittsteinbiotopen entwickeln, etwa als Sandmagerrasenhabitat. Darüber hinaus bieten Sukkulenten, etwa *Sedum*-Züchtungen, eine bisher unterschätzte gestalterische Vielfalt auch von Trockenstandorten.	Köhler u. Poll, 2010; Catalano et al., 2016; Catalano et al., 2018; Pille u. Säumel, 2021
Pilzsporenbelastungen durch Innenraumbegrünung	Geht eine Belastung durch die Innenraumbegrünung aus? Die Qualität der Innenraumluft wurde am Beispiel der Bakterienstämme und der Aerosolbelastung durch Mikropilze untersucht. Der Bakterienbesatz variiert zwischen den Bepflanzungsarten. Die Aerosolbelastung lag in allen Fällen unter den von der WHO definierten Werten und kann als unproblematisch eingestuft werden.	Fleck et al., 2020
ökonomisch-ökologische Gesamtbetrachtungen	Die Autoren analysierten knapp 200 ökonomisch-ökologische Studien zu naturbasierten Lösungen (NBS) und verglichen die nachweislichen rechnerischen Effekte mit denen vergleichbarer grauer Infrastruktur. Die Grüne Infrastruktur ist dann Gewinner, wenn soziale und vor allem ökologische Vorteile bepreist berücksichtigt werden. Dieser Aspekt sollte in Zukunft noch weiter ausgearbeitet werden.	Manso et al., 2021

Tabelle 1.2: Kohlenstoffbindung und jährliche CO_2-Fixierung durch die Pflanzen der Dach- und Fassadenbegrünungen

Pflanzen/ Begrünung	Region	gesamt			oberirdisch	Literaturquellen
		Biomasse gesamt in g/m²	Holz-Biomasse in g/m²	Blatt-Biomasse in g/m²	jährliche Produktivität (CO_2-Fixierung)[1] in g/(m² · Jahr)	
oberirdisch Extensivdach 10 cm	Neubranden-burg	1.000–2.500 (+)[2]	–	–	bis 50	Köhler, Untersuchung Hochschule Neubrandenburg, nicht veröffentlicht
oberirdisch einfach intensiv 40 cm	Neubranden-burg	150–300	–	–	50–150	Köhler, Untersuchung Hochschule Neubrandenburg, nicht veröffentlicht
Parthenocissus tricuspidata	Berlin	368–481	95–187	40–76	11–110	Bartfelder u. Köhler, 1987[3]
Parthenocissus tricuspidata	Toulouse	150–1.500	–	–	–	Vignes et al., 1971
Parthenocissus quinquefolia	Berlin	553–1.334	118–662	65–230	450–950	Bartfelder u. Köhler, 1987[3]
Hedera helix	Berlin	1.542	–	–	–	Bartfelder u. Köhler, 1987[3]
Lianen generell	Thailand	1.042	–	–	–	Ogawa et al., 1965
Arrabidaea pleei	Kolumbien	154–176	–	–	–	Heybrock, 1984
Wandbegrünungs-modul	Hongkong	–	–	–	15–63	Pan u. Chu, 2016
zum Vergleich						
Fagus sylvatica	Südschweden	16.200	–	–	685	Nihlgard, 1972
Picea abies	München	16.104	–	–	755	Droste zu Hülshoff, 1970
Urtica dioica	Berlin	26–45	–	–	45	Dapper, 1966

1) Der Kohlenstoffgehalt entspricht 50 % der hier angegebenen Trockenmasse. Um CO_2 zu erhalten, müssen alle Werte mit 3,65 multipliziert werden.
2) Oberirdisch und unterirdisch zusammen, einschließlich Moose- und Flechtenbestand; die übrigen Angaben beziehen sich nur auf den jährlichen oberirdischen Phytomassezuwuchs.
3) Angaben in t/ha Biomasse, umgerechnet in g/m²

Tabelle 1.3: Jahreswerte der CO_2-Bindung durch die pflanzliche Biomasse von extensiv begrünten Dächern und von begrünten Fassaden am Beispiel des Wilden Weines

Faustwerte für jährlichen Zuwachs	Trockenmasse (oberirdisch, jährlich)	C (50 %)	CO_2 (· 3,65)	CO_2-Bindung (Jahreswert)
	in g/(m² · Jahr)			in t/(ha · Jahr)
oberirdisch Extensivdach 10 cm Substrat	50	25	91	0,91
oberirdisch einfach Intensiv 40 cm Substrat	150	75	274	2,74
Parthenocissus tricuspidata	100	50	183	1,83
Parthenocissus quinquefolia	500	250	913	9,13

Tabelle 1.4: Langfristiges Monitoring ausgewählter Gebäudebegrünungen (Daten: Manfred Köhler, nicht veröffentlicht)

Typ	Bezeichnung	Fertigstellung	Untersuchung seit	Monitoring-Programm	Jahre
Dach extensiv	PLU Berlin	1985	1985	Jährliche Vegetationsentwicklung und Qualitätskontrolle	Ca. 35
Dach extensiv	UFA Berlin	1984	1992	Vegetationsentwicklung und Qualitätskontrolle	Ca. 30
Dach extensiv	HS-Neubrandenburg	1999	1999	Vegetationsentwicklung und Qualitätskontrolle	> 20
Kletterpflanzenbegrünung	Efeu Mühle, Neubrandenburg	1880	2000	Jährliche Einschätzung der Bedeckung und Qualität.	> 20
Kletterpflanzenbegrünung	PLU Berlin, Wilder Wein	1985	1985	Jährliche Einschätzung der Bedeckung	Ca. 35
Kübelpflanzenbegrünung	Adlershof, Berlin; Physik	2000	2000	Jährliche Einschätzung der Bedeckung	> 20
modulare Wandbegrünungen	HS-Neubrandenburg	2011	2011–2019	Jährliche Einschätzung, Projekt abgeschlossen	9

verknüpft. Im Idealfall können so neben der ästhetischen Bereicherung auch die Betriebskosten gesenkt werden: also weniger Energie für Heizen und Kühlen und längere Wartungsintervalle für Gebäudeoberflächen.

Praxistipp

Begrünung hilft, die Flächenversiegelung weltweit zu reduzieren. Es gibt nachweisbare Wohlfahrtswirkungen, die durch Pflanzen im direkten Wohn- und Arbeitsumfeld vorhanden sind. Der ökologische Mehrwert von Gebäudebegrünungen erstreckt sich von der besseren Gebäudedämmung bis zur Möglichkeit des Nutzpflanzenanbaus. Und schließlich kann so eine Vernetzung der Vegetation im Umland mit innerstädtischen Strukturen erreicht werden.

Die ökologische wie technische Inspektion einiger ausgewählter Begrünungen (Tabelle 1.4) zeigt die langfristige Haltbarkeit. Bei den beiden Dachbegrünungen waren innerhalb dieses Zeitraums nur wenig gärtnerische Pflege und kaum technische Wartungsarbeiten erforderlich. Sie bezogen sich auf aufsteigende Bauteile, die nicht ausreichend gegen direkte Sonnenstrahlung geschützt waren. Derartige Fehler werden heute von vornherein durch mehr Erfahrung in der erforderlichen Bauweise meist ausgeschlossen.

Der Efeu an der Mühle (siehe Abb. 5.1) bedeckt jetzt über 100 Jahre die Klinker-Vollziegel-Fassaden in Ost-Nord-Ausrichtung. Da es sich um Fassaden mit vielen Fenstern handelt, ist jährlicher Schnitt obligatorisch und wird seit ca. 20 Jahren entsprechend durchgeführt. Schäden sind an der Fassade durch den Bewuchs nicht festzustellen.

Die Begrünung mit Wildem Wein am Projekt PLU in Berlin wurde ergänzend zu den hängenden Pflanzkübeln mit 4 bodengebundenen Pflanzen 1984 ausgeführt. Nach etwa 5 Jahren war die volle Traufhöhe bewachsen (siehe Abb. 5.36 aus dem Jahr 2011). Die jährliche Pflege besteht in einem gelegentlichen Rückschnitt aus den Fenstern. Nach etwa 30 Jahren wurde eine dieser Pflanzen im Hof

Abb. 1.17: Gesamtansicht Richtung Südost des Gebäudes PLU, Bestand im Jahr 2019. Am Bildrand ist erkennbar, dass ein Strang des Wilden Weines im Hof gekappt wurde und hier nun eine Pflanzlücke zu sehen ist.

(mutwillig) gekappt, die übrigen ¾ der Fassaden sind weiterhin optimal bewachsen und fit (Abb. 1.17).

Die Begrünung der Fassaden am Projekt Physikgebäude Berlin-Adlershof, bestehend aus 5 Höfen mit 150 Pflanzkübeln und bodengebundenen Kletterpflanzen, hat ebenfalls nach etwa 5 Jahren eine etwa 80 %ige Bedeckung der Kletterhilfen als Fassadenverschattung erreicht (siehe Abb. 5.4 und Abb. 5.5). Hier gab es nach etwa 10 Jahren einen etwas größeren frostbedingten Ausfall in einigen Pflanzkübeln. Die Überlegenheit der bodengebundenen Pflanzen zeigte sich. Jährlicher Schnitt ist erforderlich, aber einfach über die fest installierten Pflegegänge möglich.

Die Untersuchungen der modularen Wandbegrünungen an der Hochschule Neubrandenburg sind mit ihren 9 Jahren eine vergleichsweise kurze Begutachtung. Diese Zeitspanne repräsentiert die Etablierungs- und typische Betriebsphase. Während in den ersten 2 Jahren viel Umbildung in der Artenzusammensetzung erfolgte, reduzierte sich der Pflegeaufwand bezüglich der Pflanzen erheblich. Der regelmäßige

Kontrollaufwand der Bewässerungsanlage bleibt und ist herstellerbedingt unterschiedlich umfangreich zu gewährleisten.

Gebäudebegrünung in den EU-Programmen

In den letzten 10 Jahren ist aus den Erkenntnissen der Forschungsprojekte, etwa der Horizon-2020-Projekte, eine ganze Reihe von Umsetzungsstrategien abgeleitet worden. Das setzt sich mit dem Folgepaket Horizon Europe hoffnungsvoll fort. Innerhalb der Programme zur Grünen Infrastruktur ist die Gebäudebegrünung eine prominente Maßnahme, die zur Klimaanpassung eingesetzt wird. Hervorzuheben ist das Programm zur Neuen Bauhausinitiative. In Anlehnung an LeCorbusier, der vor etwas 100 Jahren Grundlagen mit seiner Architektur legte und die Mehrfachnutzung der Grundstücke betonte, ist die aktuelle Initiative ein Zusammenschluss vieler Gruppen mit der Aufgabe, diese Planungsideen in die heutige Zeit zu übertragen und daraus Strategien zum Klimawandel und zu den weiteren aktuellen Herausforderungen zu entwickeln. In den nachfolgenden Kapiteln wird der Blick auf die technischen Besonderheiten der Gebäudebegrünung gelenkt. Diese Initiativen setzen auf kommunaler Ebene, zum Teil mit finanzieller Unterstützung der Programme „Grün in die Stadt“, erfolgreich an: Sie fördern nicht nur die bloße Begrünung, es soll vielmehr jeweils ein Beitrag zur Grünen Infrastruktur als Maßnahme gegen die Folgen des Klimawandels oder ein Beitrag zur Blau-Grünen Infrastruktur geleistet werden.

2 Grüne Bauwerke als Beitrag zum Klimaschutz

Bernhard Scharf, Florian Kraus

2.1 Einleitung

Das globale Klima ändert sich. Der im August 2021 erschienene Bericht des IPCC (Summary for policymakers, 2021) belegt dies eindrücklich. Die Erderwärmung wird sehr wahrscheinlich bereits rund um die Mitte des 21. Jahrhunderts die 2 °C-Marke erreichen bzw. überschreiten. Doch was bedeutet dies für Städte und Siedlungsräume in Deutschland und Europa?

Zunächst einmal bedeutet eine durchschnittliche Erwärmung des globalen Klimasystems nicht, dass die Veränderung global einheitlich verläuft. Die Atmosphäre über den Landmassen erwärmt sich überdurchschnittlich, die Ozeane bleiben kühler. Zusätzlich sind die Polargebiete signifikant stärker von der Erwärmung betroffen als andere Regionen der Erde (Abb. 2.1)

Für Deutschland bedeutet dies eine Zunahme der jährlichen Durchschnittstemperatur um rund 3 °C, sofern das globale 2 °C-Ziel eingehalten wird. Als Folge der Veränderung des globalen Klimasystems ändert sich auch das regionale Wettergeschehen: Extreme Wetterereignisse werden vermehrt auftreten. Dazu zählen nicht nur Hitzewellen und Dürren, sondern auch schwere Niederschläge und Überschwemmungen (Abb. 2.2 und Abb. 2.3).

Wetterextreme führen zu verheerenden Folgen für Menschen, ihre Gesundheit sowie ihr Eigentum und bedeuten letztlich einen Schaden für die gesamte Gesellschaft und Wirtschaft. Im Vergleich zur Referenzperiode 1850 bis 1900 werden Hitzeextreme, die üblicherweise einmal in 50 Jahren vorkommen, bis zu 40-mal häufiger auftreten!

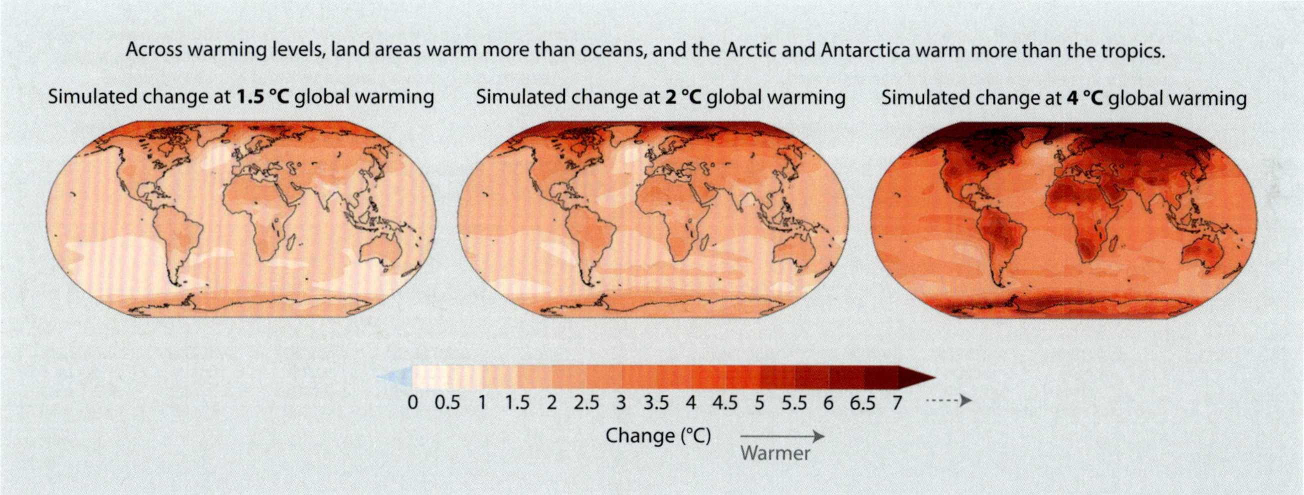

Abb. 2.1: Änderung der durchschnittlichen regionalen Jahrestemperatur im Vergleich zur Referenzperiode von 1850 bis 1900 in Abhängigkeit der durchschnittlichen globalen Erwärmung bis zur Jahrhundertwende (Quelle: IPCC Summary for policymakers, 2021, Abb. SPM.5A)

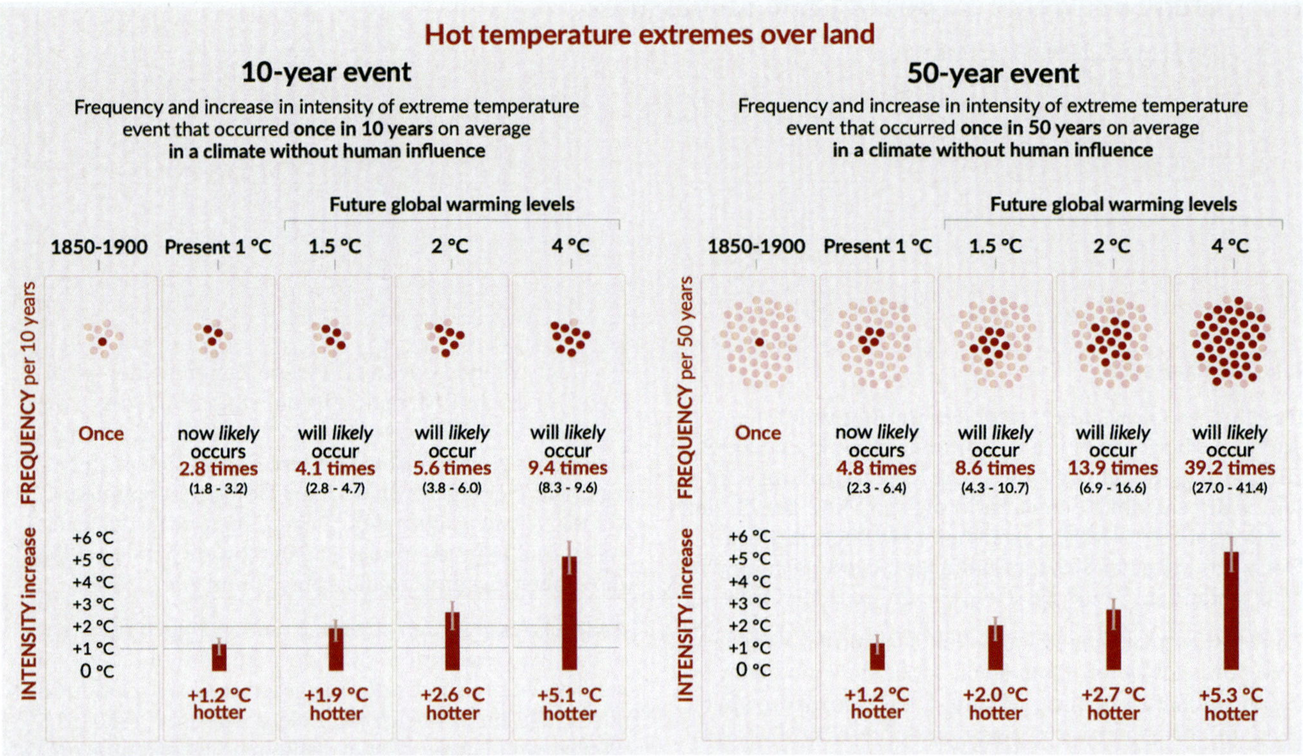

Abb. 2.2: Änderung der Häufigkeit von Hitzeperioden innerhalb von 10 (links) und 50 Jahren (rechts) im Vergleich zur Referenzperiode 1850 bis 1900 in Abhängigkeit der durchschnittlichen globalen Erwärmung bis zur Jahrhundertwende (Quelle: IPCC, Summary for policymakers, 2021, Abb. SPM.6)

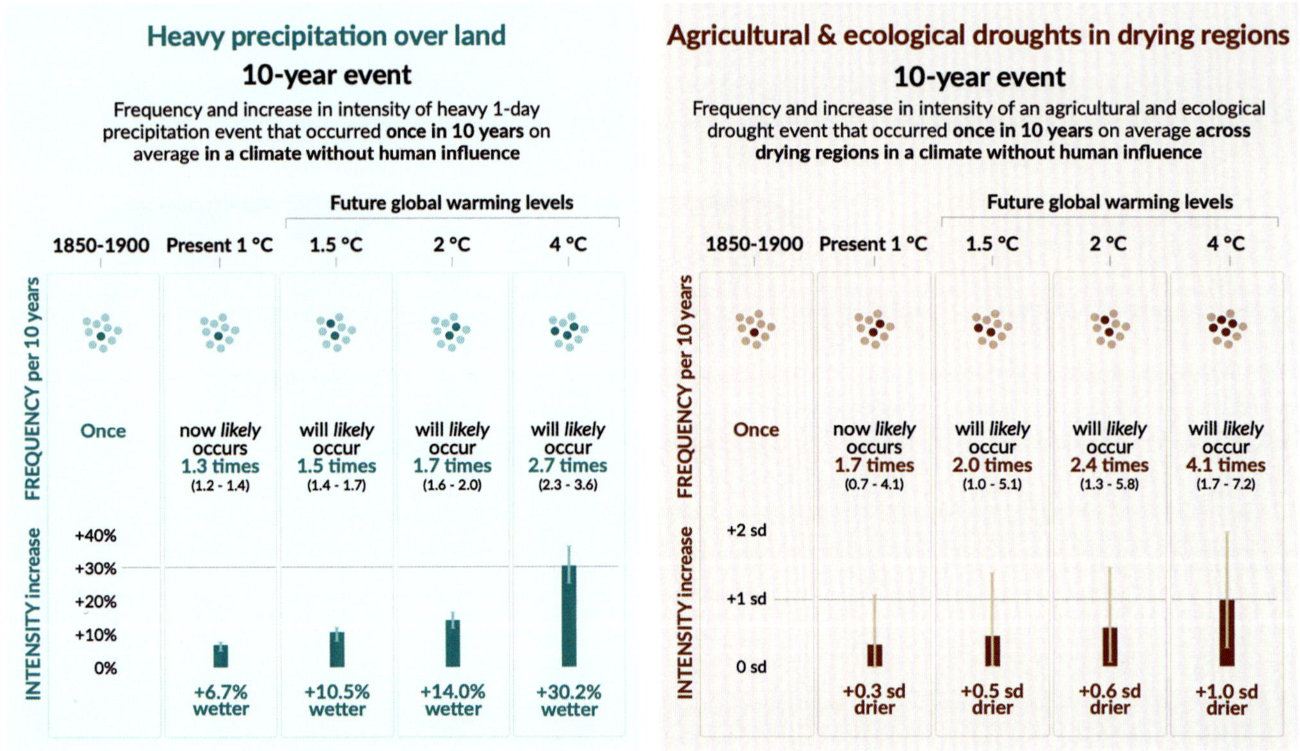

Abb. 2.3: Änderung der Häufigkeit von Starkregenereignissen (links) bzw. Dürreperioden (rechts) in einem Zeitraum von 10 Jahren im Vergleich zur Referenzperiode 1850 bis 1900 in Abhängigkeit der durchschnittlichen globalen Erwärmung bis zur Jahrhundertwende (Quelle: IPCC, Summary for policymakers, 2021, Abb. SPM.6)

Abb. 2.4: Die dichte und versiegelte Stadt am Beispiel Hongkongs

Abb. 2.6: Überschwemmung in Meissen an der Elbe (Pixabay, 2022)

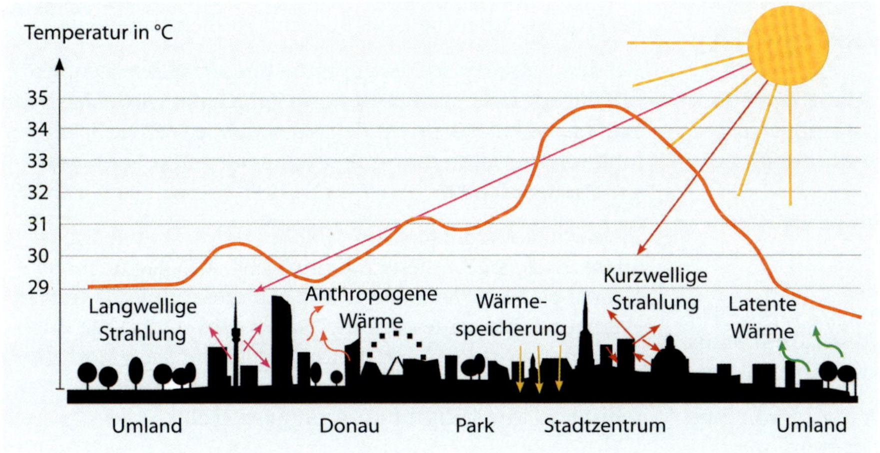

Abb. 2.5: Der urbane Hitzeinsel-Effekt am Beispiel Wiens (Urban Heat Islands – Strategieplan Wien, 2015, S. 7)

2.2 Gebäudegrün im Klimawandel

Urbane Räume sind von einem hohen Grad an Versiegelung und einem Mangel an Grünräumen geprägt. Die Gebäude, Verkehrs- und Freiflächen bestehen aus mineralischen Baustoffen, die viel Energie aufnehmen und speichern können (Abb. 2.4). Dazu reduzieren die Gebäude die Durchlüftung, sodass kühle Luftströme aus der Umgebung nur eingeschränkt einströmen und für nächtliche Abkühlung sorgen können.

Diese Eigenschaften von Städten verstärken die Folgen des Klimawandels zusätzlich. Das Phänomen der urbanen Hitzeinseln wurde in den letzten Jahrzehnten zunehmend bekannt. Es beschreibt den Temperaturunterschied zwischen Stadtzentren und der Stadtumgebung (Abb. 2.5). Je nach Größe, geografischer Lage und Topografie kann es dabei zu einem Lufttemperaturunterschied von über 5 °C kommen. Man spricht in diesem Kontext vom sogenannten Hitzeinsel-Faktor bzw. städtischen Hitzeinseln.

Gleichzeitig führt die hohe Versiegelung gepaart mit häufigeren und intensiveren Starkregen zu pluvialen Überschwemmungen (Abb. 2.6).

Grüne Infrastrukturen können die Folgen des Klimawandels in Städten und Siedlungsräumen wirksam abmindern. Dies belegen zahlreiche deutsche und internationale Studien, wie etwa das Weißbuch Stadtgrün (Weißbuch Stadtgrün, 2007) oder die United Nations (Ecosystem-based Adaptation, 2022). Unter den grünen Infrastrukturen nehmen die Bauwerksbegrünungen aus mehreren Gründen eine besondere Rolle ein.

Betrachtet man eine typische urbane Bebauung, wie z. B. die Innenstadt von Duisburg, so zeigt sich, dass die Gebäude etwa die Hälfte der gesamten Grundfläche ausmachen (Tabelle 2.1). Die Fassadenflächen übersteigen sogar die Grundfläche der Innenstadt deutlich. Die Gebäude sind somit die mit Abstand größten Oberflächen einer Stadt und in der Folge auch in hohem Maße für das städtische Klima und die Resilienz gegen Hitze und Starkregen verantwortlich.

Tabelle 2.1: Beispielhafte Aufschlüsselung der Oberflächen einer deutschen Innenstadt am Beispiel Duisburgs aus dem Duisburg Green Impact Guide (Scharf et al., 2022)

Klassifikation	**Orientierung**	**Größe (m³)**
Projektgebietsfläche		120.316
Projektgebietsoberfläche		264.565
Gebäudevolumen		845.926
Gebäudeoberfläche		202.753
Gebäudefläche		58.504
Dachfläche		60.336
Wandfläche	West	38.898
	Ost	38.898
	Süd	33.202
	Nord	33.244
Summe		**144.241**

2.3 Wirkungen von Gebäudegrün – der grüne Schutzschirm

Wenn man Pflanzen mit einem Elektronikgerät vergleichen möchte, dann wäre dies wohl das Smartphone. Denn Pflanzen sind multifunktionell, ja sogar multitaskingfähig. Tatsächlich wirken Pflanzen auf zahlreiche Prozesse ein und entfalten viele für Menschen essenzielle Wirkungen. Man spricht in diesem Kontext von sogenannten Ökosystemdienstleistungen. Die im Umweltschutzprogramm der Vereinten Nationen angesiedelte und von der EU-Kommission sowie dem Deutschen Ministerium für Umweltschutz unterstützte Forschungsinitiative The Economics of Ecosystems and Biodiversity (TEEB) erstellte bereits 2011 ein Handbuch für Städte, das die Ökosystemdienstleistungen in 4 Kategorien unterteilt (TEEB Manual for Cities, 2011):

- Versorgungsleistungen: Dazu zählen Lebensmittel, Rohstoffe, Frischwasser und Medikamente.
- Regulierende Leistungen: Dazu zählen Klimaregulation, Luftreinigung, Kohlenstoffspeicherung, Abmilderung von Wetterextremen, Erosionsschutz, Bestäubung und Schmutzwasserreinigung.
- Habitatfunktion: Dazu zählen offensichtlich die Bereitstellung von Lebensraum – auch für Menschen – und der Erhalt der Artenvielfalt.
- Kulturelle Leistungen: Dazu zählen Erholung und Erhalt der physischen und psychischen Gesundheit, Tourismus, Ästhetik und Inspiration für Kunst sowie Spiritualität.

Im Folgenden wird auf die regulierende Wirkung von Bauwerksbegrünung im Zusammenhang mit dem urbanen Energie- und Wasserhaushalt näher eingegangen. Denn diese ist elementar für die Anpassung an den Klimawandel und die Resilienz von Städten gegen Wetterextreme. Wenn dabei Vergleiche von Bauwerksbegrünungen mit alternativen Materialien und Technologien angestellt werden, darf nie vergessen werden, dass Pflanzen nicht monofunktional sind, wie etwa ein Dämmstoff, sondern dass immer alle Ökosystemdienstleistungen betrachtet und bewertet werden müssen.

2.3.1 Wirkung auf den Energiehaushalt

Der bestimmende Parameter des Energiehaushalts der Stadt ist die Sonne. Diese liefert, je nach geografischer Lage bzw. nördlicher Breite, Solarstrahlung an die Erd- bzw. Gebäudeoberfläche und erwärmt die Atmosphäre. Dieser Prozess kann vom Menschen nicht beeinflusst werden, es bleibt also nur, auf diese Gegebenheiten zu reagieren. Einerseits bedeutet dies natürlich, Klimaschutzmaßnahmen umzusetzen und den CO_2-Gehalt der Atmosphäre zu reduzieren. Andererseits lassen sich die Neuplanung bzw. Anpassung der Städte an den Klimawandel auf die eintreffende Sonnenstrahlung durch eine kluge Wahl der Materialien und gezielten Einsatz von Bauwerksbegrünungen abstimmen. So kann der Energiehaushalt optimiert werden. Denn der urbane Energiehaushalt folgt physikalischen Prinzipien und Prozessen.

Reflexion

Wenn Sonnenstrahlung auf eine Oberfläche trifft, wird je nach Materialeigenschaften ein bestimmter Anteil der Sonnenstrahlung reflektiert, also zurückgeworfen. Man spricht vom sogenannten Albedo-Effekt. Dabei ist die Farbe des Materials der bestimmende Faktor: Der perfekte schwarze Körper würde die gesamte eintreffende Strahlung absorbieren und einen Albedo-Wert von 0 aufweisen; der perfekte weiße Körper würde diese vollständig reflektieren und einen Albedo-Wert von 1 erreichen. Es gilt also: Je höher der Albedo-Wert, desto mehr Sonnenstrahlung wird reflektiert. Die Frage ist jedoch: Wohin?

Horizontale Flächen werfen Sonnenstrahlung zurück in die höheren atmosphärischen Schichten und entlasten somit den Energiehaushalt der Stadt (Abb. 2.7). In manchen Ländern, wie den USA, hat dieses physikalische Prinzip zur Förderung von weißen Dächern und Straßen geführt. Allerdings muss kritisch hinterfragt werden, wie lange diese Oberflächen weiß bleiben und welchen Beitrag sie zum Wasserhaushalt und zur Biodiversität leisten. Zusätzlich führt eine starke Reflexion von Oberflächen zu einer Minderung der Aufenthaltsqualität und zu Blendeffekten.

Bei den Fassaden wiederum muss hinterfragt werden, wohin die eintreffende Strahlung weitergeleitet wird. Denn der Einfallswinkel entspricht dem Ausfallswinkel. Die Strahlung wird somit in die Straßenschluchten und Freiräume der Stadt gerichtet.

Pflanzen, oder genauer: ihre Blätter, reflektieren lediglich 10 bis 20 % der Sonnenstrahlung (Abb. 2.8). Sie nehmen also 80 bis 90 % der Energie auf. Mit dieser Energie treiben Pflanzen Fotosynthese. In diesem Prozess nimmt die Pflanze Kohlendioxid auf und gibt im Gegenzug Sauerstoff ab. Außerdem verdunstet sie dabei Wasser und kühlt sich selbst und ihre Umgebung wirkungsvoll ab.

Thermische Speicherung oder Materialerwärmung

Der Anteil der Sonnenstrahlung, der nicht reflektiert wurde, wird von den getroffenen Materialien aufgenommen. Dies führt zunächst zu deren Erwärmung. Dabei spielt natürlich neben der eintreffenden Energiemenge auch die spezifische Wärmekapazität des Materials eine zentrale Rolle. Unter dieser versteht man die Energiemenge, die benötigt wird, um 1 g eines Materials um 1 °C zu erwärmen (Tabelle 2.2). Dabei fällt die Sonderstellung von Wasser auf, das etwa 4-mal mehr Energie benötigt, um sich zu erwärmen, als alle anderen natürlichen Materialien. Dies kommt wiederum den Pflanzen zugute, bestehen doch ihre Blätter hauptsächlich aus Wasser und Luft.

Tabelle 2.2: Beispielhafte Wärmekapazität unterschiedlicher urbaner Materialien bei einer Temperatur von 20 °C (Quelle: Scharf, 2020, Tabelle 4)

Material	Wärmekapazität (J/[g · K])
Asphalt	0,92
Ziegel	0,84
Beton	0,88
Putz	0,90
Glas	0,67
Luft	1,00
Wasser	4,18
Boden trocken	0,80
Boden feucht	1,48

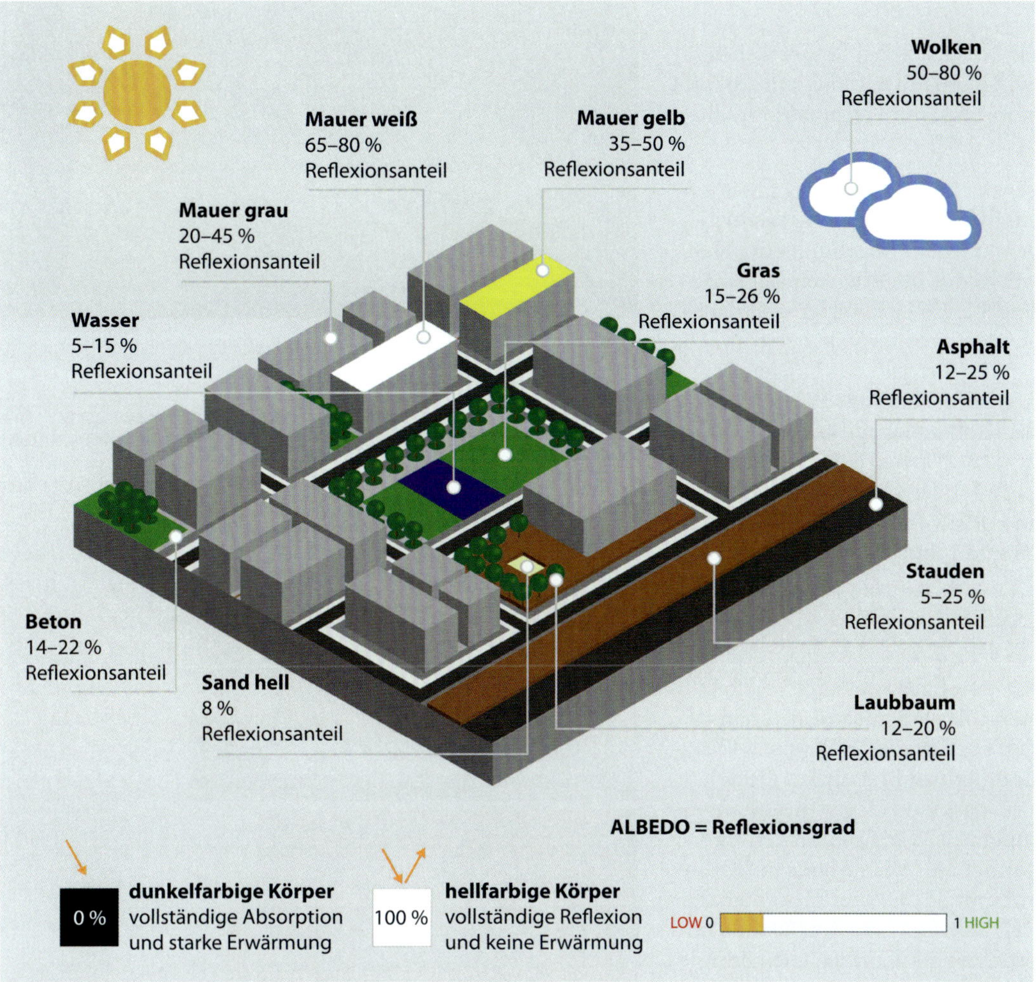

Abb. 2.7: Albedo bzw. Reflexionsgrad urbaner Oberflächen

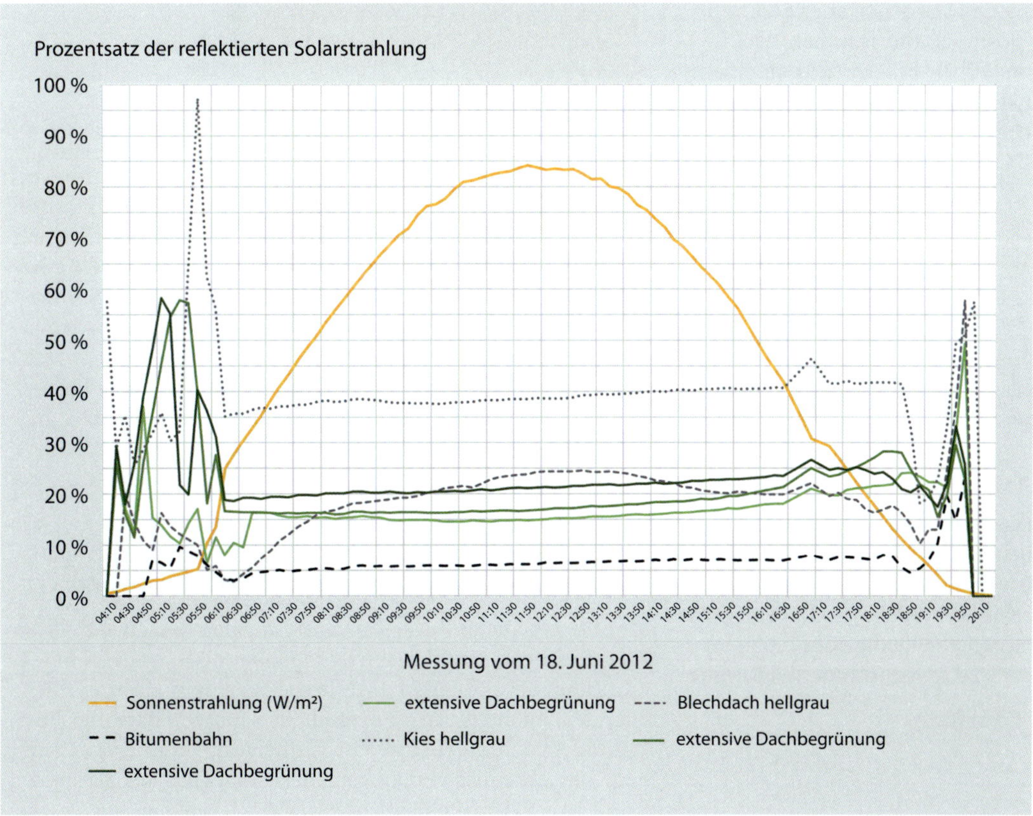

Abb. 2.8: Anteil der reflektierten Solarstrahlung unterschiedlicher Dachbauformen (nach Scharf et al., 2012)

Verdunstungskälte

Ein ganz wesentlicher Effekt wirkt sich bei Bauwerksbegrünungen und Pflanzen allgemein positiv auf das Mikroklima und die urbane Überwärmung aus: die Verdunstungskälte bzw. Evapotranspiration (Abb. 2.9).

Diese kann als der Schlüssel zur Hitzereduktion in Städten bezeichnet werden. Denn die Verdunstung von Wasser benötigt große Energiemengen, die der Umgebung entzogen werden. Dadurch werden nicht nur die Pflanzen selbst gekühlt, sondern auch der umgebende Luftkörper und damit die Stadt. Man spricht auch vom latenten Wärmestrom. Die Pflanzen bleiben dadurch stets unterhalb der Lufttemperatur, vorausgesetzt, sie sind entsprechend mit Wasser versorgt. Pflanzen sind also die Klimaanlagen für die Stadt. Sie entziehen ihrer Umgebung aktiv Wärme, jedoch ohne dabei klimaschädliche Abwärme, CO_2 oder Lärm zu produzieren. Zudem können Pflanzen in Form von Bauwerksbegrünungen vergleichsweise einfach und robust überall in der Stadt installiert werden.

Wärmeabstrahlung

Eine unmittelbare Folge der Materialerwärmung ist die Wärmeabstrahlung, auch sensibler Wärmestrom genannt. Dabei gelten die Gesetze der Thermodynamik (siehe Formel 2.1) von Josef Stefan und Ludwig Boltzmann (1884). Diese besagen beispielsweise, dass ein Körper in Abhängigkeit seiner Oberflächentemperatur Wärme emittiert, und zwar zur 4. Potenz. Dabei findet die Wärme aber in °K Eingang. Das heißt, eine Pflanze mit 25 °C Oberflächentemperatur emittiert mit 308,15 °K, während eine Putzfassade mit einer Oberflächentemperatur von 50 °C in die Gleichung mit 333,15 °K eingeht. Die Putzfassade erwärmt im Gegensatz zur Fassadenbegrünung den vorbeiströmenden Luftkörper, erzeugt also einen positiven thermischen Abluftstrom (Abb. 2.10). In Summe führt dieser Effekt zu einem sukzessiven Erwärmen der städtischen Luftmassen und verursacht Hitzeinseln sowie thermischen Stress bei Menschen.

Stefan-Boltzmann-Gleichung:

$$Q = \varepsilon \cdot \sigma \cdot A \cdot T^4 \tag{2.1}$$

mit

Q	Wärmeemission
ε	Emissivität
σ	Stefan-Boltzmann-Konstante
A	Oberflächengröße
T	Oberflächentemperatur

Wärmeleitung

Die Erwärmung von Oberflächenmaterialien führt nicht nur zur Wärmeabstrahlung, sondern auch zur Wärmeleitung zu dahinter bzw. darunter liegenden Schichten des Dach- oder Wandaufbaus. Die weitergeleitete Energiemenge hängt ebenso von 3 Faktoren ab wie die vom darunter bzw. dahinter liegenden Material aufgenommene Energie:

- absorbierte eintreffende Strahlung,
- Wärmekapazität,
- Wärmeleitfähigkeit.

Abb. 2.9: Evapotranspiration durch Pflanzen (Quelle: Pixabay, 2019, nachbearbeitet von Scharf)

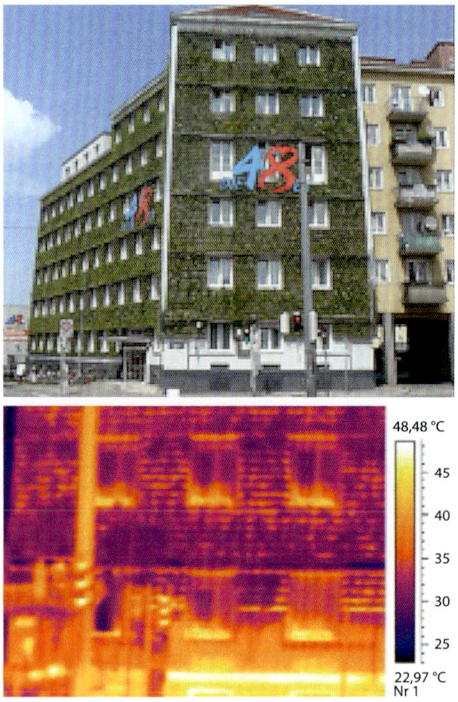

Abb. 2.10: Thermografie (unten) und Echtbild (oben) einer Putzfassade im Vergleich zu einer begrünten Fassade

Die Thermografie in Abb. 2.10 verdeutlicht das thermische Verhalten einer Wärmedämm-Verbundfassade, häufig auch als Vollwärmeschutz bezeichnet. Der hellgraue Putz nimmt Solarstrahlung auf und erwärmt sich. Die darunter liegende Dämmebene weist jedoch, wie es ihre Aufgabe als Dämmstoff ist, eine sehr geringe Wärmeleitfähigkeit auf. Somit verbleibt der überwiegende Teil der absorbierten Energie im Putz und erwärmt diesen bis auf 50 °C. Bei einem Massivwandaufbau z. B. aus Ziegel würde die Putzoberfläche kühler bleiben und tagsüber weniger Hitze emittieren. In der Nacht jedoch strahlen derartige Fassaden die gespeicherte Wärme in die Innenräume und die Stadt ab.

Dies führt bei langanhaltenden Hitzeperioden zu Überwärmung, Tropennächten und zahlreichen negativen Folgen für Menschen sowie ihre Lebensqualität und Gesundheit.

Im Gegensatz zu Putz, Kies und Bitumen heizen sich Pflanzen nicht auf, strahlen weder tagsüber noch nachts Hitze in die Stadt ab und leiten auch keine Wärme in darunter liegende Schichten. Im Gegenteil: Sie schützen darunter liegende Schichten effektiv vor Aufheizung, können geschickt zur Verschattung von Glasflächen eingesetzt werden und sind daher der Schlüssel zu einer erfolgreichen Anpassung an den Klimawandel. Dabei sind Pflanzen und ganz be-

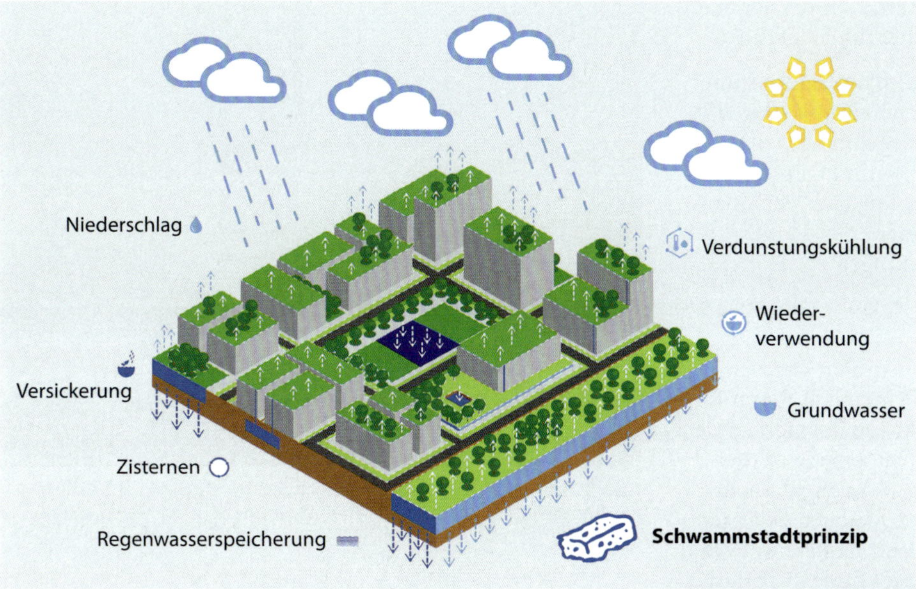

Abb. 2.11: Das Prinzip der Schwammstadt

sonders Bauwerksbegrünungen alternativlos. Es gibt keine Maschine oder Technologie, die eine Stadt kühlen könnte. Dafür sind die Energieströme, die Luftvolumina und die Strukturen zu komplex und zu groß.

Praxistipp

Je mehr Sonnenstrahlung eine Bauwerksbegrünung aufnimmt und je mehr sie vom Wind überströmt wird, desto klimatisch wirksamer ist sie.

Damit Pflanzen aber diese unverzichtbaren Leistungen erbringen können, muss ihr Einsatz im Rahmen der Bauwerksbegrünung fachgerecht geplant werden. Die art- und bedarfsgerechte Versorgung der Pflanzen mit Wasser und Nährstoffen nimmt dabei eine zentrale Rolle ein.

2.3.2 Wirkung auf den Wasserhaushalt

Wasser ist ein einzigartiges Element und für den Menschen überlebenswichtig. Es ist aber auch der Schlüssel in der Frage, wie eine Anpassung an den Klimawandel und die Steigerung der Resilienz urbaner Räume gegen Hitze und Starkregen gelingen können. Dazu ist jedoch nichts weniger als eine Umkehr der üblichen Praxis der Regenwasserentsorgung hin zu einer kleinräumigen und nachhaltigen Regenwasserspeicherung und -bewirtschaftung erforderlich. Man spricht in diesem Zusammenhang auch vom Schwammstadtprinzip (Abb. 2.11). Die Stadt wird als Schwamm verstanden, der auftreffendes Regenwasser dort „aufsaugt" und speichert, wo der Regen fällt. Dieses Wasser wird in der Folge zur Versorgung der Vegetation genutzt.

Dass dies mit heutigen technischen Lösungen und planerischer Fachkompetenz möglich ist, zeigen mittlerweile zahlreiche Leuchtturmprojekte, wie etwa der Potsdamer Platz in Berlin. Dort spielen auch Bauwerksbegrünungen in Form von 1,2 ha Gründächern eine wesentliche Rolle. Auch international setzt sich das Prinzip der Schwammstadt immer weiter durch, wie Beispiele aus Skandinavien

Abb. 2.12: Dachlandschaft der Biotope City Wienerberg

Abb. 2.13: Beispiel einer versiegelten und grünbefreiten Stadtlandschaft

(Oslo Nansen Park Fornebu) oder auch Österreich (Biotope City Wienerberg) zeigen (Abb. 2.12). Das Ziel sollte ein möglichst naturnaher Wasserhaushalt sein, der zu guter Pflanzengesundheit und Klimaregulation, aber auch zu einer natürlichen Grundwassererneuerung führt.

Die gebaute Realität sieht anders aus (Abb. 2.13). Der überwiegende Teil der bestehenden Städte und leider auch viele neue Stadtentwicklungsgebiete sind stark versiegelt und folgen dem alten Prinzip der schnellstmöglichen Regenwasserentsorgung. In größeren Städten sind rund 90 % aller Oberflächen versiegelt. In der Folge wird das Kühlmittel der Stadt, das Regenwasser, in den Kanal abgeleitet und abgeführt.

Dazu kommt, dass die aufgrund des Klimawandels immer häufigeren und intensiveren Starkregenereignisse und die hohen Abflussspitzen infolge der Versiegelung das örtliche Kanalsystem überfordern können. Es kommt zu pluvialen Überschwemmungen, Sach- und zum Teil auch Personenschaden. Dies gilt es unter anderem durch den klugen und gezielten Einsatz von Bauwerksbegrünungen zu vermeiden.

Grüner Wasserspeicher

Wie der Energiehaushalt folgt auch der urbane Wasserhaushalt bestimmten Prozessen und Prinzipien. Wenn Regenwasser auf eine Pflanze trifft, so bleiben Tropfen an den Blättern und Ästen haften. In der Fachsprache wird dies Interzeption genannt. Bäume können so bis zu 30 % des Jahresniederschlags nur mit ihren oberirdischen Pflanzenteilen zurückhalten (Brechtel, 1990). Fällt Regen auf Böden oder Pflanzsubstrate, so kann das Wasser diese infiltrieren. Der gesamte Wurzelraum von Pflanzen wird so zum Regenwasserspeicher. Die Speicherleistung hängt maßgeblich vom Boden- bzw. Substratvolumen ab. Bauwerksbegrünungen wurzeln typischerweise in technischen Pflanzsubstraten. Diese sind in der Lage, 30 bis 40 Vol.-% an Wasser zu speichern. Das bedeutet, dass in 1 m^3 Pflanzsubstrat bis zu 400 l Wasser gespeichert werden können.

Bestehen aus statischen Gründen – insbesondere bei der Bestandsanierung – Einschränkungen bezüglich der möglichen Auflast an der obersten Geschossdecke, so können Pflanzsubstrate reduziert und mit Wasserspeicherelementen kombiniert werden. Details dazu sind im Kapitel 4 zu finden. Gerade an Dächern können mit den heutigen Technologien Niederschläge problemlos nahezu zur Gänze gespeichert und den Pflanzen zur Kühlung zur Verfügung gestellt werden. Falls die Wasserspeicherkapazität der Bauwerksbegrünungen nicht ausreicht, bietet sich die Errichtung einer Zisterne an, die dann wiederum zur Bewässerung der Pflanzen oder auch als Speicher für Brauchwasser im Gebäude dienen kann. Übrigens können auch versiegelte Flächen an Zisternen angeschlossen werden – so kann mehr Regenwasser geerntet werden. Im Englischen spricht man tatsächlich vom „Rainwater Harvesting". Abflusswirksame Flächen werden nach diesem Prinzip zu bewässerungswirksamen Flächen. Dies ist insofern von großer Relevanz, weil sich in Zukunft Starkregenereignisse und Hitze- bzw. Dürreperioden abwechseln werden (siehe Abb. 2.1, Abb. 2.2 und Abb. 2.3). Durch den Einsatz von Bauwerksbegrünungen und gegebenenfalls ergänzenden Speichermethoden können Starkregen vor Ort ohne nennenswerten technischen Aufwand gespeichert werden, um dann in einer darauffolgenden Hitzewelle die Pflanzen zu versorgen und die Stadt effektiv zu kühlen.

> **Praxistipp**
>
> Je höher das Substratvolumen bzw. das Speichervolumen, desto wirksamer helfen Bauwerksbegrünungen gegen Starkregenereignisse sowie pluviale Überflutungen und desto resilienter sind sie gegen Hitzestress und Dürreperioden.

Abb. 2.14: Wirkung unterschiedlicher Substrattiefen auf Artenzusammensetzung und Vitalität eines Gründachs am Beispiel einer Aufhügelung

2.4 Biodiversität und Nachhaltigkeit

2.4.1 Biodiversität

Die Themen Biodiversität und Nachhaltigkeit gewinnen in der öffentlichen Wahrnehmung zunehmend an Bedeutung. Dabei ist es jedoch notwendig, diese sehr generellen Begriffe immer in einen Kontext, z. B. den der Bauwerksbegrünung, zu stellen und differenziert zu betrachten.

Biodiversität beschreibt grundsätzlich die genetische Vielfalt an Arten, sowohl der Fauna als auch der Flora. Je größer die Artenvielfalt, desto stabiler sind Ökosysteme. Der teils dramatische Verlust an Artenvielfalt, beispielsweise in der Vogel- und Insektenwelt, führt also zu einer Destabilisierung der Ökosysteme und bedroht letztlich auch die menschliche Existenz. Bücher, wie der „Stumme Frühling" (Carsen, 1962), thematisierten die Auswirkungen des Artenverlusts und die resultierenden Folgen für den Menschen bereits in den 60er-Jahren des 20. Jahrhunderts. Bis heute nehmen Artenvielfalt und Individuenzahl unzähliger Tier- und Pflanzenarten dramatisch ab. Letztlich kann Biodiversität als Indikator für die Überlebenswahrscheinlichkeit der Menschheit angesehen werden.

Es gilt also, die Potenziale der Stadt als Lebensraum für Tiere und Pflanzen unbedingt zu nutzen. Dabei kommt der Bauwerksbegrünung eine wesentliche Rolle zu. Zum einen bietet sie selbst Lebensraum, zum anderen dienen Begrünungen auch zur Biotopvernetzung. Bei Dachbegrünungen kann durch eine höhere Substratauflage auch eine größere Vielfalt der Pflanzenarten und in der Folge der Tierarten erzielt werden (Abb. 2.14).

Die Modellierung der Oberflächen unterstützt die Artenvielfalt zusätzlich. An Fassaden können unterschiedliche Kletterpflanzen etabliert werden, die als Schutz, Nistplatz und Nahrungsquelle dienen, wie beispielsweise der immergrüne Efeu, in dem sich im Winter Vögel und Insekten tummeln, oder die blütenprächtigen Wisterien als Leckerbissen für Insekten. Ein noch größeres Artenspektrum bieten die sogenannten wandgebundenen Fassadenbegrünungen, die mehrere hundert Stauden- und Gräserarten beherbergen können (Abb. 2.15).

Abb. 2.15: Artenreiche Gräser- und Staudenbepflanzung eines wandgebundenen Fassadenbegrünungssystems (Quelle: Living Panels #NatureBASE, 2022, S. 14)

Es besteht die Möglichkeit, sowohl an Dächern als auch an Fassaden artgerechte Nistplätze und Lebensräume für verschiedene Tierarten zu schaffen. Eine gute Grundlage zu dieser Thematik bietet das Buch „Animal-aided Design" von Hauck und Weisser (2015). Mittlerweile weisen Städte zum Teil eine höhere Artenvielfalt als die ausgeräumten Kulturlandschaften der Land- und Forstwirtschaft auf und sind beispielsweise für Bienen zu einem sicheren Rückzugsort geworden.

Praxistipp

Je vielfältiger die Lebensraumstrukturen, desto höher ist die Artenvielfalt der Pflanzenwelt und in der Folge auch der Tierwelt.

2.4.2 Nachhaltigkeit

Die Nachhaltigkeit bzw. die Lebenszyklusbetrachtung stellen ein sehr komplexes, aber auch wichtiges Themenfeld für die Bauwerksbegrünung dar. Während der Energieeinsatz in Produktion, Transport, Installation und Betrieb sowie die Rezyklierbarkeit überwiegend nachvollziehbar dargestellt werden können, mangelt es nach wie vor an einer differenzierten Analyse und Bewertung der vielen positiven Effekte von Bauwerksbegrünungen und der Gegenüberstellung der Opportunitätskosten. Mithilfe von State-of-the-Art-Planungstools, wie GREENPASS, können Ökosystemdienstleistungen zwar numerisch dargestellt werden. Eine Berücksichtigung in einer Lebenszyklusbetrachtung ist jedoch nur sehr eingeschränkt möglich und meist auf die bloße CO_2-Speicherung oder Erhöhung der Dauerhaftigkeit von Dachabdichtungen reduziert. Die Wohlfahrtswirkung auf die menschliche Psyche und Gesundheit, die angesprochene Lebensraumfunktion und der Artenschutz, die Kühlleistung, die positiven Wirkungen auf den Heiz- und Kühlenergiebedarf und vieles mehr bleiben in den Berechnungsmethoden noch unberücksichtigt.

Grundsätzlich können in der Planung jedoch die Fragen nach dem Energieeinsatz, den Betriebskosten und der Rezyklierbarkeit gute Hinweise auf optimale Lösungen liefern.

3 Architektur und Stadtplanung

Bernhard Scharf, Florian Kraus

3.1 Einleitung

In diesem Kapitel werden die rechtlichen und technologischen Entwicklungen aufgezeigt, die eine klimaresiliente Stadtplanung unterstützen bzw. einfordern. Anhand eines beispielhaften Planungsprozesses wird demonstriert, wie Gebäudegrün für Schutz gegen Hitze und für klimaresiliente und lebenswerte Bauwerke sorgt.

3.2 Wirkungsvolle Planung von Gebäudegrün

Wie in Kapitel 2 dargelegt, ist der Klimawandel eine wachsende Bedrohung der Menschheit und erfordert neben der Ursachenbekämpfung ebenso dringend die Anpassung des urbanen Lebensraums. Einerseits gilt es, die Lebensqualität zu steigern, andererseits muss auch die Widerstandskraft der Stadt gegen Wetterextreme erhöht werden. Allgemein spricht man in diesem Kontext von urbaner Klimaresilienz, die längst eine wesentliche Komponente des zeitgemäßen Städtebaus geworden ist. Ein Glück, dass Gebäudegrün gleich beide Anforderungen hervorragend erfüllen kann! Voraussetzung dafür ist jedoch eine kompetente und wirkungsorientierte Planung, um beispielsweise die Entstehung von Hitzeinseln oder pluvialen Überschwemmungen zu vermeiden.

Den Grundstein für städtische Klimaresilienz bzw. klimaresiliente Architektur und Stadtentwicklung legt das Zusammenspiel von Gebäuden, Materialien und Pflanzen. Die Gebäudevolumina, deren Ausrichtung zu Sonne und Windfeld sowie Art und Qualität des Begrünungs- und Freiraumanteils spielen eine wesentliche Rolle. Die Bauwerksbegrünung ist dabei mit ihren unterschiedlichen Typen, Ausprägungen und Wirkungsweisen auch eine unverzichtbare Komponente zeitgemäßer Architektur und Stadtplanung. Das gilt im Neubau wie auch im Bestand. Denn die Begrünung von Gebäuden ist eine wirkungsvolle Maßnahme zur Abkühlung der Gebäude und der Luft sowie zur Regenwasserspeicherung und unverzichtbar für eine erfolgreiche Anpassung an den Klimawandel. Damit sich aber die volle Wirkungsleistung von Gebäudegrün entfalten kann, bedarf es einer integralen transdisziplinären Planung sowie der Einhaltung einiger Grundprinzipien und der Berücksichtigung grundsätzlicher Fragestellungen bereits im Planungsprozess.

Praxistipp

Bei der Integration von Bauwerksbegrünungen empfiehlt es sich, von Anfang an kompetente Fachplaner und -planerinnen zuzuziehen und diese frühestmöglich in den Planungsprozess zu integrieren.

In den jeweiligen Planungsphasen von städtebaulichen Entwicklungen sollten die unterschiedlichen relevanten Fachdisziplinen frühzeitig integriert werden. Der Planungsprozess mit seinen Planungsphasen ist dabei nicht nur für das erfolgreiche Gelingen eines Bauvorhabens relevant, sondern beeinflusst vor allem auch die Wirkungsleistung, Effizienz und Lebenszykluskosten von Gebäuden sowie deren Bauwerksbegrünungen und Freiräumen.

3.3 Berücksichtigung der Klimaresilienz im Planungsprozess

Klimaresilienz kommt als neue Komponente in etablierten Planungsprozessen hinzu. Sie folgt den in der Honorarrichtlinie für Architekten und Ingenieure beschriebenen Phasen und erfordert eine an die Phasen angepasste Berücksichtigung. Es wird empfohlen, entsprechende Fachexpertinnen und -experten von Beginn eines Planungsprozesses an einzubinden. In der Folge wird dies beispielhaft beschrieben.

3.3.1 Grundlagenanalyse und Bestandsanalyse

Am Anfang eines Bauvorhabens steht die Auseinandersetzung mit dem Bauplatz, seiner Lage, Einbindung und Verbindung zu Landschaft und gebauten Strukturen. Dies gilt für Neuentwicklungen und Erneuerungen bzw. Transformationen gleichermaßen für Gebäude und Stadtteile. Im Sinne der Klimaresilienz sind die stadtklimatologischen Rahmenbedingungen zu klären, also ob das Vorhaben in einem Gebiet liegt, das zur Überwärmung neigt, und wie es sich auf das Windfeld auswirkt, insbesondere die Kaltluftströme. Zudem sind mögliche Auswirkungen auf Nachbarquartiere zu berücksichtigen. Grundlage dafür bieten die sogenannten Klimaanalysekarten nach den Richtlinien des Vereins Deutscher Ingenieure e. V. (VDI), die für zahlreiche Städte bereits verfügbar sind. In den folgenden Planungsphasen ist darauf zu achten, dass die stadtklimatologische Situation durch das Bauvorhaben nicht verschlechtert wird, also keine zusätzliche Erwärmung erfolgt und auch das Windfeld so wenig wie möglich beeinträchtigt wird. In Gebieten mit Überwärmungsrisiko sollte das Ziel eine Verbesserung des Status quo sein.

3.3.2 Klimaresilientes Entwerfen

Die Grundlage für die künftige Klimaresilienz legt die Gebäudekonfiguration. Ihr Zusammenspiel mit den Freiräumen, dem Windfeld und der Besonnung im Tagesverlauf ist entscheidend. Eine nachteilige Gebäudekonfiguration oder Gebäudestellung kann durch Maßnahmen im späteren Planungsverlauf nicht kompensiert werden.

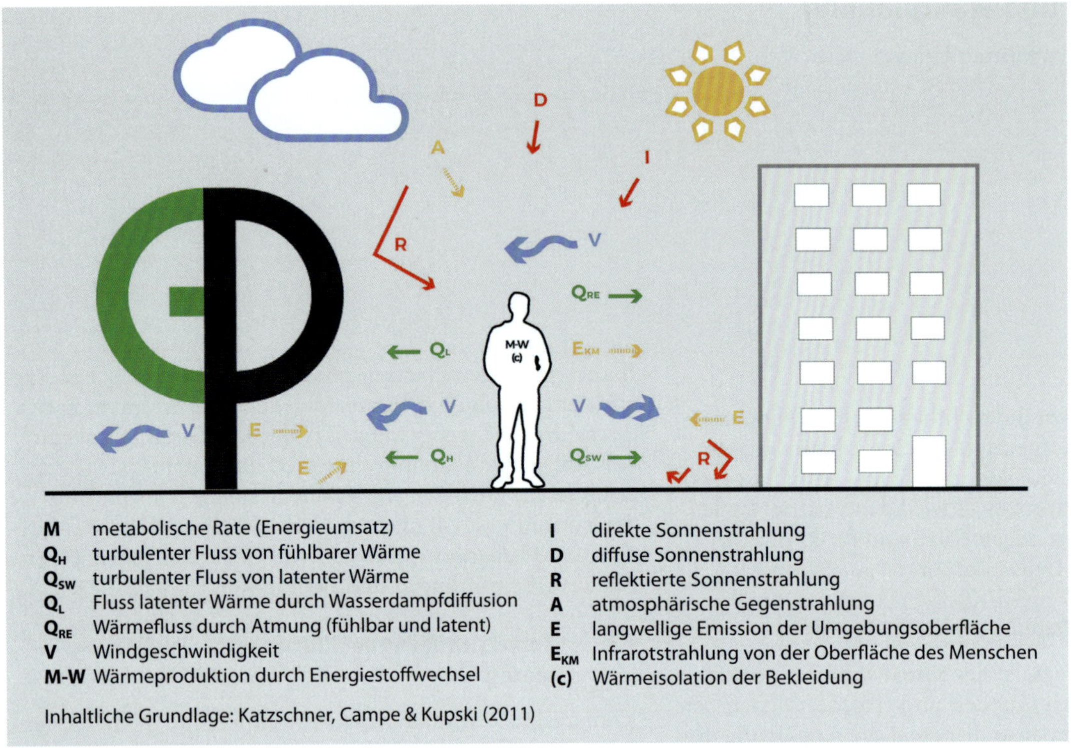

Abb. 3.1: Der thermische Wirkungskomplex als Grundlage zur Berechnung der physiologischen Äquivalenztemperatur *PET* (nach Klimaanalyse Kassel, 2019)

Neue Stadtteile und Gebäude

Für neue Stadtteile oder Gebäude sollte daher eine Variantenanalyse hinsichtlich ihrer Klimaresilienz durchgeführt werden, die unter anderem eine Bewertung des thermischen Komforts, des Windfelds, der thermischen Speicherung, des Versiegelungsgrads und der Retentionsleistung sowie der Erwärmung des Abluftstroms umfasst. Dazu eignen sich Mikroklimasimulationssoftwares bzw. darauf aufbauende Planungstools mit wissenschaftlich fundierten Bewertungsmethoden. Windsimulationen allein sind nicht ausreichend, da sie den Energie- und Wasserhaushalt sowie den thermischen Komfort nicht oder nur unzureichend abbilden können. Zur Beurteilung des thermischen Komforts wird die in Deutschland entwickelte physiologische Äquivalenztemperatur (*PET*) empfohlen. Sie gibt an, welcher Lufttemperatur die vom menschlichen Körper interpretierte Einwirkung von Sonnenstrahlung, Wind usw. entsprechen würde (Abb. 3.1) und ordnet diese Komfortklassen zu. Man spricht vom thermischen Wirkungskomplex. Die Lufttemperatur eignet sich nicht zur Beurteilung des thermischen Komforts!

Die berechnete Klimaresilienz in Form von Klimaindikatoren sollte bei der Wahl des besten Entwurfs als wesentlicher Aspekt berücksichtigt werden und kann in der Folge als Mindestanforderung mit numerischen Zielwerten und zu Zwecken der Qualitätssicherung genutzt werden. Dafür eignen sich besonders folgende Klimaindikatoren:

- *PET*- gefühlte Temperatur
- thermischer Komfortwert (gewichtete *PET*),
- Verschattungsgrad,
- Versiegelungsgrad,
- Abflussbeiwert,
- thermische Speicherung,
- thermischer Abluftstrom,
- CO^2 Speicherung.

Transformation des Gebäudebestands

Das Ziel der nachhaltigen, lebenswerten und energieeffizienten Stadt kann nur erreicht werden, wenn der Bestand sukzessive entwickelt und transformiert wird. Im Gegensatz zum Neubau kann die Mindestanforderung für eine Neugestaltung durch eine Klimaresilienzbewertung des aktuellen Bestands bestimmt werden. Mithilfe geeigneter Tools werden analog zum Neubau Klimaindikatoren berechnet und in der Folge als Qualitätsanforderung für Entwürfe übernommen. Diese können so mit dem Bestand und untereinander verglichen werden.

3.3.3 Optimierung der Klimaresilienz

Aus der Analyse und Bewertung der Klimaresilienz mittels Klimaindikatoren sowie beispielsweise Wind- und thermischen Komfortkarten können Verbesserungspotenziale identifiziert werden. Diese sollten im weiteren Planungsverlauf bestmöglich genutzt werden, um die Klimaresilienz zu optimieren. Bei der Bestandserneuerung bzw. -transformation sind Bauwerksbegrünungen von besonderer Bedeutung, da Gebäudestellung und -konfiguration selbst oft nicht abänderbar sind. Dach- und Fassadenbegrünungen sind nach dem in diesem Buch präsentierten Stand der Technik sehr gut in den Gebäudebestand integrierbar und können maßgeblich zur Verbesserung des Energie- sowie des Wasserhaushalt und des thermischen Komforts beitragen.

3.4 Kommunikation

Die Ergebnisse einer Klimaresilienzanalyse dienen zunächst dem transdisziplinären Planungsteam zur Optimierung des Projekts . Gleichzeitig bieten sich Klimaindikatoren und Bewertungskarten auch an, um Qualitäten und Eigenschaften zu kommunizieren. Als Adressaten kommen neben Behörden auch Investoren, Finanzdienstleister und die Öffentlichkeit infrage.

Abb. 3.2: Bauphysikalisch wirksame Fassadenbegrünung am Amtshaus der MA 31 Wiener Wasser

3.5 Berücksichtigung von Nachhaltigkeit und Lebenszyklus

Eine gesamtheitliche und nachhaltige Planung ist neben der Berücksichtigung von Klimaresilienz ein Muss geworden. Denn rund 38 % des europäischen CO_2-Ausstoßes entstammen dem Bausektor! Es ist daher unbedingt erforderlich, dass dieser Aspekt von Fachexperten und -expertinnen im Planungsteam vertreten wird, denn es gilt, den gesamten Lebenszyklus eines Gebäudes inklusive dessen Rückbau bzw. Recycling zu betrachten. Um diese komplexe Aufgabenstellung zu erfüllen, müssen viele unterschiedliche Aspekte bereits in die Planung einfließen, wie beispielsweise

- Verwendung von Baustoffen mit geringen Umweltauswirkungen,
- Verwendung von regionalen bzw. lokalen Baumaterialien,
- Wiederverwendung von Abrissmaterial bzw. Aushubmaterial im Sinne des Urban Mining,
- sortenreine Rückbaubarkeit,
- geringer Energieaufwand im Betrieb,
- Vermeidung von Giftstoffen,
- geringer Wartungsaufwand,
- große Flexibilität für Nutzerinnen und Nutzer.

Gebäudegrün leistet auch einen wertvollen Beitrag im Sinne der Nachhaltigkeit über den Lebenszyklus eines Projekts hinaus. Denn Dach- und Fassadenbegrünungen schützen die Gebäudehülle und verlängern deren Lebensdauer bzw. Erneuerungszyklus signifikant. Bei kluger Planung können auch der Kühl- und Heizwärmebedarf, etwa durch sommerliche Verschattung von Glasflächen, deutlich reduziert werden (Abb. 3.2).

Gebäudezertifizierungen

Aufgrund der Wichtigkeit der Thematik haben sich in den letzten Jahrzehnten zahlreiche Planungshilfen bzw. Bewertungsverfahren für nachhaltige Gebäude und Stadtteile entwickelt. Diese analysieren und bewerten Gebäude anhand von zahlreichen Kriterien, etwa aus dem Bereich Energieverbrauch oder Schadstoffe, und zeichnen die Gebäude gegebenenfalls mit einem Zertifikat aus.

In Deutschland wurde 2007 die Gesellschaft für nachhaltiges Bauen, kurz DGNB, gegründet. Diese bietet ein umfassendes und fundiertes Verfahren zur Bewertung der Nachhaltigkeit von Bauvorhaben an. Auf internationaler Ebene existieren viele vergleichbare Verfahren, wie etwa die britische Building Research Establishment Environmental Assessment Method (BREEAM) oder das Leadership in Energy and Environmental Design (LEED) aus Nordamerika. Allen gemein ist die Zertifizierung, also Auszeichnung, eines Projekts in unterschiedlichen Qualitätsstufen. Allgemein bekannt sind sie daher auch als „Green Building Certificates". Inhaltlich liegt der Fokus aller Gebäudezertifikate, wie der Name schon erahnen lässt, auf dem Gebäude- sowie Klimaschutz und weniger auf dessen mikro- und stadtklimatischen Auswirkungen. Eine Methode zur Optimierung und Zertifizierung der Klimaresilienz wird später in diesem Kapitel näher vorgestellt.

3.6 Regulative Entwicklungen

Die Thematik der Klimaresilienz und der Anpassung der Siedlungsräume an ein Klima, das von Wetterextremen geprägt wird, ist längst im regulativen Bereich angekommen. Tatsächlich entwickelt sich dieser Bereich derzeit inflationär, weswegen an dieser Stelle nur exemplarisch darauf eingegangen werden kann.

Als übergeordnete Ebene hat allen voran die Europäische Union mit der EU-Taxonomie eine Grundlage zur Beurteilung der Auswirkungen von Bauvorhaben auf den Klimaschutz und die Anpassung an den Klimawandel geschaffen. Dabei handelt es sich um die Umweltschutzziele 1 und 2 von insgesamt 6 Zielen des Regelwerks (Verordnung [EU] 2020/852 vom 18. Juni 2020). Seit dem 1. Januar 2022 ist sie für alle Immobilien anzuwenden, sofern diese offiziell als „grün" im Sinne des „European Green Deal" gelten sollen. Der Nachweis der EU-Taxonomie-Konformität kann durch Gebäude- und Klimaresilienzzertifizierungen, wie etwa DGNB-Zertifizierung oder GREENPASS, geführt werden. Dabei sind zur Erreichung des Umweltschutzziels Nr. 2 Klimawandelanpassung neben einer Risikoanalyse auch der Umgang mit dem Klimawandel und entsprechend getroffene Anpassungsmaßnahmen, wie Dach- oder Fassadenbegrünungen, für heutige und zukünftige Klimaszenarien darzustellen. Die Nichterfüllung der Kriterien kann in der Folge vor allem ökonomische Konsequenzen, wie geringeren Marktwert, höhere Finanzierungskosten oder schlechtere Veräußerbarkeit, mit sich bringen. Unabhängig von ökonomischen Betrachtungen legen immer mehr Stadtverwaltungen bzw. -behörden ein Augenmerk auf Klimaresilienz. Diese wurde beispielsweise in städtebauliche Verfahren in Köln-Kreuzfeld oder Krefeld als Bewertungskriterium aufgenommen und dient zur weiteren Qualitätssicherung. Krefeld etwa orientiert sich dabei am sogenannten „Wiener Modell".

Der Wiener Gemeinderat beschloss bereits im Jahr 2019, dass alle Bauvorhaben größer 2 ha mithilfe von Klimaindikatoren bewertet werden müssen. Durch die Vorgabe der Klimaindikatoren soll eine weitere Verschlechterung des Stadt- und Mikroklimas vermieden werden und die Anpassung an den Klimawandel gelingen.

Bei der Definition von Ziel- bzw. Mindestwerten für Klimaresilienz sollten wirkungsbezogene Indikatoren herangezogen werden und keine flächenbezogenen Berechnun-

Abb. 3.3: Ausgezeichnetes Möbelhaus in Wien mit 160 Bäumen an den Fassaden- und Dachflächen sowie öffentlich zugänglicher Dachterrasse (Quelle: Joachim Kräftner)

Abb. 3.4: Abendstimmung auf der öffentlichen Dachterrasse

gen wie beispielsweise der Berliner Biotop-Flächenfaktor. Denn flächenbezogene Bewertungen können keine Wirksamkeit garantieren.

3.7 Beispiel einer Prozessbegleitung für klimaresiliente Stadtentwicklung und Architektur

Der Neubau einer Filiale eines Möbelmarkts am Westbahnhof in Wien ist ein internationales Vorzeigeprojekt für klimaresiliente Architektur und Stadtentwicklung und zeigt, wie man zeitgemäße Architektur mit Gebäudebegrünung wirkungsvoll verbinden und erfolgreich umsetzen kann. Mehr Details zu diesem Projekt finden sich im Kapitel 7. Den Themen Klimaresilienz und Nachhaltigkeit wurde bei der Entwicklung des Gebäudes von Anfang an ein sehr hoher Stellenwert beigemessen. Angrenzend an den Wiener Westbahnhof wurde das Möbelhaus im Herbst 2021 ohne Parkplätze, dafür mit 160 Bäumen und Kletterpflanzen an den Fassaden und am Dach des ca. 3.600 m² großen Gebäudes eröffnet (Abb. 3.3). Neben dem Möbelhaus befindet sich auch ein Hostel im Gebäude, dessen begrünte Dachterrasse öffentlich zugänglich und konsumfrei ist (Abb. 3.4).

Das vom Wiener Architekturbüro querkraft architekten entworfene Gebäude ist voll und ganz auf Fußgänger, Radfahrer und Benutzer von öffentlichen Verkehrsmitteln ausgelegt. Gemeinsam mit den Fachplanerinnen und -planern von Green4cities und Landschaftsarchitektur Kräftner entstand dieser vertikale Park im Herzen Wiens auf der Grundstücksfläche eines gründerzeitlichen Gebäudes.

Das Projekt wurde im Hinblick auf Klimaresilienz von Beginn an umfassend begleitet und optimiert. Dabei wurde ein innovatives, softwarebasiertes Planungstool verwendet, das den wirkungsvollen Einsatz von Gebäudebegrünung hinsichtlich Kosten und Nutzen ermöglicht und schließlich die Klimaresilienz auch offiziell zertifiziert (Abb. 3.5). Dabei stützt es sich auf eine der weltweit führenden Mikroklimasimulations-Software.

3.7.1 Wettbewerbsphase

Startpunkt für den Neubau am Wiener Westbahnhof stellte ein 3-stufiger geladener und internationaler Wettbewerb dar. Das Büro querkraft architekten stellte eine radikale Idee vor, die dem Unternehmensziel von IKEA „be a good

Abb. 3.5: Beispiel für softwarebasierte Planungs- und Optimierungstools für den wirkungsvollen Einsatz von Gebäudebegrünung in der Stadtentwicklung (Software: GREENPASS editor 2.0, GREENPASS GmbH)

neighboor" bestmöglich entspricht. Ausgangspunkt war die Überlegung, was sich die Anwohnerschaft des dicht verbauten Bezirks für den Bauplatz wünschen würde. Die Antwort war: ein Park. Darauf basierend wurde das einzigartige Konzept entwickelt. Vor der finalen Jurysitzung im Jahr 2017 wurde daher ein GREENPASS-Klimacheck (basierend auf ENVI-met-Mikroklimasimulationen) durchgeführt, um das Konzept auf seine Wirksamkeit zu überprüfen. Wie würde sich der Entwurf im Vergleich zum gründerzeitlichen Bestand oder zu einem Glaskubus verhalten? Die eindeutige Antwort lieferten die wissenschaftlichen Klimaindikatoren des Planungstools, die letztlich auch zum einstimmigen Juryentscheid für diesen Entwurf beitrugen.

3.7.2 Detailplanungsphase

Im Zuge der Detailplanung wurden laufend Klimaresilienzanalysen durchgeführt, um die Planänderungen bzw. Optimierungsmaßnahmen bewerten zu können. Dabei wurden nicht nur die Entwürfe miteinander verglichen, sondern auch Vergleiche mit dem früheren Bestandsgebäude und mit standardisierten Referenzszenarien durchgeführt. Diese Methodik erlaubt eine fundierte Einschätzung der Klimaresilienz, gibt Orientierung im Planungsprozess und hilft, Potenziale zu identifizieren (Abb. 3.6).

Die Abb. 3.7 und Abb. 3.8 zeigen einige Detailauswertungen für die Dachterrasse. Dort wurde versucht, hohen ther-

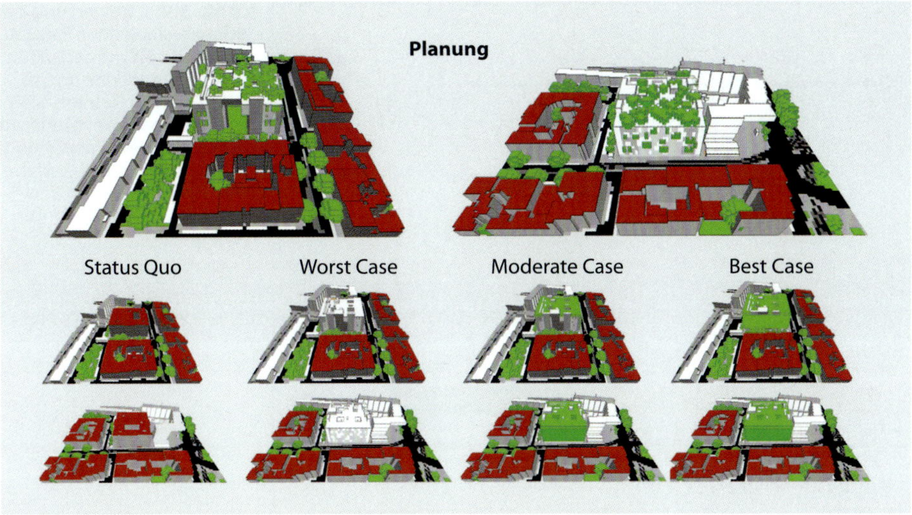

Abb. 3.6: Simulationsmodelle für Planstand, ursprünglichen Gebäudebestand und GREENPASS-Referenzszenarien (Software: ENVI-met, ENVI-met GmbH, Essen)

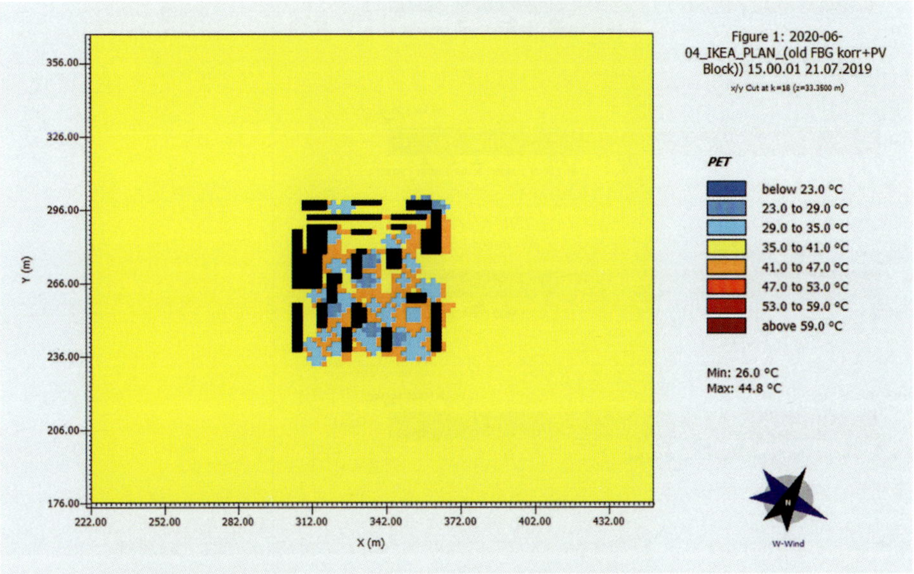

Abb. 3.7: Auswertung des thermischen Komforts als *PET*-Karte aus ENVI-met auf Höhe der Dachterrasse (Software: ENVI-met, ENVI-met GmbH, Essen)

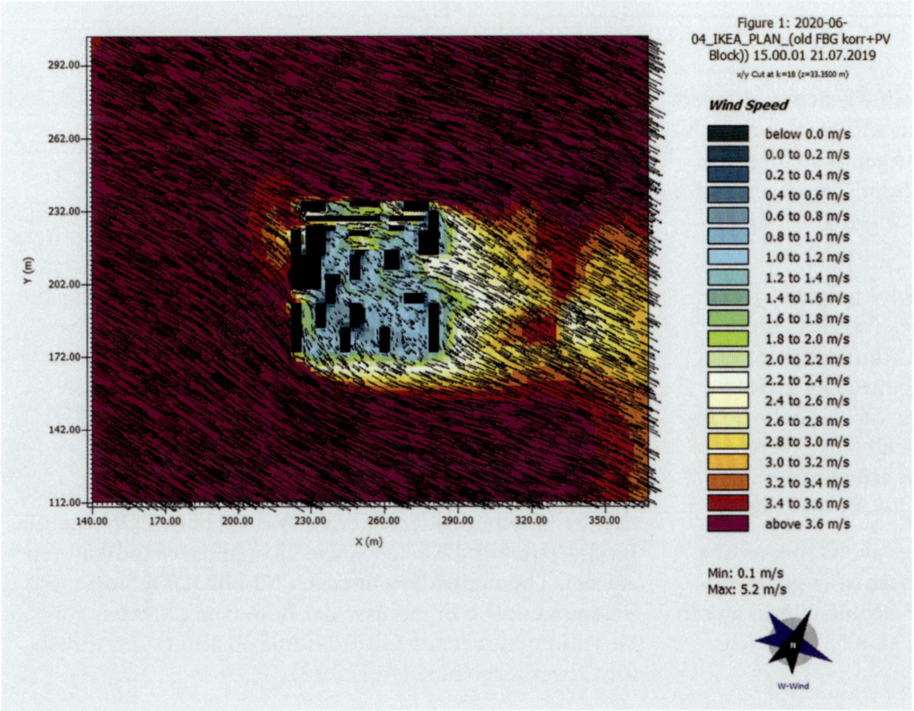

Abb. 3.8: Auswertung des Windfelds aus ENVI-met auf Höhe der Dachterrasse (Software: ENVI-met, ENVI-met GmbH, Essen)

Abb. 3.9: Bewertung der Klimaresilienz der Planung anhand von numerischen Schlüsselindikatoren im Vergleich zu Referenzszenarien (Worst Case, Moderate Case und Best CaseC) und dem früheren Gebäudebestand (Software: GREENPASS, GREENPASS GmbH, Wien)

mischen Komfort und hohen Windkomfort sicherzustellen. Die Sitzbereiche wurden den Analysen entsprechend auch unter Berücksichtigung einer ganzjährigen Nutzung angeordnet. Die Anordnung der Bäume und ihr positiver Effekt auf den thermischen Komfort werden aus den Analysen klar ersichtlich.

Neben der räumlichen Information der Analysekarten zu den unterschiedlichen Qualitäten eines Projekts sind numerische Informationen in Form von Klimaindikatoren entscheidend, um die Klimaresilienz beurteilen zu können. Sie bilden auch die Grundlage für verbindliche quantitative Qualitätssicherung. Abb. 3.9 zeigt einen Vergleich von 5 Schlüsselindikatoren für den ursprünglichen Gebäudebestand, die Planung sowie die Referenzszenarien.

Durch die frühe Begleitung und sukzessive Verbesserung des Entwurfs in der Detailplanungsphase ist es gelungen, dass die Planung in 4 von insgesamt 5 Schlüsselindikatoren für Klimaresilienz besser abschneidet als alle Vergleichsszenarien.

3.7.3 Zertifizierung und Kommunikation

Nach einer hocheffizienten Bauausführung (Abb. 3.10 und Abb. 3.11) konnte das Gebäude bereits im August 2021 offiziell eröffnet werden. Mithilfe des GREENPASS-Planungstools war es möglich, die Grünen Infrastrukturen optimal einzusetzen und ihre Wirkungsleistung bzw. Ökosystemdienstleistungen zu quantifizieren. Das Ziel, für die zukünftigen Nutzer bzw. Nutzerinnen und die Nachbarschaft hohen thermischen Komfort sicherzustellen, wurde erreicht und mit dem ersten internationalen Zertifizierungsstandard für Klimaresilienz auch offiziell bestätigt (Abb. 3.12).

Die Analysen umfassten 28 quantitative Klimaindikatoren aus den Themenfeldern Klima, Wasser, Luft, CO_2, Energie, Biodiversität und Kosten sowie 23 qualitative Indikatoren aus den Themenfeldern Soziales, Mobilität, Ökologie und Ressourcen. Die Ergebnisse der Bewertung führten zur Verleihung des ersten GREENPASS-Platinum-Zertifikats für Gewerbegebäude (Abb. 3.13).

Abb. 3.10: Vorbereitung der Gehölze auf die Pflanzung in einer Baumschule

Abb. 3.11: Etagenweise Errichtung des insgesamt 7-geschossigen Möbelhauses (Quelle: IKEA Austria, Baustellenkamera)

Abb. 3.12: Visualisierung der Reduktion der Lufttemperatur durch den neuen IKEA Westbahnhof Wien im Vergleich zum ursprünglichen Gebäudebestand (Software: GREENPASS, GREENPASS GmbH, Wien)

Hier einige Kenngrößen aus dem Zertifizierungsbericht:

- Das 7-geschossige, in Stahlbeton-Skelettbauweise errichtete Gebäude kühlt mit seiner Begrünung die Umgebung an einem typischen Hitzetag um bis zu 1,5 °C Lufttemperatur im Vergleich zur bebauten Situation davor, wie die Ergebnisse der GREENPASS Certification, basierend auf den Expertensimulationen mittels ENVI-met, zeigen.
- Die gefühlte Temperatur (*PET*) auf der Dachterrasse wird an einem Hitzetag um mehr als 12 °C kühler wahrgenommen.
- Analyse und Bewertung zeigen, dass die eingesetzte Vegetation inklusive Substratkörper mit mehr als 6 kg CO_2 pro Hitzetag dabei 3-mal mehr CO_2 speichert als der Bestand zuvor.
- Die thermische Speicherfähigkeit, ein Maß für die Überhitzung eines Stadtteils, wird ebenso verbessert wie die erforderlichen Kühlgradstunden.
- Der durchschnittliche Abflussbeiwert wurde von 0,90 auf 0,79 gesenkt.
- Durch das Projekt werden ca. 2.700 m² Grünfläche und 160 Bäume neu gewonnen, die sich zusammen auf eine Blattfläche von über 2 ha summieren werden.

Abb. 3.13: Feierliche Übergabe der GREENPASS-Platinum-Zertifizierung an IKEA Geschäftsführung und Marktleitung im Beisein der Österreichischen Umweltministerin

- Dabei liegt der Fokus des Projekts vor allem auch auf der Förderung der Biodiversität durch Artenvielfalt in der Pflanzenauswahl, unterschiedliche Vegetationsstrukturen, artenreiche Krautschicht, Habitatstrukturen, Bienen- und Vogelweiden sowie Nist- und Brutplätze oder Insektenhotels.
- Die Verwendung von rezyklierten Baustoffen im Landschaftsbau sowie der Einsatz von smarten Beleuchtungs- und Bewässerungssystemen ergänzen die Liste.
- Zuletzt leistet das Projekt mit der Bereitstellung von privatem Freiraum, Gemeinschaftsbereichen sowie der Barrierefreiheit des Außenraums bzw. Gebäudes einen positiven sozialen Beitrag. Neben Fotovoltaikmodulen am Dach verfolgt das Gebäude auch ein effizientes Heiz- und Kühlkonzept.

Eine wesentliche Komponente der Zertifizierung stellt auch die Möglichkeit dar, die Wirkungen der Neugestaltung zu kommunizieren und in Relation zum Bestand oder zu aus dem Alltag bekannten Größen und Werten zu setzen. So wurde für das Projekt zur besseren Verständlichkeit und Nachvollziehbarkeit der Leistungen Grüner Infrastrukturen die Infografik in Abb. 3.14 mit Vergleichen zur Alltagswelt erstellt (siehe auch Abb. 3.12).

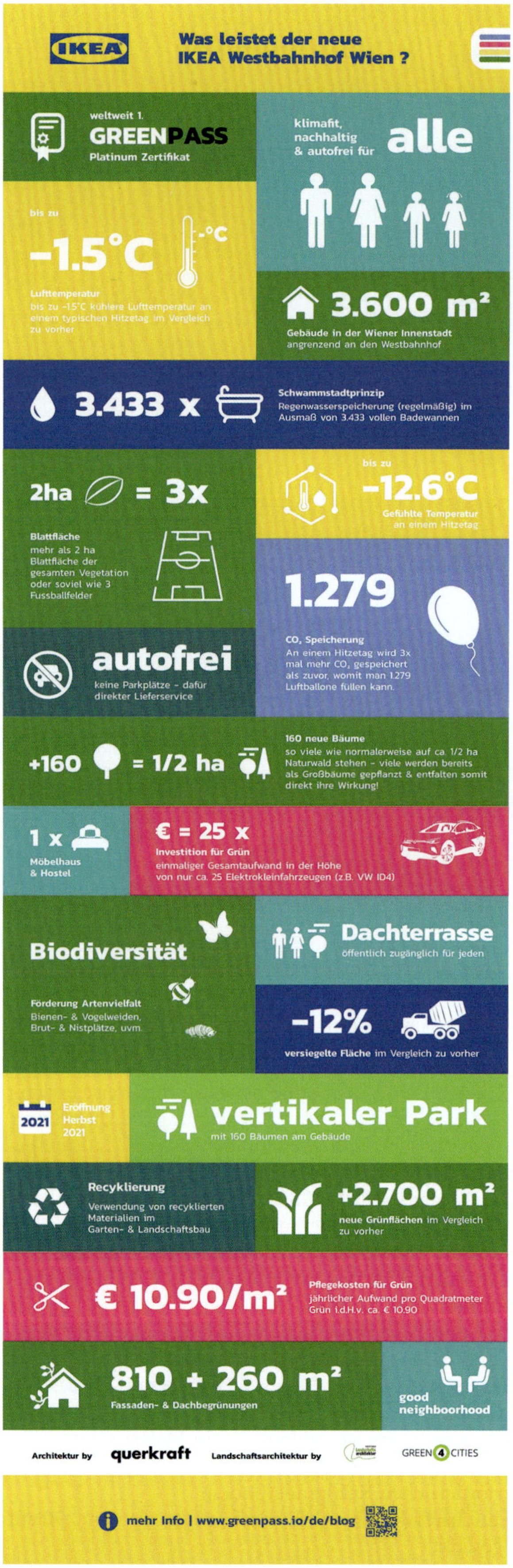

Abb. 3.14: Leistungen der Grünen Infrastrukturen des IKEA Westbahnhofs Wien mit einfachen Alltags-Vergleichen und Bezügen zur Kommunikation mit Medien und Bevölkerung

4 Dachbegrünung – vom Leichtdach bis zum Dachgarten

Gunter Mann

Bei begrünten Gebäuden denkt man oftmals an mit Efeu oder Wildem Wein umrankte oder mit Erde überschüttete Häuser (Erdhügelhäuser). Die große Masse begrünter Gebäude fällt nicht weiter auf. Extensiv begrünte Flachdächer sind z. B. in der Regel vom Boden aus nicht einsehbar, denn nur in Ausnahmefällen ragt die Vegetation ein wenig über den Dachrand heraus.

Tatsächlich sind in den letzten Jahrzehnten einige Millionen m^2 Flachdachfläche mit dünnschichtigen und deshalb relativ leichten Begrünungen bepflanzt worden, sei es freiwillig und aus Überzeugung, aufgrund von Zuschüssen seitens der Kommune oder wegen der Forderung im Bebauungsplan. Und im Gegensatz zu den 1970er- und 1980er-Jahren, als die Abdichtungstechnik mit Kunststoffbahnen noch relativ neu und bituminöse Bahnen noch weniger weit entwickelt waren, funktionieren Flachdächer – ob begrünt oder nicht – heute zuverlässig und sicher, fachgerechte Planung, Ausführung und Wartung vorausgesetzt.

Aber nicht nur extensiv begrünte Flachdächer stellen heute eine bewährte Bauweise dar. Auch die Idee, weitergehende Nutzungen auf Dachflächen zu verlagern, sei es für Aufenthaltszwecke in Form von Terrassen, Dachgärten, Spielplätzen usw. oder um dort z. B. Strom oder Wärme mittels Fotovoltaikmodulen oder Solarkollektoren zu gewinnen, ist heute weit verbreitet. Auf Tiefgaragendecken, die im Grunde ebenfalls Flachdächer darstellen, stellt häufig das Befahren nochmals erhöhte Anforderungen an die Bautechnik. Dachflächen bieten eine gute Basis, vorausgesetzt sie wurden so konzipiert und gebaut, dass sie den mit den genannten Nutzungen verbundenen Beanspruchungen standhalten.

Die Nutzung einer Dachfläche für Aufenthaltszwecke wird sich in der Regel auf flache oder nur gering geneigte Dachflächen beschränken. Eine Begrünung hingegen kann prinzipiell auch auf stärker geneigten Dachflächen erfolgen. Als Unterbau benötigt man hier einen Aufbau vergleichbar einem Flachdach, allerdings entsprechend „gekippt" und eventuell mit zusätzlichen Schwellen versehen, die in der Lage sind, Schub aufzunehmen und in die Dachunterkonstruktion abzuleiten. Der Begrünungsaufbau wird sich von dem, wie er auf Flachdächern üblich ist, in der Regel allerdings unterscheiden.

In Deutschland wurden 2020 über 7,8 Mio. m^2 Dachfläche neu begrünt, davon etwa 82 % als extensive und 18 % als intensive Dachbegrünungen (BuGG-Marktreport Gebäudegrün, 2021).

In Deutschland gibt es keine Norm zur Dachbegrünung. Der Stand der Technik findet sich hier in den Richtlinien für die Planung, Ausführung und Pflege von Dachbegrünungen (Dachbegrünungsrichtlinien) der Forschungsgesellschaft Landschaftsentwicklung Landschaftsbau e. V. (FLL) in der aktuellen Fassung von 2018 wieder (FLL-Dachbegrünungsrichtlinien, 2018). Die Inhalte der Richtlinien werden im Regelwerksausschuss (RWA) „Dachbegrünung" unter der Leitung der FLL durch Wissenschaftler, Verbände, Sachverständige und weitere Experten aus den Bereichen Dachbegrünung und Dachtechnik erarbeitet. Der Öffentlichkeit wird im Rahmen einer öffentlich gemachten „Gelbdruckphase" die Möglichkeit der Prüfung und des Einbringens von Änderungsvorschlägen eingeräumt.

In den FLL-Dachbegrünungsrichtlinien werden die wichtigsten Anforderungen an die Bau- und Vegetationstechnik bei Dachbegrünungen, teilweise mit Kenndaten, beschrieben. Schwerpunkt ist dabei die Vegetationstechnik. Bei Techniken, die schon außerhalb der FLL-Dachbegrünungsrichtlinien geregelt sind, verweist die FLL auf die entsprechenden Normen und Richtlinien.

4.1 Bautechnik und Bauphysik

4.1.1 Dachkonstruktion und ihre Begrünbarkeit

Hersteller bieten beispielsweise Begrünungssysteme mit bepflanzbaren Kunststoffschalen an, die dachziegelartig verlegt werden können, eine in vielen Ländern verbreitete Begrünungsform. In Deutschland dominiert für eine Dachbegrünung jedoch ein entsprechend den einschlägigen Normen und Richtlinien abgedichtetes Dach mit ausreichender statischer Lastreserve, auf dem der Begrünungsaufbau Schicht für Schicht aufgebracht werden kann. Prinzipiell spielt es hier zunächst keine Rolle, ob die Dachkonstruktion flach, geneigt oder gekrümmt ist, ob sie auf einer massiven Betontragschale aufbaut, ob Stahlträger und Trapezbleche als Unterbau eingesetzt werden oder ob es sich z. B. um eine Holzkonstruktion mit einer Schalung als oberem Abschluss handelt. Auch als Wärmedämmstoff und als Dachabdichtung sind vielerlei Werkstoffe für den Bau begrünter Dächer einsetzbar. Im Einzelfall wird natürlich jeweils genau zu überlegen sein, welche Konstruktionsart mit welchen Materialien sinnvollerweise gewählt wird, um z. B.

- den jeweiligen Begrünungswunsch umsetzen zu können,
- möglichst kostengünstig zu bauen,
- eine lange Lebensdauer zu erreichen oder
- Leckagen ohne großen Aufwand orten und beheben zu können.

Je nach Zielsetzung werden die Ergebnisse unterschiedlich ausfallen. Bei bestehenden Gebäuden wird sich hingegen die Frage stellen, was unter den vorgegebenen Bedingungen machbar ist und welche Maßnahmen eventuell zusätzlich zu ergreifen sind.

Ein fachgerechter Begrünungsaufbau, ordnungsgemäß aufgebracht, stellt einen hochwertigen Schutzbelag für eine Dachabdichtung dar. Temperatureinflüsse werden gemildert, UV-Strahlung und Hagelschlag werden abgehalten und auch vor mechanischen Einflüssen durch Begehen oder herabfallende Gegenstände wird die Dachabdichtung geschützt. Wie zahlreiche Praxisbeispiele belegen, kann eine Dachabdichtung unter einer Begrünung durchaus „ein Bauwerksleben lang" halten. Hierzu ist es allerdings erforderlich, dass das Dachschichtenpaket als Gesamtes entsprechend den jeweiligen Anforderungen zusammengestellt wird und dass auch dessen einzelne Schichten sorgfältig aufgebracht werden.

Darüber hinaus sollte vor dem Aufbringen der Begrünungsschichten eingehend geprüft werden, ob das Dachschichtenpaket und insbesondere die Dachabdichtung durch Fremdgewerke oder andere Einflüsse beschädigt wurden. Eine Dachbegrünung wieder abzuräumen, um darunter einen Fehler zu finden und zu beheben, verursacht einen mit erheblichen Kosten verbundenen Aufwand. Durch die Bauweise eines Daches lässt sich allerdings beeinflussen, wie einfach oder wie schwierig eine Leckage in der Dachabdichtung aufzuspüren ist. Verschiedene Arten von Leckortungsverfahren unterstützen zudem eine oftmals auch punktgenau Ortung der Leckagen.

„Warmdach", „Kaltdach" oder „Umkehrdach"

Bei Dachflächen über unbeheizten Räumen oder Vordächern, Carports oder dergleichen muss auf bauphysikalische Belange keine Rücksicht genommen werden. Eine Begrünung kann direkt aufgebracht werden, sofern die anderen Parameter, wie statische Lastreserve, Aufkantungshöhen, Entwässerung, Wurzelfestigkeit usw., dies zulassen.

Dachflächen, die beheizte Räume nach oben abgrenzen, verfügen jedoch über eine Wärmedämmschicht, die ihre Funktion nur behält, wenn sie dauerhaft trocken bleibt. Um dies zu gewährleisten, werden Wärmedämmschichten in der Regel unterhalb der Dachabdichtung platziert. Die einschalige, nicht durchlüftete Dachvariante, bei der die Feuchtigkeit, die von der Raumseite her in die Dachkonstruktion gelangt, durch Dampfsperren vor Erreichen der Wärmedämmschicht aufgehalten wird, bezeichnet man als Warmdach. Wird die Feuchtigkeit dagegen über eine Luftschicht oberhalb der Wärmedämmung an die Außenluft abgeführt, handelt es sich um ein zweischaliges Dach oder auch Kaltdach. Beim sog. Umkehrdach handelt es sich ebenfalls um eine einschalige Dachbauweise. Bei dieser Dachbauweise werden geschlossenzellige Wärmedämmplatten oberhalb der Dachabdichtung, also in dem der Feuchtigkeit ausgesetzten Bereich, verlegt (Abb. 4.1).

Grundsätzlich können alle 3 Arten von Dachkonstruktionen begrünt werden.

Warmdach

Beim Warmdach (siehe Abb. 4.1 links oben), der am häufigsten angewandten Flachdachbauweise, gibt es aus bauphysikalischer Sicht keine Einschränkung hinsichtlich einer Begrünung, sofern eine hochwertige Dampfsperre (s_d-Wert ≥ 100 m) vorgesehen und fachgerecht eingebaut wird, sodass sie absolut dicht ist. Folien, die von unten an die Dachsparren angebracht werden, reichen als Dampfsperre in einem mit einer Abdichtung versehenen Dach in der Regel nicht aus, unabhängig davon, ob dieses begrünt werden soll oder nicht.

Wird eine Dampfsperre mit einem geringeren s_d-Wert als 100 m vorgesehen, sollte durch eine entsprechende Berechnung die Tauwasserfreiheit unter Berücksichtigung des Begrünungsaufbaus nachgewiesen werden. Dampfbremsen mit variablem s_d-Wert sollten bei begrünten Dächern nicht eingesetzt werden, da ihre Funktion maßgeblich von ihrer Umgebungstemperatur abhängt und eine Dachbegrünung gerade im Sommer die Temperaturen innerhalb eines Dachaufbaus deutlich senkt. Der Rücktransport von Feuchtigkeit, die im Winter eingedrungen ist, wäre unter Umständen versperrt. Dies könnte zu einer unzulässigen Anreicherung von Kondenswasser und im Extremfall zu Fäulnis führen.

Die Tatsache, dass eine Dampfsperre auch wasserdicht ist, führt dazu, dass sich Wasser, das infolge einer Beschädigung der Dachabdichtung in den Dachaufbau eingedrungen ist, darauf sammelt. In der Regel tritt es an der Dachunterseite an einer völlig anderen Stelle zutage, als es auf der Dachoberseite eindringt. Diesem Umstand kann man entgegenwirken, indem man unterlaufsichere, vollständig verklebte Dachaufbauten einsetzt oder zumindest Dachbereiche definierter Größe gegeneinander abschottet. Letzteres kann realisiert werden, indem die Dachabdichtung regelmäßig bis auf die Dampfsperre herabführt und mit dieser wasserdicht verklebt wird. Wichtig ist, den Verlauf der Abschottungen in Dachaufsichtsplänen zu dokumentieren, damit ggf. auf diese zurückgegriffen werden kann.

Kaltdach

Beim Kaltdach (siehe Abb. 4.1 rechts oben) liegt die Dachabdichtung auf einer zweiten Schale auf, sodass oberhalb der Wärmedämmung ein Luftraum ausgebildet werden kann, der von unten als Wasserdampf eingedrungene Luftfeuchtigkeit an die Außenluft abtransportiert. Wurden Luftraum, Öffnungen an den Dachrändern und Dampfbremsfolie unterhalb der Wärmedämmung entsprechend bemessen, funktioniert dieser Abtransport auch bei einer Begrünung des Daches. Aus bauphysikalischer Sicht gibt es in diesem Fall keine Einschränkung. Aus bautechnischer Sicht ist jedoch darauf zu achten, dass die obere Schale unter Umständen eine deutlich geringere Tragfähigkeit als die untere Schale aufweisen kann. Bei Flachdachbungalows, wie sie z. B. in den 1970er-Jahren gebaut wurden, wurde oftmals eine Holzschalung auf einer massiven Betondecke aufgeständert.

Zu bedenken ist, dass bei zweischaligen Dächern die Dachabdichtung zwar vor Temperatureinflüssen geschützt wird, ein zusätzlicher Wärmedämmeffekt des Begrünungsauf-

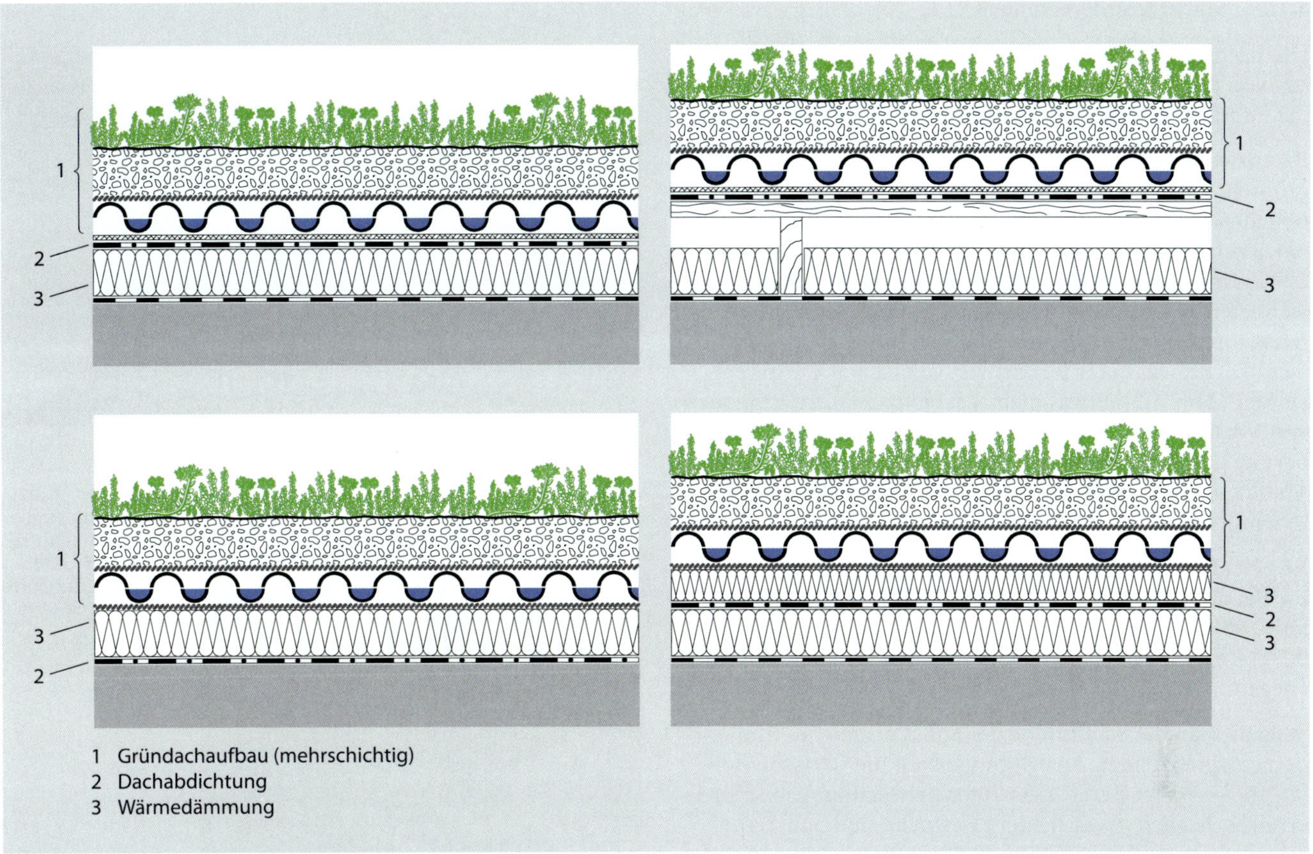

Abb. 4.1: Verschiedene Dachkonstruktionen: links oben: einschaliges, nicht belüftetes Dach oder Warmdach; rechts oben: zweischaliges, belüftetes Dach oder Kaltdach; links unten: Umkehrdach; rechts unten: Duo-Dach oder Plusdach (Quelle: ZinCo GmbH, Nurtingen)

baus hingegen kaum zum Tragen kommt, da die kalte Luft unterhalb der oberen Schale von einer Dachbegrünung so gut wie nicht beeinflusst wird.

Umkehrdach

Das Umkehrdach (siehe Abb. 4.1 links unten) ist eine jahrzehntealte Sonderform des einschaligen Daches. Die dort zum Einsatz kommenden Wärmedämmplatten aus extrudiertem Polystyrol-Hartschaum, auch XPS genannt, nehmen zwar kein Wasser in flüssiger Form auf, aber sie sind nicht dampfdicht. Eine Ansammlung von Kondenswasser innerhalb der Dämmplatten ist zu vermeiden. Daher dürfen darauf weder dampfsperrende Schichten aufgebracht werden noch darf darauf ein flächiger, dauerhafter Wasseranstau vorgesehen werden. Eine Wasserspeicherung in oberseitigen Mulden von Dränelementen ist jedoch unkritisch, sofern zwischen den Dränelementen und den XPS-Platten luftgefüllte Hohlräume verbleiben. Dränelemente mit Aufstandsflächen bis zu 30 % werden als diffusionsoffen bezeichnet. Aufbauten mit großen Aufstandsflächen über 30 % sind in Abhängigkeit vom Gesamtaufbau vom Dämmstoffhersteller freizugeben.

Es sind auch sogenannte Retentionsgründächer auf Umkehrdächern möglich, sofern das über eine Anstaudrossel angestaute Wasser innerhalb von 48 Stunden wieder abgeführt ist (BuGG-Fachinformation „Begrüntes Umkehrdach", 2022).

Umkehrdächer sind demnach eine gute Basis für eine Begrünung, wenn eventuell erforderliche Wurzelschutzbahnen vor dem Aufbringen der Wärmedämmplatten direkt auf der Abdichtung verlegt werden und auf dicke, wasserspeichernde Matten auf den XPS-Platten verzichtet wird. Wählt man zudem eine vollflächig auf dem Untergrund verklebte Abdichtung, stellt sich das Problem der Wasserunterläufigkeit erst gar nicht. Die Wärmedämmplatten dienen als Schutz für die Abdichtung und der Begrünungsaufbau übernimmt die Funktion der notwendigen Auflast gegen Windsog.

Duo-Dach oder Plusdach

Werden Wärmedämmplatten aus XPS auf ein Warmdach aufgebracht, um dessen Wärmedämmeigenschaften zu verbessern, entsteht ein Duo-Dach oder ein Plusdach, wie es teilweise auch genannt wird (siehe Abb. 4.1 rechts unten). Die Abdichtung liegt in diesem Fall eingepackt zwischen 2 Wärmedämmschichten. Auch diese Variante lässt sich begrünen, sofern die im Abschnitt Umkehrdach genannten Hinweise berücksichtigt werden.

Ein Duo-Dach entsteht auch dann, wenn man einen Dachbegrünungsaufbau mit anrechenbarer Wärmedämmwirkung auf ein Warmdach aufbringt. Einige Hersteller bieten Dachbegrünungssysteme mit güteüberwachten Dränelementen aus Polystyrol-Hartschaum an, die über eine entsprechende Allgemeine bauaufsichtliche Zulassung verfügen. Diesen Zulassungen des Deutschen Instituts für Bautechnik Berlin können die jeweiligen Rechenwerte des Wärmedurchlasswiderstands entnommen werden.

4.1.2 Statische Anforderungen

Die Lasten, die ein Gründachaufbau mit sich bringt, müssen von der Dachkonstruktion aufgenommen und bis in die Fundamente abgeleitet werden.

Extensive Begrünungen, die flächenmäßig den weitaus größten Anteil an Dachbegrünungen ausmachen, haben üblicherweise Aufbauhöhen zwischen 8 und 15 cm und bewirken Flächenlasten von ca. 0,8 bis 2,0 kN/m² (80 bis 200 kg/m²) im wassergesättigten Zustand, je nach den verwendeten Materialien. Eine extensive Dachbegrünung muss somit nicht schwerer sein als ein Kiesbelag von ca. 5 cm Dicke, was einer Flächenlast von ca. 0,9 kN/m² entspricht (Abb. 4.2). Etwas mehr Last einzuplanen, ist jedoch von Vorteil, denn dies ermöglicht z. B. eine gewisse Modellierung der Substratschicht, was wiederum eine größere Vielfalt von Pflanzen zulässt (siehe Kapitel 4.3.2 im Textabschnitt Biodiversitätsgründach).

Es gibt auch „Leichtbauweisen" bei den Dachbegrünungen, die bei dünnschichtigem Aufbau, beispielsweise mit Vegetationsmatten bzw. Begrünungselementen, nur etwa 0,5 bis 0,7 kN/m² (50 bis 70 kg/m²) im wassergesättigten Zustand wiegen.

Steigert man die Schütthöhe der Substratschicht – mit den entsprechenden Auswirkungen auf die statische Belastung –, ist der Bereich der Intensivbegrünungen schnell erreicht. Je nach gewünschtem Bewuchs sind Substratschichtdicken zwischen 15 und 80 cm einzuplanen (Tabelle 4.1). Auf Dachflächen, die intensiv begrünt werden sollen, wird daher in der Regel mit Flächenlasten von ca. 2,0 bis 5,0 kN/m² zu rechnen sein (Abb. 4.3). Auf Tiefgaragendecken, auf denen größere Sträucher oder Bäume gepflanzt werden sollen, wird sogar eine ständige Last von teilweise über 10 kN/m² anzusetzen sein (Abb. 4.4).

Tabelle 4.1: Erforderliche Substratschichtdicke für verschiedene Vegetationsarten

Vegetationsart	**Substratschichtdicke (cm)**
Moose, *Sedum*, Kräuter	5 bis 12
niedrige Stauden und Kräuter	mind. 15
Rasen	mind. 20
höhere Stauden und kleinere Gehölze	mind. 30
größere Gehölze	mind. 60
Bäume	mind. 80

Praxistipp

Für die statische Lastannahme ist nicht das Schüttgewicht des lieferfeuchten Substrats maßgebend, sondern dessen Gewicht im fertig eingebauten und wassergesättigten Zustand einschließlich des Gewichts der Dränageschicht und der Pflanzen.

Abb. 4.2: Extensivbegrünung eingefasst durch Kiesbelag

Abb. 4.3: Dachgarten mit Stauden und Gehölzen (Quelle: Bundesverband GebäudeGrün, Berlin)

Abb. 4.4: Tiefgaragenbegrünung mit Bäumen

Abb. 4.5: Dachbegrünung mit Spieleeinrichtungen

Abb. 4.6: Gegen Windsog gesicherte Dachrandausbildung

Bei den Substraten kann es durchaus erhebliche Unterschiede im Schüttgewicht geben, denn für den Bau von Dachbegrünungen werden teilweise sehr leichte Stoffe, wie z. B. Blähtone, Blähschiefer oder Bims, verwendet, aber auch schwerere Materialien, wie Lava- oder Ziegelsplitt.

Die Dränschicht wird oftmals aus Kunststoffmatten oder profilierten Kunststoffelementen gebildet, um die zusätzliche Belastung der Dachkonstruktion möglichst gering zu halten. Dennoch kann die Dränschicht deutlich zur Gesamtlast beitragen, insbesondere wenn sie aus einer dicken Schicht 16/32-mm-Kies hergestellt werden soll, z. B. 15 cm, was rund 300 kg/m^2 bzw. 3 kN/m^2 entspricht. Soll innerhalb der Dränschicht Wasser angestaut werden, wie dies bei Dachgärten und Retentionsgründächern auf 0°-Dächern häufig gewünscht wird, ist dieses Wasser ebenfalls bei der statischen Berechnung (ggf. als ständige Last) zu berücksichtigen.

Als ständige Last wirkt natürlich auch die Vegetation, wobei insbesondere Großsträucher und Bäume zu berücksichtigen und als Punktlasten anzusetzen sind. Die Eigenlasten von Pergolen, Sitz- und Einfassungsmauern und Spieleeinrichtungen (Abb. 4.5), Umrandungen, Wasserbecken, sonstigen Ausstattungselementen und Fotovoltaikmodulen sind selbstverständlich ebenfalls zu berücksichtigen. Gerade unter solchen punkt- oder linienförmigen Lasten muss, wie generell bei schweren Aufbauten, auch auf eine ausreichende Druckfestigkeit der Wärmedämmung geachtet werden.

Da insbesondere Dachgärten naturgemäß regelmäßig zum Aufenthalt genutzt und auf Tiefgaragendecken teilweise auch Parkplätze oder Feuerwehrzufahrten angelegt werden, sind in diesen Fällen die entsprechenden Verkehrslasten zu berücksichtigen. Die regional anzusetzende Schneelast muss auch für begrünte Dächer vollumfänglich einkalkuliert werden.

Lastannahmen für die gebräuchlichen Dachbegrünungsbaustoffe können den FLL-Dachbegrünungsrichtlinien (2018) entnommen werden. Zu beachten sind ferner die DIN EN 1991-1-1 „Einwirkungen auf Tragwerke – Teil 1-1: Allgemeine Einwirkungen auf Tragwerke – Wichten, Eigengewicht und Nutzlasten im Hochbau" (2010) und DIN EN 1991-1-3 „Einwirkungen auf Tragwerke – Teil 1-3: Allgemeine Einwirkungen, Schneelasten" (2010).

4.1.3 Windsogsicherung und Verwehsicherheit

Sogkräfte, die bei einem Bauwerk infolge von überströmendem Wind auftreten, greifen wie bei einer Flugzeugtragfläche auf der Dachfläche an und versuchen, diese – oder was sich darauf befindet – anzuheben. Lose verlegte Dachabdichtungen oder die lose aufliegenden Wärmedämmplatten eines Umkehrdachs benötigen daher eine Auflast, die größer ist als die durch Windsog auftretenden Kräfte. Auch wenn der Begrünungsaufbau z. B. als Auflast für Anschlageinrichtungen gegen Absturz oder für Aufständerungen von solartechnischen Anlagen dient, darf er das jeweils erforderliche Mindestgewicht nicht unterschreiten. Maßgebend in diesem Fall ist das Trockengewicht des Aufbaus. Damit dieses dauerhaft erhalten bleibt, ist es wichtig, dass insbesondere die Substratschicht auch bei Sturm nicht verweht wird.

Wie groß diese Auflast jeweils sein muss, hängt von verschiedenen Faktoren ab. Die Windgeschwindigkeit als wichtigster Faktor ist z. B. abhängig von der Lage des Gebäudes. Auf Bergen, insbesondere in Kammlagen, oder an der Küste sind die Windgeschwindigkeiten deutlich höher als im flachen Landesinneren. Hohe Gebäude sind wiederum stärker belastet als niedrige. Aber auch die Geometrie eines Gebäudes oder die Ausbildung des Dachrands hat Einfluss auf die Windsogkräfte.

Praxistipp

Grundsätzlich gilt, dass die Rand- und vor allem die Eckbereiche von Dächern durch Windsog stärker belastet werden als die Bereiche in der Mitte. Es wird daher oftmals erforderlich sein, Rand- und Eckbereiche deutlich schwerer auszubilden als den zugehörigen Innenbereich.

Streifen aus 16/32-mm-Rundkies, bei starker Sogbelastung eventuell beschwert mit Betonplatten oder Rasengittersteinen, stellen ein bewährtes Mittel zur Beschwerung stark gefährdeter Bereiche dar (Abb. 4.6). Die Breite dieser Streifen ist abhängig von der Gebäudegeometrie und kann auf ein und derselben Dachfläche durchaus unterschiedlich sein. Die notwendigen Berechnungsgrundlagen sind in DIN EN 1991-1-4 „Einwirkungen auf Tragwerke – Teil 1-4:

Allgemeine Einwirkungen – Windlasten“ (2010) enthalten. Die maßgebenden Windgeschwindigkeiten werden durch eine Windzonenkarte erfasst, die zeitlich gemittelte Windgeschwindigkeiten für verschiedene geografische Regionen angibt.

Um Verwehungen auszuschließen, sollte das Dachsubstrat nicht zu leicht sein und eine eher kantige, sich gut verzahnende Struktur aufweisen. Um die Vegetation so lange zu schützen, bis sie gut mit dem Untergrund verwurzelt ist, können z. B. Sprossenansaaten mit Klebern fixiert werden. Alternativ ist der Einsatz vorkultivierter Vegetationsmatten oder vorkultivierter Elemente zu überlegen.

Die Anmerkungen in Bezug auf Verwehsicherheit gelten natürlich nicht nur für Dächer, bei denen eine Auflast aus konstruktiven Gründen erforderlich ist, sondern generell für Bauwerke, bei denen mit einer hohen Windbelastung zu rechnen ist. Bei Gebäuden mit verklebter oder mechanisch befestigter Dachabdichtung können die Auflasten in der Regel zwar deutlich reduziert werden. Jedoch ist auch hier eine schnelle Flächendeckung der Vegetation von Vorteil, wenn die Gefahr besteht, dass das Substrat durch starken Wind verweht und die darunter liegenden Schichten freigelegt werden.

Begrünte Dächer mit gut etablierter Vegetation tauchen im Gegensatz zu Flachdächern ohne Auflast oder auch Dächern mit Eindeckungen in der Schadensstatistik kaum auf. Das Aufbringen einer Dachbegrünung gestaltet sich bei starkem Wind jedoch problematisch.

4.1.4 Brandverhalten und Brandschutz

Begrünte Dächer wurden in der Anfangszeit von Brandschutzbeauftragten teilweise sehr kritisch gesehen. Man stellte sich „Grasdächer“ vor, die vor allem am Ende des Winters trocken und dürr sein würden und durch kleinste Funken in Brand gesetzt werden könnten. Dies hat sich heute grundlegend geändert. Ein Begrünungsaufbau kann erwiesenermaßen die Dachabdichtung vor Brandeinwirkungen von außen schützen und besteht sogar die Tests, die notwendig sind, damit ein Dach als widerstandsfähig gegenüber Flugfeuer und strahlender Wärme eingestuft wird (Abb. 4.7).

Damit begrünte Dächer brandschutztechnisch günstig eingestuft werden, sind folgende Punkte zu berücksichtigen:

- Da es nicht auszuschließen ist, dass ein Gründach mit Brandeinwirkung in Berührung kommt, sei es durch einen Feuerwerkskörper oder eine noch glühende Zigarettenkippe, darf das für die Dachbegrünung eingesetzte Vegetationssubstrat selbst nicht brennbar sein.
- Sollte ein Brand ausbrechen und sich ausbreiten, muss verhindert werden, dass Feuer in das Gebäude eindringt.

Die Regelungen zum Brandschutz sind in den FLL-Dachbegrünungsrichtlinien (2018) sowie auch in DIN 4102-7 „Brandverhalten von Baustoffen und Bauteilen – Teil 7: Bedachungen –Anforderungen und Prüfungen“ (2018) verankert. Im Einzelnen gelten folgende Forderungen:

- Bei extensiven Dachbegrünungen, also bei Begrünungen, die in der Regel nicht bewässert oder gemäht werden, darf das Dachsubstrat maximal 20 % organische Masse aufweisen und soll in einer Schichtdicke von mindestens 3 cm aufgebracht werden.

Abb. 4.7: Brandversuch an einem Dachbegrünungsaufbau (Quelle: ZinCo GmbH, Nurtingen)

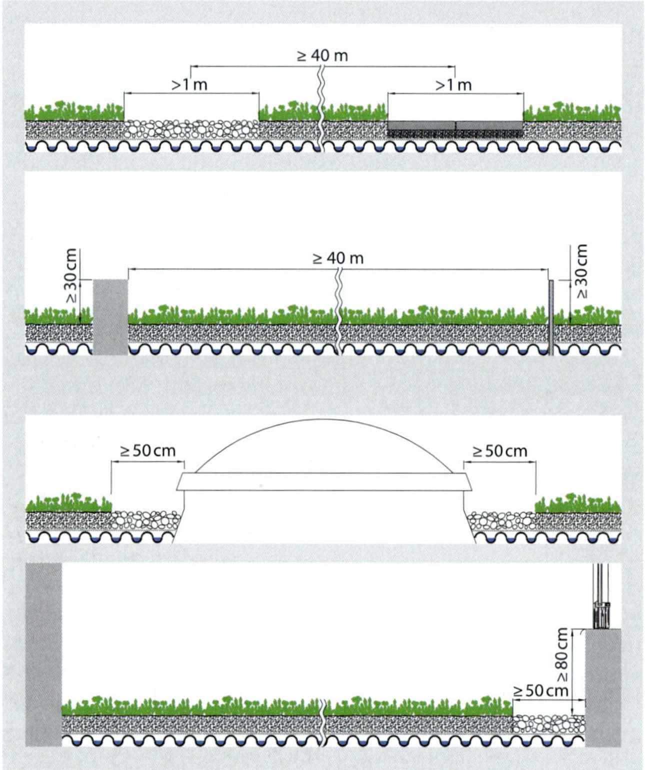

Abb. 4.8: Maßnahmen, die bei extensiv begrünten Dächern aus Sicht des vorbeugenden Brandschutzes zu treffen sind (Quelle: ZinCo GmbH, Nurtingen)

- Wenn die Länge einer Dachfläche 40 m in eine Richtung übersteigt, müssen zur Unterteilung Brandschutzstreifen mit mindestens 100 cm Breite aus Kies oder Betonplatten oder über das Dach reichende Abtrennungen aus nicht brennbaren Baustoffen angelegt werden (Abb. 4.8, oben).
- Mit der Begrünung soll ein Abstand von mindestens 50 cm zu Öffnungen im Dach eingehalten werden, der mit Kies oder Betonplatten zu bedecken ist. Derartige Öffnungen stellen z. B. Lichtkuppeln oder Dachausstiege dar, aber auch niedrig liegende Fenster mit einer Brüstungshöhe unter 80 cm in Wänden, die an die Dachflächen angrenzen (Abb. 4.8, unten).
- Die Abstandsstreifen sind im Rahmen der Pflege und Wartung frei von Bewuchs zu halten.

Für intensive Dachbegrünungen, also Begrünungen, die bei Trockenheit bewässert werden und wo im Rahmen

Abb. 4.9: Wurzelschutztest gemäß FLL-Verfahren

Abb. 4.10: Bambus-Rhizome weisen ein besonders starkes Wachstum auf (Quelle: ZinCo GmbH, Nurtingen).

der Pflege abgestorbenes und dürres Material regelmäßig entfernt wird, gibt es – vergleichbar einem Hausgarten – keine Einschränkungen aus brandschutztechnischer Sicht. Es sind somit in der Regel weder höhere Versicherungsprämien zu bezahlen noch stellt ein Gründach in dieser Hinsicht einen Hinderungsgrund für eine Baugenehmigung dar.

4.1.5 Dachabdichtung und Wurzelschutz

Pflanzenwurzeln stellen für Dachabdichtungen eine Belastung dar, der nicht jedes Material gewachsen ist. Werden z. B. Bitumenbahnen bei ihrer Herstellung nicht durch chemische Beimischungen oder durch entsprechende Einlagen wurzelfest ausgerüstet, müssen sie durch eine zusätzlich aufzubringende Wurzelschutzschicht wurzelfest gemacht werden. Während man bei zu begrünenden Dächern in der Regel diese Anforderung beachtet, kommt es bei Kiesdächern aufgrund mangelnder Wartung und nicht beachtetem Pflanzenwuchs häufiger zu Einwurzelungen und in deren Folge zu Undichtigkeiten.

Bereits im Jahre 1984 wurde von einer Arbeitsgruppe der Forschungsgesellschaft Landschaftsentwicklung Landschaftsbau e. V. (FLL) ein Verfahren entwickelt, das auf mehrjährigen Versuchen am Institut für Bodenkunde und Pflanzenernährung der Fachhochschule Weihenstephan aufbaute. Dieses Prüfverfahren stellt nach wie vor die verlässlichste Basis dar, um die Wurzel- und Rhizombeständigkeit (bei Quecke) von Dachabdichtungen und separat aufzubringenden Wurzelschutzschichten zu beurteilen (Abb. 4.9).

Das Prüfverfahren wird im Anhang der FLL-Dachbegrünungsrichtlinien (2018) beschrieben; die Prüfungen selbst werden jedoch nicht von der FLL, sondern von unabhängigen Instituten durchgeführt. Die Hersteller der zu prüfenden Bahnen oder Beschichtungen erhalten nach Ablauf der Prüfung einen Prüfbericht, den sie Interessenten auf Anforderung zur Verfügung stellen.

Parallel zum FLL-Wurzelschutztest gibt es seit Januar 2008 ein auf europäischer Ebene genormtes Prüfverfahren, beschrieben in DIN EN 13948 „Abdichtungsbahnen – Bitumen-, Kunststoff- und Elastomerbahnen für Dachabdichtungen – Bestimmung des Widerstandes gegen Wurzelpenetration“ (2008), das dem FLL-Verfahren sehr ähnlich ist, allerdings auf die dort mit als Testpflanze eingesetzte Quecke (*Agropyron repens*) verzichtet. Die Quecke, die auf begrünten Dachflächen durchaus vorkommen kann, bildet unterirdische Ausläufer, sog. Rhizome, die das Abdichtungsmaterial nochmals anders als Wurzeln beanspruchen. Der Verzicht auf diese Pflanzenart schränkt die Aussagekraft eines Prüfzeugnisses daher ein.

Eine Zusammenfassung zahlreicher Prüfergebnisse, sowohl gemäß FLL-Verfahren als auch nach dem europäischen Testverfahren gemäß DIN EN 13948, ist über die Homepage des Bundesverbands GebäudeGrün e. V. (BuGG) als Download unter www.gebaeudegruen.info abrufbar.

Grundsätzlich schränkt das Kriterium der Wurzelfestigkeit die Wahl des Abdichtungsmaterials nicht wesentlich ein. Es gibt wurzelfeste Bahnen sowohl auf der Basis von Bitumen als auch auf der Basis von Kunststoff- und Kautschukmaterialien. Auch einige flüssig aufzubringende Dachbeschichtungen wurden erfolgreich getestet. Generell gelten auch verschweißte Edelstahlbahnen, wie sie teilweise für Dachabdichtungen oder zur Ausbildung von Wannen eingesetzt werden, sowie wasserundurchlässiger Beton oder Schutzschichten aus Gussasphalt als wurzelfest. Bei wasserundurchlässigem Beton und Gussasphalt ist allerdings darauf zu achten, dass Bewegungsfugen in der Fläche wurzelfest ausgebildet und aufgehende Wände wurzelfest angeschlossen werden.

Wichtig bei zusätzlich aufzubringenden Wurzelschutzschichten – meist handelt es sich um Kunststofffolien oder -bahnen – ist, dass Materialverträglichkeit mit der eigentlichen Abdichtungsbahn besteht und sie an den Dachrändern hochgeführt und so verwahrt werden, dass sie nicht hinterwachsen werden können. Bei zu erwartender Materialunverträglichkeit sind ggf. Trennlagen vorzusehen. Da eine zusätzlich aufzubringende Schicht auch zusätzliche Kosten bedeutet, die z. B. im Falle einer mit Heißluft zu verschweißenden Bahn nicht unerheblich sind, empfiehlt es sich, von vornherein eine wurzelfeste Dachabdichtung vorzusehen, selbst wenn noch nicht 100 %ig feststeht, ob eine geplante Dachbegrünung tatsächlich realisiert wird.

Zu beachten ist auch, dass es bestimmte Pflanzen gibt, wie z. B. einige Bambus- und Chinaschilf-Arten, die ein besonders starkes Rhizomwachstum aufweisen, das weit über das der Quecke hinausgeht (Abb. 4.10). Diese Arten sollte man auf dem Dach nicht verwenden.

4.1.6 Dachneigung/Dachgefälle

Ein vollflächig mit einer Abdichtung versehenes Dach sollte grundsätzlich wasserdicht sein, unabhängig davon, ob die Unterlage Gefälle aufweist oder nicht. Wurde die Abdichtung regelkonform geplant und einwandfrei ausgeführt, ist dies natürlich der Fall. Trotzdem hat es sich bewährt, auch Flachdächer mit einem Gefälle auszustatten, um zu verhindern, dass sich auf der Dachfläche größere Pfützen ausbilden können (Abb. 4.11). Pfützen auf Dächern führen zu einer höheren Belastung der Dachabdichtung, z. B. weil

- sich extremere Temperaturunterschiede auf engstem Raum einstellen,
- Algenbildung einsetzt,
- Ablagerungen auftreten, die bei Frost wiederum Ansatzpunkte für Eisschub bilden können, und
- der gesamte Inhalt einer Pfütze im Falle einer kleinsten Undichtigkeit in den Dachaufbau gelangen kann.

Da ein Begrünungsaufbau temperaturausgleichend wirkt und Algenbildung auf der Abdichtung aufgrund des fehlenden Sonnenlichts verhindert, werden einige dieser Faktoren durch eine Begrünung außer Kraft gesetzt oder gemildert. Im Falle von extensiven Begrünungen ist es aber in der Regel trotzdem sinnvoll, Dachflächen mit einem ausreichenden Gefälle auszubilden, denn die dort verwendeten Pflanzen reagieren meist empfindlich auf länger anhaltende Nässe. Stauendem Wasser auf der Abdichtung – das manchmal aus bautechnischen Gründen unvermeidlich ist – muss daher durch Maßnahmen begegnet werden (siehe Abb. 4.74).

Im Falle intensiver Dachbegrünungen kann es hingegen durchaus von Vorteil sein, die zu begrünende Dachfläche ohne Gefälle auszubilden, sodass dort bewusst Wasser einige Zentimeter hoch angestaut werden kann. Dieses Wasser kann für eine sog. „Anstaubewässerung" eingesetzt werden. Wichtig ist jedoch, dass solch ein geplanter Wasseranstau im Winter aufgehoben werden kann, indem z. B. Anstauelemente von den Dachabläufen abgezogen werden. Bei Frost könnte die Abdichtung ansonsten Schaden erleiden.

Um hier möglichst sicherzugehen, ist bei gefälleloser Dachausbildung die Qualität der Abdichtung gegenüber dem Mindeststandard deutlich zu erhöhen, indem z. B. Bahnen mit größerer Dicke gewählt werden. Die maßgebenden Normen und Richtlinien für die Planung und Ausführung von Abdichtungen sind die DIN 18531 „Abdichtung von Dächern sowie von Balkonen, Loggien und Laubengängen" (2017) sowie die ZVDH-Regeln für Abdichtungen (Regeln für Abdichtungen, 2020).

Soll wiederum eine Dachfläche mit größerer Neigung abgedichtet werden, sind sowohl Wärmedämmung als auch Dachabdichtung so zu befestigen, dass sie nicht abrutschen können. Gemäß der Flachdachrichtlinie (Regeln für Abdichtungen, 2020) können solche Maßnahmen unter Umständen bereits ab einem Gefälle von 5 % (ca. 3°) erforderlich werden.

Abb. 4.11: Dach mit stehendem Wasser (Quelle: ZinCo GmbH, Nurtingen)

Hinsichtlich Dachneigung und Gefälle können zu begrünende Dächer wie folgt grob eingeteilt werden:

- 0°-Dächer oder Dächer mit sehr geringem Gefälle (< 2 %),
- Flachdächer mit Gefälle (2 bis 9 %, ca. 1 bis 5°),
- Schrägdächer (9 bis 27 %, 5 bis 15°),
- Steildächer (27 bis 100 %, 20 bis 45°).

4.1.7 Entwässerungseinrichtungen

Dachbegrünungen speichern zwar einen erheblichen Teil des Niederschlagswassers, Überschusswasser muss allerdings planmäßig abgeführt werden, damit es nicht zu Staunässe oder zu einer unzulässigen Lasterhöhung kommen kann. Bei der Bemessung der Entwässerungseinrichtungen können die Abflusskennzahlen der jeweils vorgesehenen Dachbegrünungsaufbauten durchaus angesetzt werden.

Die 3 verschiedenen Abflussbeiwerte sind wichtige Kenngrößen zur Beschreibung von Dachbegrünungen in Sachen Regenwasserrückhalt und Abflussverhalten:

- Der **Jahresabflussbeiwert C_a**, der das Verhältnis von Jahresniederschlag zur Gesamtmenge des vom Gründach abfließenden Überschusswassers angibt, gilt als Maß des Jahresretentionsvermögens und wird vor allem bei der „Gesplitteten Abwassersatzung" genutzt. Allgemein gültige Werte siehe in den FLL-Dachbegrünungsrichtlinien (2018) zu finden.
- Der **Spitzenabflussbeiwert C_s**, der das Verhältnis einer Bemessungsregenspende zum Regenwasserabfluss innerhalb der Regenspende wiedergibt, wird nach DIN 1986-100 „Entwässerungsanlagen für Gebäude und Grundstücke – Teil 100: Bestimmungen in Verbindung mit DIN EN 752 und DIN EN 12056" (2016) für die Berechnung der abflusswirksamen Fläche zur Bemessung von Dachabläufen und Leitungsquerschnitten und von Überflutungsnachweisen verwendet. Allgemein gültige Werte für Gründachaufbauten mit Schüttstoffen siehe in den FLL-Dachbegrünungsrichtlinien (2018) und in DIN 1986-100.
- Der **Mittlere Abflussbeiwert C_m**, der das mittlere Verhältnis von Niederschlag zur mittleren Menge des vom Gründach abfließenden Wassers angibt, wird für die Berechnung des Volumens von Niederschlagswasser-Rückhalteräumen verwendet. Allgemein gültige Werte siehe in der DIN 1986-100.

Tabelle 4.2 mit Abflusskennzahlen *Cs* in Abhängigkeit von der Höhe des Schichtaufbaus entstammt den FLL-Dachbegrünungsrichtlinien (2018). Weiter gibt es herstellerspezifische Abflusskennzahlen, die die Unternehmen jeweils speziell für ihre Begrünungssysteme ermitteln (Abb. 4.12).

Tabelle 4.2: Abflusskennzahlen C_s für Dachbegrünungen in Abhängigkeit von deren Substratschichtdicke (nach FLL-Dachbegrünungsrichtlinien, 2018)

Aufbaudicke (cm)	Dachneigung bis 5°	Dachneigung über 5°
über 50	$C_s = 0,1$	–
25 bis 50	$C_s = 0,2$	–
15 bis 25	$C_s = 0,3$	–
10 bis 15	$C_s = 0,4$	$C_s = 0,5$
6 bis 10	$C_s = 0,5$	$C_s = 0,6$
4 bis 6	$C_s = 0,6$	$C_s = 0,7$
2 bis 4	$C_s = 0,7$	$C_s = 0,8$

Abb. 4.12: Prüfeinrichtung zur Ermittlung der Abflusskennzahl Cs. Im unteren Bildteil: Mit Substrat befüllbare Fläche. Darüber Aufsatz zur Verhinderung von oberflächiger Erosion. Die Einrichtung ist neigbar

Abb. 4.13: Geöffneter Kontrollschacht (Quelle: ZinCo GmbH, Nurtingen)

Bei einer innen liegenden Entwässerung ist es wichtig, dass pro Dachfläche mindestens 2 Dachgullys oder ein Gully und ein Notüberlauf vorgesehen werden, auch wenn theoretisch ein Ablauf ausreichen würde. Bei der späteren Begrünung der Dachflächen ist ferner darauf zu achten, dass sämtliche Entwässerungseinrichtungen, wie Dachgullys, Notüberläufe, Wasserspeier usw., zugänglich bleiben und ihre Funktion ohne großen Aufwand kontrolliert und notfalls wiederhergestellt werden kann. Bewährt haben sich hier Kontrollschächte mit abnehmbaren Deckeln, die über den Entwässerungseinrichtungen positioniert und mit einem vegetationsfrei zu haltenden Kiesstreifen umgeben werden (Abb. 4.13). Derartige Kontrollschächte können in der Regel durch Aufstockelemente an die Höhe des Schichtaufbaus angepasst werden.

Ist mit erhöhtem Wasseranfall infolge von Schlagregen zu rechnen, kann es sinnvoll sein, entlang der betreffenden aufgehenden Fassaden Rinnen oder Roste vorzusehen, die über Schlitze das aufgenommene Wasser direkt der Dränschicht des Begrünungsaufbaus zuführen. Auch Wasser von höher liegenden Dachflächen sollte gezielt bewertet werden. Insbesondere wenn es von unbegrünten Flächen stammt, fällt es oft schwallartig an und kann zu Erosion führen. In derartigen Fällen ist ebenfalls das Einleiten in eine separate Rinne sinnvoll, die das Wasser in die Dränschicht abgibt oder direkt zum nächsten Dachgully führt (Abb. 4.14).

Abb. 4.14: Entwässerungsrinne entlang einer Fassade (Quelle: ZinCo GmbH, Nurtingen)

Insbesondere wenn es um die Entwässerung großer Dachflächen geht, taucht immer wieder die Frage auf, ob Entwässerungssysteme, die mit planmäßig vollgefüllt betriebenen Rohrleitungen (Druckströmung) arbeiten, in Verbindung mit Dachbegrünungen funktionieren. Grundsätzlich tun sie dies, aber da Dachbegrünungsaufbauten abflussverzögernd wirken, seltener unter Volllast. Bei einer Dachentwässerung mit Druckströmung ist wichtig, nur Flächen mit gleichartigem Abflussverhalten an einen Entwässerungsstrang anzuschließen. Wasser aus begrünten Bereichen, bekiesten Bereichen oder gar Bereichen mit ungeschützter (nackter) Dachdichtung muss also über separate Stränge abgeführt werden.

Soll der Abfluss an der Oberfläche weitgehend reduziert werden, sind abflussbeschleunigende Maßnahmen im Nahbereich der Abläufe erforderlich, ohne dass Substratpartikel weggeschwemmt werden und ohne dass Schutzmatten, Filtervliese oder Kontrollschächte mit zu gering dimensionierten Öffnungen dessen Weg versperren. So kann z. B. ein Feld von 2 m × 2 m um den Ablauf freigehalten werden (Abgrenzung mit geeigneten Kiesfangleisten, UV-Beständigkeit der Abdichtung prüfen). Alternativ können in diesem Bereich Dränelemente oder Dränprofile ausreichender Leistungsfähigkeit eingesetzt werden (FBB-SchlagLicht4 „Entwässerung mit Druckströmung bei begrünten Dächern", 2010).

Bei kleinen Flächen ist der Einsatz derartiger Hochleistungsentwässerungssysteme nicht sinnvoll, da die für die Selbstreinigung erforderliche Strömung nicht zustande kommt.

4.1.8 Schutzlagen, Schutzschichten und Schutzmaßnahmen

Die Abdichtung unter einer Dachbegrünung wird nach der Fertigstellung des Begrünungsaufbaus zwar hervorragend geschützt, aber sie kann während des Aufbringens der Begrünung unter Umständen einer sehr hohen Belastung ausgesetzt sein. Dies gilt insbesondere, wenn Substrate mit scharfkantigen mineralischen Bestandteilen oder auch Kies im Silozug angeliefert und per Schlauchleitung auf das Dach geblasen werden. Die Abdichtung sollte daher ausreichend robust sein und darüber hinaus durch Schutzlagen oder -schichten, die auf die zu erwartende Beanspruchung abgestimmt sind, vor mechanischer Beschädigung geschützt werden.

Wird eine Dachfläche vor Beginn der Begrünungsarbeiten noch begangen oder soll eine Zwischennutzung etwa zur Lagerung von Baumaterialien erfolgen oder müssen auf der Fläche Gerüste aufgestellt werden, so sind temporäre Schutzmaßnahmen zu ergreifen, die eine Beschädigung der Dachabdichtung während dieser Zeit sicher ausschließen (Abb. 4.15). Eine übliche Schutzmaßnahme stellt z. B. das Abdecken der betreffenden Dachbereiche mit robusten Bautenschutzplatten aus Gummigranulat dar.

Unter Dachbegrünungen werden als Schutzlage gegen mechanische Beschädigung in erster Linie Schutzvliese oder -matten aus verrottungsfesten Synthesefasern eingesetzt (Abb. 4.16). Fasermatten sind im Gegensatz zu Bautenschutzplatten aus Gummi in der Lage, Feuchtigkeit zu speichern, was letztendlich der Begrünung zugute kommt. Die Qualität von Vliesen und Matten lässt sich am besten anhand der Geotextil-Robustheitsklasse (GRK) beurteilen. Je höher die Klasse – es gibt 5 –, desto höher ist der Widerstand gegen Durchdrücken.

Praxistipp

Allein das Flächengewicht eines Vlieses für die Bewertung von dessen Schutzfunktion heranzuziehen, eicht nicht aus, denn das Flächengewicht sagt nichts darüber aus, wie gut das Vlies vernadelt bzw. verfestigt wurde.

Abb. 4.15: Als Lagerplatz genutztes Dach (Quelle: ZinCo GmbH, Nurtingen)

Abb. 4.16: Eine mit Schutzmatten abgedeckte Dachfläche (Quelle: ZinCo GmbH, Nurtingen)

Werden vollflächig mit Filtervlies abgedeckte Dränelemente oder Dränagebahnen aus Kunststoff auf der Dachfläche verlegt, kann in bestimmten Fällen auf eine separate Schutzlage verzichtet werden. Die Empfehlungen der Hersteller sind hierbei zu beachten.

Bei besonders hoher Belastung, z. B. wenn abgedichtete Tiefgaragendecken zum Aufbringen der Begrünungsschichten mit Fahrzeugen befahren werden sollen, reichen Fasermatten als Schutzlage in der Regel nicht mehr aus. Wenn hier nicht eine dauerhafte Schutzschicht in Form eines Zementestrichs oder eines Gussasphalts aufgebracht wurde, kommen als Schutzlage nur hoch belastbare Dränagebahnen oder -platten aus massivem Synthesekautschuk oder extrem druckstabilem Kunststoff infrage, die allerdings lückenlos verlegt und gegen Verschieben gesichert sein müssen.

4.1.9 Absturzsicherung und Dachzugang

Dauerhaft genutzte Flächen, jedoch auch Flächen, die nicht zum regelmäßigen Aufenthalt vorgesehen sind, sondern wie z. B. extensiv begrünte Dächer nur hin und wieder für Pflege- und Wartungsarbeiten aufgesucht werden, sind mit

Einrichtungen gegen Absturz zu versehen, wenn die Absturzhöhe mehr als 2 m beträgt und im 2 m breiten Gefahrenbereich entlang der Absturzkante gearbeitet werden muss (Abb. 4.17).

Absturzsicherungen müssen bereits bei der Planung berücksichtigt werden. Musterbauordnung und DIN 4426 „Einrichtungen zur Instandhaltung baulicher Anlagen – Sicherheitstechnische Anforderungen an Arbeitsplätze und Verkehrswege – Planung und Ausführung" (2017) verweisen auf die Mindestausstattungsklassen der DGUV-Information 201-056 (2015). Arbeitsschutzgesetz und Baustellenverordnung fordern zusätzliche Maßnahmen, um die Gefährdung der Beschäftigten zu vermeiden. Die FLL-Dachbegrünungsrichtlinien (2018) weisen auf auflastgehaltene Sicherungssysteme hin. Grundsätzlich gilt: Kollektiv- vor Individualschutz.

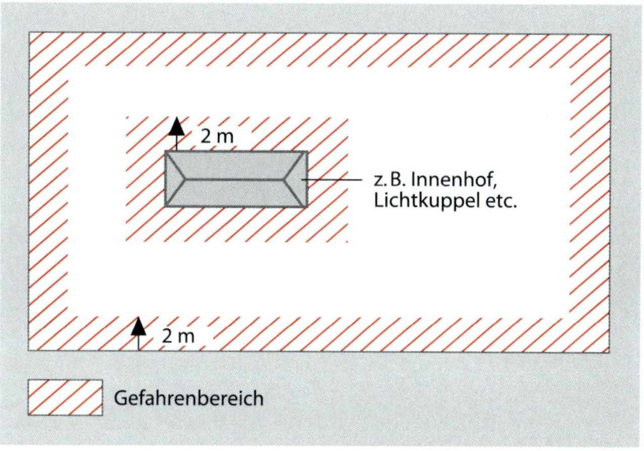

Abb. 4.17: Der Gefahrenbereich auf Flachdächern betrifft nicht nur die Absturzkante selbst, sondern auch Öffnungen innerhalb der Dachfläche (Quelle: ZinCo GmbH, Nurtingen).

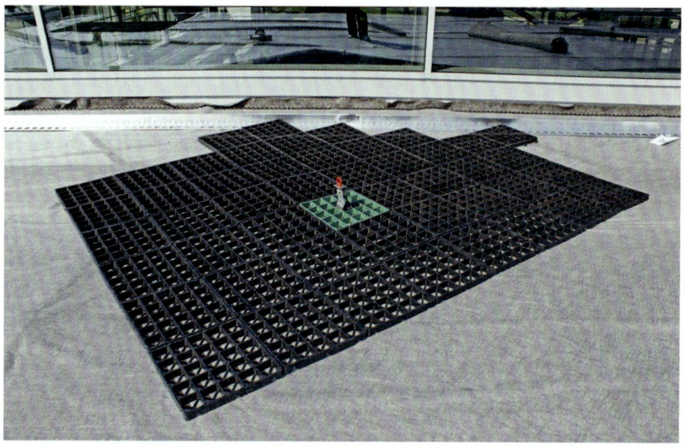

Abb. 4.18: Durch Auflast gehaltenes Absturzsicherungssystem (Quelle: ZinCo GmbH, Nurtingen)

Abb. 4.19: Durch Auflast gehaltenes Geländer-Befestigungssystem (Quelle: ZinCo GmbH, Nurtingen)

Kollektivschutz

Grundsätzlich müssen Flächen, die zum dauernden Aufenthalt von Personen dienen und die eine Absturzgefahr darstellen, durch eine ausreichend hohe Brüstung oder ein Geländer gesichert werden. Wie hoch ein Geländer oder eine Brüstung sein muss – ob 90, 100 oder 110 cm –, hängt von der Gebäudehöhe und der Nutzung ab und ist in der jeweiligen Landesbauordnung bzw. der Arbeitsstättenrichtlinie geregelt. Welcher Belastung, sprich welchem Anpralldruck, ein Geländer standhalten muss, hängt wiederum davon ab, ob es sich um einen privaten oder öffentlichen Bereich handelt oder gar um Versammlungsstätten. Wo Kinder Zugang haben, müssen Geländer zudem übersteigsicher ausgebildet werden und die Geländerstäbe dürfen keinen zu großen Abstand aufweisen. Geländer und vergleichbare Einrichtungen werden auch als Kollektivschutz bezeichnet, da sie alle auf der betreffenden Fläche befindlichen Personen schützen.

Individualschutz

Für die meist nur kurzfristigen Instandhaltungs- und Wartungsarbeiten ist in der Regel ein Individualschutz in Form eines Anseilschutzes ausreichend. Es sollten daher bauseits entsprechende Anschlagpunkte vorgesehen werden, an denen man sich mit seiner persönlichen Schutzausrüstung gegen Absturz (PSAgA) einhängen kann. Anschlageinrichtungen für die persönliche Schutzausrüstung gegen Absturz werden in DIN EN 795 „Persönliche Absturzschutzausrüstung – Anschlageinrichtungen" (2012) geregelt. Sie müssen zugelassen und für die jeweilige Gegebenheit geeignet sein. Die Benutzung der persönlichen Schutzausrüstung selbst beschreibt die Deutsche Gesetzliche Unfallversicherung (DGUV) in der DGUV Information 112-198 „Benutzung von persönlichen Schutzausrüstungen gegen Absturz" (2019).

Für den nachträglichen Einbau auf einer bereits fertiggestellten Dachabdichtung empfiehlt sich das Anbringen der Anschlagpunkte ohne Durchdringung der Dachabdichtung, z. B. mittels Befestigung an tragenden Bauteilen oder an durch Auflast gehaltenen Sicherungssystemen (Abb. 4.18). Durch Auflast gehaltene Systeme müssen nach DIN EN 795 eine CE-Kennzeichnung Klasse E aufweisen. Auf geneigten Dachflächen können durch Auflast gehaltene Systeme nicht eingesetzt werden. Dort kommen nur objektbezogene und zugelassene Lösungen mit fest im Untergrund oder an seitlichen Bauteilen verankerten Anschlagpunkten in Betracht, die eventuell durch Stahlseile oder Schienen verbunden sein können.

Einige Hersteller bieten mittlerweile auch durch Auflast gehaltene, geprüfte Systeme an, mit denen Geländer- oder Zaunpfosten auf abgedichteten Flächen positioniert werden können, ohne die Dachhaut zu durchdringen (Abb. 4.19).

Abb. 4.20: Begrünung kombiniert mit Gehbereichen

Abb. 4.21: Fahrbelag auf Tiefgarage

Und neben fixen Anschlagpunkten gibt es inzwischen auch durch Stahlseile oder Schienen geführte, mitlaufende Anschlagpunkte, die ein bequemeres Arbeiten ermöglichen, da das ständige Umhängen des Sicherungsseils entfällt.

Die Absturzsicherungsmaßnahmen gelten im Übrigen nicht nur an der Absturzkante selbst, sondern auch für die Bereiche um nicht durchbruchsichere Dachmaterialien wie z. B. Lichtkuppeln (siehe Abb. 4.17).

Dachzugang

Nicht nur in der Bauphase, sondern auch in der Nutzungsphase müssen die Dächer zu Instandhaltungs- und Wartungszwecken sicher erreichbar sein. Dachzugänge müssen in Abhängigkeit der Nutzung geplant und vorgesehen werden.

4.1.10 Begehbare und befahrbare Dachflächen

Flachdächer eignen sich nicht nur für eine Begrünung. Insbesondere, wenn sie gut zugänglich sind, liegt es nahe, dort auch Geh- und Sitzbereiche oder gar Spiel- und Sportflächen anzulegen (Abb. 4.20). Hierbei sind selbstverständlich entsprechende Maßnahmen gegen Absturz vorzusehen (siehe Kapitel 4.1.9). Auf Tiefgaragendecken kommt es häufiger vor, dass dort nicht nur begehbare Bereiche, sondern auch Parkplätze oder Aufstellflächen für die Feuerwehr mit entsprechenden Zufahrten angelegt werden sollen.

Grundsätzlich müssen für alle Varianten von Geh- und Fahrbelägen auf Dächern und Decken die statischen Voraussetzungen erfüllt sein. Darüber hinaus müssen Wärmedämmstoffe mit entsprechender Druckfestigkeit eingebaut werden und es muss die notwendige Bauhöhe zur Verfügung stehen. Letzteres gilt insbesondere auch für den Bereich von Türaustritten.

Grundsätzlich zu beachten sind die FLL-Empfehlungen für Planung, Bau und Instandhaltung von Verkehrsflächen auf Bauwerken (2020).

Statik

Für die statische Berechnung genügt es im Falle begeh- und befahrbarer Dachflächen nicht, nur die Eigenlasten der Belagaufbauten zu berücksichtigen, sondern es müssen auch die entsprechenden Verkehrslasten angesetzt werden. Für Dachterrassen und begehbare Dachflächen beträgt die anzusetzende Flächenlast z. B. 4,0 kN/m^2, was 400 kg/m^2 entspricht. Bei befahrenen Flächen sind nicht nur das Gesamtgewicht der Fahrzeuge und die jeweiligen Einzelradlasten entscheidend, sondern es ist auch zu berücksichtigen, dass durch Beschleunigungs-, Brems- und Lenkvorgänge auch Horizontalkräfte in die Beläge eingeleitet werden. Maßgebendes Regelwerk ist hier insbesondere die DIN EN 1991-1-1 (siehe auch Kapitel 4.1.2).

Trag- und Bettungsschichten

Beim Herstellen von Trag- und Bettungsschichten auf Dächern und Decken ist darauf zu achten, dass Bauwerke anfällig gegen Schwingungen sind. Für Asphaltbeläge auf Deckenflächen bietet sich die „halbstarre Bauweise“ an, da bei dieser weniger stark verdichtet werden muss.

Um eine Versinterung der Dachabläufe zu verhindern, ist bei der Auswahl von Trag- und Bettungsschichten darauf zu achten, dass kalkarme Materialien verwendet werden und dass für die Herstellung von Fundamenten oder für das Setzen von Abgrenzungen nur hochwertiger Beton eingesetzt wird.

Beläge

Bei der Wahl der Belagmaterialien gibt es kaum Einschränkungen; sowohl Holzbeläge als auch Platten- oder Pflasterbeläge aus Naturstein oder Beton und selbst elastische Beläge aus wasserdurchlässigem und falldämpfendem Gummigranulat sind möglich. Platten- und Pflasterbeläge werden überwiegend im Splittbett verlegt. Um Gewicht zu sparen, können unter Platten- und Holzbelägen alternativ auch Stelzlager eingesetzt werden. Aufgestelzte Beläge müssen jedoch gegenüber begrünten Dachflächen so abgegrenzt werden, dass kein Substrat daruntergelangt.

Aus Stabilitätsgründen kommen auf Tiefgaragendecken meist nur Beläge aus Verbundpflaster oder Rasengittersteinen bzw. -waben auf einer entsprechenden Bettungsschicht und einer ausreichend hohen Tragschicht infrage (Abb. 4.21). Asphaltierte Bereiche sind nur in Verbindung mit ausreichend hitzebeständigen Unterbauten möglich.

Entwässerung

Bei der Anlage von Geh- und Fahrbelägen auf Dächern und Decken in Kombination mit Begrünungen ist darauf zu achten, dass diese nicht die Entwässerung blockieren. Wenn möglich, sollte daher eine Dränschicht gewählt werden, die sowohl unter den begrünten als auch unter den begangenen bzw. befahrenen Bereichen eingesetzt werden kann. Die Entwässerung der Beläge selbst erfolgt oft größtenteils auf deren Oberfläche. Auf entsprechendes Oberflächengefälle ist deshalb zu achten. Über den Dachabläufen sollten herausnehmbare Roste vorgesehen werden, durch die das Niederschlagswasser nach unten gelangen kann (Abb. 4.22).

Abb. 4.22: Terrassenrost in einer Belagfläche. Diese müssen funktional für die Entwässerung als auch ebenerdig zur Vermeidung von Stolperstellen eingebaut werden (Quelle: ZinCo GmbH, Nurtingen).

4.1.11 Fotovoltaik- und Solarthermieanlagen auf Gründächern

Über lange Jahre standen das Begrünen von Dachflächen und deren Nutzung für Fotovoltaik- oder Solarthermieanlagen in Konkurrenz zueinander. Hausbesitzer mussten sich für das eine oder das andere entscheiden und auch Kommunen, die in Bebauungsplänen Dachbegrünung zur Auflage machten, ließen Ausnahmen zu, wenn statt einer Begrünung die Errichtung einer großflächigen Fotovoltaikanlage vorgesehen war.

Mittlerweile gibt es seit mehr als 20 Jahren bewährte Systeme, die auf ein und derselben Dachfläche die Kombination von Begrünung und Solarnutzung ermöglichen (Abb. 4.23). Grundlage sind Systeme, die durch die Auflast des Dachbegrünungsaufbaus an Ort und Stelle gehalten werden, ähnlich den durch Auflast gehaltenen Absturzsicherungssystemen (siehe Kapitel 4.1.9). So können Dachdurchdringungen, die immer Problempunkte für die Dachabdichtung darstellen, und hohe Punktlasten, wie sie z. B. Fundamente aus Betonsteinen mit sich bringen, vermieden werden.

Damit Dachbegrünung und Solarnutzung gemeinsam funktionieren, ist es wichtig, dass weder Pflanzen die Solarmodule beschatten noch dass die Module das Wachstum der Pflanzen behindern oder sogar verhindern.

Praxistipp

Weil Solaranlagen auf Dachflächen dem Wind ausgesetzt sind, ist es unabdingbar, dass die aufzubringende Auflast entsprechend der Lage des Gebäudes, der Gebäudehöhe und der Größe der Module sowie deren Montageart (liegend oder stehend) von einer Fachperson bemessen wird.

Neben der Nutzung von Begrünungen als Auflast für eine Solaranlage ergibt sich für Fotovoltaikanlagen ein zweiter Synergieeffekt. In Fotovoltaikmodulen befinden sich Halbleiter auf der Basis von Siliziumkristallen. Halbleiter reagieren mit Leistungsverlust, sobald die Umgebungstemperatur ansteigt. Dachflächen, auf denen Anlagen zur Gewinnung von Solarenergie errichtet werden sollen, sollten naturgemäß den ganzen Tag über besonnt sein. Auf einem nackten oder einem bekiesten Dach kann die Lufttemperatur über der Dachfläche im Sommer weit über 40 °C erreichen. Bei

Abb. 4.23: Solaranlage in Kombination mit einer Dachbegrünung (Quelle: Bundesverband GebäudeGrün, Berlin)

einem Gründach wird durch den Verdunstungseffekt der Vegetation erreicht, dass die Temperatur selten über 25 °C ansteigt. Da die bei Fotovoltaikmodulen eingesetzten Halbleiter oftmals einen Leistungsverlust von bis zu 0,5 % bei einer Temperaturerhöhung von 1 K aufweisen, lässt sich durch eine Begrünung der Ertrag einer Fotovoltaikanlage im Sommer steigernwarden (siehe auch Henke, 2017).

Im Kapitel 4.2.1 wird auf die Bau- und Vegetationstechnik der sogenannten Solar-Gründächer eingegangen.

4.1.12 Typische Detailausbildungen

Grundsätzlich gilt für Gründächer – wie für alle abgedichteten Dächer –, dass Details, wie Dachrandabschlüsse oder Anschlüsse an aufgehende Bauteile (Fassaden, Brüstungen, Durchdringungen und Terrassentüren), so auszubilden sind, dass sie zuverlässig und dauerhaft funktionieren und für eine Überprüfung und Wartung ohne größeren Aufwand zugänglich sind. An- und Abschlüsse von Dachabdichtungen müssen bis zu ihrem oberen Ende wasserdicht sein und sollten bei einer Begrünung z. B. durch Metallverwahrungen vor UV-Strahlung und mechanischer Beschädigung geschützt werden. Damit soll erreicht werden, dass die Abdichtung im vertikal verlaufenden Bereich, und insbesondere dort, wo sie über die Begrünung oder sonstige

Beläge hinausragt, eine ähnlich hohe Lebensdauer erreichen kann wie im horizontalen, abgedeckten Bereich.

Dachdurchdringungen sollten auf ein Mindestmaß reduziert werden. Dies kann z. B. durch Bündelung der Leitungen, die durch eine Dachfläche hindurchzuführen sind, erreicht werden. Es empfiehlt sich, solche Stellen als Hochpunkte in der Dachfläche auszubilden, damit dort kein Stauwasser auftreten kann.

Die Entwässerung von Dachflächen, bei denen Begrünungen und andere Nutzungen kombiniert werden, sollte nicht durch Abgrenzungen oder Fundamentierungen unterbrochen werden. Werden hier z. B. vollflächig Dränelemente aus profiliertem Kunststoff verlegt, können diese als „verlorene Schalung“ eingesetzt werden und das Wasser findet unterhalb dieser Dränelemente ungehindert seinen Weg zu den Dacheinläufen. Die Abb. 4.24 bis Abb. 4.36 zeigen beispielhafte Detailausbildungen.

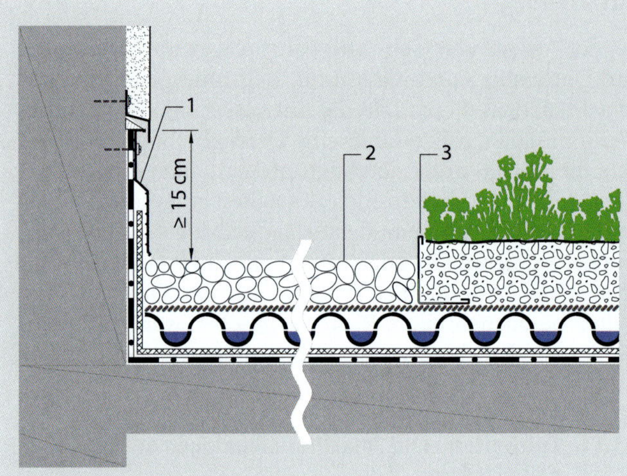

1 Klemm- und Schutzprofil
2 Kiesstreifen
3 Kiesleiste

Abb. 4.24: Wandanschlussdetail mit ausreichender Anschlusshöhe und durch Abdeckprofil verwahrter Abdichtung im senkrechten Bereich (Quelle: ZinCo GmbH, Nürtingen)

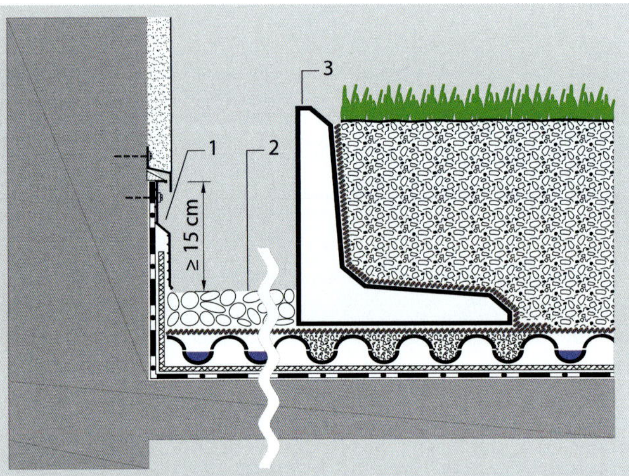

1 Klemm- und Schutzprofil
2 Kiesstreifen
3 Betonwinkelstein, bei Bedarf im Beton- oder Splittbett

Abb. 4.25: Wandanschlussdetail bei geringer Anschlusshöhe. Lösung durch zurückgesetzte und mit Abgrenzungsprofil bzw. L-Stein eingefasste Begrünung (Quelle: ZinCo GmbH, Nürtingen)

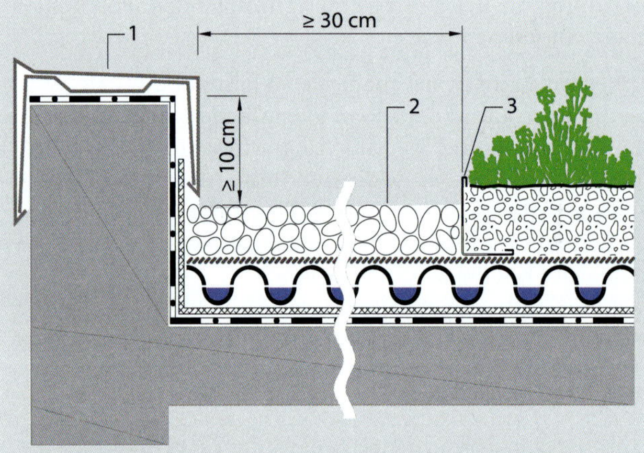

1 Mauerabdeckung
2 Kiesstreifen
3 Kiesleiste

Abb. 4.26: Typisches Dachranddetail mit Kiesstreifen (Quelle: ZinCo GmbH, Nürtingen)

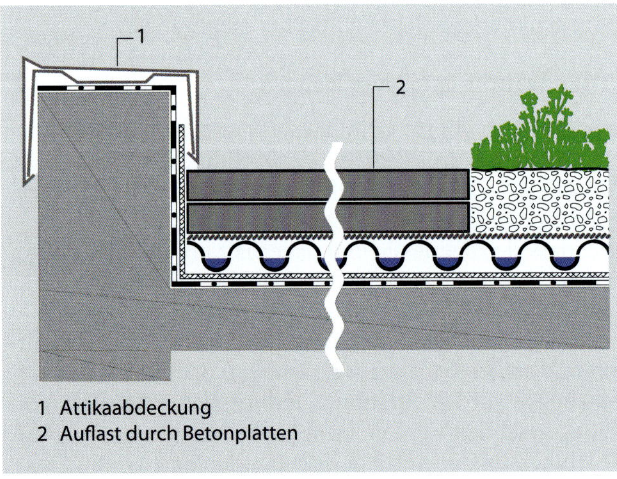

1 Attikaabdeckung
2 Auflast durch Betonplatten

Abb. 4.27: Dachranddetail mit erhöhter Auflast durch Platten (Quelle: ZinCo GmbH, Nürtingen)

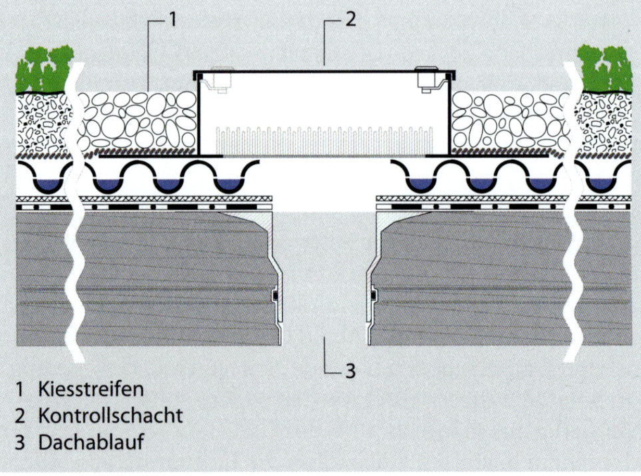

1 Kiesstreifen
2 Kontrollschacht
3 Dachablauf

Abb. 4.28: Innen liegender Dachgully mit Kontrollschacht (Quelle: ZinCo GmbH, Nürtingen)

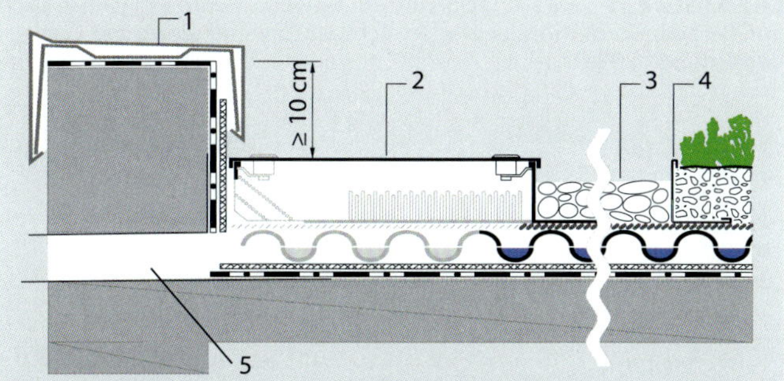

1 Mauerabdeckung
2 Rand-Kontrollschacht
3 Kiesstreifen
4 Kiesleiste
5 Wasserspeier

Abb. 4.29: Attikaablauf mit Randkontrollschacht (Quelle: ZinCo GmbH, Nürtingen)

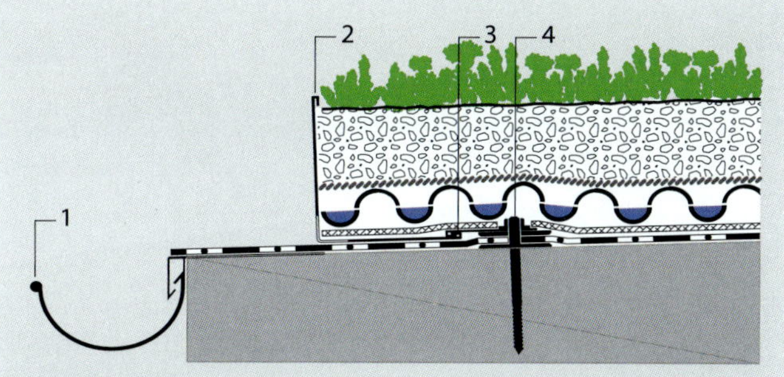

1 Dachrinne
2 Geschlitzte Kiesleiste
3 Halteblech für Kiesleiste
4 Schraubanker zum Einbau in abgedichtete Dächer nach Los-/ Festflansch-Prinzip

Abb. 4.30: Leicht geneigtes Dach mit außen liegender Dachrinne (Quelle: ZinCo GmbH, Nürtingen)

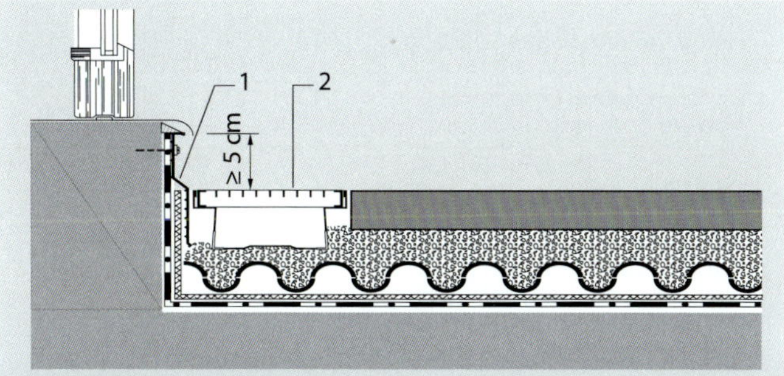

1 Klemm- und Schutzprofil
2 Entwässerungsrinne mit geschlitztem Grundkörper

Abb. 4.31: Türaustritt mit davor liegendem Entwässerungsrost und Plattenbelag im Splittbett (Quelle: ZinCo GmbH, Nürtingen)

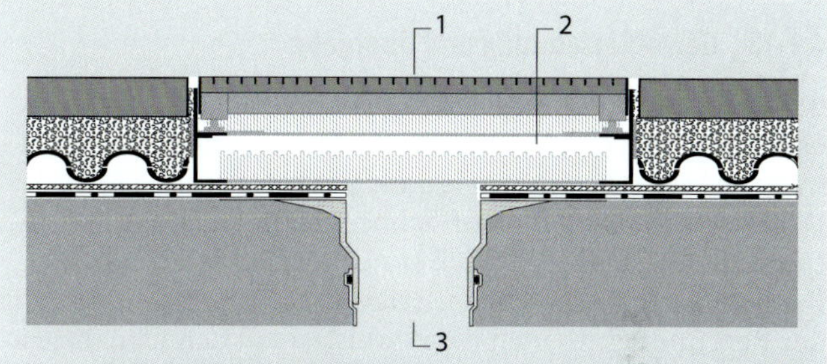

1 Terrassenrost höhenverstellbar
2 Aufstockelement für Terrassenrost
3 Dachablauf

Abb. 4.32: Plattenbelag im Splittbett mit Terrassenrost über Dach-Gully (Quelle: ZinCo GmbH, Nürtingen)

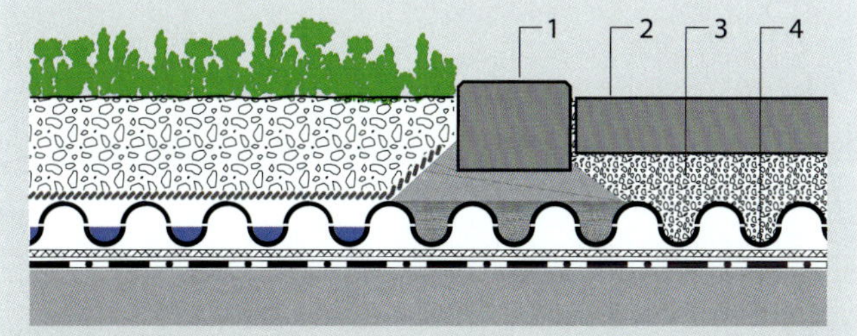

1 Betonpflaster im Mörtelbett
2 Plattenbelag
3 Splittbettung, kalkarm
4 Drainageelement verfüllt mit kalkarmem Splitt

Abb. 4.33: Abgrenzung Plattenbelag im Splittbett gegenüber Begrünung (niveaugleich) (Quelle: ZinCo GmbH, Nürtingen)

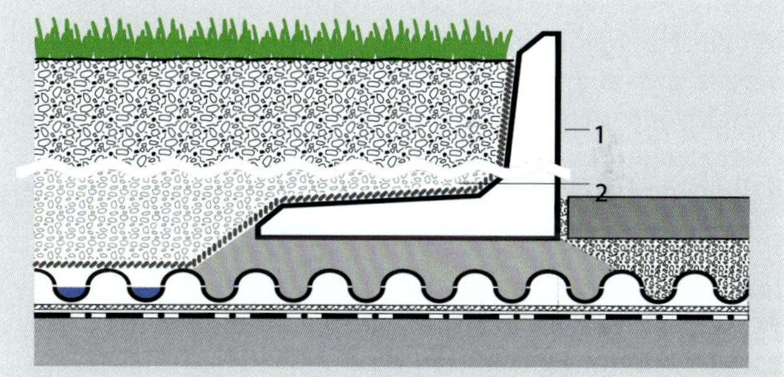

1 Betonwinkelstein im Betonfundament
2 Untersubstrat bei Substrathöhen über 35 cm

Abb. 4.34: Abgrenzung Plattenbelag im Splittbett gegenüber Begrünung (unterschiedliche Höhen, mit L-Stein) (Quelle: ZinCo GmbH, Nürtingen)

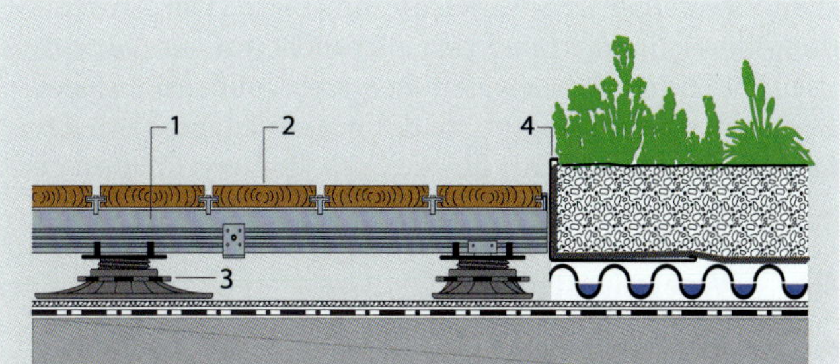

1 Holzbelag
2 Schienensystem
3 höhenverstellbare Stelzlager
4 Abgrenzungsprofil

Abb. 4.35: Abgrenzung Holzbelag auf Stelzlager gegenüber Begrünung (Quelle: ZinCo GmbH, Nürtingen)

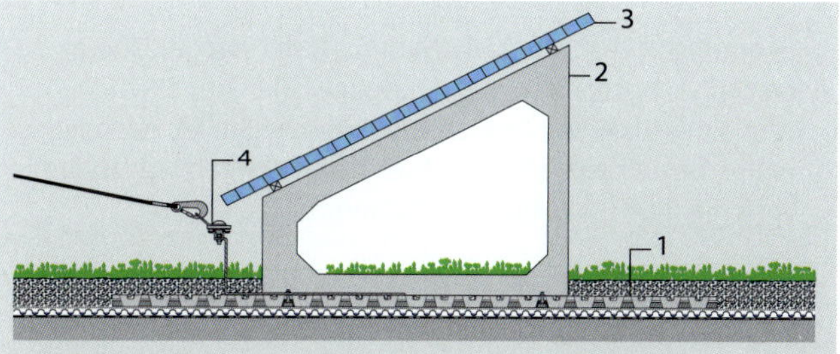

1 Solar-Basisplatte, für Auflast und Wasserverteilung
2 Solar-Grundrahmen, sichert den Abstand zur Begrünung
3 Fotovoltaik-Panel auf Querprofilen
4 Schienensystem als Anschlagmöglichkeit gegen Absturz

Abb. 4.36: Aufständerung von Fotovoltaikmodulen über einer Dachbegrünung inklusive einer Anschlagschiene gegen Absturz (Quelle: ZinCo GmbH, Nurtingen)

Abb. 4.37: Dachabdichtungen wie diese sind vor Beginn der Begrünungsarbeiten eingehend zu prüfen (Quelle: ZinCo GmbH, Nurtingen).

4.1.13 Gewerketrennung und Übergabe

Bei der Ausführung begrünter Dächer gehört der Gewerkeübergang zwischen Dachdeckerhandwerk und Dachbegrünung zur täglichen Praxis für alle Baubeteiligten. Führt das Dachdeckerhandwerk die Dachbegrünung nicht selbst aus, sondern, wie häufig der Fall, ein Unternehmen aus dem Bereich Garten- und Landschaftsbau, geht mit dem Beginn der Begrünungsarbeiten die Beweislast auf den Dachbegrünenden über.

Für den Dachbegrünenden heißt es hier, sehr aufmerksam zu prüfen, ob seit der Abnahme der Abdichtungsarbeiten durch den Bauenden bzw. dessen Vertretenden erkennbare Veränderungen oder Beschädigungen an der Dachabdichtung aufgetreten sind (Abb. 4.37).

Bei der Übergabe eines Daches stellt sich z. B. oftmals auch heraus, dass sich trotz geplantem Gefälle aufgrund von Durchbiegungen oder zu hoch eingebauten Gullys in manchen Dachbereichen Wasser sammelt oder dass Anschlusshöhen zu niedrig ausgefallen sind. Beides macht unter Umständen Änderungen im Begrünungsaufbau erforderlich.

Im Rahmen einer technischen Begehung einer Dachfläche vor Beginn der Dachbegrünungsarbeiten sind die in Checkliste 4.1 zusammengefassten Punkte zu klären. Grundlage für solch eine Begehung ist, dass entsprechende Unterlagen, Pläne und ggf. das Abnahmeprotokoll der Dachabdichtungsarbeiten zur Verfügung stehen.

Praxistipp

Es empfiehlt sich, ein Dach „Naht für Naht" bei der Übergabe akribisch zu prüfen und in Zweifelsfällen den Dachdecker hinzuzuziehen, damit dieser kritische Stellen nacharbeitet, bevor diese überdeckt werden. Es bieten sich zudem verschiedene Leckortungsverfahren zur Prüfung an.

Der Bundesverband GebäudeGrün e. V. (BuGG) hat einen Leitfaden mit dem Titel „BuGG-Fachinformation ‚Leitfaden sicherer Gewerkeübergang Dachbegrünung'" (2020) erarbeitet, der die relevanten Prüfkriterien, Hinweispflichten und Abstimmungspunkte beinhaltet und durch die kompakte Zusammenstellung mit Checklisten und zahlreichen Fotos eine Arbeitserleichterung bietet. Der Anwendungsbereich beschränkt sich aber nicht nur auf die praktische Situation des Gewerkeübergangs auf der Baustelle. Bereits in der Planungsphase des Bauvorhabens kann der Leitfaden als Grundlage für die zeitliche Koordination der Gewerke dienen.

Checkliste 4.1: Kurz-Checkliste zum Gewerkeübergang (siehe auch BuGG-Fachinformation „Leitfaden sicherer Gewerkeübergang Dachbegrünung", 2020)

Prüfkriterien	ja	nein	Bemerkungen
Angaben zur Dachkonstruktion: vollständig und zutreffend hinsichtlich			
Lastreserven	☐	☐	
Dachneigung	☐	☐	
Dachentwässerung	☐	☐	
Dachschichtenaufbau	☐	☐	
Dachabdichtung	☐	☐	
An- und Abschlusshöhen	☐	☐	
Lagesicherung gegen Windsog	☐	☐	
Sicherungseinrichtungen gegen Absturz	☐	☐	
Dachabdichtung			
Verarbeitung entsprechend den Normen und Richtlinien	☐	☐	
sichtbare Mängel oder Schäden auf der Dachoberfläche	☐	☐	
ordnungsgemäße Nahtverschweißung	☐	☐	
ordnungsgemäße Detailausbildung	☐	☐	
feuchte Stellen an der Dachunterseite	☐	☐	
Dokumentation der Ergebnisse, möglichst ergänzt durch Fotos	☐	☐	
vorab zu klärende Punkte, falls nicht sofort nach Fertigstellung der Dachabdichtung mit den Begrünungsarbeiten begonnen wird:			
Gefährdungen für die Dachabdichtung	☐	☐	
Schutzmaßnahmen im Übergangszeitraum	☐	☐	
Absturzsicherungsmaßnahmen während der Begrünungsarbeiten	☐	☐	
Zugänglichkeit zur Dachfläche	☐	☐	

4.2 Vegetationstechnik

4.2.1 Begrünungsarten

Unter der Begrünungsart ist die grundlegende Ausbildung und Nutzung der Dachbegrünung zu verstehen. Bei einfachem Aufbau und geringer Pflege und Nutzung spricht man von Extensivbegrünungen. Das Gegenteil ist die Intensivbegrünung mit einem höheren, gartenähnlichen Aufbau und dementsprechend höheren Instandhaltungsansprüchen und Nutzungsmöglichkeiten durch den Menschen als zusätzlicher Lebensraum.

Extensivbegrünungen

Extensivbegrünungen kommen von ihrem Erscheinungsbild her natürlichen, ungenutzten Flächen nahe (Abb. 4.38). Bei geringem Gründachaufbau werden niedrig wachsende Pflanzen (Moose, Sukkulenten, Kräuter, Gräser) verwendet, die sich weitgehend selbst erhalten und auch ohne bzw. bei geringer Pflege weiterentwickeln. Sie sind an die extremen Standortbedingungen auf dem Dach (Extremtemperaturen, Frost, Wind) angepasst. Extensivbegrünungen werden nicht dauerhaft genutzt und nur im Rahmen der Instandhaltung (Pflege) und Wartung begangen. Sie dienen mit ihrer möglichst geschlossenen Vegetationsdecke in erster Linie als ökologischer Ausgleich für die überbaute Natur.

Die Höhe des Schichtaufbaus beträgt etwa 5 bis 15 cm, das Gewicht etwa 50 bis 200 kg/m^2 (0,5 bis 2,0 kN/m^2). Extensivbegrünungen sind auf flachen und geneigten Dächern bis 45° Neigung möglich. Die Instandhaltung (Pflege) und Wartung von Extensivbegrünungen ist gering und hängt von der Vegetationsform ab.

Den Extensivbegrünungen werden verschiedene Vegetationsformen zugeteilt. Diese sind jedoch keinesfalls statisch zu sehen, da sie je nach örtlichen Bedingungen und verwendetem Gründachaufbau natürlichen und jahreszeitlich bedingten Vegetationsentwicklungen und Bestandsumbildungen unterliegen. Die günstigsten Varianten extensiver Dachbegrünungen in mittlerer Größe kosten in der Herstellung etwa 30 bis 50 €/m^2. Größere Flächen ab etwa 1.000 m^2 sind kostengünstiger.

Intensivbegrünungen

Die im Vergleich zu Extensivbegrünungen aufwendigeren Intensivbegrünungen werden am treffendsten mit dem Begriff Dachgarten beschrieben. Intensivbegrünungen sind mit ebenerdigen Gärten und genutzten Grünflächen vergleichbar und können je nach Ausbildungsform aus mehrjährigen Stauden und Gehölzen sowie Bäumen und Rasenflächen bestehen (Abb. 4.39). Die Gestaltungs- und Nutzungsmöglichkeiten sind je nach örtlichen Gegebenheiten – vor allem der Statik – nahezu unbegrenzt. Allerdings werden Intensivbegrünungen in der Regel nur auf flachen und leicht geneigten Dächern (0 bis 5° Dachneigung) umgesetzt. Die verwendeten Pflanzen haben höhere Ansprüche sowohl an den Gründachschichtaufbau als auch an eine regelmäßige Wasser- und Nährstoffversorgung. Intensive Dachbegrünungen sind nur durch mehrmalige Instandhaltungs- und Wartungstermine pro Jahr dauerhaft zu erhalten. Bestandsumbildungen der Vegetation sind unerwünscht; durch gezielte Pflege wird hier gegengesteuert.

Intensivbegrünungen werden oftmals als zusätzliche Nutzfläche und erweiterter Wohnraum von Menschen genutzt und unterliegen auch damit hohen Anforderungen an die Bau- und Vegetationstechnik. Verkehrsflächen in Form von Wegen und Terrassen bis hin zu Fahrbelägen sind in Verbindung mit intensiven Dachbegrünungen möglich.

Abb. 4.38: Extensive Begrünung

Abb. 4.39: Intensive Begrünung

Die Höhe des Gesamtaufbaus beginnt bei etwa 25 cm und kann bei parkähnlicher Ausbildung auf Tiefgaragen bis 100 cm gehen. Das Gewicht beträgt dem Aufbau entsprechend etwa 300 bis 1.200 kg/m^2 (3 bis 12 kN/m^2). Der Kostenrichtwert beträgt hier ab etwa 80 €/m^2 und hängt von Aufbau, Ausstattung und Pflanzenauswahl ab.

Unterschied von Extensiv- und Intensivbegrünungen am Beispiel von Rasen und Wiese

Am Beispiel Rasen lässt sich zeigen, welche unterschiedlichen Auffassungen und Vorstellungen es in der Praxis zur Zielvegetation Rasen bzw. Wiese gibt. Richtigerweise ist der Rasen als genutzte, oftmals bespielte, kurz gemähte Rasenfläche ähnlich wie ein Sportplatz- bzw. Spielrasen zu sehen. Er besteht aus verschiedenen geeigneten Gräserarten und -sorten und stellt hohe Ansprüche an die Wasser- und Nährstoffversorgung. Und diese bedingen einen entsprechenden Gründachaufbau und eine regelmäßige Pflege. Rasen wird deshalb der Kategorie Intensivbegrünung zugeordnet (Abb. 4.40).

Dagegen ist bei einer Wiese von einer Extensivbegrünung mit einer Gras-Kraut-Vegetation auszugehen. Diese Form von Extensivbegrünung hat vor allem in der Ausbildung als Blumenwiese eine große Artenvielfalt und wird nur bei Instandhaltung (Pflege) und Wartung betreten. Es sind zwar auch Gräserarten in der Pflanzenzusammenstellung enthalten, jedoch sind diese, im Vergleich zum Rasen, andere und anspruchslosere Arten. Zudem sind sie mit Kräutern und Sukkulenten kombiniert. Nur ein- bis zweimal im

Abb. 4.40: Intensivbegrünung: Rasen

Abb. 4.41: Extensivbegrünung: Wiese

Jahr wird die Fläche gemäht, sodass die Wuchshöhe bis über 50 cm betragen kann (Abb. 4.41).

In Tabelle 4.3 werden die Fakten von Extensiv- und Intensivbegrünungen einander gegenübergestellt.

Tabelle 4.3: Gegenüberstellung von extensiver und intensiver Dachbegrünung

Kriterien	Extensivbegrünung	Intensivbegrünung
Einsatzbereich	Flach- und Schrägdächer	Flachdächer
Aufbauhöhe	5 bis 15 cm	ab 25 cm
Schichtaufbau	ein- und mehrschichtig	ein- und mehrschichtig
Gewicht	50 bis 170 kg/m²	ab 300 kg/m²
Vegetation	niedrig wachsend, trockenheitsresistent, regenerationsfähig; *Sedum*, Kräuter, Gräser	Stauden, Gräser, Gehölze, Rasen; Arten mit höheren Ansprüchen an Wasser und Nährstoffe
Hauptnutzung	• Lebensraum für Tiere • ökologische Ausgleichsfläche • Schutz der Dachabdichtung • Regenwassermanagement (durch Menschen nur zur Instandhaltung und Wartung begangen)	• Nutzung durch den Menschen als zusätzlicher Wohnraum • Spiel- und Erholungsfläche • Begegnungsstätte • Produktionsfläche und • zu Repräsentationszwecken (Positiv-Image)
Wasserrückhalt	ca. 30 bis 70 % des Jahresniederschlags	ca. 70 bis 99 % des Jahresniederschlags
Instandhaltung	gering	hoch
Kosten	ca. 30 bis 50 €/m²	ca. ab 80 €/m²

Einfache Intensivbegrünungen

Einfache Intensivbegrünungen sind Mischformen, die von ihrer Ausbildung her zwischen Extensiv- und Intensivbegrünungen liegen und weder der einen noch der anderen Gruppe zuzuordnen sind. Andere Bezeichnungen sind:

- aufwendige Extensivbegrünung,
- Extensivbegrünung mit Anhügelung oder
- Semi-Intensivbegrünung.

Einfache Intensivbegrünungen haben einen höheren Schichtaufbau als Extensivbegrünungen und bieten somit anspruchsvolleren Pflanzenarten einen Lebensraum. Die Pflanzen sind jedoch weniger anspruchsvoll als bei Intensivbegrünungen, sodass Pflege, Nährstoff- und Wasserversorgung auch weniger aufwendig ausfallen. Einfache Intensivbegrünungen werden oftmals als gestalterische Elemente bei einsehbaren Dächern eingesetzt und meist nur zu Instandhaltungs- und Wartungszwecken begangen.

Besondere Begrünungsarten

Unter den extensiven und intensiven Dachbegrünungen gibt es besondere Begrünungsarten, die mit bestimmten Zielausrichtungen eingesetzt werden:

- Biodiversitätsgründach,
- Solar-Gründach,
- Retentionsgründach.

Die 3 „besonderen Begrünungsarten" lassen sich teilweise auch miteinander kombinieren. Dabei müssen die jeweiligen Ansprüche beachtet und aufeinander abgestimmt werden.

Biodiversitätsgründach

Struktur- und artenreiche Dachbegrünungen werden als Biodiversitätsgründächer bezeichnet. Sie sind bei den „klassischen" Begrünungarten am ehesten den „einfachen Intensivbegrünungen" zuzuordnen und üblicherweise bei Flachdächern umgesetzt.

Biodiversitätsgründächer bieten die Voraussetzungen für eine artenreiche Fauna, u. a. für Wildbienen und Laufkäfer, von denen auch gefährdete Arten vorkommen können. Doch auch Bodentiere (z. B. Regenwürmer, Asseln, Schnecken) finden einen dauerhaften Lebensraum. Die ökologische Wertigkeit dieser Dachbegrünungsform ist im Vergleich zu den anderen Begrünungsformen am höchsten, vor allem, wenn auch heimische Pflanzenarten verwendet werden.

Biodiversitätsgründächer sind in der Regel Extensivbegrünungen von etwa 10 bis 15 cm Aufbauhöhe mit der Ergän-

Abb. 4.42: Blick auf ein Biodiversitätsgründach mit artenreicher Vegetation und Biodiversitätsbausteinen (Quelle: Bundesverband GebäudeGrün, Berlin)

Abb. 4.43: Substratanhügelungen mit Stauden und Gehölzen sind wichtige Rückzugsflächen für Bodentiere.

Abb. 4.44: Die Biodiversitätsbausteine (Habitatelemente) Totholz und Sandlinsen als Nisthilfen

Abb. 4.45: Solar-Gründach: Kombination von Fotovoltaik und Dachbegrünung (Quelle: Bundesverband GebäudeGrün, Berlin)

Abb. 4.46: Damit ein Solar-Gründach funktioniert, müssen Verschattungen der Fotovoltaikmodule vermieden werden – durch höhergestellte Module und niedrigwüchsige Pflanzen.

zung von Biodiversitätsbausteinen (Habitatelementen) (Abb. 4.42). Diese können sein:

- Substratanhügelungen bzw. -modellierungen mit Pflanzung von Stauden und Gehölzen, um damit Rückzugsflächen für Bodentiere im trocken-heißen Sommer und frostigen Winter und damit die Voraussetzungen für einen dauerhaften Lebensraum zu schaffen (Abb. 4.43),
- Totholz als Nisthilfen und Versteckmöglichkeiten (Abb. 4.44),
- Sandlinsen und Kiesflächen als Nisthilfen und Versteckmöglichkeiten,
- Steinhaufen als Versteckmöglichkeiten,
- Wasserflächen als Trinkfläche.

Wenn auch seltener umgesetzt, so sind auch Intensivbegrünungen mit den vorgenannten Habitatelementen als Biodiversitätsgründächer möglich.

Die BuGG-Fachinformation „Biodiversitätsgründach" (2020) des Bundesverbands GebäudeGrün e. V. (BuGG) enthält ausführliche Informationen zu dem Thema.

Solar-Gründach

Bei der Kombination von Fotovoltaik bzw. Solarthermie mit Dachbegrünung spricht man von Solar-Gründächern (Abb. 4.45). Üblichweise werden diese als Extensivbegrünungen im Flachdach ausgeführt. Bei Beachtung der nachfolgend aufgeführten Erfolgsfaktoren behalten sowohl die Solaranlage als auch die Begrünung dauerhaft ihre volle Funktionsfähigkeit und vereinen Klimaschutz und Klimawandelanpassung in einem und die Dachfläche kann multifunktional genutzt werden.

Solar-Gründächer bieten die ganze Palette der positiven Wirkungen von Dachbegrünungen und können durch ihre Verdunstungskühlung den Ertrag der Solaranlage erhöhen.

Die Erfolgsfaktoren für ein nachhaltiges Solar-Gründach sind:

- Vermeidung der Verschattung der Module durch aufgeständerte Module (mindestens 20 bis 30 cm Abstand zwischen Oberkante Substrat und Unterkante Fotovoltaikmodul), Verwendung niedrigwüchsiger Pflanzenarten und (zumindest vor den Modulen) eines niedrigen Substrataufbaus (ca. 8 bis 10 cm) (Abb. 4.46).

- Ausreichend Abstand zwischen den Modulreihen, um eine einfache Instandhaltung zu ermöglichen. Hierbei werden Reihenabstände von mindestens 50 bis 80 cm empfohlen (Abb. 4.47).
- Verwendung von auflastgehaltenen Solar-Gründachsystemen, bei denen der Gründachaufbau die Fotovoltaikanlage hält, ohne in die Dachabdichtung/-konstruktion einzugreifen. Auflastgehaltene Solar-Gründächer reichen von 0 bis 5° Dachneigung.
- Regelmäßige, fachgerechte Instandhaltung und Wartung. Die Pflege erfordert etwa ein bis 2 zusätzliche Pflegegänge gegenüber einer vergleichbaren Extensivbegrünung.
- Rechtzeitige Abstimmung der beteiligten Gewerke (Solarfachbetrieb, Fachbetriebe Dachbegrünung und Dachabdichtung).

Solar-Gründächer können bei allen Formen der Fotovoltaik umgesetzt werden: Süd-, Ost-, West- und senkrechte Ausrichtung.

In der BuGG-Fachinformation „Solar-Gründach" (2020) werden Erfolgsfaktoren, Grundlagen, Pflanzenlisten und Praxisbeispiele ausführlich beschrieben.

Abb. 4.47: Mustergültige Einhaltung der Reihenabstände – so kann fachgerecht gepflegt werden (Quelle: Bundesverband GebäudeGrün, Berlin).

Retentionsgründach

Unter dem Retentionsgründach ist eine extensive oder intensive Dachbegrünung mit Ergänzung eines Retentionsraums und einer Ablaufdrossel zu verstehen. Vereinfacht ausgedrückt wird auf der Dachabdichtung und unter dem sonst üblichen Gründachaufbau ein Retentionsraum in Form eines etwa 8 bis 16 cm hohen Kunststoffelements eingefügt (Abb. 4.48 und Abb. 4.49). Darin lässt sich mittels eines höher gesetzten Dachablaufs (Drosselablauf) Niederschlagswasser anstauen und innerhalb von 48 Stunden wieder gedrosselt abgeben. Die Berechnungen von Anstau und Ablauf werden vom Systemanbieter Gründach bzw. Entwässerung vorgenommen.

Abb. 4.48: Dem Retentionsgründach, hier auf einer Tiefgaragendecke, ist der zusätzliche, große Wasserspeicher nicht anzusehen.

Abb. 4.49: Blick auf den zusätzlichen Retentionsraum in der Bauphase: etwa 80 l/m² zusätzlicher Regenwasserrückhalt

Folgende Punkte müssen beim Retentionsgründach beachtet werden:

- gefälleloses Dach (0°-Dach),
- erhöhte Anforderungen an die Dachabdichtung,
- zusätzliches Gewicht durch den (temporären) Wasseranstau von etwa 80 bis 160 kg/m²,
- Vermeidung von Staunässe,
- Fachplanung,
- fachgerechte Umsetzung und Einhaltung der Fachplanung einschließlich fachgerechter Instandhaltung und Wartung.

Retentionsgründächer sind wichtige Bausteine einer dezentralen Regenwasserbewirtschaftung und kommen vor allem dann zum Einsatz, wenn durch Vorgaben (z. B. Einleitbeschränkung) nur bestimmte Wassermengen vom Dach bzw. Grundstück in die Kanalisation eingeleitet werden dürfen. Doch auch der gezielte Einsatz zur Kühlung der Städte durch die erhöhte Verdunstungsleistung steht immer mehr im Vordergrund. Aufgrund der erhöhten statischen Anforderungen wurden Retentionsgründächer bisher oftmals bei (intensiv begrünten) Tiefgaragen ausgeführt. Vermehrt kommen nun auch Retentionsgründächer mit Extensiv- und Intensivbegrünungen auf Dächern vor (Abb. 4.50).

Abb. 4.50: Ein Retentionsgründach auf einem Dach

Abb. 4.51: Moos-*Sedum*-Vegetation

Abb. 4.52: *Sedum*-Moos-Kraut-Vegetation

Abb. 4.53: *Sedum*-Kraut-Gras-Vegetation

Abb. 4.54: Gras-Kraut-Vegetation

4.2.2 Vegetationsformen

Je nach Begrünungsart und Gründachaufbau sind verschiedene Vegetationsformen möglich bzw. können sich im Laufe der Zeit ausbilden. Bei der Einstufung in Vegetationsformen wird die Vegetationsausbildung während der Vegetationsperiode zugrundegelegt, da sich vor allem bei dünnschichtigen Extensivbegrünungen Bestandsumbildungen in der Vegetationsruhe vollziehen können. So können beispielsweise Moose vom Herbst bis zum Frühlingsbeginn dominant erscheinen, weil sich die anderen Pflanzenarten ab Herbst zurückziehen und erst im Frühjahr wieder austreiben. Die Benennung der Vegetationsformen bei Dachbegrünungen, wie sie beispielsweise die Forschungsgesellschaft Landschaftsentwicklung Landschaftsbau e. V. (FLL-Dachbegrünungsrichtlinien, 2018) und verschiedene Gründachanbieter vornehmen, folgt keiner wissenschaftlichen Systematik, sondern dient der Verdeutlichung der gewünschten Pflanzengruppen. Die verschiedenen Pflanzenarten werden zur Vereinfachung den folgenden Pflanzengruppen zugeordnet:

- Moose,
- *Sedum*,
- Kräuter,
- Gräser,
- Wildstauden,
- Gehölze.

Die in der Praxis übliche Nennung von einer bis 3 der genannten Pflanzengruppen und die Zusammenfassung zu einer Vegetationsform beschreiben das optisch dominierende Erscheinungsbild der Begrünung. Ist mehr als eine Pflanzengruppe genannt, wird in der Regel die erstgenannte am stärksten vertreten sein und am meisten ins Auge stechen. Die Einteilung in Vegetationsformen bietet gut geeignete Orientierungshilfen, die jedoch nicht genau definiert sind und Spielräume zulassen.

Beispiel

> Vegetationsform „*Sedum*-Kraut-Gras": Das heißt zum einen, es kommen Pflanzenarten vor, die sich den Pflanzengruppen *Sedum*, Kräuter und Gräser zuordnen lassen, zum anderen, dass verschiedene *Sedum*-Arten bestandsbildend sind und durch einige Kräuter- und weniger in Erscheinung tretende Gräserarten ergänzt werden. Es wird allerdings nicht ausgeschlossen, dass beispielsweise auch Moose vorkommen können und dürfen.

Mit der Angabe der Vegetationsform soll das Vegetationsziel einfach und für alle Beteiligten (Bauende, Planende und Ausführende) gut verständlich beschrieben werden. Mit dieser Vorgabe durch den Bauenden sind die Nutzungsform der Dachbegrünung, der damit verbundene Gründachaufbau und das Pflegeziel festgelegt. Eine detaillierte Pflanzenliste kann die Angabe der Vegetationsform ergänzen und weiter ausführen. Solche Listen sind vor allem bei Intensivbegrünungen und Begrünungen aus gestalterischen Gesichtspunkten notwendig, jedoch grundsätzlich bei allen Dachbegrünungen mit anzugeben. Die Übergänge zwischen den Vegetationsformen sind fließend. Klare Abgrenzungen sind nicht möglich.

Bei **Extensivbegrünungen** werden folgende Vegetationsformen unterschieden:

- Moos-*Sedum*-Vegetation (Abb. 4.51),
- *Sedum*-Moos-Kraut-Vegetation (Abb. 4.52),
- *Sedum*-Kraut-Gras-Vegetation (Abb. 4.53),
- Gras-Kraut-Vegetation (Abb. 4.54).

Abb. 4.55: Bei Intensivbegrünungen – hier der klassische Dachgarten – steht oft die Nutzung im Vordergrund.

Abb. 4.56: Staudenpflanzung in einem durch Randelemente höher gesetzten Pflanzbeet (Quelle: Optigrün international AG, Krauchenwies)

Bei **Einfachen Intensivbegrünungen** sind folgende Vegetationsformen praxisrelevant:

- Gras-Kraut-Vegetation,
- Wildstauden-Gehölz-Vegetation,
- Gehölz-Stauden-Vegetation,
- Gehölzvegetation.

Intensivbegrünungen lassen aufgrund ihrer Gestaltungsmöglichkeiten theoretisch alle der aufgeführten Vegetationsformen zu (Abb. 4.55 und Abb. 4.56). In der Regel sind es jedoch die folgenden Formen:

- Rasen,
- niedrige Stauden und Gehölze,
- mittelhohe Stauden und Gehölze,
- hohe Stauden und Sträucher,
- Großsträucher und Kleinbäume,
- mittelhohe und hohe Bäume,
- hohe Bäume.

4.2.3 Standortbedingungen

Bei Festlegung der gewünschten Vegetationsform und bei der Abnahme und Pflege sind die örtlichen Standortbedingungen und die bautechnischen Gegebenheiten unbedingt zu beachten (siehe Kapitel 4.1). Abhängig davon sind Vegetationsumbildungen möglich und entsprechen der natürlichen Entwicklung von Pflanzengesellschaften. Selbst bei aufwendiger Pflege sind Vegetationsumbildungen nicht zu verhindern. Eine realistische Zielvegetationsform kann am ehesten festgelegt und erreicht werden, wenn die Wünsche des Bauherrn mit den vorhandenen Standortbedingungen und den zur Verfügung stehenden finanziellen Mitteln in Einklang gebracht werden.

Nicht natürliche Standorte ohne Erdanschluss wie Dächer und Tiefgaragendecken sind besonderen Standortfaktoren ausgesetzt. Zu beachten sind zum einen das regionale Klima, also die regionale Niederschlagssituation (Spitzenabflüsse, Niederschlagsverteilung), die Winterhärte (Frosttage, Tiefsttemperaturen) und die Windverhältnisse (Windzonen, Gebäudegeometrie).

Zum anderen spielen die baulichen Gegebenheiten eine entscheidende Rolle. Großen Einfluss auf die Vegetationsentwicklung haben das Dachgefälle und die damit verbundene Entwässerung des Überschusswassers. Hat das Dach kein Gefälle, kann es zu Pfützenbildungen und Staunässe kommen. Ähnliche Gefahren bestehen, wenn zusätzliche Dächer auf das begrünte Dach entwässert werden. Ist das Gefälle extrem stark (Steildach), wird das pflanzenverfügbare Wasser schnell abgeführt.

Zu beachten sind auch die unterschiedlichen Sonnenintensitäten bei einer Nord-Süd-Ausrichtung von Schrägdächern, mögliche Verschattungen durch Nebengebäude und aufgehende Bauteile sowie Strahlungsreflexion von angrenzenden Glas- und Metallfassaden. Auf dem Dach befindliche Abluft- und Klimaanlagen können die Vegetationsentwicklung ebenfalls beeinflussen.

Begrünte Schrägdächer müssen im Vergleich zu Flachdächern mit noch extremeren Standortbedingungen (Sonneneinstrahlung, Windeinflüsse, Erosions- und Austrocknungsgefahren) zurechtkommen. Beispiele für ungeeignete Ausführungen zeigt Kapitel 4.3.2.

4.2.4 Statik: Lastannahmen für die Einzelschichten

Zu den wichtigsten bautechnischen Voraussetzungen einer Dachbegrünung gehört die ausreichende Tragfähigkeit der Dachkonstruktion. Dafür sind die Angaben der Gesamtlast eines Gründachaufbaus im wassergesättigten Zustand notwendig. Es gibt jedoch andere Anwendungsbereiche auf dem Dach, bei denen neben dem Maximalgewicht auch das Minimalgewicht (Trockengewicht) eine wichtige Rolle spielt: Windsogsicherung von lose verlegten Dachabdichtungen und Fixierung von auflastgehaltenen Absturzsicherungen und Fotovoltaikaufständerungen (siehe Kapitel 4.1.9 und 4.1.11).

Das Gesamtgewicht einer Dachbegrünung setzt sich zusammen aus der Summe der Gewichte der einzelnen Schichten (Abb. 4.57):

- Schutzschicht,
- Dränschicht,
- Filterschicht,
- Vegetationstragschicht,
- Vegetation,
- Punktlasten: Ausstattung, Spieleinrichtungen, Bäume usw.,
- Wasseranstau.

Diese müssen im Bedarfsfall einzeln ermittelt und ggf. zur Gewichtsoptimierung gegen andere Produkte ausgetauscht werden. Drän- und Vegetationstragschicht sind dabei die beiden Schichten einer Dachbegrünung, die hauptsächlich für das Gesamtgewicht der Dachbegrünung verantwortlich sind. Bei der Gewichtsermittlung ist zu beachten, dass je

Schicht	Gewicht
1 Vegetation (*Sedum*-Gras-Kraut)	10 kg/m² 0,1 kN/m²
2 6 cm Substrat (Vegetationstragschicht) pro cm ca. 13 kg/m²	78 km/m² 0,78 kN/m²
3 Filtervlies ca. 1kg/m²	1 kg/m² 0,01 kN/m²
4 5 cm Dränschicht (Schüttgüter) – Blähschiefer 2/10 pro cm ca. 9,1 kg/m²	45,5 kg/m² 0,455 kN/m²
5 Dränschicht (Dränelement) – Dränelement Höhe 4 cm	11,0 kg/m² 0,11 kN/m²
6 Schutzvlies 300 g ca. 3 kg /m²	3 kg/m² 0,03 kN/m²
Summe 1 (mit Dränelement)	**103 kg/m² 1,03 kN/m²**
Summe 2 (mit Schüttgüterdränage)	**137,5 kg/m² 1,375 kN/m²**

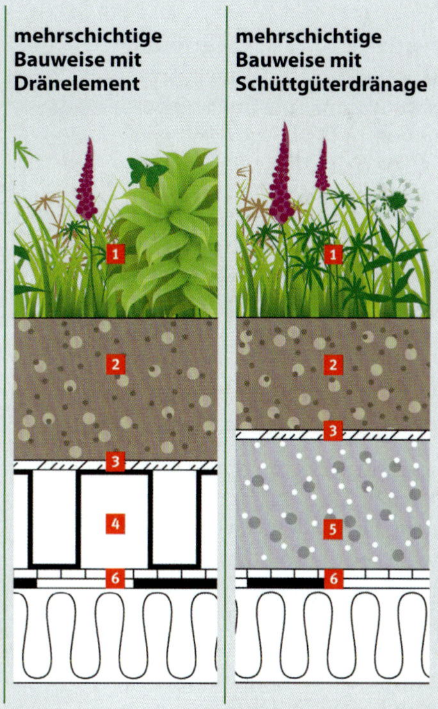

Abb. 4.57: Lastannahmen der Funktionsschichten bei Mehrschichtaufbau am Beispiel einer Extensivbegrünung. Die Gewichte gelten für den wassergesättigten Zustand (Quelle: Optigrün international AG, Krauchenwies).

Abb. 4.58: Dränagewirrgelege meist aus Polypropylen (Quelle: Optigrün international AG, Krauchenwies)

Abb. 4.59: Filtervlies, diese gibt es in unterschiedlichen Stärken und Durchlässigkeiten (Quelle: Optigrün international AG, Krauchenwies).

nach Bedarfsfall die Trocken- bzw. Maximalgewichte (im wassergesättigten Zustand) herangezogen werden. Bei den Lastangaben, die im Markt genannt werden, müssen beachtet und ggf. hinterfragt werden, ob es sich um Angaben im wassergesättigten Zustand und einschließlich Vegetation handelt.

Schutzschicht

Da in der Regel Vliese oder Gummimatten als Schutzlage eingesetzt werden, kommen hier nur Gewichte von maximal etwa 1 bis 5 kg/m² (0,01 bis 0,05 kN/m²) zusammen.

Bei der Verwendung von Schutzestrich erhöht sich das Gewicht beachtlich und ist gesondert zu berechnen.

Dränschicht

Je nach Begrünungsart, Höhe und Material der Dränage ergeben sich weite Bandbreiten der möglichen Gewichte. Entscheidend für das Gewicht ist dabei die Fähigkeit der Dränage, Wasser aufzunehmen und zu speichern. Vlieskaschierte Wirrgelegematten nehmen nur im Vlies etwas Wasser auf und haben kein nennenswertes Gewicht (Abb. 4.58). Bei den Kunststoffdränagen ist das Trockengewicht mit 1 bis 3 kg/m² (0,01 bis 0,03 kN/m²) eher vernachlässigbar. Das Maximalgewicht hängt davon ab, wie viel Wasser länger in den Platten gehalten wird. Es kann bis etwa 30 kg/m² (0,3 kN/m²) betragen.

Gängige Schüttgüterdränagen nehmen bis 2 l/(cm · m²) auf und haben selbst im trockenen Zustand ein Gewicht von bis zu 4 bis 12 kg/(cm · m²) bzw. 0,04 bis 0,12 kN/(cm · m²).

Zur Bestimmung der Trocken- und der Maximalgewichte wird auf das FLL-Prüfverfahren „Untersuchungsmethoden für Vegetationssubstrate und Dränschichtschüttstoffe bei Dachbegrünungen“ verwiesen (FLL-Dachbegrünungsrichtlinien, 2018). Dabei wird das zu prüfende Material verdichtet und 24 Stunden mit Wasser überstaut. Danach kann das Material 2 Stunden abtropfen, bevor das Gewicht bestimmt wird. Der Begriff „Rohdichte (Volumengewicht) bei maximaler Wassersättigung“ leitet sich davon ab.

Filterschicht

Die Filterschicht hat kein nennenswertes Gewicht, da hier dünne Vliese von etwa 100 bis 200 g/m² (0,001 bis 0,002 kN/m²) verwendet werden (Abb. 4.59).

Vegetationstragschicht (Substrat)

Der Hauptanteil des Gesamtgewichts einer Dachbegrünung liegt im Substrat plus dem darin gespeicherten Wasservorrat. Je nach Begrünungsart und verwendetem Substrat ergeben sich im groben Mittel Gewichte von 11 bis 16 kg/(cm · m²) bzw. 0,11 bis 0,16 kN/(cm · m²). Spezielle Substratmischungen mit leichten Bestandteilen können geringere Werte von etwa 8 kg/(cm · m²) bzw. 0,08 kN/(cm · m²) aufweisen.

Das Trockengewicht liegt bei etwa 60 bis 70 % des Gewichts bei maximaler Wassersättigung. Zur Bestimmung der Trocken- und der Maximalgewichte wird auf das Prüfverfahren gemäß FLL-Dachbegrünungsrichtlinien (2018) verwiesen.

Vegetation

Für die verschiedenen Vegetationsformen kann pauschal ein Gewicht pro m² angesetzt werden. Dieser Wert kann als Trocken- und Maximalgewicht verwendet werden, wenn die Vegetationsaufbringung über Ansaat und Pflanzung erfolgt. Er liegt bei Extensivbegrünungen mit Moos-*Sedum*- bis zu Gras-Kraut-Begrünungen bei 10 kg/m² (0,1 kN/m²). Für vorkultivierte Vegetationsmatten müssen mit 20 bis 30 kg/m² (0,2 bis 0,3 kN/m²) andere Werte angenommen werden. Bei Intensivbegrünungen liegen die Lastannahmen der Vegetation bei 5 kg/m² für Rasen bis zu 150 kg/m² bei Bepflanzungen mit Bäumen. Genauere Angaben finden sich in den FLL-Dachbegrünungsrichtlinien (2018).

Ausstattung, Punktlasten und Wasseranstau

Neben den aufgeführten Gründachschichten können vor allem bei genutzten Intensivbegrünungen Randeinfassungen, Plattenbeläge, Sitzbänke, Sonnenschirme u. Ä. zu höheren Punktlasten führen, die in die statische Berechnung miteinbezogen werden müssen (Abb. 4.60).

Bei Biodiversitätsgründächern können die Biodiversitätsbausteine und bei Intensivbegrünungen und Retentionsgründächern kann der Wasseranstau beachtenswerte (Punkt-)Lasten darstellen.

> **Praxistipp**
>
> Bei der Zusammenstellung eines besonders leichten Gründachaufbaus ist zu beachten, dass neben dem Gewicht auch die Funktionsfähigkeit und das Zusammenspiel der Schichten stimmen müssen. Meist bestehen Leichtbauweisen aus einer sehr geringen Vegetationstragschicht und einer vorkultivierten Vegetationsmatte zur schnellen und erosionssicheren Vegetationsetablierung. Dränage und Verwehsicherheit dürfen jedoch nicht vernachlässigt werden.

Abb. 4.60: Bei höherem Schichtaufbau und Lastreserven lassen sich gestalterisch mehr Akzente setzen.

4.2.5 Begrünung von Flachdächern

Bauweisen

Bei Dachbegrünungen sind 2 Bauweisen zu unterscheiden: die einschichtige und die mehrschichtige Bauweise. Der Hauptunterschied liegt dabei in der Dränage. Sie ist bei der Einschichtbegrünung in der Vegetationstragschicht integriert und bei der Mehrschichtbegrünung als separate Funktionsschicht ausgebildet (Tabelle 4.4). In Deutschland werden derzeit mehr mehrschichtige als einschichtige Begrünungen verwirklicht.

Tabelle 4.4: Vergleich von einschichtiger und mehrschichtiger Bauweise

Kriterien	einschichtige Bauweise	mehrschichtige Bauweise
Begrünungsart	vorrangig extensiv, jedoch auch intensiv möglich	extensiv und intensiv
Einbauhöhe	meist 8 bis 10 cm	ab ca. 10 cm
Dränschicht	keine separate Dränschicht, Dränfunktion in Vegetationstragschicht integriert	separate Dränschicht
Filtervlies	nein	meist mit Filtervlies
Vegetationstragschicht	ja, mit Dränfunktionen, deshalb mineralischer und grob- körniger als bei Mehrschichtbauweise	ja, separate Vegetationstragschicht mit organischen Anteilen
Nährstoffkapazität	aufgrund geringer organischer Substanz gering	aufgrund der organischen Substanz hoch
Wasserspeicherung	aufgrund der gleichzeitigen Dränfunktion geringer als bei mehrschichtiger Bauweise	hohe Wasserspeicherung in der Vegetationstragschicht
Entwässerungsleistung	geringer als bei Mehrschichtbauweise	aufgrund der separaten Dränschicht hoch
Einsatz bei stehendem Wasser	weniger gut geeignet	gut geeignet, vor allem bei Dränelementen
mögliche Pflanzenvielfalt bei gleicher Aufbauhöhe	geringer als bei Mehrschichtbauweise	hohe Artenvielfalt aufgrund der hohen Wasserspeicherfähigkeit
Vegetationstragschichten über 35 cm	gleicher Aufbau wie unter 35 cm	eine weitere mineralische Schicht ist notwendig (Untersubstrat)
Kosten	meist günstiger als mehrschichtige Bauweise	bei gleicher Höhe aufendiger als bei einschichtige Bauweise

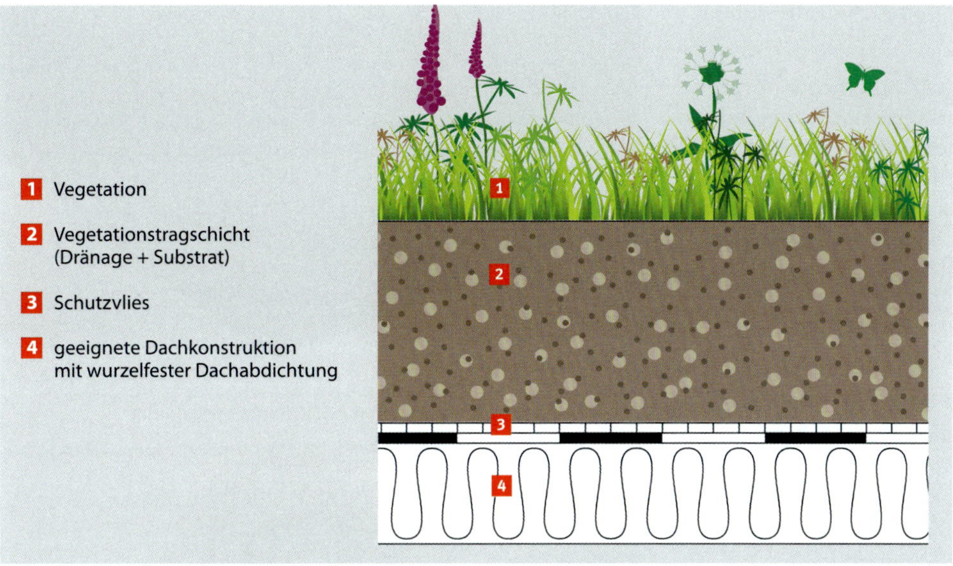

Abb. 4.61: Schematische Darstellung einer einschichtigen Bauweise (Quelle: Optigrün international AG, Krauchenwies)

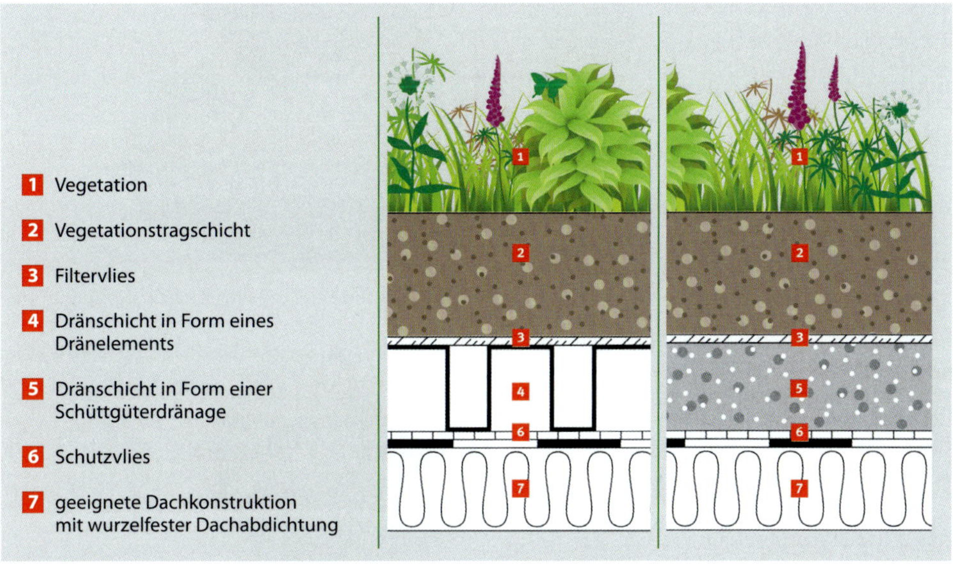

Abb. 4.62: Schematische Darstellung einer mehrschichtigen Bauweise mit unterschiedlich ausgeführter Dränschicht (Quelle: Optigrün international AG, Krauchenwies)

Einschichtige Bauweise

Der Schichtaufbau einer einschichtigen Dachbegrünung bei geeigneter Dachkonstruktion und wurzelfester Dachabdichtung sieht wie folgt aus:

- Schutzlage,
- Vegetationstragschicht (Substrat; kombinierte Drän- und Vegetationstragschicht),
- Vegetation.

Einschichtige Dachbegrünungen werden vor allem bei großen Industriebegrünungen eingesetzt, wenn es um eine einfache, kostengünstige Dachbegrünung als Ausgleichsmaßnahme und um den Schutz der Dachabdichtung geht. Da das Einschichtsubstrat 2 Funktionen (Dränage und Vegetationstragschicht) übernimmt, müssen bei beiden Funktionen Abstriche gemacht werden (Abb. 4.61). Das heißt einerseits, dass die Dränleistung eines Einschichtsubstrats nicht so hoch ist wie bei einer extra ausgebildeten Dränschicht. Und andererseits muss, um die gleiche Vegetationsform wie bei einer mehrschichtigen Bauweise zu erreichen, bei einer Einschichtbegrünung der Aufbau etwas höher gewählt oder mehr Pflege investiert werden, um die geringere Wasserspeicherfähigkeit auszugleichen. Die Dränfähigkeit ist bei Dächern ohne Gefälle bzw. langen Fließstrecken eingeschränkt. Die Mindestaufbauhöhe für Einschichtbegrünungen liegt bei 8 cm.

Mehrschichtige Bauweise

Der Schichtaufbau einer mehrschichtigen Dachbegrünung bei geeigneter Dachkonstruktion und wurzelfester Dachabdichtung ist folgendermaßen aufgebaut:

- Schutzlage,
- Dränschicht,
- Filterschicht,
- Vegetationstragschicht (Substrat),
- Vegetation.

Die Funktionen Dränage und Vegetationstragschicht werden als 2 durch ein Filtervlies getrennte Schichten ausgebildet (Abb. 4.62). Damit können leistungsfähigere Dränagen verwendet werden, da das darüberliegende Substrat mehr Wasser speichern kann, als das bei Einschichtsubstraten möglich ist. Bei gleicher Aufbauhöhe von Ein- und Mehrschichtbegrünung speichert in der Regel die mehrschichtige Bauweise mehr Wasser und hat dennoch die bessere Dränleistung.

Bei höheren Aufbauten und Substratstärken über etwa 35 cm wird die mehrschichtige Bauweise noch um eine weitere mineralische Schicht (Untersubstrat) ergänzt, weil bei Substraten mit organischen Anteilen bei höheren Schichten mit Fäulnisprozessen zu rechnen ist, die so vermieden werden. Die mineralische Schicht liegt zwischen Filtervlies und Vegetationstragschicht.

Praxistipp

Die meisten höheren und artenreicheren Extensivbegrünungen sind in mehrschichtiger Bauweise ausgeführt. Intensivbegrünungen werden fast ausschließlich in mehrschichtiger Bauweise ausgeführt, sind jedoch ebenfalls in einschichtiger Bauweise möglich.

Schichtaufbau

Der Schichtaufbau bei der Begrünung von Flachdächern besteht je nach Bauweise aus:

- Dachabdichtung und Wurzelschicht,
- Schutzlage,
- Dränschicht,
- Filterschicht,
- Vegetationstragschicht,
- Vegetation.

Dachabdichtung und Wurzelschutz

Die Dachabdichtung verhindert das Eindringen von Wasser in die Dachkonstruktion und das Gebäudeinnere. Sie wird vom Dachdeckenden fachgerecht verlegt und muss auf die Dachnutzung abgestimmt sein. In der Regel sind Dachabdichtungen auch gleichzeitig Wurzelschutz (siehe auch Kapitel 4.1.5).

Schutzlage

Schutzauflagen werden benötigt, wenn eine Dachfläche nach Fertigstellung der Dachabdichtung häufig begangen oder gar als Lagerstätte benutzt werden soll (Abb. 4.63). Sie verhindern eine nachträgliche Beschädigung der Dachabdichtung (vgl. Kapitel 4.1.8). In der Regel werden 300-g-Vliese verwendet, je nach Dachnutzung und -beanspruchung kommen auch dickere Vliese und Gummigranulatmatten zum Einsatz.

Dränschicht

Die Dränschicht ist eine Funktionsschicht auf der Ebene der Dachabdichtung. Sie besteht aus natürlichen Schüttgütern wie z. B. Lava (Abb. 4.64), Blähschiefer (Abb. 4.65) oder Blähton. Aber auch Kunststoffelemente (Dränelemente) sind möglich. Die Dränschicht hat eine Aufbauhöhe von etwa 1 bis 15 cm, wobei Extensivbegrünungen mit ca. 1 bis 6 cm eine dünnere Dränschicht haben als Intensivbegrünungen (ca. 6 bis 15 cm). Dränelemente aus Kunststoff sind im Handel in verschiedenen Aufbauhöhen (Abb. 4.66 bis Abb. 4.69) erhältlich und können spezielle Strukturen aufweisen (Abb. 4.70).

Abb. 4.63: Schutzvlies mit einem Flächengewicht von 300 g/m² (Quelle: Optigrün international AG, Krauchenwies)

Abb. 4.64: Schüttgüterdränage aus Lava (Quelle: Optigrün international AG, Krauchenwies)

Abb. 4.65: Schüttgüterdränage aus Blähschiefer (Quelle: Optigrün international AG, Krauchenwies)

Abb. 4.66: Dränelement mit 12 mm Höhe und aufkaschiertem Filtervlies (Quelle: Optigrün international AG, Krauchenwies)

Abb. 4.67: Flaches Dränelement mit 25 mm Höhe aus tiefgezogener Kunststofffolie (Quelle: ZinCo GmbH, Nürtingen)

Abb. 4.68: Dränelement aus tiefgezogener Kunststofffolie für einen höheren extensiven Aufbau, hier ein 40 mm hohes Element (Quelle: 6 fürs Grün, Saarbrücken)

Abb. 4.69: 60 mm hohes Dränelement aus tiefgezogener Kunststofffolie für Intensivbegrünungen (Quelle: Paul Bader GmbH & Co. KG, Stuttgart)

Abb. 4.70: Dränelement mit spezieller Struktur zur Abflussverzögerung (Quelle: Optigrün international AG, Krauchenwies)

Die vorrangige Funktion der Dränschicht ist es, Überschusswasser des Gründachaufbaus rückstaufrei und zielgerichtet in Richtung Dachablauf und Entwässerungssystem zu führen. Darüber hinaus kann die Dränschicht auch Regenwasser speichern und den Regenwasserabfluss verzögern. Diese Speicherung und die Abflussverzögerung geschehen im Schüttgut bzw. in den Vertiefungen auf der Oberseite der Dränelemente. Das Wasser steht den Pflanzen bei Trockenheit zur Verfügung. Vorteil der natürlichen Schüttgüterdränagen ist der erweiterte verfügbare durchwurzelbare Raum, die Dränelemente dagegen sind leichter und besser geeignet bei gefällelosen Dächern (Tabelle 4.5). Mögliche Qualitätskriterien können neben der Wasserdurchlässigkeit und der Wasserspeicherfähigkeit das Gewicht und die Druckstabilität sein.

Tabelle 4.5: Gegenüberstellung von Schüttgüterdränage und Dränelement

Kriterien	4 cm Schüttgüterdränage (Lava 2/12)	4 cm Dränelement
Material	Lava	Kunststoff, z. B. Polyethylen
Gewicht (trocken bzw. wassergesättigt) (kg/m²)	45,6 bzw. 52,0	2 bzw. 9
Wasserspeicherung (l / 4 cm)	6,4	9
maximale Abflussleistung bei 2 % in l/(min · m)	24	138
Ausgleich von Dachunebenheiten	gut geeignet	bedingt geeignet
Verwendung bei stehendem Wasser	bedingt geeignet	gut geeignet

Filterschicht

Die Filterschicht gehört zur Dränschicht, liegt auf dieser und trennt sie von der Substratschicht. Sie besteht in der Regel aus einem dünnen Vlies aus Polypropylen oder Polyester mit einem Gewicht von etwa 100 bis 200 g/m² (0,001 bis 0,002 kN/m²). Das Filtervlies ist zwar wasserdurchlässig, verhindert jedoch das Einschwemmen von Feinanteilen aus der darüber liegenden Substrat- in die darunter liegende Dränageschicht. Das Filtervlies kann von den Pflanzenwurzeln durchwachsen werden. Wichtig sind eine ausreichende Öffnungsweite und Filterstabilität. Die Filterschicht kann bei geeigneter Kornabstufung auch vom Substrat übernommen werden, sodass ein separates Vlies entfällt. In der Praxis wird diese Bauweise selten verwirklicht.

Praxistipp

Schutzvliese sind in der Regel aufgrund ihrer fehlenden Wasserdurchlässigkeit nicht als Filtervliese geeignet.

Abb. 4.71: Einschichtsubstrat für Extensivbegrünungen (Quelle: Optigrün international AG, Krauchenwies)

Abb. 4.72: Mehrschichtsubstrat für Extensivbegrünungen (Quelle: Optigrün international AG, Krauchenwies)

Abb. 4.73: Mehrschichtsubstrat für Intensivbegrünungen (Quelle: Optigrün international AG, Krauchenwies)

Vegetationstragschicht (Substrat)

Die Substrat- bzw. Vegetationstragschicht ist Trägermedium und Nährboden für die Pflanzen. Bei Dachbegrünungen werden in der Regel technische Substrate verwendet und keine örtlich vorkommenden Oberböden. Diese sind meist zu schwer und zu lehmig und haben in der Regel einen zu hohen Anteil an Samen und Wurzeln unerwünschter Pflanzen. Die Aufbereitung örtlich vorhandener Böden für die Verwendung auf dem Dach ist möglich, jedoch meist sehr kostenaufwendig.

Substrate für Dachbegrünungen haben besondere Eigenschaften:

- geringes Gewicht – sie wiegen oft nur die Hälfte von Oberböden –,
- hohe Wasserkapazität,
- gute Wasserdurchlässigkeit,
- ausreichendes Luftporenvolumen,
- keine unerwünschten Saaten und Wurzeln.

Dachbegrünungssubstrate sind Mischungen aus verschiedenen Komponenten wie z. B. Lava (siehe Abb. 4.64), Bims, Blähschiefer (siehe Abb. 4.65), Blähton, Ziegelsplitt, Rindenhumus und Grünschnittkompost. Substrate aus Recycling-Zuschlagstoffen sind möglich und werden in der Praxis oft verwendet. Zu beachten ist dabei allerdings die Düngemittelverordnung (2019), die den Einsatz von Recyclingstoffen regelt, und die RAL-Gütesicherung bei Komposten (Kompost RAL-GZ 251, 2010). Jedoch ist beispielsweise bei der Verwendung von Komposten nicht ganz auszuschließen, dass unerwünschte Fremdstoffe (Kunststoffe, Metalle und Glas) mit auf das Dach gelangen. Die FLL-Dachbegrünungsrichtlinien (2018) geben für diese Fremdstoffe Grenzwerte an.

Ein gewisser Anteil an organischer Substanz, etwa Rindenhumus, Kompost und weitere Torfersatzstoffe, ist wünschenswert und der Vegetationsentwicklung aufgrund der Nährstoffversorgung und der Pufferfunktionen förderlich. Der Anteil an organischer Substanz ist gemäß FLL-Dachbegrünungsrichtlinien (2018) eingeschränkt, sodass Setzungsvorgänge selten zu beobachten sind. Zusätze von Zeolithen (Tonmineralen) haben sich vor allem bei der Kombination von Dachbegrünung mit Brauchwassernutzung bewährt, um das Überschusswasser der Begrünung möglichst farblos zu halten. Aufgrund aufkommender Rohstoffknappheit der oben genannten Zuschlagsstoffe und der immer häufigeren Forderung nach Leichtbauweise kommt den Substratersatzstoffen (z. B. Steinwolle) eine größere Bedeutung zu.

Substrate werden in Erdenwerken gemischt und abgefüllt in Säcken oder Big Bags (1 bis 2 m^3 fassende Kunststoffgewebesäcke) oder als lose Ware in Silo-Lkw mit pneumatischer Fördertechnik gehandelt. Für die unterschiedlichen Anwendungsfälle gibt es jeweils geeignete Substratmischungen, z. B. Extensiv-Einschichtsubstrat (Abb. 4.71), Extensiv-Mehrschichtsubstrat (Abb. 4.72), Intensiv-Einschichtsubstrat, Intensiv-Mehrschichtsubstrat (Abb. 4.73), Leichtsubstrat, Rasensubstrat, Untersubstrat, Tiefgaragensubstrat, Moorbeetsubstrat. Die Eigenschaften der wichtigsten Substrate sind in Tabelle 4.6 zusammengefasst. Wenn das Vegetationsziel klar ist, können das entsprechende Substrat und die darauf abgestimmte Dränschicht ausgewählt werden.

Tabelle 4.6: Die wichtigsten Substrate mit einer Auswahl an Kenndaten (Nach Optigrün international AG, Krauchenwies)

	Extensiv-Ein-schicht-substrat	**Extensiv-Mehr-schicht-substrat**	**Intensiv-Ein-schicht-substrat**	**Intensiv-Mehr-schicht-substrat**
Einsatz-bereich	Extensivbe-grünung	Extensivbe-grünung	Intensivbe-grünung	Intensivbe-grünung
organische Substanz (g/l)	bis 40	bis 65	bis 40	bis 90
maximale Wasser-kapazität (Vol.-%)	20 bis 65	35 bis 65	30 bis 65	45 bis 65
Wasser-durchläs-sigkeit (mm/min)	60 bis 400	0,6 bis 70	60 bis 400	0,3 bis 30
pH-Wert	6,0 bis 8,5	6,0 bis 8,5	6,0 bis 8,5	6,0 bis 8,5

Praxistipp

Qualitätskriterien für Substrate sind die Kennwerte der FLL-Dachbegrünungsrichtlinien. Besonders zu beachten sind dabei maximale Wasserkapazität, Luftporenvolumen, Wasserdurchlässigkeit und Nährstoffe.

Vegetation

Die Pflanzen begrünter Dächer müssen grundsätzlich trockenheitsangepasst und unempfindlich gegen Wind und Frost sein. Je nach Begrünungsart bilden sich unterschiedliche Vegetationsformen aus. Die Anforderungen an Pflanzen von Extensivbegrünungen sind beispielsweise hinsichtlich der Trockenheitsverträglichkeit wesentlich höher als an Pflanzen für Intensivbegrünungen, die sich oft aus dem Sortiment von Staudengärten entnehmen lassen (siehe Tabelle 4.1).

Schichtaufbau bei gefällelosen Dächern mit stehendem Wasser

Dächer mit sehr geringem bzw. ohne Gefälle, sog. 0°-Dächer, sind in Deutschland keine Seltenheit und dürfen unter Beachtung der entsprechenden Normen auch gebaut werden. Die Praxis hat jedoch gezeigt, dass bei Dachkonstruktionen ohne bzw. mit sehr geringem Gefälle Wasser an verschiedenen Stellen nicht sofort abläuft und sich Bereiche mit stehendem Wasser bilden. Immer wieder zu beobachten ist dies um Dachabläufe, wenn diese statt am niedrigsten Punkt an höher gelegenen Punkten eingebaut sind. Bei Leichtdachkonstruktionen mit großen Spannweiten und geringem Gefälle verstärkt eine Begrünung mit ihrem Eigengewicht und der Wasserspeicherung mögliche Durchbiegungen. Diese führen dann zu weiteren Wasseransammlungen und stehendem Wasser.

Extensivbegrünungen

Die Problematik bei der extensiven Begrünung von Dächern mit stehendem Wasser liegt in der Vegetationsentwicklung. In der Regel wird sich die Vegetation auf Dächern mit stehendem Wasser anders entwickeln als auf Dächern ohne stehendes Wasser. Die Pflanzen vertragen keinen dauerhaften Wasseranstau und keine Vernässung des Substrats.

Steht großflächig zu lange und zu viel Wasser auf der Fläche, ist mit einer anderen Vegetation zu rechnen, als ursprünglich geplant war. Von Pflanzenausfällen und Kümmerwuchs mit Moosmonokulturen statt der vielleicht gewünschten *Sedum*-Kräuter-Vegetation bis zu Grasdächern mit Ansiedlung von Gehölzen ist je nach den örtlichen Gegebenheiten alles möglich. Eventuell vorgegebene Vegetationsformen können bei stehendem Wasser trotz aufwendiger Pflege nicht erreicht werden. Das Problem muss schon in der Planungs- oder spätestens in der Ausführungsphase der Dachbegrünung erkannt und angegangen werden.

Ziel aller vegetationstechnischen Maßnahmen ist es, einen ausreichenden Abstand zwischen stehendem Wasser und Vegetationstragschicht zu schaffen, damit die Pflanzenwurzeln aus dem Wasser herausgehalten werden und das Substrat nicht vernässt. Die in der Praxis am besten bewährte Lösung ist die Verwendung eines klassischen Mehrschichtaufbaus mit separater Dränschicht. Kleinere Mulden und Unebenheiten mit stehendem Wasser können mit einer Schüttgüterdränage ausgeglichen werden.

Wenn Wasser großflächig längere Zeit über 1 cm tief auf dem Dach steht, ist der Einsatz eines Dränelements eine gute Lösung. Es wird direkt in das Wasser verlegt und mit

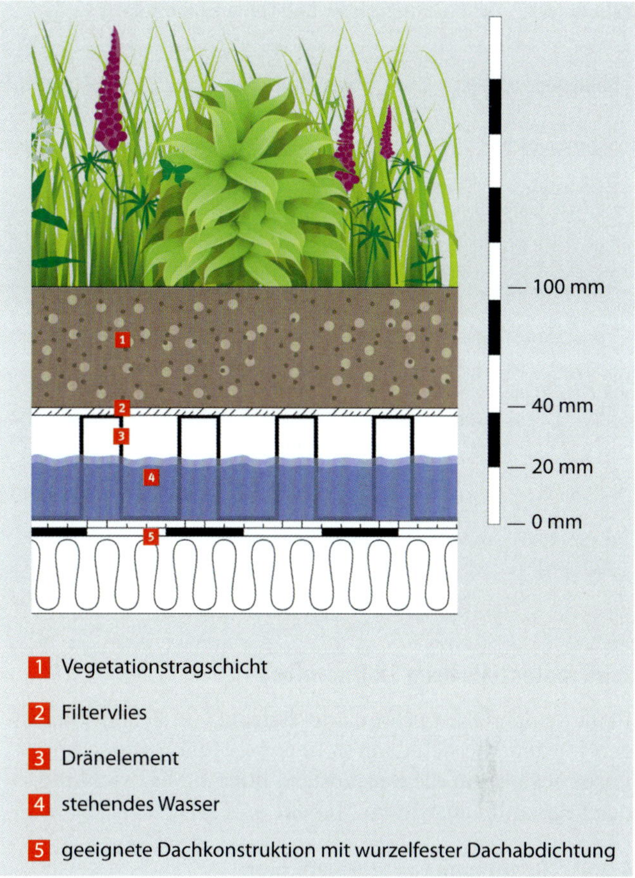

Abb. 4.74: Exemplarischer Schichtaufbau (mit Dränelement) bei stehendem Wasser (Quelle: Optigrün international AG, Krauchenwies)

einem Filtervlies überdeckt und schafft damit einen kapillarbrechenden Abstand zur Vegetationstragschicht. Die Höhe des verwendeten Dränelements richtet sich nach der Höhe des maximalen Wasserstands und sollte etwa 2 cm höher sein. Durch den Einbau des Dränelements wird ein Abstand zwischen Wasser und Substrat geschaffen und das Wasser abgeleitet (Abb. 4.74). Geeignet sind Dränelemente aus Kunststoff und Wirrgelegematten, sofern sie ausreichend druckstabil sind und die ausreichende Höhe besitzen.

Mittel zweiter Wahl bei stehendem Wasser über 1 cm Tiefe sind die Erhöhung der Schüttgüterdränage bei Mehrschichtbegrünungen bzw. die Erhöhung des Einschichtsubstrats. Beide Varianten bringen zwar die Wurzeln aus den vernässten Bereichen, aber die Flächenlast erhöht sich durch den höheren Aufbau und durch die Wasserrückhaltung. Steht mehr Wasser für die Pflanzen zur Verfügung, kann sich die Vegetation in Richtung Gras-Kraut-Vegetation entwickeln.

Intensivbegrünungen

Intensivbegrünungen benötigen eine Zusatzbewässerung. Dafür ist ein Wasseranstau aus ökonomischen Gründen durchaus erwünscht. Gefällelose Dächer erleichtern diese Anstaubewässerung. Dennoch gilt das Gleiche wie bei Extensivbegrünungen: Die Pflanzenwurzeln dürfen nicht dauerhaft im Wasser stehen. Es muss ein ausreichender Abstand von etwa 3 cm zwischen dem maximal möglichen Wasseranstau und der Vegetationstragschicht gegeben sein.

Tabelle 4.7: Gründachschichten und Fehlerpotenziale

Funktionsschicht	potenzielle Fehler	Fehlerwahrscheinlichkeit	Schadensdimension
Schutzschicht	zu dünnes Vlies, Nadeln im Vlies	gering bis mittel	Beschädigung der Dachabdichtung
Dränschicht	zu geringe Ableitkapazität	hoch	erhöhte Last aufgrund von nicht abgeleitetem Überschusswasser, gestörte Vegetationsentwicklung
Filterschicht	zu geringe Wasserdurchlässigkeit	gering	Vernässung und Vegetationsumbildung
Vegetationstragschicht	zu geringe Wasserdurchlässigkeit, zu geringe Wasserkapazität	mittel bis hoch	erhöhte Flächenlast, veränderte Vegetationsentwicklung
Pflanzen	mindere Qualität, zu geringe Aufwandmenge	gering	Zielvegetation, Flächendeckung
Kiesrand	nicht eingebaut	gering	Brandschutz, Sauberkeitsstreifen
Instandhaltung und Wartung	nicht fachgerecht	hoch	Vegetationsentwicklung, Flächenschluss

Fehlerpotenziale beim Schichtaufbau

Beim Schichtaufbau kann eine Vielzahl von Fehlern begangen werden, die sich dann in unterschiedlich gravierender Form negativ auf die Bausubstanz oder die Entwicklung der Vegetation auswirken (Tabelle 4.7).

4.2.6 Begrünung von Schrägdächern

In der Praxis spricht man ab einer Dachneigung von 5° von Schräg- und ab etwa 10 bis 15° von Steildächern. Die Schichtaufbauten von Schräg- und Steildachbegrünungen werden nachfolgend beschrieben.

Schichtaufbau

Der Schichtaufbau bei Schrägdächern ist ähnlich wie bei Flachdächern:

- Schutzlage,
- Dränage,
- Vegetationstragschicht,
- Vegetation.

Es muss im Gegensatz zum Flachdach keine über die gesamte Dachfläche gehende Dränschicht vorhanden sein. Aufgrund der Dachneigung ist von einer schnellen Wasserableitung in Richtung Traufe auszugehen, sodass eine Dränage im Traufbereich ausreichen kann. Hier fällt das meiste Wasser an und dementsprechend müssen die Dränage und die Entwässerungseinrichtung ausreichend dimensioniert und aufeinander abgestimmt sein (Abb. 4.75).

Bei geneigten Dächern wird der Wasserspeicherung größere Bedeutung beigemessen. Je stärker die Dachneigung ist, desto schneller wird das Wasser abgeführt. Der rasche Abfluss muss durch einen Schichtaufbau mit höherem Wasserspeichervermögen ausgeglichen werden. Das kann durch die Verwendung eines gut verzahnenden und lagestabilen Substrats mit organischen Anteilen geschehen, das insgesamt nicht zu grobkörnig sein darf. Die Kenndaten richten sich dabei nach einem Extensivsubstrat für mehrschichtige Bauweise, auch wenn es bei geneigten Dächern

Abb. 4.75: Dränmatte aus Rippenvlies (Quelle: Optigrün international AG, Krauchenwies)

meist einschichtig eingebaut wird (Abb. 4.76, siehe auch Tabelle 4.6).

Eine mehrschichtige Bauweise mit Dränschicht aus Kunststoffelementen ist ebenfalls möglich (Abb. 4.77). Die Dränelemente übernehmen dabei eine Dreifachfunktion:

- unterseitig Dränage,
- oberseitig Wasserspeicher und
- Rutschsicherung.

Auf eine separate Filterschicht in Form eines Filtervlieses wird in der Regel verzichtet, damit sich Vegetationstragschicht und Dränage besser verzahnen.

Die Schichtdicke der Vegetationstragschicht sollte mindestens 8 cm bei Ansaat und 6 cm bei Verwendung einer vorkultivierten Vegetationsmatte betragen, um den Pflanzen ein Minimum an Unterbau und Wasser zu bieten. Bei Substrataufbauten über 15 cm sind die sehr hohen Schubkräfte und die entstehende pflegeintensivere Gras-Kraut-Vegetation zu bedenken.

Bei geneigten Dächern bis etwa 20° sind zur Vegetationsaufbringung Ansaat und Pflanzungen möglich; über 20° sind nur noch vorkultivierte Vegetationsmatten zu empfehlen.

Abb. 4.76: Einschichtiger Aufbau bei Dachneigungen von 5 bis etwa 10° (Quelle: Optigrün international AG, Krauchenwies)

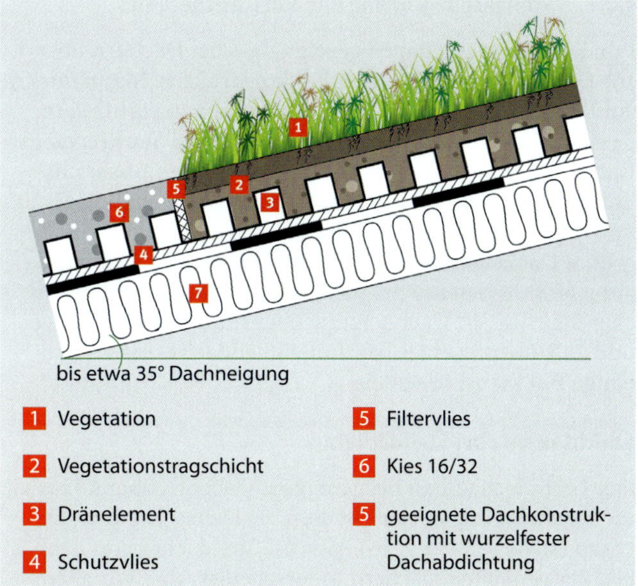

Abb. 4.77: Mehrschichtiger Aufbau bei Dachneigungen von 5 bis 35° (Quelle: Optigrün international AG, Krauchenwies)

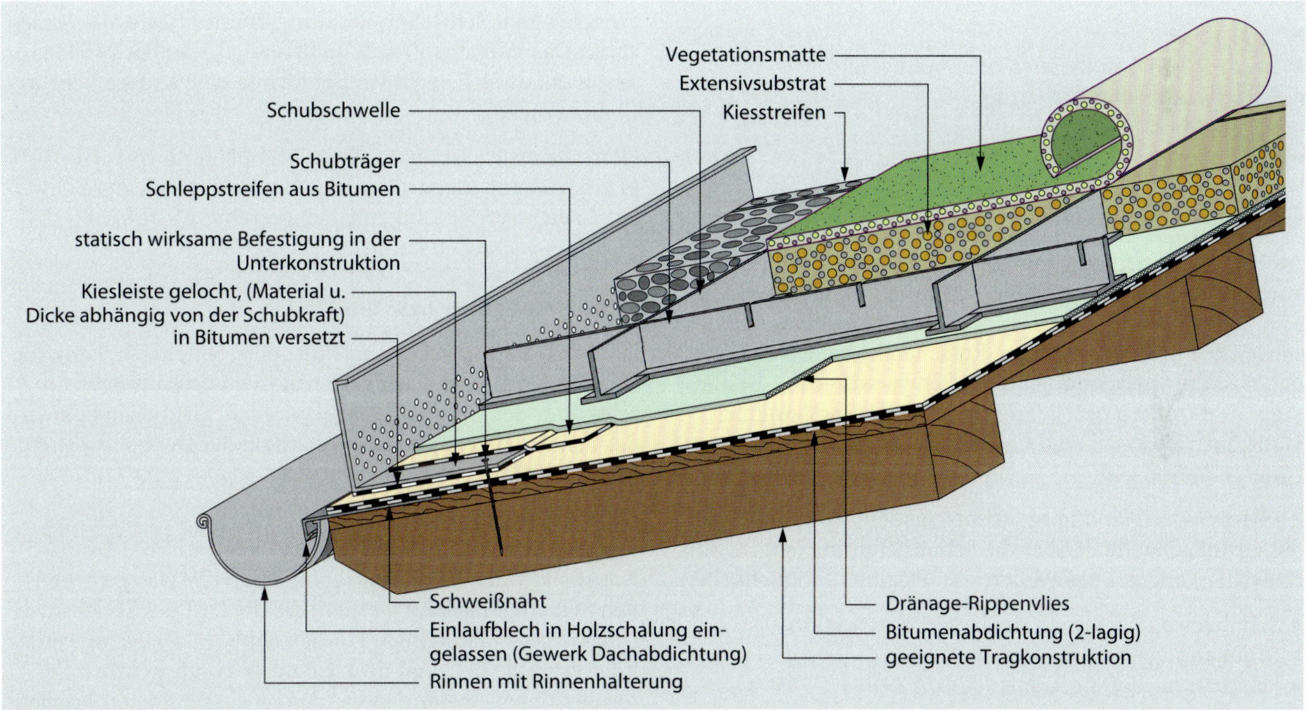

Abb. 4.78: Detailzeichnung des Traufenbereichs bei Rinnenentwässerung (Quelle: Optigrün international AG, Krauchenwies)

Dränage im Traufbereich

Im Bereich der Traufe ist mit erhöhten Wassermengen zu rechnen. Es muss sichergestellt werden, dass das Überschusswasser rückstaufrei und zielgerichtet zu den Entwässerungseinrichtungen abgeleitet wird, ohne dass es zu Aufschwemmungen von leichten Substratbestandteilen kommt. Das erfordert geeignete Maßnahmen:

- ausreichend dränfähiger Traufbereich,
- funktionsfähige Übergabe zur Entwässerungseinrichtung,
- ausreichend dimensionierter Übergang der begrünten Fläche in den Traufbereich.

An und unter den Kiesstreifen bzw. an die Rinnen sind zumindest in den ersten 2 m der Dachbegrünung Dränvliese oder Dränageplatten zu verlegen. Sie sorgen für die rückstaufreie Übergabe des Überschusswassers in den Kiesstreifen oder in die Entwässerungsrinne an der Traufe. Bei einer Linienentwässerung (vorgehängte Rinne) ist die Entwässerung dann unproblematisch (Abb. 4.78). Bei einer Punktentwässerung (Fallrohr) ist die Zuführung im Traufbereich mit einem Kiesstreifen und einem eingelegten Dränrohr oder einer Entwässerungsrinne zu unterstützen. Zuführung, Übergabe und Ablauf müssen ausreichend dimensioniert sein.

4.2.7 Steildachbegrünung und Rutschsicherung

Praxiserfahrungen haben gezeigt, dass bei Dächern über 15° Dachneigung (27 % Gefälle) konstruktive Maßnahmen zur Schubsicherung vorzusehen sind, um zu verhindern, dass der Gründachaufbau beispielsweise bei Starkregen ins Rutschen kommt. Nach den FLL-Dachbegrünungsrichtlinien (2018) kann dies schon ab einer Dachneigung ab 10° notwendig sein, beispielsweise bei langen Fließlängen. Begrünte Dächer sind im Extremfall bis etwa 45° Dachneigung (100 % Gefälle) möglich; üblicherweise werden Dächer bis etwa 30° Dachneigung begrünt. Bei der Planung und Ausführung eines begrünten Steildachs sind jedoch einige Punkte zu beachten.

Schichtaufbau bei Steildächern

Der Gründachaufbau bei geneigten Dächern über 10 bis 15° Dachneigung entspricht dem bei leicht geneigten Dächern (siehe Kapitel 4.2.6). Was die Steildächer von den leichter geneigten Dächern unterscheidet, sind vor allem die Rutsch- und Schubsicherung und die Vegetationsaufbringung. Insgesamt sieht der Schichtaufbau folgendermaßen aus:

- Schutzlage,
- Dränage (im Traufbereich oder vollflächig),
- Rutsch- und Schubsicherung,
- Vegetationstragschicht,
- Vegetation.

Rutsch- und Schubsicherung

Ab einer Dachneigung von über 10° (27 % Gefälle) können konstruktive Maßnahmen zur Schubsicherung notwendig sein, um zu verhindern, dass der Gründachaufbau beispielsweise bei Starkregen ins Rutschen kommt. Wichtig dabei ist die Verwendung bewährter, verwitterungsbeständiger und statisch belastbarer Schubsicherungssysteme. Holzkonstruktionen sind ungeeignet, da sie stark verwitterungsgefährdet sind.

Zu Beginn der Planung ist zu entscheiden, wohin die Last des Gründachaufbaus über die Schubsicherung (sog. Schubschwellen) abgetragen werden soll. Es gibt 3 Möglichkeiten:

- Schubabtrag flächig auf die Unterkonstruktion,
- Schubabtrag über bzw. am First,
- Schubabtrag auf die Traufe (Abb. 4.79).

Der Abstand der Schubschwellen richtet sich nach der Dachneigung und dem verwendeten Schubsicherungssystem. Das Substrat wird in der Regel so eingebaut und verdichtet, dass es die Höhe der Schubschwellen einnimmt bzw. bis zu 2 cm überdeckt. Die darauf aufgebrachten vorkultivierten Vegetationsmatten müssen hohlraumfrei verlegt werden, damit sie gleichmäßig flächig anwachsen können.

Praxistipp

Zu beachten ist die Entwässerung des Gründachaufbaus in der Fläche und unterhalb der Schubsicherungssysteme. Diese dürfen den Wasserabfluss nicht behindern.

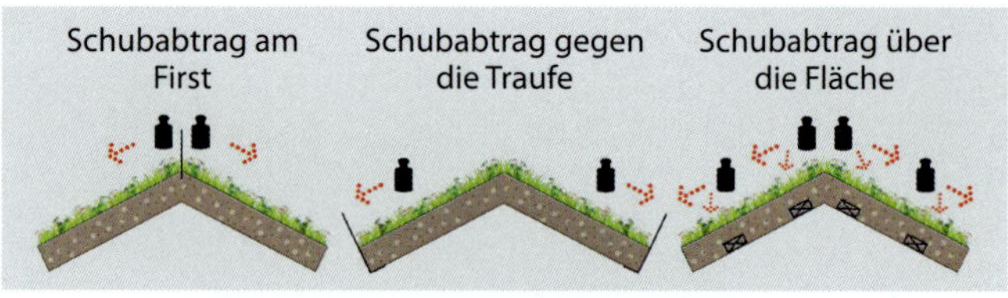

Abb. 4.79: Abtrag der Schubkräfte auf First (links), Traufe (Mitte) und Fläche (rechts) (Quelle: Optigrün international AG, Krauchenwies)

Schubabtrag flächig auf die Unterkonstruktion

Soll der Schubabtrag flächig auf die Unterkonstruktion geleitet werden, müssen die Schubschwellen mit der Unterkonstruktion verschraubt und nochmals abgedichtet werden, sodass sie unter der Dachabdichtung liegen. Damit wird die Last der Begrünung abschnittsweise auf die komplette Dachfläche abgetragen. Diese Vorgehensweise erfordert eine frühzeitige Planung und einen guten Dachdeckenden, da die Abdichtungsarbeiten sehr aufwendig sind. Die Schubschwellen müssen aus unverrottbarem Material sein. Die abgedichteten Schubschwellen dürfen nicht durchgehend ausgeführt werden, sondern müssen regelmäßig unterbrochen sein, damit das Überschusswasser zwischen den Schwellen Richtung Traufe abgeführt werden kann. Das Wasser soll sich nicht an den Schubschwellen anstauen, da sich sonst streifenförmig eine andere Vegetation entwickelt.

Diese Bauweise ist bis zu einer Dachneigung von etwa 30° praxisrelevant, da darüber hinaus die Abstände der Schwellen zu eng werden und eine fachgerechte Ausführung abdichtungstechnisch kaum zu leisten wäre.

Schubabtrag über bzw. am First

Je nach Dachbauweise, z. B. Pult- oder Satteldach, kann die Schublast mit oder ohne konstruktive Vorrichtungen am oder über den First abgetragen werden. Grundsätzlich wird das Schubsicherungssystem oberhalb der Dachabdichtung verlegt.

Bei Pultdächern wird mit dem Haken-Seil-Schwelle-System gearbeitet. Dabei müssen am First statisch belastbare Konstruktionen (Festpunkte) oberhalb der wasserführenden Schicht eingebaut werden, die die Last des Schubsicherungssystems aufnehmen können (Abb. 4.80). Daran werden Edelstahlseile befestigt und Richtung Traufe geführt. In regelmäßigen Abständen werden an ausgebildeten Vorrichtungen Schubschwellen in das Seil eingehängt (Abb. 4.81). Das System ist bis zu einer Dachneigung von 45° anwendbar.

Bei Sattel- und vor allem bei Tonnendächern mit gleicher Ausbildung der gegenüberliegenden Dachhälften kann mittels Netz-Schwelle-System die Last des Gründachaufbaus auch ohne konstruktive Maßnahmen über den First abgeleitet werden (Abb. 4.82). Dabei muss allerdings zu beiden Seiten der gleiche Aufbau erfolgen, sodass sich die Lasten die Waage halten. Dies ist auch bei der Ausführung zu beachten. Ein über die gesamte Dachfläche verlegtes reißfestes Netz nimmt in regelmäßigen Abständen eingehängte Schubschwellen auf (Abb. 4.83). Die mögliche Dachneigung liegt bei Satteldächern bei bis 45°; bei Tonnendächern kann sie in Ausnahmefällen sogar darüber hinausgehen (Abb. 4.84 bis Abb. 4.89).

Abb. 4.80: Haken-Seil-System (Quelle: Optigrün international AG, Krauchenwies)

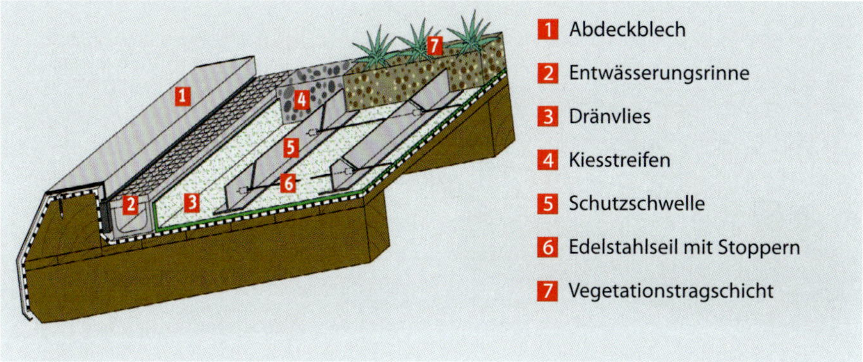

Abb. 4.81: Aufbau des Haken-Seil-Schwelle-Systems (Quelle: Optigrün international AG, Krauchenwies)

Abb. 4.82: Netz-Schwelle-System (Quelle: Optigrün international AG, Krauchenwies)

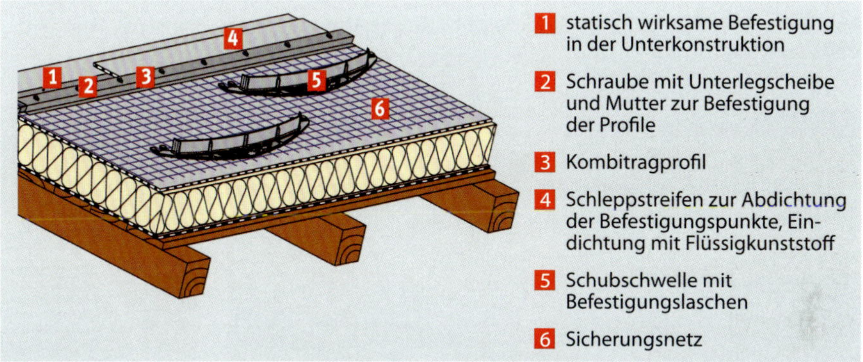

Abb. 4.83: Aufbau des Netz-Schwelle-Systems (Quelle: Optigrün international AG, Krauchenwies)

Abb. 4.84: Bauabwicklung eines begrünten Tonnendachs mit Netz-Schwelle-System – Verlegung der Dränmatte (Quelle: Optigrün international AG, Krauchenwies)

Abb. 4.85: Bauabwicklung eines begrünten Tonnendachs mit Netz-Schwelle-System – verlegtes Netz zur Schubsicherung (Quelle: Optigrün international AG, Krauchenwies)

Abb. 4.86: Bauabwicklung eines begrünten Tonnendachs mit Netz-Schwelle-System – Einhängen der Schubschwellen (Quelle: Optigrün international AG, Krauchenwies)

Abb. 4.87: Bauabwicklung eines begrünten Tonnendachs mit Netz-Schwelle-System – fertiggestelltes Netz-Schwelle-System (Quelle: Optigrün international AG, Krauchenwies)

Abb. 4.88: Bauabwicklung eines begrünten Tonnendachs mit Netz-Schwelle-System Aufbringung des Substrats (Quelle: Optigrün international AG, Krauchenwies)

Abb. 4.89: Begrüntes Tonnendach nach der Fertigstellung (Quelle: Optigrün international AG, Krauchenwies)

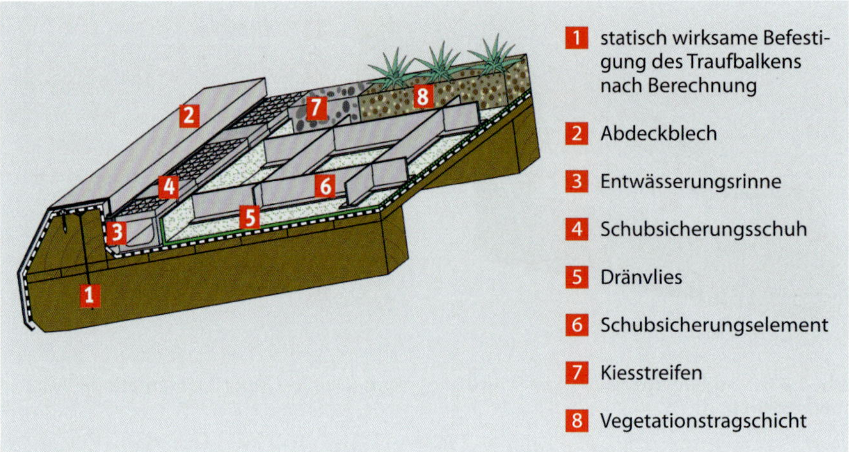

Abb. 4.90: Aufbau des Raster-Steck-Systems (Quelle: Optigrün international AG, Krauchenwies)

Abb. 4.91: Aufbau eines Raster-Steck-Systems auf einem Schrägdach (Quelle: Optigrün international AG, Krauchenwies)

Abb. 4.92: Bauabwicklung eines Schrägdachs mit Raster-Steck-System. Die wurzelfeste Dachabdichtung ist von einem Dachdecker aufgebracht; jetzt beginnen die Bauarbeiten (Quelle: Optigrün international AG, Krauchenwies).

Abb. 4.93: Bauabwicklung eines Schrägdachs mit Raster-Steck-System – Aufbringen eines Raster-Steck-Systems (Quelle: Optigrün international AG, Krauchenwies)

Abb. 4.94: Bauabwicklung eines Schrägdachs mit Raster-Steck-System – Aufbringen des Substrats (Quelle: Optigrün international AG, Krauchenwies)

Abb. 4.95: Bauabwicklung eines Schrägdachs mit Raster-Steck-System – Aufbringen der vorkultivierten Vegetationsmatten (Quelle: Optigrün international AG, Krauchenwies)

Schubabtrag auf die Traufe

Beim Schubabtrag auf die Traufe geht die komplette Schublast des Begrünungsaufbaus gegen die Traufe und wird auf den Traufbalken abgeleitet, was bei dessen Dimensionierung und Ausbildung im Vorfeld zu beachten ist. Die Schubschwellen werden vom Fachbetrieb oberhalb der Dachabdichtung verlegt. Dabei können 2 Systeme verwendet werden:

- Das Raster-Steck-System besteht aus Schubschwellen und -trägern aus Kunststoff, die ineinander gesteckt werden (Abb. 4.90 und Abb. 4.91). Der Einsatzbereich geht bis zu 45° Dachneigung (Abb. 4.92 bis Abb. 4.95).
- Drän- und Schubsicherungselemente aus Kunststoff haben unten Hohlräume zur Wasserableitung und oberseitig Mulden, die das Substrat aufnehmen und eine gute Verzahnung und damit Schubsicherung darstellen. Der Einsatzbereich endet wegen der auftretenden seitlichen Stauchung der Schubsicherungselemente bei etwa 30° Dachneigung.

Trauf- und Firstkonstruktion

Traufkonstruktion

Die Traufkonstruktion muss vor allem dann gut dimensioniert werden, wenn das Schubsicherungssystem oberhalb der Dachabdichtung gegen den Traufbalken angelegt wird und dieser die komplette Last der Begrünung abfangen muss. Die Formel zur Berechnung der Schubkräfte (Drucklast) lautet:

$$([G + S] \cdot L) \cdot \sin DN = \text{Drucklast} \quad \text{in kN/m} \qquad (4.1)$$

mit

- G Last des Gründachaufbaus (einschließlich Vegetation) in kN/m^2
- S Schneelast (nach DIN EN 1991-1-3 und Schneelastzone) in kN/m^2
- DN Dachneigung in°
- L maximale Fließlänge First/Traufe in m

Bei Steildächern ist im Traufbereich mit erhöhten Wassermengen zu rechnen. Deshalb ist ein Kiesstreifen mit Dränrohr oder eine Entwässerungsrinne vorzusehen.

Firstkonstruktion

Der First und die Dachränder (Ortgang) sind bei Steildächern Windangriffen besonders ausgesetzt. Beim Satteldach sollte der First abgerundet (tonnenförmig) ausgebildet werden, um eine durchgehende Verlegung von Vegetationsmatten zu ermöglichen. Beim Pultdach sind statisch geeignete Anbindungspunkte zu schaffen, an denen ggf. das Schubsicherungssystem und die Vegetationsmatte befestigt werden können. Auch wenn optisch nicht immer ansprechend, ist eine vegetationslose Ausbildung des Firstes (Platten, fixierter Kies) aufgrund der Windanfälligkeit der Begrünung ratsam.

Vegetation

Vegetationsaufbringung

Da vor allem Steildächer erosionsanfällig sind, muss sich die Vegetationsdecke schnell schließen. Deshalb sollte die Begrünung von Steildächern ausschließlich mit vorkultivierten Vegetationsmatten erfolgen. Ab einer Dachneigung von etwa 30° werden Vegetationsmatten mit verrottungs- und zugfesten Trägereinlagen empfohlen.

Vor allem in der Anwuchsphase ist eine Bewässerung wichtig, damit die Vegetationsmatten schnellstmöglich mit der Vegetationstragschicht verwurzeln. Mehrfaches, durchdringendes Wässern ist sofort nach dem Ausbringen der Matten notwendig und je nach Wetterlage auch in den Folgetagen.

Vegetationsentwicklung

Grundsätzlich gedeihen Extensivbegrünungen nach der Fertigstellungspflege ohne automatische Bewässerung. Das kann objektbezogen bei dünnschichtigen Steildachbegrünungen in niederschlagsarmen Regionen anders sein. Die Bewässerungssysteme sind dann so zu installieren, dass Substraterosionen vermieden werden.

Bei Schrägdächern können sich je nach Gebäudelage und Dachexposition unterschiedliche Vegetationsformen an einem Objekt ausbilden. Das Erscheinungsbild kann, abhängig von der Wasserverfügbarkeit für die Pflanzen, schon auf einer Gebäudeseite im First- und Traufbereich unterschiedlich sein. Am First besteht erhöhte Austrocknungsgefahr und das meiste Wasser fällt im Traufbereich an. So ist es beispielsweise gut möglich, dass sich am First eine Moos-*Sedum*- und an der Traufe eine Gras-Kraut-Vegetation etabliert. Bei einem Satteldach mit Nord-Süd-Ausrichtung kann sich das Erscheinungsbild noch extremer darstellen: Auf der Südseite etabliert sich eine Moos-*Sedum*-Vegetation und auf der Nordseite dominieren Gräser und Kräuter (Abb. 4.96).

Abb. 4.96: Unterschiedliche Vegetation auf der Nordseite mit Gräserdominanz (rechte Dachseite), bzw. Südseite (links im Bild) mit Sedumdominanz (Quelle: Optigrün international AG, Krauchenwies).

Bei gleicher Substrathöhe wird sich daher bei einer Steildachbegrünung selten ein ganz gleichmäßiges Vegetationsbild ergeben. Die Vegetationsentwicklung hängt von der Exposition der Dachflächen und der Dachneigung sowie auch stark von der Höhe der Vegetationstragschicht und der Fließlänge vom First zur Traufe ab. Um einen ähnlichen Vegetationsaspekt auf allen Dachflächen zu erreichen, muss ggf. die Substratstärke auf der Südseite und in den oberen Bereichen der Dachflächen erhöht werden.

Instandhaltung (Pflege) und Wartung

Die Pflegemaßnahmen von Begrünungen auf Steildächern entsprechen denen bei anderen Extensivbegrünungen. Da sie sich weitgehend selbst erhalten, brauchen sie wenig Pflege. Auf einen schnellen Flächenschluss der Vegetation ist zu achten, damit die Begrünung ihre Anfälligkeit für Erosionen durch Wind und Regen verliert (Tabelle 4.8).

Tabelle 4.8: Schadenspotenziale bei begrünten Steildächern

Funktionsschicht	potenzielle Fehler	Fehlerwahrscheinlichkeit	Schadensdimension
Vegetationstragschicht	zu grobkörnig, zu geringe Wasserkapazität	mittel	erschwerte Vegetationsetablierung, erhöhte Pflege, Erosionen
Schubsicherung	keine Verwendung, fehlende Stabilität bzw. Beständigkeit	groß	Erosionen
Vegetation	keine Verwendung von vorkultivierten Vegetationsmatten	groß	erschwerte Vegetationsetablierung, erhöhte Pflege, Erosionen
Instandhaltung und Wartung	keine Pflege bzw. nicht fachgerecht	mittel bis groß	Erosionen

Bei der Wartung sind ggf. auch die konstruktiven Schubsicherungen am First zu kontrollieren.

Instandhaltung und Wartung finden aufgrund der Dachneigung unter erschwerten Bedingungen statt und dürfen nicht ohne ausreichende Absturzsicherung durchgeführt werden (siehe Kapitel 4.1.9).

4.2.8 Dränage und Entwässerung

Auch wenn das Wasser der limitierende Faktor für die Pflanzen ist, ist zu viel Wasser oft ein Grund für Schadensfälle. Bei zu gering dimensionierten Dränschichten kann es zu Oberflächenabfluss auf dem Dachsubstrat kommen und insbesondere bei fehlender Vegetation zu Erosionsschäden und Materialverfrachtung in Kiesstreifen und Dachabläufe führen. Zu viel Wasser heißt mehr Last (Einsturzgefahr) und sich ändernde Vegetationsformen (beispielsweise Entwicklung zu einer Grasvegetation). Die meisten Pflanzenarten vertragen keine Staunässe und sterben früher oder später ab.

Ein temporäres und partielles Ableiten des Überschusswassers bei extremen Starkregenereignissen auf der Substratoberfläche ist zwar richtlinienkonform, jedoch aus den vorgenannten Gründen nur in Ausnahmefällen akzeptabel.

Die Leistungsfähigkeit der Dränschicht ist abhängig von den folgenden Faktoren:

- Dachgefälle,
- Bauweise (Ein- oder Mehrschichtaufbau),
- Art der Dränage (Schüttgut oder Element).

Je stärker das Gefälle, desto besser die Wasserableitung und desto größer die maximal mögliche Entwässerungsfließlänge. Dächer ohne Gefälle dränieren sehr schwach und langsam, da sich ein hydraulisches Gefälle aufbaut. Hier ist mit geringen Fließlängen, verzögertem Abfluss und stehendem Wasser zu rechnen (siehe Kapitel 4.2.5).

Mit der Wahl einer ein- oder mehrschichtigen Bauweise der Dachbegrünung wird festgelegt, ob eine separate leistungsfähige Dränschicht (mehrschichtige Bauweise) oder eine weniger leistungsfähige kombinierte Drän- und Vegetationstragschicht (einschichtige Bauweise) verwendet wird (siehe Tabelle 4.4). Eine Einschichtbegrünung kann bei geringem Dachgefälle und ohne Hilfsmittel wie Wasserleitprofilen in der Regel nur bei Dächern mit Fließlängen bis zu 10 m eingesetzt werden.

Bei mehrschichtiger Bauweise ist die Dränleistung deutlich höher, hängt jedoch wiederum stark von der Beschaffenheit und der Einbauhöhe des gewählten Dränmaterials ab. Hierbei sind die Herstellerangaben zu den maximalen Fließlängen und Ableitkapazitäten der angebotenen Produkte zu beachten.

Beim sicheren Ableiten von Überschusswasser begrünter Dächer sind 2 Hauptaspekte zu beachten:

- Dränage in der Fläche,
- nachfolgende Übergabe und Entwässerung über die Entwässerungseinrichtung (Punkt- oder Linienentwässerung).

Dränage in der Fläche

Die Planung der Entwässerung ist entsprechend den FLL-Dachbegrünungsrichtlinien (2018) sowie den Normen DIN EN 12056-3 „Schwerkraftentwässerungsanlagen innerhalb von Gebäuden – Teil 3: Dachentwässerung, Planung und Bemessung" (2001) und DIN 1986-100 vorzunehmen. Die Dränage von Dachflächen mit Kehlentwässerung, 2 % Gefälle und maximalen Fließlängen von 15 m ist bei einer mehrschichtigen Dachbegrünung in der Regel bis 400 m² problemlos und ohne weiteren Berechnungsnachweis möglich. Doch bei gleicher Dachfläche in einschichtiger Bauweise kommt es ohne zusätzliche Entwässerungsmaßnahmen zu einem problematischen Oberflächenabfluss. Eine für das 5-jährige Niederschlagsereignis ausreichende Entwässerungsleistung von Flächen mit längeren Fließlängen bei Einschichtbegrünungen ist nur durch Zusatzmaßnahmen wie z. B. die Verwendung von Wasserleitprofilen bzw. Dränelementen möglich.

Bei Dächern mit mehr als 400 m² Fläche sind Einzelnachweise über die Dränageleistung der angedachten Begrünungsmaterialien zu führen (Tabelle 4.9). Dabei lässt sich grundsätzlich jede begrünte Dachfläche in folgende einzelne Bemessungsschritte aufteilen:

- Abflussbeiwert C_s nach FLL-Dachbegrünungsrichtlinien (siehe Tabelle 4.2),
- vertikale Durchlässigkeit der Substrate,
- horizontale Ableitkapazität von Dränelementen nach DIN EN 13252 „Geotextilien und geotextilverwandte Produkte – Geforderte Eigenschaften für die Anwendung in Dränanlagen" (2016), Schüttgüterdränagen oder Einschichtsubstraten nach FLL-Dachbegrünungsrichtlinien (2018),
- Ableitkapazität von Entwässerungsprofilen und Rinnen,
- Ableitkapazität von Dachabläufen und Kontrollschächten.

Diese Bemessungsschritte sollten objektbezogen unter Berücksichtigung der Dränage in der Fläche sowie der Ableitkapazitäten der Dachkehle und der Kontrollschächte bzw. der Dachabläufe nachgewiesen werden.

Tabelle 4.9: Beispielhafter Vergleich der Dränleistungen ausgewählter Schüttgüter und Dränelemente (nach Optigrün)

Optigrün-Dränage	FKD 25	FKD 40	Wasserleitprofil WLP plus	Ableitrinne TAR 120/250
Einsatzbereiche	Extensivbegrünung	Extensivbegrünung	Extensivbegrünung	Extensivbegrünung
Flächenentwässerung (Dränageleistung je m Querschnitt bei 2 % Gefälle)	1,41 l/(s · m)	2,31 l/(s · m)		
Kehllinienentwässerung (Dränprofile)			1,13 l/s (bei 0 %) 1,24 l/s (bei 1 %)	5,1 l/s (bei 0 %) 7,3 l/s bei 1 %)

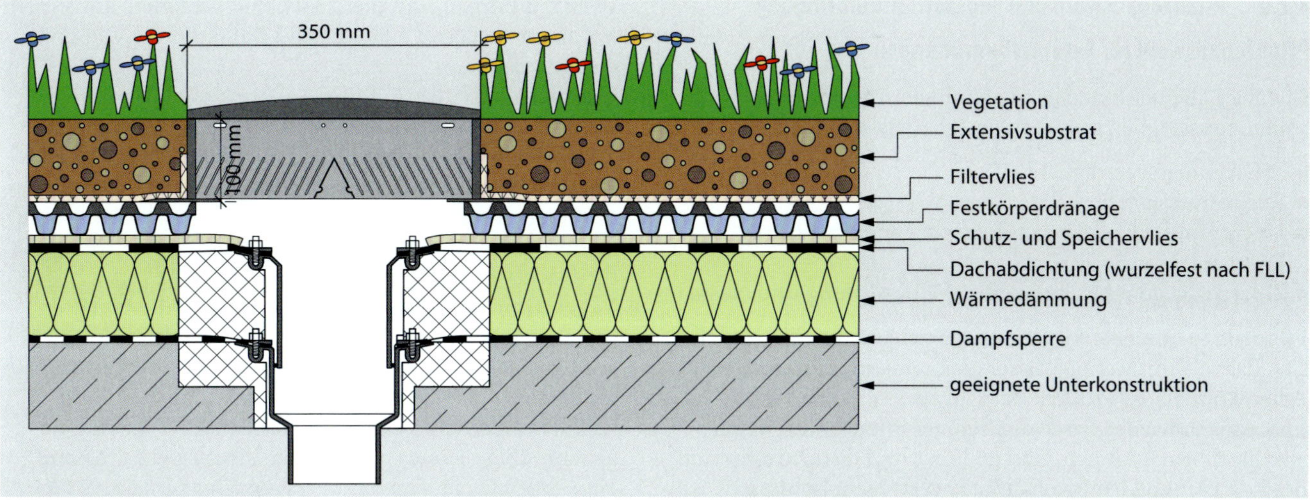

Abb. 4.97: Detail der Übergabe von der Flächendränage an den Dachablauf (Quelle: Optigrün international AG, Krauchenwies)

Berechnung von Abflussleistung

Die Abflussleistung der Dränage bzw. der abschließbaren Gründachfläche wird nach folgender Formel berechnet (FLL-Dachbegrünungsrichtlinien, 2018):

$$q' = \frac{A \cdot C_s \cdot q}{b} \quad \text{in l/(s} \cdot \text{m)} \tag{4.2}$$

mit

- q' Abflussspende in l/(s · m)
- A Einzugsfläche in m²
- b Austrittsbreite der Dränageöffnungen im Bereich der Kontrollschächte (Punktentwässerung) oder die an Rinnen angrenzende Austrittslänge der Dränage (Linienentwässerung) in m
- q Bemessungsregenspende in l/(s · m²)
- C_s Spitzenabflussbeiwert

Dabei gilt: Die Abflussspende entspricht der Ableitkapazität oder der horizontalen Durchlässigkeit der Dränage. Die Bemessungsregenspende ist gemäß DIN EN 12056-3 und DIN 1986-100 bzw. örtlicher Vorgabe einzufügen, der Abflussbeiwert C_s gemäß FLL-Begrünungsrichtlinien (2018) je nach Gründachaufbau. Umgerechnet ergibt sich für die Berechnung der an einen Dachablauf anschließbaren Gründachfläche A:

$$A = \frac{b \cdot q'}{q \cdot C_s} \quad \text{in m}^2 \tag{4.3}$$

mit

- q' Abflussspende in l/(s · m)
- A Einzugsfläche in m²
- b Austrittsbreite der Dränageöffnungen im Bereich der Kontrollschächte (Punktentwässerung) oder die an Rinnen angrenzende Austrittslänge der Dränage (Linienentwässerung) in m
- q Bemessungsregenspende in l/(s · m²)
- C_s Spitzenabflussbeiwert

Wasserübergabe zur Entwässerungseinrichtung

Das Überschusswasser des Daches wird von der Flächendränage über Punkt- oder Linienentwässerungseinrichtungen abgeführt.

Abb. 4.98: Kontrollschacht (Quelle: Optigrün international AG, Krauchenwies)

Linienentwässerung

Linienentwässerungen über in Dachkehlen verlegte Rinnen sind in der Regel problemlos. Es sollten jedoch ein Mindestgefälle von 2 % in Richtung Rinne und der anstaufreie Übergang zur Rinne sichergestellt sein. Das heißt z. B., dass die zur Trennung zwischen Rinne und Gründachaufbau verwendeten Kiesfangleisten eine ausreichend dimensionierte Lochung aufweisen müssen, um das anfallende Wasser durchleiten zu können.

Punktentwässerung

Bei trichterförmiger Punktentwässerung liegt eine vielfach übersehene Problematik darin, dass sich im Bereich um die Dachabläufe Wasser staut. Sowohl der Einlaufbereich des Kontrollschachts als auch der Übergang der Flächenentwässerung zum Dachablauf können zum Engpass werden (Abb. 4.98).

Die FLL fordert zum Schutz vor Verunreinigungen und einwachsenden Pflanzen sowie zur Kontrolle den Einbau eines Kontrollschachts. Zu Recht wird dabei betont, dass dieser die Entwässerung nicht behindern darf. Hier versagen jedoch viele Begrünungssysteme bzw. Kontrollschächte. Die meisten Kontrollschächte haben viel zu geringe Eintrittsöffnungen, um das ankommende Wasser durchleiten zu können. Eine gute Flächendränage entwässert womöglich mehr Wasser, als der Kontrollschacht aufnehmen kann.

Der Kontrollschacht muss auf den Festkörperdränageelementen stehen, um unter dem Schachtboden einen möglichst ungehinderten Wasserabfluss zu ermöglichen (Abb. 4.97). Zusätzliche Entwässerungsprofilanschlüsse für Wasserleitsysteme bzw. Stichkanäle erhöhen die Abflussleistung und damit die gesamte anschließbare Einzugsfläche.

4.2.9 Pflanzenauswahl und Vegetationsaufbringung

Pflanzenauswahl für Extensivbegrünungen

Pflanzen, die bei Extensivbegrünungen verwendet werden sollen, müssen bestimmte Eigenschaften erfüllen:

- Trockenheitsverträglichkeit,
- Regenerationsfähigkeit,
- Unempfindlichkeit gegenüber Extremtemperaturen, Frost und Wind,
- Toleranz gegenüber kurzzeitiger Überflutung und Nässe.

Pflanzen für Extensivbegrünungen zeichnen sich dadurch aus, dass sie mit wenig Wasser auskommen. Bestimmte Arten können sich zudem bei Hitzeperioden einziehen und danach wieder frisch austreiben. Pflanzen für extensive Dachbegrünungen müssen Frost und das Durchfrieren des kompletten Gründachaufbaus vertragen. Zu diesen Pflanzen gehören z. B. die Sukkulenten (Dickblattgewächse), die sich durch ihre Wasserökonomie (Morphologie, Wasserbedarf und Wassereinlagerung) auszeichnen. Folgende Lieferformen mit den jeweiligen Qualitätsanforderungen sind bei Extensivbegrünungen üblich:

- **Saatgut** (DIN 18917 „Vegetationstechnik im Landschaftsbau – Rasen und Saatarbeiten", 2018, und FLL-Regel-Saatgut-Mischungen RSM Rasen 2022): Je nach Zielvegetationsform und Herstellerrezeptur gibt es unterschiedliche Saatgutmischungen, die oftmals getrennt in Kräuter und Gräser angeboten werden. So können bei Bedarf beispielsweise die Gräser weggelassen werden. Eine Basis-Saatgutmischung für Extensivbegrünungen umfasst je nach Verwendungszweck (z. B. ein- oder mehrschichtige Begrünung) etwa 20 bis 30 Arten. Das heißt nicht, dass nach ein paar Jahren noch alle Arten zu finden sind. Mit der großen Artenvielfalt soll zu Beginn ein gutes Startpotenzial geschaffen werden, aus dem sich in Abhängigkeit von den Standortbedingungen die geeigneten Arten durchsetzen und etablieren. Gebietsheimisches Saatgut ist bevorzugt zu verwenden, wenn es in bewährter Artenzusammensetzung und als Fertigmischung vorhanden und der Gründachaufbau geeignet ist.
- ***Sedum*-Sprossen** (FLL-Gütebestimmungen Stauden, 2015): *Sedum*-Sprossen sind Pflanzenteile von fertig ausgebildeten *Sedum*-Pflanzen mit etwa 1 bis 3 cm Länge. Sie bilden nach etwa ein bis 2 Wochen Wurzeln und wachsen innerhalb von wenigen Monaten zur fertigen Pflanze heran. Sprossen von blühenden *Sedum*-Pflanzen haben nur eine sehr geringe Neigung zur Wurzelbildung. Gute *Sedum*-Sprossen-Mischungen bestehen in der Regel aus mehreren Arten. Gängig sind beispielsweise *Sedum album* (Weißer Mauerpfeffer) in Sorten, *S. floriferum* (Weihenstephaner Gold), *S. sexangulare* (Milder Mauerpfeffer) und *S. spurium* (Teppich-*Sedum*) in Sorten.
- **Stauden** (DIN 18916 „Vegetationstechnik im Landschaftsbau – Pflanzen und Pflanzarbeiten", 2016, FLL-Gütebestimmungen Stauden, 2015): Stauden sollten bereits bei der Anzucht auf die Bedingungen in Extensivbegrünungen vorbereitet werden. Die Stauden sollen daher nicht direkt aus dem Gewächshaus kommen und in Substraten mit überwiegend mineralischen Anteilen (Dachsubstrat) gezogen werden. Sie dürfen nicht überdüngt sein. Es gibt verschiedene Topfgrößen; für Extensivbegrünungen sind die „Flachballenstauden" mit einem Volumen von etwa 100 cm^3 und Ballenhöhen von etwa 4 cm geeignet.
- **Gehölze** (DIN 18916, FLL-TL-Baumschulpflanzen, 2020): Die Pflanzen sollen in der Regel in Substraten mit überwiegend mineralischen Anteilen (Dachsubstrat) gezogen werden (Ausnahme Humuswurzler). Der Ballen darf keine Fremdvegetation enthalten. Außerdem ist bei Gehölzen zu beachten, dass sich veredelte Pflanzen nicht für Dachbegrünungen eignen.
- **Vegetationsmatten:** Vorkultivierte Vegetationsmatten bestehen aus einer Trägereinlage und einer Deckschicht aus Dachsubstrat. Die Trägereinlagen sind verrottungsfähig (z. B. Kokosgewebe) oder verrottungsbeständig (z. B. Krallgewebe). Die Vegetationsmatten sollen eine gleichmäßige Höhe (praxisüblich sind 1 bis 2 cm) und eine abgehärtete Vegetation tragen. Der projektive Gesamtdeckungsgrad soll mindestens 75 % betragen. Vegetationsmatten gibt es in verschiedenen Vegetationsformen. Üblich sind *Sedum*-Moos-, *Sedum*-Kraut- und Gras-Kraut-Vegetation. Die Hersteller geben jedoch selten eine genaue Artenzusammensetzung an. Lieferformen sind Quadratmeterstücke oder Rollenware.

Viele Pflanzenarten haben sich in den letzten Jahrzehnten bei Extensivbegrünungen als geeignet erwiesen und dauerhaft bewährt. Dies ermöglicht eine Zusammenstellung von Artenlisten je nach Bauherrenwunsch mit verschiedenen Vegetationszielen:

- Artenvielfalt: artenreiche Mischungen mit breitem Blütenspektrum von April bis Oktober (Tabelle 4.10),
- Farbaspekte: Artenzusammenstellung nach Blütenfarben (Tabelle 4.11),
- Pflegeaspekte: z. B. pflegearme Begrünungsvarianten (Tabelle 4.12),
- spezielle Nutzungsformen: z. B. Küchenkräuter (Tabelle 4.13) und niedrig wachsende Arten für die Kombination mit Fotovoltaikanlagen.

Die Pflanzenentwicklung unterliegt einem dynamischen Prozess. Gezielte jährliche Pflegemaßnahmen unterstützen das gewünschte Erscheinungsbild.

Praxistipp

Zu beachten ist, dass die Entwicklung der Pflanzen stets vom Gründachaufbau, insbesondere von der Höhe der Vegetationstragschicht, und vom zur Verfügung stehenden Wasser abhängt. Außerdem spielen die bauliche Situation und die Pflege weitere wichtige Rollen. Monokulturen sollten aufgrund ihrer Anfälligkeit grundsätzlich vermieden werden. Bei der Verwendung von Stauden und Gehölzen müssen Ballengröße und Höhe der Vegetationstragschicht aufeinander abgestimmt sein.

Tabelle 4.10: Beispielhafte Artenliste „Ökologische Vielfalt“ (Extensivbegrünung, ca. 10 bis 15 cm Schichtaufbau) (Nach Optigrün international AG, Krauchenwies)

wissenschaftlicher Name	deutscher Name	Blütenfarbe	Höhe (cm)	Blütezeit (Monat)
Kräuter				
Achillea millefolium	Wiesen-Schafgarbe	weiß	15–50	6–10
Allium schoenoprasum	Schnittlauch	rosa	10–40	6–8
Anthemis tinctoria	Färberkamille	gelb	20–50	6–9
Aster amellus	Berg-Aster	blauviolett	20–50	8–10
Campanula rotundifolia	Rundblätt. Glockenblume	hellblau	10–40	6–9
Centaurea scabiosa	Skabiosen-Flockenblume	purpurn	30–100	6–9
Dianthus carthusianorum	Karthäuser-Nelke	rot	15-40	6–9
Dianthus deltoides	Heide-Nelke	rot	10–30	6–9
Erodium cicutarium	Schierlingsblättriger Reiherschnabel	rosa	10–40	4–9
Fragaria vesca	Wald-Erdbeere	weiß	5–20	4–6
Galium verum	Echtes Labkraut	gelb	20–70	6–9
Geranium robertianum	Storchschnabel, Ruprechtskraut	rosa	20–50	5–10
Hieracium aurantiacum	Orangerotes Habichtskraut	gelborange	20–50	6–8
Hieracium pilosella	Kleines Habichtskraut	gelb	5-25	5–10
Leucanthemum vulgare	Wiesenmargerite	weiß	10–80	6–9
Linaria vulgaris	Echtes Leinkraut	gelb	20–60	6–10
Linum perenne	Stauden-Lein	hellblau	40–70	6–9
Origanum vulgare	Wilder Majoran	hellpurpurn	20–60	7–10
Petrorhagia saxifraga	Steinbrech-Felsennelke	hellrosa	10–25	6–9
Potentilla argentea	Silber-Fingerkraut	gelb	10–40	6–8
Prunella grandiflora	Großblütige Braunelle	blauviolett	10–30	6–8
Prunella vulgaris	Gewöhnl. Braunelle	blauviolett	10–25	6–9
Ranunculus bulbosus	Knolliger Hahnenfuß	gelb	20–60	4–7
Sanguisorba minor	Kleiner Wiesenknopf	rötlich	30–60	5–8
Saponaria ocymoides	Kleines Seifenkraut	rot	10–30	5–6
Saponaria officinalis	Gewöhnliches Seifenkraut	weiß/rosa	30–80	6–9
Sedum album	Weißer Mauerpfeffer	weiß	8–20	6–7
Sedum reflexum	Tripmadam	gelb	15-35	6–8
Silene nutans	Nickendes Leimkraut	weiß	30–60	5–8
Silene otites	Ohrlöffel-Leimkraut	gelbgrün	30–40	5–8
Thymus pulegioides	Feld-Thymian	purpurn	5–30	6–10
Thymus serpyllum	Sand-Thymian	purpurn	5–15	6–10
Gräser				
Carex flacca	Blaugrüne Segge	–		6–8
Carex humilis	Erd-Segge	–		6–7
Festuca amethystina	Amethyst-Schwingel	–		5–7
Festuca ovina	Schaf-Schwingel	–		5–7
Poa compressa	Flaches Rispengras	–		6–7

Tabelle 4.11: Artenliste „Farben" (Extensivbegrünung, ca. 10 cm Schichtaufbau) (Nach Optigrün international AG, Krauchenwies)

wissenschaftlicher Name	deutscher Name	Höhe (cm)	Blütezeit (Monat)
rot/rosa			
Allium roseum	Rosenlauch	15	5–6
Allium schoenoprasum	Schnittlauch	25	5–6
Dianthus carthusianorum	Karthäuser-Nelke	60	6–7
Hieracium × rubrum	Rotes Habichtskraut	25	5
Origanum vulgare	Oregano	15	7–8
Saponaria ocymoides	Polsterseifenkraut	15	7–8
Sedum cauticola	September-*Sedum*	12	8–9
Sedum cyaneum	Rosenteppich-*Sedum*	5	7–8
Sedum ewersii	Flachpolster-*Sedum*	15	6–8
Sedum (Phedimus) spurium 'Fuldaglut'	Rotblätt. Teppich-*Sedum*	10	7–8
Sedum (Phedimus) spurium 'Roseum superbum'	Schneeteppich-*Sedum*	10	7–8
Sedum telephium 'Herbstfreude'	Hohes Herbst-*Sedum*	30–50	8–9
Thymus montanus	Berg-Thymian	10	7–10
Thymus pulegioides	Sand-Thymian	12	7–10
weiß			
Achillea millefolium	Wiesen-Schafgarbe	60	6–8
Antennaria dioicia	Katzenpfötchen	15	6
Leucanthemum vulgare	Wiesenmargerite	40	6
Petrorhagia saxifraga	Felsennelke	12	7
Sanguisorba minor	Kleiner Wiesenknopf	15	6–7
Sedum album album	Schneepolster-*Sedum*	8	6–8
Sedum album 'Coral Carpet'	Rotmoos-*Sedum*	10	6–8
Sedum album 'Murale'	Schleier-*Sedum*	10	6–8
Sedum spurium 'Album superbum'	Schneeteppich-*Sedum*	10	7–8
Sedum (Phedimus) spurium 'Tricolor'	Buntlaubiges *Sedum*	10	7–8
gelb			
Achillea tomentosa	Gelbe Schafgarbe	20	6–8
Anthemis tinctoria	Färberkamille	40–60	7–8
Aster linosyris	Goldhaar-Aster	25	6–7
Hieracium pilosella	Kleines Habichtskraut	20	7
Potentilla verna	Frühlings-Fingerkraut	10	6–7
Ranunculus bulbosus	Knolliger Hahnenfuß	30	6–8
Sedum acre	Scharfer Mauerpfeffer	8	6–7
Sedum (Phedimus) floriferum	Weihenstephaner Gold	15	6–8
Sedum (Phedimus) hybridum 'Immergrünchen'	Sibirische Fetthenne	15	7–8
Sedum kamtschaticum	Kamtschatka-*Sedum*	20	7–8
Sedum reflexum	Tripmadam	15	6–8
Sedum rupestre	Fetthenne	15	6–8
Sedum sexangulare	Milder Mauerpfeffer	10	7–8
Verbascum nigrum	Schwarze Königskerze	60	7
blau			
Campanula rotundifolia	Rundbl. Glockenblume	30	6–8
Centaurea scabiosa	Skabiosen-Flockenblume	40	6–7

Artenliste „Farben" (Extensivbegrünung, ca. 10 cm Schichtaufbau) (Nach Optigrün international AG, Krauchenwies) (Fortsetzung Tabelle 4.11)

wissenschaftlicher Name	deutscher Name	Höhe (cm)	Blütezeit (Monat)
Prunella grandiflora	Großblütige Braunelle	12	6–7
Pulsatilla vulgaris	Küchenschelle	20	3–4
Scabiosa canescens	Duft-Skabiose	25	6–9
Verbascum phoeniceum	Phönizische Königskerze	60	7–8
Veronica teucrium	Großer Ehrenpreis	40	7–9

Tabelle 4.12: Artenliste „Pflegeleicht und artenreich" (Extensivbegrünung, ca. 8 bis 10 cm Schichtaufbau) (Nach Optigrün international AG, Krauchenwies)

wissenschaftlicher Name	deutscher Name	Blütenfarbe	Höhe (cm)	Blütezeit (Monat)
Dianthus deltoides	Heide-Nelke	rot	10–30	6–9
Euphorbia myrsinites	Walzen-Wolfsmilch	gelb	25	4–6
Hieracium pilosella	Kleines Habichtskraut	gelb	5–25	5–10
Petrorhagia saxifraga	Felsennelke	hellrosa	10–25	6–9
Prunella grandiflora	Großblütige Braunelle	blauviolett	10–30	6–8
Sedum album 'Coral Carpet'	Rotmoos-*Sedum*	weiß	10	6–8
Sedum album 'Murale'	Schleier-*Sedum*	weiß	10	6–8
Sedum album 'Superbum'	Schneeteppich-*Sedum*	weiß	10	7–8
Sedum (Phedimus) floriferum	Weihenstephaner Gold	gelb	15	6–8
Sedum (Phedimus) hybridum	Sibirische Fetthenne	gelb	15	7–8
Sedum lydium	Moos-*Sedum*	weiß	10	7
Sedum rupestre	Tripmadam	gelb	15–35	6–8
Sedum sexangulare	Milder Mauerpfeffer	gelb	10	7–8
Sedum (Phedimus) spurium 'Fuldaglut'	Rotblättriges Teppich-*Sedum*	rot	10	7–8
Thymus pulegioides	Feld-Thymian	hellpurpurn	5–30	6–10
Thymus serpyllum	Sand-Thymian	hellpurpurn	5–15	6–10
Viola arvensis	Acker-Stiefmütterchen	weißlich	5–20	4–10

Tabelle 4.13: Artenliste „Küchenkräuter" (Extensivbegrünung und SemiIntensivbegrünung, ca. 10 bis 20 cm Schichtaufbau) (Nach Optigrün international AG, Krauchenwies)

wissenschaftlicher Name	deutscher Name	Blütenfarbe	Höhe (cm)	Blütezeit (Monat)
Allium schoenoprasum	Schnittlauch	rosa	10–40	6–8
Hyssopus officinalis	Ysop	blauviolett	60	7–10
Lavandula angustifolia	Lavendel	violett	50–150	6–8
Melissa officinalis	Zitronen-Melisse	weiß	20–90	6–8
Nepeta cataria	Katzenminze	weiß/hellblau	60–100	7–9
Origanum vulgare	Wilder Majoran	hellpurpurn	20–60	7–10
Salvia rosmarinus	Rosmarin	violett	50–150	5–10
Salvia officinalis	Echter Salbei	violett	80	5–7
Salvia pratensis	Wiesen-Salbei	blau	60	5–8
Thymus pulegioides	Feld-Thymian	hellpurpurn	5–30	6–10
Thymus serpyllum	Sand-Thymian	hellpurpurn	5–15	6–10
Thymus vulgaris	Garten-Thymian	weiß	10–40	5–10

Pflanzenauswahl für Intensivbegrünungen

Bei den Intensivbegrünungen, die viel höhere Substratschichten haben, ist die Pflanzenauswahl ähnlich groß wie im ebenerdigen Garten. Es müssen allerdings Arten verwendet werden, die wenig empfindlich gegen Trockenheit, Wind und Frost sind. Moorbeetpflanzen sind möglich, aber sie brauchen ein darauf abgestimmtes Substrat.

Bei der Auswahl sollte auf bewährte Arten zurückgegriffen und bei Gehölzen die Endwuchshöhe im Blick behalten werden (Tabelle 4.14).

Praxistipp

Von der Verwendung von rhizombildenden Arten wie Bambus und Schilf wird grundsätzlich abgeraten. Es gibt derzeit keine Dachabdichtung bzw. Wurzelschutzbahn, die beständig gegen Bambusrhizome ist (siehe Kapitel 4.1.5).

Bei der Pflanzenauswahl ist zu berücksichtigen, dass entweder durch Bodendecker ein schneller Flächenschluss erreicht oder durch geeignetes Mulchmaterial der Eintrag von unerwünschtem Fremdbewuchs minimiert wird.

Für die verschiedenen Lieferformen der Pflanzen gelten bestimmte Qualitätsanforderungen:

- **Stauden** (DIN 18916, FLL-Gütebestimmungen Stauden, 2015): Die Stauden sollen nicht direkt aus dem Gewächshaus kommen und in Substraten mit überwiegend mineralischen Anteilen (Dachsubstrat) gezogen werden. Sie dürfen nicht überdüngt sein.
- **Gehölze** (DIN 18916, FLL-TL- Baumschulpflanzen, 2020): Es sollten nur wurzelechte Gehölze verwendet werden. Die Pflanzen sollen in Substraten mit überwiegend mineralischen Anteilen (Dachsubstrat) gezogen werden (Ausnahme Humuswurzler), wobei der Ballen keine Fremdvegetation und Schädlinge enthalten darf. Der Bundesverband GebäudeGrün e. V. (BuGG) hat hierzu die BuGG-Fachinformation „ Geeignete Gehölze für Dachbegrünungen" (2020) herausgegeben, die umfangreiche Artenlisten umfasst.
- **Fertigrasen** (FLL-Dachbegrünungsrichtlinien, 2018): Die Anzucht muss auf schwach bis mittel humosem Sandboden erfolgen. In der Regel wird bei Intensivbegrünungen Fertigrasen für bespielbare Rasenflächen verwendet. Bei einfachen Intensivbegrünungen sind davon abweichend auch Kräuterzusaaten nach FLL-Regel-Saatgut-Mischungen Rasen (RSM Rasen, 2022) gestattet, jedoch ohne Kleearten.

Bei der Verwendung von Stauden und Gehölzen müssen wie bei Extensivbegrünungen Ballengröße und Höhe der Vegetationstragschicht aufeinander abgestimmt werden.

Vegetationsaufbringung

Die Pflanzen können auf verschiedene Arten aufgebracht werden. Die Vegetationsaufbringung richtet sich nach der Begrünungsart und der Dachform (z. B. Steildach), dem Zeitfaktor (wie schnell die Vegetationsdecke geschlossen sein soll) und dem Budget. Folgende Möglichkeiten der Vegetationsaufbringung sind Standard:

Abb. 4.99: Blühende Extensivbegrünung (Ansaat) (Quelle: Bundesverband GebäudeGrün, Berlin)

Abb. 4.100: Anspritzbegrünung (Quelle: Optigrün international AG, Krauchenwies)

- bei Extensivbegrünungen und einfachen Intensivbegrünungen:
  - Ansaat (Trocken- und Nassansaat, *Sedum*-Sprossen) (Abb. 4.99),
  - Pflanzung (Stauden, Gehölze),
  - Vegetationsmatten,
  - Fertigrasen mit Kräuteranteil,
- bei Intensivbegrünungen:
  - Ansaat (Rasen),
  - Pflanzung (Stauden, Gehölze, Bäume),
  - Fertigrasen.

In der Regel sind die Monate April bis Juni und September bis November für die Vegetationsaufbringung besonders gut geeignet. In den anderen Monaten besteht ein erhöhter Pflegeaufwand bzw. ein höheres Ausfallrisiko. Die verschiedenen Arten der Vegetationsausbringung sind teilweise kombinierbar, wie z. B. Ansaat mit Saatgut und *Sedum*-Sprossen und Pflanzung.

Nassansaat

Dieses Verfahren war bei großen Extensivbegrünungen (ab etwa 1.000 m^2) vor allem bei einschichtigen Bauweisen üblich, wird heute jedoch kaum noch angewandt. Dabei werden Saatgut, Kleber (Zellulose), Wasser und Keimsubstrat miteinander vermischt und auf das Dach gespritzt (Abb. 4.100). Meist werden in einem ersten Gang *Sedum*-

Tabelle 4.14: Artenliste „Intensiv Standard" (Intensivbegrünung, ca. 25 bis 40 cm Schichtaufbau) (Nach Optigrün international AG, Krauchenwies)

wissenschaftlicher Name	deutscher Name	Blütenfarbe	Höhe (cm)	Blütezeit (Monat)
Stauden				
Allium moly	Goldlauch	gelb	15	4–5
Allium ostrowskianum	Kaukasischer Lauch	rosa	15	4–5
Allium sphaerocephalon	Kugellauch	rot	20	5–6
Anthericum liliago	Astlose Graslilie	weiß	30	6–7
Buphthalmum salicifolium	Ochsenauge	gelb	50	6–7
Campanula glomerata	Knäuel-Glockenblume	blau	50	5–7
Centaurea scabiosa	Skarbiosen-Flockenblume	blau	50	5–8
Cichorium intybus	Wegwarte	blau	70	7–8
Daucus carota	Wilde Möhre	weiß	50	8–9
Dianthus arenarius	Sand-Nelke	weiß	10	7–9
Echium vulgare	Natternkopf	hellblau	80	5–8
Galium verum	Labkraut	weiß	20	5–7
Geranium sanguineum	Blut-Storchschnabel	rot	20	6–7
Hypericum perforatum	Johanniskraut	gelb	40	7–8
Hyssopus officinalis	Ysop	blau	30	6–8
Iris germanica	Schwertlilie (dipl.)	gemischt	40	7–8
Iris tectorum	Dach-Schwertlinie	gemischt	35	6–7
Knautia arvensis	Witwenblume	blau	50	5–8
Linaria vulgaris	Frauenflachs	lila	15	7–10
Ononis spinosa	Hauhechel	rosa	15	6–8
Origanum vulgare	Wilder Majoran	rosa	15	7–8
Ranunculus bulbosus	Knolliger Hahnenfuß	gelb	30	6–8
Salvia pratensis	Wiesen-Salbei	blau	40	6–8
Scabiosa columbaria	Tauben-Skabiose	blau	25	6–9
Sedum sexangulare 'Weiße Tatra'	Milder Mauerpfeffer	gelb	15	7–8
Sedum telephium 'Herbstfreude'	Hohes Herbst-Sedum	rot	50	8–10
Sedum (Phedimus) spurium	Teppich-Sedum	rötlich	15	7–8
Thymus montanus	Berg-Thymian	rosa/lila	10	7–10
Verbascum bombyciferum	Broussa-Königskerze	gelb	60	7–8
Veronica teucrium	Großer Ehrenpreis	blau	40	7–9
Verbascum nigrum	Schwarze Königskerze	gelb	60	7–8
Gräser				
Briza media	Zittergras	–	50	5–7
Bromus tectorum	Dach-Trespe	–	40	6–7
Festuca amethystina	Amethyst-Schwingel	–	30	5–7
Melica ciliata	Perlgras	–	40	5–7
Stipa pennata	Federgras	–	50	6–8
Gehölze				
Amelanchier ovalis	Felsenbirne	weiß	250	8
Juniperus communis	Wacholder	–	40	–
Prunus pumila var. *adpressa*	Kriechende Sandkirsche	rosa	30	8
Rosa pimpinellifolia	Dünenrose	rosa	45	7
Salix lanata	Zwerg-Weide	–	80	–

Abb. 4.101: *Sedum*-Sprossen (Quelle: Optigrün international AG, Krauchenwies)

Abb. 4.102: Vorgezogene Flachballenstauden

Abb. 4.103: Pflanzung bei einer Intensivbegrünung

Abb. 4.104: Überwiegend durch Pflanzung gestaltete Extensivbegrünung

Sprossen per Hand ausgestreut und durch die angeführte verflüssigte Keimsubstratmischung überdeckt. Das organische Keimsubstrat schafft in idealer Weise die Verbindung von Saatgut und Sprossen zum grobkörnig mineralischen Einschichtsubstrat.

Das Saatgut wird mit einem Gesamtgewicht von etwa 1 g/m², die *Sedum*-Sprossen werden mit etwa 30 bis 50 g/m² ausgebracht. Die Aufbringungsweise zeichnet sich durch folgende Charakteristika aus:

- günstige Variante der Vegetationsaufbringung, vor allem bei großen Flächen,
- gleichmäßige Verteilung des Saatguts,
- gute Wind- und Regenerosionssicherung,
- gute Anwuchserfolge.

Bei mehrschichtiger Bauweise und der damit einhergehenden Verwendung eines Substrats mit höheren organischen Anteilen und feinerer Korngrößenabstufung kann das Keimsubstrat entfallen und eine Trockenansaat zum Einsatz kommen.

Trockenansaat

Dabei werden wie bei der Nassansaat etwa 1 g/m² Saatgut und 30 bis 50 g/m² *Sedum*-Sprossen per Hand ausgestreut und gut bewässert. Die Verbindung zum Substrat wird mit dieser Vorgehensweise und bei fehlendem Keimsubstrat nicht so gut erreicht wie bei der Nassansaat. Demzufolge sind die Anwuchserfolge und der Deckungsgrad nach einem Jahr meist auch geringer. Im Einzelnen weist diese Methode folgende Merkmale auf:

- günstige Variante der Vegetationsaufbringung,
- höheres Ausfallrisiko bei ungünstiger Witterung.

Aussaat von *Sedum*-Sprossen

Sedum-Sprossen (Abb. 4.101) werden in der Regel mit Saatgut kombiniert ausgebracht, aber auch reine *Sedum*-Begrünungen sind möglich. Das kann unabhängig von der Flächengröße geschehen, wenn eine einfache und pflegeleichte Vegetationsform gewünscht ist. Bei reinen *Sedum*-Begrünungen werden etwa 5 bis 10 *Sedum*-Arten in 1 bis 2 cm langen Sprossteilen auf das aufgeharkte Substrat ausgestreut und gut bewässert. Die Aufwandmenge beträgt bei einer reinen *Sedum*-Begrünung 70 bis 100 g/m².

Pflanzung

Bei Extensivbegrünungen werden vorgezogene Flachballenstauden in das Substrat gepflanzt (Abb. 4.102). Der Bedarf (Stückzahl) hängt von der Topfgröße ab und liegt bei einer Topfgröße von 100 cm³ bei etwa 15 bis 20 Pflanzen/m². Der zeitliche Aufwand ist relativ hoch. Bei gleicher Pflanzliste wie bei einer Ansaat sind nach etwa 2 Jahren Vegetationsentwicklung keine Unterschiede zwischen Ansaat und

Abb. 4.105: Gestaltete Extensivbegrünung (Quelle: Optigrün international AG, Krauchenwies)

Abb. 4.106: Extensivbegrünung mit Anhügelung. Kombination von Ansaat und Pflanzung

Abb. 4.107: Kombination von Pflanzung und Gestaltungselementen (hier mit buntem Glasschotter) (Quelle: Optigrün international AG, Krauchenwies)

Abb. 4.108: Vorkultivierte Vegetationsmatten

Pflanzung mehr zu sehen (Abb. 4.104). Vorteilhaft ist, dass gegenüber der Saatgutverwendung ein erweitertes Artenspektrum möglich ist und dass die Gestaltungsmöglichkeiten (Farben und Formen) vielfältiger sind (Abb. 4.105).

Pflanzungen zeichnen sich durch folgende Merkmale aus:

- Einsatz bei gestalteten Extensivbegrünungen, vor allem wenn sie einsehbar sind (Abb. 4.106 und Abb. 4.107),
- große Artenvielfalt und weitreichende Pflanzenauswahl möglich,
- sehr gutes Anwuchsverhalten und schnelles Grün,
- Deckungsgrad abhängig von der Dichte der Pflanzung: bei 15 bis 20 Pflanzen/m^2 nach einem Jahr Deckungsgrad von ca. 70 bis 90 %,
- höhere Kosten als bei Ansaatverfahren.

Bei Intensivbegrünungen richtet sich der Bedarf an Pflanzen/m^2 nach den ausgewählten Pflanzenarten (Stauden und Gehölze) und deren Ballengröße (Abb. 4.103). Gehölze müssen ggf. gegen Windangriffe gesichert werden.

Vegetationsmatten und Fertigrasen

Vorkultivierte Vegetationsmatten und Fertigrasen mit fertig ausgebildeten Pflanzen werden auf das Substrat verlegt und bewässert, bis der komplette Gründachaufbau wassergesättigt ist. Das Dach ist sofort grün und nach wenigen Wochen haben sich die Wurzeln der Vegetationsmatten bzw. des Fertigrasens ausgebildet und sind im Substrat fest eingewurzelt. Die Charakteristika dieser Methode unterscheiden sich für Extensiv- und Intensivbegrünungen:

- Extensivbegrünungen:
  - für besondere Anwendungsfälle wie erhöhte Verwehsicherheit und Steildachbegrünung geeignet,
  - sofortiger Flächenschluss und komplett grünes Dach mit mindestens 75 % Deckungsgrad (Abb. 4.108),
  - kostenintensivste Variante der Vegetationsaufbringung,
  - Vegetationsmatten mit unterschiedlichen Trägereinlagen je nach Anwendungsbedarf verfügbar,
- Intensivbegrünungen:
  - Fertigrasen bei bespielbaren Rasenflächen einer Ansaat vorzuziehen,
  - sofortiger Flächenschluss und begehbares grünes Dach mit ca. 90 bis 100 % Deckungsgrad.

Tabelle 4.15: Gegenüberstellung der Vegetationsaufbringung bei Extensivbegrünungen

Merkmale	Ansaat (Sprossen/Saatgut)	Pflanzung	Vegetationsmatten
Haupt-Einsatzbereiche	Industriebegrünungen	einsehbare Flächen bei gewerblichen und öffentlichen Gebäuden	Steildachbegrünungen, wind-exponierte Dächer
Abnahmekriterium	60 % projektiver Deckungsgrad	in ausgeschriebener Anzahl	80 % projektiver Deckungsgrad und fest angewurzelt
Zeit bis zur Abnahme	12 bis 15 Monate	12 bis 15 Monate	Abnahmekriterium nach etwa ein bis 2 Monaten erfüllt
Vorteile	kostengünstig	hohe Artenvielfalt und gute Flächengestaltung möglich	schneller Flächenschluss, Erosionsschutz
Nachteile	erst nach ca. 2 Jahren voller Flächenschluss	aufwendig	kostenintensiv, geringe Wahlmöglichkeit an Pflanzenarten

In Tabelle 4.15 werden die wichtigsten Merkmale der verschiedenen Vegetationsaufbringungen bei Extensivbegrünungen zusammengefasst.

4.2.10 Abnahmekriterien

Die Abnahme der Dachbegrünung erfolgt beim Erreichen des abnahmefähigen Zustands und nach Abschluss der Fertigstellungspflege, also wenn der Bestand etabliert und die Vegetation fertig ausgebildet ist. Ist keine Fertigstellungspflege vergeben, findet die Abnahme direkt nach der Vegetationsaufbringung statt. Die Vegetationsdecke muss zu diesem Zeitpunkt noch nicht komplett geschlossen sein, jedoch sind nach den FLL-Dachbegrünungsrichtlinien (2018) je nach Begrünungsart und Vegetationsaufbringung bestimmte Abnahmekriterien zu erfüllen (siehe Tabelle 4.15).

Unter Deckungsgrad ist der Anteil an Bedeckung der Dachfläche durch die Pflanzen und deren Schattenwurf bei senkrechter Sonneneinstrahlung zu verstehen. Fremdvegetation wird bei der Bestimmung des Deckungsgrads nicht anerkannt; der jahreszeitlich bedingte Zustand der Vegetation ist jedoch zu berücksichtigen. Eine durch Düngung und zu starke Wässerung mastige Vegetation ist nicht abnahmefähig, da diese Stresssituationen (z. B. länger anhaltenden Trockenperioden oder Schädlingsbefall) weniger gewachsen ist als eine natürlich entwickelte Vegetation.

Praxistipp

Die Abnahme soll erst dann erfolgen, wenn die Begrünung sowohl eine Trocken- als auch eine Frostphase überdauert hat. Das heißt, dass die Abnahme in der Regel etwa ein Jahr (12 bis 15 Monate) nach Ausbringen der Vegetation durchgeführt wird. Die Monate April bis Oktober sind am besten für eine Abnahme geeignet, da die Pflanzen dann im besten Habitus stehen.

Die Abnahme einer fertigen Dachbegrünung, bei der Auftrageber- und Auftragnehmerseite gleichermaßen vertreten sein müssen, erfordert einen guten Überblick über die bau- und vegetationstechnischen Gegebenheiten, gute Pflanzenkenntnisse und ein gewisses Maß an Fingerspitzengefühl.

Abb. 4.109: Dachbegrünung mit einem Deckungsgrad von knapp unter 60 %

Abb. 4.110: Dachbegrünung mit einem Deckungsgrad von über 60 %

Extensivbegrünungen

Die zu erfüllenden Kriterien für die Abnahme von Extensivbegrünungen sind in der Checkliste 4.2 zusammengefasst. Abb. 4.109 und Abb. 4.110 veranschaulichen die Differenz zwischen extensiven Dachbegrünungen mit unter bzw. über 60 % Deckungsgrad am Beispiel von *Sedum*-Sprossen-Ansaaten.

Checkliste 4.2: Checkliste für die Abnahme von Extensivbegrünungen (nach FLL-Dachbegrünungsrichtlinien, 2018)

Abnahmekriterien für Extensivbegrünungen	ja	nein	Bemerkungen
Ansaaten und Sedum-Sprossen-Aussaat	☐	☐	
gleichmäßiger Bestand im ungeschnittenen Zustand?	☐	☐	
projektive Deckung von mind. 60 %	☐	☐	
mindestens 60 % des Bestands aus Arten der Saatgutmischung?	☐	☐	
75 % der Sedum-Sprossen gemäß den ausgeschriebenen Arten	☐	☐	
75 % der Sedum-Sprossen angewachsen?	☐	☐	
Stauden	☐	☐	
Ballenpflanzen in der ausgeschriebenen Anzahl und in natürlicher Vielfalt vorhanden?	☐	☐	
weniger als 5 % Ausfall bei Pflanzen aus Topfplatten und Töpfen (bei subjektiv geschlossener Vegetation)?	☐	☐	
mindestens 60 % Deckungsgrad (falls objektbezogen als Abnahmekriterium vereinbart)?	☐	☐	
Pflanzen in das Substrat eingewurzelt?	☐	☐	
natürliches Wachstum erkennbar?	☐	☐	
Vegetationsmatten	☐	☐	
mindestens 80 % Deckungsgrad?	☐	☐	
Matten nicht abhebbar eingewurzelt?	☐	☐	
Anteil sichtbarer Fugen unter 10 % des Gesamtfugenanteils	☐	☐	
ausgeschriebene Arten vorhanden?	☐	☐	

Intensivbegrünungen

Die Abnahme von intensiven Dachbegrünungen erfolgt nach DIN 18916 und DIN 18917. Im Einzelnen ist je nach Vegetationsform Folgendes zu beachten:

- Blumenzwiebeln, ein- und zweijährige Pflanzen sind direkt nach der Pflanzung abnahmefähig.
- Stauden sind abnahmefähig, wenn sie eingewurzelt sind bzw. ausgetrieben haben.
- Bei Gehölzen geht man nach ihrem Durchtrieb Ende Juni von einem Anwuchserfolg und damit von der Abnahmefähigkeit aus.
- Rasenansaaten sind abnahmefähig, wenn sie einen gleichmäßigen Bestand aufweisen und im geschnittenen Zustand eine projektive Deckung von mindestens 75 % aufweisen.
- Fertigrasen ist abnahmefähig, wenn er gleichmäßig und nicht abhebbar mit der Vegetationstragschicht verwurzelt ist.

4.2.11 Bewässerung

Bei begrünten Dächern ist Wasser einer der limitierenden Faktoren. Aus wasserökonomischen Gründen ist vorrangig ein Gründachaufbau zu wählen, der möglichst viel Wasser in seiner Drän- und Vegetationstragschicht speichern kann. Ohne zusätzliche Bewässerung wird man zumindest in der Phase der Vegetationsetablierung kaum auskommen. Ob und wie bewässert wird, hängt von der Begrünungsart, vom Gründachaufbau und von den regionalen Niederschlagsverhältnissen ab.

Extensivbegrünungen

Extensive Dachbegrünungen sind in der Regel als pflegearme, sich selbst erhaltende Begrünung vorgesehen. Abhängig vom Gründachaufbau, vom Dachgefälle und von der Klimaregion lässt sich die gewünschte Vegetationsform planen. Extensivbegrünungen bedürfen außer im Rahmen der Fertigstellungspflege keiner zusätzlichen Bewässerung. Hat die Begrünung mit einer überwiegend geschlossenen Vegetationsdecke den abnahmefähigen Zustand erreicht, ist eine Bewässerung nicht mehr notwendig. Die ausgewählten Pflanzenarten sind trockenheitsangepasst und regenerationsfähig. Selbst bei extremer Trockenheit wäre der Bewässerungsaufwand bei einer Bewässerung von oben (per Hand oder mittels Beregnungsanlage) unverhältnismäßig hoch. In Ausnahmefällen, z. B. bei einem besonderen Vegetationsbild, Leichtbauweise oder einer Steildachbegrünung, kann eine automatische Bewässerung vorgesehen werden.

In der Praxis ist eine **Beregnung per Hand** eigentlich nur bei kleinen Flächen gleich nach der Vegetationsaufbringung als Startbewässerung üblich. Später ist sie nur bei kleinen Dachflächen sinnvoll, sehr zeitaufwendig und mit einem hohen Wasserverbrauch verbunden.

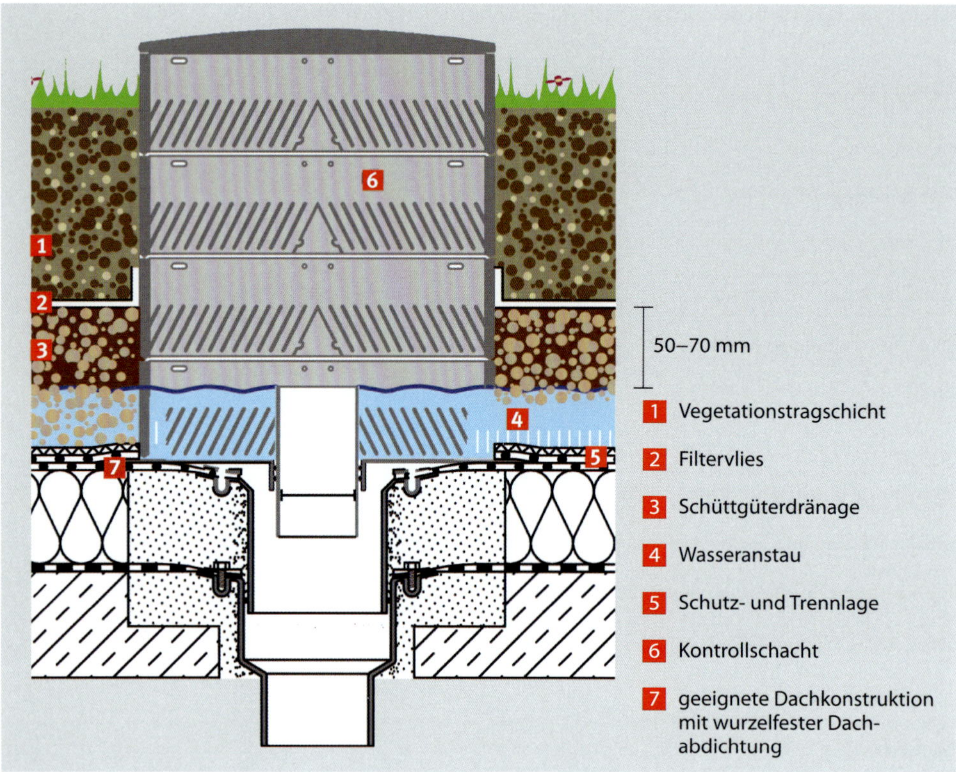

Abb. 4.111: Schematischer Aufbau einer automatischen Anstaubewässerung (Quelle: Optigrün international AG, Krauchenwies)

Bei großen Dachflächen sind **Beregnungsanlagen** wie etwa Schwenkregner (ggf. mit Zeitschaltuhr) effektiver und zeitsparender. Die Gefahr dabei ist allerdings, dass bei ungünstigen Windverhältnissen viel Wasser verweht wird bzw. angrenzende Bauteile in Mitleidenschaft gezogen werden. Diese Art der Bewässerung wird im Bedarfsfall eingesetzt.

Tropfschläuche und **Bewässerungsmatten** lassen sich am besten automatisieren. In der Regel werden diese Bewässerungssysteme über Feuchtesensoren gesteuert. Tropfschläuche werden auf oder in das Substrat, Bewässerungsmatten meist auf dem Filtervlies bzw. im unteren Bereich des Substrats verlegt. Ihr Einsatz ist nur bei aufwendigeren Extensivbegrünungen (und bei einfachen Intensivbegrünungen) sinnvoll. Weitere Einsatzbereiche können dünnschichtige Extensivbegrünungen (Bewässerungsmatten) und dünnschichtige Steildachbegrünungen (Tropfschläuche) in niederschlagsarmen Regionen sein. Bei beiden Bewässerungskonzepten ist eine mehrschichtige Bauweise mit einer separaten Dränageschicht bevorzugt zu verwenden, um Überschusswasser abzuleiten und Staunässe zu vermeiden. Je nach Hersteller müssen ggf. die Tropfschläuche vor dem ersten Frost entleert und die Bewässerung abgestellt werden.

Intensivbegrünung

Bei Intensivbegrünungen ist die Situation anders: Hier werden Pflanzen verwendet, die eine regelmäßige Wasserzufuhr benötigen und ohne Zusatzbewässerung nur bei günstigem Witterungsverlauf überleben würden. Dabei muss ausreichend, jedoch nicht unnötig viel Wasser für die Pflanzen zur Verfügung stehen.

Wasseranstau und Anstaubewässerung

Aus ökonomischer Sicht ist ein **Wasseranstau** in der Dränageschicht ratsam. Um dies zu erreichen, ist eine gefällelose Dachkonstruktion notwendig. Damit ist im Gegensatz zum Gefälledach ein gleichmäßiger Wasseranstau einfacher und ohne Stauschwellen realisierbar. Der Wasseranstau wird erreicht, indem im Ablauf ein Stauregler eingebaut wird, sodass das Wasser erst ab der eingestellten Höhe ablaufen kann. In der Regel beträgt die Höhe des Wasseranstaus 3 bis 8 cm. Die DIN 18531 beschreibt im Anwendungsbereich, dass für die Abdichtung von Dachflächen mit intensiver Begrünung und einer Anstaubewässerung über 100 mm die DIN 18533 „Abdichtung von erdberührten Bauteilen" (2017), Teile 1 bis 3, gilt.

Die sog. **automatische Anstaubewässerung** ist ein klassisches, seit mehreren Jahrzehnten verwendetes Bewässerungssystem. Nach dem Prinzip eines WC-Spülkastens wird die Wasserzufuhr über Stauregler und Schwimmerplatte gesteuert. Sinken der Wasserstand und der mitgehende Schwimmer unter eine bestimmte Höhe, gibt der Schwimmer das Ventil und damit die Frischwasserzufuhr für einige Minuten frei. Der Wasseranstau füllt sich dabei um 1 bis 2 cm und das Ventil wird wieder gesperrt. Die automatische Anstaubewässerung füllt nicht den komplett möglichen Wasseranstau, sondern stellt nur einen Mindestwasserstand sicher (Abb. 4.111). Die maximale Anstauhöhe wird nur nach längeren Regenereignissen erreicht, wenn sich der Anstau durch Überschusswasser aus dem Gründachaufbau gefüllt hat. Das Wasser aus dem Anstau wird kapillar an die darüber liegende Vegetationstragschicht abgegeben und im Substrat weitergeleitet. So steht sie der Vegetation zur Verfügung.

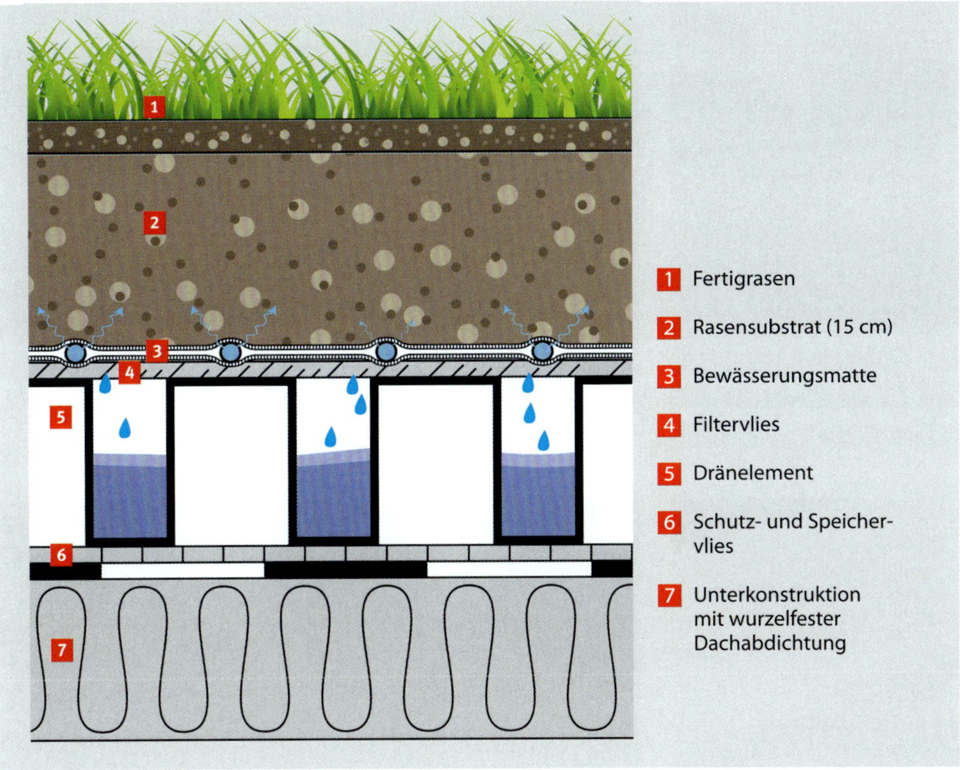

Abb. 4.112: Schematischer Aufbau einer Intensivbegrünung mit Rasen und Bewässerungsmatte (Quelle: Optigrün international AG, Krauchenwies)

Das Funktionsprinzip stellt einen sehr ökonomischen Umgang mit dem Frischwasser dar. Voraussetzungen sind allerdings der fachgerechte Einbau und die korrekte Einstellung. Das System benötigt keinen Strom, aber einen Wasserdruck in Ruhe von maximal 6 bar und einen Wasserdruck im Fluss von mindestens 0,7 bar. Die Zuleitung muss vor dem ersten Frost entleert und drucklos gestellt werden.

Praxistipp

Zwei wichtige Punkte sind zu beachten:

- Um die Vernässung der Vegetationstragschicht zu verhindern, muss ein Mindestabstand zwischen maximalem Wasserstand und Substrat eingehalten werden. Dieser Abstand sollte bei kapillarwirksamer Schüttgüterdränage wie beispielsweise Blähschiefer etwa 5 cm (bei Wasseranstau ohne automatische Bewässerung) bis 7 cm (bei Wasseranstau mit automatischer Bewässerung) betragen.
- Die Pflanzen können den Wasseranstau erst dann nutzen, wenn ihre Wurzeln tief genug ausgebildet sind. Das heißt, dass in der Anwuchsphase unbedingt regelmäßig und ausreichend von oben bewässert werden muss. Das bedeutet auch, dass ein zu hoher Substrataufbau bei Pflanzen mit kurzen Wurzeln dazu führen kann, dass trotz kapillaren Wasseraufstiegs im Substrat die Pflanzen nicht an das Wasser kommen. Sollte dies der Fall sein, sind die genannten Bewässerungsmethoden zu wählen.

Tropfschläuche und Bewässerungsmatten

Der Einsatz von Tropfschläuchen und Bewässerungsmatten kommt immer häufiger bei mehrschichtigen Bauweisen mit Dränelementen vor. Bewässerungsmatten sind vor allem bei dünnschichtigen Aufbauten mit Rasen geeignet und werden dabei auf das Filtervlies über der Dränage, umgeben vom Substrat, verlegt (Abb. 4.112). So kommen sie den Gräserwurzeln nahe. Eine Anwässerung von oben in der Etablierungsphase ist dennoch vorzusehen.

Bewässerung per Hand

Die Bewässerung per Hand ist eine Methode, die bei Intensivbegrünungen nur in der Anwuchsphase während der Fertigstellungspflege Verwendung findet. Eine mögliche Ausnahme könnte sein, im Winter bei abgestellter automatischer Anstaubewässerung und längerer frostfreier Witterung den Wasseranstau aufzufüllen.

4.2.12 Instandhaltung (Pflege) und Wartung

Dächer müssen regelmäßig kontrolliert und gewartet werden, unabhängig davon, ob sie begrünt oder unbegrünt sind. Bei begrünten Dächern kommt noch die Instandhaltung (Pflege) dazu. Der Fertigstellungspflege kommt eine besondere Bedeutung zu, um möglichst schnell eine geschlossene Vegetationsdecke zu erreichen.

Begrünte Dächer unterliegen einer natürlichen Vegetationsentwicklung in Abhängigkeit vom Gründachaufbau und von den örtlichen Gegebenheiten. Bei Extensivbegrünungen wird sich die standortgerechte Vegetationsform erst nach Jahren ausbilden. Je weiter die Pflanzensukzession fortgeschritten und das Vegetationsendstadium erreicht ist, desto stabiler ist die Pflanzengesellschaft gegenüber

Abb. 4.113: Gehölze müssen bei einer Extensivbegrünung entfernt werden.

Abb. 4.114: Die Fotovoltaikmodule dürfen nicht verschattet sein.

Abb. 4.115: Zur Wartung gehört das Freihalten der Entwässerungseinrichtungen.

Abb. 4.116: Der Kontrollschacht muss funktionsfähig gehalten werden.

Störungen. Zu beachten sind klimatische, witterungsbedingte, bauwerkspezifische und pflanzenspezifische Faktoren. Die Vegetation auf Dächern durchlebt wie die Pflanzen auf ebenerdigen Standorten den Wechsel der Jahreszeiten und zeigt ein für die Jahreszeit typisches Erscheinungsbild.

Bei Extensivbegrünungen ist der Pflegeaufwand gering, aber dennoch regelmäßig und fachgerecht notwendig. Intensivbegrünungen sehen größtenteils nicht nur so aus wie ebenerdig angelegte Gärten, sie haben auch den gleichen Pflegeanspruch. Begrünte Dächer können bei fachgerechter Pflege und regelmäßiger Wartung der technischen Einrichtungen ihre positiven Wirkungen nachhaltig erfüllen. Fehlende bzw. unregelmäßige oder nicht fachgerechte Pflege führen dagegen bald zu einer Sukzession in Richtung einer Gras-Gehölz-Vegetation und damit zu einem unansehnlichen Dach (Abb. 4.113). Die Pflanzenentwicklung kann so stark voranschreiten, dass selbst mit großem Pflegeaufwand die ursprünglich gewünschte Zielvegetationsform nicht wiederhergestellt werden kann.

Die regelmäßige und fachgerechte Instandhaltung und Wartung sind mit folgenden Vorteilen verbunden:

- Das vorgesehene Begrünungsziel und die vorgesehenen Funktionen der Dachbegrünung werden erzielt und erhalten (Abb. 4.114).
- Die Funktionsfähigkeit der Abdichtung verlängert sich.

Abb. 4.117: Eine Rotfärbung zeigt bei *Sedum* Nährstoffmangel an.

- Die Gebrauchstauglichkeit von technischen Einrichtungen wird sichergestellt (Abb. 4.115 und Abb. 4.116).
- Der Wert der Bausubstanz wird erhalten oder sogar gesteigert.
- Der Erhalt der geplanten Vegetation wird positiv beeinflusst (Abb. 4.117).
- Unerwünschter Fremdbewuchs wird vermieden (Abb. 4.118).
- Nach Extrembeanspruchungen (Sturm, Hagel usw.) kann die Begrünung kontrolliert werden.
- Die brandschutzrechtlichen Anforderungen werden eingehalten (Abb. 4.119).

Abb. 4.118: Bestimmte Kleearten gelten als „unerwünschter Fremdbewuchs".

Abb. 4.119: Aus Brandschutzgründen muss der Kiesstreifen von Bewuchs freigehalten werden.

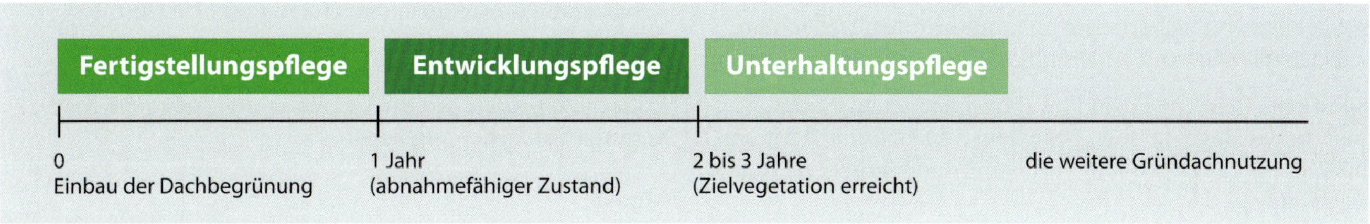

Abb. 4.120: Pflegearten und Zeiträume (Quelle: Optigrün international AG, Krauchenwies)

- Die nachhaltige Funktionsfähigkeit als Ausgleichsmaßnahme wird sichergestellt.
- Erweiterte Gewährleistungszusagen bleiben erhalten.
- Folgeschäden und Folgekosten werden minimiert.
- Das Positiv-Image der Dachbegrünung bleibt erhalten.

Praxistipp

Die Aufwendungen für Instandhaltung (Pflege) und Wartung von Dachbegrünungen sparen Folgekosten. Wird dagegen auf eine Durchführung von Pflege- und Wartungsmaßnahmen verzichtet, muss der Bauherr später mit zusätzlichem Aufwand sowie früher anfallenden Instandsetzungskosten rechnen.

Die Pflege wird in 3 Phasen eingeteilt (Abb. 4.120):

- Fertigstellungs-,
- Entwicklungs- und
- Unterhaltungspflege

Fertigstellungspflege

Die Fertigstellungspflege gehört zwingend zur Herstellung einer Dachbegrünung. Sie erfolgt nach der Aufbringung der Pflanzen und soll das Anwachsen und Etablieren der Vegetation sicherstellen. In der Regel zieht sich die Fertigstellungspflege über ein ganzes Jahr hin, insbesondere über Sommer und Winter. Da das Erreichen des geplanten Vegetationsziels ohne die Vergabe und Ausführung der Fertigstellungspflege gefährdet ist, soll auf deren Wichtigkeit besonders hingewiesen werden.

Die Tätigkeiten bei der Fertigstellungspflege sind vergleichbar mit der nachfolgend beschriebenen Entwicklungspflege, werden im Bedarfsfall aber intensiver ausgeführt.

In der Regel können bei Extensivbegrünungen ein bis 4 und bei Intensivbegrünungen 2 bis 10 Pflegegänge pro Jahr im Rahmen der Fertigstellungspflege erforderlich werden. Verzichtet der Auftraggeber auf die Fertigstellungspflege, erfolgt die Abnahme direkt nach der Vegetationsausbringung. Der Auftragnehmer muss den Auftraggeber auf die Folgen einer fehlenden Fertigstellungspflege hinweisen.

Entwicklungs- und Unterhaltungspflege

Die Entwicklungspflege beginnt nach der Abnahme im Anschluss an die Fertigstellungspflege. Sie geht in die Unterhaltungspflege über und erfordert im Vergleich zur Unterhaltungspflege in der Regel zunächst vermehrte Leistungen. Art und Umfang der Pflegemaßnahmen richten sich nach dem vorgesehenen Begrünungsziel und den Standortverhältnissen.

Bei **extensiv begrünten Dächern** können insbesondere folgende Leistungen erforderlich werden:

- Entfernen von unerwünschtem Aufwuchs,
- Düngen (Richtwert: 5 g N/m^2 pro Jahr eines ummantelten Langzeitdüngers),
- Wässern,
- Mähen,
- Entfernen von Schnittgut, Laub und Unrat,
- Nachsaaten bei Fehlstellen,
- Nachpflanzungen bei Fehlstellen,
- Nachfüllen von Substrat,
- Pflanzenschutz.

Praxistipp

Die Verwendung von „chemischen Pflanzenschutzmitteln" ist in der Regel aus Gründen des Natur- und Gewässerschutzes verboten und bedarf einer fallweisen Freigabe der zuständigen Behörde.

Weitere besondere Leistungen aus dem Bereich der Wartungsarbeiten können sein:

- Freihalten von Rand- und Sicherheitsstreifen sowie von Platten- und anderen Belägen von unerwünschtem Aufwuchs,
- grundsätzliches Freihalten von Kiesstreifen und Plattenbelägen, die aus Brandschutzgründen vorgesehen sind, von möglicher Brandlast,
- Säubern von Sicherheitsrinnen und Kontrollschächten, Dachabläufen und anderen Entwässerungseinrichtungen.

Sämtliche Leistungen sind im Einzelnen genau zu beschreiben. In der Regel können bei extensiven Gründächern ein bis 2 Pflegegänge pro Jahr (Frühjahr und Herbst) erforderlich werden.

Bei **Intensivbegrünungen** können ergänzend zu den oben genannten Leistungen weitere Arbeiten anfallen:

- Schnittarbeiten,
- Mulchen,
- Laubbeseitigung,
- Winterschutzmaßnahmen,
- Nachrichten von Verankerungen,
- Entfernen von nicht mehr erforderlichen Verankerungen.

Hier können in der Regel 4 bis 8 Pflegegänge im Jahr erforderlich sein.

Neben den oben genannten Leistungen sind bei begehbaren Rasenflächen auf dem Dach folgende Punkte beachtenswert:

- Laubbeseitigung,
- Vertikutieren,
- Aerifizieren,
- Besanden.

Bei Rasenflächen können im Jahr bis zu 12 Pflegegänge erforderlich sein.

„Unerwünschter Fremdbewuchs"

Der Begriff „unerwünschter Fremdbewuchs" wird vielfach verwendet, ist jedoch nicht definiert. Das heißt im Umkehrschluss, dass unerwünschter Fremdbewuchs bei jedem Bauvorhaben neu definiert werden muss, indem die angestrebte Zielvegetation eindeutig zu beschreiben ist.

Wie angeführt unterliegt die Vegetation in Abhängigkeit von Schichtaufbau, baulichen Gegebenheiten und Standort einer natürlichen Sukzession. Dabei werden sich auch andere als die ausgeschriebenen Pflanzenarten ansiedeln. Vor allem der Faktor Wasser spielt dabei eine wichtige Rolle. Höhere Schichtaufbauten, unzureichende Dränagen und gefällelose Dächer mit stehendem Wasser begünstigen eine eher „unkontrollierte" Vegetationsentwicklung.

Bei Extensivbegrünungen in Schattenlagen oder vernässten Bereichen ist mit Vegetationsumbildungen sowie verstärkter Ansiedlung von Fremdvegetation zu rechnen.

Die FLL-Dachbegrünungsrichtlinien (2018) führen auf Seite 22 an:

„Standortgerechte Fremdvegetation von Kräutern und Moosen ist tolerierbar, sofern sie nicht verdrängend wirken und bestimmten Gestaltungs- und Nutzungsabsichten nicht entgegenstehen."

Weiter wird auf Seite 94 auf die Pflege verwiesen:

„Nach der […] Abnahme setzt die natürliche Entwicklungsdynamik […] bei extensiven Dachbegrünungen ein. Diese kann durch steuernde Pflegeeingriffe […] nur begrenzt beeinflusst werden."

Bestimmte Pflanzengruppen treten unter bestimmten Bedingungen so dominant in Erscheinung, dass sie als „unerwünscht" angesehen werden. Doch es ist fallweise kritisch zu prüfen, wo die Ursachen und mögliche Maßnahmen zur Behebung liegen.

Moose

Moose sind nicht unbedingt unerwünscht. Dennoch wird das dominante Auftreten als Mangel angesehen. Bei der Beurteilung ist zu beachten, dass eine Bestandsumbildung durch Moose jahreszeitlich bedingt sein kann. Ansonsten entstehen Moose bei Extensivbegrünungen bei dünnschichtigen Aufbauten, mangelhafter Nährstoffversorgung, zu niedrigem pH-Wert und zudem in Schattenlagen bzw. vernässten Bereichen. Abhilfe kann nur bedingt geschaffen werden, etwa durch mechanische Auflockerung, Entfernung, Düngung und Kalkung, da das Auftreten meist mit dem Schichtaufbau bzw. den örtlichen Gegebenheiten zusammenhängt.

Klee

Bestimmte Kleearten, wie z. B. Rot-Klee, Weiß-Klee, Hasen-Klee, sind tatsächlich als „unerwünscht" zu betrachten, da sie sich schnell ausbreiten und dominant werden können. Sogar die FLL-Dachbegrünungsrichtlinien (2018) gehen auf den Klee ein. Auf Seite 94 heißt es:

„Einwandernde, hochaufwachsende, verdrängende Pflanzenarten, z. B. einige Leguminosen (Fabaceae), sollten in einem frühen Stadium entfernt werden."

Die genannten Kleearten benötigen eine gewisse Feuchtigkeit und haben bei unzureichender Nährstoffversorgung aufgrund ihrer Luftstickstofffixierung Vorteile gegenüber anderen Pflanzen. Zudem wird Klee durch regelmäßigen Schnitt und gute Nährstoffversorgung unterdrückt.

Schnittlauch

Schnittlauch ist in vielen Saatgutmischungen vertreten und in der Regel auch kein Problem. Es ist allerdings immer wieder, vor allem bei älteren Dächern, zu beobachten, dass sie von Schnittlauch dominiert werden. Mähen, bevor der Schnittlauch sich selbst aussät, und verstärkte Düngergaben können dem entgegenwirken.

Gräser

Gräser sind ebenfalls in fast allen Saatgutmischungen enthalten. Sie können, auch durch Fremdanflug, verstärkt auftreten, wenn genügend Wasser vorhanden ist. Eine Vorbeugemaßnahme ist der Verzicht auf Gräsersaaten in der Saatgutmischung und bei der Pflege das rechtzeitige Entfernen bzw. Mähen, bevor sich die Gräser selbst aussäen.

Wartung

Die Wartung dient sowohl der Aufrechterhaltung der Funktionsfähigkeit von Sicherheits- und technischen Einrichtungen sowie der Dachabdichtung, deren An- und Abschlüssen und Durchdringungen. Darin eingeschlossen sind die regelmäßige Überprüfung der Funktionsfähigkeit und ggf. Maßnahmen wie z. B. Reinigung, Nachbesserung und geringfügige Arbeiten zur Wiederherstellung des Sollzustands. Sollten darüber hinaus umfangreiche Maßnahmen erforderlich werden, sind diese als Instandsetzungsmaßnahmen zu vereinbaren.

Leistungsbeschreibungen für Pflege- und Wartungsverträge

Idealerweise wird über die Fertigstellungspflege hinaus ein mehrjähriger Pflegevertrag mit einer Fachfirma abgeschlossen. Zumindest sollte ein Inspektions- und Wartungsvertrag vorhanden sein. Damit ist immerhin sichergestellt, dass das Gründach regelmäßig begangen und begutachtet wird und ggf. Maßnahmen ergriffen werden. In der Leistungsbeschreibung für die Pflege und Wartung ist anzugeben:

- bau- und vegetationstechnische Gegebenheiten (Dachgefälle, Dachabdichtung, Flächenlast, Gründachaufbau usw.),
- Zielvegetationsform,
- im Bedarfsfall auszuführende Pflegemaßnahmen (einzeln aufgeführt und in Leistung und Umfang beschrieben),
- Art der vorgesehenen Sicherheitseinrichtungen, die dem Auftragnehmer für die Dauer des Vertrags unentgeltlich zur Verfügung stehen (z. B. installierte Geländer, Anschlagpunkte),
- Zugang zur Dachfläche,
- Bedingungen für das Überlassen von Anschlüssen für Wasser und Energie.

4.3 Vermeidung typischer Schäden und Sanierung

4.3.1 Dach und Bautechnik

Weist ein Dach unter einer Begrünung tatsächlich einmal Schäden auf, weil z. B. das Dachschichtenpaket durchfeuchtet wurde, können verschiedene Ursachen vorliegen:

- statische Überlastung,
- von oben eindringendes Niederschlagswasser,
- unzulässig hoher Tauwasseranfall im Dachschichtenpaket (eher selten).

Bei Schäden am Dach bleibt in der Regel nichts anderes übrig, als die Begrünung wieder abzuräumen und der Schadensursache auf den Grund zu gehen. Einfache Sanierungsmöglichkeiten gibt es nur in den seltensten Fällen.

Abb. 4.121: Probeöffnung in einem Dach mit Kunststoffabdichtung (Quelle: ZinCo GmbH, Nurtingen)

Statische Überlastung

Bevor daher damit begonnen wird, ein bestehendes Flachdach mit einer Begrünung zu versehen, sollte dieses hinsichtlich der statischen Lastreserven, des vorhandenen Schichtaufbaus und der jeweils eingesetzten Materialien und hinsichtlich etwaiger Schäden genau unter die Lupe genommen werden (siehe Kapitel 4.1.13).

Ist die statische Berechnung nicht mehr auffindbar, kann man sich eventuell am Gewicht der Beläge orientieren, die bislang auf dem Dach vorhanden waren. Damit durch eine Begrünung keine Mehrbelastung der Decke erfolgt, sind im Gegenzug die alten Beläge selbstverständlich zu entfernen. Wenn die Statik in der Fläche nicht allzu viel Spielraum lässt, lassen sich eventuell Bereiche auf der Dachfläche finden, die dennoch gewisse Reserven aufweisen, z. B. über Wänden, Stützen oder Unterzügen. Nur in Ausnahmefällen wird es möglich sein, die potenzielle Traglast eines Daches durch nachträgliche Maßnahmen zu erhöhen.

Mängel an der Dachabdichtung

Sind die statischen Belange geklärt, gilt es vor allem, das Augenmerk auf das Dach selbst zu lenken. Ist über dessen Aufbau nichts mehr bekannt, können Probeöffnungen Aufschluss über den Aufbau selbst und dessen Zustand geben (Abb. 4.121). Wichtig ist natürlich, die geöffneten Stellen wieder sicher und dauerhaft zu schließen. Probeöffnungen sollten daher nur vom Fachmann durchgeführt werden.

In der Regel wird der Dachaufbau jedoch bekannt sein, sodass nur die Dachabdichtung untersucht werden muss. Ist diese noch relativ neu, in einem guten Zustand und zudem von sich aus wurzelfest, kann im Prinzip sofort eine Begrünung aufgebracht werden (siehe Kapitel 4.1.5). Wer ganz sicher gehen möchte, überprüft die Dichtigkeit der Dachabdichtung mit einem Leckortungsverfahren. Ist die Dachabdichtung in einem guten Zustand, aber nicht wurzelfest, muss vor dem Aufbringen der eigentlichen Begrünungsschichten eine zusätzliche Wurzelschutzschicht verlegt werden. Der zusätzliche Wurzelschutz ist so auszubilden, dass auch die aufgehenden Bereiche, also die

Dachan- und -abschlüsse, sicher und dauerhaft geschützt werden (siehe Abb. 4.24 bis Abb. 4.36).

Stellen sich bei der Begutachtung der Dachabdichtung, die durch einen Fachmann erfolgen sollte, Mängel heraus oder ist die Abdichtung schon älteren Datums, sollte sie vor dem Aufbringen einer Begrünung erneuert oder durch eine neu aufzubringende Oberlage ergänzt werden, wobei Letzteres nur bei bituminösen Abdichtungen möglich ist. Als neue Abdichtung bzw. Oberlage sollte ein wurzelfestes Fabrikat gewählt werden.

Bei Dachsanierungen, und hierzu gehört auch das Erneuern der Dachabdichtung, sind die Anforderungen des Gebäudeenergiegesetzes vom 8. August 2020 zu beachten. Oftmals müssen aufgrund der zusätzlich aufzubringenden Wärmedämmschicht, die eventuell auch aus einer Dachbegrünung mit amtlich anrechenbarer Wärmedämmwirkung bestehen kann, auch die Dachränder erhöht und die Anschlüsse an aufgehende Bauteile höher geführt werden. Sind die Anschlusshöhen knapp bemessen, kann mit einer Begrünung eventuell auch Abstand zu den Anschlüssen gehalten werden, indem Begrünungen z. B. durch Winkelprofile eingefasst und die Zwischenräume nur mit einer Schicht Kies belegt werden. Keinesfalls dürfen Dachanschlüsse durch eine Dachbegrünung überdeckt werden, da ansonsten Feuchtigkeit hinter die Abdichtung gelangen kann, was auf Dauer unvermeidlich zu Schäden führt.

Veraltete Dachentwässerung

Bei Dächern älteren Datums ist zu prüfen, ob die Dachentwässerung dem heutigen Standard entspricht. Dieser fordert, dass auch ein Jahrhundert-Regenereignis schadlos abgeführt werden können muss. Falls es sich als notwendig erweist, sollten deshalb zusätzliche Notüberläufe geschaffen werden, z. B. als durch die Attika geführte Wasserspeier.

Vorbeugen ist im Falle einer Dachbegrünung besser als jede Sanierung (Abb. 4.122).

4.3.2 Vegetationstechnik

Planung

Der erste und wichtigste Schritt zu einem dauerhaft funktionsfähigen Gründach ist die genaue Bedarfsermittlung. Die Vorstellungen des Kunden über die Nutzung und das Erscheinungsbild seiner Dachbegrünung müssen klar definiert sein. Von diesen Vorgaben und den möglicherweise schon vorhandenen baulichen Gegebenheiten hängt die weitere Planung des Gründachaufbaus ab. Im Folgenden werden die wichtigsten Planungsaspekte und damit auch potenzielle Schadenspunkte aufgeführt und kurz erläutert. Darüber hinaus müssen die objektbezogenen Gegebenheiten beachtet werden.

Begrünungsziel und Nutzungsform

Die Nutzungsform und das Begrünungsziel bestimmen damit den Schichtaufbau und die entsprechenden Anschlusshöhen der Dachabdichtung sowie die zusätzlichen Lasten.

Abb. 4.122: Abgesehen davon, dass die Begrünung sehr zu wünschen übrig lässt, könnte die nicht funktionierende Entwässerung auf diesem Gründach zu dessen statischer Überlastung führen (Quelle: ZinCo GmbH, Nurtingen).

Abb. 4.123: Mit der Wahl des Substrats – hier ein spezielles Leichtsubstrat – kann das Gewicht optimiert werden. (Quelle: Optigrün international AG, Krauchenwies)

Abb. 4.124: Steildachbegrünungen erfordern eine besondere Planung.

Zusätzliche Flächenlast

Extensivbegrünungen wiegen in der Regel 80 bis 170 kg/m² (0,8 bis 1,7 kN/m²), gewichtsoptimierte Varianten etwa 50 kg/m² bzw. 0,5 kN/m² (Abb. 4.123). Intensive Dachbegrünungen haben Flächenlasten ab ca. 300 kg/m² (3 kN/m²). Die Angaben beziehen sich auf den wassergesättigten Zustand mit Vegetation. Die Schneelast ist gesondert zu berechnen, ebenso die Verkehrslasten bei genutzten Dachterrassen.

Gefälle bzw. Dachneigung

Dachneigungen von 0 bis etwa 30° sind für Gründächer gut geeignet. Erfahrene Systemanbieter und Fachfirmen errichten in Sonderfällen auch Steildächer von 45 bis 90° Dachneigung (Abb. 4.124). Über 10 bis 15° Dachneigung sind

Schubsicherungsmaßnahmen gegen das Abrutschen des Gründachaufbaus vorzusehen (siehe Kapitel 4.2.7).

Bei Intensivbegrünungen und Retentionsgründächern sind aufgrund des angestrebten Wasseranstaus 0°-Dächer erwünscht, bei Extensivbegrünungen sind eher Dächer mit 1 bis 2 % Gefälle zu empfehlen. Bei Extensivbegrünungen auf gefällelosen Dächern mit Pfützenbildung sind Gegenmaßnahmen einzuplanen (vgl. Abb. 4.74). Begeh- und befahrbare Dächer benötigen ein Mindestgefälle von 2 bis 3 %.

Windsoglast und Verwehsicherheit

In Kapitel 4.1.3 werden die Anforderungen hinsichtlich Windsoglast und Verwehsicherheit detailliert beschrieben.

- Windsoglast: Bei lose verlegten Dachabdichtungen sind Mindestgewichte zur Sicherung der Abdichtung gegen Abheben zu beachten. Eck- und Randbereiche sind besonders betroffen (Abb. 4.125).
- Verwehsicherheit: Ist die Abdichtung mechanisch fixiert und somit eine Last zur Sicherung nicht notwendig, ist der Schichtaufbau des Gründachs dennoch verwehsicher einzubauen. Das betrifft vor allem hohe bzw. windexponierte Gebäude. Objektbezogen sind ggf. Vorschläge zu verwehsicheren Aufbauten von Fachleuten einzuholen.

Brandschutzvorschriften

Die länderspezifischen Brandschutzvorschriften sind zu beachten. Begrünte Dächer gelten als „harte Bedachung". Vor Dach- und Fensteröffnungen sind in der Regel Kies- oder Plattenstreifen vorzusehen (siehe Abb. 4.8).

Wurzelschutz

Die Dachabdichtung bei Neubauten bzw. der zusätzliche Wurzelschutz bei Sanierungen muss wurzelfest nach FLL-Dachbegrünungsrichtlinien (2018) oder DIN EN 13948 sein. Rhizombildende Pflanzen wie Bambus und Schilf sollten grundsätzlich nicht verwendet werden (siehe Abb. 4.10).

Schichtaufbau

Der Schichtaufbau einer Dachbegrünung richtet sich nach der Begrünungsart und der Vegetationsform.

Entwässerung und Dränage

Die Dachentwässerung erfolgt ebenso wie bei unbegrünten Dächern über Dachabläufe oder Rinnen. Auch Druckentwässerungssysteme können unter Beachtung bestimmter Voraussetzungen (u. a. leistungsfähige Dränage) verwendet werden (Abb. 4.126). In der Planung zu beachten sind:

- die Abflusskennzahlen begrünter Dächer in Abhängigkeit von Aufbauhöhe, Gefälle und verwendeten Produkten (siehe Tabelle 4.2),
- die ausreichend dimensionierte Dränageschicht und der darauf abgestimmte Übergang in den Kontrollschacht bzw. in die Entwässerungseinrichtung (siehe Kapitel 4.2.8).

Abb. 4.125: Windgefährdete Dachbereiche müssen entsprechend ausgearbeitet werden.

Abb. 4.126: Die Dränage muss auf das Entwässerungssystem (hier Druckentwässerung) abgestimmt sein (Quelle: Optigrün international AG, Krauchenwies).

Abb. 4.127: Schon bei der Planung muss die Absturzsicherung für die spätere Pflege und Wartung berücksichtigt werden.

Wasseranschluss und Bewässerung

Auch Extensivbegrünungen benötigen in der Anwuchsphase Wasser. Aus diesem Grund sind Wasseranschlüsse auf dem Dach einzuplanen. Für intensiv begrünte Dächer bietet sich ein Wasseranstau in der Dränageschicht mit automatischer Bewässerung an (siehe Abb. 4.111). Damit wird der zusätzliche Bewässerungsaufwand optimiert.

Zugang zum Dach und Absturzsicherung

Die Sicherstellung eines problemlosen Zugangs zur Dachfläche ist in jeder Nutzungsphase wichtig. Maßnahmen zur Absturzsicherung müssen bei möglichen Absturzhöhen ab 2 m eingeplant werden und unterliegen der Verpflichtung des Bauherrn bzw. Planers. Dies betrifft ebenfalls die Bau- und die spätere Pflegephase (Abb. 4.127). Empfehlenswert sind auflastgehaltene Absturzsicherungssysteme, die nicht in die Dachkonstruktion eingreifen müssen (siehe Abb. 4.18).

Abstimmung mit anderen Gewerken

Das Gründach kann oftmals nicht isoliert betrachtet werden. Mögliche Kombinationen mit Fotovoltaik- bzw. Brauchwassernutzung müssen beachtet werden (Abb. 4.128).

Bauliche Gegebenheiten und Vegetationsentwicklung

Es gibt immer wieder Anlass, Teile einer Dachbegrünung oder die komplette Anlage zu beanstanden, da der Zustand der Vegetation nicht den Erwartungen des Auftraggebers entspricht. Die Pflanzen zeigen beispielsweise kein artgerechtes Wachstum oder sind sogar ganz ausgefallen. Im Rahmen der Fertigstellungspflege ist eine Nachbesserung, z. B. durch Nährstoffzufuhr, in vielen Fällen kein Problem. Aufwendiger ist es, wenn bestimmte bauliche Gegebenheiten in der Planungs- bzw. Ausführungsphase nicht berücksichtigt wurden und deren Auswirkungen dann selbst mit intensiver Pflege nicht auszugleichen sind. Die FLL-Dachbegrünungsrichtlinien (2018) sprechen nicht nur von „klimatischen und witterungsbezogenen" sowie „pflanzenspezifischen", sondern auch von „bauwerksspezifischen Faktoren", die vor allem Extensivbegrünungen negativ beeinflussen können, wie beispielsweise:

- Gebäudeschatten auf Vegetationsflächen,
- Regenschatten durch überstehende höherliegende Dächer,
- Dach ohne Gefälle und mit Pfützenbildung,
- zusätzliche Wasserbelastung durch weitere Dachflächen bzw. Lichtkuppeln usw.,
- Wirkung von Abluftemissionen,
- Belastung durch abstrahlende Metall- bzw. Glasflächen,
- technische Aufbauten (z. B. Fotovoltaikanlagen, Wartungsgänge, Geräte),
- Fassadenreinigungsmittel.

Bei optimaler Planung und Koordination der verschiedenen Gewerke und guter Kommunikation zwischen Hochbau- und Landschaftsarchitekten, Dachdeckern sowie Garten- und Landschaftsbaubetrieben werden diese „Schwachstellen" schnell erkannt, angesprochen und behoben. Werden sie in der Planungs- oder später in der Ausführungsphase ignoriert, können sich Reklamationen oder gar größere und langwierige Schadensfälle daraus entwickeln.

Im Folgenden werden typische Situationen und Maßnahmen zu deren Behebung erläutert.

Bereiche im Gebäudeschatten

Bereiche im Gebäudeschatten werden meist erst in der Ausführung deutlich (Abb. 4.129). Es muss dann geklärt werden, ob die ausgeschriebene Vegetationsform noch standortgerecht ist. Die Pflanzenauswahl auf Schatten liebende Arten umzustellen, ist kein größeres Problem. Befinden sich solche Schattenlagen jedoch auf einem gefällelosen Dach mit stehendem Wasser, ist mit einer Vegetationsumbildung (Vermoosung bzw. Vergrasung) zu rechnen.

Die Situation kann durch einen mehrschichtigen Gründachaufbau mit einem Dränelement „entschärft" werden.

Abb. 4.128: Anderweitige Nutzungen sind in der gesamten Planungsphase zu beachten (Quelle: Bundesverband GebäudeGrün, Berlin).

Abb. 4.129: Verschattungen durch höhere Gebäude nehmen Einfluss auf die Vegetationsentwicklung (Quelle: Optigrün international AG, Krauchenwies).

Abb. 4.130: Bei Teilflächen im Regenschatten ist es am sinnvollsten, auf eine Begrünung zu verzichten (Quelle: Optigrün international AG, Krauchenwies).

Ein ausreichend hohes Dränelement (1 bis 2 cm höher als der höchste Wasserstand) hält das Substrat und die Pflanzenwurzeln aus dem Wasser und beugt einer Vernässung vor.

Regenschatten durch überstehende höher liegende Dächer

Die unter einem Dach liegenden Flächen sollten nicht begrünt, sondern mit Kies oder Platten belegt werden (Abb. 4.130). Eine Begrünung ist nur möglich, wenn von oben künstlich bewässert wird. Dies gilt auch für Intensivbegrünungen.

Abb. 4.131: Bei stehendem Wasser müssen Maßnahmen ergriffen werden.

Abb. 4.132: Der zusätzliche Wasseranfall weiterer Dachflächen bringt oftmals Probleme mit sich (Quelle: Optigrün international AG, Krauchenwies).

Abb. 4.133: Vor Abluftgeräten wird am besten ein vegetationsfreier Streifen angelegt (Quelle: Optigrün international AG, Krauchenwies).

Abb. 4.134: Metall- und Glasfassaden strahlen mehr Licht und Hitze auf die Begrünung ab, was zu beachten ist (Quelle: Optigrün international AG, Krauchenwies).

Dach ohne Gefälle und mit Pfützenbildung

Bei Dächern ohne Gefälle und mit Pfützenbildung eignet sich oftmals nur eine mehrschichtige Bauweise mit Dränelement, das eine ausreichende Bauhöhe aufweist, oder mit einer Schüttgüterdränage von mindestens 3 cm Abstand zur Wasseroberfläche (Abb. 4.131).

Zusätzliche Wasserbelastung

Bei einer zusätzlichen Wasserbelastung, z. B. aus weiteren Dachflächen bzw. Lichtbändern, ist zu prüfen, ob die Dränfähigkeit des Gründachaufbaus ausreicht, um die zusätzliche Wassermenge rückstaufrei abzuführen (Abb. 4.132). Gegebenenfalls sind Einschichtaufbauten mit Wasserleitprofilen zu ergänzen bzw. leistungsstärkere Dränelemente zu verwenden.

Wirkung von Abluftemissionen

Abluftemissionen aus Abluftrohren oder Klimageräten sind in der Regel als „Dachdurchdringung" grundsätzlich schon mit einem Kiesrand auszustatten, der in Ausströmrichtung breiter auszubilden ist (Abb. 4.133).

Belastung von abstrahlenden Metall- bzw. Glasflächen

Metall- und Glasfassaden strahlen das Sonnenlicht auf die Begrünung ab. In Fällen einer erhöhten Strahlungsbelastung muss eine strahlungstolerante Vegetationsgesellschaft vorgesehen werden, die oft auch hitze- und trockenheitsresistent sein muss (Abb. 4.134).

Technische Aufbauten

Werden Solarmodulreihen oder andere technische Aufbauten in extensive Dachbegrünungen integriert, besteht die Gefahr von Leistungsstörungen, wenn die Vegetation die Module beschattet. Es sollten daher niedrig wachsende Arten verwendet werden, die auch kurze Blütenstände aufweisen und durch schnellen und dichten Flächenschluss die Ansiedlung höherwüchsigen Fremdbewuchses verhindern. Hierfür sind polsterbildende Stauden und *Sedum*-Arten besonders gut geeignet.

> **Praxistipp**
>
> Der Austausch der Vegetation hilft bei bauwerksspezifischen Einflüssen auf einen kümmernden Bestand keinesfalls. Es müssen entweder die baulichen Mängel des Standorts beseitigt oder eine standortgerechte Vegetation bzw. ein angepasster Gründachaufbau gewählt werden.

Dachsubstrate

Die technischen Produkte zur Dachbegrünung wie Schutz- und Speichervliese, Dränagen, Schubsicherungen bei Steildächern, Kiesfangleisten, Absturzsicherungen usw. sind vielfältig und bewährt. Doch um die Pflanzen zum Wachsen zu bringen und am Leben zu halten, bedarf es eines anderen wichtigen Produkts: guter Gründachsubstrate.

Abb. 4.135: Hier wurde ein herkömmliches Intensivsubstrat ohne Berücksichtigung der Raseneinsaat verwendet (Quelle: Optigrün international AG, Krauchenwies).

Abb. 4.136: Geeignetes Rasensubstrat (Quelle: Optigrün international AG, Krauchenwies)

Abb. 4.137: Dieses Substrat weist viel zu viele Feinanteile auf (Quelle: Optigrün international AG, Krauchenwies).

Abb. 4.138: Bei diesem Einkorn-Blähton-Substrat sind die Wasserkapazität und die Trittfestigkeit zu gering (Quelle: Optigrün international AG, Krauchenwies).

Anforderungen an Dachsubstrate

An Substrate, die für Dächer vorgesehen sind, werden bestimmte Anforderungen gestellt. Diese werden in Deutschland durch die FLL-Dachbegrünungsrichtlinien (2018) beschrieben und mit Kenndaten hinterlegt. Unter anderem sind dies Vorgaben zu:

- maximaler Wasserkapazität,
- Luftporenvolumen,
- Wasserdurchlässigkeit,
- Anteil organischer Substanz,
- Nährstoffen, pH-Wert und Salzgehalt.

Zudem sollen Dachsubstrate möglichst leicht sein, um wenig Last auf die Dachfläche zu bringen und um Transportkosten zu minimieren. Die Kennwerte der Substrate richten sich nach den Einsatzbereichen (siehe Tabelle 4.6), sodass zwischen ein- und mehrschichtigen Extensiv- bzw. Intensivsubstraten unterschieden wird (Abb. 4.136). Grundsätzlich zu beachten ist, dass Einschichtsubstrate in der Regel weniger Wasser speichern können als Mehrschichtsubstrate und stärker gedüngt werden müssen.

Mögliche Fehlerquellen

Die falsche Substratwahl kann nicht nur dazu führen, dass die Pflanzen nicht wachsen, sondern auch dazu, dass das Überschusswasser nicht abfließt und sich erhöhte Lasten auf dem Dach einstellen. Folgende möglichen Fehlerquellen sind bei Substraten zu beachten:

- **Fehlende Wasserdurchlässigkeit:** Bei zu hohen Feinanteilen kann das Überschusswasser innerhalb des Substrats nicht zügig abgeführt werden und staut sich bis auf die Substratoberfläche an.
- **Zu geringe Wasserhaltefähigkeit:** Bei zu grobkörnigem Material ohne Feinanteile kann das Wasser kaum gehalten werden und das Substrat trocknet schnell aus. Dies ist bei geschlossenporigem Material sehr viel stärker ausgeprägt (Abb. 4.139).
- **Fehlende Kornabstufung:** Sie führt in der Regel dazu, dass entweder die Wasserhaltefähigkeit oder die Wasserdurchlässigkeit fehlt. Einkornsubstrate sind ungeeignet (Abb. 4.137 und Abb. 4.138).
- **Zu hoher organischer Anteil:** Zu viel organische Substanz führt zu starken Setzungen und einem zu hohen Nährstoffanteil im Substrat. Substrate mit (hohen) organischen Anteilen sollten nur bis zu einer Höhe von etwa 35 cm verbaut werden. Bei höheren Schichtaufbauten ist zusätzlich ein mineralisches Untersubstrat zu verwenden.

Abb. 4.139: Dieses Substrat ist für eine Steildachbegrünung zu mineralisch und zu grob (Quelle: Optigrün international AG, Krauchenwies).

Abb. 4.140: Hier wurde das Dach mit Bauschutt belastet, zu grobes Material, z. T. Keramikbruch ohne Speichereigenschaften (Quelle: Optigrün international AG, Krauchenwies).

- **Zu geringer organischer Anteil:** Geringe oder fehlende organische Anteile mindern die Wasserhaltefähigkeit und die Nährstoffversorgung.
- **Verwendung ungeprüfter Zuschlagsstoffe und Mischungen:** Nicht gütegesicherte Komposte beispielsweise hemmen aufgrund von Nährstofffixierung das Wachstum der Vegetation und die Gefahr, dass unerwünschte Bestandteile (Kunststoffe, Scherben usw.) enthalten sind, ist groß (Abb. 4.140).
- **Verwendung örtlicher Böden:** Immer wieder wird der Ruf nach der Verwendung von örtlich vorhandenen Böden laut, um scheinbar günstiges Material nicht ungenutzt liegen zu lassen. Doch nur in seltenen Fällen lässt sich der Bodenaushub für das Dach verwenden. Meist sind die Böden ohne Aufbereitung ungeeignet, weil der Feinanteil zu groß und damit die Entwässerung nicht sichergestellt ist. Es muss in diesen Fällen mit Staunässe gerechnet werden.

Zu beachten ist auch, dass Oberböden mit Saatgut und Wurzelstücken verunreinigt sind, die auf dem Dach zu erhöhtem Pflegeaufwand führen. Ebenso ist das Gewicht im Vergleich zu technischen Substraten deutlich höher. Dies bedeutet höhere Anforderungen an die Statik und der Transport auf das Dach wird zusätzlich erschwert. Örtliche Böden müssen auf jeden Fall vor ihrer Verwendung untersucht, ggf. mit Sand, Lava o. Ä. aufbereitet und auf die Richtlinienkennwerte überprüft werden.

Praxistipp

Die richtige Substratauswahl ist entscheidend und richtet sich vor allem nach dem Vegetationsziel. Basierend auf dem Vegetationswunsch des Bauherrn muss der Planer den geeigneten Schichtaufbau (ein- oder mehrschichtig, extensiv oder intensiv) und das zugehörige Substrat festlegen. Bewährt hat sich, auf geprüfte Substrate zurückzugreifen, die den aktuellen Richtlinien und Normen entsprechen.

Überschusswasser

Zu viel Wasser bei extensiven Dachbegrünungen ist oft eine der Ursachen dafür, dass das Begrünungsbild nicht dem entspricht, was Planer und Bauherren sich vorgestellt haben. Das bei einer Vernässung der Vegetation entstehende Schadensbild ähnelt sich meist:

- lückenhafter Bewuchs,
- Ausfall von Pflanzen (meist *Sedum*- und Kräuterarten),
- Entwicklung zu Moos- und Grasvegetationen.

Als Folge von Vernässung können sogar gefährlich hohe (nicht mit eingeplante) Lasten entstehen. Es gibt verschiedene Gründe, warum sich zu viel Wasser länger auf dem Dach hält als gewünscht:

- stehendes Wasser bei gefällelosen Dächern,
- Mängel an Dränage bzw. Ablauf,
- Einleitung von zusätzlichem Überschusswasser weiterer Dachflächen.

Welche Lösung bei den genannten Ursachen zu wählen ist, muss objektbezogen entschieden werden.

Stehendes Wasser bei gefällelosen Dächern

Oft steht bei 0°-Dächern das Wasser großflächig und mehrere Zentimeter hoch vor den Dachabläufen. Dies kann daran liegen, dass die Dachabläufe höher liegen als die Entwässerungsebene, sodass ein Gegengefälle entsteht. Bei Leichtbauweisen mit großen Spannweiten können auch partiell Durchbiegungen entstehen, in denen sich Pfützen bilden.

Folgende Lösungen sind möglich:

- Verdrängung des stehenden Wassers durch einen Dämmstoff aus Polystyrol-Hartschaum,
- Einbau eines Dränelements, das etwa 1 bis 2 cm höher ist als der maximale Wasserstand, darüber Filtervlies und Substrat.

Auch wenn es Lösungsansätze bei stehendem Wasser gibt, sind Abweichungen vom ursprünglich gewünschten Vegetationsbild meist nicht zu vermeiden.

Abb. 4.141: Ein undurchlässiges Schutzvlies wurde am Ablauf hochgezogen und führte regelmäßig zum Wasseranstau (Quelle: Optigrün international AG, Krauchenwies).

Abb. 4.142: Hier war die Dränage zu gering dimensioniert. Die Folge ist ein Rückstau bis hoch auf das Substrat (Quelle: Optigrün international AG, Krauchenwies).

Abb. 4.143: Zusätzlicher Wasseranfall von einem höher gelegenen Dach, bei falsch dimensioniertem Ablauf (Quelle: Optigrün international AG, Krauchenwies)

Abb. 4.144: Richtig: Das Wasser anderer Dachflächen wird gesondert abgeleitet.

Mängel an der Dränage bzw. am Ablauf

Wasser steht längere Zeit um den Dachablauf, ohne abzufließen, und leichte Substratbestandteile (z. B. Bims) sammeln sich oberflächlich um die Abläufe an. Für dieses Erscheinungsbild gibt es mehrere Gründe:

- Das Wasser aus der Dränageschicht kann nicht schnell genug in den Dachablauf fließen, weil Ablauf oder Kontrollschacht durch das hochgezogene Schutzvlies verbaut sind (Abb. 4.141).
- Der Ablauf hat entweder keinen Kontrollschacht oder einen mit zu geringem Durchfluss.
- Die Dränage ist unzureichend (Abb. 4.142) oder nicht vorhanden oder die Durchlässigkeit des Substrats bei einschichtiger Bauweise ist zu gering.

Folgende Lösungsansätze können angewandt werden:

- Sicherstellen, dass das ablaufende Überschusswasser ungehindert zum Dachablauf gelangen kann; ggf. am Ablauf hochgezogene bzw. über den Ablauf verlegte Schutzvliese entfernen; Kontrollschacht mit ausreichend großen Eintrittsöffnungen einbauen; 50 cm breiter Kiesrandstreifen um den Kontrollschacht.
- Bei Fließlängen ab etwa 10 bis 15 m die Leistungsfähigkeit der Dränage prüfen bzw. erhöhen: durch Wasserleitprofile bei einschichtigem Gründachsystem bzw. durch höhere und leistungsstärkere Dränelemente, zumindest in Ablaufnähe.
- Bei großen Dachflächen und wenig Dachabläufen (Druckentwässerungssystem) Leistungsfähigkeit des Dränagesystems der Begrünung vom Systemhersteller nachweisen lassen.

Einleitung von zusätzlichem Überschusswasser

Nicht selten kommt es vor, dass höher liegende Dachflächen (begrünt oder unbegrünt) in den Kiesrandstreifen der darunter liegenden begrünten Dachfläche entwässert werden (Abb. 4.143). Problematisch ist dies insbesondere vor aufgehenden Wänden mit Türen.

Die beste Lösung ist eine getrennte Entwässerung der Flächen (Abb. 4.144). Weiter kann eine zielgerichtete Ableitung über eine offene (und beheizte) Rinne und ein ausreichend dimensioniertes Dränprofil oder eine flächige Ableitung durch eine (je nach Fließlänge mit Substrat oder Kies überbaute) Festkörperdränage zum nächstgelegenen

Dachablauf eingesetzt werden. Dennoch können ungünstige Frost-Tau-Wechsel zu Schäden führen.

Praxistipp

Überschusswasser muss bei jeder Dachbegrünung zielgerichtet und zügig abgeleitet werden. Dafür sind funktionsfähige Dränschichten und ihr fachgerechter Anschluss an die Dachabläufe vorzusehen. Gefällesituationen und Abflussbeiwerte (nach FLL-Dachbegrünungsrichtlinien, 2018) müssen ebenfalls beachtet werden.

Windsogsicherung und Verwehsicherheit

Es wird unterschieden zwischen Windsogsicherung und Verwehsicherheit (siehe Kapitel 4.1.3). Unter Windsogsicherung versteht man Maßnahmen, die das Abheben der Dachabdichtung verhindern. Dies kann durch Verkleben, mechanisches Befestigen oder durch Auflast geschehen. Die auf die Dachabdichtung wirkenden Sogkräfte hängen von den baulichen und den regionalen Bedingungen (Windzonen) ab. Die notwendige Auflast zur Lagesicherung wird nach DIN EN 1991-1-4 berechnet. Die Dachbegrünung wird in diesen Fällen nur statisch als ein massebringender Körper gesehen. Die Last der Dachbegrünung kann minimiert werden, wenn der Minderungsfaktor nachgewiesen werden kann. Dieser kann im Windkanal ermittelt werden und liegt je nach Begrünungssystem zwischen 0,4 und 0,6.

Darüber hinaus muss der Begrünungsaufbau auch verwehsicher sein, damit er nicht durch Wind abgetragen werden kann.

Schadensfälle durch „Windangriffe“

Es sind nicht nur Begrünungsaufbauten auf Gebäuden ab 20 m Höhe von Winderosionen betroffen, sondern auch niedriger liegende Dachflächen. Schadensfälle werden vor allem an windexponierten Eck- und Randbereichen (Abb. 4.145 und Abb. 4.146), aber auch an aufgehenden Bauteilen und größeren Dachdurchdringungen (z. B. Lüftungsrohren) beobachtet (Abb. 4.147). Dabei können nicht nur das Substrat, sondern sogar die darunter liegenden Schichten wie Filtervlies, Dränage und Schutzlage bis zur Dachabdichtung abgetragen werden. Selbst der Kiesstreifen in den Randbereichen kann dabei verfrachtet werden, wenn er eine kleine Körnungsgröße (z. B. 8/16 mm) hat.

Meist sind es kleinere Verwehungen, die im Rahmen der Fertigstellungspflege nachgearbeitet werden können. Dennoch ergeben sich verschiedene Gefahrenpotenziale für den Dachunterbau und den Personenverkehr neben dem Gebäude. Jede Erosion ist der Ansatzpunkt weiterer Windangriffe. Letztendlich sind neben einem geeigneten Gründachsystem die Gebäudegeometrie und die Exposition ausschlaggebend und diese eventuell wiederum in Verbindung mit Nachbargebäuden und der topografischen Gesamtsituation zu sehen.

Abb. 4.145: Windverwehungen im Eckbereich (Quelle: Optigrün international AG, Krauchenwies)

Abb. 4.146: Windverwehungen im Randbereich bis in die Dachfläche hinein (Quelle: Optigrün international AG, Krauchenwies)

Abb. 4.147: Windverwehungen im Bereich aufgehender Bauteile. Weiteres Problem: Um alle herausragenden Bauteile ist ein nicht brennbarer Schutzstreifen (in der Regel) Kiesstreifen einzuplanen (Quelle: Optigrün international AG, Krauchenwies).

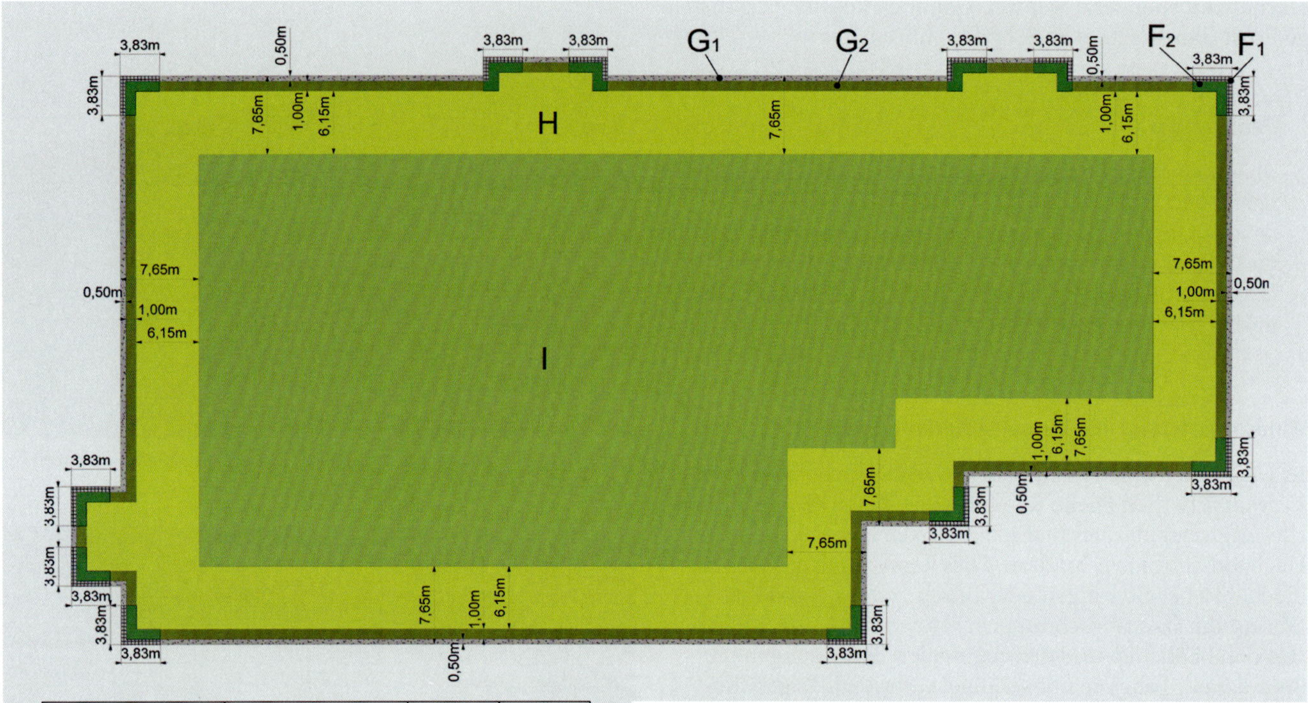

F - 1,02 kN/m²		G - 0,68 kN/m²		H - 0,40 kN/m²	I - 0,24 kN/m²
F1	F2	G1	G2		
- 4 cm Rasenwabe verfüllt mit Kies 16/22 - 3 cm Kies 16/22 - RMS 300	- Veg.-Matte - 10,5 cm Substrat Typ M-leicht - RMS 300	- 7 cm Kies 16/22 - RMS 300	- Veg.-Matte - 10 cm Substrat Typ M-leicht - RMS 300	- Nassansaat - 10 cm Substrat Typ M-leicht - RMS 300	- Trockenansaat - 10 cm Substrat Typ M-leicht - RMS 300
= 1,15 kN/m² nass	= 1,38 kN/m² nass	= 1,14 kN/m² nass	= 1,32 kN/m² nass	= 1,22 kN/m² nass	= 1,22 kN/m² nass

Abb. 4.148: Berechnung zur Verwehsicherheit unter Berücksichtigung der Gebäudegeometrie und Windzone (Quelle: Optigrün international AG, Krauchenwies)

Abb. 4.149: Verwehsicherheit durch Kiesrandstreifen und vorkultivierte Vegetationsmatte (Quelle: Optigrün international AG, Krauchenwies)

Abb. 4.150: Verwehsicherheit durch mit Kies verfüllte Rasengitterelemente und Vegetationsmatte (Quelle: Optigrün international AG, Krauchenwies)

Lösungsvorschläge

Dachbegrünungen sollen dauerhaft lage- und verwehsicher sein. Schon in der Planungsphase müssen sich die verantwortlichen Statiker und Planer dazu Gedanken machen, Fachfirmen zu Berechnungen zur Verwehsicherheit auffordern (Abb. 4.148) und folgende Maßnahmen in Erwägung ziehen:

- Sicherung des Gründachs in der einjährigen Anwuchsphase, beispielsweise durch Erosionsschutzkleber und fachgerechte Pflege,
- vegetationsfreie Ausbildung von Ortgang, Dachrand und First bei geneigten Dächern durch Kies und Plattenbeläge,
- Kiesstreifen (16/32 mm) in Rand- und Eckbereichen: Extrem exponierte Gebäude erhalten zusätzlich Rasenwaben oder Rasengittersteine gegen eine Oberflächenverwehung (Abb. 4.150),
- Verwendung von vorkultivierten Vegetationsmatten je nach Objektlage, vor allem in den Rand- (G) und Eckbereichen (F) der Begrünung,
- Sicherung der Randbereiche (G) durch Kiesauflast bzw. durch Vegetationsmatten (Abb. 4.149), bei erhöhter Lastanforderung auch durch begrünte Rasengittersteine,
- in den Innenbereichen H und I verwehsichere Ausbildung der Oberfläche durch Anspritzverfahren (in der Regel ausreichend): für Gebäude über 10 m in Windzone 3 und 4; bei exponierten Lagen wird jedoch zur Verwendung von Vegetationsmatten geraten.

Eine Dachbegrünung kann aufgrund ihres Gewichts zur Windsogsicherung der Dachabdichtung beitragen. Das heißt jedoch nicht, dass die Begrünung an sich schon verwehsicher ist.

Abb. 4.151: Die verwendeten Holzschubschwellen konnten die Last nicht aufnehmen (Quelle: Optigrün international AG, Krauchenwies).

Abb. 4.152: Sanierung einer Steildachbegrünung: der Schadensfall (Quelle: Optigrün international AG, Krauchenwies)

Abb. 4.153: Sanierungsmaßnahme: Rück- und Neubau (Quelle: Optigrün international AG, Krauchenwies)

Abb. 4.154: Steildachbegrünung im fertigen Zustand (Quelle: Optigrün international AG, Krauchenwies)

Begrünte Steildächer

Auch wenn der Anteil begrünter Steildächer im Vergleich zu den Flachdächern eher gering ausfällt, ist der Trend zu Schrägdachbegrünungen unverkennbar. Immer mehr Bauherren und Architekten möchten mit unkonventionellen Dachformen eine besondere und unverwechselbare Architektur schaffen. Zudem steht im privaten Wohnungsbau ein enorm großes Potenzial an begrünbaren Steildächern an. Die Zurückhaltung vieler Planer und Ausführungsbetriebe bei der Begrünung von Steildächern ist durchaus begründet, da es in der Vergangenheit immer wieder Schadensfälle gab. Dabei können auch Steildächer dauerhaft und sicher begrünt werden, wenn alle Beteiligten bestimmte Grundsätze beachten und sich Unterstützung von erfahrenen Fachleuten holen.

Dachabdichtung

Mögliche Fehler bei der Dachabdichtung werden in Kapitel 4.3.1 beschrieben; 2 Punkte sollen jedoch genannt werden:

- Die Dachabdichtung muss wurzelfest nach FLL-Dachbegrünungsrichtlinien (2018) oder DIN EN 13948 sein.
- Ab 3° Dachneigung müssen Dachabdichtungen mechanisch fixiert werden.

Schubsicherung

Der komplette Gründachaufbau kommt nach und nach zum Abrutsch. Erst zeigen sich Furchen im Substrat und nach einem Starkregen rutschen Teile oder der gesamte Aufbau in Richtung Traufe. In diesem Fall wurden keine

Abb. 4.155: Ungeeignete Schubsicherung (Holz) bei steiler Begrünung

schubsichernden Maßnahmen ergriffen bzw. die Schubsicherungen waren ungeeignet oder aus verrottbarem Material wie Holz und damit nicht dauerhaft funktionsfähig (Abb. 4.151). Eine rückstaufreie Entwässerung war nicht sichergestellt.

Die einzige Lösungsmöglichkeit ist, bei Dachneigungen von über 15° dauerhaft funktionsfähige, d. h. unverrottbare Schubsicherungen zu verwenden. Die Schwellenabstände und die Art der Befestigung richten sich nach der Dachneigung und den baulichen Gegebenheiten (Abb. 4.152 bis Abb. 4.154). Ein Lastabtrag gegen die Traufe, über den First oder über die Fläche ist möglich (siehe Kapitel 4.2.7).

Die verwendeten Produkt- und Systemlösungen müssen hinsichtlich Schubkraftaufnahme und Stabilität ausreichend dimensioniert sein (Abb. 4.155). Lösungen, die die

Dachabdichtung nicht durchdringen, sind zu bevorzugen, um potenzielle Undichtigkeitsstellen zu minimieren.

Substrat

Wenn das verwendete Substrat zu grobkörnig ist und eine schlecht abgestufte Körnungslinie ausweist, werden Feinanteile Richtung Traufe geschwemmt. Grobe, mineralische Substratbestandteile liegen sichtbar frei Die Vorgaben der FLL-Dachbegrünungsrichtlinien (2018) wurden nicht eingehalten.

Die Pflanzen wachsen in diesem Substrat nicht oder sehr schlecht an: Ein lückenhafter Bewuchs ist die Folge.

Um dieses Problem zu beseitigen, sollte ein Substrat verwendet werden, das die Kennwerte der FLL-Dachbegrünungsrichtlinien (2018) für Extensivsubstrate in mehrschichtiger Bauweise erfüllt (siehe Tabelle 4.6). Vegetationsmatten sind auf allen Flächen über 5° Neigung zu bevorzugen (Abb. 4.156).

Vegetationsaufbringung

Wenn die Pflanzendecke auch nach einem Jahr nicht zu 90 bis 100 % geschlossen ist und sich ein lückenhafter Bestand zeigt, kann dies am Substrat oder an mangelnder Pflege liegen. Eine weitere Ursache wäre, dass bei steileren Dächern oder dünnschichtigen Aufbauten nur angesät wurde oder nur Flachballenstauden gepflanzt wurden.

Dies lässt sich vermeiden, wenn bei Dächern über 10 bis 15° vorkultivierte Vegetationsmatten verwendet werden, die ab 20° Dachneigung mit einer zugfesten und verrottungsbeständigen Trägereinlage ausgestattet sind. Wichtig ist, dass die Vegetationsmatten sofort nach dem Einbau durchdringend gewässert und bis zum Einwachsen in das Substrat feucht gehalten werden. Es sollten keine Vegetationsmatten auf schlecht durchwurzelbaren Trägervliesen verwendet werden, da den Matten sonst die Verwurzelung im Substrat und somit die Lagesicherheit fehlt.

Instandhaltung (Pflege)

Die Vegetation „kümmert“ vor sich hin, blüht kaum und weist Lücken auf. Das Substrat liegt sichtbar frei und bietet vor allem am First und am Ortgang Angriffsflächen für Winderosion: Hier wurde keine oder keine regelmäßige fachgerechte Pflege durchgeführt.

Dem kann durch die Vergabe und die strikte Durchführung einer fachgerechten Fertigstellungs-, Entwicklungs- und Erhaltungspflege entgegengewirkt werden. Sie muss auch beinhalten, dass bei Bedarf gedüngt und bewässert wird sowie Fehl- und Erosionsstellen ausgebessert werden. Durch Winderosion gefährdete Bereiche an First und Ecken sind durch die Verwendung von Vegetationsmatten zu schützen.

Instandhaltung (Pflege) und Wartung

Die Dachbegrünung entspricht nicht dem, was sich Bauherr und Planer vorgestellt haben (Abb. 4.157). Die Entwässerung funktioniert nicht oder Gründachmaterial wird vom Dach geweht. Selbst der beste Gründachaufbau kann einen der geschilderten Schäden aufweisen, wenn die Wartung und Pflege nicht fachgerecht durchgeführt wurden.

Abb. 4.156: Eine vorkultivierte Vegetationsmatte wäre bei der Dachneigung und dem mineralischen Substrat besser gewesen (Quelle: Optigrün international AG, Krauchenwies).

Abb. 4.157: Rotes Sedumpolster (vor allem Sedum album) und intensive Moosdominanz können ein Zeichen für Nährstoffmangel sein (Quelle: Optigrün international AG, Krauchenwies).

Abb. 4.158: Der Dachablauf hat sich zugesetzt: Wasserrückstau über die ganze Fläche (Quelle: Optigrün international AG, Krauchenwies).

Fehlende Wartung

Unter Wartung ist die Prüfung der technischen Einrichtungen (z. B. Dachabläufe) und der Anschlüsse der Dachabdichtung zu verstehen. Eine Wartung muss unabhängig von der Dachart (begrünt oder unbegrünt) erfolgen. Fehlt sie, bestehen folgende Gefahren:

- **Zusetzen der Dachabläufe mit Laub:** Sollte das Überschusswasser nicht ablaufen können, staut es sich an und überschreitet womöglich die berechnete maximale Dachlast, was bis zum Dacheinsturz führen kann (Abb. 4.158).

Abb. 4.159: Winderosion (Quelle: Optigrün international AG, Krauchenwies)

Abb. 4.160: Niederschlagserosion mit Substratabrutschung (Quelle: Optigrün international AG, Krauchenwies)

Abb. 4.161: Weißklee (Trifolium repens) ist ein Anzeichen für Nährstoffmangel. Besonders problematisch ist Weißer Steinklee (Melilotus albus), der bei Nicht Entfernung invasiv werden kann (Quelle: Optigrün international AG, Krauchenwies).

Abb. 4.162: Gehölzanflug muss jährlich entfernt werden. Hier wird es schon schwerer, da die Wurzeln den kompletten Aufbau durchsetzt haben (Quelle: Optigrün international AG, Krauchenwies).

- **Hinterwurzelungen in Randbereichen und aufgehenden Bauteilen:** Hinterwurzelungen betreffen vorrangig begrünte Dächer. Ohne regelmäßige Kontrolle können Pflanzenwurzeln Undichtigkeiten in den sensiblen Bereichen der An- und Abschlüsse nach sich ziehen, vor allem dann, wenn Planungs- und Ausführungsmängel vorliegen.

Fehlende Fertigstellungspflege

Der Fertigstellungspflege kommt eine besondere Bedeutung zu. Es gibt einige potenzielle Schadensbilder, die ihren Ursprung in fehlender oder unzureichender Fertigstellungspflege haben können:

- **Fehlender Deckungsgrad der Vegetation:** Je länger das Substrat nicht durch eine geschlossene Vegetationsdecke geschützt ist, desto leichter kann es zu Windverwehungen mit Materialverfrachtungen (Abb. 4.159) und bei Steildächern zu Substratrutschungen kommen (Abb. 4.160).
- **Zusetzen der Dachabläufe mit Laub und Leichtbaustoffen:** Laub muss im Bereich des Kontrollschachts entfernt werden. Aufgeschwemmte Leichtbaustoffe aus dem Substrat sind auf eine unzureichende Dränage oder einen Engpass am Dachablauf zurückzuführen. Selbst eine fachgerechte Pflege kann den Planungs- bzw. Systemfehler nicht ausgleichen, sondern nur dafür sorgen, dass sich die Vegetationsdecke schnellstmöglich schließt und das Aufschwemmen damit verhindert wird.
- **Unerwünschte Vegetationsentwicklung, u. a. Kleebewuchs:** Die Ansiedlung von unerwünschtem Fremdbewuchs, wie z. B. Klee, kann nicht verhindert werden. Der dominanten Ausbreitung können frühzeitige, geeignete Maßnahmen entgegenwirken (Abb. 4.161 und Kapitel 4.2.12).
- **Ansiedlung von rhizombildenden Pflanzenarten (z. B. Quecke):** Rhizombildende Pflanzenarten sind gefährlich für die Dachabdichtung. Viele Dachabdichtungen sind nicht rhizomfest gegen Quecke, sodass nur durch eine frühzeitige Bekämpfung größerer Schaden verhindert werden kann.

Fehlende Entwicklungs- und Unterhaltungspflege

Ist nach Ende der Fertigstellungspflege der Deckungsgrad von mindestens 60 % bei Flachdächern und von mindestens 95 % bei Steildächern erreicht, ist die Gefahr von Windverwehungen, Substratabrutschungen und zugesetzten Dachabläufen mit Leichtbaustoffen weitestgehend gebannt. Dennoch kann es ohne Pflege zu potenziellen Schäden kommen:

- Zusetzen von Dachabläufen mit Laub.
- unerwünschte Vegetationsentwicklung, z. B. Gehölze (Abb. 4.162).
- Ansiedlung von rhizombildenden Pflanzenarten.
- Hinterwurzelungen in Randbereichen und aufgehenden Bauteilen.

- Erhöhte Brandlast bei abgestorbenen Gehölzen: Auch wenn begrünte Dächer grundsätzlich als „harte Bedachung“ gelten, müssen brennbare Pflanzenteile entfernt werden, um eine mögliche Feuerausbreitung zu verhindern.
- Zunahme der Flächenlast durch Ansammlung abgestorbener organischer Substanz: Abgestorbenes Pflanzenmaterial muss abgetragen werden, da sich sonst das Gewicht der Begrünung mit der sich bildenden Humusauflage erhöht.

Vorbeugende Maßnahmen

Schon in der Ausschreibungsphase ist darauf zu achten, dass zumindest die Fertigstellungspflege detailliert ausgeschrieben und fachgerecht ausgeführt wird. Empfehlenswert ist, wenn darüber hinaus auch die darauf folgende Entwicklungs- und Unterhaltungspflege in die Ausschreibung integriert und für 5 Jahre vergeben werden. Die einzelnen Pflegemaßnahmen sollten mit Aufwand und Abrechnungsmodus eindeutig aufgeführt werden. Alternativ könnte eine fachkundige Inspektion nach der Fertigstellungspflege und der Abnahme vereinbart werden. Dabei wird begutachtet, ob und wie eine Pflege erfolgen muss, um Schaden zu vermeiden und die gewünschte Artenvielfalt (Biodiversität) über einen langen Zeitraum zu erhalten.

5 Fassaden- und Wandbegrünungen

Manfred Köhler

Von Vorderasien aus trat der Echte Wein (*Vitis vinifera* mit seinen zahlreichen Varietäten) als älteste Kulturpflanze zur Bauwerksbegrünung seinen Siegeszug an. Mit den Römern kam der Weinbau nach Mitteleuropa. Er war auch ein Statussymbol der Grundeigentümer. Viele Flurbezeichnungen zeugen davon, aus der mittelalterlichen Wärmeperiode sogar in Norddeutschland. Auch heute wird Echter Wein an Wohngebäuden gern gesehen. Neben der Nahrungsproduktion und der Beschattung von Pergolen spielen Besitzerstolz und Identifikation mit Regionen dabei eine Rolle. Gärtnerisch ergänzt wird der Echte Wein heute mit großblumigen Kletterpflanzen wie Waldreben (*Clematis*) oder Blauregen (*Wisteria*). Echter Wein und großflächige Fassadenbegrünungen benötigen regelmäßige Pflegemaßnahmen. Diese sind eine häufig unterschätzte Voraussetzung dafür, dass Begrünungsprojekte gelingen. Einen guten historischen Rückblick zur Verwendung von Kletterpflanzen bietet die online frei zugängliche Gartenbaubibliothek in Berlin (http://www.garden-cult.de).

Üppiger Balkonblumenschmuck kann ebenfalls als eine Variante der Fassadenbegrünung gesehen werden. So sind die bayerischen Geranienkästen an Fassaden eine saisonale Fassadenbegrünung mit langer Tradition.

Neben einer faszinierenden Optik kann mit entsprechender Bepflanzung auch ein Beitrag zur Gebäudeklimatisierung geleistet werden, wie es erste wissenschaftliche Arbeiten belegen. Für Entscheidungsträger von besonderem Interesse sind in diesem Zusammenhang die Arbeiten zur Gebäudeverschattung und Kühlung durch Kletterpflanzen (Ip et al., 2010). Viele der neueren Anbieter von fassadengebundenen Begrünungen kombinieren ihre Systeme mit einer Verdunstungskühlung. Diese Idee gilt es, für unterschiedliche Klimate sowie für die Eignung in unterschiedlichen Jahreszeiten weiter zu detaillieren. Beachtet man, was Systeme zur Gebäudeklimatisierung kosten, dann relativieren sich die Preise, insbesondere bei der Innenraumbegrünung.

Von der Arbeitsgruppe Thoenessen in Köln sind durch Schlösser (2003) 1.556 Bewohner fassadenbegrünter und unbegrünter Häuser befragt worden. Als positive Antworten für die Fassadenbegrünung wurden genannt:

- mehr Natur in den Städten,
- optische Verbesserung,
- subjektiv bessere Luftqualität,
- sommerlicher Wärmeschutz.

Argumente gegen Fassadenbegrünungen waren neben der erforderlichen Pflege eine mögliche Verdunkelung der betroffenen Räume. Betont wurde, dass die Gebäude dadurch ein individuelleres Aussehen bekämen.

Neben ihrer Eigenschaft, die verdunstungsfähige Oberfläche zu vergrößern, tragen Pflanzen dazu bei, feine Staubpartikel zu binden. Die Kombination aus porösen Oberflächen und Pflanzen schafft individuelle Möglichkeiten (Perez et al., 2011). Franco et al. (2012) schlugen Systeme für Innen- und Außenfassaden vor, die mit Unterdruck Luftströmungen durch die Begrünungselemente drücken und dabei reinigen und ggf. abkühlen. Fassadenbegrünungen können so als Reinigungsbiotope zur Filterung von Luftbeimengungen eingesetzt werden. In der historischen Architektur wurden Räume durch langsame Luftströme klimatisiert, die über befeuchtete Oberflächen geführt wurden, etwa in der City of Mandou (Indien). Die Rückbesinnung auf diese alten Techniken bietet ganz neue Möglichkeiten, die sowohl auf der Eigenschaft der Pflanzen als auch auf der des Substrats beruhen können (Hughes et al., 2012). Eine aktuelle Befragung im Rahmen einer Masterarbeit in Neubrandenburg (Czapiewski, 2022) ergab, dass die Fassadenbegrünungen grundsätzlich bekannt sind, allerdings hinsichtlich ihrer stadtökologischen Funktionen immer noch ein Informationsbedarf besteht.

Die hier näher vorzustellende Vertikalbegrünung gliedert sich in 2 Hauptgruppen:

- die bodengebundenen Begrünungen mit Kletterpflanzen und
- die wandgebundenen Begrünungen.

Bodengebundene Begrünungen mit Kletterpflanzen

Die bodengebundenen Begrünungen lassen sich je nach Art des Kletterverhaltens der Pflanzenart wiederum in Direktbegrüner und Gerüstkletterpflanzen untergliedern (siehe Tabelle 5.1):

- **Direktbegrüner:** vorzugsweise Efeu oder Wilder Wein (mit Haftorganen),
- **Gerüstkletterpflanzen:** Blauregen (*Wisteria*), Echter Wein (*Vitis*), Waldreben (*Clematis*), Geißblatt (*Lonicera*), Rosen und einige weitere.

Abb. 5.1: Gesamtansicht der Mühle in Neubrandenburg mit einem über 100 Jahre alten Efeu. Die komplette Fläche wird von 2 Pflanzen bedeckt. Der gute Eindruck dieser Fassade beruht auch darauf, dass seit Jahren jährlich der Schnitt professionell durchgeführt wird.

Abb. 5.2: Ein typischer Bauschaden: Detail einer in den Stamm eingewachsenen Regenrinne an einer Efeufassade in Hamburg. Wegen der fehlenden Pflege ist hier vertikal schon reichlich Bodenbildung zu sehen.

Beispiele

Eine Direktbegrünung mit Efeu ist preisgünstig. Sie erfordert einen geringen Pflegeaufwand, ist aber nur auf Vollmauerwerk sicher zu realisieren. Abb. 5.1 zeigt einen Efeubewuchs aus den 1960er-Jahren an einer Mühle in Neubrandenburg als positives Beispiel. Abb. 5.2 zeigt ein anderes, negatives Beispiel aus Hamburg, bei dem der Stamm mit zunehmendem Dickenwachstum die Aussparung für das Regenfallrohr komplett ausgefüllt und Druckkräfte aufgebaut hat. Die geplante Beseitigung ist daher mit erheblichen Schwierigkeiten verbunden.

Die Gerüstkletterpflanzen werden häufig nach ihrem Klettermodus unterteilt, da sich hieraus Anforderungen an die Art der Kletterhilfe ergeben. Zu unterscheiden sind großflächige Gerüstkletterpflanzen, insbesondere Blauregen, und kleinwüchsige Gerüstkletterpflanzen, die botanisch in Schlinger, Spreizklimmer und Windepflanzen unterteilt werden.

Die Bauwerksbegrünung ist eine seit Beginn der Architektur angewandte Technik. Sie weist viele regionale Besonderheiten auf. Das Artenpotenzial in Deutschland umfasst ca. 150 Arten und Sorten von Kletterpflanzen. Eine eigene Auswertung von zahlreichen Pflanzenlisten (Köhler, nicht publiziert) ergab für tropische und subtropische Regionen ein Potenzial von mehr als 1.000 Pflanzenarten und -sorten, von denen bisher nur ein Bruchteil in Baumschulen angeboten wird. In deren Erschließung steckt noch ein gewaltiges ungenutztes Potenzial. Die Wandbegrünung mit Kletterpflanzen ist vom Grundsatz her eine uralte Technik, die mit relativ wenig Zusatzaufwand an nahezu allen Mauern und Fassaden erfolgreich angewendet werden kann (Köhler, 1993).

Abb. 5.3: Diese Animation zeigt Varianten der horizontalen Begrünung am Beispiel einer fiktiven Stadtvilla.

Wandgebundene Begrünungen

Auch bezüglich der Definitionen hat sich seit 2012 einiges getan. Der entsprechende Regelwerksausschuss innerhalb der Forschungsgesellschaft Landschaftsentwicklung Landschaftsbau e. V. (FLL) – Arbeitskreis zu den Fassadenbegrünungsrichtlinien (FLL-Fassadenbegrünungsrichtlinien, 2018) – spricht jetzt einheitlich von „wandgebundenen Begrünungen".

Begründung: Mit „Fassaden" waren streng genommen nur Außenwände von Gebäuden gemeint. Mit dem Begriff „Wand" sind dagegen auch technische Bauwerke eingeschlossen. Der Begriff „System" suggeriert einen meist firmengebundenen technischen Aufbau. Dieser ist eingeschlossen, es sollen aber alle vertikalen zukünftigen Begrünungsmöglichkeiten eingeschlossen werden.

Wandgebundene Begrünungen sind darüber hinaus in der Innenraumbegrünung möglich (vgl. dazu die entsprechenden Ausführungen im Folgekapitel).

Die wandgebundenen Begrünungen an Außenwänden von Gebäuden sind in vielfältigen Variationen und Mischformen möglich (siehe auch Abb. 5.12). Sie beginnen mit Blumentöpfen auf Regalsystemen, die vor eine Fassade gestellt werden. Es ist eine Vielzahl an Trägerstrukturen möglich, in die hineingepflanzt werden kann: von typischen Substraten, die sich in der Dachbegrünung bewährt haben, bis hin zu technischen, Wasser und Nährstoff speichernden, erdelosen Schäumen, die häufig auf Erdölbasis produziert werden. Die Beurteilung dieser Materialien im Hinblick auf eine Stoff- oder Energiebilanz über den gesamten Nutzungszyklus steht weitestgehend noch am Anfang.

Tabelle 5.1 bietet eine Übersicht zu den Möglichkeiten der Wandbegrünungen. Der Kreativität der Planer sind dabei wenig Grenzen gesetzt (Abb. 5.3). Die Herausforderung an die Planer bei dieser Bauweise besteht darin, dass Detailwissen aus der Statik und der Gebäudekonstruktion, der Gebäudedämmung und auch aus dem Landschaftsbau erforderlich ist. Zum wissenschaftlichen Kentnisstand bezüglich wandgebundener Begrünungen ist Anfang 2022 eine Metaanalyse englischsprachiger wissenschaftlicher Artikel erschienen (Ahsan et al., 2022).

Während sich im deutschsprachigen Raum „wandgebundene Begrünungen" als zentraler technischer Begriff durchsetzt, sind im englischsprachigen Raum verschiedene Bezeichnungen gängig; neben „Living Walls" finden parallel auch die Begriffe „Vertical Green System" und „Green Wall" Verwendung.

In den letzten Jahren sind zu dem Thema jährlich etwa 50 Veröffentlichungen erschienen. Besonders aktive Forscher sind derzeit in Singapur, Hongkong und China zu finden. In Europa sind Forschungseinrichtungen in Italien und Spanien besonders aktiv. Vermutlich liegt der Grund dafür im Bedarf an Gebäudeklimatisierung sowie in der Tatsache, dass in Regionen ohne winterlichen Frost die jährliche Betreuung von Wandbegrünungen deutlich einfacher ist.

Ahsan et al. (2022) teilten sinngemäß wesentliche Arbeitsfelder im Zusammenhang mit den wandgebundenen Begrünungen in folgende Kategorien ein, zu denen es entsprechende Messungen und Erkenntnisse gibt:

- Beeinflussung der städtischen Wärmeinsel / Energiesparen durch Begrünung,
- Design und Pflanzenauswahl,
- Luftreinigung,
- Biodiversität,
- Lärmschutz,
- visuelle Qualität / Psychologie,
- ökonomische Aspekte, Kosten, Ökobilanz (Life Cycle Assessment [LCA]),
- Bewässerungstechnik.

Die Datenbankauswertung analysierte etwa 500 Arbeiten. Sie stellt eine solide Faktenbasis dar. Nach eigener Abschätzung des Kapitelautors, vor allem auch unter Berücksichtigung der deutschsprachigen einschlägigen Literatur (Köhler, nicht publiziert; eigene LIDOS-Datenbank), sind aktuell mehr als 2.000 Veröffentlichungen in Deutsch und Englisch verfügbar. Zukünftiger Bearbeitungsbedarf ist aus dieser Erkenntnis für folgende Bereiche benennbar:

Abb. 5.4: Kübelbegrünung mit Blauregen (*Wisteria*) im achten Jahr in Berlin-Adlershof

Abb. 5.5: Kübelbegrünung mit Blauregen (*Wisteria*) im neunten Jahr – nach einem Befall von Dickmaulrüsslern. Das unterstreicht die Erfordernis von regelmäßiger „Inaugenscheinnahme" und rechtzeitigem fachgerechtem pflegerischem Eingiff. Professionelle Hilfestellung bei der Ursachenermittlung kann das zuständige Pflanzenschutzamt leisten.

- Eignung von Pflanzenarten für den langfristigen Einsatz in verschiedenen Wandbauweisen,
- Biodiversität im Hinblick auf die Fauna,
- Betriebsoptimierung vor allem im Hinblick auf Regionen mit Frosttemperaturen,
- Integration der Wandbegrünung in Architekturkonzepte.

Ziel dieses Kapitels wird es sein, den Wissensstand vorzustellen und einzelne wichtige Veröffentlichungen hervorzuheben.

Beispiel

Im Projekt Berlin-Adlershof wurde eine erfolgreiche Kübelbegrünung mit Blauregen (*Wisteria*) durchgeführt. Dies ist möglich, wenn die Elemente gut gedämmt sind. Abb. 5.4 stammt aus dem achten Jahr (Reichmann et al., 2010). In Abb. 5.5 sind die Pflanzkübel gut zu sehen. Der hier dokumentierte sommerliche Blattwurf – hier im neunten Jahr – ist nicht Folge von winterlichem Frost, sondern von vernachlässigter Dickmaulrüssler-Bekämpfung. Der Schaden konnte durch einen entsprechenden Eingriff im Folgejahr wieder ausgeglichen werden.

Tabelle 5.1: Einsatzbereiche der Begrünungen

Charakterisierung	Einsatzbereich
bodengebundene Direktbegrünungen	großflächige, möglichst fensterlose Massivmauern, etwa aus Ziegel oder mit einer abschließenden tragenden festen Putzschicht
bodengebundene Begrünungen an Kletterhilfen einschließlich Spalieren	Gerüst für die Pflanzen in entsprechendem Raster und Verankerung im tragenden Kern des Bauwerks erforderlich
fassadengebundene Begrünungen, gabionenartig, in Pflanzkübeln und Pflanztrögen (Abb. 5.6 und Abb. 5.7)	als fassadenmontierte Systeme in der Größe sehr variabel; automatisierte Bewässerung und regelmäßige Pflege erforderlich
modulare Wandbegrünungen mit vertikal montierten Kleinboxen (Abb. 5.8)	als Fassadenmontage von wenigen Quadratmetern bis fassadenformatfüllend möglich; hoher technischer Aufwand; automatisierte Bewässerung erforderlich
flächige Wandbegrünungen auf Basis wasserspeichernder Geovliese oder wasserspeichernder poröser Oberflächen (Abb. 5.9 bis Abb. 5.11)	freie Formen; Einsatz von wenigen Quadratmetern bis komplett fassadenbedeckenden Konstruktionen möglich; tägliche Kontrolle des Bewässerungssystems erforderlich; besonders empfindlich gegen Frosttrocknis

Abb. 5.6: Gabionenartige Installation an der Hochschule Neubrandenburg als Beispiel für ein professionelles Pflanzmodulsystem

Abb. 5.7: Eine jetzt wenige Jahre alte flächige Wandbegrünung in Berlin im Vergleich zu einem vergleichbaren Gebäude ohne Begrünung

Abb. 5.8: Eine der höchsten fassadengebundenen Begrünungen der Welt in Mumbai, Indien (modulares Begrünungssystem mit Kunststoffgefäßen und einem rückwärtigen Klettergerüst für die Zugänglichkeit bei der Pflege

Abb. 5.9: Geovlies-Variante einer fassadengebundenen Begrünung in Mexico City, differenziert in Struktur und Artenvielfalt. Was in dieser Form in Mexiko außen möglich ist, wäre in Deutschland in dieser Artenkombination für eine Innenraumbegrünung denkbar.

Abb. 5.10: Beispiel einer flächigen Begrünung in der Bauweise mit Geovlies in Berlin

Abb. 5.11: Gleiche Begrünung im Winterzustand

Zwischen- und Sonderformen

Zwischenformen sind beispielsweise Kletterpflanzen, die in Kübel gepflanzt und an der Fassade montiert sind. Kletterpflanzen können auch in fassadengebundenen Modulen gepflanzt werden und „Pflanzvorhänge" bilden. Efeu ist dafür eine beliebte Pflanzenart.

Darüber hinaus gibt es vielfältige Varianten von flachgründigem pflanzlichem Mauerbewuchs, der vor allem Fugen in Trockenmauern besiedelt. Moospolster aus Gegenden mit hoher Luftfeuchtigkeit standen ebenfalls für einige technische fassadengebundene Systeme Pate. Dekorativ bewachsene Abgrenzungsmauern und Steinformationen sollen hier nicht betrachtet werden.

Gebäude können mit Fassadenbegrünungen aufgewertet werden. Das gilt besonders für schlichte Wohnbauten. In Abb. 5.12 wurde eine Vielzahl von Begrünungsvarianten kombiniert. Neben den typischen bodengebundenen Fassadenbegrünungen bereichern in wandgebundenen Modulen nun Pflanzenarten, die bisher nur ebenerdig verwendet wurden, die Fassaden. Diese Gestaltungsvarianten erschließen Architekten neue ästhetische und funktionale Möglichkeiten. Einen Überblick über die konstruktiven und vegetationstechnischen Entscheidungsparameter gibt Abb. 5.13.

5.1 Bauphysik

Die Begrünung von Gebäuden hat bauphysikalische Auswirkungen. Pflanzen wirken wie „Solarfilter": Sie reduzieren die direkte Sonneneinstrahlung auf die Gebäudeoberflächen und damit auch die Alterung der Oberflächenmaterialien.

Der Dämmeffekt von Bepflanzungen wird seit Jahrhunderten in sehr unterschiedlichen Gelegenheiten bereits genutzt, von der zusätzlichen Wärmedämmung an Weinkellern bis hin zu historischen Mühlengebäuden um 1900 (siehe Abb. 5.1).

Wärmetechnische Nachweise begrünter Fassaden sind bisher selten geführt worden. Die nachfolgend zusammengestellten Ergebnisse beruhen auf Berechnungen und Laborexperimenten, die vor einigen Jahren an der Technischen Universität (TU) in Delft durchgeführt wurden (Ottelé, 2011). Der Wirkungsgrad der Gebäudebegrünung hinsichtlich der Wärmedämmung im Sommer und des winterlichen Wärmeschutzes ist von einer Reihe von Faktoren abhängig. Nachfolgend werden exemplarisch 3 verschiedene Wandaufbauten mit 3 Begrünungsvarianten verglichen. Jeweils einer unbewachsenen Variante wird die Wirkung eines Direktbewuchses mit Efeu oder eines fassadengebundenen Modulsystems gegenübergestellt. Fassadengebundene Modulsysteme unterscheiden sich von Direktbewuchs durch die eine bautechnische Variante, Pflanzenwurzeln an der Fassade dauerhaft zu befestigen (siehe Tabelle 5.1).

5.1.1 Vergleich von Wandaufbauten mit Begrünungen

Im Vergleich zu technischen Dämmmaterialien variieren die Werte bei Pflanzen über die Jahreszeit in Abhängigkeit von der Pflanzenentwicklung und der Bodenfeuchte in den Modulen, wie es bei der Dachbegrünung bereits bekannt ist

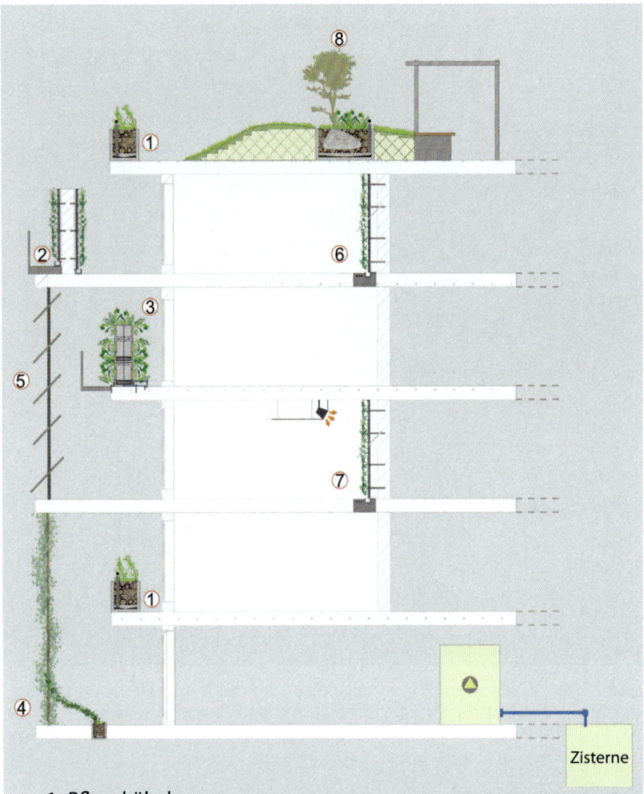

1 Pflanzkübel
2 modulare fassadengebundene Begrünungselemente
3 gabionenartige Begrünungen
4 Kletterpflanzen als bodengebundene Fassadenbegrünung
5 Senkrecht- oder Waagrechtlamellen zur sommerlichen Beschattung
6 Innenraumbegrünung
7 Innenraumbegrünung mit Beleuchtung
8 komplexe Begrünung der Dachfläche mit geeigneten Substrattiefen, sodass auch Gehölze platziert werden können

Abb. 5.12: Prinzipskizze einer Gebäudehülle, bei der verschiedene Begrünungselemente exemplarisch kombiniert wurden

(Köhler u. Malorny, 2009). Für die nachfolgenden Kalkulationen wird eine mittlere Wasserversorgung angenommen.

Es wird davon ausgegangen, dass die wandgebundenen Begrünungen ganzjährig ein vergleichbar feuchtes Substrat haben. In nachfolgenden, vertiefenden Berechnungen könnte für winterliche Verhältnisse mit geringeren Wasserverhältnissen gerechnet und demzufolge mit höheren winterlichen Dämmwerten kalkuliert werden.

Abb. 5.14 zeigt die Klimakammer, in der die Messwerte für die nachfolgenden Berechnungen ermittelt wurden (Ottelé, 2011). Die Wirkungsweise dieser Kammer ist ähnlich der eines Kühlschranks; es können sommerliche wie winterliche Verhältnisse simuliert werden.

Der wärmetechnische Effekt der Begrünugen beruht auf der Umwandlung einstrahlender Sonnenenergie in Biomasse (Fotosynthese). Weiter sind die Funktionen Evaporation, Transpiration (aktive Verdunstung durch Pflanzenteile) und die Respiration (Atmung) der Pflanzen zu nennen. Die Bedeutung der Fotosynthese in Bezug auf die Gebäudebe-

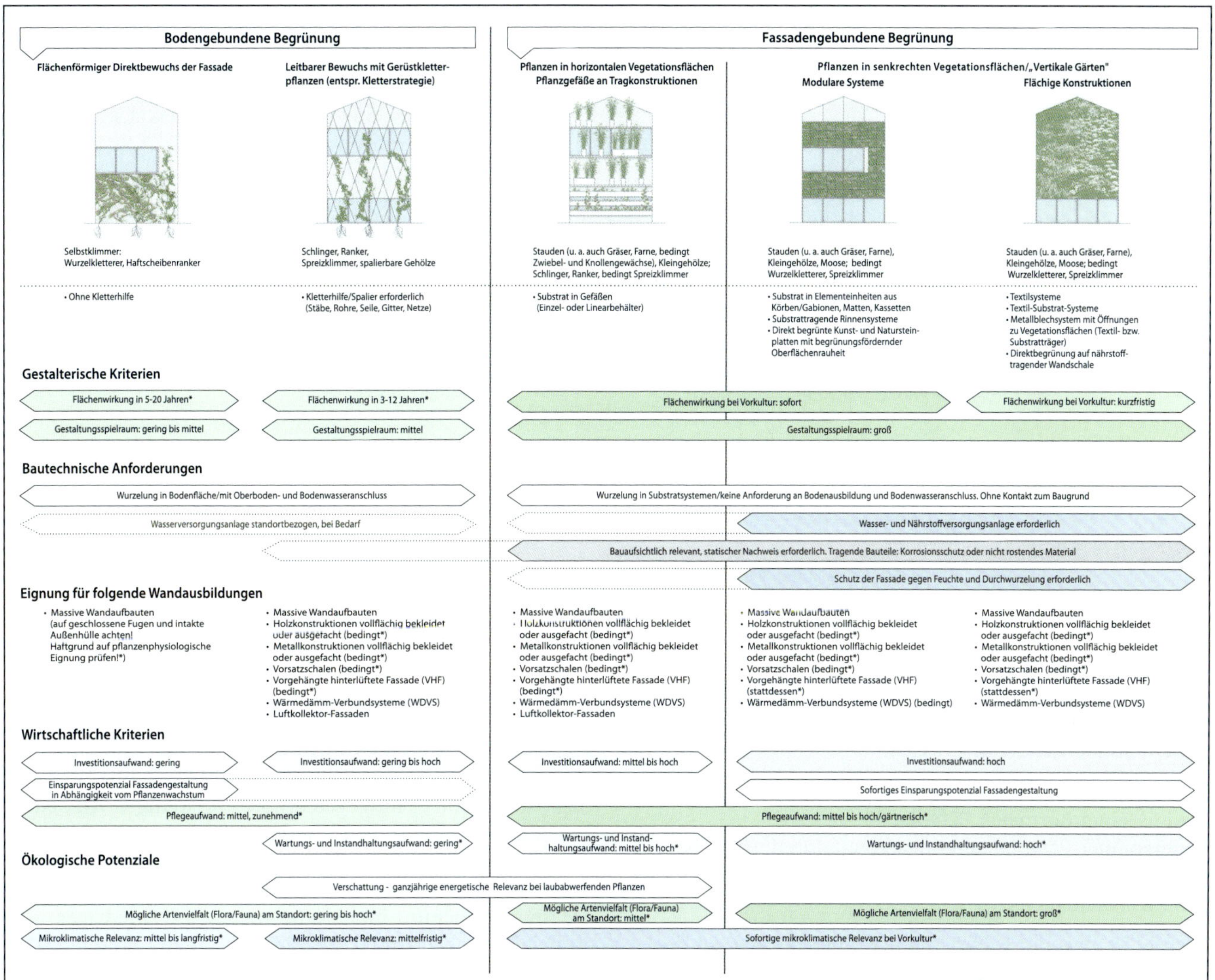

* Angabe der Werte: FBB-Projektgruppe Fassadenbegrünung, FLL-Regelwerk-Ausschuss Fassadenbegrünung;
1) FLL, 2000; Kaltenbach, 2008; Pfoser, 2009, 2010a, 2010b, 2011a, 2011b, 2011c
(Grundlage: Diagramme und Inhalte[1)], Ergänzungen durch die Verfasserin, © Nicole Pfoser, 07/2011)

Abb. 5.13: Konstruktive und vegetationstechnische Entscheidungsparameter zur Begrünung (Quelle: Nicole Pfoser, 07/2011)

grünung wurde erstmals bei Krusche et al. (1982) erwähnt. Köhler u. Schmidt (2008) haben die Strahlungskomponenten auf die Dachbegrünung übertragen.

Marco Schmidt hat diese Erkenntnisse bei der Bepflanzung des Physikgebäudes in Berlin-Adlershof messtechnisch auf die Fassadenbegrünung angewandt. Aus diesen Arbeiten ist bekannt, dass nur etwa 5 bis 30 % der nicht verbrauchten solaren Einstrahlung die Blattmasse passieren und damit nur zu einem Bruchteil der sonst typischen sommerlichen Aufheizung führen.

In der Arbeit von He und Hoyano (2010) wurde die Wirkung einer begrünten Pergola im Vergleich zum Verschattungseffekt von Markisen untersucht, mit dem Ergebnis, dass der Aufenthalt unter dem Blätterdach einer *Wisteria* (Blauregen) als angenehmer empfunden wird als der unter der Markise. Der Grund dafür liegt im besseren Mikroklima, das durch den Verdunstungsprozess der Pflanzen verursacht wird. Eine Verschattung allein senkt zwar partiell die Temperatur, wird aber bioklimatisch nicht so positiv empfunden wie der Effekt, der aufgrund der Verdunstung aus Temperaturabsenkung und Erhöhung der Luftfeuchtig-

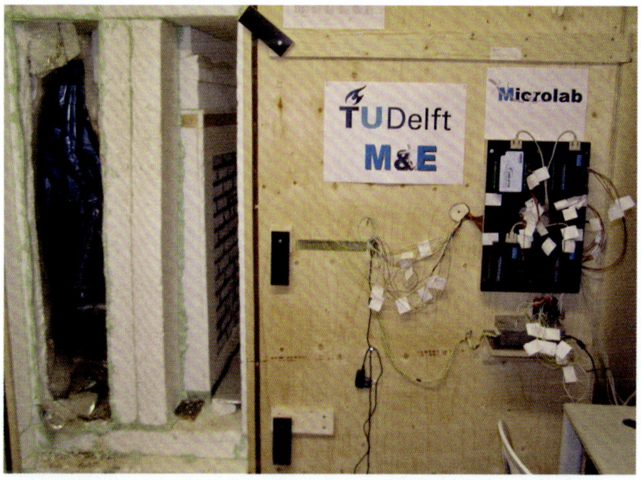

Abb. 5.14: TU Delft, Teilansicht der verwendeten Klimakammer zum Nachweis der Wirkungsweise der Fassadenbegrünung (Quelle: Ottelé, 2011)

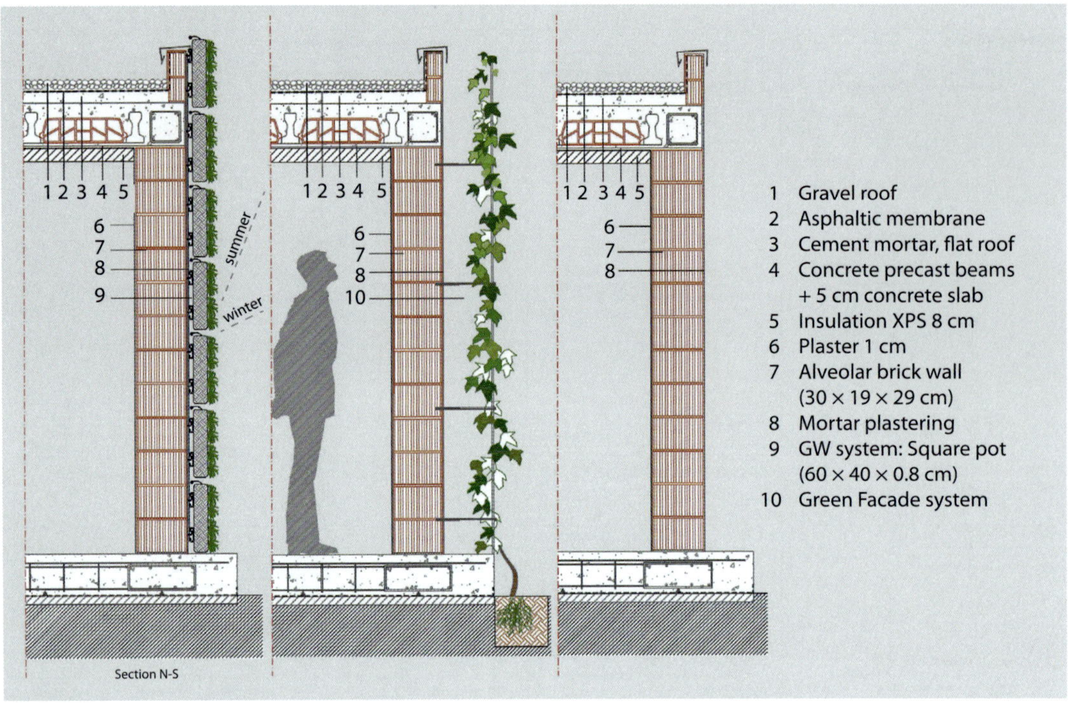

Abb. 5.15: Schematische Darstellung des Messaufbaus der Versuchsgebäude von Coma et al. (Quelle: Coma et al., 2020, fig. 2[1])

keit besteht. In einer Forschungsarbeit aus Griechenland (Georgi u. Dimitriou, 2010) wurden 3 Arten von sommerlichem Sonnenschutz untersucht:

- unter Bäumen,
- unter einer normalen Pergola,
- unter einer Pergola, unter der Ventilatoren mit Wasserdüsen installiert waren, die die Besucher zwecks Abkühlung „befeuchteten".

Richtig ist, dass der sommerliche Kühleffekt sich aus der Verschattung und der Evaporationskühle zusammensetzt. Diese wird im Falle der vorhandenen Gehölze oder Rasenflächen als angenehm, im Falle der Bewässerungsdüsen überwiegend auch bei Hitze eher als störend empfunden.

In verdichteten und weitgehend versiegelten Innenstadtbereichen „konsumieren" Fassadenbegrünungen demnach Energie und reduzieren damit auch die sonst übliche Wärmerückstrahlung der sommerlich aufgeheizten städtischen Gebäudeteile. Ein Faustwert nach Dunnet und Kingsbury (2008) ist, dass eine Absenkung der gebäudenahen Lufttemperatur um nur 0,5 °C im Sommer die Klimaanlagenkosten in England bereits um bis zu 8 % senken kann.

Sashua-Bar et al. (2009) berechneten den Evaporationskühleffekt des sensiblen und des latenten Wärmestroms. Schattenbäume konnten mittags etwa 2,5 °C Kühlung bewirken. Der beste Effekt wird bei der Kombination aus Verschattung und Verdunstungskühlung erzielt.

Der Wärmeverlust einer Gebäudeoberfläche ist unter anderem von der Windgeschwindigkeit an der Oberfläche abhängig. In Europa gilt es, ihn winterlich zu reduzieren, wohingegen in den Tropen dieser Kühleffekt durchaus erwünscht ist. Auf Kletterpflanzen bezogen, wären in den Tropen verschattende dünne Blattpolster von Vorteil, die aber noch einen leichten Luftzug ermöglichen. Fassadenbegrünung sollte somit regionalspezifisch unterschiedlich ausfallen. Coma et al. (2020) verwenden in Spanien gleichartige begrünte und unbegrünte Versuchsbauten (Abb. 5.15). An heißen Sommertagen zeigt die unbegrünte Oberflächentemperatur einen Sinusverlauf mit Maximaltemperaturen in den Nachmittagsstunden von bis zu 55 °C, unter der Begrünung sind es hingegen etwa 10 °C weniger. An den Innenfassaden der unbegrünten Fassade beträgt die Maximaltemperatur etwa 39 °C. Diese wird um etwa 4 Stunden zeitversetzt erreicht. Bei den begrünten Bauteilen liegt die Maximaltemperatur innen etwa weitere 3 °C niedriger als bei den unbegrünten. Bei den begrünten Varianten ist die Zeitversetzung noch um etwa eine Stunde größer (Abb. 5.16). Damit verhalten sich die Fassadenbegrünungen analog zu den begrünten Dächern, bei denen diese Zeitversetzung und Temperaturreduzierung ebenfalls in vielen Untersuchungen beschrieben wurden.

Das bestätigt die Messungen von Ottelé, dass dieser Effekt von der Außentemperatur, aber auch von der Wanddämmung abhängig ist. Ganz generell gilt: Je besser die Wanddämmung, desto später kommt das Tagesmaximum abgeschwächt im Inneren des Gebäudes an.

Abb. 5.17 zeigt exemplarisch den Energiefluss durch die Wand der Testbauten bei Solareinstrahlung. Die Energieeinstrahlung wird in Wm^2, der Energiekonsum in W/h angegeben. Dargestellt werden die Variante A mit einer im Innenraum auf konstant 24 °C gehaltenen Temperatur und Variante B mit Wärmedurchgang ohne eine interne Temperaturanpassung.

Der aktuelle Baustandard DIN EN ISO 6946 „Bauteile – Wärmedurchlasswiderstand und Wärmedurchgangskoeffizient – Berechnungsverfahren" (2018) nimmt eine mittlere Windgeschwindigkeit von ganzjährig 4,0 m/s zur Kalkula-

1) Reprint from: Coma, J.; Chafer, M.; Perez, G.; Cabeza, L. F.: How internal heat loads of buildings affect the effectiveness of vertical greenery systems? An experimental study. In: Renewable Energy 151 (2020), S.919–930, With permission from Elsevier Copyright Lizenz Nr: 5297521048289

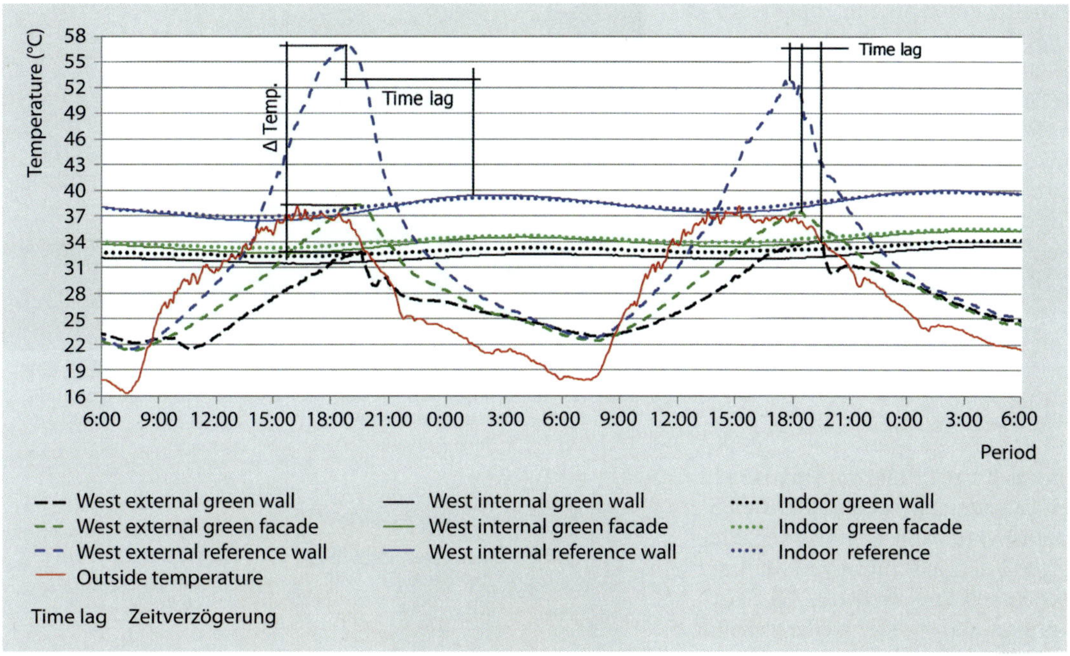

Abb. 5.16: Innenraum- und Oberflächentemperaturen von nach Westen ausgerichteten internen und externen Wänden an 2 aufeinanderfolgenden Sommertagen(Quelle: Coma et al., 2020, fig. 5[2)]). Wichtig ist hier, dass die Begrünung als zusätzliche Dämmung wirkt und damit der Wärmerdurchgang zeitlich und in der Höhe verschoben wird.

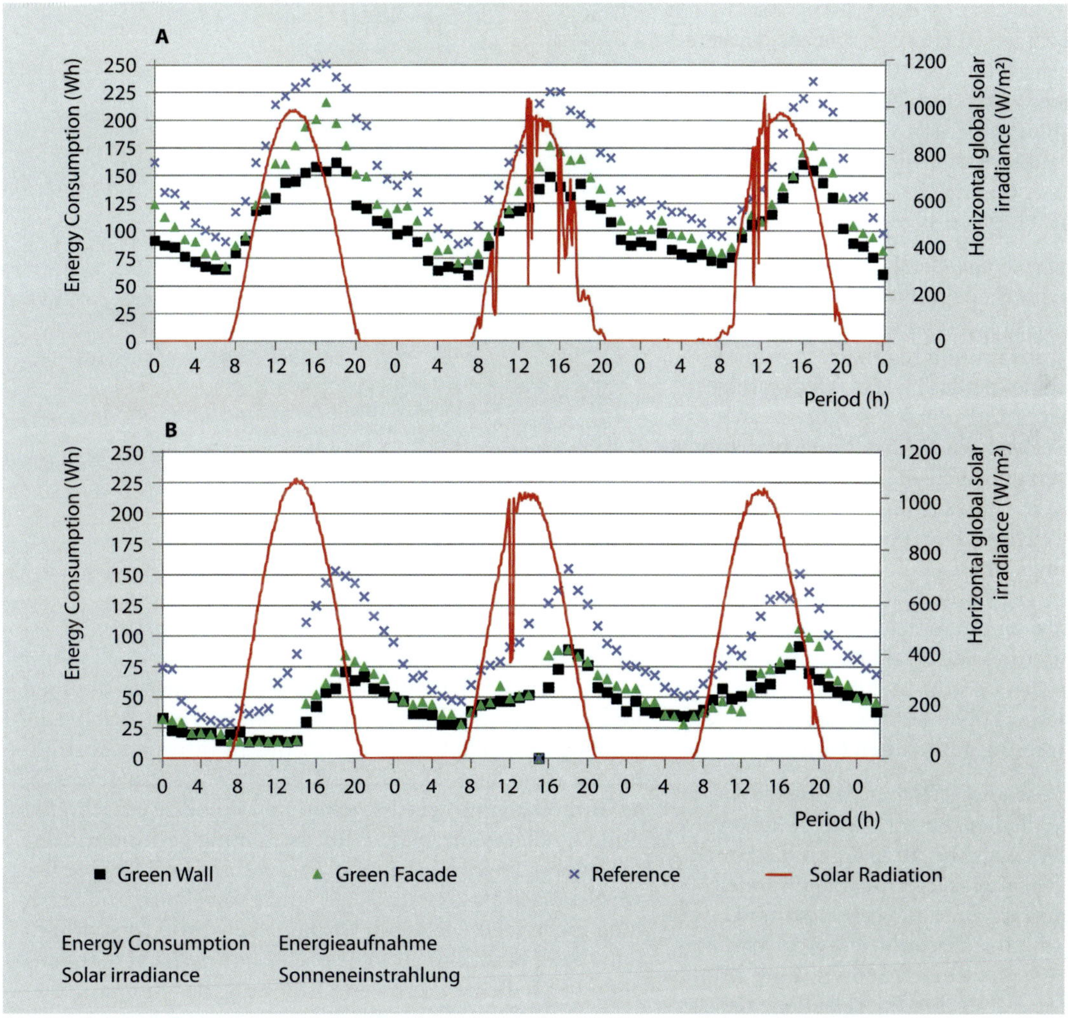

Abb. 5.17: Wirkung einer Wandbebegrünung; Vergleich einer unbegrünten Referenz, einer Kletterpflanzenbegrünung sowie einer modularen Wandbegrünung (Quelle: Coma et al., 2020, fig. 6[2)])

2) Reprint from: Coma, J.; Chafer, M.; Perez, G.; Cabeza, L. F.: How internal heat loads of buildings affect the effectiveness of vertical greenery systems? An experimental study. In: Renewable Energy 151 (2020), S.919–930, With permission from Elsevier Copyright Lizenz Nr: 5297521048289

tion des Wärmetransferkoeffizienten an. Für Innenwerte ist ein vergleichbarer Standard bei 0,2 m/s festgelegt. Begrünte Fassaden reduzieren in jedem Fall die Windgeschwindigkeit an der Gebäudeoberfläche. Krusche et al. (1982), Rath und Kießl (1989), Eumorfopoulou und Aravantinos (1998) und Peck und Callaghan (1999) sprechen von einer stabilen Luftschicht, die in ihrer Ausprägung abhängig von der Dicke des Pflanzenpolsters zu bestimmen ist. Perini et al. (2011) überprüften in Felduntersuchungen die Reduktion des Windfelds sowohl in Kletterpflanzen als auch hinter fassadengebundenen Systemen. Die im fassadengebundenen System ermittelten eigenen Werte werden nachfolgend näher vorgestellt.

5.1.2 Energiebilanz

Um ein besseres Verständnis für die Rolle der Pflanzen in der Energiebilanz an den Fassaden zu bekommen, sollen hier einige grundlegende Aspekte vorgestellt werden. Der größte Teil der absorbierten Energie stammt von der kurzwelligen Strahlung zwischen 300 und 3.000 nm. Nur ein kleiner Teil, etwa 2 %, wird reflektiert oder weitertransportiert. Ein weiterer kleiner Teil wird nach Bass et al. (2008) für metabolische Prozesse, etwa den Blattaufbau, verbraucht. Zusätzlich absorbieren Blätter Energie aus der langwelligen infraroten Gegenstrahlung, etwa aus dem Boden. Pflanzen haben eine andere Empfindlichkeit für Wellenlängen als Menschen; das fotosynthetisch wirksame Strahlungsspektrum (PAR) liegt zwischen 400 und 700 nm. Im Zusammenhang mit der Energiebilanz wird hier der Energiegehalt dieses Lichtspektrums in W/m^2 berücksichtigt.

Wenn Pflanzen keine Wärme abgeben könnten, würde die Blatttemperatur schnell den Siedepunkt erreichen. Die angesprochenen pflanzenphysiologischen Prozesse wie Strahlung, Konvektion und Transpiration regulieren die Blatttemperatur auf ein gleichbleibendes Niveau. Demzufolge sind abgestorbene Blätter in Infrarotbildern gut an einer höheren Temperatur zu erkennen. Die Strahlungsemission erfolgt vor allem zwischen den Wellenlängen 2.000 und 20.000 nm. Der Prozess der Verdunstungskühlung, also Molekularbewegung, ist demnach von der Temperatur und der Windgeschwindigkeit abhängig (Bass et al., 2008). An einem sommerlichen Tag ist die Blatttemperatur eine Kombination aus Evaporationskälte (latenter Wärme) und Konvektion (sensibler Wärme). Wenn die Blatttemperatur höher als die Umgebungstemperatur ist, gibt die Pflanze Wärme ab. Wenn die Blätter kühler sind, können die Pflanzen Wärme aus der Umgebung aufnehmen (Abb. 5.18).

Abb. 5.19 verdeutlicht diese energetischen Prozesse: Von 100 % Energie des Sonnenlichts, die auf Blätter fallen, werden etwa 5 bis 30 % reflektiert, 5 bis 20 % durch die Fotosynthese gebunden, 10 bis 50 % in Wärme umgewandelt, 20 bis 40 % für die Evapotranspiration verwendet und etwa 5 bis 30 % durch die Blattmasse transportiert (Krusche et al., 1982). In Anlehnung an weitere Autoren (etwa Minke u. Witter, 1982) sieht die vereinfachte Energiebilanz für die Blätter einer Fassadenbegrünung wie folgt aus:

- 30 % Verdunstung (Transpiration),
- 18 % Reflexion,
- 30 % Emission,
- 18 % Transmission und
- etwa 4 % Fotosynthese.

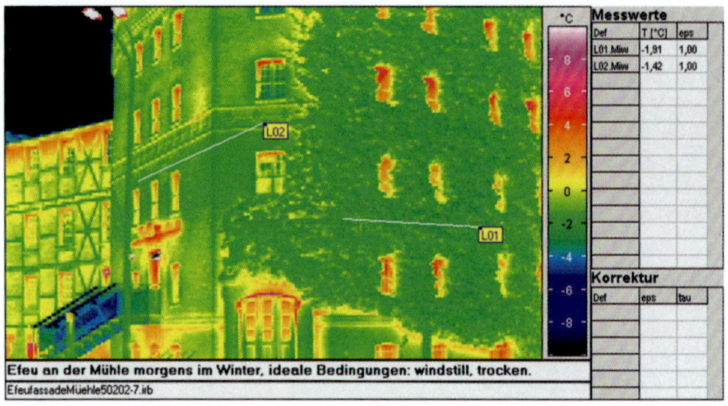

Abb. 5.18: Winterliche Infrarotaufnahmen der Mühle in Abb. 5.1; Gesamtansicht einschließlich der unbegrünten südlichen Gebäudeteile (eigene Messungen, Köhler)

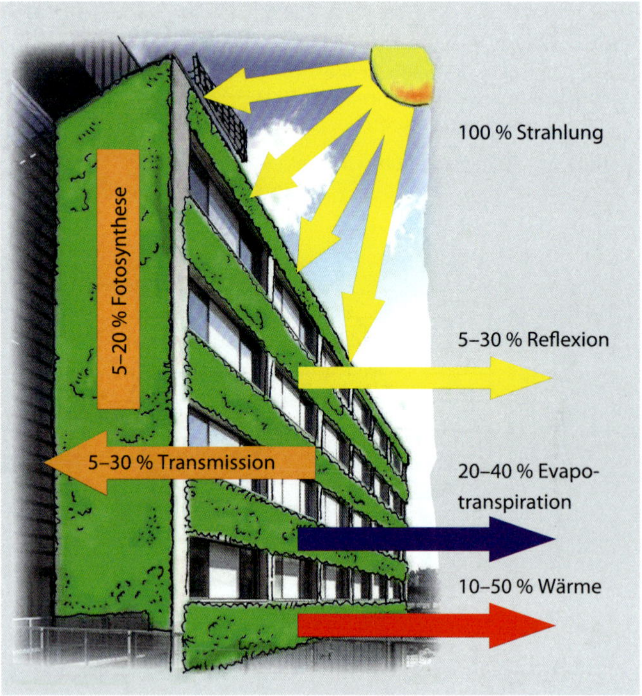

Abb. 5.19: Schematische Darstellung der Energiebilanz von Fassaden, nach Krusche et al. (1982, verändert)

Bei Sonnenstrahlung setzt der Wärmetransport ein (Van der Linden, 2006). Der größte Anteil der Sonnenstrahlung wird durch die Gebäudemasse absorbiert. Beton, Bitumen und Steine sind gute Wärmeabsorber, was sich durch Aufheizung (sensible Wärme) zeigt und als infrarote Abstrahlung messen lässt. Die Gebäudebegrünung kann genau diese Aufheizung mittels der genannten Prozesse einschränken und vor allem eine spätere Rückstrahlung verhindern, da die Energie beim Aufbau von Pflanzenmasse verbraucht wurde. Nach Bass et al. (2008) sind Konvektion und Strahlung die beiden wichtigen Größen. Sie wurden als Stellgrößen in der Stadtklimatologie bisher unterschätzt, können aber durch die nennenswerte Erhöhung der Biomasse zu einer Reduktion der städtischen Wärmeinsel beitragen. Pflanzen haben die Funktion einer zusätzlichen beruhigten Luftschicht, die den Wärmeverlust des Gebäudes reduziert. Dieser Effekt verringert im Winter den Wärmetransport von innen nach außen und im Sommer in die andere Richtung. Um einen Wärmedämmeffekt zu erzielen, sollte ein möglichst großes stehendes Luftpolster erreicht werden.

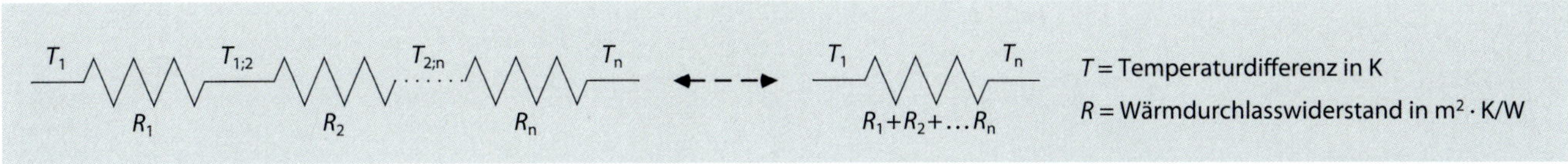

Abb. 5.20: Der thermische Widerstand verschiedener Fassadenschichten kann analog einer elektrischen Schaltung dargestellt werden (Quelle: Ottelé, 2011).

Eine begrünte Fassade ist ein System, das aus mehreren Schichten besteht (siehe Abb. 5.19), die gemäß Formel 5.1 im Einzelnen beschrieben werden können. Die Formel ist allgemeingültig anwendbar und erleichtert die Analyse der Wärmeaustauschprozesse (Hagentoft, 2003).

$$R_1 = \frac{d_1}{\lambda_1}; R_2 = \frac{d_2}{\lambda_2}; \ldots; R_n = \frac{d_n}{\lambda_n} \quad \text{in } m^2 \cdot K/W \tag{5.1}$$

mit

d Dicke der Schicht in m

R Wärmdurchlasswiderstand in $m^2 \cdot K/W$

λ Bemessungswert der Wärmeleitfähigkeit der Schicht in $W/(m \cdot K)$

Jede einzelne Komponente kann hinsichtlich des thermischen Widerstands analysiert werden. Die Modellbetrachtung erfolgt von außen nach innen (Abb. 5.20). Die wichtigsten Bemessungswerte der Wärmeleitfähigkeit in Bezug auf Fassadenbegrünungen sind in Tabelle 5.2 zusammengestellt.

Um den Einfluss der Begrünung besser zu verstehen, wurden im Nachfolgenden wenige Wandaufbauten und einige ausgewählte Begrünungssysteme exemplarisch ausgewählt und hinsichtlich des thermischen Widerstandswerts im Vergleich zu unbegrünten Systemen berechnet:

- massive Vollmauerwerk-Fassade mit Kletterpflanzen,
- zweischaliger Wandaufbau mit Luftschicht und Kletterpflanzen,
- wärmegedämmter, zweischaliger Wandaufbau mit Kletterpflanzenbewuchs,
- massive Vollmauerwerk-Fassade mit fassadengebundenem Begrünungssystem, basierend auf Pflanzboxen,
- wärmegedämmter zweischaliger Wandaufbau mit fassadengebundener Begrünung in modularer Bauweise einschließlich stehender Luftschicht.

Weitere, jetzt am Markt übliche Systeme, können in diesen Rahmen überschlägig eingeordnet werden.

Wandaufbauten mit Kletterpflanzen

Beispiel 1 – massive Vollmauerwerk-Fassade ohne Wärmedämmung

Massive Vollmauerwerk-Fassaden waren bei Gebäuden ohne Wärmedämmung über viele Jahre üblich (Abb. 5.21). Es gilt die Bedingung, dass der innere Wandwiderstand gleich dem thermischen Widerstand der Außenfassade ist.

Aus den in Tabelle 5.2 aufgelisteten Werten ergeben sich ein Gesamtwiderstand (R_T) von 0,37 W/(m · K) bei der unbegrünten Fassade und ein Gesamtwiderstand (R_{Tk}) von 0,46 W/(m · K) bei der begrünten Fassade. Demnach bedeutet die Begrünung eine Verbesserung des thermischen Widerstandswerts um etwa 24 % (Formel 5.2):

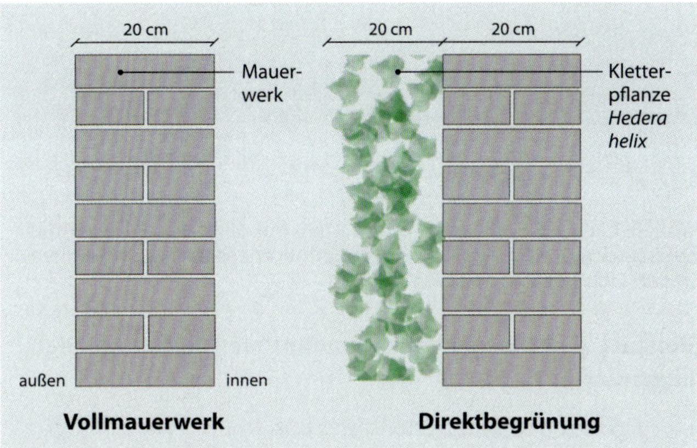

Abb. 5.21: Vollmauerwerk-Fassade ohne (links) und mit Fassadenbegrünung (rechts) (Quelle: Ottelé, 2011)

Tabelle 5.2: Werte zur Berechnung des Gesamtwiderstands bei Vollmauerwerk-Fassaden mit und ohne Begrünung

Faktor	Wert
Dicke der Steinschicht	0,20 m
Dicke der Begrünung (Kletterpflanze)	0,20 m
Gesamtdicke	**0,40 m**
innerer Wandwiderstand	0,13 W/(m · K)
Widerstand der Steinschicht	0,20 W/(m · K)
Widerstand der Kletterpflanze	–1)
Widerstand der Außenfassade ohne Begrünung	0,04 W/(m · K)
Widerstand der begrünten Außenfassade2)	0,13 W/(m · K)
Gesamtwiderstand ohne Begrünung	**0,37 W/(m · K)**
Gesamtwiderstand mit Begrünung	**0,46 W/(m · K)**

1) Der Widerstand von Blattmasse ist in dieser Form bisher nicht in der Literatur zu finden.
2) Bei den angenommenen Widerstandswerten wird von stabilen Austauschverhältnissen ausgegangen.

$$\frac{R_{Tk} - R_T}{R_T} \cdot 100 \Rightarrow \frac{0{,}46 - 0{,}37}{0{,}37} \cdot 100 = 24{,}3\ \% \tag{5.2}$$

mit

R_T Gesamtwiderstand der unbegrünten Fassade

R_{Tk} Gesamtwiderstand der begrünten Fassade

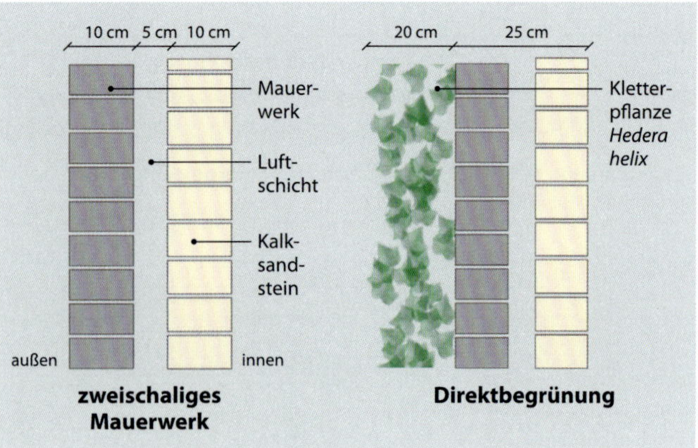

Abb. 5.22: Zweischaliger Wandaufbau mit dazwischen liegender Luftschicht, ohne (links) und mit Begrünung durch Kletterpflanzen (rechts) (Quelle: Ottelé, 2011)

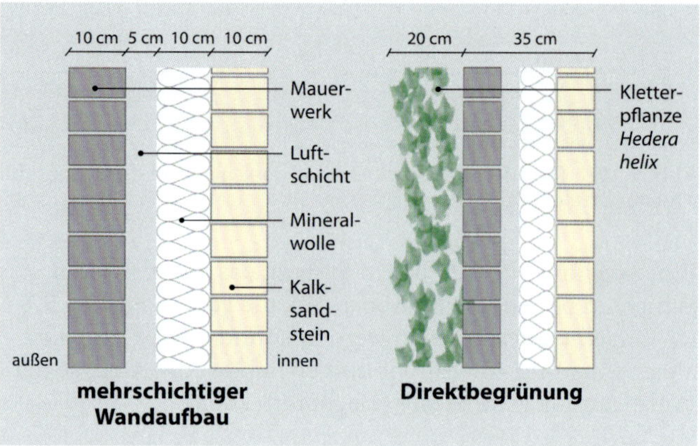

Abb. 5.23: Wärmgedämmter, zweischaliger Wandaufbau ohne (links) und mit Begrünung durch Kletterpflanzen (rechts) (Quelle: Ottelé, 2011)

Beispiel 2 – zweischaliger Wandaufbau mit dazwischen liegender Luftschicht

Der Fassadenaufbau besteht hier aus einem zweischaligen Mauerwerk mit Luftschicht. Als Begrünung sind Kletterpflanzen vorgesehen (Abb. 5.22).

Tabelle 5.3: Werte zur Berechnung des Gesamtwiderstands bei zwei schaligem Wandaufbau mit dazwischen liegender Luftschicht, mit und ohne Begrünung

Faktor	Wert
Dicke des Kalksandsteins	0,105 m
Dicke der Luftschicht	0,05 m
Dicke des Ziegelsteins	0,105 m
Dicke der Begrünung (Kletterpflanze)	0,20 m
Gesamtdicke	**0,46 m**
innerer Wandwiderstand	0,13 W/(m · K)
Widerstand des Kalksandsteins	0,11 W/(m · K)
Widerstand der stehenden Luftschicht	0,18 W/(m · K)
Widerstand des Ziegelsteins	0,11 W/(m · K)
Widerstand der Kletterpflanze	–[1)]
Widerstand der Außenfassade ohne Begrünung[2)]	0,04 W/(m · K)
Widerstand der begrünten Außenfassade[3)]	0,13 W/(m · K)
Gesamtwiderstand ohne Begrünung	**0,57 W/(m · K)**
Gesamtwiderstand mit Begrünung	**0,66 W/(m · K)**

1) Widerstand der Blattdeckung unberücksichtigt
2) in Anlehnung an DIN EN ISO 6946 (2018)
3) angepasst als stehende Luftschicht

Der Gesamtwiderstand für die unbegrünte Fassade setzt sich in diesem Beispiel aus den thermischen Widerständen für die Innenoberfläche, den Kalksand- und den Ziegelstein sowie die dazwischen liegende Luftschicht und die Außen fassade zusammen. Bei der begrünten Fassade erhöht sich der Widerstand der Außenfassade aufgrund der Begrünung bei Anwendung der Formel 5.1 auf 0,66 W/(m · K) (Tabelle 5.3). Die Begrünung mit Kletterpflanzen führt in diesem Fall zu einer Verbesserung des thermischen Widerstandswerts um etwa 16 % (Formel 5.3):

$$\frac{R_{\mathrm{Tk}} - R_{\mathrm{T}}}{R_{\mathrm{T}}} \cdot 100 \Rightarrow \frac{0{,}66 - 0{,}57}{0{,}57} \cdot 100 = 15{,}8\ \% \qquad (5.3)$$

mit

R_{T} Gesamtwiderstand der unbegrünten Fassade
R_{Tk} Gesamtwiderstand der begrünten Fassade

Beispiel 3 – wärmegedämmter, zweischaliger Wandaufbau mit Kletterpflanzenbewuchs

In Beispiel 3 handelt es sich um ein zweischaliges Mauerwerk mit üblicher innen liegender Dämmung (Abb. 5.23).

Tabelle 5.4: Werte zur Berechnung des Gesamtwiderstands bei wärmegedämmtem, zweischaligem Wandaufbau mit und ohne Begrünung

Faktor	Wert
Dicke des Kalksandsteins	0,105 m
Dicke des Dämmmaterials (mineralisch)	0,1 m
Dicke der stehenden Luftschicht	0,05 m
Dicke des Ziegelsteins	0,105 m
Dicke der Begrünung (Kletterpflanze)	0,20 m
Gesamtdicke	**0,56 m**
innerer Wandwiderstand	0,13 W/(m · K)
Widerstand des Kalksandsteins	0,10 W/(m · K)
Widerstand der Luftschicht	0,18 W/(m · K)
Widerstand des Dämmmaterials[1)]	2,86 W/(m · K)
Widerstand des Ziegelsteins	0,11 W/(m · K)
Widerstand der Kletterpflanze	–[2)]
Widerstand der Außenfassade ohne Begrünung[3)]	0,04 W/(m · K)
Widerstand der begrünten Außenfassade[4)]	0,13 W/(m · K)
Gesamtwiderstand ohne Begrünung	**3,43 W/(m · K)**
Gesamtwiderstand mit Begrünung	**3,52 W/(m · K)**

1) angenommener Bemessungswert: $\lambda = 0{,}035\ m^2 \cdot K/W$
2) Widerstand der Blattdeckung unberücksichtigt
3) in Anlehnung an DIN EN ISO 6946 (2018)
4) angepasst als stehende Luftschicht

Das Dämmmaterial steht mit einem thermischen Widerstand von 2,86 W/(m² · K) in einem bemerkenswerten Verhältnis zum Durchgangswiderstand der Gesamtstruktur

(Tabelle 5.4). Es ist bei Weitem der bedeutendste Teil des thermischen Widerstands in diesen Wandaufbauten. Der generelle Vorteil der Fassadenbegrünung beschränkt sich in dieser Variante auf 2,9 % (Formel 5.4):

$$\frac{R_{Tk} - R_T}{R_T} \cdot 100 \Rightarrow \frac{3{,}57 - 3{,}34}{3{,}34} \cdot 100 = 15{,}8\ \% \quad (5.4)$$

mit

R_T Gesamtwiderstand der unbegrünten Fassade

R_{Tk} Gesamtwiderstand der begrünten Fassade

Wandaufbauten mit wandgebundenen Begrünungen

Eine Fassadenbegrünung kann auch bei gedämmten Fassaden eine kleine zusätzliche Verbesserung des thermischen Widerstandswerts von wenigen Prozent bedeuten. Demgegenüber ist der Effekt für sommerliche Kühlung, wie er z. B. im Mediterranklima Griechenlands untersucht wurde, bei 20 % anzusetzen (Eumorfopoulou u. Kontoleon, 2008). Art und Ausrichtung haben einen entscheidenden Einfluss auf die Höhe des Effekts (Kontoleon u. Eumorfopoulou, 2010). Eine neuere Berechnung von Fox et al. (2022) an englischen 1970-er-Jahre-Bauten erbrachte *U*-Wert-Verbesserungen mit der Begrünung von 31 %.

Die Variationen in den wandgebundenen Modulsystemen sind aber so groß, dass es auf diesem Markt noch eine rege Entwicklung geben kann, bei der je nach Firmenphilosophie auf unterschiedliche Komponenten Wert gelegt werden wird. Dies reicht von der Wahl des Trägermaterials mit sehr unterschiedlichen Dämmwerten über die genaue Steuerung des Wassergehalts bis zu den Luftschichten zwischen den einzelnen Systemkomponenten. Auch wenn Stahlrahmen für die Haltbarkeit zu bevorzugen sind, wäre solch ein Vorteil nur durch eine entsprechende Wärmedämmung auch im Hinblick auf die Gesamtwärmedämmung des Systems erfolgreich.

Neben dem Systemaufbau und der wärmetechnischen Zulassung ist entscheidend, wie sich diese Elemente in die Außenfassade einfügen. Gibt es Ecklösungen? Wie sieht es mit Wärmebrücken zwischen den fassadengebundenen Modulsystemen und der sonstigen Fassadenoberfläche aus? Wie bei allen Bauteilen werden intelligente Lösungen dieser Übergangsbereiche schließlich entscheiden, ob die zweifelsfrei erreichbaren guten Dämmwerte begrünter Systeme sich schließlich auch in den Wärmeberechnungen des Gesamtgebäudes niederschlagen. Die zusätzliche Verbesserung der Gesamtwärmedämmung ist nur langfristig realisierbar, wenn auch die regelmäßige Pflege gesichert ist.

In den Beispielen 4 und 5 werden ausgewählte fassadengebundene Begrünungssysteme auf den Fassaden untersucht, wie sie in den Beispielen 1 bis 3 vorgestellt wurden. Der Aufbau der Begrünung, wie für die Berechnungen verwendet, ist in Abb. 5.24 dargestellt.

Die Berechnungen gehen von einer vollflächigen und gut ausgeführten Begrünung mit korrekt montierten Modulen aus, sodass eine zusätzliche stehende Luftschicht zwischen der Steinfassade und den Bepflanzungsmodulen besteht (Abb. 5.25). Stehende Luftschichten wirken sich positiv auf die Gesamtwärmedämmung der Fassade aus (Tabelle 5.5). Im Gegensatz dazu muss bei einer hinterlüfteten Fassade – als schlechtestem Fall – nach der DIN EN ISO 6946 (2018) ein Wärmewiderstandswert von etwa 0,13 $m^2 \cdot K/W$ berechnet werden.

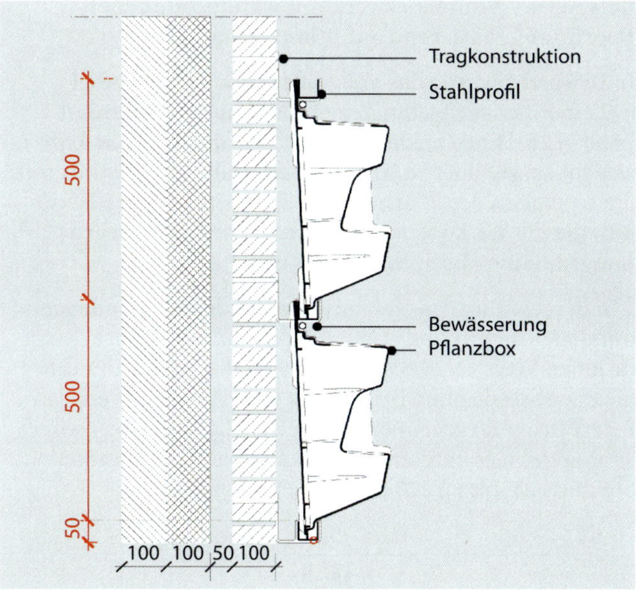

Abb. 5.24: Begrünungsaufbau in Anlehnung an ein Schaumsystem. Die Zwischenschicht ist eine stehende Luftschicht von ca. 4 cm Dicke. (Quelle: Ottelé, 2011)

Abb. 5.25: Modulares System mit einer ca. 4 cm dicken Luftschicht zwischen der Begrünung und dem Wandaufbau (Quelle: Ottelé, 2011)

Tabelle 5.5: Wärmewiderstand einer unbelüfteten Wand nach DIN EN ISO 6946 (2018)

Dicke der Luftschicht (mm)	Wärmewiderstand *R* ($m^2 \cdot K/W$)
0	0,00
5	0,11
10	0,15
15	0,17
20	0,18
25	0,18
50	0,18
100	0,18

Beispiel 4 – Vollmauerwerk mit wandgebundener Begrünung, basierend auf Pflanzboxen

In Beispiel 4 wurde das Vollmauerwerk aus Beispiel 1 mit einer fassadengebundenen Begrünung kombiniert (Abb. 5.26). Entscheidend ist hier, wie die stehende Luftschicht ausgebildet ist. Der Wassergehalt des Substrats und die Üppigkeit des Pflanzenbewuchses sind weitere Faktoren, die die Wirkung von fassadengebundenen Begrünungsmodulen beeinflussen können.

Die Berechnung des Gesamtwiderstands mit fassadengebundener Begrünung ergibt für die Vollmauerwerk-Fassade einen Wert von 0,85 W/(m · K) (Tabelle 5.6). Für die gleiche Fassade ohne Begrünung steht dem ein Wert von 0,38 W/(m · K) gegenüber (siehe Tabelle 5.2). Die Verbesserung des Gesamtdämmwerts kann bei der genannten Steinfassade bis zu 123 % betragen (Formel 5.5):

$$\frac{R_{LWS} - R_T}{R_T} \cdot 100 \Rightarrow \frac{0{,}85 - 0{,}38}{0{,}38} \cdot 100 = 123\ \% \qquad (5.5)$$

mit

R_T Gesamtwiderstand der unbegrünten Fassade

R_{LWS} Gesamtwiderstand der wandgebundenen Begrünung

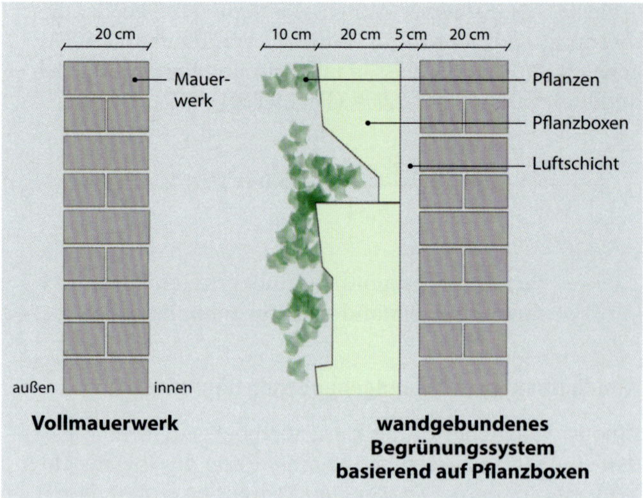

Abb. 5.26: Vollmauerwerk mit einer wandgebundenen Begrünung, basierend auf Pflanzboxen (Quelle: Ottelé, 2011)

Beispiel 5 – Wärmegedämmter, zweischaliger Wandaufbau mit wandgebundener Begrünung in modularer Bauweise einschließlich stehender Luftschicht

In Beispiel 5 wird der Gesamtwiderstand des wärmegedämmten, zweischaligen Wandaufbaus aus Beispiel 3 (siehe Tabelle 5.4) in Verbindung mit einer wandgebundenen Begrünung im Modulsystem bewertet (Abb. 5.27).

Tabelle 5.6: Werte zur Berechnung des Gesamtwiderstands bei Vollmauerwerk mit und ohne wandgebundene Begrünung

Faktor	**Dicke in m**	**Bemessungswert der Wärmeleitfähigkeit der Schicht (λ) in W/(m K)**	**thermischer Widerstand für wandgebundene Systeme (R_{LWS}) in W/(m · K)**
Mauerwerk	0,21	1	–
stehende Luftschicht	0,05		–
Pflanzboxen	0,20	1	–
Pflanzenschicht	0,15	–2)	–
Gesamtdicke	**0,41**	**–**	**–**
innerer Wandwiderstand	–	–	0,13
Widerstand des Mauerwerks	–	–	0,21
Widerstand der stehenden Luftschicht	–	–	0,18
Widerstand der Pflanzboxen1)	–	–	0,20
Widerstand der Pflanzenschicht	–	–	–2)
Widerstand der begrünten Außenfassade3)	–	–	0,13
Gesamtwiderstand mit wandgebundener Begrünung	**–**	**–**	**0,85**

1) Annahme: feuchtes Substrat
2) Wert der Pflanzenschicht
3) Annahme stehende Luftschicht (siehe Kletterpflanzen in Tabelle 5.2)

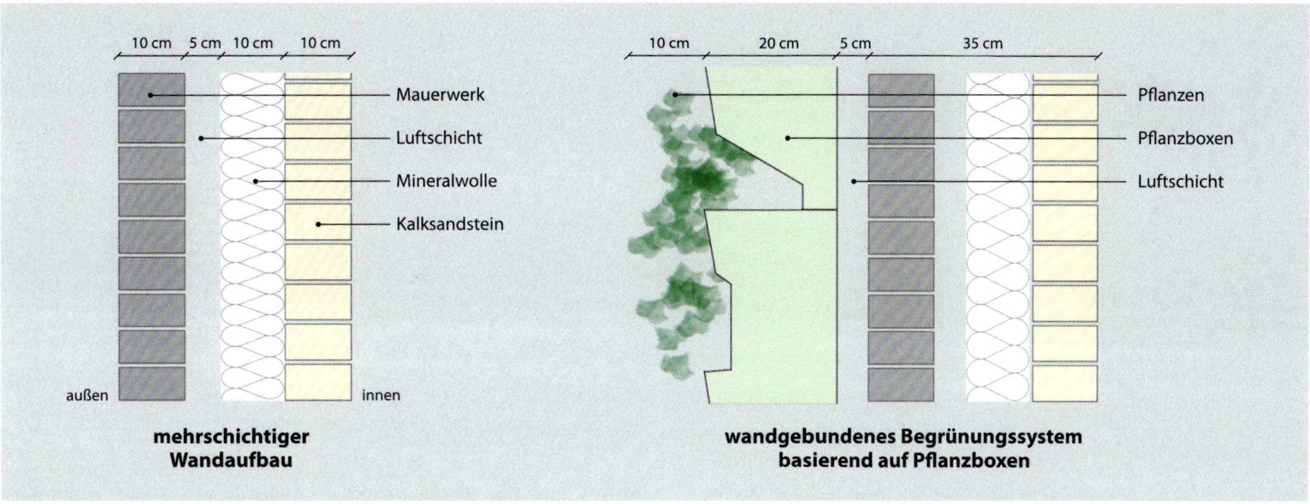

Abb. 5.27: Wärmegedämmter, zweischaliger Wandaufbau mit wandgebundener Begrünung in modularer Bauweise (Quelle: Ottelé, 2011)

Im Vergleich mit dem Gesamtwiderstand des wärmegedämmten, zweischaligen Wandaufbaus ohne Begrünung (siehe Tabelle 5.4) ergibt sich für die Variante mit wandgebundener Begrünung mit 3,90 W/(m · K) (Tabelle 5.7) eine Verbesserung von 14 % (Formel 5.6):

$$\frac{R_{\mathrm{LWS}} - R_{\mathrm{T}}}{R_{\mathrm{T}}} \cdot 100 \Rightarrow \frac{3{,}90 - 3{,}43}{3{,}43} \cdot 100 = 14\ \% \qquad (5.6)$$

mit

R_{T} Gesamtwiderstand der unbegrünten Fassade

R_{LWS} Gesamtwiderstand der Fassade mitwandgebundener Begrünung

Tabelle 5.7: Werte zur Berechnung des Gesamtwiderstands bei einem wärmegedämmten, zweischaligen Wandaufbau mit wandgebundener Begrünung in modularer Bauweise

Faktor	**Dicke in m**	**Bemessungswert der Wärmeleitfähigkeit der Schicht λ in W/(m K)**	**thermischer Widerstand R_{LWS} in W/(m · K)**
Kalksandstein	0,105	1	–
Dämmstoff (mineralisch)	0,1	0,035	–
stehende Luftschicht	0,05	0,28	–
Ziegelstein	0,105	1	–
stehende Luftschicht	0,05	0,28	–
modulares Pflanzsystem	0,20	1	–
Pflanzenschicht	0,15	–[2)]	–
Gesamtdicke	**0,61**	**–**	**–**
innerer Wandwiderstand	–	–	0,13
Widerstand des Kalksandsteins	–	–	0,11
Widerstand des Dämmmaterials	–	–	2,86
Widerstand der stehenden Luftschicht	–	–	0,18
Widerstand des Ziegelsteins	–	–	0,11
Widerstand der stehenden Luftschicht	–	–	0,18
Widerstand des modularen Pflanzsystems[1)]	–	–	0,20
Widerstand der Pflanzenschicht	–	–	–[2)]
Widerstand der begrünten Außenfassade[3)]	–	–	0,13
Gesamtwiderstand mit Begrünung	**–**	**–**	**3,90**

1) Annahme: feuchtes Substrat
2) Es gibt keinen Widerstandswert in der Literatur.
3) ergänzte Oberflächenstruktur mit stehender Luftschicht (siehe Kletterpflanzen in Tabelle 5.4)

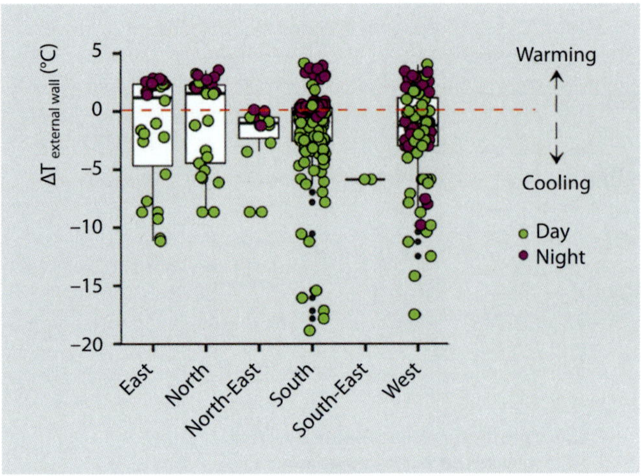

Abb. 5.28: Kühlende Wirkung tagsüber, leichte Erhöhung der Temperatur nachts (Quelle: Bakhshoodeh et al., 2022, fig. 11[3)]); quantitative Zusammenstellung aus ca. 250 wissenschaftlichen Arbeiten unterschiedlicher geografischer und architektonischer Aufbauten

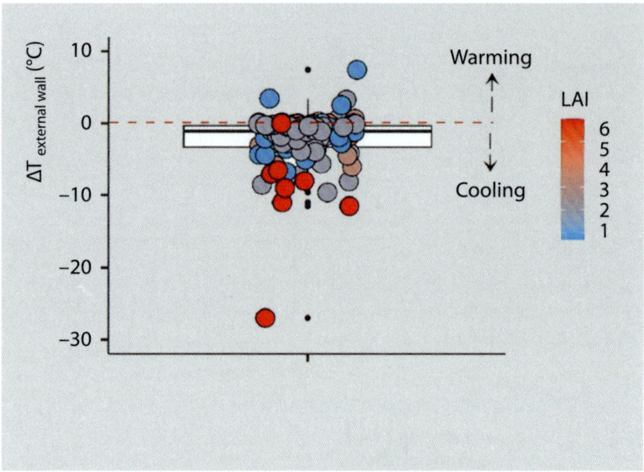

Abb. 5.29: Der Blattflächenindex LAI der unterschiedlichen Kletterpflanzen variiert zwischen 1 und 6. Der damit verbundene Kühl-Wärme-Effekt schwankt im Wesentlichen im Bereich weniger Grad (Quelle: Bakhshoodeh et al., 2022, fig. 12[3)]).

Die stehende Luftschicht zwischen Mauerwerk und fassadengebundenen Begrünungsmodulen hat einen erheblichen Einfluss auf den Gesamtwiderstand des Systems. Der thermische Widerstandswert verbessert sich auch durch das zusätzliche Wärmepolster. Neben der zusätzlichen Luftschicht zwischen der Fassade und den Begrünungsmodulen ist noch ein gewisser Wert für die Substrate selbst zu berücksichtigen. Viele der typischen Pflanzsubstrate basieren auf Mineralwolle oder ähnlichen Dämmstoffen.

Pérez et al. (2022) quantifizierten den Effekt dichter Wandbegrünungen mittels Blattflächenindex hinsichtlich der Energieeinsparung. So bewirkt bei einem normal gedämmten Gebäude in Spanien ein Blattflächenindex von 4,8 etwa eine Einsparung des Kühlbedarfs von ca. 30 %. Das muss immer gegen einen geringen energetischen Mehrbedarf in der Übergangszeit gegengerechnet werden. Es bleibt ein Ertrag von etwa 25 %. Blanco et al. (2021) führten vergleichbare Untersuchungen in Italien durch und kamen zu ähnlichen Größenordnungen. Die eigenen winterlichen Infrarotmessungen an der mit Efeu begrünten Mühle in Neubrandenburg (siehe Abb. 5.18) bestätigen auch in extrem kalten Winternächten einen Temperatureffekt eines Pflanzpolsters von 5 °C. In der Metaanalyse der wissenschaftlichen Untersuchungen von energetischen Aspekten der Wandbegrünungen haben Bakhshoodeh et al. (2022) 250 Artikel aus vielen Regionen der Welt ausgewertet. Diese Autorengruppe gibt an, dass unter dem Aspekt des energetischen Einsparens die Fassadenbepflanzung mit etwas Abstand zum Gebäude die besten Erträge im Vergleich zur Direktbegrünung bietet. Die Größenordnung liegt etwa bei 5 °C (Abb. 5.28).

Abb. 5.29 zeigt als Ergebnis aus den ausgewerteten Untersuchungen, dass die Wirkung der Wandbegrünungen ganz wesentlich von dem Bedeckungsgrad der Begrünung mitbestimmt wird.

In Abb. 5.30 sind die Wirkfaktoren der Wandbegrünungen in energetische Komponenten zerlegt. Wichtige Ausgangsgrößen sind die Himmelsrichtung, die Blattbedeckung, die Entfernung zum Gebäude, die Abstrahlungen sowie auch die Speicherung der Materialien. Dabei ist die sensible

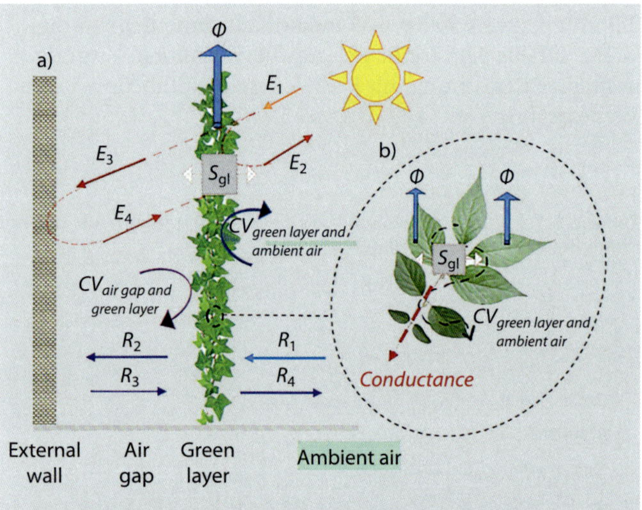

- E_1 ankommende solare Einstrahlung auf die Vertikalflächen
- E_2 von den Blattflächen reflektierte Solarstrahlung
- E_3 durch die Vegetationsschicht übertragene kurzwellige Strahlung
- E_4 Verhältnis von E3 zur reflektierten Strahlung der Außenwand
- R_1 Fluss langwelliger Einstrahlung vom Himmel zur Erdoberfläche
- R_2 von der Vegetationsschicht zurückgestrahlte langwellige Strahlung
- R_3 von der Außenwand zurückgestrahlte langwellige Strahlung
- R_4 von der Vegetationsschicht zurückgestrahlte langwellige Strahlung
- S_{gl} Dicht der Grünbedeckung
- CV konvektive Wärmeübertragung zwischen Grünbedeckung, Luft und Luftzwischenraum
- Φ Transpiration

Abb 5.30: Energetische Komponenten, die die Wirkungsweise der Oberflächenkühlung beeinflussen (Beschreibung im Text) (Quelle: Bakhshoodeh et al., 2022, fig. 13[3)])

3) Reprint from: Bakhshoodeh, R.; Ocampo, C.; Oldham, C.: Thermal performance of green facades: review and analysis of published data. In: Renewable and Sustainable Energy Reviews 155 (2022), Elsevier-Copyright Lizenz Nr: 5224770520520

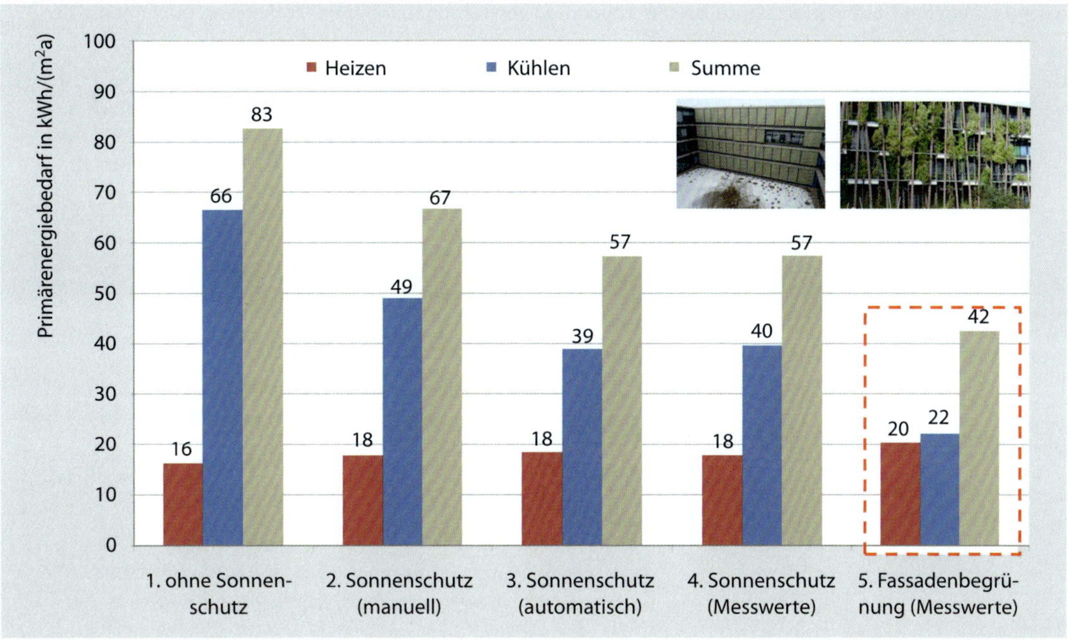

Abb. 5.31: Einfluss des Sonnenschutzsystems auf den Primärenergiebedarf für Heizen und Kühlen einer südorientierten Büroraumgruppe (Software: IBP:18599) in kWh/(m^2·a) (nach High-Tech-LowEx, 2014, angepasst; Quelle: Marco Schmidt, Berlin).

Wärme als Temperaturänderung messbar, die latente Wärme ist die Speicherung in den Baumaterialien. Die Pflanzen beeinflussen das System durch die Verschattung sowie die Verdunstungsleistung. Das lässt sich mathematisch beschreiben, wie es auch schon Ottelé (2011) getan hat. Der besondere Effekt der Wandbegrünung beruht auf dem Verdunstungsvorgang, der im Sommer die Aufheizung reduziert, ohne den bekannten Klimaanlageneffekt. Bei Klimaanlagen geht nämlich die Kühlung auf der einen Seite mit der Abgabe der Abwärme auf der anderen Seite einher. Dies bedeutet für den Stadtraum entweder gar keinen Effekt oder resultiert sogar in einer zusätzlichen Aufheizung. Dieses komplexe Zusammenspiel energetischer und klimatischer Vorgänge trägt nennenswert zur Abkühlung in sommerlich aufgeheizten Städten bei und kappt die Temperaturspitzen am Tag, allerdings mit dem kleinen Nachteil einer gewissen zusätzlichen Wärmespeicherung in den Nachtstunden. Der Nettogewinn hinsichtlich einer Abkühlung überwiegt jedoch deutlich. Diese Technik der durch Verdunstungskühlung wirkenden Wandbegrünungen kann auch zur Raumklimatisierung und Einsparung der sommerlichen Kühlkosten eingesetzt werden (siehe Detailberechnungen dazu bei Davis u. Hirmer, 2015).

Energetische Einsparungen durch die Verschattung von Oberflächen mittels Kletterpflanzen

Am Physikgebäude der Humboldt Universität Berlin ermittelte Marco Schmidt die Vorzüge der Fassadenbegrünung gegenüber konventionellem Sonnenschutz. Diese Form der Verschattung ist nicht nur wesentlich günstiger sowohl bezüglich der Investitions- wie auch der Betriebskosten. Die Fassadenbegrünung hat auch eine wesentlich bessere Performance im Vergleich zum konventionellen Sonnenschutz gezeigt, in diesem Fall hinsichtlich der Primärenergieeinsparung einer südorientierten Büroraumgruppe nach Messungen in Kombination mit Berechnungen nach IBP:18599 durch IBUS-Architekten (HighTech-Low-Ex, 2014) eine Einsparung von ca. 50 % (Abb. 5.31).

5.1.3 Ergebnisse und Zusammenfassung

In Tabelle 5.8 sind die Ergebnisse der in den Beispielen 1 bis 5 vorgestellten Untersuchungen zusammengefasst. Der Einfluss der Begrünung ist abhängig vom Wandaufbau und von der vorhandenen Dämmung. Auch gut gedämmte Fassaden können mit einem fassadengebundenen Begrünungssystem noch eine beachtenswerte zusätzliche Dämmung erhalten. Das konnte hier eindeutig nachgewiesen werden. Die Herausforderung an die Systemhersteller ist es, diese Erkenntnisse umzusetzen. Wenn die Begrünung einen zusätzlichen Dämmeffekt einbringen soll, sind die planenden Architekten dahingehend gefordert, die Konstruktion so zu wählen, dass im Bereich der Übergänge und der vorgegebenen Formate gute Gebäudeanschlüsse realisiert werden können.

Tabelle 5.8: Zusammenfassung der Ergebnisse aus den Begrünungsvarianten in den Beispielen 1 bis 5

Art der Wandkonstruktion	Veränderung des thermischen Widerstandswerts durch die Begrünungsvarianten	
	Kletterpflanzen	wandgebundene Begrünungen
Vollmauerwerk, massiv	24,3 %	123 %
zweischaliger Wandaufbau mit stehender Luftschicht	16,7 %	45 %
wärmegedämmter, zweischaliger Wandaufbau mit stehender Luftschicht	2,9 %	14 %

Die hier vorgestellten Beispielrechnungen sollen helfen, die Vielzahl von Variablen bei den Fassadenkonstruktionen und die Vielfalt der Begrünungssysteme einzuschätzen. Auch bei gut gedämmten Fassaden sind immerhin noch

Tabelle 5.9: Werte für die Berechnung des Gesamtwiderstands bei der Integration von wandgebundenen Modulen als Instrumente der Gebäudedämmung

Faktor	**Dicke in m**	**Bemessungswert der Wärmeleitfähigkeit der Schicht λ in W/(m · K)**	**thermischer Widerstand R_{LWS} in W/(m · K)**
Kalksandstein	0,105	1	–
Dämmstoff (mineralisch)	0,1	0,035	–
stehende Luftschicht	0,05	0,28	–
wandgebundenes Begrünungssystem	0,20	1	–
Pflanzenschicht	0,15	–[2)]	–
Gesamtdicke	**0,455**	**–**	**–**
innerer Wandwiderstand	–	–	0,13
Widerstand des Kalksandsteins	–	–	0,11
Widerstand des Dämmmaterials	–	–	2,86
Widerstand der stehenden Luftschicht	–	–	0,18
Widerstand des wandgebundenen Begrünungssystems[1)]	–	–	0,20
Widerstand der Pflanzenschicht	–	–	–[2)]
Widerstand der Blätter der Vegetationsschicht[3)]	–	–	0,13
Gesamtwiderstand mit Begrünung	**–**	**–**	**3,61**

1) Annahme: feuchtes Substrat
2) Es gibt keinen Widerstandswert in der Literatur.
3) angepasst an stehende Luftschicht

einige Prozent zusätzlicher Wärmegewinn möglich. Die wandgebundenen Begrünungssysteme schneiden deutlich besser ab als Kletterpflanzen, wobei die hier vorgestellten Berechnungen von einer vollflächigen und gut ausgeführten Begrünung ausgehen.

Durch die Montage einer wandgebundenen Begrünung wird ein zusätzlicher Dämmeffekt erreicht, der auf den Dämmwerten der einzelnen Materialien und den Verdunstungsprozessen der Pflanzen beruht. Die hier gezeigten thermischen Gesamtwiderstandswerte zeigen, dass bei konsequenter Integration von Begrünungssystemen auch bei gut gedämmten Gebäuden noch eine nennenswerte zusätzliche Energieeinsparung erfolgen kann. Da Pflanzen der städtischen Luft gleichzeitig Energie durch den Aufbauprozess der Biomasse, also das Wachstum, entziehen, kann eine Fassadenbegrünung auch noch die sommerliche Wärmeinsel verkleinern. Besondere Beachtung ist den Übergangsbereichen zwischen den Begrünungselementen und den unbegrünten Bereichen zu schenken, um dort keine Wärmebrücken entstehen zu lassen.

Wandgebundene Begrünungen können schließlich Baukosten bei sonst typischen Fassadenmaterialien einsparen und damit auch Kriterien des nachhaltigen Bauens erfüllen (Bouwbesluit, 2021). Dies eröffnet neue gestalterische Möglichkeiten (Abb. 5.32).

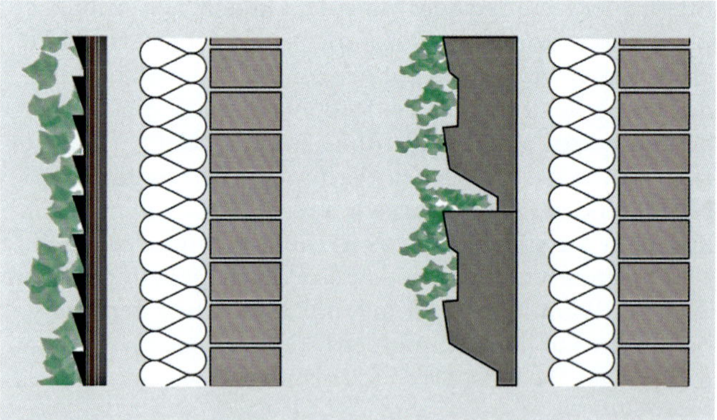

Abb. 5.32: Die Integration von wandgebundenen Begrünungen ermöglicht im Idealfall auch die Einsparung klassischen Fassadenmaterials (Quelle: Ottelé, 2011).

Die Berechnung des thermischen Widerstandswerts zeigte auch für fassadengebundene Pflanzboxen, dass mit immerhin etwa 5 % Energieeinsparung zu rechnen ist (Tabelle 5.9). Das ist bei konsequenter Bauplanung ein weiterer nennenswerter Entlastungseffekt, der den momentan hohen Investitionskosten einer wandgebundenen Begrünung über die volle Nutzungsdauer des Gebäudes gegenübersteht.

Den theoretischen Widerstandswert (*R*-Wert) betreffend, ist für eine nach den aktuellen Regeln der Wärmeschutzverordnung aufgebaute Fassade eine zusätzliche Verbesserung um etwa 5 % möglich (Formel 5.7). Es gilt allerdings, die Begrünungselemente nahtlos in die sonstige Fassadenstruktur zu integrieren. Diese Ersparnis und die reduzierten Kosten sind beim Entscheidungsprozess den sonst hohen Kosten für die alternative Gebäudeaußenhaut gegenüberzustellen:

$$\frac{R_{LWS} - R_T}{R_T} \cdot 100 \Rightarrow \frac{3{,}61 - 3{,}43}{3{,}43} \cdot 100 = 5\ \% \qquad (5.7)$$

mit

R_T Gesamtwiderstand der unbegrünten Fassade

R_{LWS} Gesamtwiderstand der Fassade mit wandgebundener Begrünung

5.2 Bodengebundene Begrünungen

Großflächig mit Kletterpflanzen begrünte Fassaden gehören zum typischen Stadtbild der Gründerzeit vor ca. 100 Jahren. Diese Idee erlebte in den 1980er-Jahren in Deutschland eine Wiederentdeckung, als in vielen Großstädten mit relativ wenig Aufwand etwas gegen das übliche Grau der Innenstädte getan wurde. Allein in Berlin wurden zwischen 1983 and 1997 aufgrund des sogenannten Hofbegrünungsprogramms etwa 245.584 m² Fassaden mit öffentlich geförderten Pflanzen und in Selbsthilfe durch die Bewohner begrünt (Köhler u. Schmidt, 1997). Das Fassadenbegrünungspotenzial, sei es nun die Variante mit Kletterpflanzen oder wandgebundene Begrünungssysteme, ist bei Weitem nicht ausgeschöpft. Die Begeisterung für wandgebundene Begrünungen ist seit der Gartenschau in Karlsruhe endgültig auch in Deutschland angekommen. Die klassische und preisgünstigere Fassadenbegrünung mit Kletterpflanzen profitiert hiervon ebenfalls.

Die Struktur der Kletterhilfe ist gemäß dem Kletterverhalten der Pflanzenart auszuwählen. Eine besondere Herausforderung stellen vor allem Blauregenarten (*Wisteria* sp.) dar. Sie wachsen üppig und entwickeln starke Kräfte, die von stabil verankerten Kletterhilfen abgefangen werden müssen. Die übrigen Kletterpflanzen sind leicht zu dirigieren, sofern jeweils eine zum artspezifischen Kletterverhalten (Schlinger, Ranker oder Spreizklimmer) passende Kletterhilfe ausgewählt wurde (siehe Tabelle 5.12). Zur weiteren Herausforderung, der entsprechenden Verankerung der Arten sind in Kapitel 5.2.3 Prinzipskizzen aufgeführt (siehe Abb. 5.39 bis Abb. 5.41).

Sollen Kletterpflanzen ein Gebäude gleichmäßig und großflächig bewachsen, ist dies einerseits eine Frage der Auslegung von Spalierkonstruktionen, andererseits kann die rechtzeitige Lenkung des jährlichen Triebzuwachses wesentlich zu einem entsprechenden Erfolg beitragen. Großflächige Kletterpflanzen sind im Rahmen der jährlichen Pflege auf die entsprechenden Kletterkonstruktionen zu lenken.

5.2.1 Bautechnische Anforderungen

Bodenraum

Die bodengebundenen Fassadenbegrünungen benötigen vor dem Gebäude einen ausreichend dimensionierten Bodenraum, der Wasser, Luft und Nährstoffe bietet. Diesem sollte vor der Pflanzung verholzender bodengebundener Fassadenbegrünung besondere Beachtung geschenkt werden. Die Aufmerksamkeit gilt vor allem den großformatigen Kletterpflanzen, wie Efeu, Blauregen oder Wildem Wein. Der Keller- und Sockelbereich moderner Gebäude ist gedämmt und durch einen Bitumenanstrich o. Ä. vor Durchfeuchtung geschützt. Die DIN 18195-4 „Bauwerksabdichtungen – Teil 4: Abdichtungen gegen Bodenfeuchte (Kapillarwasser, Haftwasser) und nichtstauendes Sickerwasser an Bodenplatten und Wänden, Bemessung und Ausführung" (2011) regelt die Anforderungen an die Gebäudeausführung. Weiter sind die Normen DIN 18915- „Vegetationstechnik im Landschaftsbau – Bodenarbeiten" (2018) und DIN 18916 „Vegetationstechnik im Landschaftsbau – Pflanzen und Pflanzarbeiten" (2016) zu beachten.

Da trotzdem in den letzten Jahren einige Schwierigkeiten auftraten, wurde hierzu eine eigene FLL-Richtlinie auf der Grundlage der FLL-Richtlinie Fassadensockelputz/Außenanlage (2004) aus Baden-Württemberg erarbeitet (FLL-Empfehlung für Planung, Bau und Instandhaltung von Übergangsbereichen von Freiflächen zu Gebäuden, 2012). Gemäß Empfehlung sollten 2 Grundsätze beachtet werden, um einen möglichen Schaden im Sockel- und Kellerbereich auszuschließen:

- Das Wasser ist vom Haus wegzuführen.
- In einem gebührenden Abstand zum Haus ist im Wurzelraum ein geeignetes Substrat für die Pflanzung anzubieten, damit die Wurzeln weg vom Haus in Richtung feuchte und durchwurzelungsfähige Schichten wachsen (Abb. 5.33).

Die FLL-Empfehlungen für Baumpflanzungen – Teil 2 (2010) nennen 1 m³ durchwurzelungsfähiges Substrat einschließlich Gießring als anzustrebendes Bodenvolumen. Dies ist sinngemäß zu übertragen.

Die Baumscheibe der Kletterpflanze ist im Grunde eine einseitige Pflanzgrube. Das durchwurzelungsfähige Material sollte so aufgelockert werden, dass es Anschluss an den gewachsenen Boden erhält. Geschickt ist es, ein durchlässiges und verdichtungsfähiges Spezialsubstrat für die Pflanzgrube zu verwenden, das eine Durchwurzelung unterhalb befestigter Wegbeläge erlaubt. Produkte aus Hochofenschlacken bieten hier Möglichkeiten. Abb. 5.33 umfasst im Grunde 3 Substrattypen, die vor der Abgrenzung des umlaufenden Kiesstreifens die Wurzeln weg vom Gebäude lenken sollen:

- der anstehende Boden auf der Baustelle, der zur Verbesserung des Kontakts aufgelockert werden sollte (4),
- das durchlässige und gut durchwurzelfähige Pflanzsubstrat mit Trag- und Verdichtungsfähigkeit (5) und das Bettungsmaterial des Wegebaus (6),
- das unter gewissen Umständen auch durch Pflanzsubstrat (5) ersetzt werden kann. Dieses Material hat eine dem Haus abgewandte Drainwirkung, was für zusätzliche Sicherheit sorgt.

Weiter sind mögliche Kollisionen der Wurzeln mit Leitungen, die im Straßenraum liegen bzw. in das Haus geführt werden, gemäß DIN 1998 „Unterbringung von Leitungen und Anlagen in öffentlichen Verkehrsflächen – Richtlinie für die Planung" (2018) zu beachten.

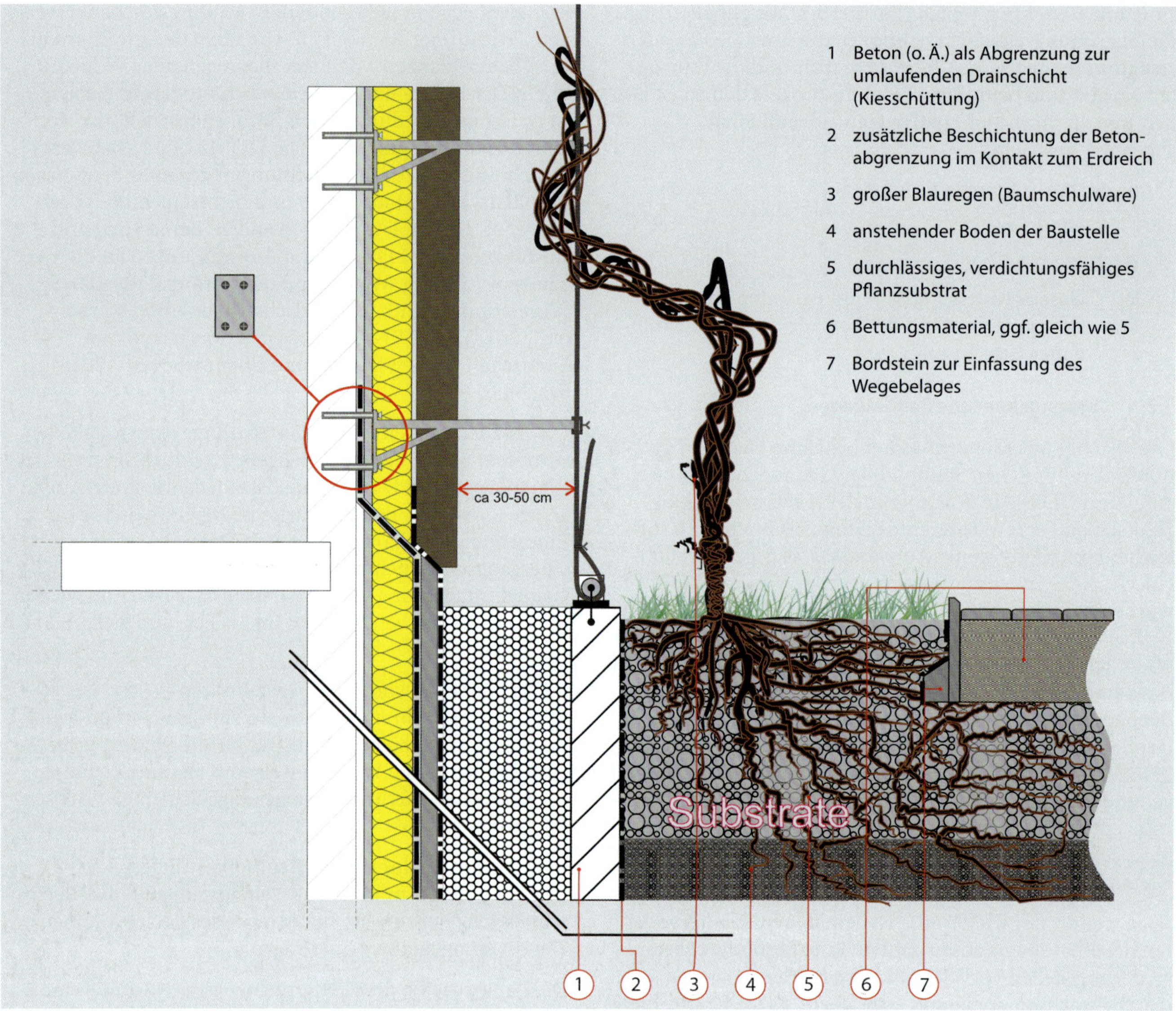

Abb. 5.33: Nicht maßstäbliche Skizze des Wurzelbereichs in Sockelnähe eines Blauregens

Die Baumscheibe der Kletterpflanze ist häufig durch die Verkehrsflächenbefestigung bis an den Wurzelhals eingeengt. Für die Verknüpfung von Verkehrswegeflächen vor dem Gebäude und Pflanzflächen sind die Normen VOB/C ATV DIN 18315 „Verkehrswegebauarbeiten – Oberbauschichten ohne Bindemittel" (2012) und VOB/C ATV DIN 18316 „Verkehrswegebauarbeiten – Oberbauschichten mit hydraulischen Bindemitteln" (2012) zu beachten.

Verankerung an der Fassade

Mehrstöckige Kletterpflanzenbegrünungen müssen fachgerecht im tragenden Kern des Mauerwerks verankert werden. Je nach Ausführung der Fassade ist hier eine geeignete Verankerung zu finden. Bei einer Vollziegelwand oder einer massiven Wand, etwa aus Beton, ist dies kein Problem. Die immer stärker werdenden Packungen aus Dämmmaterialien machen die Verankerung schwieriger, aber nicht unmöglich. Einerseits bedeutet die Fassadenbegrünung einen Schutz gegenüber Niederschlag und Immission und bietet eine zusätzliche Wärmedämmung. Andererseits können die Verankerungsteile zu Wärmebrücken werden. Dieses gilt es durch sachgerechte Ausführung zu verhindern.

Praxistipp

Es gilt, bereits in der Planungsphase ausreichend Verankerungspunkte so aus der Fassade herauszuziehen, dass die Kletterhilfen problemlos angebaut werden können. Daher sollten bereits frühzeitig Absprachen zwischen dem Architekten und dem Gebäudebegrüner stattfinden, um für die beabsichtigten Fassadenmaterialien die richtige Verankerung zu wählen.

Bei nachträglich zu montierenden Begrünungen setzt die erhebliche Stärke von Dämmschichten Grenzen. Die Dämmmaterialien müssen mittels Stockschrauben oder Wandankern so weit durchdrungen werden, dass die Verankerungen ausreichenden Halt im tragenden Kern der Fassadenkonstruktion haben. In Kapitel 5.2.3 werden mehrere Varianten in Verbindung mit entsprechenden Kletterhilfen beschrieben.

Die Verankerungsteile benötigen eine baurechtliche Zulassung für die entsprechende Fassade. Eine besondere statische Belastung stellen Gerüstkletterpflanzen der Gattung *Wisteria* (Blauregen) dar (Abb. 5.34). Eine entsprechende Zugentlastung ist einzuplanen. Bei alten Kletterpflanzen können zudem erhöhte Windlasten auftreten. Diese sind für das jeweilige Projekt abzuschätzen (vgl. DIN EN 1991-1-4 „Einwirkungen auf Tragwerke – Teil 1-4: Allgemeine Einwirkungen – Windlasten" [2010]).

Abb. 5.34: Enorme Zugkräfte, vor allem bei Blauregen ab 10 Jahren Standzeit, können auch Volledelstahlprofile verformen und ggf. aus der Verankerung reißen.

Praxistipp

Vor allem bei Blauregen (*Wisteria*) können Punktlasten auftreten, die bei mehrstöckigen Begrünungen relevant werden können. Es ist etwas schwierig, die Werte als Flächenwerte anzusetzen, da die Last auf den Verankerungsteilen zusammengeführt wird. Hierbei verteilt sich die Belastung jeweils auf die unteren bzw. oberen Befestigungsteile. Die Zahl setzt sich aus den Pflanzenteilen, dem maximalen Gewicht mit Blättern nach Niederschlagsereignissen und möglichem seitlichem Starkwind zusammen. Nach Erfahrungen von Brandwein (2012) mit Kletterhilfen sollten bei Blauregen bis zu ca. 55 kg (oder 0,55 kN) pro Höhenmeter angesetzt werden. Als Extremwert kann bei maximaler Windstärke, mehrgeschossiger Begrünung und jahrzehntealtem Blauregen die doppelte Größenordnung angesetzt werden. Auch wenn es hierfür noch keine eindeutige Vorschrift gibt, zeigen viele Praxisbeispiele, dass die Kräfte in der Regel unterschätzt werden. Starke Verankerungen einerseits und eine nachjustierbare Zugentlastung andererseits dienen der Schadensvorbeugung.

Abb. 5.35: Dieser Efeu musste mithilfe geeigneter Technik zurückgeschnitten werden, um ein Unterwachsen der Dachkonstruktion zu verhindern.

Mehrere Gründe sprechen dafür, bei einer Sanierung eines Gebäudes Balkone mit Fassadenbegrünungen zu errichten. Beim nachträglichen Einbau ist Folgendes zu beachten:

- die Verankerungstiefe, die spätestens bei 48 cm begrenzt ist, weil große Längen große Querschnitte der Tragarme und damit eine starke Durchdringung der gedämmten Fassadenhüllen bedeuten würden;
- die Schwierigkeiten, die die Montage nachträglich im Einzelnen bereitet;
- der erhebliche Preis für die Befestigungsteile.

Auf diesem Wege kann auch die erforderliche Erreichbarkeit zur regelmäßigen Pflege besser geregelt werden.

Sichere Erreichbarkeit von Begrünungselementen

Sowohl der Montageaufwand als auch der regelmäßige Pflegebedarf einer wandgebundenen Begrünung sind erheblich größer als der einer bodengebundenen Begrünung mit Kletterpflanzen. Bei vielen fassadengebundenen Systemlösungen sind stabile Pflanzboxen aus Metall an der Fassade zu befestigen. Die meisten sind so dimensioniert, dass das Einhaken in eine Befestigungsschiene von 2 Personen geleistet werden kann. Gefäße unterschiedlicher Hersteller sind etwa 60 cm × 100 cm groß, je nach Ausführung variieren die Gewichte zwischen 30 und 40 kg. Die Schwierigkeit beginnt dann, wenn diese Gefäße in Schienen eingehängt werden müssen, die vom Gerüst aus nur schwierig zu erreichen sind. Besonders schwierig gestalten sich Installationen an wandgebundenen Systemen dann, wenn mit relativ schweren Modulen gearbeitet wird. Ein möglicher Austausch von Bewässerungsanschlüssen an den Eckpunkten der Fassadenkonstruktion ist nur von entsprechend aufwendigen Gerüsten aus sicher zu erledigen.

Es ist abzuschätzen, wie diese mehr oder weniger flächigen Begrünungen in der Bauphase von einem Gerüst oder einer Hubarbeitsbühne zu installieren sind. Hierfür ist eine Gefährdungsbeurteilung durch einen Projektgesundheitskoordinator abzugeben. Sicheres Arbeiten über einer Höhe von 2 m erfordert ein sicheres Gerüst. Es sind die TRBS 2121 „Technische Regeln für Betriebssicherheit – Gefährdungen von Beschäftigten durch Absturz – Allgemeine Anforderungen" (2018) zu beachten.

Auch für die regelmäßige Pflege von Kletterpflanzen, insbesondere gärtnerische Schnittarbeiten, die an der Fassade durchzuführen sind, muss ein Zugang mittels sicherer Arbeitsflächen, z. B. Hubsteigern, möglich sein (Abb. 5.35). Neben den Kosten sind Möglichkeiten einzuplanen, wo entsprechende Geräte vor dem Gebäude abgestellt werden können. Besonders bieten sich hier Feuerwehrzufahrten an.

Mindestens ein Termin pro Jahr sollte bei starkwüchsigen Pflanzen berücksichtigt werden.

Die aktuell gültigen Bestimmungen sind den FLL-Fassadenbegrünungsrichtlinien (2018) zu entnehmen.

Tabelle 5.10: Unterteilung der Kletterpflanzen gemäß ihrem Klettermodus

Klettermodus	Beispielarten	mittlere max. Höhe (m)	Besonderheiten	Abbildungsverweis
Selbstklimmer	Efeu (*Hedera helix*)	20	wächst negativ fototroph; kann also mit den Triebspitzen wachsen hinter Fassadenmaterialien und damit Bauschäden auslösen; Alter der Pflanzen: mehr als 100 Jahre	Abb. 5.1, Abb. 5.2
	Wilder Wein (*Parthenocissus tricuspidata*)	20	häufigster Selbstklimmer in Deutschland, für alle Klimalagen geeignet; ab ca. 100 Jahren in den unteren Pflanzenteilen stark verkahlend	Abb. 5.36, Abb. 5.37
	Trompetenwein/-winde (*Campsis radicans*)	10	an sonnigen Standorten üppige orangefarbene Blüten möglich; besonders in Weinregionen oder geschützten Innenstädten zu empfehlen	
üppige Gerüstkletterpflanzen	Blauregen (*Wisteria sinensis:* linkswindend, *Wisteria floribunda:* rechtswindend)	20	braucht sehr starke Kletterhilfen, die nach Jahren gelocckert werden können	Abb. 5.4, Abb. 5.44
Spreizklimmer	Kletterrosen – div. Arten	bis 10	einfache Konstruktionen, meist nur im Erdgeschossbereich	
Schling- Windepflanzen	Waldrebe (*Clematis*), div. Arten, Geißblatt (*Lonicera*), div. Arten, Pfeifenwinden (*Aristolochia macrophylla*)	5 bis 10	diverse Abstände an Spalieren und Kletterhilfen möglich; auf Langlebigkeit der Seilkonstruktionen achten	
kurzlebige, z.T. dekorative Kletterpflanzen	Hopfen (*Humulus lupulus*) Kapuzinerkresse (*Tropaeolum majus*) Prunkwinde (*Ipomoea tricolor*)	bis 5	einfache Seilkonstruktion ausreichend	

5.2.2 Pflanzenauswahl

In Deutschland beschränkt sich das Angebot von Kletterpflanzen, die in der Lage sind, großflächig ohne Kletterhilfen zu wachsen (Selbstklimmer), überwiegend auf Arten der Gattungen Efeu und Wilder Wein. Daneben gibt es eine Reihe von Gerüstkletterpflanzen, die sich wiederum nach ihren Klettermodi unterscheiden lassen (Tabelle 5.10). Insgesamt stehen in der heimischen Flora sowie im gärtnerischen Sortiment etwa 30 bis 50 verholzende Kletterpflanzen zur Verfügung. Nur wenige Arten sind in der Lage, Gebäude großflächig und gleichmäßig zu bewachsen.

Es liegen nur wenige Arbeiten vor, bei denen über Jahre das Wuchsverhalten von Kletterpflanzen ausgewertet wurde. In Tabelle 5.11 sind die Erfahrungswerte des Projekts Berlin-Adlershof zusammengestellt. Im Test waren 6 Kletterpflanzen in Pflanzkübeln bzw. zusätzlich ebenerdig gepflanzt. Die Auswertung bezieht sich auf den Zeitraum 2002 bis 2010.

Im Forschungsprojekt Paul-Lincke-Ufer in Berlin wird in einem Hinterhof seit 1985 jährlich die Vegetationsentwicklung von Wildem Wein erfasst. Die hier verwendeten 4 Pflanzen des Wilden Weines hatten nach etwa 5 bis 10 Jahren die Traufhöhe von 22 m erreicht (Abb. 5.36).

Die Pflanzen bilden seitdem an diesem Gebäude einen dichten Pflanzenpelz, der sich positiv auf die Optik des Gebäudes, das Mikroklima und die Schalldämpfung auswirkt. Ab dem Jahr 15 nach der Pflanzung setzte allerdings eine Verkahlung der unteren Etage ein, die ab dem Jahr 25 nach der Pflanzung dazu führte, dass das Erdgeschoss zu etwa 50 % pflanzenfrei ist. Der Zuwachs erfolgt jetzt im Traufbereich (Abb. 5.37). Die Pflegekosten seit 1985 lagen

Abb. 5.36: Begrünung mit Wildem Wein in Berlin-Kreuzberg aus dem Jahr 1985, hier der Zustand im Jahr 2011. Flächig bewachsen sind die Wände nach etwa 5 Jahren.

Abb. 5.37: Die ehemaligen Pflanzkübel an den Fassaden sind noch vorhanden und intakt, aber komplett überwachsen. Der Neuzuwuchs findet nun, nach etwa 25 Jahren, überwiegend in den oberen Lagen statt.

Tabelle 5.11: Erfahrungswerte mit ausgewählten Kletterpflanzen in Pflanzkübeln aus dem Projekt „Physikgebäude Berlin-Adlershof" (ergänzt nach Reichmann et al., 2010)

Pflanzenart	Einschätzung der Entwicklung	Zuwachs im Beobachtungszeitraum 2002–2010 (m)	Anmerkungen
Blauregen (*Wisteria sinensis*, aber auch *Wisteria floribunda*)	schnelles Wachstum, schöne Blüten schon vom ersten Pflanzjahr an	10 bis 20	Zuwachs im ersten Jahr: 4 bis 6 m; nach 3 Jahren etwa 70 % Flächenbedeckung durch die Pflanzen; im extrem kalten Winter 2010/2011 Erfrierungen in einigen Pflanzkästen; beeindruckender Habitus; jährlich attraktive Blüten
Amur-Strahlengriffel (*Actinidia kolomikta*)	langsames Wachstum	bis 3	geeignet bis 3 m Höhe; empfindlich gegenüber Trockenheit
Trompetenwinde (*Campsis × tagliabuana*)	geringer jährlicher Zuwachs; nur geschützte Lagen; kalten winterlichen Ostwind abschirmen	4 bis 5	attraktive Blüten; besser im Weinbauklima geeignet
Weinreben (*Clematis paniculata*, *C. orientalis*, *C. tangutica*)	langsamer Wuchs; filigranes Aussehen; empfindlich gegenüber Schadinsekten	bis 3	gut für Höhen von 3 m; aufmerksame gärtnerische Pflege im Hinblick auf Düngung und Pflanzenschutz ratsam
Kletterhortensie (*Hydrangea petiolaris*)	attraktive Pflanzen; langsames Wachsen; knorrige Pflanzenstruktur	3 bis 6	rechtzeitiger Einsatz gegen Schadinsekten, z. B. Rüsselkäferlarven, ratsam
Rostrote Weinrebe (*Vitis coignetiae*)	hoher gestalterischer Wert (wie alle Weinarten), allerdings keine flächige Bedeckung möglich	max. 3	geschützte Lagen bevorzugen, d. h. vor allem kalten, trockenen winterlichen Ostwind abhalten; Erfahrung mit dem richtigen Schnitt erforderlich

für die Kletterpflanzen in diesem Projekt nahezu bei null. Jetzt wäre es an der Zeit, vom Erdgeschoss aus nachzupflanzen. Zwei Pflanzphasen bedeuten eine komplette Versorgung für den typischen Lebenszyklus von etwa 40 Jahren, wie er heute üblicherweise für Neubauten angenommen wird.

Praxistipp

Gerüstkletterpflanzen eignen sich für die langfristige Unterstreichung von Bauwerksqualitäten durch Akzentsetzung mit blühenden Kletterpflanzen, etwa Kletterrosen (Abb. 5.38).

In subtropischen und tropischen Klimaten stehen viele Kletterpflanzen zur Auswahl. Allerdings halten die jeweiligen lokalen Baumschulen meist nur ein sehr eingeschränktes Angebot bereit. Eine breite Sortenvielfalt wird von Bougainvillea angeboten; mit deren Farbabstufungen wird etwa in Singapur sehr bewusst gepflanzt. Gute Übersichten zum Spektrum tropischer Kletterpflanzen bietet CUGE (Center Urban Greenery and Ecology) in Singapur. Dort wurden auch entsprechende Eignungstests für Kletterpflanzen durchgeführt.

Abb. 5.38: Die Bepflanzung mit ausgewählten Rosen sollte den Villencharakter eines Hauses in der Schweiz seinerzeit unterstreichen und keine vollflächige Begrünung bilden. Das ist nach Rücksprache mit dem Eigentümer nach über einem Jahrzehnt immer noch zu voller Zufriedenheit erfüllt. Die GFK-Kletterhilfen und Befestigungen der bodengebundenen Begrünung sind auch nach mehr als 10 Jahren noch voll funktionstüchtig. (Quelle: T. Brandwein, 2019)

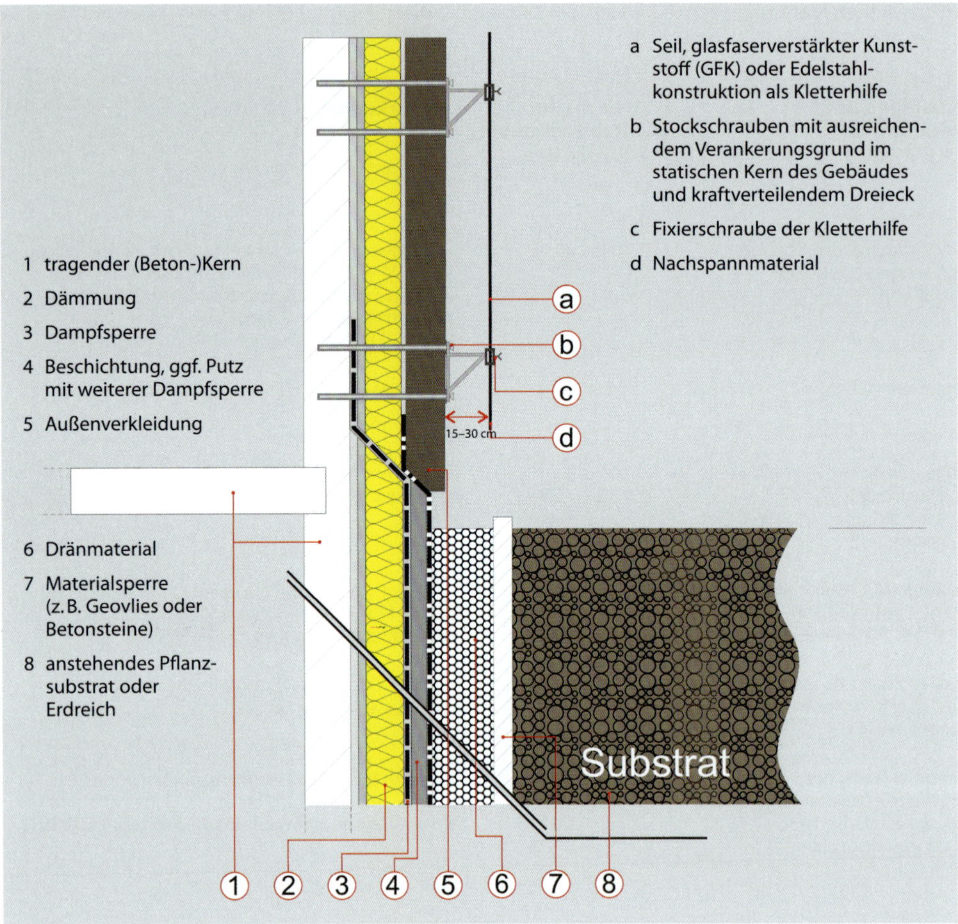

Abb. 5.39: Prinzipskizze eines zweischaligen Mauerwerks mit Dämmlagen und einem nachträglich montierten Tragearm, der mit Stockschrauben im tragenden Ker verankert wird

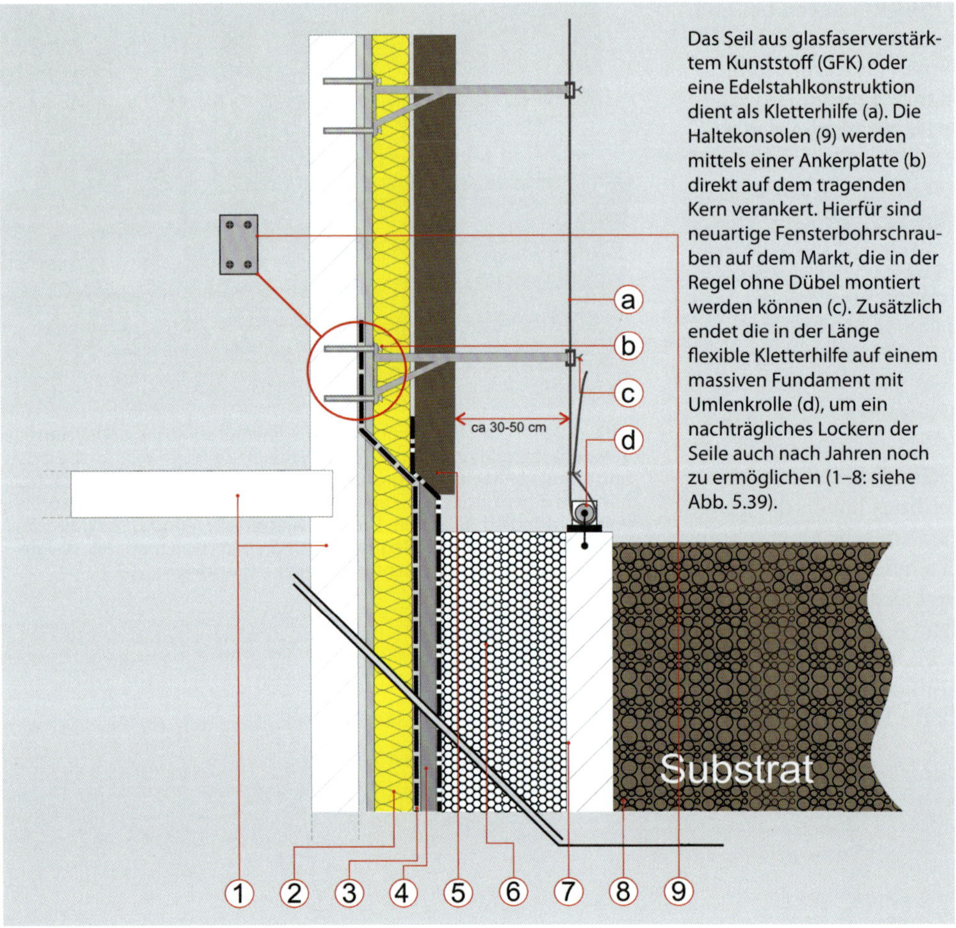

Abb. 5.40: Prinzipskizze für die Veranke rung von Blauregen (*Wisteria sinensis*), de starkwüchsigsten Kletterpflanze

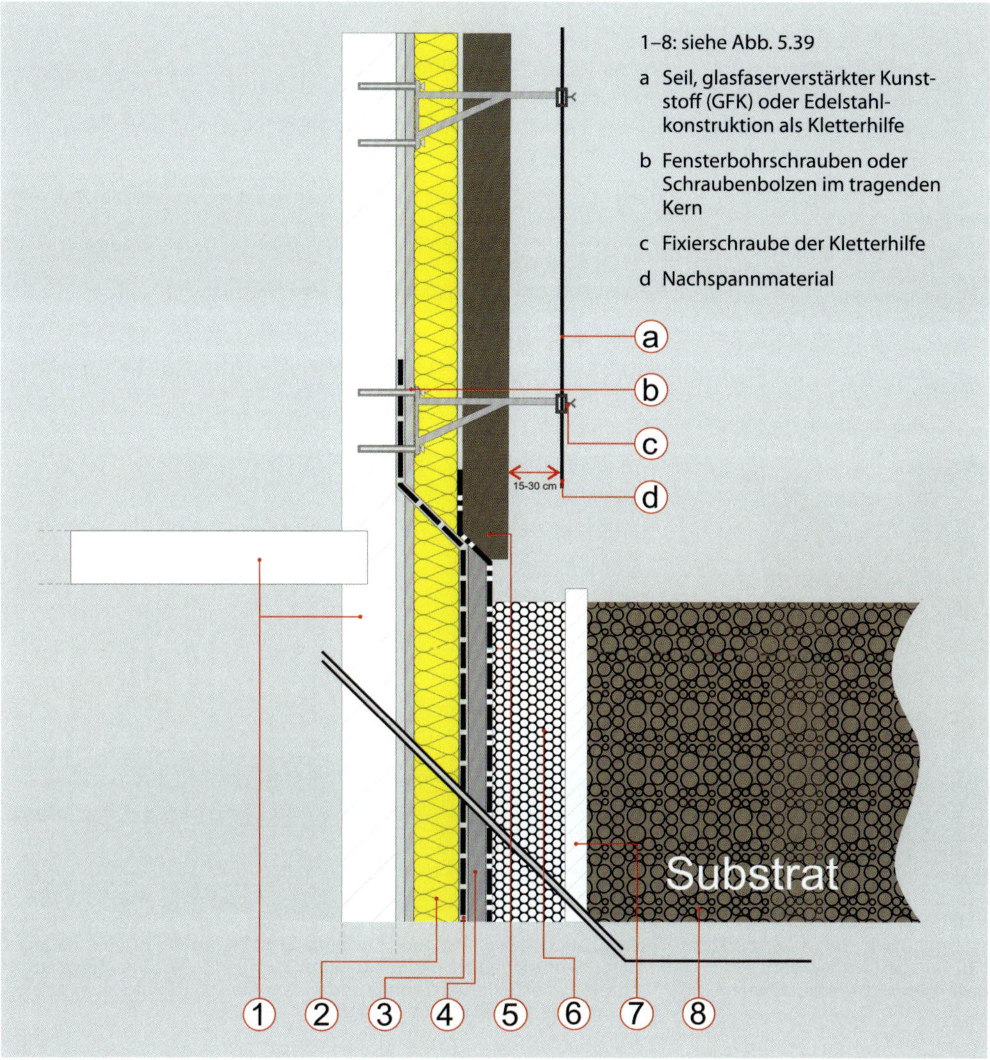

Abb. 5.41: Prinzipskizze eines zweischaligen Mauerwerks mit Dämmlagen und einer Tragekonstruktion, die in der Bauphase im tragenden Kern verankert wurde

5.2.3 Kletterhilfen und ihre Verankerung

Verankerung

Bei einer typischen Begrünung mit Kletterpflanzen sind die Kletterstrukturen kostenträchtige Aufwendungen.

Die Herausforderung bei den Kletterpflanzen liegt in der sicheren Verankerung der Haltepunkte in der Wand (siehe Kapitel 5.2.1). Eine typische moderne Fassade ist meist als vorgehängte hinterlüftete Fassade ausgebildet. Soll die Halterung einer Begrünung nachträglich verankert werden, kann es sein, dass vor Erreichen des tragenden Kernes Dämmschichten von 12 bis 24 cm Stärke sowie die Luftschicht und die Außenverblendung zu durchdringen sind. Bohrtiefen über 30 cm sind auch mit Stockschrauben, die vom Deutschen Institut für Bautechnik (DIBT) zugelassen sind, nur knapp zu überwinden (Abb. 5.39).

Besser ist es, eine entsprechende Bolzentechnik direkt auf dem tragenden Kern zu verankern und einen Tragarm entsprechend nach außen zu führen (Abb. 5.40). Die hierfür eingesetzten Verankerungselemente müssen aus Edelstahl (A4) bestehen und für den Anwendungsfall zugelassen sein. Zwingend erforderlich ist immer das Einhalten von Achs- und Randabständen der Verankerungselemente. Diese sind den jeweiligen Zulassungen zu entnehmen.

Eine weitere Lösung ist in Abb. 5.41 dargestellt. Bei Neubauten sind die konstruktiven Teile der Kletterhilfe unterhalb der Dämmung zu montieren und entsprechend mit Dämmstoff einzupacken. Pflanzen, die bodennahe, lichtfliehende Triebe ausbilden, wie etwa Efeu, stellen unter Umständen ein Problem dar, denn sie können die Dämmung hinterwachsen.

Tabelle 5.12: Vergleich typischer Materialien für Kletterhilfen

Material	Format	Haltbarkeit	Kosten	Einschätzung
Holz	Eckprofile, Rundstäbe	kurz bis mittelfristig	gering	für kleinformatige Begrünungen mit Schlingern
Metall	diverse Formate, meist vorgefertigt	mittelfristig	mittel	für viele Kletterformen geeignet, vorgefertigt, Auswahl der Gitterabstände gemäß Pflanzenart auszuwählen (häufig falsch dimensionierte Gitterraster)
glasfaserverstärkter Kunststoff (GFK)	individuelle Profile möglich	lang	mittel bis hoch	Anpassung an die verschiedenen Pflanzenarten möglich
Edelstahl	Stäbe, Seile, individuelle Netze	lang	mittel bis hoch	voll flexible Gestaltungsmöglichkeiten, kann gleichzeitig Fallschutz bieten

Abb. 5.42: 3-D-Ansicht für ein Kletterpflanzenraster. Die Abstände des Rasters können in Edelstahl flexibel ausgeführt werden. Der Abstand richtet sich nach der ausgewählten Kletterpflanzenart.

Abb. 5.43: Die langfristig haltbare GFK-Kletterhilfe ist eine dauerhafte Grundlage für vollflächige Begrünungen. Allerdings ist eine automatisierte Bewässerung für den langfristigen Erfolg zu empfehlen. (Quelle: T.Brandwein, 2022)

Abb. 5.44: Beispiel eines flexiblen Edelstahlnetzes für Kletterpflanzen auf der Expo in Schanghai 2010

Kletterhilfen

Die Kunst bei der Auswahl der richtigen Kletterhilfe liegt einerseits in der Materialwahl und andererseits im richtigen Verhältnis zwischen senkrechten und waagerechten Strukturen und im richtigen Rastermaß dieser Felder (Abb. 5.42). Sehr häufig werden auch bei Blauregen die waagerechten Strukturen vergessen. Aber nur mit diesen kann der jährliche Zuwachs von mindestens 1 m auch flächig dirigiert werden.

Die Abb. 5.43 zeigt ein GFK-Praxisbeispiel aus der der ersten Auflage des Buches nach über zehn Jahren. An der Kletterhilfe sind keine Schäden zu verzeichnen, allerdings führte die angrenzende bauliche Nachverdichtung zu einer weiteren Verschlechterung der Wasserversorgung im Boden. Die Pflanzen starben wegen Trockenheit ab. Es musste im Jahr 2022 komplett nachgepflanzt werden. Die Erfahrung hieraus ist, dass angesichts zu erwartender weiter zunehmender Trockenphasen in Sommerzeiten, zukünftig Bewässerungen einzuplanen, auch wenn diese dann nur situationsbedingt angeschaltet werden.

Ausdauerndes Material, etwa Stangen aus glasfaserverstärktem Kunststoff (GFK) oder Edelstahlnetze (Abb. 5.44), erfüllen die Forderung nach einer dauerhaften und wartungsarmen Lösung für die Gebäudeoberfläche (Abb. 5.45). Holzkonstruktionen sind in der Regel nach etwa 10 Jahren auszutauschen (Tabelle 5.12). Dann sind die Pflanzen gerade gut entwickelt. Auf die Nutzungsdauer des Gebäudes bezogen ist die Holzkonstruktion damit teurer als dauerhafte Lösungen.

Beim Neubau stellen die oberirdischen Triebe des Blauregens – Abb. 5.46 zeigt eine Blüte – eine größere Herausforderung dar. Sie sollten erst relativ hoch, also über 1 m, an die Kletterhilfe geführt werden. Die Triebe sind S-förmig einzeln den unterschiedlichen Kletterhilfesträngen zuzuführen, um damit einer „Selbsterdrosselung“ der Pflanzen vorzubeugen.

Abb. 5.45: Stabile Rankhilfe, bei der Sanierung eines Plattenbaus integriert

Abb. 5.46: Blüte des Blauregens (*Wisteria*)

Abb. 5.47: Hier wurde die Kletterhilfe dreifach ausgeführt.

Entscheidend für die Haltbarkeit sind die richtigen Verankerungsteile. Eine Nachspannmöglichkeit sollte in jedem Fall gewährleistet sein, da Pflanzen über Jahre eine erhebliche Spannung auf der Konstruktion aufbauen können (siehe Abb. 5.39 bis Abb. 5.41). Die Kletterhilfen können gleichzeitig als Geländer, Einbruchsicherung o. Ä. ausgebildet sein. Das senkt im Grunde Kosten, die sonst ausschließlich den Kletterpflanzen zugeordnet würden.

Blauregen stellt die größte Herausforderung an eine langfristig sichere Befestigung dar. In Abb. 5.47 ist ein Praxisbeispiel aus Hamburg gezeigt, bei dem 3 verschiedene Kletterhilfen parallel verwendet und schließlich noch mit einem Seil zusätzlich in Form bandagiert wurden.

5.3 Wandgebundene Begrünungen

Bei wandgebundenen Begrünungen – auch Living Walls oder vertikale Gärten genannt – handelt es sich um Pflanzmodule, etwa Kästen, Platten oder poröse Platten, die an einer Fassade angebracht sind. Die klassische Fassadenbegrünung ist im deutschsprachigen Raum meist mit der Wuchsform der Kletterpflanzen verknüpft. Wandgebundene Begrünungen eröffnen mit modularen Trägerplatten die Verwendung nahezu aller pflanzlichen Wuchsformen. Sie können sowohl in Gebäuden als auch außen montiert werden und bieten sogar die Möglichkeit, bei wenig Platzverbrauch in Doppelglasschichten integriert zu werden.

Die Begeisterung für wandgebundene Begrünungen ist groß. Nüchtern betrachtet, verwundert es sehr, dass eine offenkundig teurere Bauweise, die neben einer hohen Anfangsinvestition nur langfristig zu erhalten ist, wenn ausreichend hohe Folgekosten eingeplant werden, so viel Aufmerksamkeit erreichte. Die große Aufmerksamkeit, die Gebäude nicht zuletzt durch die wandgebundenen Begrünungssysteme erhielten, rechtfertigt wiederum die entsprechenden Investitionen. Der Markt für diese hochpreisige und individuelle Art von Begrünungen ist daher vor allem bei repräsentativen Bauten in Eingangshallen oder an Plätzen mit viel Publikumsverkehr zu suchen.

Fassadenbegrünungen können als neues Element des Landschaftsbaus gewertet werden. Ein gewisser Schwerpunkt zur Entwicklung dieser Technik lag um 2010 in Frankreich und den Niederlanden. Die Gründe hierfür sind vielfältig: das etwas mildere Klima, die Tradition, mit automatisierter Bewässerungstechnik zu arbeiten, oder auch die weniger strengen Regelungen, was das Bauen angeht. Der Franzose Patrick Blanc gilt als Pionier der fassadengebundenen Begrünungen. Die realisierten Entwürfe von Blanc (2008) setzten auf die pflanzliche Vielfalt. Bodendeckende Pflanzen vertikal zu sehen, bedeutet eine neue Wahrnehmung von Vegetation. Seine spektakulären Installationen haben das Interesse an dieser Technik erweckt. Mittlerweile gibt es von Patrick Blanc Projekte auf allen Kontinenten (Blanc, 2012). Die ersten Architekten, die diese Technik anwandten, mussten diese Sonderbauteile individuell berechnen. Wenn es die wandgebundenen Begrünungen vom genehmigungsrechtlichen Einzelfall hin zu einem baurechtlich zugelassenen Bauteil schaffen, könnte sich das positiv auf die Verbreitung dieser Technik auswirken. Die Zeit ist heute reif für mehr Grün an Fassaden. Der Pionier Stanley H. White, der am 5. April 1938 eine Patentschrift mit dem Titel „Vegetation bearing Architectonic structure and System" (White, 1938) beantragte, war seiner Zeit weit voraus.

Dennoch geht die Einführung in Deutschland zögerlich voran. Noch liegt der Verbreitungsschwerpunkt in subtropischen und tropischen Ländern. Singapur (Wong et al., 2010b) war die erste Stadt, die an 10 vorgefertigten Betonrahmen von Firmen ihre Produkte installieren und diese dann über 12 Monate hinsichtlich einer Reihe von Faktoren untersuchen ließ. Hieraus wurden Erkenntnisse zur Eignung für den Stadtstaat Singapur abgeleitet. Aktuell gibt es weitere, nun auch langfristig angelegte Versuchsanlagen in anderen Klimaten. Hervorzuheben seien hier das British Columbia Institute of Technology (BCIT) in Vancouver, die Universität für Bodenkultur (Boku) in Wien und die Hochschule Neubrandenburg.

Für eine umfassende Beurteilung in Deutschland liegen noch zu wenige Erfahrungen vor. Die mehrjährigen Erfahrungen

Abb. 5.48: Vancouver – im Stadtgebiet sind bereits mehrere fassadengebundene Begrünungen installiert. Hier eine „Moorbeetpflanzung" mit Farnen und Scheinbeere (*Gaultheria procumbens*).

Abb. 5.49: Beispiel einer modularen wandgebundenen Begrünung mit austauschbaren Metalleinheiten an der Hochschule Neubrandenburg im ersten Jahr

in anderen Ländern, z. B. in Kanada (Abb. 5.48), sind zwar nicht direkt auf Deutschland übertragbar, aber gewisse „Kinderkrankheiten" müssen hier nicht wiederholt werden.

Die eigenen Beobachtungen konzentrierten sich zunächst auf die einfacheren Kübelbegrünungen, etwa am Paul-Linke-Ufer in Berlin, die seit 1985 bis heute bestehen (siehe Abb. 5.36), dann auf die gut dokumentierten Untersuchungen am Physikgebäude Berlin-Adlershof (siehe Abb. 5.4). Zwischen 2011 und 2019 wurden umfassende Untersuchungen am Standort Neubrandenburg durchgeführt.

Die kompletten Ergebnisse sind veröffentlicht (Köhler, 2008a, Köhler u. Nistor, 2015). Am Beispiel bereits realisierter Objekte soll der Stand dieser Begrünungsart umrissen und dazu ermutigt werden, die Technik der Fassadenbegrünung weiterzuentwickeln, um z. B. Neubaugebiete mit einer neuen Form von Gebäudebegrünung aufzuwerten.

Bis zum Ende des Jahres 2011 gab es in Deutschland vielleicht 10 realisierte Projekte für wandgebundene Außenbegrünungen. Nicht nur in Form der Demonstrationsanlagen auf Gartenschauen von der IGS in Hamburg bis zur BUGA 2021 in Erfurt ist ein großes Interesse für die Wandbegrünungen zu sehen. In Frankreich werden nach Lassalle (2012) jährlich bereits ca. 9.000 m^2 wandgebundene Begrünungen installiert. Auch in Innenräumen wird diese Technik immer beliebter, da im Vergleich zur klassischen Innenraumbegrünung kein nennenswerter Platz in der Horizontalen benötigt wird. Der Bundesverband GebäudeGrün e. V. (BuGG) hat in seinem Marktreport durch Befragung der Anbieter ermittelt, dass zwischen den letzten beiden Jahren bei den wandgebundenen Begrünungen fast eine Verdoppelung der realisierten Begrünungsfläche von 5.000 auf ca. 10.000 m^2 erfolgt ist (BuGG-Marktreport Gebäudegrün, 2021). Bei den Kletterpflanzenbegrünungen (nur Begrünungen mit Kletterhilfen) umfasste die realisierte Begrünungsfläche im Jahr 2020 ca. 45.000 m^2.

5.3.1 Vergleich der Möglichkeiten und Grenzen von wandgebundenen mit bodengebundenen Begrünungen

In Tabelle 5.13 sind wesentliche Aspekte der bodengebundenen und der wandgebundenen Begrünung einander gegenübergestellt. Eigene Tests in nunmehr 2 Vegetationsphasen ermöglichen die grundsätzliche Einschätzung, dass es keine prinzipiell zu bevorzugende Bauweise für fassadengebundene Begrünungen gibt. Eine Entscheidung für die eine oder andere Variante kann nur gebäudespezifisch getroffen werden (Abb. 5.49 und Abb. 5.50). Wesentliche Unterschiede bestehen in den Kosten, im Pflegeaufwand und in der ökologischen Wirkung. Während Kletterpflanzen an Gebäuden eine lange Tradition haben, stehen die Erfahrungen mit wandgebundenen Begrünungen noch am Anfang (Abb. 5.51 und Abb. 5.52). Mit Kletterpflanzen lassen sich große Flächen begrünen. Viele ökologische Effekte, etwa die Verdunstungsleistung und die Staubbindung, sind

Abb. 5.50: Modular aufgebaute fassadengebundene Begrünung in Mexico City

Tabelle 5.13: Vergleich der wesentlichen Argumente für bodengebundene und wandgegebundene Begrünung (Relativangaben); die positiven Aspekte sind fett markiert.

Kriterien	**bodengebundene Fassadenbegrünungen mit Kletterpflanzen**	**wandgebundene Begrünungen**
Baukosten	**gering**	hoch
baurechtliche Zulassung	**meist unproblematisch**	bisher nur Einzelfallprüfungen
technische Herausforderung	**gering bis mittel**	sehr hoch
Pflanzenauswahl	beschränkt	**nahezu unbegrenzt**
durchschnittliche Größe der Begrünungen	von wenigen Quadratmetern bis zu mehrstöckigen Lösungen möglich	überwiegend kleinflächig (siehe Abb. 5.49), mit wenigen Quadratmetern, wenige imposante großflächige Beispiele
Pflegeaufwand	**gering** ein- bis zweimal jährliche Inspektion, ggf. Schnitt	sehr hoch, mehrfach jährlich, kontinuierliche Bewässerungssteuerung
gärtnerische Erfahrungen	**seit Menschengedenken**	erste Versuche in den 1940er-Jahren in den USA
Haltbarkeit	**100 Jahre sind keine Seltenheit**	Erkenntnisse aus ca. 10 Jahren
Eignung der Begrünung	in nahezu allen klimatischen Regionen möglich	die meisten realisierten Beispiele in tropischen und subtropischen Ländern (siehe Abb. 5.50); gute Eignung für Innenräume
Außenfassaden	ja	ja
Innenraumbegrünung	ja	ja
ökologischer Wert	**mittel bis hoch**	mittel, Lebensraum für div. Tierarten
visueller Wert	hoch	abhängig von der Pflege; in gutem Pflegezustand sehr hoch
Faszination für diese Begrünungsart in Deutschland	zz. mittel	**sehr hoch**
Faszination für diese Begrünungsart in anderen Ländern	mittel	**sehr hoch**

Abb. 5.51: Pflanzkübel; hier ein unbepflanztes Beispiel, wie es bei einem Projekt in München eingesetzt werden soll: gedämmte Edelstahlgefäße mit davor zu installierenden Edelstahl-Maschennetzen für die Kletterpflanzen.

Abb. 5.52: Metallgefäße, die als ebenerdige Module für Kletterpflanzen oder als vertikale Begrünungen an Fassaden montiert werden können. Die einzuhängenden Kultur töpfe beziehen die Wasserversorgung kapillar aus den doppelwandigen Gefäßen. Bei kleineren Objekten können diese manuell, bei größeren Begrünungen bevorzugt automatisch gesteuert werden.

an eine nennenswerte Menge Blattmasse gebunden. Das spräche für die klassische bodengebundene Fassadenbegrünung.

Der herausragende Unterschied ist in der Kostendifferenz zu sehen. Im Vergleich zu den typischen Kletterpflanzen sind die wandgebundenen Begrünungen teuer in der Anschaffung. Auf 1 m^2 Begrünungsfläche ist hier in Abhängigkeit von der Größe ein Unterschied von etwa 1:100 nicht selten. Darüber hinaus muss die erforderliche kontinuierliche Pflege einkalkuliert werden. Ein Ausfall des automatischen Bewässerungssystems hat fatale Folgen und kann zum Totalverlust der Bepflanzung mit all den negativen Presseartikeln führen, die dann zu erwarten sind.

Wandgebundene Begrünungen können im Idealfall auch Funktionen der Gebäudedämmung übernehmen, wenn sie außen angebracht werden, oder zur Gebäudeklimatisierung beitragen, wenn die Innenraumluft durch diese Systeme geleitet wird. Von Bauherren ist es akzeptiert, dass die Gebäudeklimatisierung kosten- und platzintensiv ist. Sie ist meist nicht sehr attraktiv und nicht in jedem Fall im gewünschten Maß effektiv.

Praxistipp

Wenn mit Begrünungsmodulen nicht nur ein guter visueller Eindruck erreicht, sondern auch noch die Gebäudeklimatisierung verbessert wird, können die Kosten entsprechend mit Maßnahmen des Energiesparens und der Bekämpfung des Klimawandels begründet werden.

Prüfkriterien für die Auswahl von wandgebundenen Begrünungen

Die wandgebundenen Begrünungen sind neuartige komplexe Bauweisen des Landschaftsbaus, die nur dann richtig funktionieren, wenn sie mit dem Baukörper funktionell abgestimmt sind. Aus gärtnerischer Sicht sind Wände Extremstandorte, an denen Begrünungen möglich sind; allerdings handelt es sich um Intensivsysteme. Sie können faszinieren, sind aber auch sensible und anfällige Kunstwerke, die Betreuung und rechtzeitiger fachkundiger Pflege bedürfen. Eine wandgebundene Begrünung benötigt hinter der attraktiven Fassade auch einen gut zugänglichen Technikraum. Je höher die visuellen Ansprüche der Bauherren sind, desto häufiger ist auch eine gärtnerische Pflege erforderlich. All dies sollten Anbieter den Auftraggebern bei Systemlösungen aus ihrer Firmensicht erläutern. In der Checkliste 5.1 werden Prüfkriterien genannt, die für die Auswahl dieser neuen Begrünungsformen zu beachten sind.

Anbieter von wandgebundenen Begrünungen

Für erfolgreiche wandgebundene Begrünungsprojekte sind eine gewisse Größe und die frühzeitige Beteiligung eines entsprechenden Fachplaners im Baugeschehen erforderlich. Die wandgebundenen Begrünungen berühren eine ganze Reihe von Fachdisziplinen, die in dieser Form sonst nicht miteinander verknüpft sind. Bauseitig sind Fragen von Bauphysik und Statik berührt. Brandschutz, Haltbarkeit und Wartung von Fassadenelementen sind technische Herausforderungen, die nun auch an lebende Materialien gestellt werden müssen. Für die vegetationsspezifischen Fragestellungen sind die Beschäftigung mit dem Pflanzenwachstum an ungewöhnlichen Standorten und das dauerhafte Überleben von Pflanzen an kontinuierlicher Bewässerung neue Herausforderungen. Für den Berufsstand des Garten- und Landschaftsbaus liegt in dieser Begrünungsform eine neue Chance für die Qualifikation.

Die Kenntnisse am Markt für wandgebundene Begrünungen sind sehr auf die Produktanbieter beschränkt. Wandgebundene Begrünungen erfordern eine Vielzahl von technischen Detaillösungen und Zusatzqualifikationen. Bevor ein Produkt am Markt bestehen kann, benötigt man sehr viel Zeit für technische Detaillösungen. Die Entwicklungskosten können nur über eine größere Anzahl von späteren Realisierungen zurückfließen. Wandgebundene Begrünungen sind von individuellen Lösungen mit jeweiliger baurechtlicher Einzelfallprüfung an herausragenden Gebäuden zu einer Form weiterzuentwickeln, die als geprüftes Bauteil vielfach eingesetzt werden kann. Das senkt ebenfalls die Kosten und erleichtert Bauherren die Entscheidung für diese Begrünungen.

Der Markt der Anbieter von solchen Begrünungen entwickelt sich dynamisch. Wie Tabelle 9.1 im Anhang zeigt, hat sich von 2012 mit etwa 60 einschlägigen Firmen weltweit dieses Angebot bis zum Jahr 2022 mindestens in diesem Marktsegment verdoppelt. Noch haben die in Deutschland tätigen Firmen ihren Ursprung in Frankreich oder in den Niederlanden.

5.3.2 Bautechnische Anforderungen

Kleinere, eher dekorative wandgebundene Begrünungen von ca. 1 m^2 Fläche, z. B. vertikale „Küchengärten“ an einer Terrasse, erfordern ausschließlich eine geeignete Aufhängung und haben meist eine manuelle Wasserversorgung. Weiter sind keine bautechnischen Anforderungen zu beachten.

Größere wandgebundene Begrünungen sind Teil der technischen Ausführungsplanung innerhalb des Bauantrags. Daher gilt es, Fragen nach der statischen Sicherheit des Bauteils und der wärmetechnischen Bewertung zu beantworten: Die erforderlichen Details zur Wasserversorgung, zur Elektrik und zur möglichen Wartungsarbeit sind für die Betriebszeit des Gebäudes zu lösen und benötigen fachgerechte Lösungen. Eine begrünte Fassade muss brandschutzrechtlichen wie wärmedämmtechnischen Vorgaben genügen. Eine klare Trennung zwischen dem trockenen Kern des Baukörpers und der teilweise ständig wasserführenden Begrünungsebene sind Anforderungen, die hier gelöst werden müssen.

Die spektakulären Beispiele der wandgebundenen Begrünungen, die in den letzten Jahren gebaut wurden, machen klar, dass über Mindestanforderungen hinaus nachgedacht werden muss.

Die wandgebundenen Begrünungen sind Bestandteil der Fassadenkonstruktion; sie unterliegen den gleichen Anforderungen hinsichtlich Haltbarkeit, Vollwärmeschutz nach Gebäudeenergiegesetz vom 8. August 2020 und Sicherheit

Checkliste 5.1: Prüfkriterien für die Auswahl von wandgebundenen Begrünungen

Prüfkriterien	ja	nein	Bemerkungen
Klima und Witterung (zu erwartende Extremtemperaturen und Windlasten)			
• winterliche Frostresistenz des Systems	☐	☐	
• winterliche Frostresistenz der Arten	☐	☐	
• Auswahl ausreichend robuster Pflanzen möglich?	☐	☐	
• ganzjährige Wasser- und Nährstoffversorgung	☐	☐	
• ausreichende Dämmung	☐	☐	
• Aufheizung des Wurzelraums möglich?	☐	☐	
• Abhängung (Verpackung) der Begrünung im Winter möglich?	☐	☐	
• Tests zu Frosteigenschaften der Begrünung durchgeführt oder Testergebnisse verfügbar	☐	☐	
Systemkomponenten			
• einfacher Austausch von Systemkomponenten	☐	☐	
• kritische objektspezifische Praxistests verfügbar?	☐	☐	
Begrünung			
• ganzjährig üppig grün?	☐	☐	
• saisonal blühende Besonderheiten	☐	☐	
• Mischung aus vielfältigen Texturen	☐	☐	
• Mischung aus sommergrün und wintergrün	☐	☐	
• Austausch einzelner Pflanzen gesichert?	☐	☐	
Wasserbedarf und Speicherung			
• Wasserspeicherung des Wandaufbaus berücksichtigt?	☐	☐	
• Wasserverbrauch der ausgewählten Pflanzen-Substrat-Systeme in unterschiedlichen klimatischen Situationen ermittelt?	☐	☐	
Bewässerung			
• ganzjährige Bewässerung?	☐	☐	
• nur sommerliche Bewässerung?	☐	☐	
• System durch redundante Bewässerungsstränge gegen Ausfall des Bewässerungssystems geschützt?	☐	☐	
• Haltbarkeitskriterien für die Bewässerung beachtet?	☐	☐	
• Austausch von Komponenten geregelt?	☐	☐	
Überwachung des Systems			
• wöchentliche Vor-Ort-Kontrolle möglich?	☐	☐	
• Fernüberwachungssystem vorhanden?	☐	☐	
• Eingriffsmöglichkeiten bedacht?	☐	☐	
Verankerung der Begrünung an der Fassade			
• Art des Wandaufbaus bekannt?	☐	☐	
• maximale Einbautiefe von Stockschrauben und Wandankern (bis max. 48 cm) überschritten?	☐	☐	
• vorgestellte Konstruktionen möglich?	☐	☐	
Garantieleistungen			
• ausreichende Erfahrungen zur Technik vorhanden?	☐	☐	
• Zusicherungen der Produkthersteller ausreichend?	☐	☐	
• mehrjährige Garantie auf den Aufbau vertretbar?	☐	☐	
Energetische Aspekte			
• Funktionen der Gebäudedämmung möglich?	☐	☐	
• Beitrag zur Gebäudeklimatisierung gegeben?	☐	☐	

Tabelle 5.14: Aufbau der Schichten einer Wand mit wandgebundenen Begrünungen von innen nach außen

Struktur	Material	Schichtstärke	Funktion
Innenverkleidung	Putz o. Ä.	wenige cm	Schutz, Optik
tragende Innenwand	Mauerwerk, Beton o. Ä.	24 cm oder mehr, je nach Art der Konstruktion	Grundkonstruktion
Luftschicht		etwa 1 cm	Trennung vom konstruktivem Innenaufbau und der fassadengebundenen Begrünung
wasserundurchlässige Schicht	PVC, Kunststoff, Metall, Recyclingmaterial	wenige mm	Schutz der innen liegenden Bauteile vor Feuchtigkeit
zusätzliche Wärmedämmung (optional)	wasserundurchlässiges Material	einige cm	Wärmedämmung und Wärmeschutz der Wurzeln
Substratträgereinheit	Vliese oder Boxen aus verschiedenem Material	etwa 10 cm	Wurzelebene für die Pflanzen
Bewässerungsleitungen	diverse Kunststoffe	in die Trägersubstanz integriert	Bewässerung der Pflanzen
Pflanzenschicht	diverse Lebensformen	10 cm oder mehr	Optik, Funktion

wie alle anderen Wandaufbauten (Tabelle 5.14). Die Schneelast spielt bei der Wandbegrünung nur eine untergeordnete Rolle. Die Windlast ist abhängig von der Größe der zu befestigenden Gefäße. Als Faustwerte können Quadratmeterwerte zwischen ca. 0,5 kN/m² für Vliesvarianten bis hin zu ca. 1,2 kN/m² für typische modulare Systeme angesetzt werden. Pflanzkübel bewirken entsprechend höhere Lasten, je nachdem, wie weit sie außerhalb auf auskragenden Bauteilen montiert sind.

Großflächige wandgebundene Begrünungen können alternativ zu üblichen Außenschichten an Gebäuden montiert werden (siehe Kapitel 5.1). Das spart einerseits Kosten, muss aber andererseits fachgerecht nach den Bauregeln verankert werden (DIN EN 1991-1-4). Punktuelle Wärmebrücken im Zusammenhang mit Befestigungen von Fassadenelementen sind nach DIN 18516-1 „Außenwandbekleidungen, hinterlüftet – Teil 1: Anforderungen, Prüfgrundsätze“ (2010) zu vermeiden. Der flächenhaft positive Effekt der Begrünung kann sich bei mangelhafter Ausführung an den Befestigungsteilen, aber auch bei den Übergängen zwischen den Begrünungselementen und der nicht begrünten Fassade abschwächen. Grundsätzlich wird der Wärmeschutz der Fassade (DIN 4108-2 „Wärmeschutz und Energie-Einsparung in Gebäuden – Teil 2: Mindestanforderungen an den Wärmeschutz“ [2011]) durch die richtig montierte fassadengebundene Begrünung verbessert. Die konkrete Größenordnung muss für jeden Einzelfall individuell berechnet werden.

Die Monteure von wandgebundenen Begrünungen müssen damit sowohl die Anforderungen an die Bauvorschriften von Gebäuden – allen voran DIN 18516 zur Außenverkleidung der hinterlüfteten Fassaden – und die Vorschriften der Be- und Entwässerung (DIN 4095 „Baugrund; Dränung zum Schutz baulicher Anlagen; Planung, Bemessung und Ausführung“ [1990]) beherrschen. Außerdem müssen sie sich mit Elektrik und Arbeitssicherheit an Fassaden auskennen und gärtnerische Kenntnisse haben. Das Anforderungsprofil ist neu und bedeutet eine umfassende Schulung. Ausbildungsansätze hierzu gibt es seit 2012 durch die Österreichische Forschungsfördergesellschaft (FFG). Auch in Deutschland ist hierfür ein grundlegendes Schulungprogramm in der Diskussion.

Materialien

Es werden größtenteils typische Materialien aus dem Bauwesen verwendet. Im Bereich der wandgebundenen Begrünungen werden in den nächsten Jahren einige Tests hinsichtlich der langfristigen Haltbarkeit der Komponenten erforderlich.

Geotextilien

Geotextilien stammen aus dem Grund- und Deponiebau und können als Trägervliese in Fassadenbegrünungen eingehängt werden. Die bestehenden Tests nach DIN EN ISO 9863-1 „Geokunststoffe – Bestimmung der Dicke unter festgelegten Drücken – Teil 1: Einzellagen“ (2005) geben Auskunft über Anforderungen, wie sie in Deponien üblich sind; etwa zur Festigkeit gegen Durchdrücken von spitzen Gegenständen, die Durchströmung von Bodenwasser sowie den Verrottungsschutz im Bodeneinbau. Geovliese, die in fassadengebundene Systeme eingebaut werden, müssen weitere Anforderungen erfüllen, etwa Reißfestigkeit, Wasserspeicherung und UV-Stabilität bieten, wenn sie dem Sonnenlicht ausgesetzt sind. Die Richtlinie für die Zulassung von Geotextilien zum Filtern und Trennen für Deponieabdichtungen (2020) schließt die Fassadenbauweise noch nicht ein.

Pflanzgefäße

Pflanzgefäße müssen nach DIN 1876-1 „Mit Kautschuk oder Kunststoff beschichtete Textilien – Prüfungen bei niedrigen Temperaturen – Teil 1: Biegeversuch“ (1998) verrottungssicher, korrosionsbeständig und UV-stabil sein. Dies gilt auch vor dem Hintergrund, dass sonst abplatzende Teile herunterfallen können oder Wasser heraussickern könnte. Neue Werkstoffe oder Systemlösungen sind unter den Gesichtspunkten der DIN ISO 527-1 „Kunststoffe – Bestimmung der Zugeigenschaften – Teil 1: Allgemeine Grundsätze“ (2012) zu überprüfen.

Die Normen DIN 4102-1 „Brandverhalten von Baustoffen und Bauteilen – Teil 1: Baustoffe; Begriffe, Anforderungen und Prüfungen" (1998), DIN 4102-2 „Brandverhalten von Baustoffen und Bauteilen; Bauteile, Begriffe, Anforderungen und Prüfungen" (1977) und DIN 4102-3 „Brandverhalten von Baustoffen und Bauteilen; Brandwände und nichttragende Außenwände, Begriffe, Anforderungen und Prüfungen" (1977) sind Teile eines komplexen Systems von Festlegungen, das neben Feuer auch den Schwelbrand und das Abtropfen einschließlich der giftigen Gasentwicklung umfasst. Kunststoffmaterialien sind bei einer Fassadenbegrünung nicht grundsätzlich ausgeschlossen, aber der Nachweis, dass die hiermit angestrebten Systemlösungen keine Brandgefahr darstellen, ist die Herausforderung an die Produktentwickler. Es ist anzustreben, dass die Systemlösungen der Wandbegrünungen die Feuerwiderstandsklasse (nicht brennbar, F180) erhalten.

Aus eher praktischen Gründen sollten Pflanzgefäße lange haltbar, pflegeleicht und nur so groß sein, dass sie im Bedarfsfall austauschbar, wiederverwendbar und rezyklierbar sind. Diese Eigenschaften sind mit Sicherheit gute Verkaufsargumente.

Substrate

Sowohl hydroponische Schäume, Vliese oder Flocken als auch mineralische Substrate müssen formstabil und schrumpfungssicher, wasserdurchlässig und gleichzeitig wasserhaltend sein. Geringes Gewicht wäre ein weiterer Pluspunkt. Sie müssen im Idealfall Jahrzehnte ohne Austausch auskommen können. Normen und Richtlinien hierzu gibt es zurzeit noch nicht. Die vorliegenden Kenngrößen für Dachbegrünungen sind nicht ausreichend für diese neuen Systeme. Einige erste Kennwerte zu wandgebundenen Begrünungen sind in Tabelle 5.19 zusammengefasst.

Bepflanzungselemente

In Tabelle 5.15 werden Lösungen für wandgebundene Begrünungen, die sich derzeit am Markt befinden, systematisch geordnet. Aus diesen Lösungsansätzen sind diverse Mischformen möglich. Grundsätzlich gilt: Je dünner die Systeme sind, desto direkter sind die Pflanzenwurzeln einer freien Bewitterung ausgesetzt.

Das Thema Haltbarkeit bezieht sich auf die technische Konstruktion, nicht auf die Bepflanzung, die je nach Aus-

Tabelle 5.15: Charakterisierung wichtiger Pflanzmöglichkeiten für wandgebundene Begrünungen (eigene Darstellung)

Kurzbezeichnung	**Kübel, groß und „Gabionenstil"**	**Kübel, klein**	**Kästen u. Module**	**Geovliese u. Ä.**	**raue Oberflächen**
Prinzipskizzen	Abb. 5.53 bis Abb. 5.58	Abb. 5.62	Abb. 5.64	Abb. 5.66 u. Abb. 5.67	Abb. 5.68
Charakterisierung	große Balkonkästen; üppige Biomasse ist möglich	kleine Balkonkästen, vertikale Strukturen	vertikale Kästen, schachbrettartige Muster sind typisch	freie Formen sind möglich	Rasterformate und freie Formate
Material	Beton, Betonasbest, Drahtkörbe, auch in Edelstahl möglich	Metall, Kunststoff	Metall, Kunststoff, z.T. Recycling-material	reißfeste Kunststoff-fasern, doppelt genäht, meist mit Pflanztaschen	div. Natursteine, Kunststoffe, Schling-matten
typische Abmessungen außen (B × T × H)	40 × 40 × 40 cm, Länge variabel, 1–1,5 m gängig	10 × 10 × 10 cm, Längen sind variabel	30 × 30 × 10 cm oder größer	freie Formen und zahlreiche Größen frei wählbar	Formate üblicher Fassadenplatten
Befestigung	besondere Wandanker oder auskragende Bauteile	Unterkonstruktions-schienen	Unterkonstruktions-schienen	entweder auf Unterkonstruktion oder direkt auf der Fassade befestigt	Unterkonstruktion ist erforderlich
Eignung	Neubau; große Fassaden, etagenweise Gebäudeintegration	Neubau und Sanierung; ganze Fassaden	alle Varianten von Gebäuden, großflächige Begrünungen	alle Varianten von Gebäuden, großflächige Begrünungen	Neubau, von klein- bis großflächige Begrünungen
Vorteile	großes Bodenvolumen, das klimatisch schwierige Phasen überbrücken hilft	Austauschbarkeit einzelner Abschnitte	nachträgliches Austauschen einzelner Boxen relativ einfach möglich	relativ leicht, frei formbar, variable Oberflächenmodulierungen	wenig Substrat, ungewöhnliches pixeliges Aussehen möglich
Nachteile	schwer, statische Zwischenstufen sind einzuplanen	Aufheizung, Wärmeleitung	theoretische Austauschbarkeit eingeschränkt	Pflanzenwurzeln besonders stark der Außentemperatur ausgesetzt	mehr Strukturbild als Pflanzenbild
Substrate	nahezu alle Substrate möglich	alle Substrate möglich	alle Substrate möglich	erdelose Bauweise	erdelose Bauweise
Bewässerung	ja, bedarfsabhängig, einmal am Tag reicht	ja, mehrmals täglich empfehlenswert	ja, mehrmals täglich empfehlenswert	ja, regelmäßig, kleinste Mengen, aber jede Stunde empfehlenswert	ja, evtl. kontinuierliche Befeuchtung

Tabelle 5.15: Charakterisierung wichtiger Pflanzmöglichkeiten für wandgebundene Begrünungen (eigene Darstellung) (Fortsetzung)

Kurzbezeichnung	Kübel, groß und „Gabionenstil"	Kübel, klein	Kästen u. Module	Geovliese u. Ä.	raue Oberflächen
Empfehlungen einer ganzjährigen Bewässerung	nein, im Winter abstellen	empfehlenswert	empfehlenswert	erforderlich	je nach Artenwahl nicht erforderlich
pH-Wert-Besonderheiten	breites Spektrum möglich	breites Spektrum möglich	breites Spektrum möglich	breites Spektrum möglich	sowohl sauer als auch basisch möglich
Haltbarkeit	langfristig, Kenntnisse von 10 Jahren Haltbarkeit liegen bereits vor	noch keine Aussagen möglich	noch keine Aussagen möglich	noch keine Aussagen möglich	tendenziell dauerhaft und wenig Pflege
Effekt auf Wärmedämmung des Gebäudes	in Abhängigkeit von der Größe der Konstruktion gegeben	abhängig von der Hinterkonstruktion	je nach Ausführung der Module möglich	geringer winterlicher Effekt, sommerlicher Kühleffekt durch die freie Verdunstung aus der Oberfläche des Vlieses und der Pflanzen	gering
Winter-/ Frosttauglichkeit	bei Dämmung meist gegeben	bisher wenig Erfahrungen	bisher wenig Erfahrungen	bisher wenig Erfahrungen	wenig Erfahrungen
Flächengewichte (Richtwerte)	getrennte Betrachtung der Pflanzkübel und der flächigen Pflanzschichten	ca. 1,0–2,0 kN/m²	1–3 kN/m²	ca. 0,1–0,3 kN/m²	Platten schwer, Begrünung sehr leicht
Baukosten (Faustwerte abhängig von Projektgröße, Erreichbarkeit usw. mit Bepflanzung und Bewässerungssystem)	mittel bis hoch, da bauseits die Statik stimmen muss (300–800 €/m²)	hoch, da eine spezielle Fassadenkasettierung projektspezifisch angepasst werden muss (400–1.000 €/m²)	hoch (400–1.000 €/m²)	hoch (400–1.000 €/m²)	mittel (300–500 €/m²)
Pflegeaufwand (gefahrlose Erreichbarkeit der Pflanzen vorausgesetzt)	mittel	mittel bis hoch	mittel bis hoch	hoch	gering
Unterhaltungskosten	mittel	hoch	hoch	hoch	gering
Projektbeispiele im Buch (Abb.)	Großkübel in Wien (Abb. 5.55), Gabionenstil in Neubrandenburg (Abb. 5.6) und in Adelaide, Australien (Abb. 5.55)	kleiner Metallkübel in Wien (Abb. 5.59 u. Abb. 5.60) Variante in Kunststoff (Abb. 5.61)	modulare Begrünungen in Metall (Abb. 5.49) und in Kunststoff (Abb. 5.8), Beispielfassade in Mexiko (Abb. 5.50)	Geovlies in Berlin im Sommer (Abb. 5.9) u. im Winter (Abb. 5.10), Beispiel aus Mexico City (Abb. 5.11)	Moosfassade in Singapur (Abb. 5.69)

wahl gärtnerisch ausgetauscht, ergänzt oder nach besonderen Anforderungen saisonal neu zu gestalten ist. Da die bisher installierten modularen Wandbegrünungen in der Regel jünger als 15 Jahre sind, fehlen verallgemeinerbare Aussagen im Vergleich zu den sehr umfassenden vorliegenden Erfahrungen bei der Dachbegrünung. Für die Begrünungen ist ein Alter von 10 Jahren zunächst als Erfolg zu sehen. Austauschintervalle sind ähnlich den Wartungsterminen in der Autoindustrie ggf. gleich bei der Installation mit dem Lieferanten zu definieren.

Pflanzkübel und Pflanzungen im Gabionenstil

Bei den Kübellösungen ist zusätzlich, je nach Wahl der Pflanzenarten, noch eine Kletterhilfe erforderlich, sofern Kletterpflanzen ausgewählt werden (Abb. 5.53 und Abb. 5.54). Diese Variante ist somit eine Mischform aus klassischer Begrünung mit Kletterpflanzen und wandgebundenen Begrünungen. Pflanzkübel und Pflanzungen im Gabionenstil sind auch für den Innenraum möglich. Eines der weltweit großflächigsten Projekte, die zu dieser Richtung gezählt werden können, ist die Innenraumbegrünung im Changi-Airport in Singapur (siehe Abb. 6.2). Projekte mit Großkübeln an Außenfassaden zeigen die Abb. 5.55 und Abb. 5.56.

Der Vorteil der Konstruktion im Gabionenstil ist für mitteleuropäische Klimate leicht zu erkennen. Das massive Bodensubstrat kann winterliche Witterungsungunst ebenso abpuffern wie eine kurzzeitig ausfallende Bewässerung im

1 Baukonstruktion des Gebäudes
2 Wärmedämmung
3 massiver, in der Fassade verankerter Tragarm mit Pflanzkübel und Tropfschutz
4 Abstandsfläche zum Gebäude, als „Wartungsgang" ausgebildet
5 Kübelwandkonstruktion mit integrierter Kletterhilfe
6 Kübeldämmung
7 Substrat, einschließlich Dränschicht
8 Wasserstandsanzeiger/Wartungsschaft einschließlich Überlauf; winterlicher Entwässerungspunkt
9 Kletterhilfe für Kletterpflanzen

Abb. 5.53: Prinzipskizze einer fassadengebundenen Begrünung mit großen Kübeln und Kletterhilfe auf Tragarmen

1 Tragkonstruktion des Gebäudes
2 Wärmedämmung des Gebäudes
3 Wandanker, massiv
4 Unterkonstruktion zur Verhinderung von Tropfwasser
5 Kübelkonstruktion
6 Dränung des Kübels einschließlich Ablauf, Entwässerungsmöglichkeit
7 regional ausreichende Wärmedämmung des Kübels gegen Frostschäden
8 Bewässerungszulauf

Abb. 5.54: Prinzipskizze einer fassadengebundenen Begrünung mit großen Kübeln direkt an der Fassade

Abb. 5.55: Großkübelinstallationen in Wien im Winter

Abb. 5.56: Großkübelbepflanzung mit Echtem Wein in Adelaide in Australien im Sommer

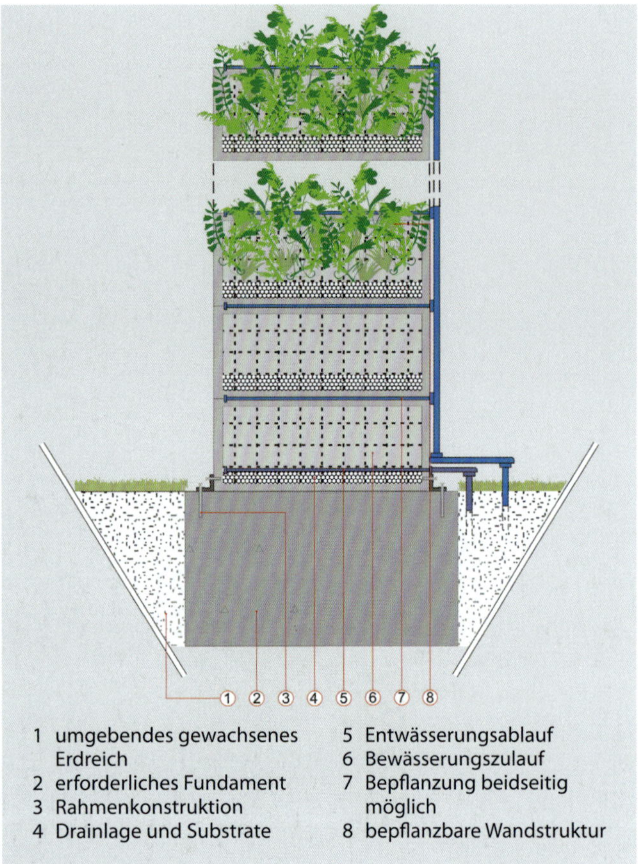

Abb. 5.57: Frontalansicht einer Begrünung im Gabionenstil

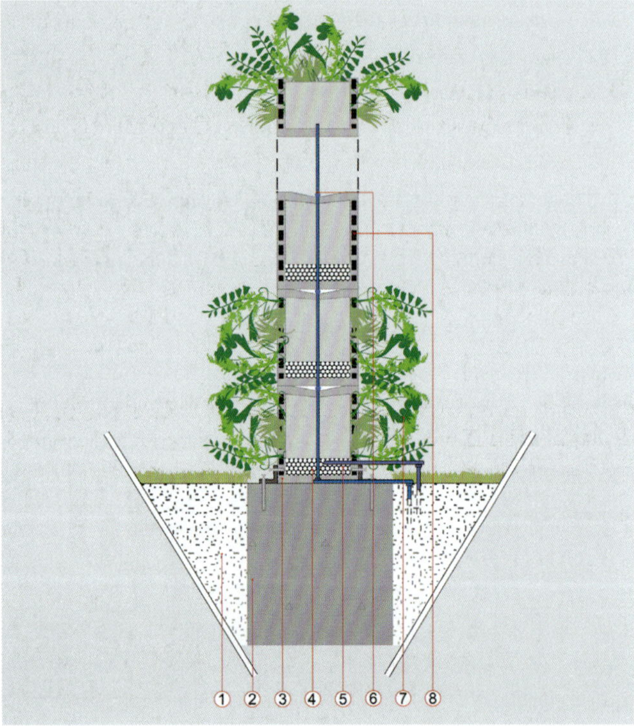

Abb. 5.58: Seitenansicht einer fassadengebundenen Begrünung im Gabionenstil; zusätzlich zu den Informationen in Abb. 5.57 ist hier noch die Befestigung auf dem Fundament sichtbar.

Sommer (Abb. 5.57 und Abb. 5.58). In der Regel sind Bewässerungsintervalle von einmal wöchentlich ausreichend.

Der Typ „kleine Pflanzkübel" kann als wandbezogene Begrünung sehr unterschiedlich gestaltet sein. Systemanbieter

Abb. 5.59: Kleine Metall-Pflanzkübel an einer Fassade in Wien zu Beginn der Entwicklung

Abb. 5.60: Detailansicht der in Abb. 5.59 gezeigten Fassade in Wien

Abb. 5.61: Kleine Pflanzkübel in Kunststoff, ein Beispiel aus Istanbul – das ist auch eine Möglichkeit, wenn auch nicht UV-beständig und dadurch nicht längerfristig stabil.

bevorzugen zurzeit metallische Kleinkübel (Abb. 5.59 und Abb. 5.60). Es sind aber auch Konstruktionen in Kunststoffen möglich (Abb. 5.61). In der Prinzipskizze in Abb. 5.62 sind einige kritische Punkte vermerkt, die es zu prüfen gilt, z. B.:

- Ist eine dauerhafte Trennung zur Gebäudedämmung gesichert?
- Ist das Substrat in den Einzelboxen so fixiert, dass es weder durch Wind noch durch Wassererosion in wenigen Jahren ausgetragen wird?
- Heizen sich die Systeme an der Südfassade nicht zu sehr auf?
- Sind die einzelnen Kästen einfach austauschbar oder lassen sie sich neu bepflanzen?

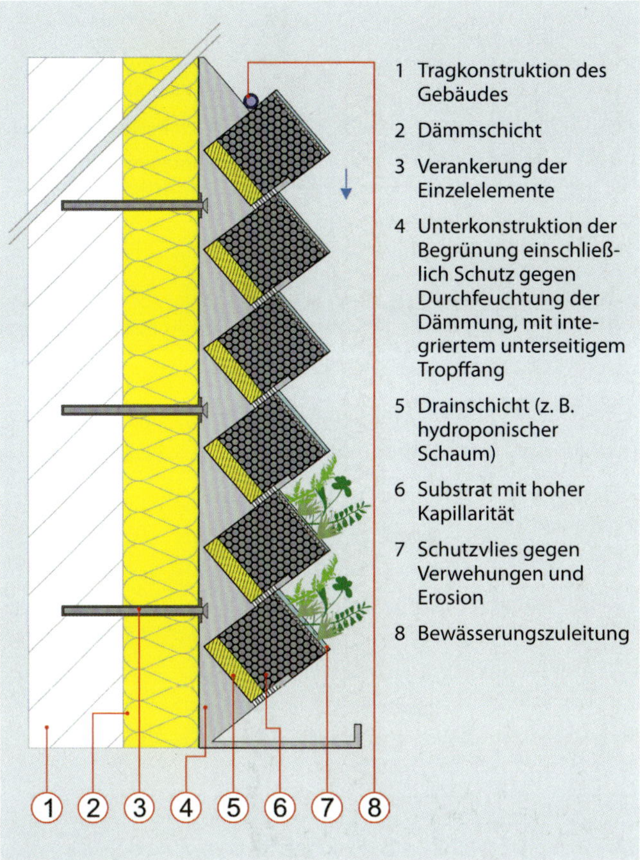

Abb. 5.62: Prinzipskizze einer wandgebundenen Begrünung mit kleinen Kübeln

Abb. 5.63: Vertikalmodule mit Gemüsearten; Mangold ist hier im Bild zu erkennen.

In der Prinzipskizze ist eine langsame Durchströmung durch das Bewässerungswasser vorgesehen (siehe Abb. 5.62). Die Systeme basieren auf Substraten, deren Kapillarität so auszulegen ist, dass eine langsame Durchströmung gewährleistet ist.

Die Kategorie ist eher für krautige Pflanzenarten geeignet. Um mit diesen Pflanzen eine Fläche zu bedecken, ist eine vielfache engmaschige Kübelanordnung erforderlich. Bei kleinen Kübeln summiert sich die Begrünung aus der technischen Kübellösung, die durch wenige Pflanzen ergänzt wird. Es sind vom Grundsatz her Metallfassaden mit gestalterisch angeordneten Pflanzpositionen. Damit sind alle Nachteile verbunden, die sich aus einem Aufheizen entsprechender Fassaden ergeben können. Eine besondere Variante war auf der Expo 2015 am Amerikanischen Pavillon der Hingucker: nach der Sonneneinstrahlung zu steuerende Vertikalbegrünung, mit krautigen Nutzpflanzen bepflanzt. Ziel war es, auf die Verkürzung von Lieferketten für Lebensmittel hinzuweisen. Die krautige Bepflanzung war vielfältig angelegt (Abb. 5.63)

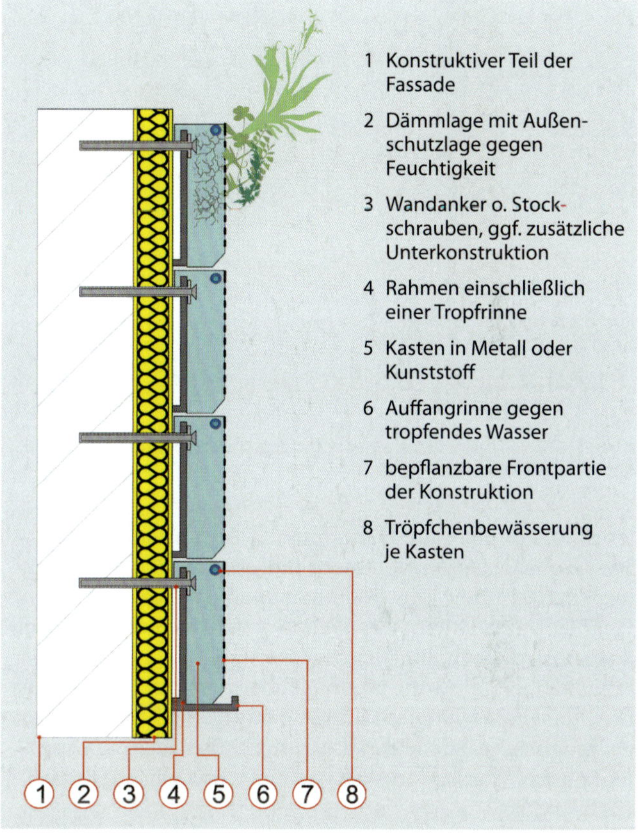

Abb. 5.64: Prinzipskizze einer fassadengebundenen Begrünung mit Kästen

Modulare Pflanzkästen

Begrünunen nach dem Prinzip des Pflanzkastens werden aktuell sehr häufig von Firmen angeboten. Diese Kästen können aus Kunststoff oder Metall bestehen (Abb. 5.64). Das Gewicht ist abhängig von der Größe der Gefäße und vom gewählten Substrat. Ein Vorteil dieser Systeme ist die relativ einfache Austauschbarkeit der Pflanzmodule (Abb. 5.65). Kritische Fragen, die an dieses System zu stel-

Abb. 5.65: Module als 3-D-Ansicht, Unterkonstruktion und Pflanzkasten

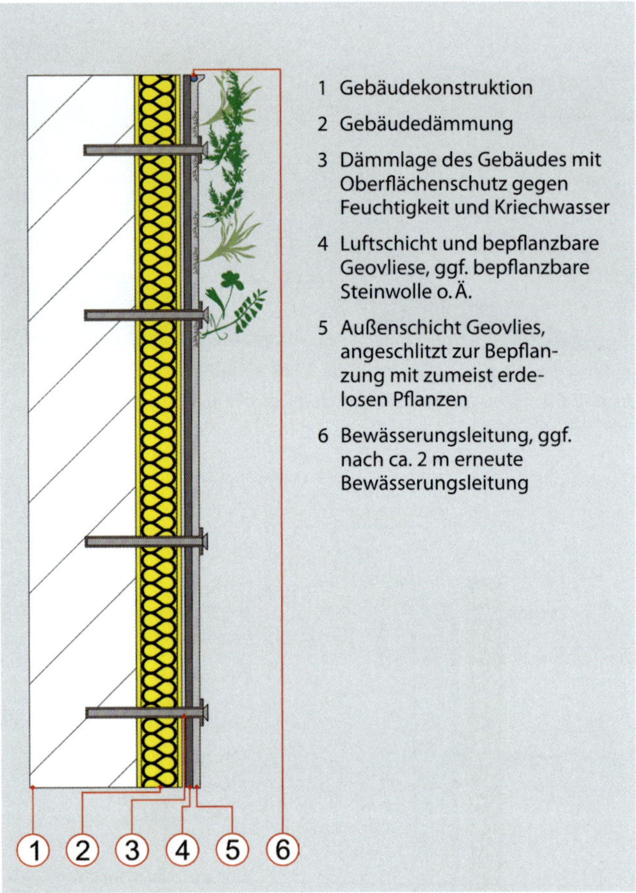

Abb. 5.66: Prinzipskizze einer wandgebundenen Begrünung mit dünnlagigem Geovlies

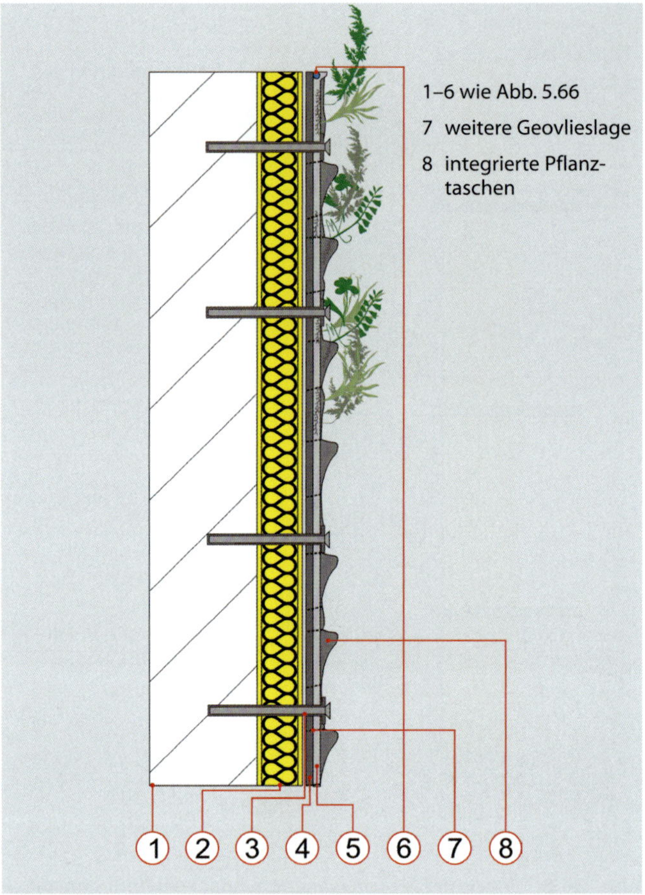

Abb. 5.67: Prinzipskizze einer wandgebundenen Begrünung mit mehrlagigem Geovlies. Die Lagen sind miteinander vernäht.

len sind, können sein: Handling und Austauschbarkeit sowie Größe des Pflanzvolumens in Bezug zu den ausgewählten Pflanzenarten. Das Bodenvolumen ist relativ klein – für Gehölze ggf. zu klein. Des Weiteren stellt sich die Frage, ob das Substrat über lange Jahre „formstabil" und benetzungsfähig bleibt. Steinwolle ist ein gängiges Trägermaterial für die Pflanzenarten. Diese Kästen benötigen eine regelmäßige, möglichst tägliche Bewässerung. Dabei ist zu überprüfen, ob das Wasser den Weg von einer Box zur nächsten auch findet.

Geovlies

Bei Geovliesen oder Geotextilien handelt es sich um durchlässige, unterschiedlich reißfeste Stoffbahnen aus synthetischen oder natürlichen Materialien. Es gibt eine Vielzahl von derartigen technischen Gewirken. Die an der Hochschule Neubrandenburg getesteten Bahnen (siehe Abb. 5.83) stellen nur eine kleine Auswahl dieser Materialien dar. Die Einsatzmöglichkeiten als Schutz- oder Trennlagen sind vielfältig: Sie reichen vom Erdbau bis zur Dachbegrünung. Eigene Vorversuche mit sehr unterschiedlichen Geovliesen zeigten, dass nur wenige dieser Materialien zur dauerhaften Bepflanzung geeignet sind.

Es müssen folgende Kriterien erfüllt sein:

- Reißfestigkeit,
- Wasserspeicherfähigkeit,
- gute Benetzbarkeit,
- gute Durchwurzelbarkeit.

Eine unauffällige, erdnahe, neutrale Farbe ergibt optisch ansprechendere Varianten als z. B. weißes Material, das durch Moosentwicklung schnell schmutzig aussehen kann. Mit Geovliesen sind dauerhafte und leichte Konstruktionen möglich, die zu sehr flexiblen Bepflanzungsmodulen verarbeitet werden können. Das eröffnet eine freie Formgebung, die weder an die 90° der Fassaden gebunden ist noch unbedingt rechtwinklig ausgeführt werden muss.

Kritische Fragen bei diesen Begrünungen können sein: Wie sehen diese Varianten in Zeiten außerhalb der Vegetationsperiode aus? Ist eine flächige Benetzung zu gewährleisten; gelangt also durch den Strom des Wassers aus der Tröpfchenbewässerung genügend Wasser an die häufig kleinen Wurzelballen? Bei den synthetischen Materialien kommt es hier eher zu Schwierigkeiten als bei den aus Recyclingmaterialien aufgebauten Varianten.

Generell wird zwischen Begrünungssystemen mit dünnschichtigem Geovlies (Abb. 5.66) und mehrlagigem Geovlies unterschieden, bei dem mehrere Lagen Vlies miteinander vernäht sind (Abb. 5.67). Die äußere Lage kann an unterschiedliche Oberflächenformen angepasst und mit stärker wurzelnden Pflanzen bestückt werden. Beide Varianten werden von mehreren Anbietern weltweit seit etwa 10 Jahren eingesetzt. Die Begrünung in Abb. 6.5 ist auf mehrlagigem Geovlies aufgebaut.

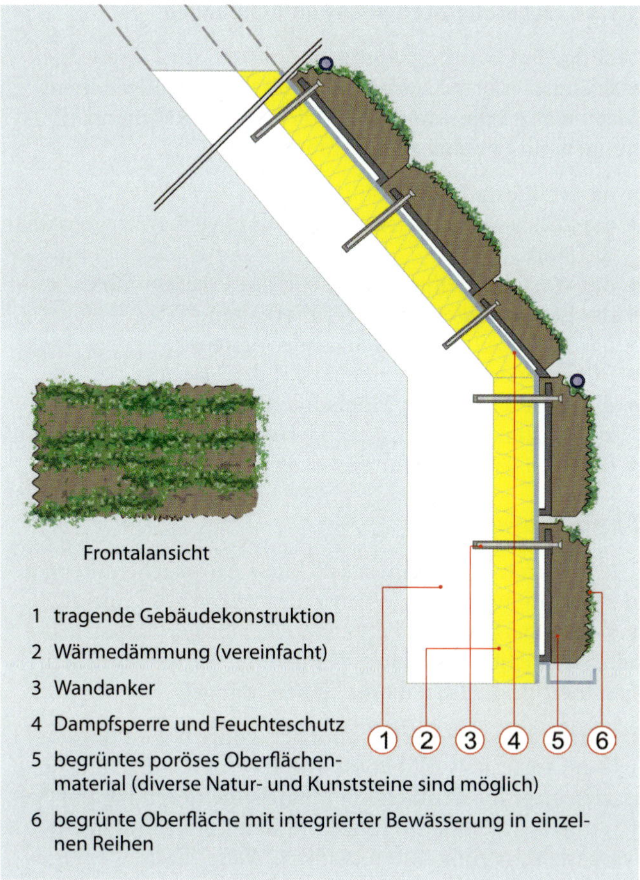

Abb. 5.68: Prinzipskizze rauer und begrünbarer Gebäudeoberflächen, etwa Sand- oder Tuffstein

Abb. 5.69: Detailaufnahme von Moosplatten einer Begrünung auf porösem Tuffstein in Singapur

Abb. 5.70: Beispiel zweier Stockschrauben mit Wärmedämmungszulassung, die allerdings nur bei geringen bis mittleren Lasten von Wandmodulen die richtige Befestigungstechnik darstelllen.

Raue begrünbare Oberflächen

Eine Leitidee vieler Hersteller ist, dass der Austausch von Begrünungseinheiten bei Kletterpflanzen möglich sein soll (Abb. 5.68). Die tatsächliche Praktikabilität hängt allerdings nicht nur vom Gewicht und von der Erreichbarkeit, sondern auch von der Schwere sowie der Art der Verankerung der einzelnen Begrünungselemente ab.

Moose und Flechten für besonders leichte Begrünungselemente zu verwenden, klingt faszinierend; die bisherigen Produktbeispiele überzeugen aber nicht immer. Die in Abb. 5.69 dargestellte japanische Moosplatte wurde aus dem auf 12 Monate angelegten Praxistest bereits nach etwa der halben Zeit entnommen, weil ihr Aussehen nicht zufriedenstellend war. Während Oberflächenstrukturen in Deutschland von selbst einen ungewollten Moosüberzug bekommen, der mit entsprechenden Mitteln durch Malerbetriebe beseitigt wird, sind Begrünungsplatten regional mit den entsprechenden Moosen und Flechten auszustatten. Die folgenden 3 Aspekte sind für den Erfolg solcher Elemente entscheidend:

- Die Auswahl der Moos- und Flechtenvegetation muss lokal angepasst sein.
- Es ist eine zusätzliche Bewässerungsanlage erforderlich. In Abb. 5.68 sind 2 Bewässerungsstränge angedeutet. Der pH-Wert des Wassers ist entscheidend für den Erfolg der Besiedlung.
- Es muss eine dauerhafte Trennung zwischen den feuchten Moosoberflächen und der Wärmedämmung des Gebäudes gewährleistet sein.

Befestigungselemente

Die Befestigungstechnik ist eine gern vernachlässigte Fragestellung von großer Bedeutung. In vielen Fällen ist zunächst eine dicke nicht tragende Wärmedämmschicht zu durchdringen, bevor massive und tragende Teile erreicht werden. Diese Herausforderung ist bei der nachträglichen Verankerung im Einzelfall zu klären.

Das Quadratmetergewicht der wandgebundenen Begrünungssysteme einzelner Anbieter variiert erheblich. Es reicht von nur wenigen 0,1 kN/m² bei Moosmatten und deren Unterkonstruktionen bis hin zu 10 kN/lfm Pflanzkübel. Gewichtsreduzierungen sind bei der Wahl des Substrats möglich. Das Gewicht des gespeicherten Wassers ist immer abzuschätzen. Hingegen ist das Gewicht der Pflanzen fast zu vernachlässigen. Die zulässigen Stockschrauben sind nur für leichtere und kleinflächige Konstruktionen zulässig (Abb. 5.70). Der Grund dafür liegt darin, dass bei nachträglicher Installation 12 bis 24 cm Dämmschicht überbrückt werden müssen, bevor der tragende Kern der Konstruktion erreicht wird. Bei 36 cm ist die maximale

Abb. 5.71: Beispiel für ein Steinwollesystem mit zusätzlicher Wärmedämmung vor der Bepflanzung

Länge erreicht. Besondere Bolzenanker sind hier eher zu empfehlen, um die Unterkonstruktion langfristig sicher zu befestigen. Sinnvoll ist es, direkt auf dem konstruktiven Kern mit der Begrünung zu beginnen und Übergänge bauphysikalisch abzudichten.

Eine dauerhafte Befestigung unter Vermeidung von Wärmebrücken sowie eine zusätzliche Wärmedämmung sind ein Spiel mit vielen Variablen. Das Thema ist nur projektspezifisch korrekt zu beantworten. Es ist aber gleichzeitig auch einer der Schlüssel zum Erfolg der Projekte. Die Geovliesvarianten bieten wegen ihrer geringen Aufbautiefe weniger zusätzliche Wärmedämmung als die massiven Varianten mit Pflanzkästen.

Wärmedämmeigenschaften der Wandmodule

Wandgebundene Begrünungen können eine Alternative zu typischen anorganischen Gebäudeoberflächenmaterialien sein. Die ersten Messungen bestätigen, dass die Temperaturen hinter den Begrünungen auch bei extremer Kälte etwa 5 °C höher liegen als vor der Begrünung. Zwischen den bewässerten Modulen und der Wärmedämmung des Gebäudes sind entsprechende Abstände einzuhalten, um Wärmebrücken zu vermeiden und somit keinen Wärmeverlust zu verursachen. Einige Systeme beinhalten eigene Dämmschichten, die nicht zur Wasserspeicherung genutzt werden und damit zusätzliche Dämmschichten darstellen. Die bevorzugt verwendeten Steinwollesysteme liefern einen zusätzlichen Wärmeschutz, der von der Stärke der Steinwolleschicht abhängt und in Abhängigkeit von der Bewässerung variiert (Abb. 5.71).

Es kann eine Entscheidungshilfe für oder gegen ein System sein, ob der jeweilige Aufbau einen zusätzlichen Wärmeschutz liefert. Diese Frage sollten die einzelnen Anbieter dem Architekten zur wärmetechnischen Berechnung der Fassaden vorlegen.

Praxistipp

Bei kleinflächigen wandgebundenen Begrünungen sollten die Module zusätzlich vor die wärmeschutztechnisch berechnete Fassade gesetzt werden. Sie ergeben keinen zusätzlichen Dämmungsgewinn.

5.3.3 Vegetationstechnische Anforderungen

Wandgebundene Begrünungen eröffnen für Fassadengestaltungen enorme Variationen mit nahezu allen Lebensformen von Pflanzen. Die nachfolgenden Rahmenbedingungen gilt es dabei zu beachten:

- das limitierte Bodenvolumen,
- die Wüchsigkeit der Arten bzw. das Wuchsverhalten über die Jahre,
- die Wasserverteilung innerhalb der Pflanzmodule,
- das gegenseitige Konkurrenzverhalten,
- das jahreszeitlich schwankende Aussehen,
- Pflegebedarf und Erreichbarkeit der Flächen,
- die eingeschränkten Möglichkeiten, in Modulen nach zupflanzen, und
- die Oberflächentextur der Arten.

Pflanzenauswahl

Die Pflanzen sollten hinsichtlich der Ansprüche miteinander harmonieren. Der Wuchsraum im Substrat und auch auf der Oberfläche ist begrenzt. Alle übrigen Wuchsfaktoren, wie Licht, Wasser und Nährstoffe, werden künstlich gesteuert und bilden damit keinen Mangel.

In wandgebundenen Begrünungen können die Pflanzen wie ein abstraktes Bild kombiniert werden. Forschungsbedarf besteht hinsichtlich der langfristigen Eignung der Arten unter diesen Bedingungen in Reinkultur und in der Vergesellschaftung untereinander. Weiter besteht ein umfänglicher Sichtungsbedarf von Pflanzenarten. Wichtiger noch ist es jedoch, die jeweils geeignetste Sorte für diese Ansprüche zu finden.

Die meisten Substrate sind tendenziell pH-neutral und eröffnen Möglichkeiten für viele Arten. Für niedrige pH-Werte eignen sich besonders:

- *Arctostaphylos uva-ursi* (Echte Bärentraube) als Bodendecker,
- *Carex hachijoensis* (syn. *C. oshimensis;* Japanische Gold-Segge) mit bogig bodendeckendem Wuchs,
- *Gaultheria procumbens* (Scheinbeere) mit lang verbleibenden Früchten,
- verschiedene Farne.

Die Japanische Gold-Segge ist leider etwas frostempfindlich und daher im Nordosten Deutschlands eher für Begrünungselemente in Innenhöfen geeignet.

Die Experimente mit basischem und saurem Substrat, um besondere Pflanzbilder für spezielle Anwendungen zu erzeugen, stehen noch am Anfang. Soll ein spektakulärer optischer Effekt mit einem fassadengebundenen Begrünungssystem erzielt werden, dann müssen für den sehr begrenzt zur Verfügung stehenden Wurzelraum die Pflanzen äußerst sorgfältig ausgewählt werden. Es sind umfassende botanische Kenntnisse erforderlich. Die Pflanzen können in solchen Behältnissen nur überleben, wenn es weiterhin eine Abstimmung zwischen dem Substrat und der kontinuierlichen Bewässerung gibt.

Die mehrjährigen Erfahrungen seit 2011 an der Hochschule Neubrandenburg sind in dem nachfolgenden Faktenblock zusammengefasst. In der Tabelle 5.16 sind einige favorisier-

Tabelle 5.16: Besonders bewährte Pflanzenarten für wandgebundene Begrünungen (eigene Beobachtungen, aus der bisher etwa 120 Pflanzenarten umfassenden Gesamtliste entnommen; Bearbeitungszeitraum 2011 bis 2019)

wissenschaftlicher Name	deutscher Name	Beschreibung[1]
Allium schoenoprasum und andere Laucharten	Schnittlauch	ein Favorit auf extensiv begrünten Dächern; in wandgebundenen Begrünungssystemen ebenfalls gutes Wachstum, Herunterhängen der Blätter nach der Blüte möglich; empfehlenswerter sind kompakte Kultivare
Aubrieta × *culturum* 'Hamburger Stadtpark'	Blaukissen	üppige Steingartenpflanze mit blauen Blüten, sofern es nicht zu feucht im Pflanzmodul ist, blühfreudig (Abb. 5.72)
Bergenia cordifolia	Bergenie	dekorative große Blätter, weiße bis purpurfarbende Blüten im Frühjahr (Abb. 5.73)
Blechnum spicant	Rippenfarn	ganzjährig frischgrün
Buxus sempervirens	Buchs	ganzjährig grün, passt sich gut an die Vertikale an; überlebte auch nach Extremfrost in den Modulen; langsam wachsend; etwas teuer für eine flächige Bepflanzung, war in der eigenen Untersuchung aber der erfolgreichste Kleinstrauch (Abb. 5.74)
Carex morrowii	Japan-Segge	ganzjährig grün, im April blühend, horstförmig, kann feucht stehen (Abb. 5.75)
Fragaria vesca in Sorten	Erdbeere	attraktive Blüten und Früchte, bei guter Nährstoffversorgung empfehlenswert, die kleinen Früchte sind „Sympathieträger" für wandgebundene Begrünungen (Abb. 5.76)
Gaultheria procumbens	Scheinbeere	üppig blühend und attraktiv fruchtend (siehe Abb. 5.73)
Geranium macrorrhyzum	Felsen-Storchschnabel	hellrote Blüte im Mai, behaarte Blätter, robust, üppiges Wachstum; übersteht auch extreme Wintertemperaturen gut
Heuchera micrantha 'purple palace'	Kleinblütiges Purpurglöckchen	sehr wuchs- und blühfreudig, schöner Kontrast von rotem Laub und hellgrünem flächig wachsendem Blattwerk; die absolute beste Pflanze in den getesteten Systemen; andere Sorten gilt es zukünftig zu testen
Hosta Cultivars in Sorten, z. B. 'Cat and Mouse'	Funkien	Liliengewächse, weitgehend unproblematisch, schöne weiße bis lila Blüten, allerdings im Winter komplett einziehend
Ophiopogon planiscarpus 'Nigrescens'	Schwarzer Schlangenbart	Modepflanze, Bodendecker, fast schwarzes Blatt, nicht zu feucht halten, bläuliche Blüten und Fruchtbehang
Pachysandra terminalis	Dickmännchen	robuster Bodendecker, weiße Blüten im Frühjahr, wächst in wandgebundenen Begrünungssystemen langsam; besondere Eignung von Sorten ist herauszuarbeiten
Sedum album	Weißer Mauerpfeffer	unproblematische Sukkulente mit geringem Wasserbedarf und guten Blüheigenschaften, sofern die Flächen trocken sind; für Randbereichen in Pflanzungen ideal
Sedum spectabile	Schöne Fetthenne	je nach Sorte weiß bis purpurfarben blühend, im Frühjahr neu austreibend; empfindlich gegen Bodennässe; daher nicht in untere Pflanzmodule setzen
Sedum spurium	Teppich-Sedum	Sukkulente, gute Erfahrungen bei der Dachbegrünung, nur mittlerer bis geringer Wasserbedarf, Zuwachs, Blütenreichtum und Farbvariationen der Sorten
Waldsteinia geoides	Golderdbeere	üppiger gelb blühender Bodendecker

1) eigene Erfahrungen mit den Arten: Stand: Sommer 2022

Abb. 5.72: Blaukissen (*Aubrieta* × culturum 'Hamburger Stadtpark') in einem modularen Pflanzsystem

Abb. 5.73: Blühende Bergenie (links) und fruchtende Scheinbeere (*Gaultheria procumbens*)

te Arten unabhängig von den systembedingten unterschiedlichen Wandinstallationen beschrieben.

Kleingehölze, insbesondere die Immergrünen, bilden das visuelle Rückgrat der meisten dauerhaft ausgelegten Fassadenpflanzungen. In Tests auf Nordfassaden in Nordostdeutschland, also unter erschwerten Bedingungen, bewährten sich nur wenige. Die Belastung besteht einerseits in der winterlichen Kälte und andererseits in einer vielleicht zu üppigen Bewässerung in der Vegetationsperiode. Als erfolgreich unter diesen Bedingungen haben sich neben *Buxus sempervirens* (Buchs) folgende Arten bewährt (siehe Tabelle 5.19):

- *Juniperus squamata* (Blauer Kriech-Wacholder, Abb. 5.77),
- *Pinus mugo pumilio* (Zwerg-Kiefer),
- *Potentilla fruticosa* (Fingerstrauch),
- *Spiraea japonica* 'Bumalda' (Sommer-Spiere).

Prunus lauruscerasus 'Otto Luyken' (Kirschlorbeer) ist noch nicht eindeutig einzuschätzen. *Ilex crenata* (Japanische Stechpalme) und *Vinca minor* (Kleines Immergrün) überzeugten am Standort Neubrandenburg wegen des starken winterlichen Ausfalls bisher nicht. Die getesteten *Cotoneaster microphyllus* (Kleinblättrige Zwergmispel) hatten sowohl mit der winterlichen Kälte als auch mit dem vielleicht zu feuchten Standort zu kämpfen.

In einer nach Westen ausgerichteten Fassadenbegrünung in Berlin zeigten sich 2011 u. a. folgende Gehölze sommerlich gut entwickelt:

- *Aucuba japonica* (Japanische Aukube), im Berliner Raum immer Winterschutz nötig,
- *Berberis thunbergii* (Thunbergs Berberitze) in Sorten,
- *Ficus carica* (Echte Feige),
- *Genista* sp. (Ginster) in Sorten, üppig blühend,
- *Kerria japonica* (Ranunkelstrauch), blühend,
- *Mahonia* × *media* (Mahonie),
- *Philadelphus coronarius* (Gewöhnlicher Pfeifenstrauch), blühend,
- *Viburnum* sp. (Schneeball), großblumige Sträucher.

Solch eine (unvollständige) Liste zeigt, wie vielfältig die Auswahl sein kann. Jeder Planer hat seine Prioritäten selbst nach Kriterien wie Langfristigkeit, Blühaspekt, Pflegeumfang bzw. Natürlichkeit zu setzen.

Unter den Efeu-Varietäten wird häufig *Hedera helix* '*Woerneri*' für Fassadenelemente empfohlen. Ob allerdings Efeu eine gute Entscheidung für derartige Systeme ist, muss kritisch beurteilt werden. Wäre es dann nicht besser, gleich eine bodengebundene Fassadenbegrünung mit Efeu durchzuführen?

Neben dem beschränkten Wurzelraum kann ein üppig wachsendes Gehölz längerfristig eine Hebelwirkung entwickeln, die zum Ausbrechen aus gering mächtigen Fassadensubstraten führen kann. Gehölze benötigen daher ein besonderes Augenmerk bei der regelmäßigen Pflege. Wer Gehölze längerfristig in einer wandgebundenen Begrünung haben möchte, sollte bei der Auswahl des Systems besonders sorgfältig auf diese mechanische Herausforderung achten. Ein Artenpool für die Wandbegrünungen in Mitteleuropa steckt auch in den Präriestauden Nordamerikas (Dvorak et al., 2021).

Abb. 5.74: Buchs (*Buxus sempervirens*) mit gutem Zuwachs

Abb. 5.75: Blühende Japan-Segge (*Carex morrowii*), in Geovlies gepflanzt

Abb. 5.76: Erdbeere (*Fragaria vesca*)

Abb. 5.77: Erfolgreiche Gruppenpflanzung mit Blauem Kriech-Wacholder, Bergenie und Purpurglöckchen

Praxistipp

Es gibt übergreifend geeignete Arten und einige, die nur in wenigen Systemen gute Erfolge zeigen. Zum gegenwärtigen Zeitpunkt sind Bergeniensorten sowie das Kleinblütige Purpurglöckchen die erfolgreichsten Arten, die in allen getesteten wandgebundenen Begrünungssystemen durchweg ganzjährig gut aussehen (siehe Abb. 5.77).

Abb. 5.78: Anzucht von Pflanzen für fassadengebundene Begrünungen in Bangalore

Abb. 5.79: Bewässerungssteuerung der Versuchswände

Die Arbeitsgruppe um Martensson et al. veröffentlichte eine Pflanzenliste mit geeigneten Stauden zur Wandbegrünung (Martensson et al., 2016). Favoriten dort waren die „essbaren" Vertreter: *Allium schoenprasum*, der in Neubrandenburg nicht empfehlenswert war, aber auch *Calamintha nepeta* und *Fragaria vesca*. Dies deckt sich mit den eigenen Ergebnissen. Bei den ausdauernden und immergrünen Pflanzen waren *Chamacyparis pisifera*, *Euonymus fortunei*, *Euphorbia polycromos* und *Vinca minor* ebenso wie *Waldsteinia ternata* erfolgreich.

Weitere Tests in unterschiedlichen Substraten und Kombinationen können diese Übersichten in den nächsten Jahren weiter verfeinern.

Geeignet ist eine Vielzahl von *Sedum*-Arten. Sie sind in den Randzonen der Module erfolgreich, bei denen vielleicht nicht immer volle Wasserversorgung gewährleistet ist. Ebenfalls sehr erfolgreich sind Zwiebelgewächse wie Allium einzustufen, die sich auf begrünten Dächern flächendeckend ausbreiten können. In den wandgebundenen Begrünungssystemen passen sich die Triebe gut der senkrechten Ausrichtung an. Die Ausbreitung innerhalb der Systeme erfolgt über Brutzwiebeln.

Als eher negativ einzuschätzen sind bodendeckende Pflanzen, die nur wenige herunterhängende Triebe hervorbringen und damit optisch nicht wirksam sind. Gräserartige sind sehr unterschiedlich zu bewerten. Während in einigen Systemen etwa Schwingel (*Festuca*), Seggen (*Carex*) und Hainsimsen (*Luzula*) sehr üppig wachsen und blühen, ist vor allem im unteren Drittel der meisten Systeme die permanente Wasserversorgung eher schädlich und führt zum Absterben der Individuen.

International sind neben Neubrandenburg weitere Untersuchungen zu wandgebundenen Begrünungssystemen aktuell aus Brisbane, Vancouver und Wien bekannt, wobei diese Aufzählung keinen Anspruch auf Vollständigkeit erhebt (Abb. 5.78). Bei Tests auf frei stehenden Betonrahmen in Singapur gab es eine Reihe von Erkenntnissen, die übertragbar sind (Wong et al., 2010b), obwohl sich diese Testfassaden in vielerlei Hinsicht von typischen Situationen an Gebäuden unterscheiden. Eine Erkenntnis war, dass sich die Standortbedingungen an derartigen Fassaden deutlich von den realen Gebäuden unterscheiden. Für Singapur heißt das, dass die Standorte an Fassaden signifikant trockener und heißer sind. Trotz üppiger Bewässerung fielen Moose aus, von denen gute Wuchseigenschaften vermutet wurden. Erfolgreiche Pflanzen an den Fassaden waren sukkulente Arten aus Südafrika, also keine heimischen Arten. Fassadengebundene Begrünungen sind gärtnerische Installationen; inwieweit sie den hohen Ansprüchen des Arten- und Biotopschutzes ebenfalls genügen, ist in weiteren Tests in Singapur, aber auch in anderen Ländern, nachzuweisen.

Die Summe der Erkenntnisse zur Eignung von Pflanzen in wandgebundenen Begrünungssystemen ist für die Ebene von Richtlinienarbeit noch etwas knapp. In den FLL-Fassadenbegrünungsrichtlinien (2018) wurde hierzu ein Kapitel aufgenommen, das teilweise auf einer Befragung unter Betrieben des Gartenbaus beruht.

Pflanzeneignung beim mehrjährigen Versuch mit modularen Wandbegrünungen

An der Hochschule Neubrandenburg wurden zwischen 2011 und 2019 Untersuchungen an Wandbegrünungen verschiedener Anbieter durchgeführt; Abb. 5.79 zeigt die Bewässerungssteuerung der Versuchswände. Die ersten Untersuchungsjahre wurden mit der detaillierten Beschreibung zum Aufbau und zur Auswertung der Anfangsphase veröffentlicht (Köhler u. Nistor, 2015). Die Folgejahre sind bisher unveröffentlicht, sie werden hier als Faktenüberblick zusammengefasst. Es ist dem Wissen des Kapitelautors nach der erste mehrjährig wissenschaftlich begleitete Praxistest zur flächigen Wandbegrünung im deutschen Sprachraum.

Ziel war es, übertragbare Praxiserfahrungen zur Haltbarkeit, zur ökologischen Leistung, zur visuellen Qualität und zum jährlich erforderlichen Pflegeaufwand zu gewinnen. Dieser Zeitraum ist lang genug, um Anfangsschwierigkeiten überwunden sowie Erfahrungen mit einigen Jahren im Regelbetrieb vorliegen zu haben. Aus dem Abbau des Versuchs lassen sich darüber hinaus Erfahrungen zum Rückbau ableiten. Ganz generell lässt sich festhalten: In den ersten beiden Betriebsjahren gab es in den Systemen eine Reihe von Pflanzenausfällen. Danach war der Nachpflanzungsaufwand durchweg relativ gering. Allerdings zeigten sich nach etwa 5 Jahren vor allem bei den Nadelgehölzen in den modularen, auf Steinwolle basierenden Begrünungen verstärkt Ausfälle, die sowohl auf ein besonders kaltes Jahr als auch auf die statische Verankerung zurückzuführen waren.

Im Test befanden sich Produkte, die zu den in Tabelle 5.17 aufgeführten Wandmodul-Gruppen gehören.

Tabelle 5.17: Untersuchte modulare Wandbegrünungen im Zeitraum 2011 bis 2019 in Neubrandenburg

Typ	Anzahl der untersuchten Varianten	Illustrationen dazu im Buch
Gabionentypus	1	Abb. 5.47
modular wandgebunden	4	Abb. 5.64
flächig, nahtlos	1	Abb. 5.66
modular, Horizontalboxen	1	Abb. 5.60 und Abb. 5.61
Geovlies, flächig	1	Abb. 5.66 und Abb. 5.67

Es wurde u. a. untersucht, welche Pflanzen in den Modulen über den Zeitraum erfolgreich waren. Kriterien waren Erstbepflanzung und Überleben über den gesamten Zeitraum bzw. Nachpflanzung und Überleben danach. Die Pflanzen wurden dreistufig bewertet (grün-gelb-rot). Tabelle 5.18 umfasst nur die erfolgreichen Arten der Kategorie „grün". Sie wurden über den kompletten Zeitraum als „erfolgreich" eingestuft. Die Tabelle ist alphabetisch aufgebaut. In den Spalten ist zu sehen, in welchen Systemen diese Arten erfolgreich getestet wurden. Zur Erläuterung: Aus technischen Gründen war es nicht möglich, alle Arten in allen Systemen zu testen.

Als Substratbasis für wandgebundene Begrünungen stehen vielfältige Substrate zur Verfügung. Diese Vegetationstragschicht muss nicht immer ein mineralisches oder organisches Bodengemisch sein. Zu hohe Porosität, etwa wie bei extensiven Dachsubstraten mit hohem Porenanteil, führt zu einer hohen Fließgeschwindigkeit im Substrat, also schnell nach der Bewässerung zu Trockenheit. Schwammähnliche Gewebe bedeuten eine unterschiedliche Feuchteverteilung, mit gleichzeitiger Trockenheit in der oberen Schicht und durchgängigen maximalen Wassersättigung (Staunässe) in unteren Schichten. In kompakten Substraten sucht sich das Wasser Rinnen, die im negativen Falle an den Pflanzenwurzeln vorbeiführen und zu keiner gleichmäßigen Wasserversorgung führen.

Es obliegt dem Planer die erforderlichen Eigenschaften von

- Pflanzenverankerung und
- Nährstoffversorgung

auf unterschiedliche Weise zu erreichen. Es ist auch eine Frage der Statik, wie viel Gewicht die komplette Begrünungskonstruktion haben darf.

Das Gesamtgewicht setzt sich aus der Trägerkonstruktion, dem aktuellen Wassergehalt und dem Trägermedium zusammen. Das Substrat ist dabei eine konstruktiv beeinflussbare Komponente.

Praxistipp

In der praktischen Ausbildung der Gebäudebegrüner ist mit entsprechenden Materialien und Aufbauvarianten zu experimentieren: Daraus lassen sich individuelle gebäudebezogene Optimierungen erarbeiten.

Tabelle 5.18: Gezeigt werden die am besten bewährten Arten in den unterschiedlichen Modulen; der Test verlief über mehrere Jahre. Mit „x" sind die in dieser Variante erfolgreich getesteten Arten markiert; nicht aufgeführt sind die jeweils weniger erfolgreichen Taxa. Fett markiert sind die in allen Systemen erfolgreichen „Best of the Best".

Art	Gabion	modular				flächig-nahtlos	Horizontalboxen	Geovlies, flächig
Produkt-Kurzbezeichnungen	**Vert-e-vert**	**Opti**	**Semper**	**Vivagreen**	**Cultilene**	**90de-green**	**Vertiss**	**Vertico**
***Bergenina cordifolia* und Sorten**	x	x	x	x		x	x	x
***Geranium macrorrhizum* und Sorten**	x	x	x	x		x	x	x
***Heuchera mirantha* und Sorten**	x	x	x	x		x	x	x
Ajuga reptans						x		
Alchemilla mollis		x						
Asplenium ruta-muraria				x				
Asplenium trichomanes				x				
Aster ericoides ,Snowflurry'								
Astilbe chinensis ,Pumila'				x				
Aubrieta × cultorum ,Hamburger Stadtpark'		x						

Tabelle 5.18: Gezeigt werden die am besten bewährten Arten in den unterschiedlichen Modulen; der Test verlief über mehrere Jahre. Mit „x" sind die in dieser Variante erfolgreich getesteten Arten markiert; nicht aufgeführt sind die jeweils weniger erfolgreichen Taxa. Fett markiert sind die in allen Systemen erfolgreichen „Best of the Best". (Fortsetzung)

Art	**Gabion**	**modular**				**flächig-nahtlos**	**Horizon-talboxen**	**Geovlies, flächig**
Produkt-Kurzbezeichnungen	**Vert-e-vert**	**Opti**	**Semper**	**Vivagreen**	**Cultilene**	**90de-green**	**Vertiss**	**Vertico**
Blechnum spicant								x
Buxus sempervirens						x	x	
Campanula rotundifolia				x				
Carex morrowii						x		
Cerastium tomentosum		x						
Cotinus coggyria	x							
Cotoneaster horizontalis							x	
Cymbalaria muralis	x			x				x
Dryopteris filix-feminas							x	
Festuca ovina	x		x	x				
Fragaria vesca		x		x				
Gaultheria decumbens							x	
Hemerocallis esculenta	x	x				x		
Hosta ‚Cat and Mouse'				x				
Hosta sieboldiana								x
Hosta × *fortunei* ‚Albomarginata'								x
Iberis sempervirens	x	x						x
Juniperus squarosus			x					
Luzula sylvatica							x	
Lychnis flos-cuculi				x				
Omphalodes verna				x				
Pachysandra terminalis						x		
Pinus mugo			x					
Potentilla fruticosa			x					
Sagina procumbens			x					
Saxifraga cuneifolia				x				
Saxifraga umbrosa				x				
Sedum album						x		
Sedum forsterianum			x					
Sedum hybridum ‚Weihenstephaner Gold'		x	x					
Sedum spurium ‚Album'						x		
Sempervivum tectorum		x	x					
Spiraea bumalda			x					
Thymus × citriodorus						x		
Tiarella cordifolia				x				
Waldsteinia geoides					x	x		

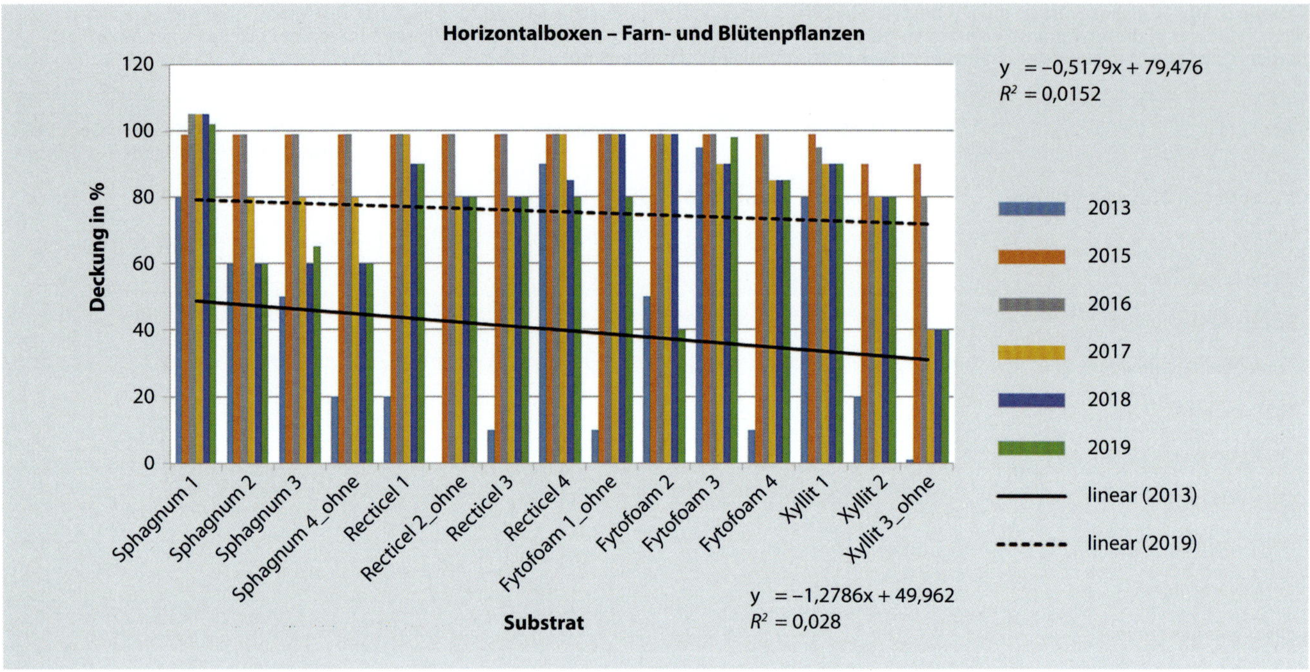

Abb. 5.80: Bedeckung mit höheren Pflanzen in experimentellen Vertikalboxen mit den vier Substraten Spaghnum, Recticel, Fytofoam und Xyllit. Eins der jeweiligen Versuchsmodule war jeweils ohne Bepflanzung als „Nullparzelle" im Test.

Als Substratbasis für eigene Tests wurden in Neubrandenburg folgende Materialien verwendet:

- ***Sphagnum* (Torfmoos):** Es wurde dankenswerterweise von einem Torfmoosprojekt der Universität Greifswald zur Verfügung gestellt. Torfmoos bildet in einigen Ländern, etwa in Chile, einen der wichtigen Grundstoffe für die vertikale Wandbegrünung.
- **Recticel:** Dies ist ein erdölbasiertes Schaumstoffprodukt mit sehr guter Wasserhaltefähigkeit. Angeschlitzt bieten diese Matten Platz, in den hinein sich Pflanzenwurzeln entwickeln können.
- **Fytofoam:** Dabei handelt es sich ebenfalls um ein erdölbasiertes Schaumstoffprodukt, das in Flockenware angeboten wird, aus den Niederlanden kommt und in Australien eines der Hauptsubstrate für die Vertikalbegrünung bildet.
- **Xyllit (Braunkohle):** Dies ist ein Fasertorf mit hohen Nährstoffeinlagerungen. Es ist ein Produkt, das im Gartenbau in Deutschland zunehmende Verbreitung findet.

Von den Materialien wurden jeweils (mit 4-maliger Wiederholung in einem 6-jährigen Zeitraum 2013 bis 2019) 4 Einheiten in Drahtkörbe gefüllt, bepflanzt und sommerlich bewässert. Eine Teilfläche blieb jeweils ohne Anpflanzung. In Abb. 5.80 sind die Deckungsgrade der Flächen im Versuchszeitraum aufgetragen; aus dem Jahr 2014 fehlt ein Datensatz. Die Regressionslinien des Anfangsjahrs 2013 zeigen eine Deckung von etwa 40 %, die über die Jahre zu einem Deckungsgrad von etwa 80 % wird. Auch die Flächen ohne anfänglichen Bewuchs entwickeln sich über den Zeitraum gut.

Auf den Oberflächen siedelte sich über die Zeit eine Moosschicht an. Diese Entwicklung ist in Abb. 5.81 aufgetragen. Ausgehend von wenigen Prozent Deckung im Anfangsjahr 2013 ist die Bodenschicht über diesen Substraten zum Ende des Untersuchungszeitraums mit etwa 80 % gut bedeckt und bildet eine fast durchgängige Bodenbedeckung.

Bepflanzungsvarianten

Folgende Bepflanzungsvarianten sind für wandgebundene Begrünungssysteme denkbar:

- **Minimalistische Pflanzoberflächen:** Für diese Variante eignen sich Moose (z. B. Lebermoos und Bodenmoose) sowie *Sedum*-Arten. Weißer Mauerpfeffer (*Sedum album*) ist hier sehr genügsam und kommt mit sehr flachgründigen Substraten zurecht.
- **Jahreszeitlicher Wandel:** Hier werden Pflanzenarten kombiniert, die zu verschiedenen Jahreszeiten blühen oder das Pflanzbild bestimmen:
  - Frühling: Gänsekresse (*Arabis*), Blaukissen (*Aubrieta*), Bergenie, Seggen (*Carex*), Veilchen (*Viola*) und Dickmännchen (*Pachysandra*),
  - Spätfrühling: Lauch-Arten (*Allium*), diverse Zwiebelgewächse wie Blausterne (*Scilla*) und Traubenhyazinthen (*Muscari*), Lilientraube (*Liriope*) und viele Stauden,
  - Sommer: breite Palette von Funkie (*Hosta*), Purpurglöckchen (*Heuchera*) und Storchschnabel (*Geranium*),
  - Spätsommer: Schöne Fetthenne (*Sedum spectabile*), verschiedene Astern und Prachtkerze (*Gaura*),
  - Winter: strukturbildende Immergrüne, z. B. Japanische Stechpalme (*Ilex crenata*) und Buchs (*Buxus sempervirens*).
- **Himmelsrichtung:** Eine Herausforderung stellt die Gebäudeausrichtung dar. Südseiten sind Extremstandorte, die einem Trockenrasen gleichen. Es ist besondere Aufmerksamkeit auf winterliches Austrocknen an strahlungsreichen Tagen zu legen (Tabelle 5.19).

Bepflanzungsmuster, die artenreich und in fließenden Formen in einem Wechsel aus zu unterschiedlichen Zeiten

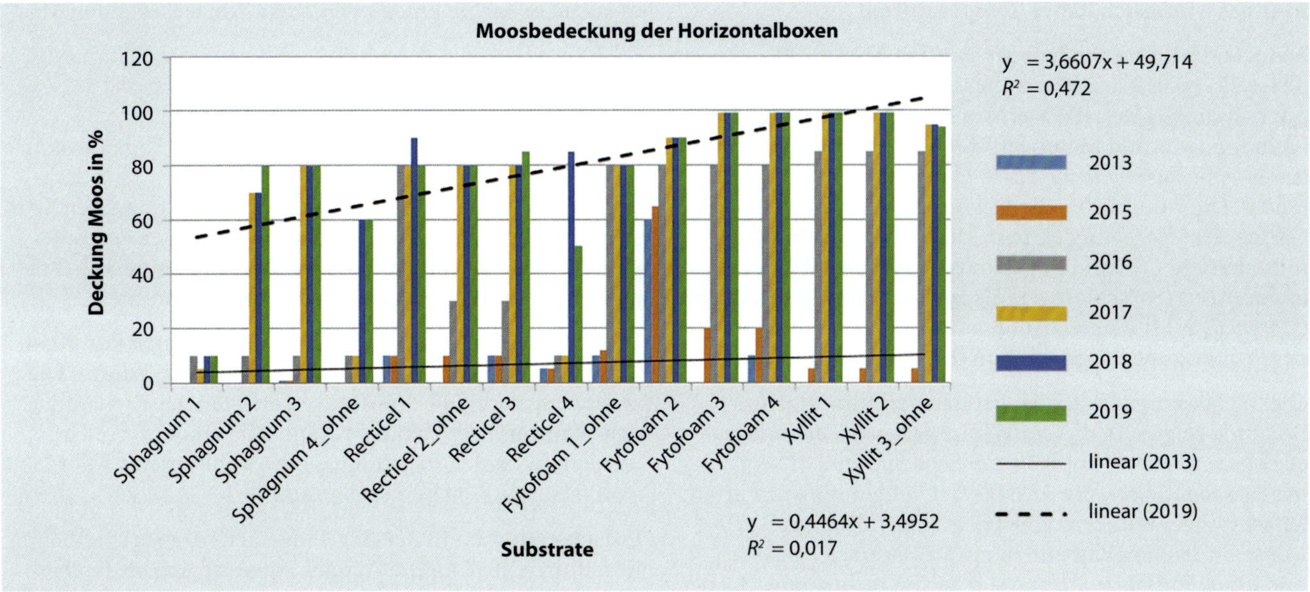

Abb. 5.81: Bedeckung mit Moos in Prozent. Die experimentellen Vertikalboxen mit den vier Substraten Spaghnum, Recticel, Fytofoam und Xyllit. Eins der jeweiligen Versuchsmodule war jeweils ohne Bepflanzung als „Nullparzelle" im Test.

Tabelle 5.19: Pflanzenauswahl nach Himmelsrichtungen

Ausrichtung der Fassade	Artenempfehlungen	Winterstruktur
Süden (sonnig bis halbschattig)	Stauden: • *Fragaria* (Erdbeere in Sorten), • *Geranium sylvaticum* (Wald- Storchschnabel) • *Heuchera* (Purpurglöckchen in Sorten) und • viele weitere typische Arten, die von sonnigen Trockenmauern bekannt sind. Gräser: • *Carex conica* 'Snowline' (Weißbunte Zwerg-Segge) • *Carex morrowii* (Japan-Segge) Klein-Gehölze: • *Lavendula* (Lavendel in Sorten) • *Prunus laurocerasus* 'Otto Luyken' (Kirschlorbeer)	• möglichst 30 % wintergrünes Laub berücksichtigen • Stauden mit dekorativem Winterlaub auswählen
Norden (halbschattig bis schattig)	Stauden: • *Heuchera* (Purpurglöckchen in Sorten) und Gräser: • *Luzula* (Haimsimsen in Sorten) • (Zwerg-)Gehölze • *Buxus sempervirens* (Buchs) • *Juniperus squamata* (Blauer • Kriech-Wacholder) • *Cotoneaster* (Zwergmispeln) • *Ilex crenata* (Japanische Stechpalme) • *Potentilla fruticosa* (Fingerstrauch)	auf hohen Anteil an immergrünen Arten achten; da die Stauden hier langsamer als an einer Südwand austreiben, sieht es hier länger „kahl" aus.

blühenden Pflanzen zusammengesetzt sind, lassen sich leichter entwickeln als Bepflanzungen, die in quadratischen Mustern wachsen sollen.

Sofern die Fläche nur wenige Quadratmeter, z. B. an einer Terrasse, bedecken, ist die Arbeit einfach von Hand zu erledigen, ähnlich wie bei einem Balkonkasten. Die Pflanzen können von Pflanzfeld zu Pflanzfeld kleinteilig ausgewählt und individuell gepflegt und verändert werden. Größere Flächen sollen in der Regel ganzjährig im Bewuchs beeindrucken. Dazu ist die Pflanzung zunächst mit „Leitpflanzen" so auszustatten, dass ganzjährig ein ansprechender Bewuchs vorhanden ist. Das Verhältnis zwischen Immergrün und Sommergrün ist eines der Geheimnisse.

Ausschließlich immergrüne Strukturen, etwa mit Buchs, wären teuer und nur im Einzelfall eine gute Wahl. Besser ist es, zwischen diese Immergrünen, die im Übrigen auch nicht zu groß werden dürfen, da sie nur ein limitiertes Bodenvolumen haben, eine spannungsreiche Mischung aus Arten zu kombinieren, die zu allen Jahreszeiten abwechselnd blühen.

Einfluss winterlich kalter Temperaturen

Am Standort Neubrandenburg wurden über die Winterphase 2011/2012 insgesamt 10 fassadengebundene Begrünungssysteme getestet. Zwei Wochen mit bis zu –20 °C (gemessen vor und hinter verschiedenen Modulen) garantierten eine ausreichende Kälte zur Prüfung der Winterfestigkeit. Die winterlichen Bedingungen waren auch in den Gärten der Umgebung extrem. Die Kälte in Verbindung mit scharfem Ostwind führte dazu, dass sowohl *Prunus laurocerasus* (Kirschlorbeer) als auch robuste Zwergmispeln (*Cotoneaster*) stark geschädigt wurden und sich im Laufe des Frühlings nur zögerlich von den Frostschäden erholten.

Die in Hamburgs Vorgärten gepflanzten Kirschlorbeer-Bestände zeigten in diesem Winter schon bei erheblich geringeren Wintertemperaturen Schäden. In den begrünten Fassaden waren die Ausfälle der beiden Indikatorarten Kirschlorbeer und Zwergmispel geringer. Zwergmispeln waren im Maximalfall nur zu etwa 50 % zurückgefroren und erholten sich zu Beginn der Saison recht zügig. Bei der Gattung *Prunus* hatte die Sorte *Prunus laurocerasus* 'Otto Luyken' relativ wenig Schädigungen. Diese wenigen Beobachtungen zeigen zweierlei: Einerseits sind regional weitere Beobachtungen mit genauer Protokollierung des Ausfalls und einer Beschreibung der Fassadenmodule erforderlich. Andererseits stimmt der überraschend gute Zustand der meisten Pflanzen nach einem relativ harten Winter für die weitere Verbreitung von wandgebundenen Begrünungssystemen auch in kaltem Klima optimistisch.

Die These, dass die Wurzeln in den Modulen schnell durchfrieren und dann vor allem bei den wintergrünen Arten irreversible Schäden entstehen, hat sich nicht bestätigt. Als Gründe für das relativ gute Abschneiden dienen folgende Erkenntnisse:

- Die Systeme sind gut wasserversorgt in den Winter gegangen.
- Die Kälteperiode war mit 2 Wochen doch nicht allzu lang.
- Die Standortbedingungen an einer Hausfassade sind milder als in den angrenzenden Gartenflächen.

Unklar in der Bewertung der optischen Qualität sind:

- Spindelstrauch (*Euonymus fortunei* in Sorten, z. B. 'Emerald'n Gold'): winterlicher Blattabwurf bei starker winterlicher Kälte mit zögerlichem Neuaustrieb im Frühjahr,
- Wald-Hainsimse (*Luzula sylvatica*): zwar sommerlich üppiges Aussehen, aber Verharren über lange Zeit mit vertrocknetem Blattwerk und zögerliches Wiederaustreiben nicht vor Mai.

Ausfälle sind bei den Pflanzen zu beklagen, die sich im humiden Atlantiklima Frankreichs bis zu den Niederlanden auch in Fassaden bewährten. *Fatsia japonica* (Zimmeraralie) und *Cotinus coggygria* (Perückenstrauch) taten sich beim erneuten Austrieb etwas schwer. Gleiches gilt für *Gaura lindheimeri* (Prachtkerze) oder *Liriope muscari* (Lilientraube), die zwar nicht abgestorben waren, aber sich nur sehr langsam wieder entwickelten. Hier ist eine begleitende Bepflanzung innerhalb der Module erforderlich, die im Frühjahr zunächst optisch wirksam wird. Ausfälle gab es auch bei *Sagina procumbens*, dem Niederliegenden Mastkraut.

Substrate

Neben den beiden Substratgruppen humose Erden, wenn es um eine Form von produktivem Wuchs etwa bei dem urbanen Gemüseanbau geht, und den auf der anderen Seite stehenden mineralischen Substraten mit hoher Porosität gibt es eine Vielzahl von Materialien, die ebenfalls als Trägermedium für die Pflanzwurzeln infrage kommen.

Es kann aber Erde sein. Die Nährstoffaufnahme der Pflanzen erfolgt über das die Wurzel umgebende Medium. Die zweite Funktion, die Substrate zu erfüllen haben, nämlich den Pflanzen Halt zu bieten, kann auch anders erreicht werden. In beiden Fällen muss eine wohldosierte Nährstoffversorgung sichergestellt sein.

Erdsubstrate sind in der Regel ingenieurwissenschaftliche Rezepturen aus Langzeitdünger, wasserspeichernden Hydrogelen und porösem und wasserspeicherndem Füllmaterial. Diese mineralischen Substrate, mit dem großen Nachteil des höheren Gewichts, haben sich in der Regel bereits in der Dachbegrünung bewährt. Der Unterschied ist allerdings, dass zu grobporiges Material aus der Dachbegrünung zu schnell Wasser ableitet. Besondere Zuschlagstoffe, etwa Hydrogel, können zur Erhöhung der Wasserhaltefähigkeit hilfreich sein.

In einigen Ländern hat sich Torfmoos, wie *Sphaghnum magellanicum*, als Substrat bewährt. Es kann naturschutzfachlich unbedenklich sein, wenn das Ausgangsmaterial aus einem Rekultivierungsanbau stammt. Eigene Versuche mit einer kleinen Menge seit 2010 haben gezeigt, dass es als feucht gehaltenes Substrat ebenfalls zu wachsen beginnt und sich entgegen einigen Auffassungen nicht im Laufe der Jahre „selbst verbraucht“.

Hydroponische Systeme in fassadengebundenen Begrünungssystemen ähneln den aus der Innenraumbegrünung gebräuchlichen Materialien. Es fehlen aber Erfahrungen mit diesen Schäumen, Flocken oder Vliesen hinsichtlich der Langzeitstabilität. Es ist ein bekannter Unterschied, dass ein „schwammartiges Material“ flach ausgelegt andere Eigenschaften besitzt als hochkant montiert. Letzteres bedeutet für den Wasserhaushalt, dass die obere Hälfte derartiger Systeme tendenziell trocken ist, während die untere Hälfte nahezu komplett mit Wasser aufgefüllt ist.

Im Bereich der Innenraumbegrünung gibt es jahrzehntelange Erfahrungen (vgl. Kapitel 6), die auch bei den wandgebundenen Begrünungen genutzt werden können. Auch in der Gemüseproduktion wurden Erfahrungen gesammelt, die allerdings in größeren Bewässerungsmengen denken. Die „erdelosen“ Substrate umfassen viele Materialien, die offenporig sind und Wasser speichern können, etwa Steinwolle und diverse Kunstschäume (Abb. 5.82 und Abb. 5.83). Diese Produkte müssen über Jahre formstabil bleiben (Tabelle 5.20). Eine geringe Schrumpfung und damit Verdichtung ist unschädlich, da dieser Raum im Idealfall durch wachsende Wurzeln besiedelt wird.

Die Produkte sollten frei von schädlichen Ausdünstungen sein und die Gebäudebenutzer nicht belasten. Viele der

Tabelle 5.20: Anforderungen an die Substrate bei wandgebundenen Begrünungen

Kriterium	Ansprüche
Gewicht	so gering wie möglich
Formstabilität	so hoch wie möglich
Wasserspeichervolumen	so hoch wie möglich
Nährstoffverfügbarkeit	variabel, abhängig von den gewählten Arten
Humusgehalt	je nach gewählter Pflanzengruppe hoch bis gering

heute verwendeten Schäume sind Erdölprodukte. Das könnte sich negativ auf die Umweltbilanz bzw. die Akzeptanz bei den Kunden auswirken. Auch das langfristige Ausdünsten aus diesen Stoffen würde kontraproduktiv zum Begrünungszweck stehen. Es gibt noch keine Richtlinien für entsprechende Substrate. Daher sind in Tabelle 5.21 einige Kriterien für die Auswahl geeigneter hydroponischer Substrate aus bisherigen Untersuchungen zusammengestellt.

Die Produkterweiterung umfasst poröse künstliche Steine, wie Perlite, Blähschiefer und Blähtone, sowie auch Naturfasern, wie Kokosfasern und Braunkohlefasertorfe. Ein besondere Bedeutung bekommen diese Materialien, wenn sie nicht nur wegen ihrer Halteeigenschaft für die Pflanzenwurzeln, sondern auch zur Reinigung von Regen-, Brauch- oder Grauwasser in den Begrünungen eingesetzt werden. Dabei kommt es auf die richtige Mischung der Substratbestandteile an. Beste Reinigungseigenschaften lassen sich mit einer hohen Porosität und intensivem Bodenleben erreichen (Prodanovic et al., 2018). Perlite zeigten weitgehend die besten Reinigungseigenschaften (Prodanovic et al., 2017). Phosphor wird durch Passage durch eine vertikale Begrünung signifikant aus Grauwasser herausgefiltert, der Nährstoffbedarf der Pflanzen ist hier entscheidend (Prodanovic et al., 2019).

Die Dränleistung spielt bei Dachbegrünungen eine wichtige Rolle. Bei vertikalen Systemen ist im oberen Drittel immer ein Luftvolumen gegeben, damit neben Wasser ausreichend Luft an die Wurzeln gelangt. Im unteren Drittel kann es zu einer durchgängigen Wassersättigung kommen, die zum Absterben von Arten führt, die sensibel auf Staunässe reagieren. Daher wurden in Anlehnung an die Testverfahren von Materialien zur Dachbegrünung Tests durchgeführt (Abb. 5.84). Die Bestimmung des Wasserdurchlässigkeitswerts (k_f-Werts) erfolgte gemäß Formel 5.8:

$$k_f = \frac{1}{t} \cdot \frac{h}{(h + 4{,}0)} \qquad \text{(cm/s)} \tag{5.8}$$

mit
h = Höhe in cm
t = Zeit in Sekunden

Zur Orientierung: Der Wasserdurchlässigkeitswert beträgt zwischen 0,0005 cm/s bei langsamer Dränung bei Intensivbegrünungen und 0,1 cm/s bei Einschichtbegrünungen mit

Abb. 5.82: Beispiele von Substraten, die bei wandgebundenen Begrünungen verwendet werden (von links): Porlitdominiertes Substrat, kleine Schaumflocken (Fytofoam), mineralisches Substrat auf Recyclingbasis, grobes mineralisches Substrat aus der extensiven Dachbegrünung, mineralisches Zeolith-Bims-Lava-Gemisch aus der Innenraumbegrünung, reines *Sphagnum*-Moos, feinkörniges mineralisches Gemisch aus der extensiven Dachbegrünung, grobe Schaumflocken verschiedener Dichte und spezielles Gemisch mit hohem Anteil an Feinteilen (Humus, Hyrogel und Langzeitdünger)

Abb. 5.83: Vliese, die bei wandgebundenen Begrünungen verwendet werden (von links oben nach rechts unten): Recyclingvlies (Aquanappe, 360 g/m²), schweres Geovlies (700 g/m², 1 mm stark), als Schutzvlies in der Dachbegrünung verwendetes Geovlies (1 mm stark), engmaschiges Kunst-Geovlies (0,7 mm stark), reißfestes Recyclingvlies aus Mexiko (0,7 mm stark), grünes Geotextil (0,5 mm stark), weißes Geotextil (0,5 mm stark)

Abb. 5.84: Test der Wasserdurchlässigkeit (k_f-Wert), der in Anlehnung an das Testverfahren von Materialien der Dachbegrünung durchgeführt wird

Tabelle 5.21: Bandbreite einiger Kennwerte von Pflanz- und Trägersubstraten für wandgebundene Begrünungen (Messungen in Anlehnung an die Messvorschriften nach FLL-Fassadenbegrünungsrichtlinien [2018])

Stoffgruppe	pH-Wert[1)]	elektrische Leitfähigkeit[2)] (µs)	Lastannahme je cm Schichtdicke[3)] (N/m²)	mittlere maximale Wasserspeicherung je cm Schichtdicke (l/m²)	Wasserdurchlässigkeit (k_f-Wert)[4)] (cm/s)	Wassergehalt[5)] (Vol-%)
PU-Schaumblock, waagerecht	7,9	565	0,01	7,7	0,24	–
PU-Schaumblock, senkrecht	–	–	0,01	4,2	–	–
hydroponische Flocken, locker	7,9	86	0,002	2,2	0,42	–
hydroponische Flocken, gepresst	7,7	27	0,003	5,1	0,01	–
Geovliese, schwer (700 g/m²), 3-lagig	–	–	0,03	16,2	0,16	–
speicherndes Geo-Pflanzvlies (3-lagig)	–	–	0,013	12,9	0,20	–
Sphagnum	5,0	280	0,003	5,6	0,26	–
Porlitsubstrat	7,2	95	0,06	4,3	0,026	30
Bims-Lava-Gemisch (Zeobon)	6,7	4,2	0,098	2,0	0,51	20
vulkanisches Dachsubstrat mit Humusanteil	7,73	43,1	0,10	1,8	0,13	–
humoses Substrat mit Hydrogel	6,42	29,6	0,04	3,5	0,27	–
Fassadensubstrat mit Styropor-beimischung	6,6	66	0,03	5,2	0,07	–
Blähschiefer	7,6	11,8	0,08	2,2	0,17	–

1) mit Sonde in destilliertem Wasser gemessen (Leitungswasser: pH 7,0; Regenwasser: 6,7)
2) Leitfähigkeit: Leitungswasser: 609 µs; Regenwasser: 72 µs
3) bezogen auf trockenes Substrat
4) k_f-Wert berechnet gemäß Formel 5.8
5) Anhaltswerte

raschem Wasserdurchfluss (aus FLL-Dachbegrünungsrichtlinie, 2018, S. 66). „Langsam" bedeutet dabei eine Perkolation von 18 l/(m² · h) und „schnell" von 3.600 l/(m² · h). Erwartungsgemäß läuft das Wasser aus Fassadenmaterialien etwa doppelt so schnell heraus wie aus einer Dachbegrünung.

Da die meisten wandgebundenen Begrünungssysteme nicht ohne Zusatzbewässerung auskommen, ist die Frage der Wasserspeicherung anders zu beantworten als bei Dachsubstraten. Hydroponische Vliese für wandgebundene Begrünungssysteme speichern das bis zu 10-Fache ihres Eigengewichts kurzfristig (siehe Tabelle 5.21). Einige davon speichern Teile dieses Wasser aber über Tage, sofern sie bei der Innenraumbegrünung verbaut werden. Im Außenbereich trocknen diese gut speichernden Systeme innerhalb eines Tages ohne erneute Nachlieferung von Wasser nahezu komplett aus. Konsequenz hieraus ist, dass Begrünungen auf Geovliesbasis im Außenraum eine mehrmals tägliche Bewässerung benötigen, wobei der größte Teil kurzfristig wieder abläuft. In Innenräumen reicht eine tägliche Bewässerung, sofern das verwendete Geovlies Speichereigenschaften hat.

Im Gegensatz dazu entspricht das Porlitsubstrat in den Speicher- und Durchlässigkeitswerten einem Dachsubstrat. Hier ist nicht unbedingt eine tägliche Bewässerung erforderlich. Das schnelle Ablaufen bei gleichzeitig mehrmals täglicher Bewässerung zeigt ein mögliches Problem auf: Die Materialien trocknen in den unteren Teilen der Systeme niemals aus und Arten, die empfindlich gegenüber einem Zuviel an Wasser sind, können an solchen Standorten nicht überleben.

Die Frage, ob das herauslaufende Wasser entweder in einen Kreislauf geführt wird und damit zu einer möglichen Anreicherung von Bakterien und Keimen führen kann oder ob das ablaufende Wasser versickert werden sollte, hängt vom Systemaufbau ab. Grundsätzlich ist der Kreislauf zu bevorzugen. Der Algenanreicherung im Sammelgefäß ist regelmäßige Aufmerksamkeit zu widmen und durch Reinigung vorzubeugen. Das Ablaufen der Wassermengen aus dem System hat andere Nachteile: Neben dem höheren Wasserverbrauch wird hiermit auch die Umgebung gedüngt.

Ein weiterer Wasserverlust ergibt sich aus der Verdunstung. Unter spätsommerlichen Bedingungen verdunstete aus getesteten unbewachsenen Systemen täglich etwa 1 l/m² (Abb. 5.85). Im *Sphagnum* entwickelte sich der Bewuchs in

3 Parallelproben am besten (Tabelle 5.22). Der Verdunstungswert aus diesem Versuch ist als Faustwert mit etwa 5 l/m² am Tag anzusetzen. Unter sommerlichen Bedingungen liegen die Werte um etwa ⅓ höher. Ein vertikaler Einbau bedeutet ebenfalls eine Erhöhung des Wertes um etwa ⅓. Das wären bei 10 cm Materialstärke, vertikalem Einbau und sommerlichen Bedingungen etwa 4 l/m² Wasserbedarf.

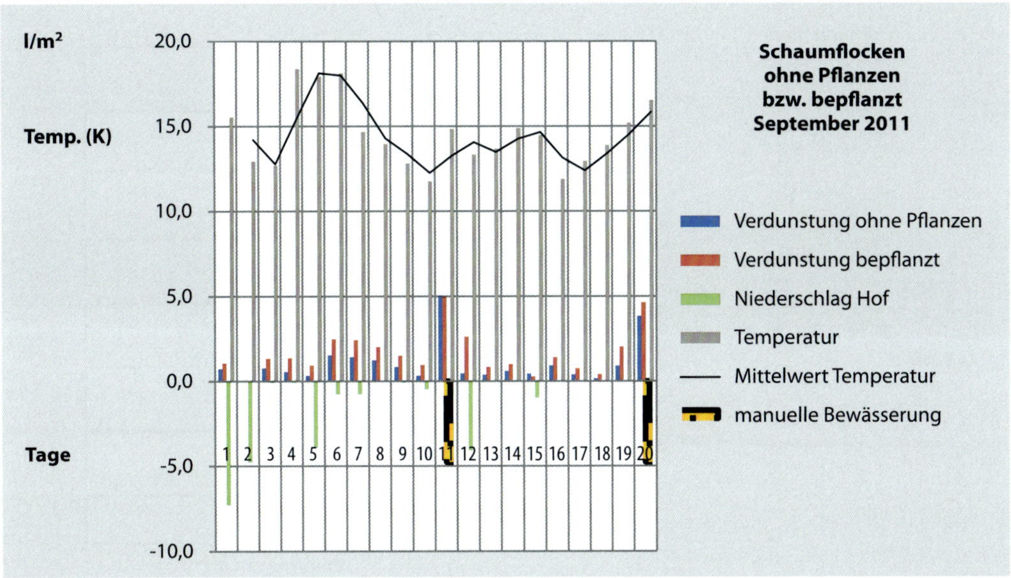

Abb. 5.85: Ausgewählte Verdunstungswerte von wandgebundenen Begrünungselementen auf der Basis von Schaumflocken (Fytofoam) bei 10 cm Substratstärke (eigene Messungen im September 2011 über 20 Tage). Der Niederschlag und die Bewässerung sind als Negativwerte aufgetragen.

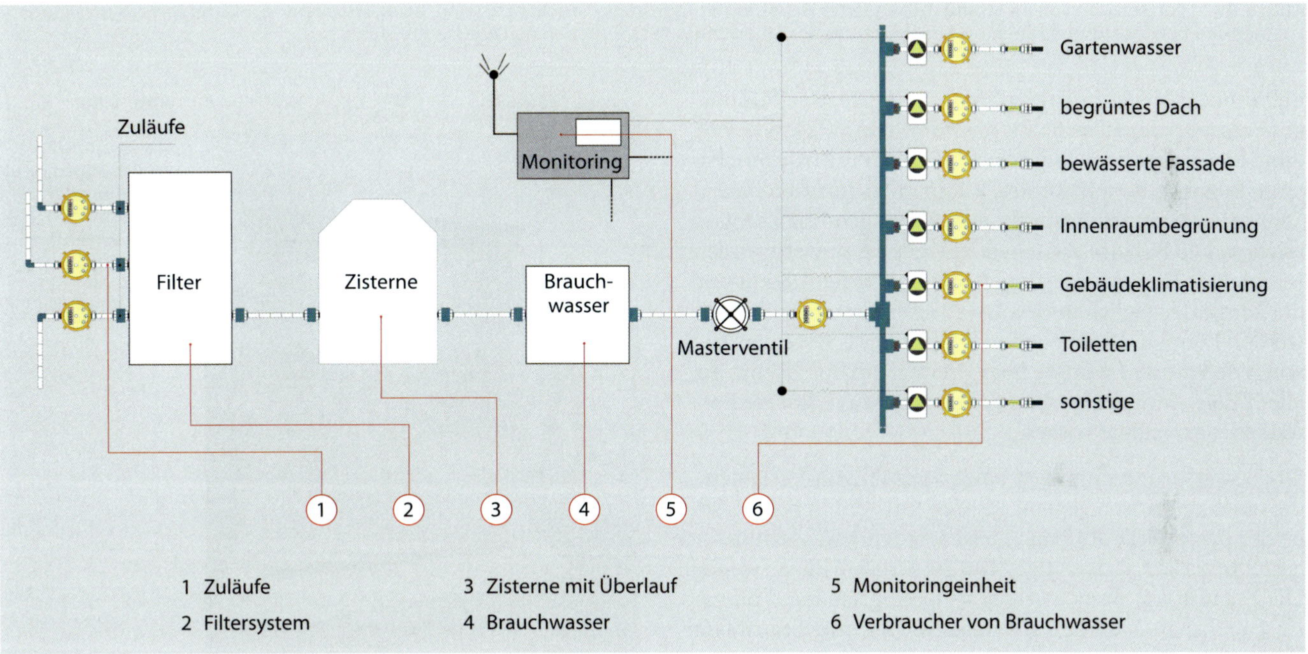

Abb. 5.86: Basisskizze zur Bewässerungsplanung

Tabelle 5.22: Verdunstungsleistung aus Substraten für wandgebundene Begrünungen unter spätsommerlichen Bedingungen im September 2011 über 20 Tage gemessen, bezogen auf 10 cm Substrat (waagerechter Einbau)

Stoffgruppe	Niederschlag (mm/m²)	Zusatzbewässerung (mm/m²)	Verdunstung ohne Pflanzen (mm/m²)	Verdunstung mit Pflanzen (mm/m²)
PU-Schaumblock	41,09	5,0	22,00	28,60
Schaumflocken	41,09	5,0	20,43	32,31
Sphagnum	41,09	5,0	20,75	42,73

Bewässerung und Düngung sind 2 Komponenten, die es für jedes Objekt in ausgewogener Form zu steuern gilt.

Bewässerung

Die Bewässerung einschließlich der automatisierten Düngergabe ist das Herzstück von wandgebundenen Begrünungssystemen, da Begrünungen an Fassaden keine ausreichende Wasserversorgung durch Niederschlag erhalten.

Die automatisierte Versorgung muss robust sein und zuverlässig funktionieren. Dennoch muss sie regelmäßig kontrolliert und nachgesteuert werden. Feuchtesensoren liefern Anhaltswerte zur Bodenfeuchtigkeit. Nichts ersetzt jedoch den fachkundigen Blick vor Ort – technische Monitoringsysteme, wie sie auch in Abb. 5.86 und Abb. 5.87 eingefügt sind, haben nur unterstützende Funktion.

Der eigentliche Wasserbedarf unterliegt vielen Faktoren: dem Verbrauch der Pflanzen, der konvektiven Verdunstung sowie Witterung bzw. Raumklima. Die Bewässerung kann entweder als „gerade noch ausreichend" bis hin zu „üppig"

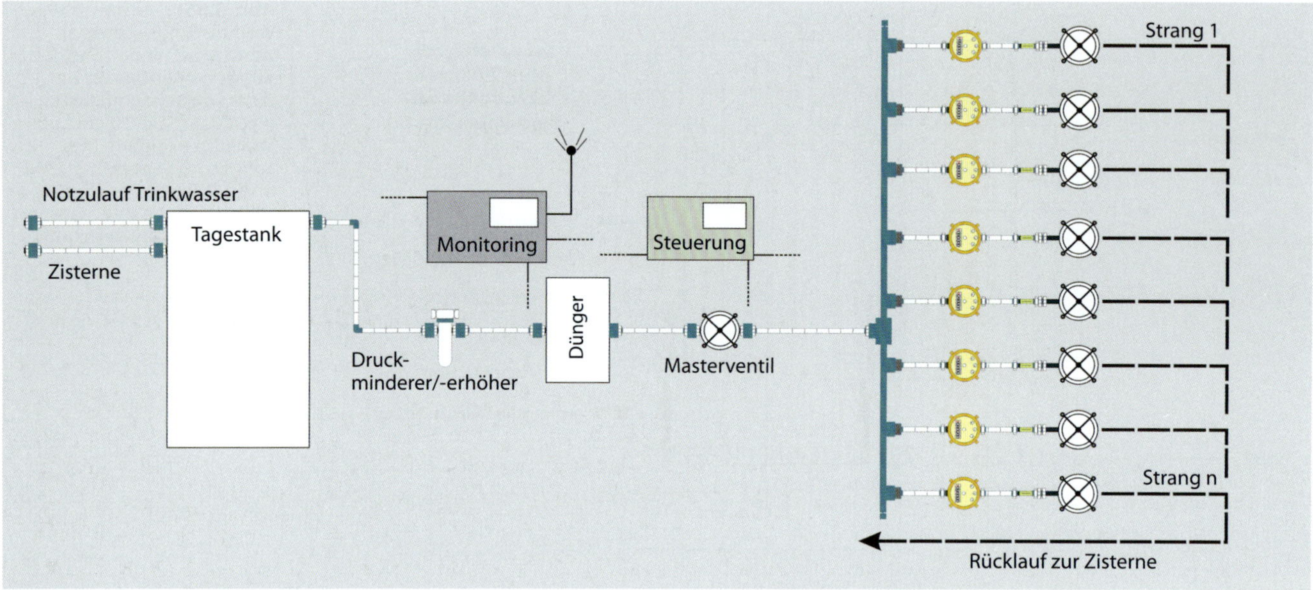

Abb. 5.87: Fortsetzung von im Strang „bewässerter Fassade" mit Tagestank, Druckanpassung, Düngersteuerung, Masterventil, Aufteilung auf mehrere Bewässerungsstränge und Rückführung des Überschusswassers in den Nutzwasserkreislauf

im Sinne einer Verdunstungsanlage zur Gebäudekühlung gesteuert werden. Das heißt, die minimale Wasserversorgung kann mengenmäßig von 1 bis 2 mm für trockenresistente Pflanzen bzw. in kühlen Räumen bis hin zu 5 bis 10 mm in verdunstungsoptimierten üppigen Pflanzungen reichen. Die Balance zwischen zu viel und zu wenig Wasser ist eine der Herausforderungen, die durch die Anzahl und die Länge der täglichen Bewässerungsintervalle gesteuert werden können. Diese reichen bei Geovlies-Systemen etwa von jede Stunde 1 Minute über dreimal am Tag bis hin zu alle 7 Tage einmal. Das setzt genaue und zuverlässige Bewässerungssysteme voraus.

Die Bewässerung unterliegt einer Vielzahl von Variablen, die objektspezifisch geplant werden müssen. In Abb. 5.86 ist der prinzipielle Aufbau einer Fassadenbewässerung dargestellt. Wasser als wichtiges Gut ist sorgsam zu verwenden. Die Zuläufe von Brauchwasser als ökologische und ökonomische Variante können aus Regenwasser und Grauwasser und ggf. aus Oberflächenwasser gespeist werden. Veralgung und Verkeimung sind weitgehend zu vermeiden, wenn das Wasser kühl und dunkel geführt und gespeichert wird. Trotzdem sind jährliche Überprüfungen angeraten. Zusätzlich erfolgt eine Trinkwassernachspeisung, für den Fall, dass alle Quellen versiegen sollten.

Das Filtersystem muss auf das zu verwendende Dargebot ausgerichtet und zugänglich sein und sich einfach reinigen lassen. Die meisten Fassadensysteme gehen zunächst von einer „Überwässerung" aus, ablaufendes Wasser ist in geeigneter Form in einem Kreislauf zu führen. Eine Zisterne mit Überlauf dient als Speicher. Nach einer weiteren optionalen Reinigung steht das Brauchwasser zur Verfügung. Je nach Wasserangebot kann hier eine Liste von Verbrauchern angeschlossen werden, neben der Fassadenbewässerung z. B. die Gebäudeklimatisierung und die Toilettenspülung. Sie sollten von einem Planer mit Prioritäten versehen werden.

Die Entwicklung der Bewässerungstechnik hat große Fortschritte gemacht (Abb. 5.88, Abb. 5.89 und Abb. 5.90).

Abb. 5.88: Ein kommerzielles Stand-alone Bewässerungsmodul für kleinere Wandbegrünungen, mit einer Anzahl von Ventilen, Steuerungscomputer und Düngerbeimischer.

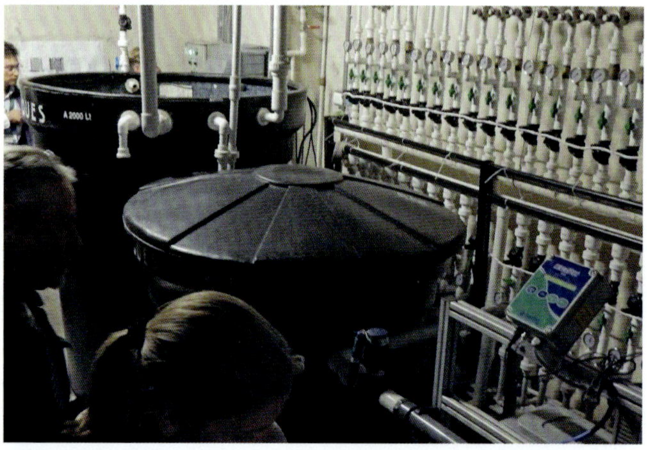

Abb. 5.89: Blick in einen Steuerungsraum der Begrünung eines mehrgeschossigen Wohnhauses mit einer Vielzahl von einzeln gesteuerten Bewässerungs- und Düngersträngen, die jeweils separat abgesichert sind. Die schwarzen Tanks sind die Tagesvorratsgefäße.

Abb. 5.90: Kleine Anlage zum Lernen in einem Seminarraum im Rahmen der fachpraktischen Ausbildung in Neubrandenburg

Die Verwendung von Brauchwasser erfordert eine ausführliche Mess- und Steuerungstechnik, die für diese Anforderungen jetzt erst mit dem wachsenden Markt der Begrünung entwickelt werden. Eine Monitoringeinheit sammelt alle Daten, verarbeitet sie und versendet sie ggf. drahtlos.

Wesentliche Komponenten der Bewässerung sind Tagestank, Druckanpassung, Düngersteuerung, ein Masterventil sowie eine Rückführung des Überschusswassers in den Nutzwasserkreislauf (Tagestank). Es ist ein Vorteil, wenn sich einzelne Pflanzreihen oder -module individuell ansteuern lassen (siehe Abb. 5.87). Auch innerhalb von Pflanzmodulen gibt es Feuchtegradienten, die im oberen Teil auch bei stündlicher Bewässerung für mäßig trockenheitsliebende Pflanzen ideal sind. Die unteren Einheiten der Bepflanzungen sind ständig feucht. Hier ist darauf zu achten, dass noch genügend trockene Grobporen vorhanden sind, da es sonst zu Fäulungsprozessen kommen kann. Eine gleichmäßige, etwa schachbrettartige Bepflanzung ist aus diesem Grund nur bedingt möglich.

Auch das Auftragen des Wassers auf die Fassade kann gestalterisch wertvoll sein. Von für Passanten komplett unsichtbaren Systemen bis hin zum dekorativen Einsatz von Nebeldüsen, die ins rechte Licht gerückt werden können, sind viele Varianten möglich. Wasser ist immer faszinierend, neben der erforderlichen Mindestbewässerung steckt darin auch ein Gestaltungspotenzial, das erst bei wenigen Projekten genutzt wird.

Der Faustwert für den Wasserverbrauch der ausgewählten Pflanzen-Substrat-Systeme in unterschiedlichen klimatischen Situationen ist zurzeit eine Verdunstung von ca. 2 bis 3 l/m^2 (vgl. Kapitel 5.3.3). Das deckt sich mit dem Ergebnis von Convertino et al. (2021), die den Verbrauch in Abhängigkeit des Blattflächenindexes für Septembertage in Norditalien mit 2,5 l/m^2 Pflanzfläche angeben. Die Speicherfähigkeit der Tragschicht ist ein weiteres Kriterium für die Auslegung des Bewässerungsaufbaus. Typische Vliese mit 2 Lagen Geovlies, wie sie aktuell von Marktführern üblicherweise verwendet werden, sind nach ca. 2 Stunden „abgetropft". Konsequenterweise wird die Bewässerung mindestens alle 2 Stunden erneut gestartet. Auch hier gibt es jetzt Erfahrungswerte: Je weniger der Aufbau zwischenspeichern kann, desto häufiger ist das Bewässerungssystem zu starten, Das variiert zwischen einmal pro Woche (kompaktes Gabionensystem) bis zu hydroponischen Vliesen, die alle paar Stunden für maximal 1 Minute eine Wassergabe erfordern.

5.4 Wartungs- und Pflegeaufwand

5.4.1 Bodengebundene Begrünungen

Die Verbreitung der Fassadenbegrünung in Deutschland beruht nicht zuletzt darauf, dass die typischen Kletterpflanzen, Wilder Wein und Efeu, zumindest an Vollmauerwerkwänden pflegearm sind. Eigene Erfassungen in Berlin aus den 1980er-Jahren belegen, dass vor allem der Wilde Wein (*Parthenocissus tricuspidata*) über Jahrzehnte an großen fensterlosen Brandmauern vielfach völlig unproblematisch wächst.

Dennoch wird die Wartung von Kletterpflanzen als gärtnerische Arbeiten häufig von Auftraggebern unterschätzt. Um die Fenster ist ein jährlicher Rückschnitt erforderlich, da die Direktbegrünungspflanzen von der Wuchsstruktur her die Fassadenflächen in einem 45°-Winkel bewachsen und damit Fenster verdunkeln können. Auch das Unterwachsen der Dachkonstruktion muss durch regelmäßige Rückschnitte verhindert werden (siehe Abb. 5.35). Da Leitern nicht ausreichend sind, müssen entweder Hubarbeitsbühnen oder mobile Lifte zum Einsatz kommen. Hubarbeitsbühnen müssen sicher angestellt werden können und mobile Lifte erfordern Absperrungen und damit Einschränkungen im Umfeld einer Begrünung.

5.4.2 Wandgebundene Begrünungen

Diese erfordern mehrmals im Jahr gärtnerische Pflegearbeiten und Wartungsarbeiten. Die Bewässerungsanlage benötigt zumindest bei der Inbetriebnahme nach der Winterpause und bei der Entleerung der außen liegenden Bewässerungsventile jährliche Wartungen. Da im Laufe der Betriebsdauer eines Gebäudes die Pflegekosten für eine wandgebundene Begrünung die Anfangsinvestitionen übersteigen können, ist die Einplanung geeigneter sicherer Aufstiegshilfen von Anfang an nicht nur zwingend für den Erfolg der Pflanzung, sondern im Grunde auch finanziell günstiger als der Einsatz temporärer Lösungen mit Hubsteigern. Schlecht erreichbare Bauteile kosten viel Geld, da sich die entsprechenden Arbeitnehmer für jeden Pflegeeinsatz eine individuelle Lösung einfallen lassen. Schlecht erreichbare Stellen erhalten weniger Pflege. Dies ist für alle Besucher entsprechender Gebäude sichtbar und dem Image des Objekts abträglich. Bei der höchsten wandgebundenen Begrünung der Welt in Mumbai (siehe Abb. 5.8) erfolgt die Wartung ausschließlich auf abenteuerliche Weise von der Rückseite der Pflanzmodule über ein Leitergerüst, das in Deutschland keine Zulassung erhalten hätte.

Ein sicherer Fahrkorb mit Höhen- und Seitenverstellung ermöglicht den sicheren Zugang für alle Arten der Fassa-

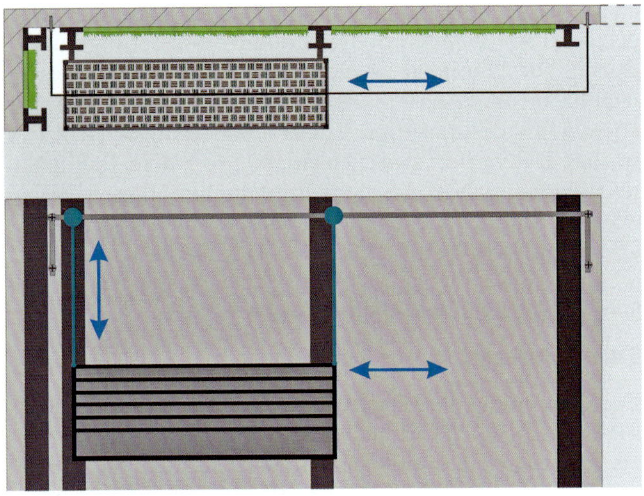

Abb. 5.91: Prinzipskizze für einen Fahrkorb zur sicheren Erreichbarkeit fassadengebundener Begrünungssysteme, als Draufsicht (oben) und als Frontansicht (unten)

Abb. 5.92: Fahrkorb eines Hubsteigers

Abb. 5.93: So sollte Fassadenpflege nicht durchgeführt werden

Abb. 5.94: Seilkletterer

Abb. 5.95: Berlin-Friedrichstrasse; nachdem die Pflegearbeiten mit dem Hubsteiger in den ersten Jahren immer Absperrungen im Straßenraum erforderten, ist die vom Dach absenkbare Gondel auf längere Sicht die preisgünstigere und effektivere Variante.

Abb. 5.96: Kletterer Seilen sich aus großer Höhe zu Pflegearbeiten ab (Beispiel aus Bogota, Kolumbien).

denarbeiten (Abb. 5.91). Hubarbeitsbühnen und andere Steigvorrichtungen dürfen nur von geschultem Personal benutzt werden. Abb. 5.92 bis Abb. 5.96 zeigen eine Auswahl von gefahrlosen und sicheren Arbeitsbühnen an verschiedenen Wandbegrünungen sowie auch sehr gefährliche Steigvorrichtungen. Der Frage der Arbeitssicherheit ist bereits im Planungsstadium die größte Aufmerksamkeit zu schenken.

Eine andere Lösung wären außen liegende Wartungswege, die in die Begrünungsstruktur integriert werden. Sie bieten im Vergleich zu den Fahrkörben nur die zweitbeste Lösung, da hier zusätzlich immer noch eine Seilsicherung erforderlich wird und die Erreichbarkeit auf etwa 2 m beschränkt ist. Bei einer Bauabnahme ist zu überprüfen, ob auch wirklich alle Bereiche gut erreichbar sind und geplante Ausstiegsfenster auch wirklich als Ausstiegsfenster gebaut wurden.

Tabelle 5.23: Mögliche Schadensursachen in Verbindung mit wandgebundenen Begrünungen

Schadensfelder	mögliche Ursache	nachträgliche Korrektur
Befestigung	Verwendung ungeeigneter Befestigungsmittel in der Bauphase	Neubefestigung, mit erheblichen Kosten verbunden
frühzeitige Verrottung von Pflanzmodulen	Verwendung minderwertiger Qualitäten	• derzeit keine Qualitätsstandards für entsprechende Behältnisse • wegen Dauerhaftigkeit nachfragen
Ausfall der Bewässerung	• mangelnde Kontrolle • Verschleiß von Bauteilen	• tägliche oder wöchentliche Kontrolle, ggf. mittels Fernüberwachung • redundantes System installieren, das kurzfristig anspringt • ggf. manuelle „Notwässerung" mit einplanen
Ausfall von Pflanzen	• zu knapp eingestellte Wasserzufuhr • Ausfall der Bewässerungsanlage	eine Person für einen täglichen „Inspektionsblick" auf die Begrünung organisieren
zu groß werdender Bewuchs	ggf. Auswahl von zu wüchsigen Pflanzen	Austausch durch kleinwüchsige Arten als Bestandteil der normalen Pflege- und Wartungsarbeiten der Begrünung

Zum erforderlichen Pflegeaufwand von wandgebundenen Begrünungen bestehen es noch Unsicherheiten, weil es noch nicht so viele Erfahrungswerte einerseits und erfahrene Landschaftsbaubetriebe andererseits gibt. Es gilt jedoch der Grundsatz: Je dünnschichtiger der Aufbau ist, desto störungsanfälliger ist die Begrünung bezüglich Wasserausfällen und Klimaeinflüssen. Auch ein ausgeklügeltes Monitoringsystem erfordert im Falle eines Problems zügiges fachkundiges Handeln. Dies ist in einem „Pflegevertrag" abzusichern.

In Tabelle 5.15 wird der Aufwand verschiedener Varianten einander gegenübergestellt. Sofern die Pflanzmuster geometrisch angeordnet sind, kann jeder Betrachter relativ schnell den Ausfall von Arten sehen.

Praxistipp

Eine organisch geprägte Anordnung von Pflanzungen mit hoher Artenvielfalt lenkt die Aufmerksamkeit der Betrachter auf die jeweils üppigen Pflanzen in der Fassade. Dieser Trick trägt auch zur Senkung der Pflegekosten bei.

5.5 Typische Schäden und Sanierung

Für wandgebundene Begrünungssysteme liegen erst wenige Schadensberichte vor, da die Technik noch sehr neu ist. Es ist zwischen der erforderlichen Wartung und einem möglichen Schaden zu unterscheiden. Der Ausfall einzelner Pflanzenarten ist ein typisches gärtnerisches Thema und nicht als Schaden einzustufen.

In Tabelle 5.23 sind 5 potenzielle Schadensfelder benannt. Bei der Befestigung sind entsprechende Lastreserven in der Bauphase großzügig einzuplanen; dann ist der erste Schadensbereich vermeidbar. Das Verrotten von Bauteilen ist vorab abzuschätzen. Hier ist es entscheidend, wie gut die Systeme für den Austausch vorbereitet sind. Das Wachstum der Bepflanzung ist ein gewollter Vorgang. Erfahrungen, wann Pflanzen zu groß für das vorgesehene Bodenvolumen sind, müssen noch gesammelt werden. Die zum Teil verwendeten Gehölze sind hinsichtlich ihrer Vitalität zu beobachten. Der Ausfall von Pflanzen ist in gewissem Umfang ein normaler Prozess wie bei jeder Pflanzung. Diese Lücken werden entweder durch die Ausdehnung der übrigen Pflanzen kompensiert oder es muss nachgepflanzt werden. Trotz möglicher Fernüberwachung sollte eine Person möglichst täglich die Anlage „in Augenschein" nehmen. Dem individuellen kundigen Blick erschließt sich ein mögliches Problem schneller als einem Überwachungssystem und es kann kurzfristig reagiert werden.

6 Innenraumbegrünungen

Manfred Köhler

Unter Innenraumbegrünungen sind dauerhafte, meist fest installierte Bepflanzungen zu verstehen. Sie können ebenerdig, frei im Raum an Seilen oder an Wänden installiert sein. Die Begrünungen sind auf die Ansprüche der Gebäudenutzer abzustimmen Sie sollen in erster Linie das Wohlbefinden der Raumnutzer verbessern, den Raum optisch aufwerten und gleichzeitig die Flächennutzung optimieren, ohne Rettungswege einzuschränken. Bei der Auswahl der geeigneten Pflanzen ist die Endgröße der Pflanzen als Raumanspruch zu berücksichtigen. Keine Pflanzung kommt ohne Pflege aus. Für die erforderliche Pflege ist deshalb die Zugänglichkeit langfristig sicherzustellen. Als verbindliche technische Voraussetzungen sind Wasser-, Nährstoff- und Lichtversorgung kontinuierlich zu gewährleisten (siehe Kapitel 6.4.3). Nach der Abklärung dieser Erfordernisse können in einem Folgeschritt entsprechende Bepflanzungen ausgewählt werden.

Als Vorläufer heutiger Innenraumbegrünung sind „pflanzendominierte Räume" anzusehen, die in den letzten Jahrhunderten als Orangerien oder Tropenhäuser angelegt wurden. Bei diesen Bauten standen die optimierten Wuchsverhältnisse zur Nutzpflanzenproduktion im Vordergrund. Exotische Pflanzen waren seinerzeit Statussymbole. Selbst angebautes exotisches Obst stand ebenso hoch im Kurs wie besondere Pflanzenarten mit skurrilem Habitus oder auffälligen Blüten. In den mehr als 100 Jahre alten Gewächshäusern von Kew Gardens oder des Botanischen Gartens in Berlin-Dahlem konnten Erfahrungen gesammelt werden, welche Pflanzen sich in Mitteleuropa in Räumen unter optimalen Bedingungen kultivieren lassen.

Der Beginn der modernen Innenraumbegrünung liegt in der Architektur der 1950er-Jahre. Dekorative Blumenfenster mit extra tiefen Fensterbänken waren besondere Gestaltungsmerkmale in Wohnzimmern der Nachkriegszeit. Die meistverwendeten Pflanzen waren neben dem allgegenwärtigen Gummibaum (*Ficus elastica*) etwa Bogenhanf (*Sansevieria*), Zimmerrebe oder Känguruwein (*Cissus antarctica*) und die auffällig rote Scheinblüte der Flamingoblume (*Anthurium*). Zur gleichen Zeit kamen zu Repräsentationszwecken größere, in den Boden eingebaute Pflanzflächen in Eingangshallen von Verwaltungsgebäuden oder Hotels in Mode. Pflanzungen als arttypische Wuchsbilder der Tropen und Subtropen zu entwickeln, waren Ausnahmen. Es herrschte eine überschwängliche Farbigkeit vor, die den Zeitgeist widerspiegelte. Die buntlaubigen Blätter von *Croton*, *Dieffenbachia* oder *Maranta* seien in diesem Zusammenhang beispielsweise genannt.

Seit einigen Jahren wächst das Interesse an der Innenraumbegrünung stetig. In der einschlägigen aktuellen Fachliteratur (Auswertung von sciencedirect, google scholar durch den Autor) werden folgende Hauptgründe für dieses Interesse genannt:

Die Verbesserung der Innenraumluft (Indoor Air Quality) steht in vielen Arbeiten im Vordergrund. Horr et al. werteten in einer Metaanalyse 300 Veröffentlichungen aus (Horr et al., 2016). Noch umfassender ist die Auswertung von über 1.200 wissenschaftlichen Veröffentlichungen durch Zhang et al. ausgefallen (Zhang et al., 2021). Beide Auswertungen verdeutlichen, wie intensiv das Thema der Innenraumbegrünung in den letzten Jahren in der Forschung bearbeitet wurde. Die Verbesserung der Innenraumluft stand im Vordergrund. Die 3 wesentlichen Komponenten der Innenraumqualität sind die thermische und immissionsfreie Luftqualität, ein geringer Geräuschpegel bzw. die Schallabsorption sowie gute Belichtungsverhältnisse (Mujan et al., 2021). Bei diesen Komponenten kann mit Begrünung zur Komfortsteigerung beigetragen werden.

Die Metaanalyse von Wolkoff et al. benannte nach vielen Befragungen die ideale Raumtemperatur bewohnter Innenräume mit Werten zwischen 22 und 24 °C sowie die ideale relative Luftfeuchtigkeit mit 40 bis 60 % als optimal (Wolkoff et al., 2021). Die Untersuchungen bestätigen, dass bei diesen Werten der niedrigste Krankenstand und das geringste Infektionsrisiko, aber auch gleichzeitig die maximale Arbeitsleistung nachweisbar waren. Was spricht sonst noch für Innenraumbegrünung? Guo et al. zeigten auf, dass mit einigen technischen Luftbefeuchtern die Feinpartikelkonzentration erhöht und nicht gesenkt wird (Guo et al., 2021). Diese Autoren empfehlen „Evaporations-Luftbefeuchter". Von diesen ist es nur noch ein kleiner Schritt zur Verwendung von bepflanzten Begrünungsmodulen und man ist bei der Innenraumbegrünung angekommen.

Bei diesen Raumluftqualitäten lassen sich die höchste Aufmerksamkeit, eine gute Wahrnehmung und die Unterstützung weiterer kognitiver Fähigkeiten nachweisen. Wang et al. verglichen dazu etwa 300 Studien miteinander (Wang et al., 2021). Allerdings zeigte sich dabei, dass alle Kriterien netzartig miteinander verknüpft sind. Wang et al. kommen zum Schluss, dass statistisch signifikante generelle Aussagen in der Gesamtsicht weiterhin schwierig kausal zu interpretieren sind – die vielen positiven Tendenzen enthalten immer auch sehr fallbezogene Besonderheiten.

Noch vor 10 Jahren behandelten zahlreiche Veröffentlichungen das Sick-Building-Syndrom, also das Problem, dass ausdünstende Baustoffe in Innenräumen die Nutzer krankmachen können. Diesem Thema widmeten sich in den letzten Jahren verstärkt die Gebäudezertifizierer. Das heißt, diese aus Möbeln und Baumaterialien emittierten Stoffe sind deutlich zurückgegangen. Daher finden sich zu diesem Stichwort keine neueren Veröffentlichungen. Auf dem Gebäudesektor hat sich vieles getan. So weisen Wu et al. nach, dass die als „grüne Gebäude" zertifizierten Neubauten im Vergleich zu den älteren Bürogebäuden ohne Zertifizierungsstandard signifikant geringere CO_2-Konzentrationen in den Innenräumen aufweisen (Wu et al., 2021). Generell zeigen sich Frauen kritischer gegenüber der Qualität der Innenraumluft als Männer: Insbesondere bei Temperatur, Zugluft und Lärmpegel sind Frauen deutlich empfindlicher, d. h. eher unzufrieden (Kim et al., 2013). Das bestätigen auch Indraganti et al. mit einer umfassenden Studie in Bürogebäuden in tropischen Ländern (Indraganti et al., 2021). Die für Frauen akzeptablen Komforttemperaturen und Luftbewegungen liegen in deutlich engeren Grenzen als bei Männern. Qualitative Bürogestaltung, auch mit Pflanzen, wird von Mitarbeiterinnen stärker wertgeschätzt.

Infolge der Corona-Pandemie haben Gärten und Innenraumbegrünungen eine zunehmende gesundheitliche Wertschätzung erfahren. Dzambov et al. berichten über eine Befragung von über 300 Medizinstudierenden in Rumänien (Dzambov et al., 2021). Etwa 30 % hatten in der Corona-Phase depressive Störungen. Als ausgleichend und helfend bewährten sich bei den Studierenden auch Zimmerpflanzen, selbst wenn die kausale Interpretation dieser Effekte nicht einfach ist. Hier setzen Yin et al. an: Sie überprüften mittels Virtual-Reality-Brillen die Wirkung von Grün auf Probanden (Yin et al., 2018, 2020). Ein gesenkter Blutdruck ließ sich als Indikator für ein abnehmendes Stressniveau bei der Anwesenheit von Innenraumgrün nachweisen. Die Autoren beschreiben es als „biophilisches Innenraumdesign". Die aktuell umfassendste Befragung in Europa und Lateinamerika stammt von Perez-Urrestarazu et al.: Mit mehr als 4.000 Rückläufen wurde die hohe Präferenz begrünter Innenräume in der Corona-Phase bestätigt (Perez-Urrestarazu et al., 2021).

Raji et al. betonen das Energie-Einsparungspotenzial durch Innenraumbegrünug im Zusammenhang mit der natürlichen Raumklimatisierung (Raji et al., 2015). Obwohl es schon vor über 15 Jahren einschlägige Untersuchungen dazu gab, wurden diese Erkenntnisse bisher sehr selten in der energetischen Kalkulation der Gebäudebilanz berücksichtigt.

Die Begrünungsinvestitionen rechnen sich im Bürobau, da Arbeitnehmer in einem entsprechend gestalteten Büro zufriedener und effektiver arbeiten. Eine zunehmende Anzahl an Arbeitgebern erkennt, dass flexible und mit Begrünung gestaltete Arbeitsräume im Trend liegen. Der Begriff der Biophilie beschreibt eine entsprechende flexible Arbeitsplatzgestaltung mit Grüninseln.

Gonzalez-Martín et al. formulieren den Bedarf an Innenraumbegrünung etwas dramatischer (Gonzalez-Martín et al., 2021):

- 90 % der Zeit verbringen die Menschen in Europa in Gebäuden.
- Einer von 10 Toten geht auf Luftbelastungen zurück, es lohnt sich also, etwas dagegen zu tun.

Abb. 6.1: Innenraumgestaltung mit einer begrünten Wand – Lichtspots können als variable Akzente gesetzt werden.

Abb. 6.2: Etwa 30 m hohe und etwa 300 m lange Innenraumbegrünung im Changi-Airport in Singapur: Kletterpflanzen in 5 horizontalen Kübelreihen als Basis, temporär mit der Ergänzung durch blühende Orchideen als besondere Akzente

- 49 % der städtischen Luftverhältnisse entsprechen nicht den Anforderungen der WHO.
- 15 % der Einbußen der Arbeitsqualität von in Büros tätigen Arbeitnehmern hängen mit schlechter Innenraum-Luftqualität zusammen.

Die Innenraumbegrünung kann nennenwert zur besseren Innenraumluft beitragen.

Bodengebundene Innenraumbegrünung

Fest installierte Begrünungsinseln bieten viele Gestaltungsmöglichkeiten. Allerdings bleiben sie wegen des hohen Flächenbedarfs repräsentativen Eingangshallen vorbehalten. Begrünungen dürfen auch nicht Fluchtwege behindern, was zu weiteren Einschränkungen führt (vgl. dazu das Aviation Center des Frankfurter Flughafens, Kapitel 7).

Wandgebundene Innenraumbegrünung

Neben den typischen Pflanzinseln kommt auch im Innenraum der wandgebundenen Begrünung zunehmend eine Schlüsselstellung zu, da so keine wertvollen Grundflächen anderen Nutzungen entzogen werden und trotzdem alle positiven Effekte der Begrünung vorhanden sind (Abb. 6.1 und Abb. 6.2). Sofern Belichtung und Pflege stimmen, sind

Abb. 6.3: Bepflanzte Klimahülle des Projekts Mont Cenis in Herne

Abb. 6.4: Wintergärten als Pausenflächen mit unterschiedlichem Pflanzcharakter, hier große Stahlgefäße mit Bambus mit dem Charakter einer Urlaubslandschaft

wandgebundene Begrünungssysteme im Innenraum relativ leicht zu realisieren und eröffnen eine Vielfalt an Bepflanzungsmöglichkeiten. Bei den kleinflächigeren Installationen von wandgebundenen Begrünungssystemen in Gebäuden wird häufig die ästhetische Funktion mit einer Klimatisierung verknüpft.

Überdachte Innenhöfe und Loggien

Eine Mittelstellung zwischen Innen- und Außenbegrünung stellen überdachte Innenhöfe oder einfach verglaste Loggien dar. Diese sind unter gärtnerischen Aspekten mit Kalthäusern im Gewächshausbau vergleichbar. Sie bieten helle und frostfreie Standorte und sind damit ideal für mediterrane Bepflanzungen. Dieser Raumtypus kann in der modernen Architektur als Klimahülle für Büros errichtet werden.

Das Mont Cenis in Herne ist so ein Beispiel (Abb. 6.3). Eine Gebäudeaußenhülle hält Frost und scharfen Wind ab. Die Flächen zwischen Außenhülle und innen liegendem Gebäude bieten Platz für Pausenhöfe, Raucherinseln und Eventflächen. Im Gebäude befinden sich dann normale Büroräume. Diese Zweiteilung reduziert die Heizkosten und schafft Platz für mediterrane Pflanzen. Allerdings ist die Bepflanzung in Blumentöpfen organisiert, was bei einigen Besuchern einen tendenziell noch nicht abgeschlossenen Bepflanzungsvorgang versinnbildlicht. Größere begrünte Bereiche sind etwa bei einem Gebäude des Architekten Hadi Tehrani in Hamburg realisiert worden (Abb. 6.4). Die Voraussetzung für ganzjährig angenehmes Raumluftklima in diesem Anbau ist die Integrierung entsprechend großer Lüftungsklappen, die, möglichst mittels Sensoren optimiert, ganzjährig arbeiten, etwa zum sommerlichen Einfangen der nächtlichen Abkühlung.

Verbreitung von Innenraumbegrünungen

Verschiedene Befragungen an Arbeitsstätten und Kliniken in Deutschland (Köhler, 2008b) und bei Passanten in einer Einkaufszone (Köhler, 2011) zeigten, dass die positive Wirkung von Innenraumgrün anerkannt ist. Die allermeisten Menschen würden mehr Begrünung in Innenräumen begrüßen. Warum gibt es dennoch so wenige gute Beispiele?

Das wichtigste Argument dagegen war Platzmangel. Hieraus lassen sich 2 Lösungen ableiten: Wenn möglich, ist eine professionelle Pflanzfläche bereits in der Bauphase mit einzuplanen. Die Kosten für den erforderlichen Raum und die laufende Unterhaltung sollten per ökologischer Lebenszyklusbetrachtung (LCA, vgl. Kapitel 3.3.1) den zu erwartenden Vorteilen gegenübergestellt werden. Das beginnt bei dem besseren Image, das eine Begrünung im Eingangsbereich bewirkt, geht über die Reduktion bei der typischen Gebäudeklimatisierungstechnik und endet nicht zuletzt bei den zufriedeneren und damit produktiveren Arbeitnehmern – den Gebäudenutzern.

In anderen Fällen kann die Wandbegrünung eine Lösung für beengte Räume sein. Die Innenaumbegrünung kann auch als „Kunst am Bau" eingestuft und akzeptiert werden.

Für die weitere Verbreitung von Innenraumbegrünungen wäre es hilfreich, zukünftig weitere LCA-Studien durchzuführen und die Kosten der Begrünungen – Anfangsinvestition in den Aufbau einschließlich Zusatzlicht, die regelmäßige Wartung und den erforderlichen Ersatz – den entsprechenden berechenbaren Vorteilen gegenüberzustellen. Das Instrument der ökologischen Lebenszyklusbetrachtung ist noch relativ neu; mehr Studien, die eine größere Anzahl an Hausvarianten einschließen, wären eine gute Argumentationshilfe.

6.1 Positive Aspekte der Innenraumbegrünung

Bereits mehr als die Hälfte der Weltbevölkerung lebt in Städten und die Zahl steigt immer noch an. Innerhalb dieser Städte halten sich die meisten Menschen bis zu 90 % ihres Lebens in geschlossenen Räumen auf – auch dieser Anteil steigt noch (Frontczak et al., 2012). Aktivitäten an der frischen Luft werden zum vermeintlich entbehrlichen Freizeitvergnügen, selbst Sportaktivitäten werden gerne in geschlossenen Räumen durchgeführt. Ein Grund ist neben Zeitmangel auch der damit verbundene Aufwand, in die Natur zu kommen. Eine Innenraumbegrünung kann eine Anmutung von Natur in das Lebensumfeld der städtischen Bevölkerung holen. Der Bau einer vertikalen Innenraumbegrünung im praktischen Unterricht eröffnet z. B. eine Vielzahl von Erkenntnissen, die sich an der Schnittstelle einer Reihe von Fächern der Naturkunde bewegen (Abb. 6.5–6.7).

Bei einer Befragung von über 600 Personen in Dänemark zur Gestaltung von Innenräumen wurden nach Frontczak et al. (2012) folgende Faktoren als besonders wichtig genannt:

- Tageslicht und Belichtung 46 %, frische Luft ohne Gerüche 21 %, Ruhe 31 %,
- Natur 15 %,
- Ausblick 14 %,
- Größe der Räume 9 %,
- nette Menschen im Raum 8 %,
- Einrichtung 8 %.

Die Innenraumbegrünung kann all diese Faktoren beeinflussen. Seit den 1980er-Jahren sind viele Untersuchungen zu den positiven Aspekten der Innenraumbegrünung erschienen, wobei die wenigsten Arbeiten in Deutschland erhoben wurden. So führend Deutschland im Bereich der Dach- und Fassadenbegrünung ist, so wenige Untersuchungen liegen in diesem Bereich vor. Im Nachfolgenden sollen einige wesentliche englischsprachige Veröffentlichungen kurz vorgestellt werden.

Als meist zitierte Quelle sind in diesem Forschungsfeld der Arzt R. S. Ulrich (1984) sowie seine Folgeuntersuchungen hervorzuheben (Ulrich, 1991; Ulrich et al., 1991). Sein Thema ist der nachweisbare positive Effekt des Blickes in eine Grünstruktur für die Heilung und die Gesundheit allgemein. Für die Kategorien Umweltvorteile und Umweltpsychologie haben Brethur et al. (2007) und Bringslimark et al. (2009) die Effekte von Innenraumbegrünungen aus einer Vielzahl von Studien zusammengefasst und bestätigen der Innenraumbegrünung positive Einflüsse. Vor allem in der letztgenannten Veröffentlichung sind kompakt das jeweilige Versuchsdesign und die statistisch nachgewiesenen positiven Effekte auf Studierende, Arbeitnehmer und Patienten in Krankenhäusern aufgelistet.

Grinde und Patil (2009) werteten ebenfalls etwa 70 wissenschaftliche Veröffentlichungen weltweit aus, die den Zusammenhang zwischen dem Kontakt zur Natur und dem Wohlbefinden des Menschen nachweisen. Ein weiteres Paket an Erkenntnissen zur positiven Wirkung von Pflanzen im Wohnumfeld stammt von Wolverton (Wolverton, 1985; Wolverton et al., 1989; Wolverton u. Wolverton, 1993). Diese Untersuchungen wurden im Auftrag der NASA durchgeführt, um Erkenntnisse für die bemannte Raumfahrt abzuleiten.

In Deutschland wird häufig auf eine Studie in den Büros von BMW aus dem Jahr 2001/2002 verwiesen (Klug, 2012). Ein mit Hydrokulturpflanzen ausgestatteter Bürobereich wurde mit einem unbegrünten verglichen. Als Ergebnis stellten sich neben der subjektiv besseren Einschätzung des begrünten Raumes ein Reduktion von Luftbelastungen, z. B. mit organischen Verbindungen, ein besseres Raumklima durch eine gleichmäßigere Luftbefeuchtung und eine angenehme Schallabsorption heraus. Es handelte sich um keine aufwendige Bepflanzung. Die durch die Arbeitnehmer selbst betreuten Topfpflanzen sicherten eine Art Kurzzeitentspannung innerhalb des Arbeitsablaufs.

Geringe zusätzliche Kosten für die Ausstattung von Arbeitsplätzen mit Pflanzen stehen einer nachweisbaren Steigerung der Arbeitsproduktivität gegenüber (Lohr et al., 1996). Viele Unternehmen investieren in hochwertige Büroausstattung, um die Arbeit angenehm und produktiv zugestalten, aber es ist trotz der vielen Studien noch nicht selbstverständlich, auch die Innenraumbegrünung als Teil der hochwertigen Büroausstattung zu begreifen, die eine Kurzerholung am Arbeitsplatz erlaubt. In Hotels ist die grüne Außen- und Innenausstattung ein nicht nur weiches Argument, sich für ein Haus zu entscheiden.

Abb. 6.5: Der Selbstbau einer fassadengebundenen Begrünung ist nicht allzu schwierig, eröffnet aber viele Möglichkeiten, kognitiv etwas über Natur, Lebensraumansprüche von Pflanzen und die erforderlichen Ressourcen Wasser, Licht und Nährstoffe zu vermitteln.

Abb. 6.6: Wand der Abb. 6.5 in den Folgejahren

Abb. 6.7: Als Schulprojekt für den Biologieunterricht empfehlenswert: beispielhafte Installation in einem Seminarraum in der Hochschule Neubrandenburg auf der Basis von 2 Systemen. Die Bewässerungskomponenten sind für Lehrzwecke offen im Raum zu sehen, die Funktionen lassen sich so nachvollziehen.

Eine ganze Reihe von Veröffentlichungen widmet sich auf Basis der positiven Erkenntnisse über Pflanzen in Räumen der pflanzlichen Ausstattung von Krankenhäusern (Beispiel Singapur) oder von Schulen (Beispiel Kanada), was gleichzeitig eine bessere Orientierung für die Nutzer ermöglicht (Singh et al., 2010). Dass Grün Patienten besser genesen lässt, ist grundsätzlich auch in Deutschland bekannt. Allerdings wird der Schwerpunkt eher in einer aufwendigen medizinischen Betreuung gesehen, als die Begrünung konsequent umzusetzen, wie eine Befragung ergab (Köhler, 2008b). Daly et al. (2010) untersuchten die Leistungsfähigkeit von Schülern bei Übersetzungsaufgaben in begrünten und unbegrünten Räumen. Die Probanden in den begrünten Räumen schnitten signifikant besser ab. In Shopping Malls lassen sich die Verkaufszahlen durch die Begrünung steigern, denn die Begrünung bedeutet ein angenehmes Umfeld mit einer längeren Verweildauer und zusätzlichen Kaufanreizen (Wolf et al., 2002).

Im Zuge der Gebäudezertifizierung und aktuellen Diskussion um die Bürogestaltung in der Nach-Corona-Phase wird verstärkt auf die funktionalen Aspekte der Innenraumbegrünungen als Klimatisierungssysteme geblickt. Die höhere Arbeitsproduktivität in begrünten Büroräumen wurde mehrfach nachgewiesen. Beispielsweise führten Lei et al. Experimente in Büros mit unterschiedlichen Pflanzenbedeckungen durch (Lei et al., 2021). Sie kamen zu der Erkenntnis, dass es auf die richtige Verteilung und Deckung mit Grünpflanzen ankommt. Es wurden Experimente anhand der Gehirnströmungen der Büronutzer durchgeführt. Ein guter Durchgrünungswert lag in diesem Experiment bei etwa 12 bis 20 % der Bürofläche als optimalem Anteil. Ein ähnliches Experiment wurde mittels einer Befragung 2016 von Choi et al. durchgeführt (Choi et al., 2016). Probanden sollten unter einer Anzahl von Fotos den von ihnen für ihr Büro bevorzugten Deckungsgrad für modulare Wandbegrünungen auswählen. Bei den 104 Probanden wurde etwa die Herzfrequenz als Reaktion auf die Fotos gemessen. Der bevorzugte Begrünungswert lag einheitlich bei männlichen wie weiblichen Befragten zwischen 50 und 80 %.

Viele dieser Erkenntnisse finden aktuell in Planungen Anwendung, die unter dem Begriff „Biophilic Design" flexible und offene Bürolandschaften planen. Bergefurt et al. kommen nach ihrer Recherche in über 3.000 literarischen Quellen zum Schluss, dass alle beschriebenen Vorteile mit allen Kriterien mehr oder weniger verknüpft sind (Bergefurt et al., 2022). Ein engagierter Innenraumplaner kann diese multikriterielle Herausforderung zum Wohle der späteren Raumnutzer unter Berücksichtigung aller räumlichen Vorgaben optimal umsetzen.

Zum positiv empfundenen Innenraumdesign gehört auch die Einbeziehung des Umfelds des Gebäudes mittels Blickbeziehung. Die Bedeutung von Fenstern in Büros einerseits und die Qualität des Blickes andererseits sind ebenfalls von entscheidender Bedeutung für die Zufriedenheit und Arbeitsproduktivität (Van Esch et al., 2019). Elsadek et al. machten Messungen zur Reaktion von Büromitarbeitern, die aus dem 21. Stock eines Hochhauses in Shanghai jeweils einen Blick auf einen Park bzw. auf eine kompakte Stadtsilhouette haben (Elsadek et al., 2020). Herzfrequenz und Hautreaktion der Probandengruppe mit dem Grünblick waren signifikant entspannter. Die Forschungsgruppe Kent und Schiavon setzte hier nach und kam in Singapur bei einer Untersuchung in einem Krankenhaus zum Ergebnis, dass eine Stadtsilhouette dann positiv empfunden wird, wenn sie am Horizont zu erkennen ist, also weit weg ist, es für Pflanzen vor dem Gebäude (und in Räumen) aber keine Distanzwerte gibt. Für sie wird die unmittelbare Nähe bevorzugt (Kent u. Schiavon, 2021). Die Autoren erarbeiteten dafür die Berechnungsmethode „Observer Landscape Distance – OLD".

Zur Bedeutung der Fenstergröße gibt es ebenfalls eine Untersuchung. Für die Arbeit von Yeom et al. testeten die Autoren die Zufriedenheit der Mitarbeiter mit Fenstergrößen in den Stufen 20, 40, 60 und 80 % der Wandfläche. Die höchste Zufriedenheit wurde bei einer Fenstergröße von 60 % der Wandfläche ermittelt (Yeom et al., 2020).

Die Zufriedenheit von Schülern hängt von der Qualität des Umfelds, der Qualität des Blickes aus den Fenstern sowie auch von der Grüngestaltung der Klassenräume ab. Der Aufenthalt im begrünten Umfeld reduzierte Stress und Müdigkeit. Die Bedeutung der Anzahl der Pflanzen im Klassenzimmer für die Stressreduktion war allerdings nicht signifikant zu bestätigen (Lindemann-Matthies et al., 2021). Widerholte Untersuchungen zur Steigerung der Lernerfolge in begrünten Klassenräumen zeigten zwar eine Präferenz für Grün im Klassenraum, allerdings ist für den statistischen Nachweis eine längere Zeitreihe erforderlich (Van den Bogerd et al., 2020).

Aus den genannten Literaturquellen resultieren Entwürfe, die diese Ideen umsetzen. La Roche et al. liefern dafür zahlreiche Anregungen, Querlüftungen, Evaporationskühlung und Begrünungen kombiniert in der Architektur als Grüne Infrastruktur einzusetzen (La Roche et al., 2020). Die Übersicht konzentriert sich zunächst auf die warmen Klimazonen, aber die zunehmende sommerliche Erwärmung erweitert den Bedarf dieser kombinierten Technik auch auf die gemäßigten Breiten. Abschließend ist zu unterstreichen, dass die messbaren und nicht messbaren Wohlfahrtswirkungen im Sinne von Smith et al. (2011) bestätigt werden können und dass die Kosten für die Begrünung bei weitem durch die vielen damit verknüpften Vorteile der Mitarbeiterproduktivität und Zufriedenheit aufgewogen werden. Das führt dazu, dass große Arbeitgeber wie facebook oder google Begrünung in ihren flexiblen Bürolandschaften vielfach einsetzen.

Neben den umweltpsychologischen und gesundheitlichen Aspekten der Innenraumbegrünung sind deren Staubbindung und die Kühlleistung ebenfalls als Vorteile zu nennen. Die erhebliche Blattoberfläche bindet kontinuierlich Staub. Diese sieht zwar zunächst unschön aus und bedarf einer regelmäßigen Säuberung. Die abgelagerte Staubmenge ist aber der Atemluft im Raum entzogen. In Einkaufszentren sind das z. B. feine Stoffpartikel, die aus der Neuware emittiert werden und sich auf Blattoberflächen ablagern.

Die Kühlleistung ergibt sich aus der Verdunstung und damit einer Luftbefeuchtung. Die von den Pflanzen benötigte Bewässerung beträgt durchschnittlich 5 l/m^2 am Tag, je nach Art und Umfang der Bepflanzung. Diese Wassermenge wird durch die Pflanzung unter Aufwendung von Energie verdunstet. Die Evapotranspirationsleistung – also die Verdunstung aus dem Boden und aus den Pflanzen selbst – ist leicht zu kalkulieren: 680 W sind die Energie, die 1 l

Tabelle 6.1: Argumente für Innenraumbegrünung

Vorteile der Innenraumbegrünung	Gründe
unverwechselbare Gestaltung, hoher Orientierungs- und Aufenthaltswert für Besucher und Nutzer	Begrünung kann so gestaltet werden, dass sie ein saisonal unterschiedliches Aussehen und verschiedene Texturen aufweist.
Klimatisierung der Raumluft, (Luftfeuchtigkeit, Temperatur) und Einsparung technisch produzierter Kühlung im Sommer	Je nach Pflanzenauswahl ergibt sich eine relative Luftfeuchtigkeit zwischen 30 und 60 %. Mit spezieller Bautechnik ist auch eine aktive Luftbefeuchtung durch Pflanzgruppen möglich.
längere Aufenthaltsdauer der Besucher in Shopping Malls mit höheren Umsatzzahlen	DIe Bepflanzung schafft ein angenehmes Umfeld.
höhere Arbeitsproduktivität in begrünten Büros	In Bürogebäuden dient eine Bepflanzung als Bereich für kurze Pausen und trägt durch Stressreduzierung in der Summe zur Erhöhung der Arbeitsproduktivität und der Konzentrationsfähigkeit bei.
positiver Einfluss auf die Gesundung	In Krankenhäusern und Sanatorien unterstützt eine Begrünung den Heilungsprozess.
Kontakt zur Natur	Aus Mangel und Gelegenheit, sich in der freien Natur aufhalten zu können, bieten gut gestaltete Innenraumbegrünungen eine Illusion vom Kurzurlaub.
geeigneter Rahmen zur Firmenpräsentation und im Eventmanagement	Bepflanzungen unterstreichen Raumgestaltungen bei Feierlichkeiten und Firmenpräsentation, entweder als Temporärbegrünungen oder fest installierte dezente Raumbegrünung, die im Einzelfall entsprechend durch Akzentlicht thematisch eingebunden werden kann.

Wasser benötigt, um verdunstet zu werden. Bei 5 l/m² Bewässerung sind dies 3.400 W/m² täglich, also 1,42 Wh. Auf das Jahr gerechnet ergeben sich 1.241 kWh. Werden Energiekosten von 0,05 €/kWh angenommen, entspricht dies einer Gesamtbelastung von 62 €/m² begrünter Fläche im Jahr. Deutlich wird dieser Verdunstungsvorteil, wenn berücksichtigt wird, dass für etwa 1 € rund 1.000 l Wasser aus der Leitung bezogen werden, das bereitgestellte Kühläquivalent durch die pflanzliche Verdunstung über ein technisches System aber etwa 100 € kosten würde.

Praxistipp

Die Bewässerung von Grüninseln sollte im Sommer so hoch sein, dass der Kühlungseffekt spürbar ist. Im Winter, wenn dieser Effekt nicht erforderlich ist, sollte sie minimiert werden. Zur sommerlichen Steigerung des Kühleffekts könnten beispielsweise integrierte Wasserläufe betrieben werden, die im Winter abgeschaltet werden.

Die Innenraumbegrünung als aktives Verdunstungssystem zu verstehen, entwickelt sich zunehmend, wie es einige Veröffentlichungen der letzten Zeit zeigen. Die Innenraumbegrünung auch in Mitteleuropa als Verdunstungssystem anzubieten, wird bereits von einigen Anbietern verfolgt. So gibt es bepflanzte „Wasservorhänge" mit einer großen optischen Attraktivität. Den Klagen über zu trockene Heizungsluft im Winter an Arbeitsplätzen kann mit diesen Systemen entgegengetreten werden.

Als Resümee der Literaturrecherche ist zu sagen: Alle Arbeiten zur Innenraumbegrünung bestätigen einhellig die positiven Effekten der Begrünung (Tabelle 6.1). In Deutschland wurden aus den grundsätzlichen Erkenntnissen der wissenschaftlichen Untersuchungen praktische Hinweise für Raumbegrünung abgeleitet und in den FLL-Richtlinien für Planung, Bau und Instandhaltung von begrünbaren Flächenbefestigungen (2018) zusammengefasst.

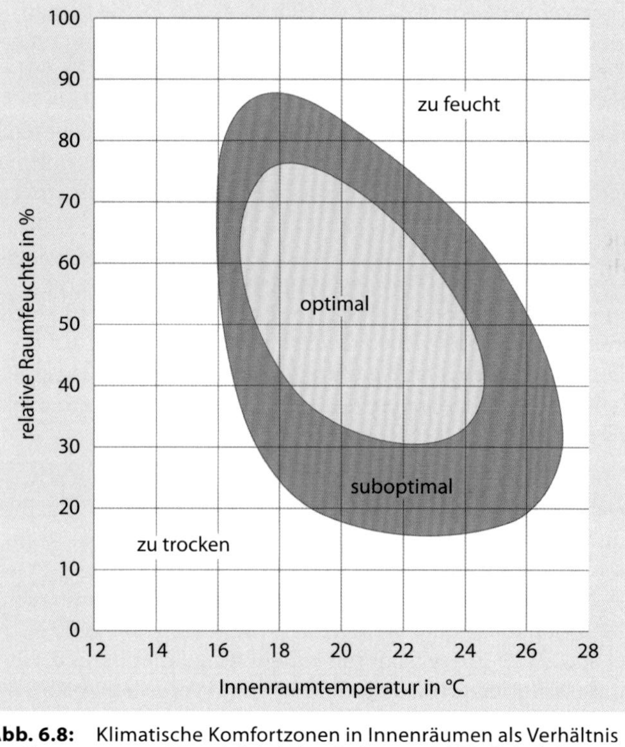

Abb. 6.8: Klimatische Komfortzonen in Innenräumen als Verhältnis aus Temperatur und Feuchtigkeit (verändert nach FLL-Richtlinien zur Innenraumbegrünung, 2011; ANSI/ASHRAE-Standard 55-2010)

6.2 Standortanalyse und -bewertung

Temperatur und Luftfeuchtigkeit

Das Wohlfühlspektrum von (Stadt-)Menschen ist auf ein kleines Fenster aus Temperatur und Luftfeuchtigkeit beschränkt (Abb. 6.8). Diese Idealtemperaturen sind in vielen Regionen der Welt aber nur in einem kurzen Zeitraum von wenigen Wochen bis zu wenigen Monaten im Jahr erfüllt. Deshalb nimmt der Anteil klimatisierter Gebäude einschließlich Freizeit- und Einkaufszentren in allen Ländern zu.

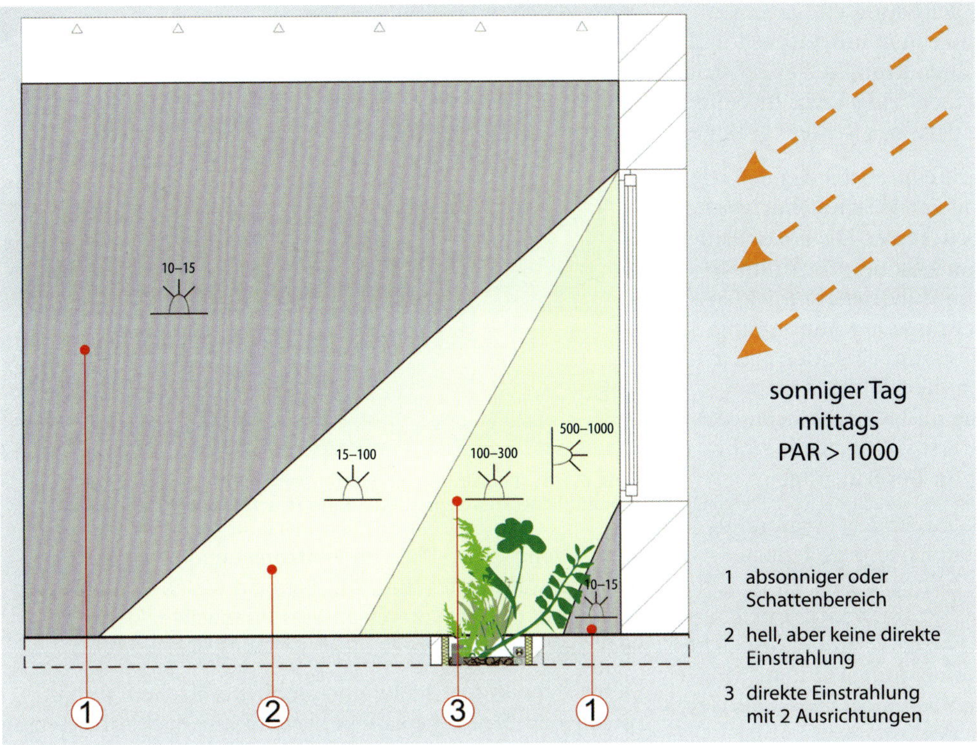

Abb. 6.9: Einfall fotosynthetisch aktiver Strahlung (PAR) in µmol/(s · m²) an einem Fenster bei mittäglicher winterlicher Vollsonne

Mit Innenraumbegrünung ist es leichter und aufgrund steigender Energiepreise zunehmend preisgünstiger, Innenräume zu klimatisieren. Heizungsluft ist meist zu trocken, aber Pflanzen können in angenehmer Weise zur Luftbefeuchtung beitragen. Neben der Raumklimatisierung und der optischen Aufwertung der jeweiligen Räume kann durch Pflanzen auch das Interesse an der realen Natur wieder geweckt werden.

Besucher von Gewächshäusern können mit eigenen Sinnen den grundsätzlichen Unterschied zur modernen Innenraumbegrünung erleben, denn Gewächshäuser sind hinsichtlich der Klimaparameter Temperatur und Luftfeuchtigkeit auf produktives Pflanzenwachstum optimiert. Ein längerer Aufenthalt ist für Menschen ungewohnt und beschwerlich, denn die Grenzen des menschlichen Wohlbefindens liegen bei einer relativen Raumfeuchtigkeit zwischen 30 und 60 %. Werte darüber werden als zu feucht und drückend empfunden.

In der Innenraumbegrünung ist das Innenklima so zu steuern, dass es innerhalb der menschlichen Komfortzone, also im richtigen Verhältnis von Temperatur und Luftfeuchtigkeit, liegt (siehe Abb. 6.8). Die technische Raumklimatisierung, wie sie zunehmend in der Mehrzahl europäischer Bürogebäude installiert ist, wird häufig als unangenehmer Luftzug wahrgenommen. Zudem wirkt es sich negativ aus, wenn die einzelnen Arbeitsplätze keine individuellen Einstellmöglichkeiten für Klima und Lüftung haben. Der Effekt der leichten Luftbewegung war in der klassischen tropischen Architektur ein Schlüssel zur Klimatisierung, allerdings konnte die Temperatur so nicht unter 25 °C gesenkt werden. Die natürliche Klimatisierung wird aber in der Architektur langsam wiederentdeckt (Dili et al., 2011).

Die zentrale technische Klimatisierung in modernen Häusern funktioniert allerdings nur mit einem gewissen Unterdruck; geöffnete Fenster sind kontraproduktiv (Lück, 2012).

Die Innenraumbegrünung zur Raumklimatisierung hat neben den objektiven Vorteilen auch eine umweltpsychologische Wirkung, die sich positiv auf das Wohlbefinden auswirkt. Raumbegrünung in Verbindung mit einer funktionierenden Steuerung von Temperatur und Luftfeuchtigkeit in der Anpassung an die Jahreszeiten ist eine lösbare Herausforderung.

Licht

Die Lichtversorgung ist eine weitere Herausforderung, denn das menschliche Auge kann den Lichteinfall an fotosynthetisch aktiver Strahlung (PAR) nur unvollkommen abbilden. In einem hellen Zimmer ist von diesem fotosynthetischen Licht nur ein kleiner Anteil vorhanden, denn die Helligkeit im Raum und das pflanzenverfügbare Licht sind 2 unterschiedliche Größen. Auch an sonnigen Tagen ist nur im direkten Lichteinfall eine ausreichende Lichtversorgung vorhanden. Abb. 6.9 zeigt ein typisches Fenster. Die fotosynthetisch aktive Strahlung stammt aus den Wellenlängen zwischen 400 und 700 nm. Bei mittäglicher winterlicher Vollsonne können mehr als 1.000 µmol/(s · m²) PAR gemessen werden – vergleichbar mit sommerlichen Werten. Für eine Raumanalyse werden jedoch auch Messungen an trüben Tagen benötigt, um die Summe der Einstrahlung abschätzen zu können. Denn die Momentaufnahmen zeigen nur Tendenzen auf und für Pflanzen ist die Lichtsumme, die sich aus Intensität mal Dauer der Einstrahlung errechnet, der entscheidende Wuchsfaktor. Neben der Intensität ist für die nötige Versorgung also auch eine ausreichende Dauer erforderlich. Die Reflexion in einem hellen Raum erhöht die Gesamtbilanz.

Schwachpunkt vieler bisheriger Innenraumbegrünungen ist eine mangelhafte Belichtung der Pflanzflächen. Allein die Helligkeit des einfallenden Tageslichts durch Fenster reicht in der Regel nicht aus. Nicht ausreichendes Licht regt die

Pflanzen jedoch zum Streckungswachstum und zu einer Ausrichtung zum Licht an, was zu einem untypischen und nicht gewünschten Wuchsbild führen kann. In Gewächshäusern werden intensive „Lichtduschen“ eingesetzt. In Wohnräumen ist diese Methode normalerweise weniger geeignet.

Die frühere Einfachverglasung, die eine ausreichende Lichtqualität durchlässt, stellt nach neueren Wärmeschutzverordnungen eine erhebliche Wärmebrücke dar. Die Fortschritte beim Wärmeschutzglas waren zunächst negativ für die Innenraumbegrünung, was zum Umbau vieler „Blumenfenster“ führte. Anbaugewächshäuser mit einer Abtrennung von den eigentlichen Wohnflächen sind eine Alternative. Diese Gewächshäuser können im Idealfall zusätzlichen Wohnraum bieten. Temperierung und Klimatisierung machen aus solchen Anbauten aber erst vollwertigen Wohnraum mit gleichzeitiger Qualität für Bepflanzungen.

Das typische pflanzenverfügbare Zusatzlicht stammte zunächst aus Beleuchtungen aus dem Erwerbsgartenbau. Diese sind zwar für die Pflanzen hilfreich, aber ihr gewöhnungsbedürftiger Farbton mit hohen roten Lichtanteilen wird meist nicht akzeptiert. Die Fortentwicklung der Lichttechnik in den letzten Jahren eröffnet nun aber neue Möglichkeiten. Diese Entwicklung ist noch nicht abgeschlossen. Dominici et al. untersuchten die Wirkungsweise unterschiedlicher Lichtintensitäten und Bestrahlungswinkel hinsichtlich des optimalen Wachstums an begrünten Innenwänden (Dominici et al., 2021). Ihre These war auch, dass bei gutem Wuchs die beste CO_2-Bindung erfolgt. Ihre besten Werte wurden bei 200 $\mu mol/(m^2 \cdot s)$, der Lichtdichte von etwa 10.500 lux und einem Anstrahlwinkel von 15° erzielt. Kaltsidi et al. testeten das aktuelle Angebot an LED-Systemen (Kaltsidi et al., 2020). Sie stellten fest: Ohne Zusatzlicht geht es nicht. Der Planer ist angehalten, alle Variablen zu bedenken, die bei der Lichtfarbe und -intensität beginnen. Einfluss haben auch die Leuchtdauer und der Anstrahlwinkel. In der Kombination von optimaler oder nur ausreichender Beleuchtung liegen Detailschritte, die nur am konkreten Objekt endgültig in einer Abstimmung im Entscheidungsdreieck zwischen den Ansprüchen der Pflanzen, der optischen Gestaltung und dem Kostenrahmen optimiert werden können. Der Pflanzenhabitus ist schließlich der Summenindikator, an dem eine gute und ausreichende Lichtversorgung oder entsprechende Fehler abzulesen sind.

Pflanzen als beleuchtetes Gestaltungsmittel in Gebäuden entwickeln sich unter dem Aspekt des „Lichtdesigns“ ebenfalls dynamisch weiter.

Auswirkungen der Standortfaktoren

Der Planer von Innenraumbegrünungen in Mitteleuropa hat das Problem, dass es innerhalb von Gebäuden meist zu dunkel, zu warm und zu trocken ist. Diese Kriterien bezüglich Raumklima und Licht beschränken die zunächst riesige Auswahl geeigneter Innenraumpflanzen auf robuste Arten und attraktive Sorten mit einer hohen Toleranz in Bezug auf die Standortfaktoren. In Tabelle 6.5 ist eine Liste besonders robuster Pflanzen zusammengestellt, die auch mit den widrigsten Innenraumverhältnissen in der Regel noch zurechtkommen. Mit diesen kann in nahezu allen Räumen eine ansprechende Begrünung entwickelt werden. Sofern ausreichend Licht, Platz und entsprechende regelmäßige Pflege gewährleistet sind, kann auf ein wesentlich größeres und damit optisch interessanteres Pflanzenspektrum zurückgegriffen werden.

Abb. 6.10: Begrünung am Konferenzgebäude Zoo von Adelaide; sehr ähnliche Pflanzenstruktur außen (rechts) wie innen (links)

Gemäß den klimatischen und architektonischen Verhältnissen sind für die geplanten Innenräume nach ihrer Textur und entsprechend dem zur Verfügung stehenden Raumvolumen Pflanzen auszuwählen und stimmig zu arrangieren, sodass wirkungsvolle Pflanzbilder entstehen. Diese unterscheiden sich von vegetationskundlich korrekten Pflanzengruppierungen in den Ursprungsländern erheblich. Die Arbeit des Innenraumbegrüners ist gelungen, wenn die Räume von den Nutzern als stimmig angenommen werden. Die Pflanzen sollten in einem ausgewogenen Verhältnis zur Raumgröße stehen und genügend Luft- und Wurzelraum besitzen, sodass sie über Jahre an den gewählten Orten verbleiben können.

Die Innenraumbegrünung als Visitenkarte in öffentlichen Gebäuden gewinnt als ein Markenzeichen des ökologischen und naturnahen Bauens an Bedeutung. Es ist möglich, die Schwierigkeiten bei Licht, Dämmung und Technik zu lösen. Gelungene neuere Begrünungen in Schwimmbädern, Hotels, Einkaufszonen, Flughäfen oder Bahnhöfen zeigen Möglichkeiten auf.

Während schon ein einzelner Blumentopf einen Akzent in einem Raum setzen kann, ist die aktive Klimatisierung des Raumes mittels Pflanzgruppen nur bei einer entsprechenden Größe der Bepflanzung möglich. Die Prinzipskizzen in Kapitel 6.4.2, beginnend bei einem mobilen Pflanzgefäß bis hin zu komplex zusammengesetzten Pflanzlandschaften, sollen das Potenzial der Technik aufzeigen. Es muss aber bei den Grundprinzipien bleiben, da für jedes Projekt eine individuelle Lösung maßgeschneidert werden muss. Mit der Nutzung der Verdunstungs- und Luftreinigungsleistung gewinnt die Innenraumbegrünung eine neue Dimension, die bisher nur bei wenigen Beispielprojekten weltweit eingesetzt wurde.

Optisch ansprechend ist es, wenn eine vergleichbare Begrünung innerhalb wie außerhalb eines Gebäudes gepflanzt werden kann, wie das Beispiel vom Adelaide-Zoo zeigt (Abb. 6.10). Die Innenraumbegrünung kann zumindest optisch Gebäudestrukturen verbinden und damit zu

Checkliste 6.1: Checkliste für die funktionsgerechte Einbindung von Innenraum-Pflanzflächen in Bauvorhaben

Kriterien	ja	nein	nähere Angaben
Art des Bauvorhabens			
Ist der Typ des Begrünungsvorhabens gemäß Tabelle 6.2 vorhanden?	☐	☐	
bautechnische Voraussetzungen			
Wie hoch ist die maximale Flächen- und Punktbelastung auf der Oberfläche?	☐	☐	hoch, (350 kg/m² und mehr)
Ist ein Einbau in den Boden des Geschosses möglich?	☐	☐	
Welches Glas ist im Umfeld der Begrünung eingesetzt?	☐	☐	Absprache mit dem Glaslieferanten, ggf. PAR-Messungen am geplanten Pflanzenstandort
Ist eine Einflussnahme auf die Glasqualität möglich?	☐	☐	
Installationen			
Sind Wasser- und Stromanschluss an der Pflanzfläche vorhanden?	☐	☐	Einbau-Nettomaß ca. 100 cm, Anzahl, Lage
Sind diese sicher und verdeckt eingebaut?	☐	☐	
Ist das richtige Zusatzlicht vorgesehen?	☐	☐	messtechnischer Nachweis zur PAR-Lichtversorgung direkt an der Pflanzfläche
Pflegemaßnahmen			
Sind Leitern o. Ä. erforderlich und werden diese ggf. gestellt?	☐	☐	
Ist der Austausch von Pflanzen und Substraten unproblematisch möglich?	☐	☐	
Ist deren Anlieferung und Abfuhr unproblematisch möglich?	☐	☐	
Ist ausreichend Platz für Schubkarren vorhanden?	☐	☐	
Stellt die Art der Bodenbeläge ein Problem für Arbeiten an der Begrünung dar?	☐	☐	
Für den Fall, dass Mediterranbepflanzung gewählt wird, ist die arttypische Überwinterung organisiert?	☐	☐	Wie: Transport, Winterpflege
Arbeitssicherheit			
Ist die Zugänglichkeit für die regelmäßige Pflege ganzjährig gewährleistet?	☐	☐	Skizze erforderlich
Bestehen besondere Sicherheitsanforderungen an die Mitarbeiter des Pflegepersonals?	☐	☐	
Wie sind Genehmigungen zu erhalten und was passiert bei Mitarbeiterwechsel?	☐	☐	

einer transparenten Architektur beitragen. Leider ist dies im mitteleuropäischen Winter so nicht möglich.

Zur Planung einer Innenraumbegrünung sind Informationen zu den Kriterien Temperatur, Luftqualität, Geräusche, Licht und allgemeine Raumqualität erforderlich. Die Checkliste 6.1 soll helfen, die Informationen zu diesen Fragen systematisch zu erfassen.

6.3 Bautechnische Anforderungen

Das Gewerk der Innenraumbegrünung ist nach den allgemeinen Bestimmungen für die Vergabe von Bauleistungen gemäß VOL/A „Vergabe- und Vertragsordnung für Leistungen – Teil A" (2009) und VOL/B „Bekanntmachung der Neufassung der Allgemeinen Vertragsbedingungen für die Ausführung von Leistungen" (2003) abzuwickeln. Bei der Auswahl der Baumaterialien und der Detailplanung ist auf Feuchteschutz zu achten. Der Bauwerksabdichtung nach DIN 18195-4 „Bauwerksabdichtungen – Teil 4: Abdichtungen gegen Bodenfeuchte (Kapillarwasser, Haftwasser) und nicht stauendes Sickerwasser an Bodenplatten und Wänden, Bemessung und Ausführung" (2011) ist vor allem in den verglasten Anbauten von Baukörpern besondere Beachtung zu schenken.

Eine Innenraumbegrünung ist tendenziell nicht entflammbar. Sie kann innerhalb der Gebäude sogar als Brandbarriere fungieren. Dennoch ist der Brandschutz gemäß DIN EN 4102-1 „ Brandverhalten von Baustoffen und Bauteilen – Teil 1: Baustoffe; Begriffe, Anforderungen und Prüfungen" (1998) im Auge zu behalten. Insbesondere ist darauf zu achten, dass nur als nicht brennbar klassifizierte Pflanzgefäße verwendet und bei der Planung von Pflanzinseln keine potenziellen Fluchtwege innerhalb des Gebäudes eingeschränkt werden.

Tabelle 6.2: Raumsituationen, die für Innenraumbegrünung in Mitteleuropa infrage kommen (nicht vordringlich vegetationsbestimmte Räume)

Raumsituation	Raumklima	Helligkeit	geeignete Pflanzgruppen
Wohnräume und Büros	ganzjährig warm (um 20 °C) und meistens für Pflanzen zu trocken (relative Luftfeuchtigkeit zwischen 30 und 60 %)	geringes Lichtangebot	tropische Bodendecker; möglichst kleinwüchsige Sorten oder Begrünungsmodule für die Wände (Abb. 6.11, Abb. 6.12 und Abb. 6.13).
Einkaufszentren, Flughafen- und Messehallen	ganzjährig etwa 20 °C, relative Luftfeuchtigkeit zwischen 30 und maximal 60 %	unterschiedlich, mittel	tropische Pflanzen für mittleres Platzangebot (Abb. 6.14 und Abb. 6.34)
Schulen (Innenraumbegrünung meistens in den Eingangshallen oder Mensen)	ganzjährig etwa 20 °C, relative Luftfeuchtigkeit zwischen 30 und maximal 60 %	mittel bis gering	subtropische und tropische Arten
Eingangshallen und Hotels	um 20 °C, um 30 % relative Luftfeuchtigkeit, z. T. zugig	mittel, z. T. gering	weite Bandbreite an subtropischen und tropischen Pflanzen für mittleres Platzangebot, abhängig vom Projekt; bei Zugluft schließen sich einige Arten aus (Abb. 6.15)
Schwimmbäder	ganzjährig um 25 °C, relative Luftfeuchtigkeit von 60 % und mehr	mittel	diverse subtropische und tropische Arten mit mittlerem Platzanspruch (Abb. 6.16)
überdachte Innenhöfe und Loggien	Temperaturschwankungen, frostfrei, winterlich kalt, aber hell	gut	Kalthauspflanzen, etwa hohe Mediterranvegetation, wie Oliven, Lorbeer u. a.
Produktionsstätten	frostfrei, tendenziell wenig Tageslicht, Luftbelastung möglich	mittel	bevorzugt robuste, pflegearme Pflanzen

Mit einer Begrünung wird die Gebäudeklimatisierung beeinflusst. Die Werte nach DIN EN 15251 „Eingangsparameter für das Raumklima zur Auslegung und Bewertung der Energieeffizienz von Gebäuden – Raumluftqualität, Temperatur, Licht und Akustik“ (2012) zum Thema Temperaturen, Luftaustausch und Raumluftfeuchtigkeit sind zu beachten. Die Innenraumbehaglichkeit gilt es zu gewährleisten (DIN EN ISO 7730 „Ergonomie der thermischen Umgebung – Analytische Bestimmung und Interpretation der thermischen Behaglichkeit durch Berechnung des PMV- und des PPD-Indexes und Kriterien der lokalen thermischen Behaglichkeit“ [2006] und DIN EN 15251).

Die Ansprüche an die klimatische Komfortzone in Innenräumen sind weltweit ähnlich. Gemäß Verordnung über Arbeitsstätten (ArbStättV) muss in Arbeitsräumen eine

„gesundheitlich zuträgliche Temperatur bestehen [...] Fenster, Oberlichter und Glaswände müssen [...] eine Abschirmung gegen übermäßige Sonneneinstrahlung ermöglichen.“ (Quelle: Anhang Anforderungen an Arbeitsstätten nach § 3 Abs. 1 ArbStättV)

Weiterhin muss gemäß ArbStättV eine Lüftung ohne störenden Luftzug ermöglicht werden.

Begrünung ist ein dynamischer Teil der Gebäudeklimatisierung. Die Diskussion mit den Fachleuten für technische Gebäudeklimatisierung steht noch am Anfang, kann aber zu verbesserten Wohngebäuden führen. Die Vorgabe steht: Bis 2030 soll die Gebäudeklimatisierung effektiver gemacht werden (Bettgenhäuser et al., 2011); die Gebäudebegrünung hat das Potenzial zu einem normgerechten Beitrag.

Nach der ASR A1.6 „Technische Regel für Arbeitsstätten – Fenster, Oberlichter, lichtdurchlässige Wände“ (2012) wird eine nicht einklagbare Temperatur am Arbeitsplatz von maximal 26 °C empfohlen, als Untergrenze für sitzende und leichte körperliche Tätigkeit von mindestens 19 °C (vgl. DIN EN ISO 7730 und DIN EN 15251). Die Einhaltung dieser Werte sollte auch im Interesse der Arbeitgeber sein, da außerhalb dieser Werte die Arbeitsproduktivität sinkt.

Die Fachnormen der Deutschen Vereinigung des Gas- und Wasserfachs (DVGW) zur Strominstallation sowie im Bereich der Belichtungstechnik sind zu beachten. Die Arbeitssicherheit bei der später regelmäßig erforderlichen Pflege ist durch entsprechende dauerhafte Arbeitsgerüste oder Hebebühnen zu gewährleisten, um Unfallgefahren bei der erforderlichen Pflege auszuschließen.

Für die Bepflanzung kommen die Normen der vegetationstechnischen Arbeiten zur Anwendung. Die Innenraumbegrünung ist eine interdisziplinäre Arbeit; die geltenden Vorschriften sind in der jeweils gültigen Form zu beachten.

6.4 Vegetationstechnische Anforderungen

6.4.1 Charakterisierung der Raumsituation

Ausgehend von den Anforderungen der Pflanzen wurden 8 typische Raumsituationen charakterisiert, in denen die Begrünung ganz unterschiedlichen Herausforderungen genügen muss (Tabelle 6.2). Private Wohnräume haben als Nachteil meist ein nur eingeschränktes Raumvolumen für die Innenraumbegrünung. Andere Situationen sind zwar für großzügiges Wachstum prädestiniert, z. B. Empfangshallen, aber die dort häufig herrschende Zugluft schränkt das Artenspektrum ein. Allen Standorten gemeinsam ist häufig die zu trockene Luft und das geringe Lichtangebot, das fast an allen Standorten durch Zusatzlicht ergänzt werden sollte. Im öffentlichen Raum von Shopping Malls und Schulen ist auf Belastung durch Besucherströme zu achten, die gewollt oder ungewollt Pflanzschäden verursachen können.

Abb. 6.11: Ein mobiles bepflanzbares Regalsystem im Format eines Ordnerregals auf Hydrokulturbasis, für Privaträume und Büros geeignet. Nach kurzer Zeit ist die Kübelstruktur durch die Blattmasse verdeckt.

Abb. 6.12: Gleiches System wie in Abb. 6.11, etwa 7 Jahre später. Die Kübel sind vollständiig verdeckt und bilden eine durchgängige grüne Wand für viele Jahre.

Abb. 6.13: Ein Fassadenelement auf Steinwollebasis, mit robusten tropischen Pflanzen bestückt und mit geeignetem Pflanzlicht versorgt, platzsparend für Büro und Pausenbereiche

Abb. 6.14: Innenraumbegrünung mit hoher Aufenthaltsqualität im Changi-Airport in Singapur

Abb. 6.15: Für große kühle, aber frostfreie Eingangshallen und Aufenthaltsräume geeignete Mediterranbepflanzung, hier Korkeichen

Abb. 6.16: Vielfältige tropische Bepflanzungen benötigen Platz, Licht, wenig Zugluft und die richtige Pflege (Schwimmbadbepflanzung „Tropical Island" südlich von Berlin)

Abb. 6.17: Die Innenraumbegrünung ist ein Alleinstellungsmerkmal dieses Einkaufszentrums in einem ehemaligen Bahnhof in Madrid.

Abb. 6.18: Detailansicht des gleichen Projektes, das großzügiger Raumvolumen dieser Verkaufshalle ermöglicht Palmen typisches Größenwachstum. Im Unterwuchs befinden sich neben Baumfarnen allerlei Arten tropischer Bodenvegetation.

Tabelle 6.3: Anforderungen an Pflanzgefäße und Pflanzflächen in Innenräumen und Empfehlungen zur Kultivierung (AB: automatisierte Bewässerung; Hy: Hydrokultur; HB: Handbewässerung; fett gedruckt = Empfehlung)

Mindestgrößen – Kategorien	**Tropenpflanzungen**	**Mediterran-pflanzungen**	**Sonder-pflanzungen**
klein – Blumentöpfe und bewegliche Pflanzkübel	AB, Hy, HB: • 12 Stunden ausreichend Licht, • gleichmäßige Temperatur, • alle Lebensformen möglich	AB, Hy, HB	AB, Hy, HB
mittel – feste Pflanzflächen in der Ebene von etwa 1 m²	**AB, Hy**, HB: • 12 Stunden ausreichend Licht, • alle Lebensformen möglich, • strukturierter Aufbau von Bodendeckern, Strauch-Baumschicht	**AB, Hy**, HB	**AB, Hy**, HB
große, feste Pflanzflächen von mehreren Quadratmetern	**AB, Hy**, HB: • 12 Stunden ausreichend Licht, • alle Lebensformen möglich, • strukturierter Aufbau von Bodendeckern, Strauch- Baumschicht	**AB, Hy**, HB	**AB, Hy**, HB
Sonderstrukturen an Geländern oder Fassaden	**AB, Hy:** • 12 Stunden ausreichend Licht, • ausgewählte Schlingpflanzen oder Bodendecker mit regelmäßiger kontinuierlicher Bewässerung	**AB, Hy**	**AB, Hy**

6.4.2 Anforderungen an Pflanzflächen

In den in Tabelle 6.2 genannten Räumen sind Pflanzflächen in geeigneter Größe auszuweisen. Limitierende Faktoren für die Größe von Pflanzflächen ergeben sich aus der Fläche, die in den entsprechenden Räumen zur Verfügung steht, ohne die Raumnutzung zu beeinträchtigen. So groß wie möglich ist die grundsätzliche Forderung, die mit dem Bedarf an Fluchtwegen und typischen Bewegungsrichtungen im Raum abzustimmen ist.

In Tabelle 6.3 sind einige Faustwerte zu den Anforderungen an Pflanzgefäße in Abhängigkeit von der Bepflanzung dargestellt. Es ist überall möglich, einzelne Pflanzkübel aufzustellen. Bei den genannten Pflanzflächen sind jedoch großflächigere Arrangements gemeint, die eine professionelle Pflege benötigen.

Große, raumbestimmende Innenraumbegrünungen sind immer noch die Ausnahmen; das in Abb. 6.17 und Abb. 6.18 gezeigte Beispiel eines nicht mehr genutzten Bahnhofs in Madrid überzeugt durch die Begrünung und bietet genügend Raum für die gewählten Pflanzen zur Schaffung eines tropischen Gesamteindrucks. Dadurch ist ein Einkaufszentrum mit Alleinstellungsmerkmal bei Touristen und Einheimischen entstanden.

Varianten der Innenraumbegrünung

Kleine Kübelbepflanzung

Die kleinste Variante der Innenraumbegrünung sind einfache Kübel auf Rollen. Auch diese sind hinsichtlich der Substrat- und Pflanzenauswahl sorgfältig zu planen, um etwa Schimmelbildung zu vermeiden. Sie können mit automatisierter Bewässerung ausgestattet werden, wie in Abb. 6.19 dargestellt. Es ist aber in jedem Fall eine Wasserstandsanzeige zu berücksichtigen, da je nach Substratwahl aus der oberflächigen Feuchtigkeit nicht auf den Wasserstand im Wurzelbereich geschlossen werden kann. Die genaue Positionierung mobiler Pflanzkübel und die regelmäßige Pflege sind für den dauerhaften Erfolg ausschlaggebend. Die Größe dieser mobilen Einheiten ist etwa auf 1 m^2 begrenzt, wenn das Gefäß noch beweglich bleiben soll.

Je nach Gestaltungsziel können die Pflanzflächen während der Planungsphase ganz oder teilweise in den Zimmerboden eingesenkt werden (Abb. 6.20). Ebenerdige Bepflanzungen vermitteln etwa in Eingangshallen ein Gefühl von Weite. Pflanzkübel, die auf den Boden aufgesetzt werden, können als Begrenzung gesetzt oder in Sitzmöglichkeiten integriert werden. Beide Bauvarianten haben Vorzüge, die allerdings bereits in der Pflanzungsphase berücksichtigt werden sollten.

In Abb. 6.20 ist der Ablauf durch die Geschossdecke in den darunter liegenden Raum gezogen worden. Das bedeutet, dass die Positionen der Pflanzbecken bereits in der Bauphase genau festgelegt sind und die Abläufe in der darunter liegenden Deckenverkleidung montiert werden könnten. Langfristig können die Wartungskosten so erheblich gesenkt werden. Falls diese Einbautiefe nicht vorhanden ist, wäre ein flach unterhalb des Kübels montierter Ablauf ebenfalls möglich. Dies bedeutet aber einen Verlust von Pflanztiefe und schränkt damit die Pflanzenauswahl ein.

Aus den hier vorgestellten Grundelementen unterschiedlicher Tiefe können ganze Landschaften, ähnlich einem Puzzle, zusammengesetzt werden. Wassermodule (siehe Abb. 6. 15) und Fassadenelemente für den Innenraum (siehe Abb. 6. 14) erweitern das Repertoire, das frei zu individuellen Lösungen kombiniert werden kann. Die Pflanztiefe sollte netto wenigstens 30 cm betragen; für Gehölze in Innenräumen sollte ein durchwurzelfähiger Raum von etwa 1 m Tiefe geboten werden. Ein modularer Aufbau von Innenraumbepflanzungen ermöglicht es, Pflanzenarten mit ähnlichen Boden- und Bewässerungsansprüchen in gemeinsamen Modulen zu pflanzen und diese dann bedarfsgerecht separat zu versorgen.

Bodengebundene Begrünungslandschaft

Abb. 6.21 ist eine Prinzipskizze für eine komplexe Begrünungslandschaft. Derartige Lösungen eignen sich für Aufenthaltsflächen, etwa in Cafés. Ein größerer pflanzenbestimmter Raum wie dieser benötigt einen separaten Technikraum zur Steuerung aller Medien. Dieser kann fensterlos sein und etwas versteckt liegen.

Für die Aufenthaltsqualität in solchen Räumen ist die Belüftungssteuerung von entscheidender Bedeutung. Um einen Hitzestau zu vermeiden, sollten sich die Außenflächen öffnen lassen. Darüber hinaus ist, je nach Jahreszeit, in solch einem Anbau ein Wärmegewinn vorhanden, der mit seiner Warm- bzw. Kaltluft in die angrenzenden Räume gelenkt werden kann und damit zum Energiesparen des gesamten Gebäudes beiträgt. Die Begrünung ist im Grunde Teil des Klimatisierungskonzepts. Das wird von den Nutzern überwiegend bestätigt. Damit kann die Innenraumbe-

1 Rollen
2 wasserspeichernde Drainschicht
3 Trennvlies
4 Substrat
5 optionale automatisierte Bewässerung
6 Wasserstandsanzeige

Abb. 6.19: Prinzipieller Aufbau beweglicher Pflanzkübel

1 stabiles Außengefäß, in vielen Materialien und Farben zum Gebäude angepasst möglich
2 Wanddämmung und Schutzlage
3 Wasserstandsanzeige
4 Gefällematerial, z. B. aus Hartschaumglas
5 Wasserablauf
6 Drainschicht
7 Substrat
8 Pflanzung
9 automatisierte Bewässerung mit Absperrhahn

Abb. 6.20: Immobiler oder bodenbürtiger Pflanzkübel

Abb. 6.21: Beispiel einer komplexen Pflanzung in verschieden großen Kübeln mit der Doppelfunktion Klimatisierung und Erhöhung der Aufenthaltsqualität

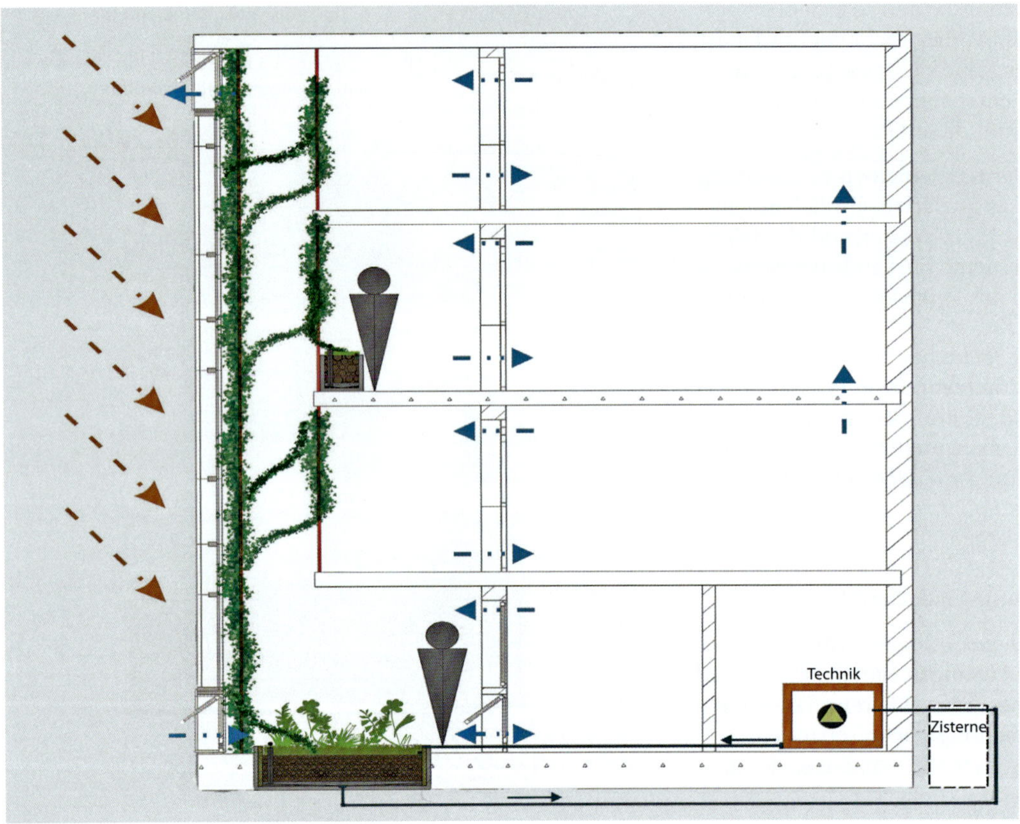

Abb. 6.22: Beispiel einer klimatisierenden Gebäudedoppelhülle bei eingeschränktem Platzangebot

grünung zur Reduktion der ständig steigenden Bewirtschaftungskosten beitragen.

Die Pflanzenauswahl ist mit dem Klimatisierungskonzept abzustimmen. Zugluft und täglich bzw. jährlich schwankende Temperaturen sind Kriterien, die nicht von allen Pflanzen akzeptiert werden. Viele tropische Pflanzen sind gegenüber Zuluft wenig tolerant, andere, etwa die typische Kokospalme, benötigen immer eine ausreichend warme Luftbewegung. Die Anforderungen der Innenraumbegrünung sind mit der Lüftungstechnik für das gesamte Gebäude abzustimmen.

Bepflanzung einer Gebäudedoppelhülle

Sofern auf kompakten innerstädtischen Grundstücken keine ausgedehnte Begrünungslandschaft möglich ist, bietet die in Abb. 6.22 gezeigte Variante den Vorteil einer Glasaußenfassade. Die Doppelhülle erfüllt mehrere Funktionen:

Abb. 6.23: Bepflanzung einer Gebäudedoppelhülle zur Klimatisierung des Gesamtgebäudes

Abb: 6.24: Das ist auch eine kreative Innenraumbegrünungsvariante: Ein Reisfeld im Innenraum; über diesem ist zeitweilig eine Plattform für ein Bistro eingehängt. Das kombiniert einen Hingucker sowie die Inzenierung von urbaner Lebensmittelproduktion.

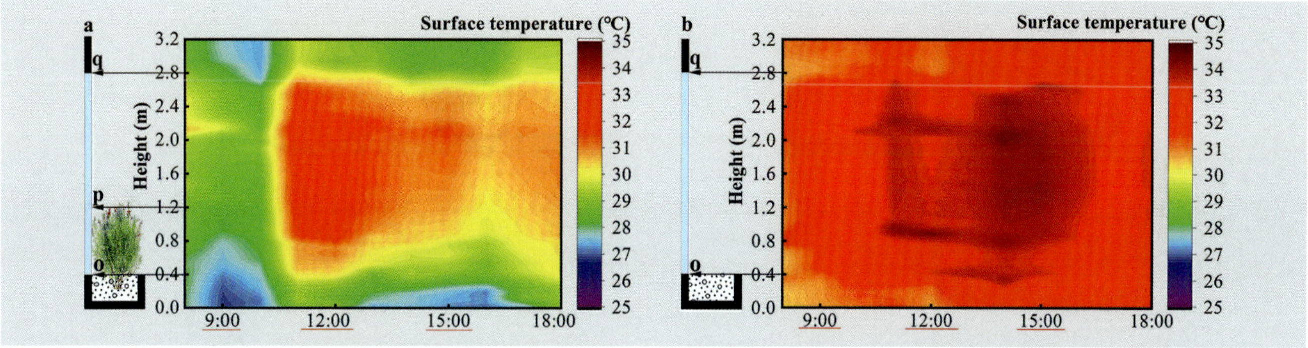

Abb. 6.25: Simulation und Darstellung des Effekts von Begrünung vor dem Fenster, einmal mit (a), einmal ohne Bepflanzung (b), während der Tageszeit 8:00 bis 18:00 Uhr in einem Modellbüro, bezogen auf die Raumhöhe von 3,2 m (Quelle: Ren et al., 2022, fig. 7[4)])

Einerseits sind die Zugänge in den Etagen als „Laubengänge" angedeutet, das spart hochwertigen Wohnraum. Andererseits besteht die Bepflanzung überwiegend aus laubabwerfenden Kletterpflanzen; Wintersonne wird voll hineingelassen und im Sommer kühlt die Bepflanzung (Abb. 6.23 und Abb. 6.24). Der sommerliche Kühleffekt ist vielfach nachgewiesen (vgl. Kapitel 6.1). Das System funktioniert durch die Einstrahlung auf die Glasfassade. Die aufsteigende Luft muss in die kühleren Räume umgelenkt werden. In der oberen Etage ist eine sommerliche Entlüftung integriert. Das System liefert im Winter einen Wärmegewinn und hilft im Sommer zu kühlen. Dieser Effekt kann mittels großdimensionierter Zisterne und einer zusätzlichen Versprühung von Wasser auf den Pflanzen im Sommer noch gesteigert werden. Für die Passanten auf dem Bürgersteig bietet sich der Einblick in ein begrüntes Erdgeschoss, das durch Akzentlichter in der Wirkung saisonal betont werden kann.

Es ist sinnvoll, begrünte Fassadenflächen zu hinterlüften, um so Hitzestauungen in der Doppelhülle zu vermeiden. Diesen Weg beschreiten etwa Akram et al. mit dem Vorschlag der Doppelhülle oder Doppelverglasung (Akram et al., 2022). Kletterpflanzen eignen sich dafür gut.

Eine Belüftung sollte aus Gründen der Temperaturregulierung und der Reduktion der Gefahr von Schimmelbildung eingeplant werden. Akram et al. beziffern den Effekt einer solchen Wandbegrünung mit 0,24 kWh/m^2 (Akram et al., 2022). Sie weisen aber auch darauf hin, dass die Effektivität stark von der Dichte des Bewuchses, also auch von der Pflanzenauswahl, abhängt. Für die Auswahl ist es entscheidend, ob die Wirkungen ganzjährig gewünscht sind. Die Auswahl von sommergrünen oder immergrünen Arten ist dabei ein Kriterium, die Auswahl ist für kühle Klimate und tropisches Klima unterschiedlich. Messungen dieser Autoren ergaben in den angrenzenden Räumen eine Temperaturabsenkung zwischen 0,4 und 2,1 °K gegenüber den Räumen ohne Fassadenbegrünung. Die Wirkung entspricht etwa der einer vor dem Haus gepflanzten Baumreihe ohne den Nachteil des entsprechenden Flächenbedarfs der Bäume. Die Autoren berechnen das Einsparpotenzial für den Kühlbedarf mit Werten zwischen 5 und 20 %. Es ist sinnvoll, weitere Praxistest dazu in unterschiedlichen Baudichten und Regionen durchzuführen.

Ren et al. untersuchten die Effektivität von Begrünungen vor den Fenstern mit verschiedenen Pflanzkübeln (Abb. 6.25) (Ren et al., 2022). Pflanzungen wirken ergänzend zu technischen Verschattungsmaßnahmen, etwa installierten Gitterrosten, die bei unterschiedlichem Sonnenstand eine direkte Sonneneinstrahlung verhindern. Besonders geeignet scheint eine Kombination aus hängenden und aufrecht wachsenden Pflanzen zu sein. Ren et al. nennen diese Struktur „Fenstergarten" (Abb. 6.26).

4) Reprint from: Ren, J.; Tang, M.; Zheng, X.; Lin, Y.; Xu, Y.; .Zhang, T.: The passive cooling effect of window gardens on buildings: a case study in the subtropical climate. In: Journal of Building Engineering (2022), Elsevier-Copyright Lizenz Nr: 5297520219977

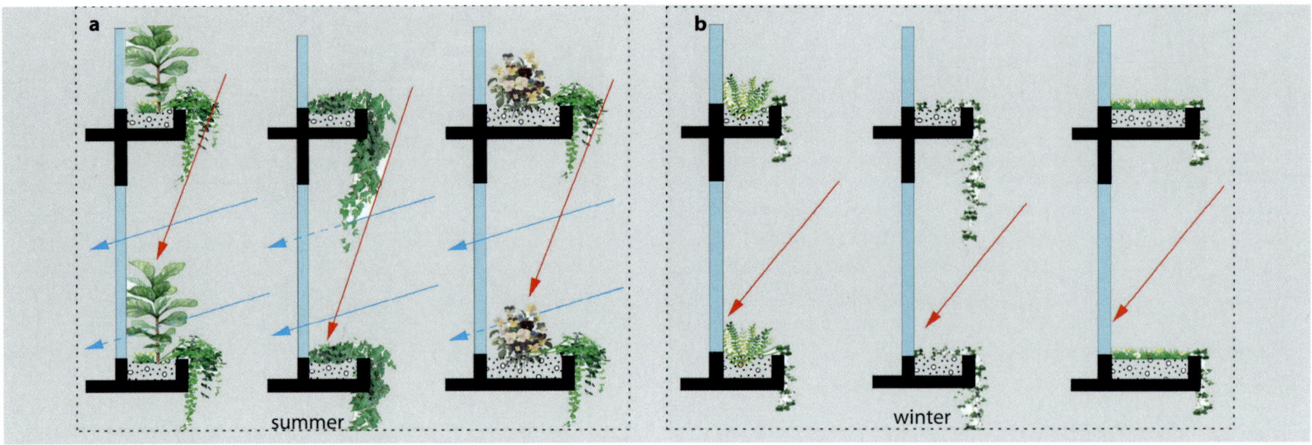

Abb. 6.26: Fenstergärten an der Außenfassade oder in der Gebäudedoppelhülle; Darstellung von Effekten der vorgelagerten Bepflanzungen bei sommerlichen Einstrahlungen (a; senkrechte Sonnenstrahlen) bzw. Wintersonne (b; flachere Einstrahlungsbahnen) (Quelle: Ren et al., 2022, fig. 19[5])

Abb. 6.27: Prinzipskizze für eine ggf. frei stehende, vertikale Innenraumbegrünung

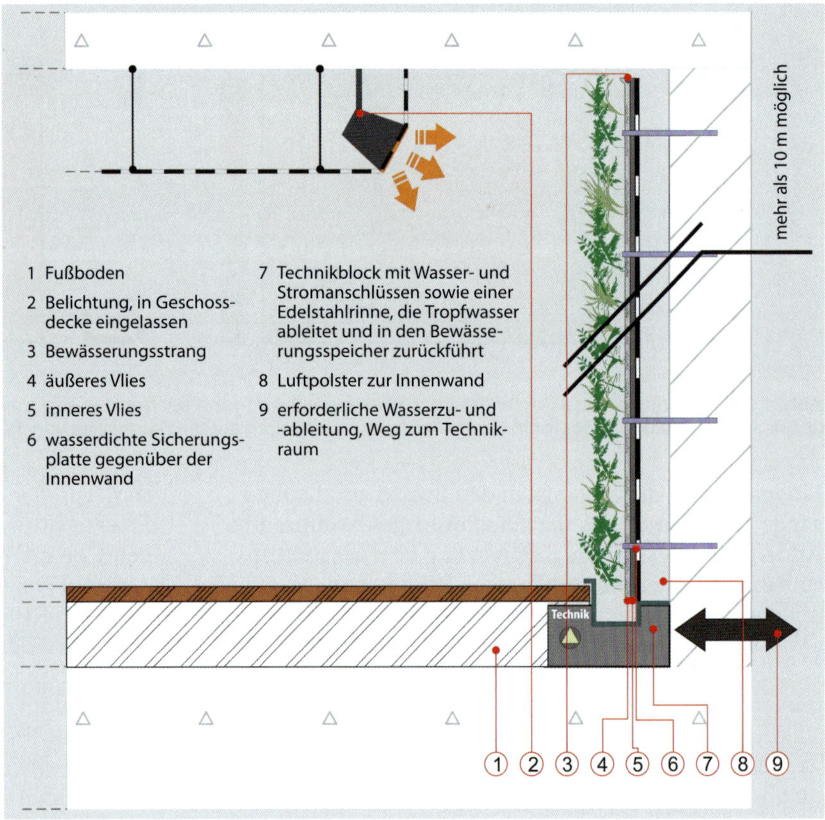

Abb. 6.28: Prinzipskizze einer über mehrere Stockwerke möglichen wandgebundenen Innenraumbegrünung

In die Doppelfassade können auch Algenmodule integriert werden. Deren Wachstum entzieht den Räumen Energie und bindet gleichzeitig CO_2. Parhizkar et al. (2020) beziffern die Einsparung von Kühlkosten in den getesteten Büroräumen durch diesen Prozess mit ca. 30 % und die Absenkung der CO_2-Konzentration mit ca. 170 ppm. Je nach Gestaltung dieser Algenmodule wirken diese als zusätzliche Fensterverschattung, was eine weitere Senkung der Betriebskosten zur Folge hat.

Wandgebundene Innenraumbegrünung

Die Prinzipskizze Abb. 6.27 greift die Idee der wandgebundenen Begrünungen auf und zeigt einen Vorschlag für den Innenraum. Die Begrünung in diesem Beispiel lässt sich frei im Raum aufstellen. Voraussetzungen sind Wasser- und Stromanschluss. Das Licht ist als „Wallwasher" auszulegen, ein Licht, das alle Flächen der Begrünung ausreichend intensiv erreicht. Zusätzlich könnten, wenn gewünscht, Akzentlichter angebracht werden. Die Kosten für solch ein Modul lassen sich gut rechtfertigen, da es als Raumtrenner und Akzentsetzer wirkt und zur Klimatisierung beiträgt.

Abb. 6.28 beschreibt eine auf Vlies basierende Innenraumbegrünung mit zahlreichen flexiblen Gestaltungsmöglich-

5) Reprint from: Ren, J.; Tang, M.; Zheng, X.; Lin, Y.; Xu, Y.; .Zhang, T.: The passive cooling effect of window gardens on buildings: a case study in the subtropical climate. In: Journal of Building Engineering (2022), Elsevier-Copyright Lizenz Nr: 5297520219977

Tabelle 6.4: Hauptgruppen der Innenraumbepflanzungen

Gruppe	Raumklima	Lichtbedarf	empfohlene Pflanzengruppen
Tropenpflanzen	ganzjährig über 15 °C	hoher bis geringer Lichtbedarf, allerdings winterlich zusätzliche Belichtung auf Tag-Nacht-gleiche Länge	Schmuckblattpflanzen, ggf. tropische Gehölze, tropische Nutzpflanzen, wie Kaffee, Ananas, Banane (Abb. 6.29) u. a.
mediterrane Pflanzungen einschließlich Australien	sommerlich mäßig trocken und warm, winterlich kühl	Volllicht im Sommer, winterlich hell, kühl und trocken	Oleander, Oliven, Wein, diverse Hartlaubsträucher
Sukkulentengarten	sommerlich warm und trocken, winterlich trocken, frostfrei	Volllicht ganzjährig	Sukkulenten der Kap-Region Südafrikas sowie aus weiteren Trockengebieten weltweit
mitteleuropäische Flora	frostfrei	sommerlich hoher, winterlich geringer Lichtbedarf	gewisses Potenzial an Arten von Efeu bis diverse Bodendecker

keiten. Die Pflanzenwurzeln sind erdlos in das ständig feucht zu haltende Geovlies einzubinden. Alle 1 bis 2 m sollten bei höheren Begrünungen Bewässerungsstränge liegen, die über Magnetventile einzeln anzusteuern sind. Zusätzlich zum erforderlichen PAR-Licht sind Akzentbeleuchtungen auf Bereiche zu setzen, die zu verschiedenen Zeitpunkten optisch besonders herausragen. In dieser Variante geht die Begrünung nahezu nahtlos in den Fußboden über. Eine weitere Variante wäre es, das Vlies in einem Becken enden zu lassen, damit im Idealfall das Bewässerungswasser in einem ständigen Kreislauf gehalten werden kann und bei Verdunstungsverlusten mittels Schwimmer nachgefüllt wird.

In einer komplexen Innenraumbegrünung hat ein Wasserbecken für die Besucher immer einen besonderen Reiz. Art und Gestaltung können sehr vielfältig sein: in der einfachsten Variante ebenfalls auf der Bespannung eines Geovlieses mit Bewuchs; es können aber auch regionale poröse Steine verwendet werden. Ein ständiger Wasserfluss erinnert an tropische Vegetation. Er wirkt beruhigend auf die Besucher und ist eine gute Raumbefeuchtung. Wasserbecken können auch die vorgestellten Varianten Abb. 6.20 und Abb. 6.27 ergänzen.

Über wandgebundene Begrünungen ist das Wissen seit der ersten Auflage des Buches vor 10 Jahren erheblich angewachsen, da viele Projekte realisiert wurden und verschiedene Dauerbeobachtungen erfolgten. Die eigenen Erhebungen des Autors beruhen auf Untersuchungen seit 2011 mit Geovliesvarianten (siehe Abb. 6.5 und Abb. 6.6) sowie verschiedenen Kübelbauweisen und Substratvarianten von der Hydrokultur bis zu verschiedenen mineralischen Substraten, u. a. mit Zuschlagstoffen zur besseren Wasserhaltefähigkeit.

6.4.3 Pflanzenauswahl

Für die Innenraumbegrünung steht eine riesige Auswahl an Pflanzen aus vielen Herkunftsregionen zur Verfügung. Die meisten Innenraumpflanzen kommen aus den Tropen. Mediterrane Pflanzen vermitteln Urlaubsstimmung und sind daher beliebt. Ein vergleichbares Klima brauchen auch Arten aus der Kapregion Südafrikas oder aus den Trockengebieten Australiens (Tabelle 6.4). Der Oberbegriff für diese Herkunft der Arten wird „trockene Subtropen“ genannt.

Allerdings eignet sich nicht alles, was in Urlaubsgebieten weltweit zu finden ist und als ansprechende Pflanze mitgebracht wird, dauerhaft zur Kultivierung in Innenräumen. Das Angebot in gärtnerischen Betrieben ist auf eine kleine Auswahl langfristig bewährter Pflanzen beschränkt. Die Wuchsbedingungen innerhalb von Räumen weichen erheblich von den Standortverhältnissen im Ursprungsland ab. Das bedeutet für die Pflanzen Stress, den nur robuste Pflanzen über längere Zeit überstehen. Die schließlich zu treffende Auswahl, die die Wünsche des Auftraggebers mit den Möglichkeiten am geplanten Standort vereint, ist eine Aufgabe für einen versierten Innenraumbegrüner.

Abb. 6.29: Bananenstaude mit Früchten in einer Innenraumbegrünung

Zunächst einmal ist, abgestimmt auf den geplanten Standort, eine Auswahl der Hauptgruppe gemäß Tabelle 6.4 zu treffen. Innerhalb der Gruppe geht es dann um eine Feinauswahl nach den Ansprüchen der Arten – Licht, Temperatur, Boden- und Luftfeuchtigkeit – sowie den gestalterischen Anforderungen. Erschwerend kommen weitere Faktoren hinzu, wie die Toleranz von Zugluft und von nicht optimalen Standortverhältnissen. Bei der Auswahl geht es weniger um botanisch korrekte Zusammenstellungen als vielmehr um attraktive dauerhafte Pflanzbilder, die von den Gebäudenutzern als angenehm empfunden werden. So kann eine bepflanzte Tropenhalle in einem Ferienresort für Touristen im Ergebnis angenehmer empfunden werden als der Aufenthalt in einem natürlichen Tropenwald.

Es gibt einige Pflanzenarten, die in großer Stückzahl in Gärtnereien produziert werden und als recht preisgünstiges Grundgerüst für Innenraumbegrünungen verwendet wer-

Tabelle 6.5: Basisliste robuster Pflanzenarten, bewährt in einer Vielzahl von Projekten, ohne Anspruch auf Vollständigkeit

wissenschaftlicher Name	deutscher Name	Pflanzengruppe	Besonderheit, Bemerkung
Chlorophytum sp.	Grünlilie	Tropen, krautiger Bodendecker	ausläufertreibend, robust auch Zugluft vertragend
Citrus sp.	diverse Zitrusarten und deren Sorten	mediterran, Kleinbaum	vollsonnig, für sommerliche Terrassenaufstellung, hell und kühl überwintern
Crassula ovata	Pfennigbaum	Sukkulente	sehr robust, viele Standortvarianten ertragend, leicht zu vermehren
Epipremnum sp.	Efeutute	Tropen, krautiger Bodendecker, Schling- und Hängepflanze	robust, für üppige Pflanzbilder, auch für dunkle Standorte geeignet
Ficus benjamina	Birkenfeige	Tropen, Strauch, Kleinbaum	eine der häufigsten Pflanzen der Innenraumbegrünung
Ficus elastica	Gummibaum	Tropen, Baum	sehr groß aufwachsendes Gehölz, typisch für Innenraumbegrünungen der 1950er-Jahre
Monstera sp.	Fensterblatt	Tropen, krautige Kletterpflanze	großblättrige, üppige Pflanzen, nur bei großem Platzangebot verwenden
Olea europaea	Olive	mediterran, Kleinbaum	sehr dekorative Pflanze, die bei sonnigen und warmen geschützten Standorten auch in Deutschland Früchte bilden kann
Philodendron sp.	Baumfreund	Tropen, krautige Kletterpflanze	üppiger Wuchs
Phoenix canariensis	Phoenix-Palme	mediterran, Palme	häufigste Palmenart der Innenraumbegrünung
Sansevieria fasciata	Bogenhanf	Tropen, krautige Einzelpflanze	robuste und dekorative Pflanze, für fast alle Innenraumstandorte geeignet
Schefflera sp.	Strahlenaralie	Tropen, krautig	robuste Pflanze, auch für dunkle Standorte
Spathiphyllum sp.	Einblatt	Tropen, weiße Scheinblüten, krautig	dekorativ für Flächenbepflanzungen
Yucca sp.	Palmlilie	semiarid, agavenartig, holzig	robuste Pflanze als Solitär auch an trockenen und hellen Standorten

Abb. 6.30: Maracuja ist eine einfach zu pflegende tropische Kletterpflanze mit attraktiver Blüte und einem gewissen Aha-Effekt für Passanten

Abb. 6.31: Amurwein, eine robuste, großflächig wachsende Kletterpflanze, ideal als Solitär, etwa in Einkaufszentren

den könnten. Tabelle 6.5 zeigt eine Liste mit einigen Pflanzen. Die genannten Arten sind in Deutschland für Innenraumbegrünungen einfach zu beziehen, dekorativ und preisgünstig. Viele dieser Arten sind allgemein bekannt; detaillierte Bebilderungen sind leicht zu finden. Allein die jeweiligen Sorten zu diesen Arten erweitern das mögliche Spektrum um eine Vielzahl von weiteren Varianten.

Für eine robuste Pflanzung in einer Schule oder einer Shopping Mall ist mit solch einem Grundbestand schon vieles möglich. Die genannten mediterranen *Citrus*-Arten und Oliven sind anspruchsvoller, aber für entsprechende Restaurantausstattungen obligatorisch. Meist werden Einzeltöpfe aufgestellt. Gerade von Oliven gibt es knorrige Solitärpflanzen, die einem Innenraum ein besonderes Ambiente geben. Diese Töpfe sollten allerdings mittels entsprechender Hebetechnik an geeignete Überwinterungsorte versetzt werden können. Die frei werdenden Flächen bieten Platz für saisonale Sonderbepflanzungen, etwa mit Weihnachtssternen.

Die Ausgabe der FLL-Pflanzenliste in der FLL-Richtlinie zur Innenraumbegrünung (2000) beinhaltete etwa 550 potenzielle Pflanzenarten. Das ist im Grunde nur ein Bruchteil der möglichen Pflanzen für Innenräume, da grundsätzlich das komplette Spektrum tropischer und subtropischer Pflanzenarten und deren Sorten infrage kommen (Abb. 6.30 und Abb. 6.31). In der FLL-Richtlinie für Innenraumbegrünungen (2011) ist diese Liste auf etwa die Hälfte reduziert worden, weil einerseits Wert auf Arten gelegt wurde, die aktuell in Gärtnereien auch verfügbar sind. Andererseits sollten nicht alle Arten genannt werden, die potenziell infrage kommen, weil der Markt des Innenraum-Gartenbaumarkts einer

Abb. 6.32: Detail der Innenraumbegrünung im Erlebnisbad „Tropical Island" bei Berlin.

starken Dynamik unterliegt. Es ist in jedem Falle sinnvoll, sich diese Liste im Vorfeld zu einem Projekt näher anzusehen und Anregungen aufzugreifen. Zumindest liegen mit den dort genannten Arten Erfahrungen in Deutschland vor.

Im Erlebnisbad Tropical Islands bei Berlin wurde bezüglich der Pflanzenauswahl ein ganz individueller Weg beschritten: Die meisten dort gelieferten Pflanzen waren nicht in der FLL-Pflanzenliste genannt (Köhler, 2005b). Dieses Projekt ist damit zu einem der größten deutschen Versuchsflächen für Innenraumbegrünungen geworden. In den ersten Betriebsjahren wurde eine Vielzahl von Pflanzenarten ausgetauscht und mit der Zeit hat sich herauskristallisiert, welche Arten für diese Herausforderungen besonders geeignet sind (Abb. 6.32).

Bei der Strukturierung der Pflanzung ist ein Grundgerüst aus Arten zu wählen, die dauerhaft und robust sind. Diese Grundpflanzung sollte saisonal noch durch Akzentpflanzen bereichert werden. Dabei ist die Wüchsigkeit der einzelnen Arten zu beachten. Es ist ideal, wenn die gewählten Pflanzen einen natürlichen Habitus erreichen können. Das gilt besonders, wenn Gummibäume oder ähnlich großwüchsige Bäume ausgewählt werden. Die Rückschnittverträglichkeit ist ein weiteres Auswahlkriterium. Pflanzen mit Besonderheiten, etwa auffälligen Blattformen, besonderem Geruch oder Blüten sollten sehr bewusst und sparsam verwendet werden. „Weniger ist mehr„ ist ein Grundsatz, der auch hier beachtet werden sollte. Abweichungen von diesem Grundsatz sollten mit dem Auftraggeber schriftlich festgelegt werden, z. B. für den Fall, dass die Pflanzung in der Blütenpracht nicht den Erwartungen entsprechen sollte. Aufwendige Showbepflanzungen erfordern ein Vielfaches an regelmäßiger Pflege. Sie kann nicht für jede Innenraumbegrünung als Maßstab genommen werden. Beispiel hierfür sind die thematischen Innenraumbegrünungen im Changi-Airport in Singapur. So wird der vielfach beworbene Orchideengarten dort ähnlich einer ständigen Gartenschau gepflegt. Dieses Pflegeniveau würde das Budget typischer Einkaufszentren in Europa finanziell überfordern.

Eine ausschließliche Artenliste ist jedoch nicht genug; viel entscheidender ist die richtige Auswahl hinsichtlich der Qualität. Es gibt für Pflanzen klare Qualitätsregeln; bei der Auswahl für Pflanzen im Außenraum hat sich das Arbeiten gemäß diesen Qualitätsregeln bewährt. Für große Innenraumpflanzen ist die Auswahl der richtigen Qualität erschwert, da viele Pflanzen nur in wenigen ausgewählten Sonderbetrieben meist außerhalb Deutschlands produziert werden. Die rechtzeitige Beschaffung, die Zwischenlagerung, das Verweilen der Pflanzen in Quarantänestationen in Häfen und die Lagerung vor dem Einbautermin bei widrigem Wetter sind besondere Stressfaktoren, die sich auf die Pflanzen auswirken.

6.4.4 Substrate, Düngung und Bewässerung

Boden, Düngung und Bewässerung müssen als eine Einheit gesehen werden. Es gibt einen großen Unterschied zwischen den Substraten, in denen Topfpflanzen normalerweise verkauft werden und in Räumen eine Weile überleben, und ortsfesten und langfristig bepflanzten Pflanzinseln in Gebäuden. Typisch humose Kultursubstrate können im Einzelfall keimbelastet und in Innenräumen problematisch sein.

Auch die typischen Substrate an den Ursprungsorten in den Tropen und Subtropen haben mit denen in Innenräumen wenig gemeinsam. Ein Substrat erfüllt am Ursprungsort mehrere Funktionen: Es gibt Halt und dient der Versorgung der Wurzeln mit Nährstoffen. Typischer Boden ist aber nicht unbedingt für die Versorgung von Pflanzen erforderlich, wie es am Beispiel tropischer Epiphyten (Aufsitzerpflanzen) deutlich wird. Auch auf flachgründigen Felsen können Pflanzen erfolgreich wachsen, sofern regelmäßig Wasser und Nährstoffe nachgeliefert werden. In typischen tropischen Böden dient der nährstoffarme Untergrund als Halt, die Ernährung erfolgt über Stoffumsätze und gelöste Nährstoffe, die mit dem Regen an die Wurzeln transportiert werden. Die typischen Tropenböden werden aufgrund hoher Transport- und Quarantänekosten nicht importiert.

Die Innenraumbegrüner experimentieren seit Jahren, um ideale Substrate zu entwickeln. Das führte schon vor Jahren zur Entwicklung von Hydrokulturen, aquaponischen Systemen und ähnlichen künstlichen mineralischen Materialien, wie sie in der Dachbegrünung verwendet werden. Diese strukturstabilen, grobkörnigen, speicherfähigen und humusarmen Substrate dienen als Träger, der mittels Flüssigdünger an die Nährstoffansprüche der Pflanzen angepasst werden kann. In grobkörnigen Materialien kommt es zu einer Dreiteilung bezüglich der Wasserführung:

- einer Dränschicht, die fast immer wassergesättigt ist und im Einzelfall auch als Anstauzone dient,
- einer mittelfeuchten durchwurzelten Mittelzone und
- einer trocken wirkenden Abdeckschicht.

In einer Innenraumbegrünung sind für Ökosysteme typische Bodenbildungs- und Abbauprozesse von Falllaub zu Humus unerwünscht. Diese würden als potenzielle Gefahr für Keime und verschiedene Erreger angesehen. Falllaub sollte daher zügig entfernt werden.

Das alles führt dazu, dass sich die verantwortlichen Gärtner für die Innenraumbegrünung mit 3 Fragen beschäftigen müssen:

- Wie werden die Pflanzen auf der Horizontalen verankert?
- Wie werden die erforderlichen Nährstoffe in geeigneter Form an die Wurzel transportiert?
- Wie werden Falllaub und Staubauflage regelmäßig entfernt?

Daraus resultieren grundsätzlich 3 Strategien für Bepflanzungen:

- ein geeignetes Trägersubstrat aus lokalen Substraten mischen und die Pflanzen regelmäßig, entweder manuell oder, besser, automatisiert, mit Wasser und Dünger versorgen;
- die Pflanzen in ein hydroponisches Trägermedium oder in eine andere neutrale Trägersubstanz pflanzen und ebenfalls regelmäßig, möglichst automatisiert, mit allen erforderlichen Nährstoffen versorgen;
- die Pflanzen erdlos in ein Tragevlies pflanzen und kontinuierlich mit den erforderlichen Nährstoffen versorgen.

Die Wahl dieser 3 Varianten hängt nicht nur von der persönlichen Vorliebe, sondern auch von den gewählten Pflanzengruppen ab (vgl. Tabelle 6.4). Bei tropischen Pflanzungen sind alle 3 Bewässerungsformen gleich möglich, bei mediterranen und Sukkulentenpflanzungen, die weniger häufig Düngung und Bewässerung benötigen, sind sandige Substrate als Basis in der Regel völlig ausreichend. Bei wandgebundenen Begrünungssystemen im Innenraum sind automatisierte Systeme mit kontinuierlicher Wasser- und Düngerversorgung zu bevorzugen. Bei mitteleuropäischen Innenraumbepflanzungen können lokale Substrate verwendet werden. Eine zu starke Bewässerung ist zu vermeiden, da diese leicht zu Schimmelbildung führen könnte.

Substrate für die Innenraumbegrünung

Die Substrate für die Innenraumbegrünung werden projektspezifisch gemixt. Meist wird die neutrale Trägersubstanz aus Bims, gebrochenem Blähton, Lava oder anderen mineralischen Substraten bei Bedarf um humose Komponenten ergänzt. Die Düngemittelverordnung (DüMV) in der jeweils gültigen Form ist hierbei zu beachten.

Dieses neutrale Substratmaterial kann nach Bedarf bewässert und gedüngt werden. Die Frage des Substrats kann nur projektspezifisch korrekt beantwortet werden, wenn bekannt ist, welche Pflanzenarten verwendet werden sollen.

Auch die FLL-Richtlinie für Innenraumbegrünungen (2011) verzichtet auf eine genaue Angabe der richtigen Substrate. Bei größeren Projekten wird aus Kostengründen gerne mit Sand als Trägermaterial gearbeitet, der dann um weitere Komponenten ergänzt wird. Das kann für Pflanzungen mit Sukkulenten eine gute Lösung sein, ist aber nicht generell die richtige Entscheidung. Die Substratauswahl ist letztlich eine gärtnerische Fachentscheidung. Am häufigsten werden die in Tabelle 6.6 vorgestellten Substratvarianten gewählt.

Vom Grundsatz her unterscheiden sich die Substrate in einer individuellen Anpassung in solche für tropische Pflanzenarten (dauerhafte warme Standorte) und in Substrate für Mediterranpflanzungen (winterkalt). In beiden Fällen ist ein hoher Mineralanteil von etwa 60 % empfehlenswert.

Die Komponenten Lava, Bims und Blähschiefer sowie Stoffe wie Zeolithe sind die Grundbestandteile, die mit Humuskomponenten, etwa aus Torf, Kokosfasern o. Ä., individuell projektabhängig kombiniert werden sollten.

Tabelle 6.6: Typische Substratvarianten und deren Vor- und Nachteile

Substratvariante	Vorteile	Nachteile
humose organisch-mineralische Substrate (Humusanteil über 30 %)	• gute Kapilarität • geringe Sackung • typisches Aussehen • für eine breites Spektrum an Pflanzen geeignet	Tendenz zur oberflächigen Schimmelbildung durch mögliche Vernässung
mineralische Substrate	• strukturstabil • feuerfest • geringe Keimbelastung (auch für Krankenhäuser zugelassen)	ggf. häufige Bewässerung aufgrund von geringer Wasserspeicherung
Hydrokulturen	• einfache Überwachung • lange Wartungsintervalle • geringe Keimbelastung	für Hydrokultur vorkultivierte Pflanzen notwendig

Bewässerungstechnik

Erfahrungswerte zeigen, dass der Arbeitsaufwand der Bewässerung, bezogen auf die übrige Jahrespflege, nur etwa einen Anteil von 10 % ausmacht. Die Reinigung der Blätter und der Pflanzenschnitt erfordern den größten Zeitanteil innerhalb der Jahrespflege. Trotzdem bietet es sich an, die Bewässerung zu automatisieren, vor allem bei Pflanzengruppen mit hohem Wasserbedarf, z. B. tropischen Pflanzungen. Für wandgebundene Begrünungssysteme im Innenraum ist eine automatisierte Bewässerung unverzichtbar.

Die Wasserzuführung hat eine Mengenkomponente, die über Magnetventile neuester Bauart auf die Sekunde genau in Litermengen gesteuert werden kann. Auch die Reinigung der Blätter kann automatisiert werden, wenn neben der Wasserversorgung für die Pflanzen Düsen zur Blattreinigung eingeplant werden. Feine nebelartige Zerstäuber sind zudem gute Alternativen zur Erhöhung der Luftfeuchtigkeit innerhalb von Pflanzenbeständen.

Die Grundlagen der Bewässerungssteuerung sind in Kapitel 5.3.3 aufgeführt; sie gelten hier entsprechend. Für die Bewässerungssteuerung sind gut zugängliche, wartungsfreundliche Boxen in der Nähe der Pflanzflächen zu installieren.

Die Schwierigkeit der Bewässerung in Mitteleuropa ist, dass im Sommer gerne große Mengen an Wasser verwendet werden, die zu einer Abkühlung des Raumes beitragen können, im Winter hingegen ausschließlich eine Minimalbewässerung genutzt werden sollte, um Schimmelbildung und ein Verfaulung von Wurzeln empfindlicher Arten zu vermeiden. Die Art der Bepflanzung mit ihren jeweiligen Ansprüchen ist eine Steuerungsgröße, um Wasser aus Pflanzgefäßen unterschiedlich stark zu verdunsten und so zur Klimatisierung der Räume beizutragen. Die Technik bietet viele Möglichkeiten, sodass für jedes Bauvorhaben ein passendes Konzept aus den vorhandenen Komponenten erarbeitet werden kann. Noch werden diese komplexen Wasseransätze viel zu wenig realisiert. Bei der Prinzipskizze

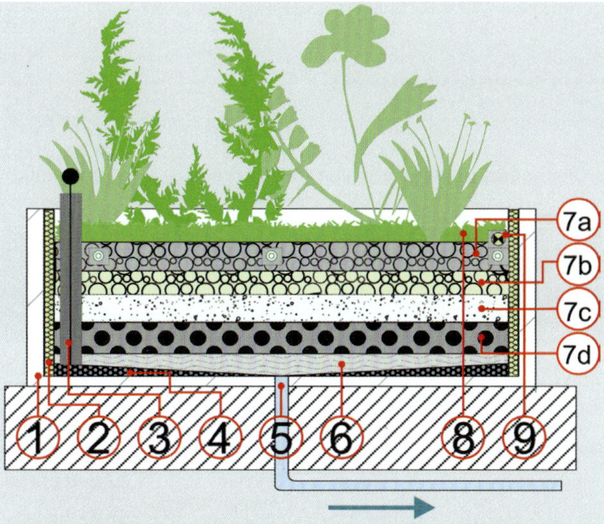

1 stabiles Außengefäß, in vielen Materialien und Farben zum Gebäude angepasst möglich
2 Wanddämmung und Schutzlage
3 Wasserstandsanzeige
4 Gefällematerial, z. B. aus Hartschaumglas
5 Wasserablauf
6 Drainschicht
7a Kiesabdeckung
7b Bims
7c Lava
7d Zeolithe
8 Pflanzung
9 automatisierte Bewässerung mit Absperrhahn

Abb. 6.33: Detail eines begrünten Reinigungsmoduls in einem bodenbürtigen Gefäß mit Substraten unterschiedlicher Körnung.

in Abb. 6.33 kann die Wassermenge mehrfach durch das System geschickt werden. Es bestehen verschiedene Optionen. Wenn es sich um ein Luftreinigungssystem handeln soll, muss gelegentlich Wasser nachgespeist werden. Es ist eine Herausforderung für den Fachplaner, hier ein ausgewogenes System zu entwickeln.

Neben der Menge ist die lokale Wasserqualität entscheidend. Regenwasser stellt eine wichtige Alternative zu dem meist zu kalkhaltigen Leitungswasser in vielen Gegenden Deutschlands dar. Eine Vielzahl von Untersuchungen hat gezeigt, wie gut leicht verunreinigte Brauchwässer durch eine Bodenpassage aufbereitet werden können. Abb. 6.33 zeigt einen Schichtaufbau aus offenporigen Substraten, der sich eignet, wenn das Gefäß zur Reinigung von Regen- oder Grauwasser verwendet werden soll. Das vorgereinigte Wasser kann in den Bewässerungskreislauf eingebunden und verdunstet werden. Beim Auffangen des Niederschlagswassers ist allerdings eine Schaltung von großem Vorteil, die den „First Flush“ nach längeren Trockenperioden auf dem Grundstück in eine Versickerungsfläche führt. Das übrige Regenwasser sollte in den Bewässerungskreislauf geführt werden.

Der Vorteil der Verwendung von Grauwasser liegt in der Einsparung der Frischwassermenge. Je nach Anfall unterschiedlicher Wasserarten sind Konzepte für die einzelnen Projekte zu entwickeln, die mit diesen Begrünungsmodulen zu einer nennenswerten Senkung einer Trinkwassernachspeisung beitragen. Mit dem Bewässerungswasser kann der Flüssigdünger appliziert werden. Hierbei ist ein Dünger zu wählen, der zu keiner Versinterung der Düsen führt.

Praxistipp

Die große Anzahl von Möglichkeiten bei der Bewässerung einerseits bedeutet auch eine Vielzahl von Fehlerquellen andererseits. Fehlerquellen in mitteleuropäischen Breiten hängen mit dem saisonalen Wechsel zusammen. Von der erwünschten sommerlichen Raumklimatisierung muss in Wintermonaten rechtzeitig auf minimale Wasserversorgung umgesteuert werden, um Heizkosten einzusparen und Schimmelbildung zu verhindern. Wandgebundene Begrünungssysteme sind Teil der Gebäudeklimatisierung. Falsch eingestellte Gebäudeklimatisierungen können in komplexen Gebäuden zu erhöhten Energiekosten führen. Eine umfassende Dokumentation zur Bedienung der Bewässerungssteuerung ist ein wichtiger Schritt für die Gärtner vor Ort, um Fehler weitgehend auszuschließen oder gezielt gegen zu steuern.

6.4.5 Zusatzlicht

Licht ist der schwierige Minimumfaktor bei den meisten Innenraumbegrünungen, denn die nach ASR A1.6 in Lux gemessene Helligkeit ist für Pflanzen in der Regel nicht genug. Pflanzen mit einer ausreichenden Menge fotosynthetisch aktiven Lichtes (PAR, Photosynthetic Active Radiation) der Wellenlängen zwischen 400 und 720 nm zu versorgen, ist nur mit Zusatzlicht möglich. Auch in der Nähe von großen Fensterfronten ist die Lichtmenge meist nicht ausreichend (siehe Abb. 6.9), denn moderne Wärmeschutzgläser und Sonnenschutzfolien reduzieren das einstrahlende PAR-Licht um etwa 50 %. Die Kenntnis über die zu verwendenden Glasarten ist ein Spezialwissen, das sich ein Innenraumbegrüner aneignen muss. Bei der Planung eines Neubauvorhabens ist die Glasart eines der abzuklärenden Schlüsselkriterien. Bei vielen Investoren und Hochbauarchitekten fehlt das Wissen um die Bedeutung der richtigen Glasauswahl für Begrünungen sowie das Verständnis, entsprechende Leuchtmittel auszusuchen.

Selbst wenn im sonnigen Mittagslicht die Versorgung ausreichend erscheint, benötigen die Pflanzen neben der spektralen Qualität auch eine ausreichende Intensität und Lichtmenge, um gleichmäßig zu wachsen. Zusätzliche Beleuchtung ist für ein gleichmäßiges Wachstum nicht zu umgehen. Anders als im Erwerbsgartenbau, bei dem eine maximale Lichtversorgung für schnelles Wachstum sorgen soll, ist bei der Innenraumbegrünung ein langsames Wachstum eher erwünscht. Es sind dementsprechend geringere Lichtmengen oberhalb des pflanzlichen Kompensationspunkts anzusetzen. Zusätzlich zum PAR-Licht sind Akzentbeleuchtungen als Zusatzlichtquellen möglich, um die Pflanzung optisch hervorzuheben. LED-Beleuchtung bietet sich an, um die Pflanzung zur optischen Geltung zu bringen. Dieses Licht geht aber nicht in die Bilanz der Lichtversorgung ein.

Die künstliche Belichtung ist nach den Ansprüchen der Pflanzenarten auszurichten. Nur wenige Schattenpflanzen, die vorwiegend aus der bodennahen Schicht tropischer Wälder stammen, benötigen kein oder nur wenig Zusatzlicht (Tabelle 6.7). Sind üppige tropische Pflanzungen in Innenräumen gewollt, ist im Winter ein Zusatzlicht über 3 und

Tabelle 6.7: Faustwerte für den Zusatzlichtbedarf unterschiedlicher Pflanzengruppen, PAR-Richtwerte und Beispielpflanzen

Lichtbedarf	Beleuchtungsstärke (Lux)	PAR in µmol/(s · m²)	Beispielpflanzen mit Kompensationspunkt
gering	1.000	18	Einblatt, Efeutute, Dieffenbachie (PAR-Werte von 7 bis 15 µmol/(s · m²) ausreichend)
mittel	1.000 bis 2.700	18 bis 49	Birkenfeige (etwa 18 µmol/(s · m²))
hoch	2.700 bis 4.300	49 bis 77	Zitrusfrüchte, Mittelmeerpflanzen (ab 48 µmol/(s · m²))
sehr hoch	über 4.300	über 77	Vollsonnenpflanzen, für Innenraumbegrünung nicht geeignet

6 Stunden unerlässlich, bei mindestens 20 °C. Eine Mediterranvegetation kommt zwar mit der dunklen Jahreszeit zurecht, benötigt aber kühle und frostfreie Räume. Die letztgenannten Bedingungen sind nicht in Wohnräumen, aber in Eingangshallen von vielen Geschäftsgebäuden möglich.

Im Bereich der Leuchtentechnik hat sich in den letzten Jahren einiges getan; die aktuellen FLL-Richtlinien für Planung, Bau und Instandhaltung von begrünbaren Flächenbefestigungen (2018) dokumentieren die Fortschritte. Der Farbwert moderner PAR-Leuchten kann typischem Tageslicht so weit nachempfunden werden, dass diese Beleuchtung von Passanten in der Regel nicht negativ wahrgenommen wird. Hoffnungen, nun endlich mit LED-Leuchten kleine pflanzenaktive Spots auf die Pflanzen setzen zu können, erfüllten sich bisher nicht. Der Markt der LED-Wachstumsleuchten steht aus verschiedenen Gründen noch am Anfang. Aber sowohl in der Lichttechnik als auch bei der Wärmeschutzverglasung ist eine enorme Dynamik zu verzeichnen. Bei der Planung eines Objekts muss man sich damit jeweils neu und intensiv auseinandergesetzen.

Für die richtige Dimensionierung von Zusatzlicht ist für jedes Projekt eine individuelle Lichtmengenmessung eine wesentliche Voraussetzung. Bisher gibt es keine FLL-Vorschrift darüber, wie diese zu erfolgen hat. Es ist dem verantwortlichen Innenraumbegrüner überlassen, hier die richtige Messroutine einschließlich der notwendigen PAR-Messung vorzunehmen und die Resultate in der Planung entsprechend bei der Pflanzenauswahl zu berücksichtigen. Durch die jeweilige Standortbestimmung mit einem PAR-Meter (im Falle von Tageslicht ist die Umrechnung von lux · 18,4 ein Näherungswert) können sich Innenraumbegrüner für einen möglichen späteren Streit vor Gericht absichern. Auch in vermeintlich hellen Räumen mit einer Wärmeschutzverglasung ist eine Messung der PAR-Lichtstärke unbedingt erforderlich, da diese gut gedämmten Gläser die notwendigen Wellenlängen absorbieren.

Die Montage der Leuchten muss im optimalen Abstand zu den Pflanzen erfolgen. Für flächige Pflanzungen gibt es „Wallwasher", die größere Flächen ausreichend gleichmäßig versorgen. Die installierten Leuchten sollten hinsichtlich des Wirkungsgrads kontrolliert und abhängig von den Jahreszeiten betrieben werden. Die Farbwiedergabe von Leuchten ist in der DIN EN 12464-1 „Licht und Beleuchtung – Beleuchtung von Arbeitsstätten – Teil 1: Arbeitsstätten in Innenräumen" (2011) beschrieben; die internationale Farbkennung Typ 830, Warmweiß, ist dem natürlichen Licht ähnlich. Andere Lichtfarben unterstützen eher einen „Gewächshauscharakter". Die aktuellen Metall-Halogen-Leuchten (MH-Leuchten) besitzen zu einem bezahlbaren Preis einen hohen Blaulichtanteil und sind zu empfehlen (Tabelle 6.8).

Tabelle 6.8: Übersicht für die Innenraumbegrünung geeigneter Lampen (nach FLL-Richtlinie zur Innenraumbegrünung, 2011, ergänzt)

Lampentyp	Norm	Typenbezeichnung	Lebensdauer (h)
Leuchtstofflampen	DIN EN 12464-1	800er-Lichtfarbe warmweiß	8.000 bis 33.000
Hochdruck-Metalldampfleuchten, Metall-Halogen-Leuchten (MH-Leuchten)	DIN EN 12464-1	neutralweiß	10.000 bis 26.000

Während noch vor wenigen Jahrzehnten in Deutschland die Innenraumbegrünung vor allem für Räume empfohlen wurde, die eine Mindesttageslichtversorgung gewährleisteten, ist dank der Fortschritte in der Lichttechnik auch an komplett dunklen Standorten, etwa in U-Bahnschächten, nun Innenraumbegrünung als besonderes Highlight möglich. Derartige Aufwertungen werden von Passanten in der Regel mit viel Lob angenommen. Der Strombedarf für die Belichtung ist ein weiterer laufender Kostenfaktor im Rahmen der dauerhaften Erhaltung der Begrünung. Ein wesentlicher Fortschritt in der Lichttechnik wurde in Verbindung mit den Belichtungen von Innenraum-Farmingprojekten erzielt (Wong et al., 2021). Für das optimale Wachstum können die richtigen Leuchten für die besonders effektiven Wellenlängenbereiche der Zielarten kombiniert werden. Im Spektrum zwischen 300 und ca. 700 nm Wellenlänge liegen die Phytochrome und einige Chlorophyll-Komponenten etwa bei 700 nm, die Crypotochrome und Carotinoide etwa bei 450 nm sowie die UV-Rezeptoren bei um die 300 nm. Was für den Gemüsebau entscheidend für die Ertragsmenge ist, gilt für Innenraumbegrünungen, die in erster Linie einen gesunden und natürlichen Eindruck machen sollen, in abgeschwächter Form.

Praxistipp

Der Belichtungsfrage muss bei jeder Innenraumbegrünung ausreichend Aufmerksamkeit geschenkt werden, da diese wesentlich zum Erfolg eines Begrünungsprojekts beiträgt. Dabei sind Akzentlicht und das zum Pflanzenwuchs erforderliche Licht separat zu betrachten.

Abb. 6.34: Bei dieser platzsparenden Tropenbepflanzung entlang eines Geländers sammeln sich hinter der Glasverkleidung Laubreste, die schwer zu entfernen sind.

6.5 Pflege und Wartung

Pflegearbeiten

Innenraumbegrünungen sind gärtnerische Installationen. Um ihren Wert dauerhaft zu erhalten, wird eine fachkundige und regelmäßige Pflege dringend empfohlen. Auftraggebern muss die Bedeutung der regelmäßigen und fachgerechten Pflege erklärt werden; an dieser regelmäßigen Kostengruppe wird häufig gespart. Es gibt 2 Wege, die fachgerechte Pflege zu organisieren:

- Innerhalb des Betriebs wird geeignetes Personal eingebunden, das sich der Begrünung annimmt.
- Die Pflege wird einer Fachfirma übertragen, die alle Arbeiten so unauffällig wie möglich für die Gebäudenutzer an Tagen ausführt, an denen möglichst wenig Publikumsverkehr herrscht.

Abb. 6.35: Zunehmende Bedeutung gewinnt in der Innenraumbegrünung eine frei im Raum installierte Begrünung an Seilen. Efeutute und andere robuste rankende tropische Bodendecker eignen sich hierfür besonders.

Die Pflege fällt umso leichter, je besser die Pflanzflächen für Pflegearbeiten erreichbar sind (Abb. 6.34 und Abb. 6.35). Es besteht auch für Innenräume die Tendenz zu großflächigen Begrünungen. Die Planung von sicheren Aufstiegshilfen mittels Fahrkörben ist zur Reduzierung von Unfallgefahren und schließlich auch unter dem Aspekt der Senkung regelmäßiger Pflegekosten gleich in der Planungsphase mit zu berücksichtigen (siehe Kapitel 5.4.2).

Die Checkliste 6.2 nennt wichtige Pflegepositionen; Fachfirmen sollten Angebote für die Pflege schon in der Planungsphase mit abgeben.

Checkliste 6.2: Pflegearbeiten an Innenraumbegrünungen

Arbeitsschritt	Häufigkeit	Kosten	Bemerkung
Kontrolle der Bewässerungsanlage	bei jedem Besuch der Begrünung, möglichst einmal die Woche		
Düngung, automatisch oder manuell	viermal im Jahr den Tank nachfüllen bzw. manuell düngen		
Entfernen von Laub u. a. aus den Pflanzflächen	mindestens viermal im Jahr, bei bestimmten Pflanzen nach Absprache häufiger		
kleinere gärtnerische Arbeiten: aufbinden, schneiden und Schnittgut entfernen	mindestens viermal im Jahr, bei Bedarf häufiger		
Entfernen von Staub von den Blättern	nach Bedarf, etwa zweimal im Jahr		
optische Prüfung von Sonderbauteilen, wie Springbrunnen und Wasserläufen, sofern vorhanden	mindestens viermal im Jahr		
Überprüfung von Akzentlichtern und anderen technischen Bauteilen	nach Bedarf		
Pflanzenschutz	nur nach Bedarf		
Messung von Bodennährstoffen, Beleuchtungsstärken	nur nach Bedarf		
Nachfüllen von Substraten, Erdaustausch	nach mehreren Jahren und nach besonderer Absprache		
Ersatz von ausgefallenen Pflanzenarten, Beseitigung von Kahlstellen	nach Bedarf, zweimal im Jahr		
Saison- oder zusätzliche Akzentbepflanzungen	nach Absprache, Sonderposition		
Dokumentation und Abrechnung aller angefallenen Pflegearbeiten	einmal im Jahr bzw. individuelle Regelung		

Pflanzenschutz

Die Wahl der richtigen Pflanzengruppe und robuster Pflanzenarten sowie die abgestimmte Pflege sind die wichtigsten Voraussetzungen, um auch Pflanzen in Innenräumen langfristig gesund zu erhalten und Schädlingen vorzubeugen. Weiter gehören richtig dosierte Düngergaben, eine passgenaue Bewässerung und die Entfernung von abgestorbenem Pflanzenmaterial dazu.

Tendenziell werden Innenraumpflanzen in Privathaushalten mit zu hoher Feuchtigkeit im Wurzelbereich gehalten. Das richtige Verhältnis zwischen Luft- und Wasserhaushalt im Wurzelbereich ist eine wichtige Maßnahme, um Schädlingen vorzubeugen, die allerdings immer mal wieder auftreten können. In größeren Anlagen ist eine Luftzirkulation sehr hilfreich, um Schimmelbildungen zu vermeiden.

Von den Schädlingen, die auftreten können, seien Spinnmilben, Wollläuse, Schildläuse und die Larven der Dickmaulrüssler hervorgehoben. Zur Eindämmung hat sich in größeren Innenraumbegrünungen das Einsetzen von sog. Gegenspielern, diversen Nützlingen, als sinnvoll erwiesen. Sofern chemische Mittel eingesetzt werden, sind die Angaben nach dem Pflanzenschutzgesetz (PflSchG) zu beachten. Bei Problemen in größeren Pflanzungen stehen die jeweiligen Pflanzenschutzämter mit Empfehlungen zur Seite. Bei Innenraumbegrünungen ist der Termin für erforderliche Behandlungen so zu wählen, dass möglichst wenig Mitarbeiter in dem Gebäude davon betroffen sind. Ein guter Termin, auch für die regelmäßige Pflege, sind die Wochenenden.

Wartung

Austauschbedarf besteht nach etwa 10 Jahren bei Elementen der Bewässerungssteuerung. Bewässerungsdüsen können innerhalb weniger Jahre versintern und sind regelmäßig auf ihre Funktionstüchtigkeit zu überprüfen. Im Grunde sind keine großen Austauscharbeiten an den Begrünungen erforderlich.

6.6 Typische Schäden und Sanierung

Neben den Wartungsarbeiten werden eine Überprüfung und ggf. ein Austausch von Teilen vor allem der Bewässerungsanlagen nach etwa 10 Jahren erforderlich.

Eine Innenraumbegrünung kann zum Sanierungsfall werden, wenn die Abdichtung der Pflanzgefäße brüchig wird und Wasser aussickert. Eine andere Schadensquelle könnte entstehen, wenn die Lüftung in einem Raum nicht ausreichend ist und dies zu Schimmelbildung in kalten Raumecken führt – das wären aber eher Planungsfehler.

Zu klein bemessene Pflanzflächen in denen sich die Bepflanzung nicht richtig entwickeln kann und deshalb ausgetauscht werden muss, ist eher als Pflegemaßnahme einzustufen.

In der Summe sind recht wenig Schäden in Zusammenhang mit der Innenraumbegrünung bekannt. Regelmäßige Inspektion und fachgerechte Pflege kann größeren Wartungsaufwand reduzieren.

7 Beispiele

Die nachfolgende Aufstellung aktueller Projekte wurde zusammengetragen, um ein möglichst vielfältiges Bild der aktuellen Bauwerksbegrünung zu vermitteln. Mit dieser Liste wird kein Anspruch auf Vollständigkeit verfolgt. Die Übersicht zeigt einen Querschnitt zu aktuellen Projekten, die zum Teil mit Auszeichnungen gewürdigt wurden.

In der Bauwerksbegrünung dominieren im Moment die typischen extensiven Dachbegrünungen. Die, im folgenden vorgestellten Begrünungsarten variieren von solchen pflegeleichten und unkomplizierten Systemen zu aufwendigen und teureren Ausführungen. Jedes der Projekte zeichnet sich zudem durch qualitative Besonderheiten aus, wie etwa:

- Begrünung in Kombination mit Solaranlagen,
- Begrünte Dächer mit gezielter Förderung von Biodiversität,
- Begrünung mit Nutzpflanzen in Städten,
- oder Dachgärten mit multifunktionalen Nutzungsmöglichkeiten

Interessant werden zunehmend Objektbegrünungen, die als Hybrid zwischen Fassaden- und Dachbegrünung einzuordnen sind und konsequent die Begrünungsfläche der bebauten Grundfläche um ein Vielfaches übertreffen.

Bestand noch bei der ersten Auflage dieses Buches der Eindruck, dass die großartigen Bauwerksbegrünungen eher im Ausland zu finden sind, hat nicht zuletzt der massive Veränderungsdruck, der jetzt auf den Städten lastet, dazu geführt, dass die Gebäudebegrünung in Deutschland einen erheblichen Aufschwung genommen hat und klimaresilienter gebaut wird.

Es bleibt zu hoffen, dass bis zur nächsten Auflage die Beispiele der Innenraumbegrünung ebenso einen Sprung zu mehr realisierten Projekten schaffen. Die beiden Beispiele aus Frankfurt und Düsseldorf belegen die Dauerhaftigkeit und Funktionstüchtigkeit über Jahre. Begrünte Innenräume unterstreichen die Bedeutung von Grün für die städtische Bevölkerung, die sich die überwiegende Zeit des Tages in Innenräumen aufhalten. Die „Gesunden Städte“ beginnen mit begrünten Innenräumen, Grünen Höfen und setzen sich im Nahbereich der Gebäude fort.

Die nachfolgenden Beispiele sind in der Detailschärfe der Beschreibung heterogen, was mit der Verfügbarkeit des Bild- und Planmaterials zusammenhängt. Sie sind in erster Linie als Anregungen und Inspiration zum eigenen Bauen gedacht.

Wie sind die Symbole in den Tabellen zu lesen:

	bietet wenig Hitzeschutz
	mittleres Regenmanagement
	hohe Ressourcenschonung
	hohe Biodiversität
€	wenig Kosten
€ €	mittlere Kosten
€ € €	hohe Kosten

7.1 Dachbegrünung

7.1.1 Extensiv: Multifunktionale Dachlandschaft Sortimo, Zusmarshausen

Projektbeschreibung

Bei Zusmarshausen im Landkreis Augsburg, direkt an der A8, steht mit dem Sortimo-Innovationspark (Abb. 7.1) eine der größten Elektroladestrukturen der Welt bezüglich Ladepunkten, Ladeleistung und Ladegeschwindigkeit. Der Schnellladestandort vereint Infrastruktur für E-Mobilität mit regionalem Energiemanagement und digitalem Einkaufs- und Arbeitserlebnis. Das große Areal bietet Platz für 144 Ladepunkte. Dadurch sind am Sortimo-Innovationspark Zusmarshausen (SIZ) 4.000 Ladevorgänge pro Tag möglich. Dies entspricht einer Energiemenge von 88 Mio. kWh pro Jahr mit einer Fahrleistung von ca. 420 Mio. km pro Jahr. Das extensive Gründach ist als Biodiversitätsdach mit unterschiedlichen Substrathöhen und einem gewissen Materialmix zur Steigerung der Vielfalt angelegt.

Der grüne Gedanke für saubere Mobilität steht beim Sortimo-Innovationspark im Vordergrund. Deshalb bleibt von der Autobahn aus alles grün. Die großen geschwungenen Dächer passen sich in die Landschaft ein, während ihre Begrünungen anfallendes Regenwasser gleich einem Schwamm aufsaugen. Dies ermöglicht eine langsame Verdunstung und Rückführung der Niederschläge in den natürlichen Wasserkreislauf – ein bisher unterschätzter Beitrag zur Klimaverbesserung, denn der Abfluss des Wassers in Kanalisation und Versickerungsgebiete befeuert den Teufelskreis aus Klimakrise und Extremwetterereignissen.

Für die weit ausladende Stahlkonstruktion mit Trapezblech des Vordachs über den Ladestationen wurde eine zweilagige Bitumenabdichtung aus einer kaltselbstklebenden ersten Abdichtungslage und einer wurzelfesten Oberlagsbahn unter dem mehrschichtigen, extensiven Gründachaufbau gewählt. Außerdem wünschte der Auftraggeber eine Absturzsicherung ohne Dachdurchdringung. Deshalb kam bei diesem Projekt eine auflastbeschwerte Absturzsicherung zum Einsatz.

Das Betondach des angrenzenden Hauptgebäudes erhielt zusätzlich auf der robusten Dampfsperre eine hocheffiziente Dämmung unter der gleichen zweilagigen Bitumenabdichtung und Begrünung. Als eine Absturzsicherung ohne Dachdurchdringung wählte man eine auflastbeschwerte Variante.

Begrünung im Detail

Mehrschichtiger Aufbau: Auf die durchwurzelungsfeste, lose Abdichtung wurde eine Trennlage verlegt, darauf als Schutzlage eine Faserschutzmatte gegen mechanische Beschädigung. Darauf folgte eine Wasserspeicherplatte mit integrierter Dränfunktion. Das folgende Filtervlies verhindert das Einschlämmen von Feinteilen und sichert so deren dauerhafte Funktion. Die nun folgenden 8 cm mineralisches Schüttstoffgemisch für mehrschichtige Extensivbegrünungen bieten der *Sedum*-Sprossen-Mischung optimale Wachstumsbedingungen (Abb. 7.2).

Objektdaten		
Bauherr*in/Betreiber*in	Sortimo international GmbH	
Planung	Schwaben 3D Solutions GmbH	
Grünplanung	Schwaben 3D Solutions GmbH	
Ausführung GaLaBau	Gebler GmbH – Partner für Dach & Fassadenbau	
Baujahr	2020	
Bauweise	Trapezblech-/Betondach	
Art der Begrünung	Dachbegrünung extensiv	3.200 m^2

Systeme und Lieferanten	
Dachbegrünung	Bauder Dachbegrünung: BauderGREEN PE 02, BauderGREEN FSM 600, BauderGREEN WSP 50, BauderGREEN FV 125, Bauder Pflanzsubstrat LBB-E, *Sedum*-Sprossen

Wirkungsweisen und Effekte	
Hitzeschutz	
Regenwassermanagement	
Ressourcenschonung	
Biodiversität	

Kosten/Aufwände	
Errichtung	€€
technische Wartung (z. B. Prüfung, Reinigung, Fernwartung, Filtertausch von Bewässerungsanlagen etc.)	€
Pflegekosten Dachbegrünung	€

Vegetationstechnik	
Dauerhaftigkeit	mehr als 30 Jahre
jährliche Begrünungsdauer	saisonal
Wasserbedarf	gering
	Bewässerungsart: ausschließlich durch Niederschlag
Düngemittelbedarf	gering
Pflanzenschutz	keiner

Abb. 7.1: Gesamtansicht des Sortimo-Innovationsparks an der A8 mit 144 Elektro-Schnellladestationen, Konferenzcenter, Shopping und Gastronomie (Quelle: Bauder, Stuttgart)

Abb. 7.2: Schematischer Aufbau der hier verwendeten Dachbegrünungskonstruktion, bestehend aus Schutzlage, Drain- und Wasserspeicherschicht mit der Wasserspeicherplatte, Trennvlies sowie der Substratschicht mit der Bepflanzung (Quelle: Bauder, Stuttgart)

7.1.2 Extensiv: Biodiversitätsdachgarten Landesanstalt für Bienenkunde, Stuttgart/Hohenheim

Projektbeschreibung

Auf 1.100 m^2 befinden sich Labore, Seminarräume sowie ein Werkstattbereich mit Schreinerei und eine Imkerei mit Wachs- und Schleuderraum. Dem Bauherrn ist die Umweltverträglichkeit ein großes Anliegen. Das Gebäude ist für die BNB-Zertifizierung (Bewertungssystem Nachhaltiges Bauen für Bundesgebäude des Bundesbauministeriums) vorgesehen. Deshalb wählten die beauftragten Planer Material und Konstruktion im Hinblick auf Nachhaltigkeit und Naturschutz. Auch der Dachaufbau wurde in allen Komponenten gemäß Giscode (Gefahrstoff-Informationssystem-Code) auf seine Umweltverträglichkeit geprüft.

Die Landesanstalt erhielt auf den 950 m^2 großen Dachflächen einen Flachdachaufbau mit einer Elastomer-Bitumenbahn als Dampfsperre und Trennlage auf Holz,einer hocheffizienten Grund- und Gefälledämmung mit Wärmedämmelementen, der ersten Abdichtungslage und der durchwurzelungsfesten Abdichtungsoberlage.

Die mehrschichtige Dachbegrünung besteht aus der Schutzschicht, dem Drän- und Speicherelement, Filtervlies, der Vegetationstragschicht für Extensivbegrünungen sowie speziell bienen- und insektenfreundlichen Saaten (Abb. 7.3).

Begrünung im Detail

Es wurde ein mehrschichtiger Aufbau verwendet: Auf der wurzelfesten Abdichtung wurde ein 300-g-Schutzvlies gegen mechanische Beschädigung der Dachhaut lose verlegt. Darauf folgt die Wasserspeicher-Dränschicht. Mit 40 mm Elementhöhe hat das verwendete Drän- und Speicherelement ein Wasserspeichervermögen von 13,5 l/m^2, um die Pflanzen mit Wasser zu versorgen, sowie einen unterseitigen dränagewirksamen Hohlraum, um Überschusswasser sicher abzuleiten. Das darauf verlegte Filtervlies verhindert das Einschlämmen von Feinteilen aus der Vegetationsschicht in die Dränschicht und sichert damit deren dauerhafte Funktion. Als Vegetationstragschicht wurde ein mineralisches Schüttstoffgemisch mit geringen Anteilen an organischer Substanz gemäß FLL-Anforderung in wellig-lockerer Form unterschiedlicher Profilierung aufgebracht, von mindestens 5 bis 6 cm Höhe für *Sedum* bis zu 12 bis 15 cm Höhe für Kräutermischungen (Abb. 7.4).

Objektdaten		
Bauherr*in/Betreiber*in	Universitätsbauamt Stuttgart und Stadt Hohenheim	
Planung	Lanz Schwager Architekt BDA	
Ausführung GaLaBau	Gründach Technik GmbH Südwest	
Baujahr	2019	
Bauweise	Massivdach	
Art der Begrünung	Dachbegrünung extensiv	950 m^2

Systeme und Lieferanten	
Dachbegrünung	Bauder Dachbegrünung: BauderGREEN SV300, BauderGREEN DSE 40, BauderGREEN FV 125, Bauder Pflanzerde extensiv, *Sedum* + Bauder Samenmischung

Wirkungsweisen und Effekte	
Hitzeschutz	
Regenwassermanagement	
Ressourcenschonung	
Biodiversität	

Kosten/Aufwände	
Errichtung	€ €
technische Wartung (z. B. Prüfung, Reinigung, Fernwartung, Filtertausch von Bewässerungsanlagen etc.)	€
Pflegekosten Dachbegrünung	€

Vegetationstechnik	
Dauerhaftigkeit	mehr als 30 Jahre
jährliche Begrünungsdauer	saisonal
Wasserbedarf	gering Bewässerungsart: nur anfallender Niederschlag
Düngemittelbedarf	gering
Pflanzenschutz	keiner

Abb. 7.3: Gesamtansicht des neu angelegten Biodiversitätsdachs (Quelle: Bauder, Stuttgart). Gut zu erkennen ist die Struktur aus Pflanzinseln und Bereichen ohne Bewuchs.

Abb. 7.4: Prinzipskizze zum gewählten Aufbau des Gründachs mit Bautenschutzmatte, Schutzvlies, Drän- und Speicherelement, Substratschicht sowie der Vegetationsschicht (Quelle: Bauder, Stuttgart)

7.1.3 Extensiv: Dachgarten Die Welle, Frankfurt a. M.

Projektbeschreibung

Der Gebäudekomplex „Die Welle" im Zentrum von Frankfurt a. M. hat eine Metamorphose durchgemacht. Er dient hauptsächlich als Bürofläche, aber auch ein Hotel, Restaurants und ein Fitnesscenter sind in diesem multifunktionalen Gebäude untergebracht. Das Dach ist mit 2.800 m² *Sedum*-Mix-Matten, verteilt auf mehrere Dachebenen, bedeckt (Abb. 7.5). Mitten im Geschäftszentrum Frankfurts sorgt die Gründachfläche für mehr Artenvielfalt sowie ein angenehmeres Raumklima und trägt zu saubererer Luft in der Innenstadt bei.

Begrünung im Detail

Die Vegetationstragschicht besteht aus vorgezogenen Rasenmatten, die sofort für ein grünes und pflegeleichtes Ergebnis sorgten. Durch die Verwendung der *Sedum*-Mix-Matte ist das Dach nicht nur sofort begrünt und vollständig mit einer Vegetationsschicht bedeckt (Abb. 7.6), die getroffene Artenwahl sorgt auch für eine lange sommerliche Blühphase. Mit Jungpflanzen oder Stecklingen bepflanzte Gründächer benötigen durchschnittlich 2 bis 3 Jahre, um das gleiche Ergebnis zu erzielen. Die Montage eines Gründachs mit Vegetationsmatten reduziert die Wartungskosten und Unkräuter haben viel weniger Chancen, im Substrat Wurzeln zu schlagen. Außerdem hat das Gründach so gut wie keine Probleme mit Winderosion. Diese Form der Vegetationsmatten kann auch in den Wintermonaten verlegt werden.

Objektdaten		
Bauherr*in/Betreiber*in	IREEF, Luxenburg	
Planung	Garten und Mehr	
Grünplanung	Sempergreen	
Ausführung LaBau	Garten und Mehr	
Baujahr	2019	
Bauweise	Massivbau	
Art der Begrünung	Dachbegrünung extensiv	2.800 m²

Systeme und Lieferanten	
Dachbegrünung	*Sedum*-Mix-Matte, extensives Dachgartensubstrat und Mineralwolle, Drainage

Wirkungsweisen und Effekte	
Hitzeschutz	Senkung der Lufttemperatur um 1,5 °C
Regenwassermanagement	84.000 l
Ressourcenschonung	ja
Biodiversität	ja
Feinstaubbindung	28.000 g/Jahr
CO_2-Aufnahme	2.240 kg
Abflussminderung	1.120 Cs
Verdunstung	5.600 l/Tag
Lärmminderung	20 dB

Kosten/Aufwände	
Errichtung	€
technische Wartung (z. B. Prüfung, Reinigung, Fernwartung, Filtertausch von Bewässerungsanlagen etc.)	€
Pflegekosten Dachbegrünung	2 Pflegegänge pro Jahr
Pflegekosten Fassadenbegrünung	€
Pflegekosten Innenraumbegrünung	€
Sonstiges	€

Vegetationstechnik	
Dauerhaftigkeit	bei guter Pflege dauerhaft
jährliche Begrünungsdauer	immergrün
Wasserbedarf	gering, Niederschlag ausreichend
Düngemittelbedarf	gering (Düngung zweimal pro Jahr)
Pflanzenschutz	keiner

Abb. 7.5: Untere Dachfläche mit der Besucherterrasse im Vordergrund sowie zahlreichen, in den Dachaufbau integrierten technischen Aufbauten (Quelle: Sempergreen, Odijk, Niederlande)

Abb. 7.6: Gesamtansicht der oberen Dachfläche mit frisch verlegten Rasenmatten (Quelle: Sempergreen, Odijk, Niederlande). Der Vorteil des grünen Gesamteindrucks gleich nach der Fertigstellung wird deutlich sichtbar. Mittig ist der erforderliche Blitzableiter gut zu erkennen.

7.1.4 Extensiv: Dachgarten Frankfurt School of Finance & Management, Frankfurt a. M.

Projektbeschreibung

Für die Frankfurt School of Finance & Management sollte ein neuer Campus im Frankfurter Norden entstehen. Dieser umfasst 18.550 m² Grundstücksfläche. Dabei sollten Bäume erhalten werden, aber auch Neupflanzungen erfolgen. Von Beginn an war Dachbegrünung geplant, wie es auch der Bebauungsplan vorsieht. Im Laufe des Projekts wurden Teile der extensiven Dachbegrünung zu einer intensiven Dachbegrünung und Dachterrasse für Angehörige der Frankfurt School umgeplant. Es gibt also unterschiedliche Aufbauten je Dachterrasse, abhängig von Nutzungsform und Intensivierungsgrad (Abb. 7.7 bis Abb. 7.11).

Begrünung im Detail

Auf den Flächen der extensiven Dachbegrünung konnten auch Arten verwendet werden, die sonst eher der Intensivbegrünung zuzuordnen sind. Durch höhere Substrataufbauten von 20 bis 25 cm und stellenweise Anhügelung auf 60 cm sowie angepasste Arten konnten Pflanzlisten mit 28 bis 33 Arten je Dachterrasse erstellt werden. Die Nutzung von Intensivsubstrat lässt ein besseres Regenwassermanagement zu. Ebenso wurde unter den Terrassenflächen eine Drän- und Speichermatte verlegt. Auf den Dachterrassen sind ebenfalls Bienenstöcke für 4 Bienenvölker aufgestellt.

Die Intensivbegrünung bezieht sich auf Pflanzgefäße auf den Holzterrassen. Dort sind neben Stauden und Gräsern auch Bäume zu finden.

Abb. 7.7: Dachterrasse im 3. OG des Audimax mit bunt blühender Staudenflur (Quelle: HKK Landschaftsarchitektur GmbH, Frankfurt a. M.)

Objektdaten		
Bauherr*in/Betreiber*in	Frankfurt School of Finance & Management gGmH	
Planung	MOW Generalplanung GmbH	
Grünplanung	HKK Landschaftsarchitektur.de	
Ausführung LaBau	August Fichter GmbH	
Baujahr	2017	
Bauweise	Massivbau	
Art der Begrünung	Dachbegrünung extensiv	1.165 m²
	Dachbegrünung intensiv	20 m²

Systeme und Lieferanten	
Dachbegrünung	extensiv: klassisch
	intensiv: Pflanzgefäße

Wirkungsweisen und Effekte	
Hitzeschutz	
Regenwassermanagement	
Ressourcenschonung	
Biodiversität	

Kosten/Aufwände	
Errichtung	€€
technische Wartung (z. B. Prüfung, Reinigung, Fernwartung, Filtertausch von Bewässerungsanlagen etc.)	€
Pflegekosten Dachbegrünung	€€€

Vegetationstechnik	
Dauerhaftigkeit	intensiv: 20 bis 30 Jahre
	extensiv: unbegrenzt
jährliche Begrünungsdauer	intensiv: saisonal
	extensiv: immergrün
Wasserbedarf	extensiv: mittel, Bewässerung durch Niederschlag
	intensiv: mittel, Bewässerung durch Niederschlag und Regenwasser aus der Zisterne
Düngemittelbedarf	keiner bis gering
Pflanzenschutz	keiner

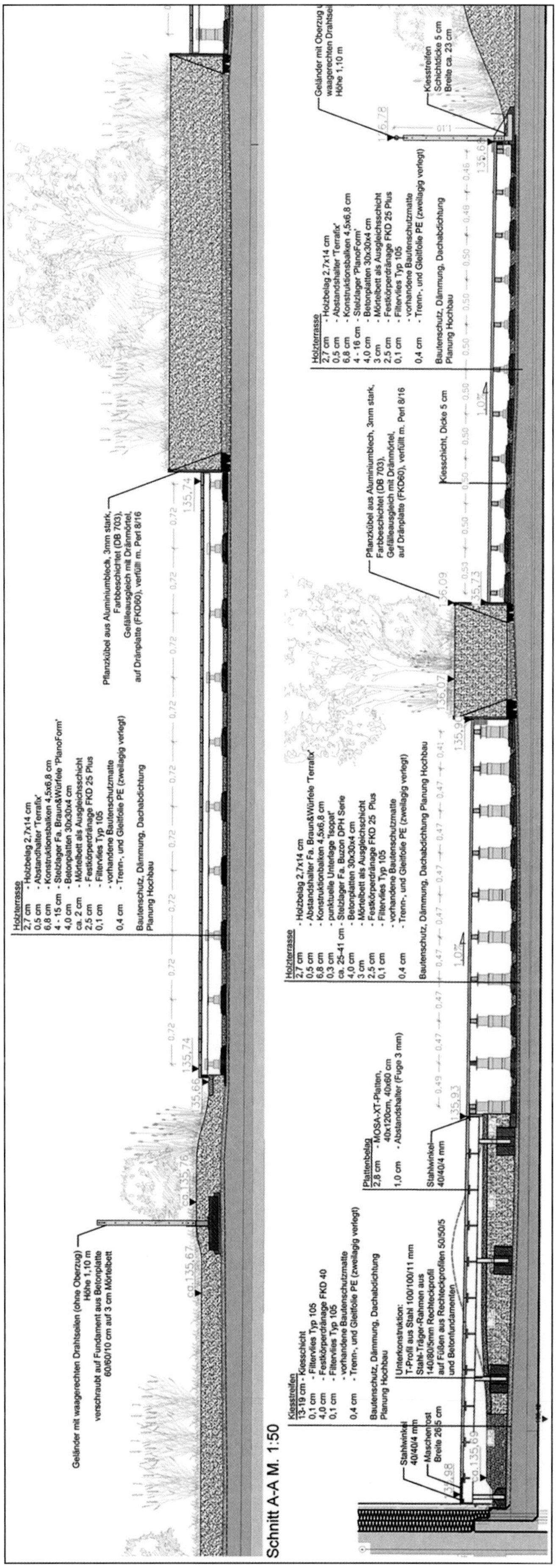

Abb. 7.8: Schnitte der Dachterrasse mit der Extensiv- und Intensivbegrünung im 3. OG (Quelle: HKK Landschaftsarchitektur GmbH, Frankfurt a. M.). Es sind Details zur Aufständerung der Bodenbeläge sowie die Ausgestaltung der verschiedenen Hochbeetvarianten zu erkennen.

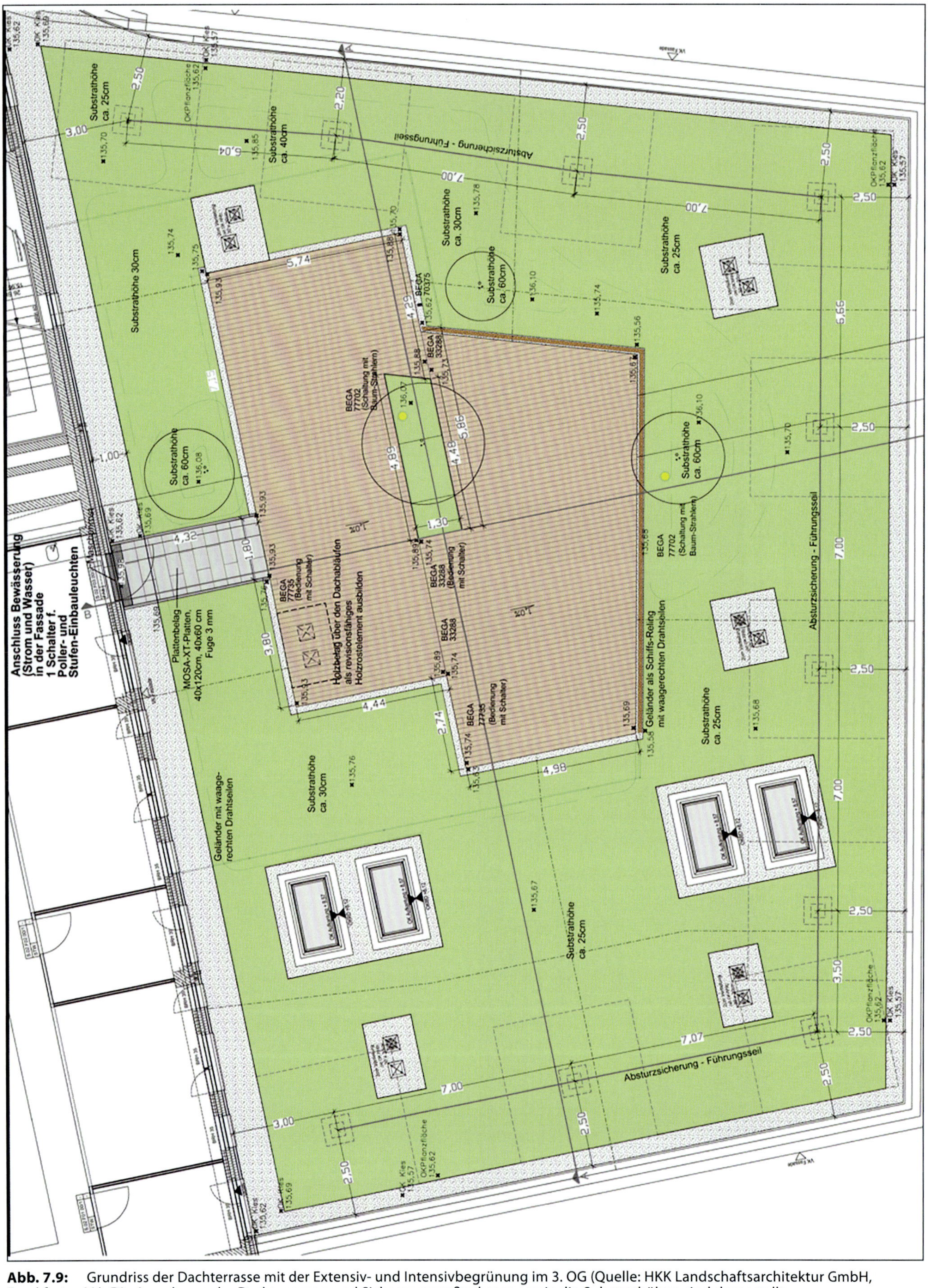

Abb. 7.9: Grundriss der Dachterrasse mit der Extensiv- und Intensivbegrünung im 3. OG (Quelle: HKK Landschaftsarchitektur GmbH, Frankfurt a. M.). Die Anordnung der Dachterrassen und Sicherungsmaßnahmen sowie die Substrathöhen sind dargestellt.

Abb. 7.10: Blick von der Dachterrasse im 4. OG auf die darunterliegende Dachterrasse im 3. OG (Quelle: HKK Landschaftsarchitektur GmbH, Frankfurt a. M.)

Abb. 7.11: Entwurfskizze des Dachgartens mit der Trockensteppenbepflanzung und den Kleingehölzen (Quelle: HKK Landschaftsarchitektur GmbH, Frankfurt a. M.)

7.1.5 Extensiv: Dachgarten Mitsubishi Electric Europe B. V., Ratingen

Projektbeschreibung

Das neue Büro- und Verwaltungsgebäude der Mitsubishi Electric Europe B. V. wurde mit Retentionsgründächern gebaut. Diese Vorgabe der Stadt Ratingen passte ganz in das Unternehmensleitbild und die Umwelterklärung des japanischen Konzerns. Das Unternehmen will die Umweltbelastung seiner Geschäftstätigkeiten reduzieren und zum Schutz der Artenvielfalt beitragen – so auch gelungen beim Neubau in Ratingen, der die LEED-Zertifizierung in der höchsten Kategorie Platin erhalten hat. Die Dachbegrünung, insbesondere als Retentionsgründach ausgeführt (Abb. 7.12), leistet dazu einen wertvollen Beitrag.

Begrünung im Detail

Unterhalb des Begrünungsaufbaus wurden vollflächig 65 mm hohe Spacer-Elemente verbaut (Abb. 7.13). Innerhalb dieser Elemente können bis zu 55 l/m² Wasser angestaut werden. Das zurückgehaltene Regenwasser fließt dann über ein Drosselelement, das im Gully verankert ist, in einem definierten Zeitraum langsam in die Kanalisation ab.

Bei den beiden zusammen ca. 640 m² großen Atrien handelt es sich um begrünte Gebäudeteile, die mit extensiver Dachbegrünung versehen wurden. Neben Gräsern und Bodendeckern (Abb. 7.14) bieten die Formgehölze als Solitärpflanzen besondere gestalterische Höhepunkte. Die teilweise kreisförmig angelegten Wege sind mit grobem Schiefersplitt bedeckt.

Objektdaten		
Bauherr*in/Betreiber*in	Mitsubishi Electric Corporation	
Planung	Architekt: kresings architektur GmbH, Münster	
Grünplanung	RMP Stephan Lenzen Landschaftsarchitekten, Bonn	
Ausführung LaBau	Ahrens & Krämer GmbH Garten- und Landschaftsbau, Erkelenz und Terwiege GmbH Garten- und Landschaftsbau, Essen	
Baujahr	2014 bis 2015	
Art der Begrünung	Dachbegrünung extensiv	4.440 m²
	Dachbegrünung intensiv	640 m²
	begrünte Dachfläche insgesamt	5.080 m²

Systeme und Lieferanten	
Dachbegrünung	Retentionsgründach mit 65 mm hohen Spacer-Elementen

Wirkungsweisen und Effekte	
Hitzeschutz	
Regenwassermanagement	
Ressourcenschonung	
Biodiversität	

Kosten/Aufwände	
Errichtung	€€
technische Wartung (z. B. Prüfung, Reinigung, Fernwartung, Filtertausch von Bewässerungsanlagen etc.)	€ €
Pflegekosten Dachbegrünung	€

Vegetationstechnik	
Dauerhaftigkeit	mehr als 45 Jahre
jährliche Begrünungsdauer	saisonal
Wasserbedarf	gering
Düngemittelbedarf	gering
Pflanzenschutz	gering

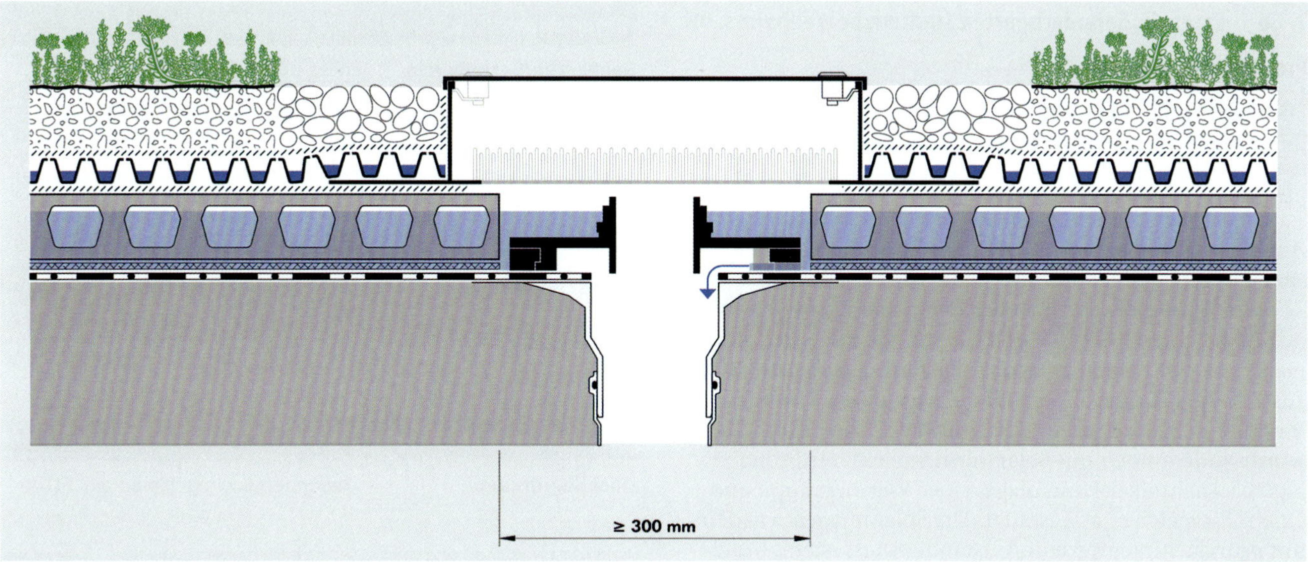

Abb. 7.12: Systemaufbau des Retentionsdachs mit Darstellung des Revisionsschachts (Quelle: ZinCo GmbH, Nürtingen)

Abb. 7.13: Die Spacer der Dränschicht ermöglichen gezielte Wasserspeicherung auf dem Dach und zeitverzögerten Abfluss. Das entlastet die Kanalisation enorm (Quelle: ZinCo GmbH, Nürtingen).

Abb. 7.14: Unterschiedliche *Sedum*-Arten wurden als Sprossenansaat auf der ca. 3.800 m² großen Dachfläche kurz nach der baulichen Fertigstellung ausgebracht (Quelle: ZinCo GmbH, Nürtingen).

7.1.6 Extensiv: Solardachgarten Stadtwerke Weilheim i. OB.

Projektbeschreibung

Die Stadtwerke Weilheim in Oberbayern beschreiten bei ihrem neuen Betriebshof einen besonders umweltfreundlichen und nachhaltigen Weg, der in der aktuellen Energiekrise hoffentlich viele Nachahmer finden wird.

Auf allen 4 Neubauten, aufgeteilt in Verwaltung, Werkstatt-, Lager- und Garagengebäude, wurde neben einer fast 7.500 m² großen extensiven Dachbegrünung eine Fotovoltaikanlage mit 400 kWp Gesamtleistung installiert. Die eine Hälfte der Fotovoltaikanlage erhielt eine „klassische" Südausrichtung, für die andere Hälfte wurde eine Ost-West-Variante in Schmetterlingsform gewählt. Die Lagerhalle wurde zudem noch mit Solarwärmekollektoren, einer Holzhackschnitzel-Heizanlage, einer Wärmepumpe und einem Eisspeicher ausgestattet. Die Solaranlagen wurden mit gründachintegriertem Aufständerungssystem, bestehend aus Solarbasis und Solargrundrahmen, dachdurchdringungsfrei aufgeständert (Abb. 7.15, Abb. 7.16 und Abb. 7.17). Für die Sicherheit bei Pflege- und Wartungsgängen wurde zudem umlaufend ein Schienensystem mit einer Gesamtschienenlänge von 660 lfm verbaut.

Begrünung im Detail

Die Vegetation unter den Fotovoltaikmodulen besteht aus verschiedenen *Sedum*-Arten. Die rötliche Farbe der *Sedum*-Pflanzen kann dabei als typisch angesehen werden. Sie sind robust gegenüber Wasserstress und auch leichten Tritt, der bei der Wartung der Fotovoltaikmodule nicht ausgeschlossen ist.

Objektdaten		
Bauherr*in/Betreiber*in	Energie GmbH – SWE	
Planung	Rehwaldt Landschaftsarchitekten, Dresden, actensys GmbH, Ichenhausen	
Ausführung LaBau	GDT Gründach Technik GmbH Südwest, Unterensingen	
Baujahr	2014	
Art der Begrünung	Dachbegrünung extensiv mit Fotovoltaik	7.500 m²
	Fläche insgesamt	7.500 m²

Systeme und Lieferanten	
Dachbegrünung	„Sedumteppich" mit Floradrain® FD 40

Wirkungsweisen und Effekte	
Hitzeschutz	
Regenwassermanagement	
Ressourcenschonung	
Biodiversität	

Kosten/Aufwände	
Errichtung	€€
technische Wartung (z. B. Prüfung, Reinigung, Fernwartung, Filtertausch von Bewässerungsanlagen etc.)	€€
Pflegekosten Dachbegrünung	€

Vegetationstechnik	
Dauerhaftigkeit	mehr als 45 Jahre
jährliche Begrünungsdauer	immergrün
Wasserbedarf	gering
Düngemittelbedarf	gering
Pflanzenschutz	gering

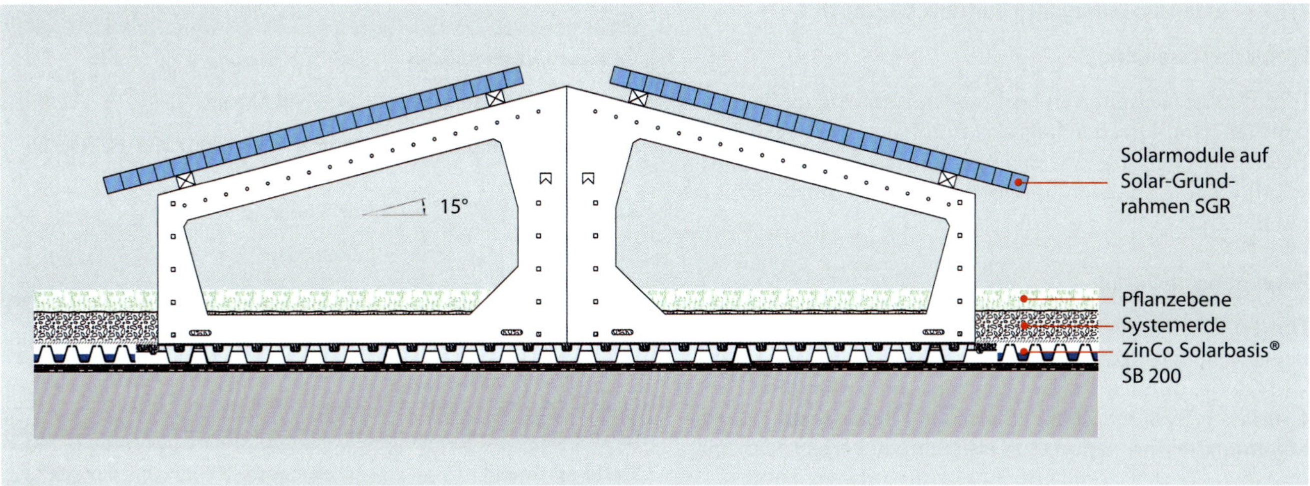

Abb. 7.15: Der Systemaufbau zeigt die Verwendung des Gründachs als Befestigung für die Rahmen der Solarpaneele (Quelle: ZinCo GmbH, Nürtingen).

Abb. 7.16: Zwischen den Solarbasisplatten kam Floradrain® FD 40 als Dränageelement zum Einsatz (Quelle: ZinCo GmbH, Nürtingen).

Abb. 7.17: An der Solarbasis SB 200 wurde zusätzlich ein Schienensystem zur Absturzsicherung befestigt (Quelle: ZinCo GmbH, Nürtingen).

7.1.7 Extensiv: Schrägdach Golfclub, Wilsdruff

Projektbeschreibung

Inmitten des erweiterten und renovierten Golfareals in der Nähe von Dresden liegt das Clubhaus. Die begrünten Extensivdächer gliedern sich harmonisch in die Golflandschaft ein, die an einen schottischen Links-Course erinnert (Abb. 7.18).

Begrünung im Detail

Die Teilflächen des Gründachs haben eine Vielzahl von begrünten Schrägdachvarianten mit bis zu 35 ° Neigungswinkel, die mit Schubschwellen verstärkt sind. Für den Gründach-Systemaufbau wurden eine Bewässerung- und Schutzmatte und darauf ein Dränelement verlegt, die eine maximale Belastbarkeit von 500 kg/m² aufweist (Abb. 7.19). Das Gewicht der Begrünung ist mit 135 kg/m² kalkuliert und einer zusätzlichen Schneelast von 80 kg/m² (Abb. 7.20).

Abb. 7.18: Das Clubhaus in Wilsdruff passt sich mit den begrünten Dächern in die Landschaft der Golfanlage ein (Quelle: ZinCo GmbH, Nürtingen).

Objektdaten		
Bauherr*in/Betreiber*in	Golfclub Herzogswalde GmbH	
Planung/Grünplanung	Christoph Althaus	
Ausführung LaBau	Thomas Ruppricht Dachdeckerfachbetrieb, Dresden	
Baujahr	2016 bis 2017	
Bauweise	Clubhaus	
Art der Begrünung	Dachbegrünung extensiv	1.200 m²
	Fläche insgesamt	1.200 m²

Systeme und Lieferanten	
Dachbegrünung	Schrägdachbegrünung mit Floraset® FS 75

Wirkungsweisen und Effekte	
Hitzeschutz	
Regenwassermanagement	
Ressourcenschonung	
Biodiversität	

Kosten/Aufwände	
Errichtung	€
technische Wartung (z. B. Prüfung, Reinigung, Fernwartung, Filtertausch von Bewässerungsanlagen etc.)	€
Pflegekosten Dachbegrünung	€

Vegetationstechnik	
Dauerhaftigkeit	mehr als 45 Jahre
jährliche Begrünungsdauer	immergrün
Wasserbedarf	gering
Düngemittelbedarf	gering
Pflanzenschutz	gering

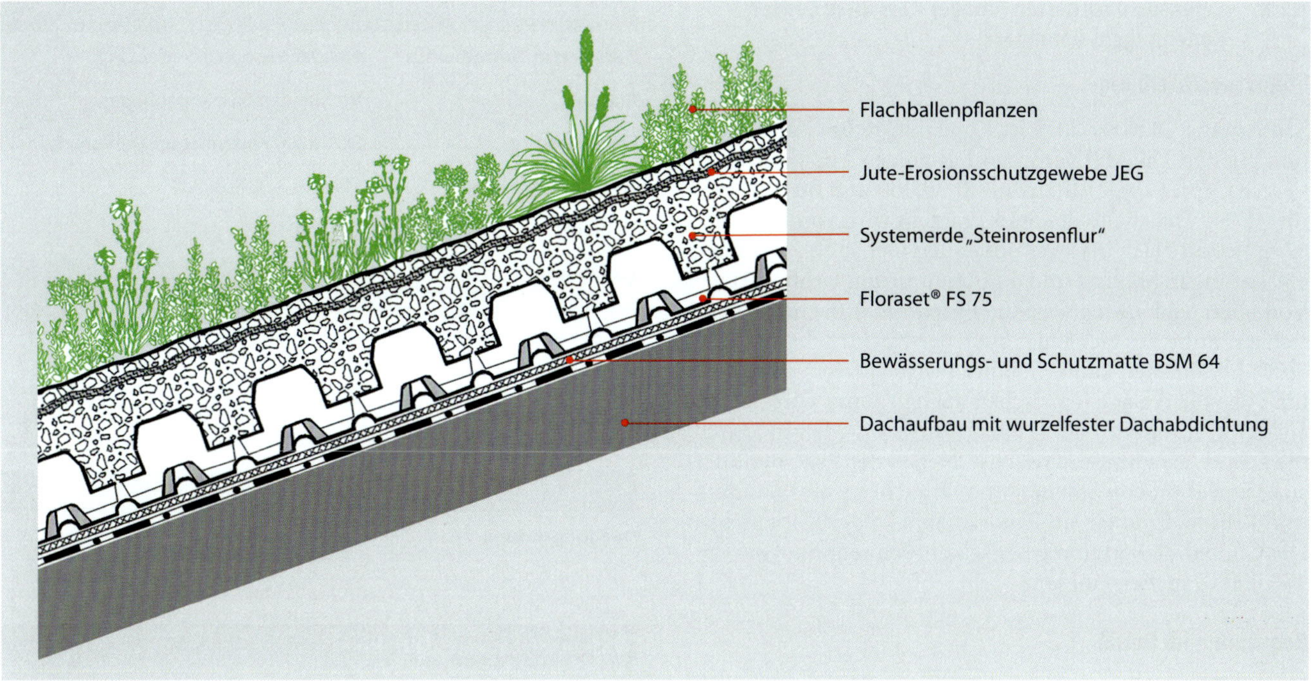

Abb. 7.19: Prinzipskizze zum Systemaufbau der geneigten Gründächer (Quelle: ZinCo GmbH, Nürtingen)

Abb. 7.20: Teilansicht der ca. 2.000 m² großen Dachbegrünung. Hier wurde mit Floraset FS 75 begrünt (Quelle: ZinCo GmbH, Nürtingen).

7.1.8 Extensiv: Dachgarten Amager Ressource Center, Kopenhagen, Dänemark

Projektbeschreibung

Seit Anfang Oktober 2019 ist Kopenhagen um eine Attraktion reicher: Die Müllverbrennungsanlage Amager Ressource Center sorgt für Strom für 30.000 und für Wärme für 72.000 Haushalte der Stadt. Zudem wird vom bis zu 87 m hohen Dach bis zum Boden das Gebäude von einer 450 m langen Skipiste und 4 Liften umringt (Abb. 7.21). Von oben nach unten wird die Piste immer flacher, sodass sich am Fuße des Gebäudes auch der Nachwuchs an den Sport herantasten kann. Gefahren wird auf dem „Copenhill", wie die Anlage inzwischen auch genannt wird, nicht auf Schnee, sondern auf grünen Kunststoff-Matten, durch die echtes Gras hindurchwächst. Neben der Piste befindet sich, umrahmt von Stauden und Sträuchern, ein Wander- und Laufpfad mit einem Panoramablick über Kopenhagen. Die Copenhill-Betreibergesellschaft rechnet mit etwa 300.000 Besuchern im Jahr.

Begrünung im Detail

Damit die Dachbegrünung aus Kunststoff-Matten, durch die Gras hindurchwächst, nicht abrutscht, mussten ungezählte Widerlager auf der Betondecke verankert und Schwellen eingebaut werden, die das Sickerwasser zu den Dachseiten ableiten. Die Wurzelballen der bis zu 2,5 t schweren Gehölze mussten abgestützt werden. Das Substrat unterhalb der Skipiste liegt matratzenartig eingepackt zwischen 2 Lagen Geogitter, die durch Kabelbinder miteinander verbunden sind (Abb. 7.22 und Abb. 7.23).

Abb. 7.21: Teilansicht des gerade fertiggestellten Skihangs (Quelle: ZinCo GmbH, Nürtingen). Mittig sind die Kunstrasenmatten für das Ganzjahres-Skifahren verlegt. Seitlich sind Treppenstufen bzw. Bepflanzungen auf der Dachbegrünung ausgeführt.

Objektdaten		
Bauherr*in/Betreiber*in	amager ressource center (arc)	
Planung	Architekten BIG, Kopenhagen	
Grünplanung	SLA, 2300 Kopenhagen, Dänemark	
Ausführung LaBau	Malmos A/S, Roskilde	
Baujahr	2018/2019	
Bauweise	Speziallösungen mit Elastodrain® EL 200 und Protectodrain® PD 250	
Art der Begrünung	Dachbegrünung extensiv	ca. 3.000 m²
	Sonstiges: Beläge, Kunstrasen	ca. 13.000 m²

Systeme und Lieferanten	
Dachbegrünung	Speziallösungen mit Elastodrain® EL 200 und Protectodrain® PD 250

Wirkungsweisen und Effekte	
Hitzeschutz	
Regenwassermanagement	
Ressourcenschonung	
Biodiversität	

Kosten/Aufwände	
Errichtung	€€
technische Wartung (z. B. Prüfung, Reinigung, Fernwartung, Filtertausch von Bewässerungsanlagen etc.)	€€
Pflegekosten Dachbegrünung	€

Vegetationstechnik	
Dauerhaftigkeit	mehr als 45 Jahre
jährliche Begrünungsdauer	immergrün
Wasserbedarf	gering
Düngemittelbedarf	gering
Pflanzenschutz	gering

Abb. 7.22: Detail zum Aufbau der Skipiste: Zwei Lagen von Geogitter fixieren die Kunststoff-Matten (Quelle: Malmos A/S, Roskilde, Dänemark).

Abb. 7.23: Baustellendetailbild: Vollflächig verlegte Protectodrain®- und Elastodrain®-Matten sorgen für die sichere Ableitung von Überschusswasser (Quelle: Malmos A/S, Roskilde, Dänemark).

7.1.9 Semiintensiv: Biodiversitätsgründach Fa. Lütvogt, Wagenfeld

Projektbeschreibung

Ein Leuchtturmprojekt für Artenschutz gelang in Wagenfeld auf dem neu gebauten Warenlager des Familienunternehmens Friedrich Lütvogt GmbH & Co. KG. Das ca. 10.000 m² große „Biodiversitätsgründach“ soll dank seiner vielseitigen, regionaltypischen Vegetation Lebensraum und Nahrungsgrundlage gerade für Schmetterlinge, Wildbienen und weitere Insekten bieten. Die Hochschule Osnabrück konnte involviert werden und kann auf Grundlage von Ergebnissen aus dem vormaligen Forschungsprojekt „Roofs For Biodiversity (Roobi)“ – heute „Extensive Dachbegrünungen in urbanen Landschaften als Lebensraum für Insekten“ (DaLLi) – nun im großen Maßstab die Umsetzung erproben. Wissenschaftler teilten das Dach in unterschiedliche Teilflächen, um das Wachstum heimischen Saat- bzw. Rechguts in Abhängigkeit verschiedener Substrat- und Bewässerungsmengen zu beobachten und schließlich die beste Kombination zu finden (Abb. 7.24). Umgesetzt wurden dabei Systemvarianten mit Wasserverteil-, Speicher- und Dränelementen und darüber hinaus mit einer Dränage-Rollenware (Abb. 7.25 und Abb. 7.26).

Begrünung im Detail

Das Dach ist unbewässert, die freie Pflanzenentwicklung (Sukzession) ist auf dem fein ausgeprägten Relief zulässig (Abb. 7.27 bis Abb. 7.30). Geringes Monitoring im Hinblick auf unerwünschten Bewuchs ist vorgesehen.

Abb. 7.24: Die von 2018 bis 2020 erbaute, mehr als 10.000 m² große Lagerhalle des Familienunternehmens Friedrich Lütvogt in Wagenfeld mit dem derzeit größten Biodiversitätsdach Deutschlands (Quelle: Friedrich Lütvogt GmbH & Co. KG; Foto: Steffen Spitzner, 2020)

Abb. 7.25: Eine Teilfläche erhielt die Dränage-Rollenware Fixodrain® XD 20 mit Aquafleece – hier zu sehen: die Unterflurbewässerung mit Tropfschläuchen (Quelle: ZinCo GmbH, Nürtingen).

Objektdaten	
Bauherr*in/Betreiber*in	Friedrich Lütvogt GmbH & Co. KG
Planung	Architekturbüro Ostermeyer GbR, Hannover
Grünplanung	Garten- und Landschaftsbau Gröne, Dinklage
Ausführung LaBau	Garten- und Landschaftsbau Gröne, Dinklage
Baujahr	2018 bis 2020
Bauweise	Brettschichtholz-Konstruktion, Fassade aus Lärchenholz, Dachabdichtung aus Kautschuk
Art der Begrünung	Dachbegrünung semiintensiv 10.000 m²
	Fläche insgesamt ca. 10.000 m²

Systeme und Lieferanten	
Dachbegrünung	„Biodiversitätsgründach“ in verschiedenen Varianten Wasserverteil-, Speicher- und Dränelement Aquatec AT45 Dränage-Rollenware Fixodrain XD 20

Wirkungsweisen und Effekte

Hitzeschutz

Regenwassermanagement

Ressourcenschonung

Biodiversität

Kosten/Aufwände	
Errichtung	€€
technische Wartung (z. B. Prüfung, Reinigung, Fernwartung, Filtertausch von Bewässerungsanlagen etc.)	€€
Pflegekosten Dachbegrünung	€

Vegetationstechnik	
Dauerhaftigkeit	mehr als 45 Jahre
jährliche Begrünungsdauer	immergrün sowie saisonal
Wasserbedarf	gering bis mittel Bewässerungsart: Unterflurbewässerung mit Tropfschläuchen (Bewässerung ist vorhanden, wird aber nach Bedarf und nur im Notfall verwendet.)
Düngemittelbedarf	keiner
Pflanzenschutz	keiner
Pflegemaßnahmen	partiell ggf. jährliche Mahd je nach Pflanzenwachstum (witterungsabhängig)
Monitoring	Monitoring durch die Fakultät für Agrarwissenschaft und Landschaftsarchitektur der HS Osnabrück mit „Innovativen Verfahren für die Anlage multifunktionaler Dachbegrünungen“; Forschungsprojekt DaLLi („Extensive Dachbegrünungen in urbanen Landschaften als Lebensraum für Insekten“)

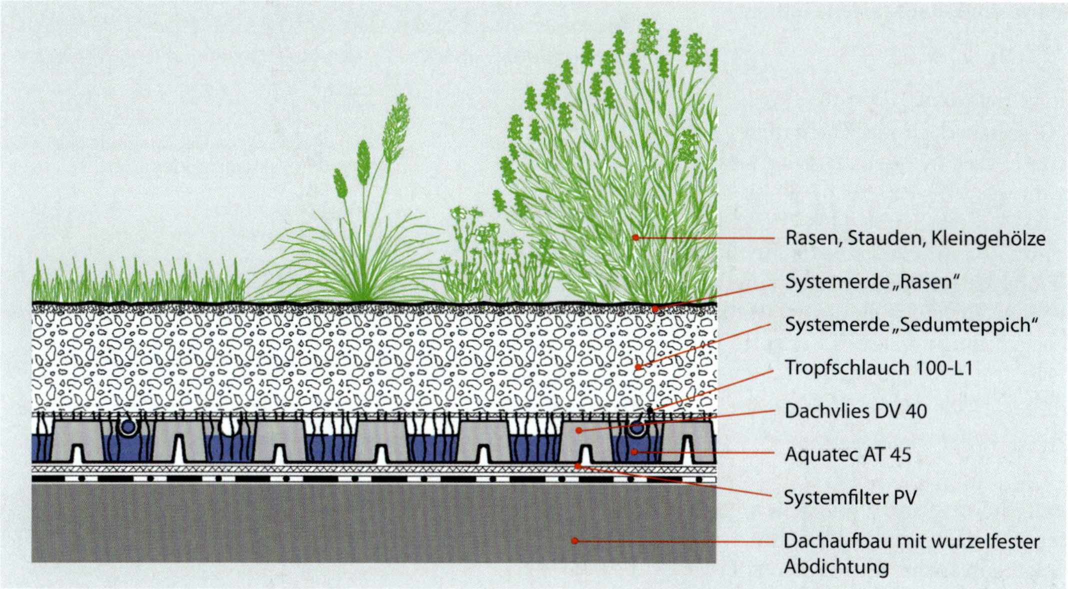

Abb. 7.26: Systemaufbau (Quelle: ZinCo GmbH, Nürtingen)

Abb. 7.27: Das Mittelschiff der Halle in voller Blüte im Juli 2022 (Quelle: Friedrich Lütvogt GmbH & Co. KG, 2022)

Abb. 7.28: Jahrzehntealte Weidezaunpfähle aus Eichenholz weisen viele Risse und Spalten auf, die von holzbewohnenden Insekten gern als Lebens- und Brutraum angenommen werden. Da diese Pfähle vor allem stehend wertvoll als Biotop sind, wurden etliche von ihnen auf dem Dach aufgestellt (Quelle: Friedrich Lütvogt GmbH & Co. KG, 2022).

Abb. 7.29: Für bodenbewohnende Arten befinden sich auf dem Dach etliche Sandlinsen, die aus Sanden unterschiedlicher Körnung gezielt gemischt wurden. Zum Schutz vor aufsteigender Feuchtigkeit wurden sie auf Dränelementen Aquatec AT45 aufgeschüttet (Quelle: Friedrich Lütvogt GmbH & Co. KG, 2022).

Abb. 7.30: Als Wasserquelle für Insekten und Vögel wurden in regelmäßigen Abständen auf dem gesamten Dach kleine Teiche angelegt, in denen sich Regenwasser sammelt bzw. die bei Aktivierung der Unterflurbewässerung mittels der Tropfschläuche befüllt werden (Quelle: Friedrich Lütvogt GmbH & Co. KG, 2022).

7.1.10 Semiintensiv: Biodiversitätsdachgarten Clubhaus KETV, Karlsruhe

Projektbeschreibung

Über 50 Jahre hatte das Clubhausdach des Karlsruher Eislauf- und Tennisvereins e. V. seine Dienste getan und dichtgehalten, jetzt aber musste das alte, frei bewitterte Bitumendach saniert werden. Auf der Suche nach einer Sanierungslösung für die rund 235 m^2 Fläche war schnell eine Dachbegrünung in der Planung, weil diese neben einer ansprechenden Optik weitere Vorteile bietet. Anstatt für eine klassische Extensivbegrünung entschied man sich für ein Biodiversitätsgründach, um größtmöglichen Artenreichtum zu schaffen (Abb. 7.31 bis Abb. 7.36).

Begrünung im Detail

Im Frühjahr 2021 starteten die Ausführungsarbeiten dann auf Basis der wurzelfesten Abdichtung mit der Schutz- und Speichermatte. Darauf folgte ein Drän- und Wasserspeicherelement als Kernstück im Systemaufbau. Zur Abdeckung der Dränschicht wurde ein Systemfilter verwendet, sodass keine Feinteile aus der darüberliegenden Substratschicht eindringen können.

Es sind jährlich 4 Wartungs- und Pflegegänge durch den Dachgärtner geplant, um die Ausprägung der Artenvielfalt zu unterstützen.

Abb. 7.31: Gesamtansicht des ersten Biodiversitätsgründachs in Karlsruhe (Quelle: Hohenschläger, Mühlacker; ZinCo GmbH, Nürtingen). Gut zu erkennen sind die verschiedenen Totholzinseln zur Förderung der Insektenfauna. Die integrierte Solarthermie ist langfristig gesehen eine zusätzliche Möglichkeit zur Kosteneinsparung innerhalb des Gebäudes.

Objektdaten		
Bauherr*in/Betreiber*in	Karlsruher Eislauf-und Tennisverein e.V.	
Baujahr	2021	
Bauweise	Massivbauweise, Gebäude aus den 1950ern, aktuell modernisiert	
Art der Begrünung	Dachbegrünung semiintensiv	235 m^2
	Fläche insgesamt	ca. 235 m^2

Systeme und Lieferanten	
Dachbegrünung	„Biodiversitätsgründach" mit Floradrain FD 25

Wirkungsweisen und Effekte	
Hitzeschutz	
Regenwassermanagement	
Ressourcenschonung	
Biodiversität	

Kosten/Aufwände	
Errichtung	€ €
technische Wartung (z. B. Prüfung, Reinigung, Fernwartung, Filtertausch von Bewässerungsanlagen etc.)	€

Vegetationstechnik	
Dauerhaftigkeit	mehr als 45 Jahre
jährliche Begrünungsdauer	immergrün, Sukzession zulässig
Wasserbedarf	gering
Düngemittelbedarf	gering
Pflanzenschutz	gering

Abb. 7.32: Die Dachbegrünung ließ sich gut mit der Solaranlage kombinieren – das bringt sogar Synergieeffekte (Quelle: Hohenschläger, Mühlacker; ZinCo GmbH, Nürtingen).

Abb. 7.33: Die Drän- und Wasserspeicherelemente Floradrain® FD 25 wurden vollflächig verlegt und im Bereich der Solaranlage durch die Solarbasisplatten SB 200 ergänzt (Quelle: Hohenschläger, Mühlacker; ZinCo GmbH, Nürtingen).

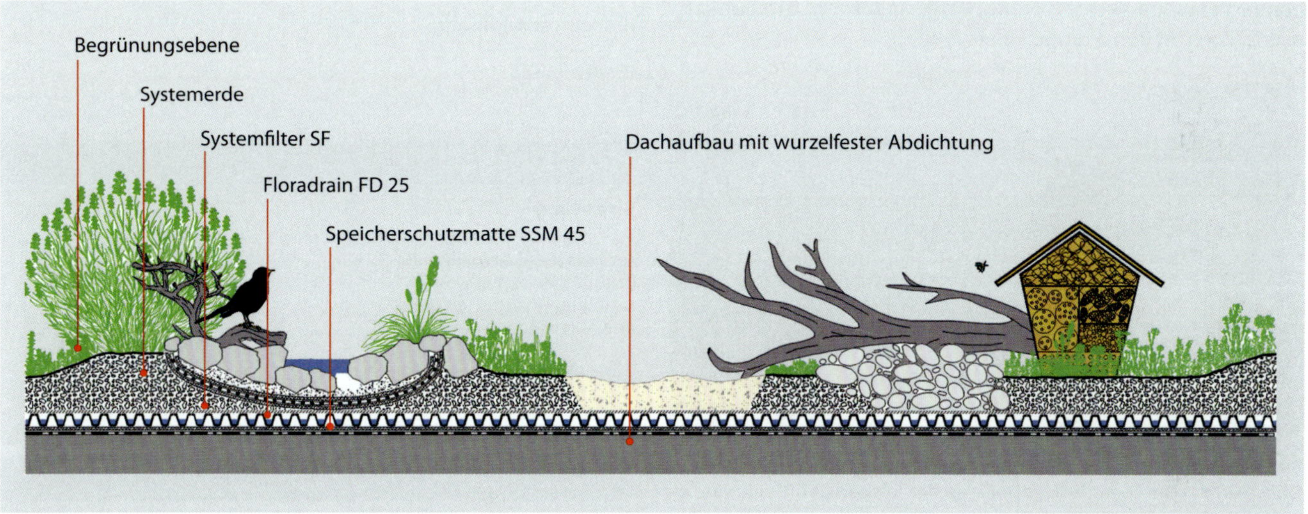

Abb. 7.34: Prinzipskizze zum Systemaufbau des Biodiversitätsgründachs (Quelle: ZinCo GmbH, Nürtingen). Wesentliche Bestandteile sind neben einer kleinen Wasserstelle eine Sandlinse sowie diverse Totholzanteile.

Abb. 7.35: Kies- und Steinflächen sowie Totholz sind wesentliche Strukturelemente des Biodiversitätsdachs. Sie bieten Tieren Nistplätze und Rückzugsräume (Quelle: Hohenschläger, Mühlacker; ZinCo GmbH, Nürtingen).

Abb. 7.36: Wasserflächen sind wichtige Vogel- und Insektentränken (Quelle: Hohenschläger, Mühlacker; ZinCo GmbH, Nürtingen).

7.1.11 Semiintensiv: Schrägdachbegrünung, Tourist-Information, Pöhl

Projektbeschreibung

Im Jahr 2013 wurde nach rund einem Jahr Bauzeit die neue Schiffsanlegestelle an der Talsperre Pöhl fertiggestellt, die nicht nur mit Kassen- und Informationshäuschen, sondern auch mit kleinem Bistro und Sanitäranlagen ausgestattet ist (Abb. 7.37). Unmittelbar an das Gelände der Schiffsanlegestelle schließt sich ein Kletterwald an.

Begrünung im Detail

Um die stellenweise bis zu 70° steilen Dachbereiche mit einer dauerhaften Begrünung versehen zu können, wurden Georaster-Elemente eingesetzt. In den flacheren Bereichen hingegen wurden Elemente verlegt, die speziell für geneigte Dächer entwickelt wurden. Diese verhindern durch die großen, nach oben stehenden Noppen ein Abrutschen des Substrats. Als Begrünung wurden vorkultivierte Vegetationsmatten verlegt (Abb. 7.38 und Abb. 7.39). Diese sorgen für Schutz vor Erosion und für sofortiges Grün. Die umliegenden Flächen wurden parkartig gestaltet, mit Sitzbänken sowie einer neuen Treppe (Abb. 7.40).

Abb. 7.37: Die Schiffsanlegestelle an der Talsperre Pöhl mit Kassen- und Informationshäuschen sowie kleinem Bistro liegt direkt am Weg zwischen dem Campingplatz Gunzenberg und der Staumauer (Quelle: ZinCo GmbH, Nürtingen).

Objektdaten		
Bauherr*in/Betreiber*in	Zweckverband Talsperre Pöhl	
Planung	Wetzel Architekturbüro, Flöha	
Ausführung LaBau	Dach-Isolierung Flöha GmbH, Plauen	
Baujahr	2013	
Art der Begrünung	Dachbegrünung semiintensiv	270 m²
	Fläche insgesamt (Dachneigung: bis zu 70 °)	270 m²

Systeme und Lieferanten	
Dachbegrünung	Systemaufbauten mit Georaster® und Floraset® FS 75

Wirkungsweisen und Effekte	
Hitzeschutz	
Regenwassermanagement	
Ressourcenschonung	
Biodiversität	

Kosten/Aufwände	
Errichtung	€
technische Wartung (z. B. Prüfung, Reinigung, Fernwartung, Filtertausch von Bewässerungsanlagen etc.)	€ €
Pflegekosten Dachbegrünung	€

Vegetationstechnik	
Dauerhaftigkeit	mehr als 45 Jahre
jährliche Begrünungsdauer	immergrün
Wasserbedarf	gering
Düngemittelbedarf	gering
Pflanzenschutz	gering

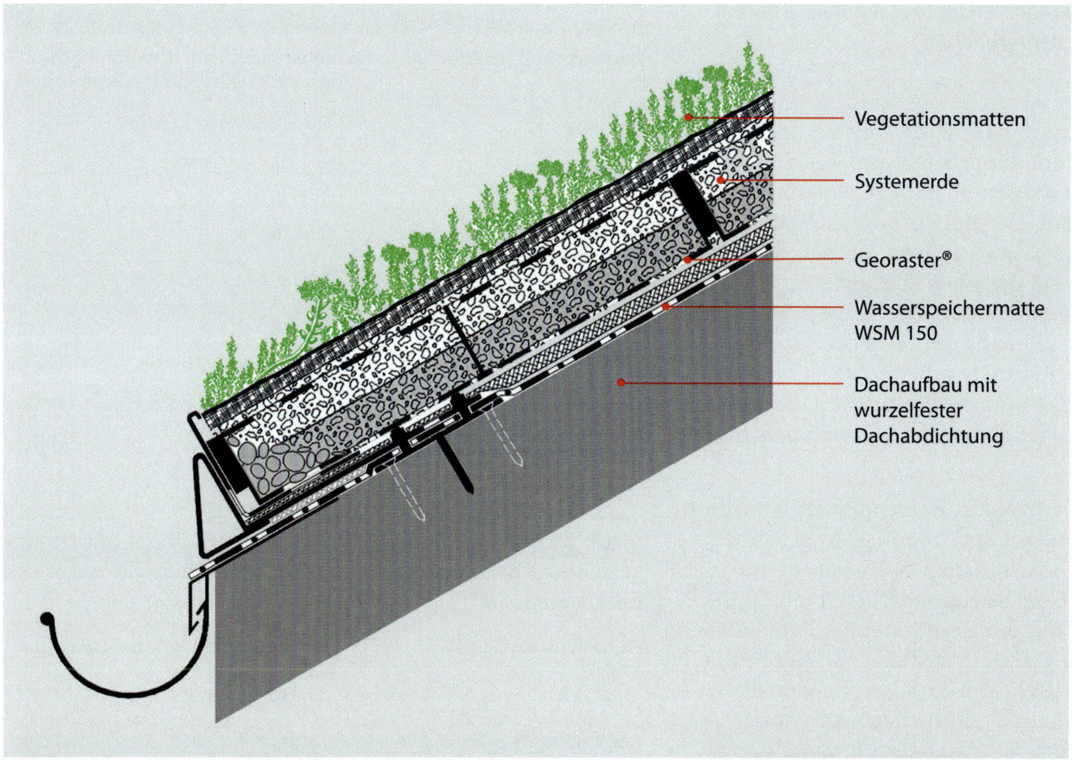

Abb. 7.38: Systemaufbau, beginnend mit der wurzelfesten Abdichtung, auf die eine Wasserspeichermatte folgt, dann ein mit Substrat gefülltes Georaster sowie abschließend eine vorkultivierte Rasenmatte zur Stabilisierung auch der steilen Lagen (Quelle: ZinCo GmbH, Nürtingen).

Abb. 7.39: Nachdem das Dach wurzelfest abgedichtet war, wurden vor Aufbringen der Schichten des Gründach-Systemaufbaus Bautenschutzmatten verwendet (Quelle: ZinCo GmbH, Nürtingen).

Abb. 7.40: Die 2 Gebäude mit insgesamt rund 270 m^2 Dachbegrünung integrieren sich perfekt in die Landschaft (Quelle: ZinCo GmbH, Nürtingen).

7.1.12 Semiintensiv: Dachgarten und Fassadenbegrünung Biotope City Wienerberg, Wien

Projektbeschreibung

Es geht um die Errichtung eines neuen, dichten und vor allem grünen Stadtteils auf dem ehemaligen Coca-Cola-Areal in Wien X. Dabei werden überwiegend geförderte Wohnhausanlagen gebaut. Der Entwurf der vielfältigen Freiräume des Quartiers basiert auf dem Leitbild der „Biotope City“ (Abb. 7.41). Auf der Ebene der Freiraumplanung bedeutet dies insbesondere den gezielten Einsatz von Vegetation zur ökologischen Nutzung der Speicher- und Verdunstungsleistungen, der klimaregulierenden Effekte und der Lebensraumfunktionen für die heimische Tierwelt. Der Freiraum enthält sowohl landschaftlich als auch urban geprägte Zonen.

Hohe Anforderungen bestehen in Bezug auf die Exposition in über 30 m Höhe beim Urban Gardening: Angelegt werden Hochbeete aus Fertigbetonteilen in Holzoptik mit Metallrahmen (Abb. 7.42). Die Besonderheit dabei ist die teilweise Überdachung mit semitransparenten Fotovoltaikmodulen (Fotovoltaik-Dachgarten; Abb. 7.43). Die Stützkonstruktionen sind zusätzlich mit Kletterpflanzen berankt. So entsteht ein Mix aus natürlicher Beschattung und Schutz vor Witterung bei ausreichender Belichtung für die bepflanzten Bereiche – und die gewonnene Energie wird für den Strombedarf der Anwohner genutzt.

Die ringsum angeordneten Pflanztröge bilden einen gestalterischen Rahmen und schaffen gleichzeitig beruhigte Aufenthaltszonen. Das gewählte System besteht aus Pflanztrog inklusive Absturzsicherung.

Die vorbepflanzten Pflanztröge auf den Balkonen (private Freiräume) sind mit einer automatischen Bewässerung ausgestattet. Die Zuleitungen sind platzsparend in die Geländerkonstruktion integriert.

Begrünung im Detail

- Extensivbegrünung: Kräuter-Gräser-*Sedum* (teilweise mit Kleingehölzen der Wuchshöhe bis ca. 50 cm)
- Semiextensivbegrünung: Staudenkompositionen „Blütensaum Veitshöchheim“, „Indian Sunset Wädenswil“ mit *Hippophae rhamnoides* und *Ptelea trifoliata* ‘Aurea‘

Für beide Begrünungsausprägungen erfolgte die Pflanzung von Schüttstoffgemisch als Intensivsubstrat für Dachflächen mit geringer Tragfähigkeit (leicht) bzw. strukturstabilisiert für breites Pflanzenspektrum mit hohem Anteil an organischen Substanzen. Die Dränschicht besteht aus gewaschenem Kies der Körnung 16/36. Mit dem Substrat wurde ein Relief der Substratdecke mit unterschiedlichen Substrattiefen geschaffen.

Pflanztröge wurden auf Dachflächen mit zum Teil überhängenden Gehölzen mit Blüh- und Herbstakzenten wie z. B. *Cotinus coggygria* ‘Royal Purple‘, *Acer rubrum*, *Potentilla fruticosa* ‘Goldfinger‘, *Parthenocissus vitacea* ‘inserta‘ bepflanzt.

Es wurden Totholz- und Steinstrukturen zur Erhöhung der Biodiversität in Verbindung mit den Pflanzflächen eingebracht (Abb. 7.44 und Abb. 7.45).

Objektdaten		
Bauherr*in/Betreiber*in	Gemeinnützige Bau- u. Wohnungsgenossenschaft „Wien-Süd“ eGenmbH	
Planung	HD ARCHITEKTEN ZT GMBH	
Grünplanung	KNOLLCONSULT UMWELTPLANUNG ZT GMBH	
Ausführung LaBau	IAT GmbH	
Baujahr	2020	
Bauweise	Umkehrdach	
Art der Begrünung	Dachbegrünung extensiv	120 m²
	Dachbegrünung semiintensiv	175 m²
	Fassadenbegrünung troggebunden	400 m²

Systeme und Lieferanten	
Dachbegrünung	Optigrün-Systemlösung „Naturdach“
Fassadenbegrünung außen	Pflanztröge Domino, Spezial-Substrat leicht

Wirkungsweisen und Effekte	
Hitzeschutz	
Regenwassermanagement	
Ressourcenschonung	
Biodiversität	

Kosten/Aufwände	
Errichtung	€ €
technische Wartung (z. B. Prüfung, Reinigung, Fernwartung, Filtertausch von Bewässerungsanlagen etc.)	€
Pflegekosten Dachbegrünung	€ €
Pflegekosten Fassadenbegrünung	€
Pflegekosten Innenraumbegrünung	€

Vegetationstechnik	
Dauerhaftigkeit	mehr als 30 Jahre
jährliche Begrünungsdauer	immergrün/saisonal
Wasserbedarf	mittel
	Bewässerungsart: Tropfschlauch mit angeschlossenem Stadtwasser
Düngemittelbedarf	mittel
Pflanzenschutz	gering

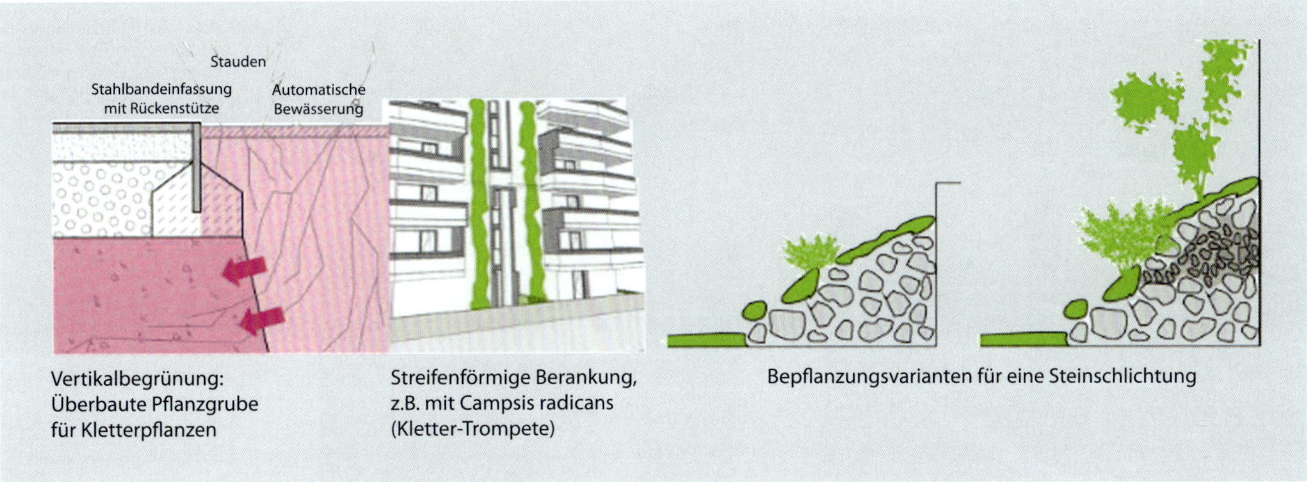

Abb. 7.41: Hidden Treasures Biotope City – Bauwerksbegrünung als wesentlicher Baustein der Schwammstadt; Detail zur Wurzelführung der Kletterpflanzen und der Biotopanreicherung auf dem Dach (Quelle: Knollconsult Umweltplanung ZT GmbH, Wien)

Abb. 7.42: Dachgarten hoch über dem Wienerberg (Quelle: Knollconsult Umweltplanung ZT GmbH, Wien)

Abb. 7.43: Urban Gardening: Licht und Schatten des Fotovoltaik-Dachgartens, Strom inklusive (Quelle: Knollconsult Umweltplanung ZT GmbH, Wien)

Abb. 7.44: Biodiversität am Dach durch Staudenmischpflanzungen, Sträucher und Kletterpflanzen sowie Totholz- und Steinstrukturen (Quelle: Knollconsult Umweltplanung ZT GmbH, Wien). Die Totholzstrukturen sind mit einem nahezu unsichtbaren Draht gegen Verwehung gesichert.

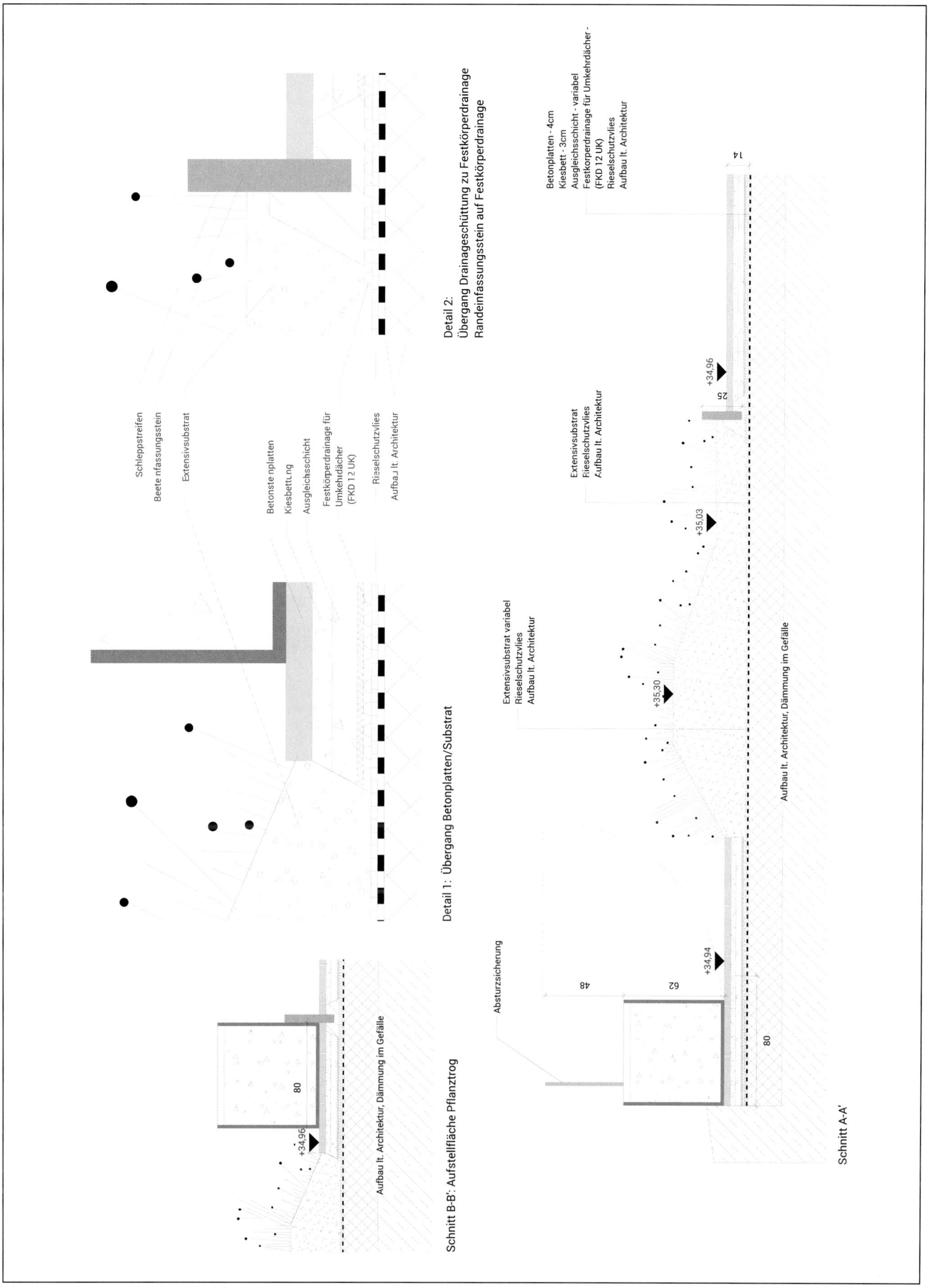

Abb. 7.45: Aufbaudetails der Pflanzflächen am Dachgarten; Pflanztrog mit Absturzsicherung als Begrenzungselemente (Quelle: Knollconsult Umweltplanung ZT GmbH, Wien)

7.1.13 Intensiv: Dachfarm „Nahrungsmittel vom Dach", Brooklyn, New York, USA

Projektbeschreibung

Obst und Gemüse von Dächern – es gibt bereits Beispiele aus zahlreichen Ländern, hier ein „Gemüsefeld" auf einem New Yorker Dach. Auf einem 10.000 m2 großen Dach im New Yorker Stadtteil Queens, Long Island, praktiziert die Firma „Brooklyn Grange" ökologischen Landbau. Auf dem Dach wird vorrangig Gemüse angebaut wie Tomaten, Karotten, Rüben, Fenchel, Radieschen, Bohnen und Salat (Abb. 7.46). Das Konzept begeistert viele, etwa die Köche der Umgebung, die nun frisches Gemüse und Kräuter auf kurzem Wege bekommen. Dreiviertel des Jahres kann geerntet werden und im Winterquartal werden Bodenverbesserer wie Klee, Wicken und Buchweizen ausgesät, um das Substrat wieder für die neue Saison aufzubereiten.

Als Betreiber fungiert ein Verein, der innerhalb der letzten 10 Jahre seine Möglichkeiten mit Eventgastronomie und der Vermarktung der Produkte des Dachgartens ausbaute und aktuell weitere Dachfarmen in New York eröffnete. Ähnliche Initiativen sind jetzt nicht nur in New York, den USA, sondern auch an vielen anderen Orten der Welt aktiv. Der Gründer von Brooklyn Grange, Ben Flanner, war im Bereich des Urbanen Gärtnerns Autodidakt und Pionier. Die Initiativgruppe holte sich aber von Anfang an auch Rat von professionellen Gründachprofis ein, was nicht zuletzt dazu beitrug, dass dieses relative kleine Projekt über die Jahre auch ökonomisch erfolgreich ist. Die Ablaufpläne des Anbaus wurden während der letzten Jahre ständig optimiert, die Eventgastronomie ist eines der weiteren Standbeine. Mehr zur Initiative: https://www.brooklyngrangefarm.com.

Begrünung im Detail

Brooklyn Grange hat das Dach des 1919 gebauten Gebäudes mit 10-Jahresverträgen gepachtet, die jetzt entsprechend des Erfolges erneuert wurden. Die Statik des Bauwerks und das Dach mit seiner Stahlbetondecke sind für eine genutzte Intensivbegrünung ausreichend dimensioniert, sodass nur noch eine wurzelfeste Dachabdichtung aufgebracht werden musste. Grundlage des erfolgreichen Anbaukonzepts ist ein Gründachschichtaufbau für Gemüsefelder, der sich an den Aufbau für ein Gartendach anlehnt. Dabei musste eine gute Balance von Dränage und Wasserrückhaltung gefunden werden, denn es soll so viel Wasser wie möglich im Gesamtaufbau gespeichert werden. Gleichzeitig gilt es, Staunässe zu vermeiden. Eine nicht optimal funktionsfähige Dränage würde u. a. zu einer Vernässung des Substrats führen, was dem Gemüseanbau schaden würde.

Der Gründachaufbau sieht im Einzelnen folgendermaßen aus: Über einem wurzelfesten Schutz und Speichervlies aus Kunststofffaser wurden 40 mm hohe Festkörperdränageelemente aus recyceltem Kunststoff verlegt und mit einem Filtervlies abgedeckt. Abschließend wurden 20 cm Spezialsubstrat für intensive Dachbegrünungen aufgebracht (Abb. 7.47).

Brooklyn Grange legt Wert auf eine ökologische Bauweise und verzichtet auf Kunstdünger, Insektizide und Herbizide. Die Bewässerung der Kulturen erfolgt über eine im Substrat verlegte Tröpfchenbewässerung

Objektdaten	
Bauherr*in/Betreiber*in	BROOKLYN GRANGE LLC
Planung	Ben Flanner, CEO
Grünplanung	Peter Philippi, Skyland USA LLC
Ausführung GaLaBau	Fa. Skyland USA LLC
Baujahr	1919 (Gebäude), 2010 (Dachfarm im Rahmen einer Gebäudesanierung)
Bauweise	Massivbau, Holzbalkendecke, Umkehrdach etc.
Art der Begrünung	Dachbegrünung semiintensiv 10.000 m^2

Systeme und Lieferanten	
Dachbegrünung	Optigrün international AG, Krauchenwies, Substrate von einem lokalen Anbieter für Dachsubstrate

Wirkungsweisen und Effekte	
Hitzeschutz	
Regenwassermanagement	
Ressourcenschonung	
Biodiversität	

Kosten/Aufwände	
Errichtung	€ €
technische Wartung (z. B. Prüfung, Reinigung, Fernwartung, Filtertausch von Bewässerungsanlagen etc.)	€ €
Pflegekosten Dachbegrünung	€ € €

Vegetationstechnik	
Dauerhaftigkeit	mehr als 45Jahre
jährliche Begrünungsdauer	saisonal
Wasserbedarf	mittel Bewässerungsart: Grundwasser
Düngemittelbedarf	mittel
Pflanzenschutz	mittel, da Mischkulturen und Kreislaufwirtschaft

Abb. 7.46: Gesamtansicht der Gemüseanbaufläche der Firma Brooklyn Grange auf einem Dach in New York (Quelle: Skyland)

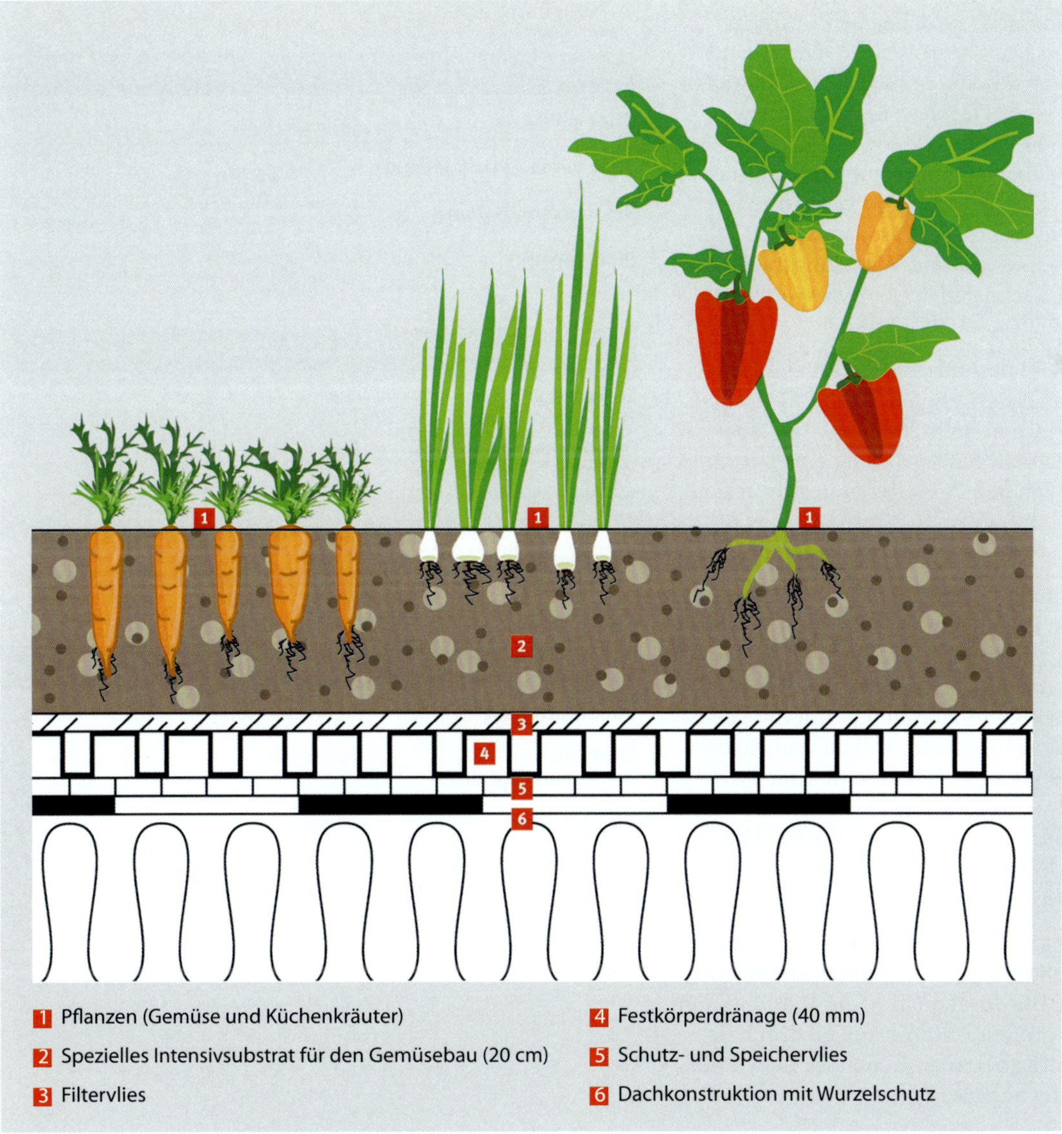

Abb. 7.47: Schematischer Aufbau des Gemüsedachs „Urbanfarming" (Quelle: Skyland)

7.1.14 Intensiv: Schiffsbegrünung Kreuzfahrtschiff „Celebrity Solstice"

Projektbeschreibung

Die Meyer Werft in Papenburg ist bekannt für ihre besonderen Kreuzfahrtschiffe. Die „Celebrity Solstice" ist 315 m lang, 36,8 m breit und hat 8 m Tiefgang. Sie bietet Platz für 2.852 Passagiere in 1.426 Kabinen und hat 1.270 Mann Besatzung (Abb. 7.48). Aber die „Celebrity Solstice" setzt auch im Hinblick auf die Begrünung einen neuen Maßstab; der 1.500 m^2 große Golfrasen auf dem oberen Deck („The Lawn Club") ist zu einer besonderen Attraktion geworden.

Nach Aussagen des Schiffeigners ist diese Dachbegrünung – oder besser „Deckbegrünung" – die weltweit erste Begrünung eines Schiffes in dieser Art und Dimension. Celebrity Cruises vermarktet diese grüne Idee als Attraktion für alle, die auch auf See echtes Gras unter den Füßen spüren möchten. Golf, Boccia, Krocket und Picknicks auf echtem Rasen bieten noch mehr Abwechslung an Bord zwischen Florida und den Bahama Islands (Abb. 7.49).

Als die verantwortlichen Planer der Firma Green Roof Service mit ihren deutschen Inhabern Jörg Breuning und Peter Phillippi diese Aufgabe erhielten, beschritten sie einerseits Neuland. Andererseits konnten sie dabei auf die eigene langjährige Erfahrung als Dachbegrüner in Deutschland und auf die Unterstützung des Systembauers zurückgreifen. Die Anforderungen bei einer Deckbegrünung sind zwar einer Dachbegrünung sehr ähnlich. Jedoch kommen weitere, erschwerende Bedingungen dazu, wenn ein dauerhaft funktionsfähiger, trittstabiler, leichter und verwehsicherer Schichtaufbau mit bespielbarem Golfrasen entstehen soll, der den unterschiedlichen Klima und Witterungsbedingungen sowie wechselnden Dachgefällen (je nach Wetterlage von 2 bis 27 %) standhalten soll (Abb. 7.50).

Der Golfrasen ist zu einem besonderen Merkmal dieses und eines weiteren Schiffes der gleichen Reederei geworden. Die aktuelle Nachfrage im Jahr 2022 bestätigt, auch nach 14 Jahren bedeutet die Deckbegrünung eine besondere Attraktion und wird von den Passagieren positiv erlebt.

Begrünung im Detail

Auf einer Spezialabdichtung der Meyer Werft wurde in Anlehnung an bewährte Dachbegrünungssystemlösungen eine neue Systemlösung für das achtern liegende Rasendeck entwickelt (Abb. 7.51). Grundlage ist ein klassischer Mehrschichtaufbau, der in diesem Sonderfall u. a. mit der speziellen Festkörperdränage mit 40 mm Aufbau und einem extraleichten Rasensubstrat ausgeführt wurde. Der Einbau der Deckbegrünung wurde auf dem Werftgelände in Deutschland durchgeführt. Die Bauzeit für die Deckbegrünung betrug etwa 2 Wochen – und hat sich seitdem im Kreuzfahrtdienst bewährt.

Die gesamte Rasenfläche wurde inzwischen nur einmal ausgetauscht und das, obwohl durch die unterschiedlichen Klimazonen, die die Schiffe durchqueren, der Rasen extrem belastet wird. Auch die großen Anforderungen durch den zum Teil hohen Salzeintrag bei stürmischer See haben die Rasenfläche nicht negativ beeinflusst.

Der Rasen wird zwei- bis dreimal pro Woche gemäht und zeigt sich in einem frischen Grün, wie Golfrasen auf dem Festland auch.

Objektdaten	
Bauherr*in/Betreiber*in	Celebrity Cruises, Miami/Florida, USA
Planung Schiffbau	Wilson Butler Architects, Bosten/MA,USA, Meyer Werft, Papenburg, Deutschland
Grünplanung	Jörg Breuning und Peter Phillippi, Green Roof Service LLC, Forest Hill / Maryland, USA (Entwicklung, Design)
Ausführung LaBau	Bernhard Mescher und Jörg Breuning, Green Roof Service LLC, Forest Hill / Maryland, USA, Meyer Werft, Papenburg, Deutschland (Abdichtung); Optigrün-Partnerbetrieb Borchers GmbH, Surwold, Deutschland (Begrünung); LG Rain GmbH, Wrestedt, Deutschland (Beregnung)
Baujahr	2008
Bauweise	intensive Rasenschicht
Art der Begrünung	Dachbegrünung semiintensiv 2.130 m^2

Systeme und Lieferanten	
Dachbegrünung	Optigrün international AG, Krauchenwies

Wirkungsweisen und Effekte	
Hitzeschutz	
Regenwassermanagement	
Ressourcenschonung	
Biodiversität	

Kosten/Aufwände	
Errichtung	€€
technische Wartung (z. B. Prüfung, Reinigung, Fernwartung, Filtertausch von Bewässerungsanlagen etc.)	€€€
Pflegekosten Dachbegrünung	€€€

Vegetationstechnik	
Dauerhaftigkeit	mehr als 25 Jahre
jährliche Begrünungsdauer	immergrün
Wasserbedarf	intensiv Bewässerungsart: Unter-Flur-Bewässerung
Düngemittelbedarf	mittel
Pflanzenschutz	mittel

Abb. 7.48: Die „Celebrity Solstice" in voller Größe; das Rasendeck umfasst etwa die Hälfte des Oberdecks (Foto: Ingrid Fiebak).

Abb. 7.49: Das begrünte Deck wird als Spiel und Freizeitfläche genutzt und muss dementsprechend belastbar sein (Foto: Ingrid Fiebak).

Abb. 7.50: Das Rasendeck im Detail (Foto: Ingrid Fiebak)

Abb. 7.51: Gesamtansicht des Achterschiffs (Foto: Ingrid Fiebak)

7.1.15 Intensiv: Dach- und Innenraumbegrünung Fa. Hassia Mineralquellen, Bad Vilbel

Projektbeschreibung

Es handelt sich um einen Gewerbeneubau im Großraum Frankfurt mit umfassendem Gebäudebegrünungskonzept. Dieses besteht aus einem intensiv begrünten Vordach inklusive zweier großer Apfelbäume, einer umlaufenden intensiven Terrassenbepflanzung im 3. OG und mit Hängepflanzen bestückter Gefäße an kreisrunden Dachdurchbrüchen über den Terrassen vom 3. OG (Abb. 7.52). Das Dach wurde konventionell extensiv begrünt und wird an dieser Stelle nicht im Detail vorgestellt. Zudem wurde eine umfangreiche Innenraumbegrünung realisiert.

Begrünung im Detail

Die Begrünung erfolgte unter Verwendung von verschieden ausgestalteten Begrünungssystemen. In diesen Pflanzsystemen werden beliebige Erdpflanzen in einen Spezialkulturtopf mit vielen Belüftungsöffnungen umgetopft. Die bepflanzten Kulturtöpfe werden in das Gefäß oder ein speziell angepasstes Becken eingesetzt und hängen einige Zentimeter tief im Wasserreservoir. Oberhalb des Wassers befindet sich ausschließlich Luft mit hoher Luftfeuchtigkeit. Staunässe, Wurzelverdichtung und ein Verwachsen der Pflanzen im Wurzelbereich sind so ausgeschlossen. Der Austausch einzelner Pflanzen ist punktuell und jederzeit ohne Pflanzarbeiten möglich. Die erforderlichen Pflanzsubstratmengen, die Gewichtsanforderungen sowie die Aufbauhöhen sind deutlich reduziert. Das Pflanzsystem ist von außen nicht sichtbar.

Das Vordach auf Höhe des 1. OG wurde als eine Art Streuobstwiese realisiert. Für die Umsetzung wurde die Bitumenabdichtung mit einer eingebetteten Leckageortungsmatte zur Ausbildung eines flachen Wasserbeckens genutzt. Anschließend wurden ca. 30 Jahre alte Apfelbäume mit 7 bis 8 m Höhe in Schwerlastkörben in das Becken gehoben. Die Bäume sind von einer intensiven Unterbepflanzung umgeben. Diese ist wiederum von einer extensiven Randbepflanzung eingefasst (Abb. 7.53 und Abb. 7.54). Alle Pflanzen stehen in Varianten des verwendeten Pflanzsystems und versorgen sich wartungsfrei aus dem gleichen Wasserreservoir.

Weitere Grünbereiche ähnlichen Aufbaus befinden sich im 3. OG und auf dem Dach. Auf den Terrassen des 3. OG wurde eine umlaufende intensive Bepflanzung in organisch geformten und hydraulisch verbundenen Gefäßen aus pulverbeschichtetem Edelstahl realisiert. Die Dachfläche selbst ist herkömmlich extensiv begrünt. Für noch mehr Naturambiente auf der darunterliegenden Terrasse wurden 2 kreisrunde Durchbrüche mit Gefäßen eingefasst und mit Hängepflanzen bepflanzt.

Alle 3 Begrünungsbereiche werden über eine zentrale Bewässerungs- und Nährstoffzugabe automatisch versorgt. Für jeden Bereich werden lediglich ein Zulauf und ein Ablauf benötigt.

Sämtliche Begrünungen sind auf der Basis der „schwebenden“ Pflanzgefäße ausgeführt (Abb. 7.55 und Abb. 7.56).

Objektdaten		
Bauherr*in/Betreiber*in	Hassia Mineralquellen	
Planung	Feuerschmitzbäckmann Architektur & Ippolito Fleitz Group	
Grünplanung	Gärtner von Eden Rhein-Main-Taunus Schmahl GmbH & Co. KG	
Ausführung LaBau	Stenger Garten- und Landschaftsservice GmbH	
Baujahr	2021	
Bauweise	Massivbau	
	Teilprojekt 1 – Vordach: Beckenbildung auf Dachabdichtung	
	Teilprojekt 2 – Dachterrasse: hydraulisch verbundene Beetgefäße auf Terrassenbelag	
	Teilprojekt 3 – Hängepflanzen in Gefäßen an Dachdurchbrüchen auf Dachabdichtung	
Art der Begrünung	Dachbegrünung semiintensiv	82 m²
	Dachbegrünung intensiv	145 m²
	Innenraumbegrünung	1.150 m²

Systeme und Lieferanten	
Dachbegrünung	verschiedene Hydro Profi Line® Begrünungssysteme; Hersteller: GKR Hydro GmbH
Innenraumbegrünung	verschiedene Hydro Profi Line® Begrünungssysteme; Hersteller: GKR Hydro GmbH
Bepflanzung	Stenger Garten- und Landschaftsservice GmbH, Offenbach a. M.

Wirkungsweisen und Effekte	
Hitzeschutz	
Regenwasser-management	
Ressourcenschonung	
Biodiversität	

Kosten/Aufwände	
Errichtung	€€
technische Wartung (z. B. Prüfung, Reinigung, Fernwartung, Filtertausch von Bewässerungsanlagen etc.)	€
Pflegekosten Dachbegrünung	€

Vegetationstechnik	
Dauerhaftigkeit	Pflanzsystem/Gefäße: mehr als 50 Jahre Pflanzen: ca. 10 bis 30 Jahre
jährliche Begrünungsdauer	immergrün und saisonal
Wasserbedarf	gering Bewässerungsart: automatisch (Frischwasser inkl. Nährstoffzugabe; durch Pflanzsystem um 50 bis 80 % reduzierter Wasserverbrauch)
Düngemittelbedarf	gering
Pflanzenschutz	gering bzw. in Folgejahren zu beobachten

Abb. 7.52: Visualisierung der Zielvorstellung des Gebäudes mit herausstechendem Element der Streuobstwiese auf dem Vordach (Quelle: GKR Hydro GmbH, München)

Abb. 7.53: Teilinstalliertes Hydro Profi Line® System auf dem Vordach; Apfelbäume bereits eingesetzt (Quelle: GKR Hydro GmbH, München)

Abb. 7.54: Fertiggestelle „Streuobstwiese" auf dem Vordach inklusive Unterbepflanzung (Gräser und Stauden) mit flächiger Zierkiesabdeckung und umlaufenden Extensivstreifen (Quelle: GKR Hydro GmbH, München)

Abb. 7.55: Schematischer Aufbau des Hydro Profi Line® Systems auf dem Vordach (Quelle: GKR Hydro GmbH, München). Die Verwendung unterschiedlicher Topfformate ergibt eine abgestufte Bepflanzung bei gleichmäßiger Wasserversorgung aller Gefäße.

Abb. 7.56: Innenansicht der „schwebenden Pflanzen" im Hydro Profi Line® Systemaufbau (Quelle: GKR Hydro GmbH, München)

7.1.16 Intensiv: Dachgarten Noltemeyer-Höfe, Braunschweig

Projektbeschreibung

Auf dem Gelände der ehemals dort ansässigen Papierfabrik Noltemeyer entstand ein Wohnquartier, bestehend aus 6 Mehrfamilienhäusern mit insgesamt 242 Wohnungen. Am Beispiel der „Noltemeyer-Höfe“ wird deutlich: Grünflächen, Terrassenflächen, Spielbereiche und selbst Fahrbeläge können auf Tiefgaragendecken angelegt werden, während darunter die Autos der Bewohner außer Sicht geparkt werden können (Abb. 7.57 und Abb. 7.58). Der gewählte Systemaufbau vom Typ eines Retentionsdachs speichert im Falle von Starkregen große Wassermengen und lässt sie zeitversetzt abfließen. Verantwortlich für diese Technik sind die auf der 0 °-Decke verlegten Retentionsspacerelemente gemeinsam mit den präzise regulierbaren Drosselelementen oberhalb der Dachabläufe (Abb. 7.59 und Abb. 7.60).

Begrünung im Detail

Die ganze Freifläche ist ein befahrbarer intensiver Dachgarten, der einer Grünfläche zu ebener Erde vergleichbar ist. Ergänzt wird der Komplex durch ca. 2.500 m² extensive Dachbegrünung auf den Flachdächern der Mehrfamilienhäuser, die mit Solarthermieanlagen kombiniert wurden – ein Beispiel für urbanes Bauen der Zukunft.

Abb. 7.57: Fertig angelegte Grünbereiche in Form eines befahrbaren Intensiv-Gründachs (Quelle: ZinCo GmbH, Nürtingen). Zu erkennen sind die Tiefgaragenlüftungen sowie die frisch angelegten Privatterrassen.

Abb. 7.58: Einer von mehreren Innenhöfen kurz nach der Fertigstellung: Intensiv-Dachgarten über der Tiefgarage (Quelle: ZinCo GmbH, Nürtingen)

Objektdaten		
Bauherr*in/Betreiber*in	CAJA 16 Projekt GmbH	
Planung	phase 5 GmbH, Düsseldorf; IBF Felling beratende Ingenieure, Dülmen	
Grünplanung	Grünkonzept Landschaftsarchitekten, Coesfeld	
Ausführung LaBau	Straßen- und Tiefbau Urban GmbH, Rethen	
Baujahr	Juni 2018 bis April 2019	
Bauweise	Neubau in Massivbauweise	
Art der Begrünung	Dachbegrünung extensiv	2.500 m²
	Dachbegrünung intensiv	2.500 m²
	Fläche insgesamt	ca. 5.000 m²

Systeme und Lieferanten	
Dachbegrünung	Retentionsdach mit RSX 80

Wirkungsweisen und Effekte	
Hitzeschutz	
Regenwassermanagement	
Ressourcenschonung	
Biodiversität	

Kosten/Aufwände	
Errichtung	€€
technische Wartung (z. B. Prüfung, Reinigung, Fernwartung, Filtertausch von Bewässerungsanlagen etc.)	€€
Pflegekosten Dachbegrünung	€

Vegetationstechnik	
Dauerhaftigkeit	mehr als 45 Jahre
jährliche Begrünungsdauer	immergrün
Wasserbedarf	Regenwasserbewirtschaftung als Konzept
Düngemittelbedarf	gering
Pflanzenschutz	gering

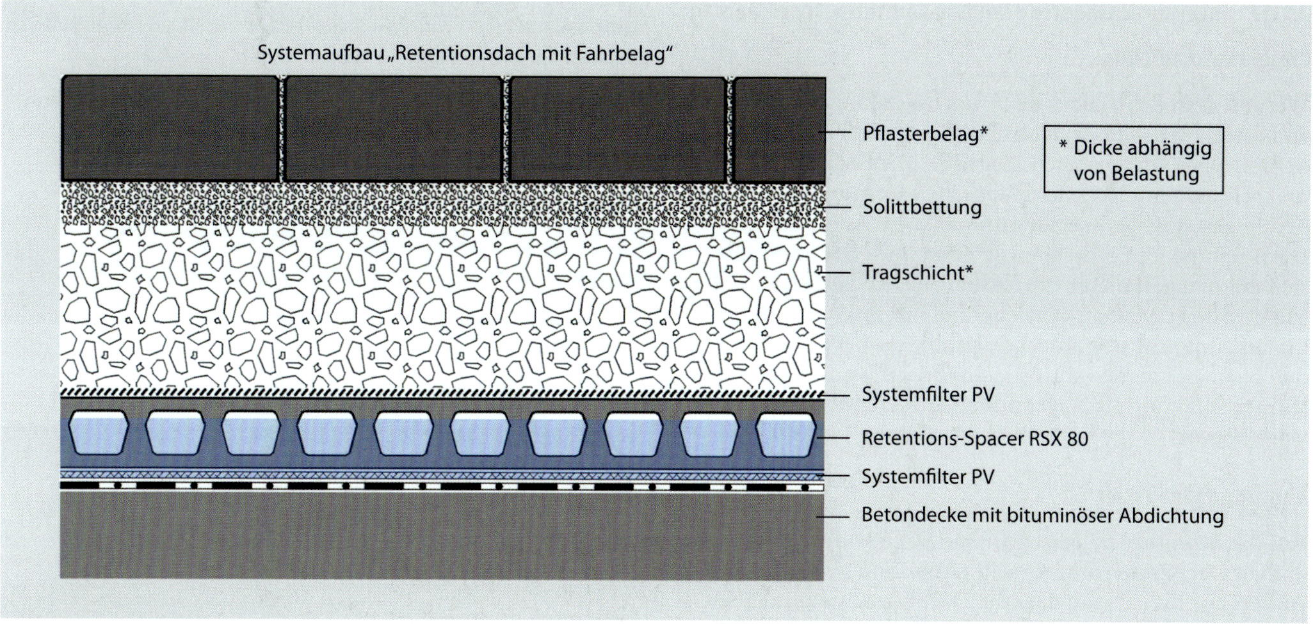

Abb. 7.59: Systemaufbau als Prinzipskizze (Quelle: ZinCo GmbH, Nürtingen). Die jeweiligen Aufbauhöhen variieren in Abhängigkeit der voraussichtlichen Belastungen.

Abb. 7.60: In den Hohlräumen der vollflächig verlegten RSX 80-Dränelemente können mehr als 70 l/m² Regenwasser zwischengespeichert werden (Quelle: ZinCo GmbH, Nürtingen). Es gibt damit auch unter den befahrbaren Belägen Retentionsleistung.

7.1.17 Intensiv: Dachgarten Neubau Comturey, Insel Mainau

Projektbeschreibung

Wer mit dem Schiff über den Bodensee Kurs auf die Mainau nimmt, wird seit Frühjahr 2014 am Inselhafen von einem neu gestalteten Entree begrüßt. Mit Blick auf das Barockschloss und den mittelalterlichen Comturey-Turm fällt der eingeschossige Restaurantneubau ins Auge, auf dessen Dach Bäume und Sträucher sichtbar sind. Dort befindet sich ein neu gestalteter Gartenteil. Diesen Garten wird die Mehrzahl der Mainau-Besucher bei ihrem Weg vom Hafen hinauf zum Schloss entdecken (Abb. 7.61). Der Entwurf für den Neubau von den Büros Hein, Bregenz und Steinmann, Winterthur, ging als Sieger aus einem Architektenwettbewerb hervor.

Begrünung im Detail

Auf das bewusst gefällelos geplante Dach wurde der Systemaufbau Dachgarten aufgebracht (Abb. 7.62 bis Abb. 7.65). Außergewöhnlich war, dass die Dachbegrünung nicht zu schwer und auch nicht zu leicht werden durfte, da das Gewicht des Gebäudes inklusive Begrünung dafür zu sorgen hat, dass das Gebäude dem Hangdruck standhält.

Abb. 7.61: Der Dachgarten des Comturey-Neubaus bietet nach der Fertigstellung den Besuchern einen guten Blick auf den Bodensee und eine Pflanzenvielfalt, die nicht vermuten lässt, dass es sich um einen Dachgarten handelt (Quelle: ZinCo GmbH, Nürtingen).

Objektdaten		
Bauherr*in/Betreiber*in	Mainau GmbH, Insel Mainau	
Planung	Hein Architekten, Bregenz; Steinmann Landschaftsarchitektur, Winterthur	
Grünplanung	Planungsabteilung der Mainau	
Ausführung LaBau	Schellhammer & Söhne GmbH, Mühlhausen-Ehingen	
Baujahr	2014 (Fertigstellung)	
Art der Begrünung	Dachbegrünung intensiv	1.500 m^2
	Fläche insgesamt	ca. 1.500 m^2

Systeme und Lieferanten	
Dachbegrünung	Systemaufbau Dachgarten mit Floradrain® FD 60

Wirkungsweisen und Effekte	
Hitzeschutz	
Regenwassermanagement	
Ressourcenschonung	
Biodiversität	

Kosten/Aufwände	
Errichtung	€€
technische Wartung (z. B. Prüfung, Reinigung, Fernwartung, Filtertausch von Bewässerungsanlagen etc.)	€
Pflegekosten Dachbegrünung	€

Vegetationstechnik	
Dauerhaftigkeit	mehr als 45 Jahre
jährliche Begrünungsdauer	saisonal
Wasserbedarf	gering
	Bewässerungsart: Grundwasser/Zisterne
Düngemittelbedarf	mittel
Pflanzenschutz	gering

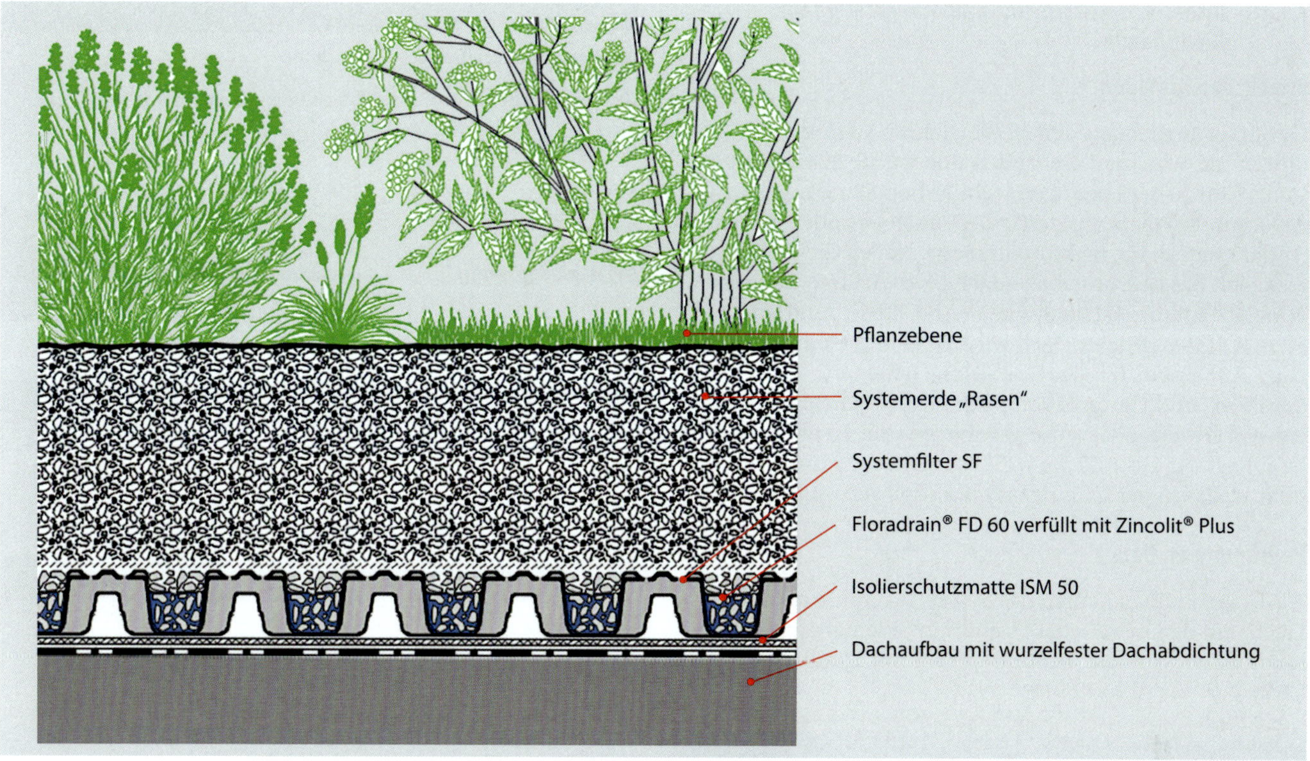

Abb. 7.62: Systemaufbau mit Isolierschutzmatte, Dränelementen, System-Filtervlies, Intensivdachsubstrat sowie einer Staudenpflanzung (Quelle: ZinCo GmbH, Nürtingen)

Abb. 7.63: Das Drän- und Wasserspeicherelement Floradrain® FD 60 stellt sicher, dass die Entwässerung des Daches über die beiden Schmalseiten funktioniert (Quelle: ZinCo GmbH, Nürtingen).

Abb. 7.64: Um die Lichthöfe und an den Absturzkanten wurden vom Schlosser gefertigte Geländer an den passenden Geländerbasen befestigt (Quelle: ZinCo GmbH, Nürtingen).

Abb. 7.65: Der fertiggestellte Dachgarten rund 3 Monate nach der Eröffnung (Quelle: ZinCo GmbH, Nürtingen)

7.1.18 Intensiv: Dachfarm im Zuidpark, Amsterdam, Niederlande

Projektbeschreibung

Der ursprünglich aus den 1970er-Jahren stammende „Zuidpark“ besteht aus 2 Gebäuden und wurde 2012 komplett saniert sowie dem heutigen technischen Stand angepasst. Auf dem Parkplatz vor den 2 Gebäuden befindet sich eine Aufladestation für Elektrofahrzeuge. Neben diesen Aspekten spielt das begrünte Flachdach eine wichtige Rolle im Hinblick auf die Nachhaltigkeit (Abb. 7.66). Auf dem ca. 30 m × 100 m großen Dach wird Obst und Gemüse angebaut. Auf einem Teil der Dachfläche haben die Mitarbeiter des Büro- und Gewerbekomplexes die Möglichkeit, ihr eigenes Obst und Gemüse anzubauen und zu pflegen. Auf dem Rest der Dachfläche wird ebenfalls Gemüse angepflanzt, das in der hauseigenen Kantine verwendet wird.

Begrünung im Detail

Als Systemaufbau kamen das System „Gemüse auf dem Dach“ auf den bewährten Floradrain®-Elementen zum Einsatz und der Aufbau „Sedumteppich“ mit Fixodrain® XD 20 (Abb. 7.67 bis Abb. 7.69).

Abb. 7.66: Die Dachfarm im Zuidpark im Überblick (Quelle: ZinCo GmbH, Nürtingen). Sie kann sowohl für die Mittagspause als auch für Firmenfeste genutzt werden.

Objektdaten		
Bauherr*in/Betreiber*in	Zuidpark	
Grünplanung	Biet & Boon, Amsterdam	
Ausführung LaBau	Van der Tol b. v., Amsterdam	
Baujahr	Eröffnung: Juni 2012	
Bauweise	Beton-Dachkonstruktion	
Art der Begrünung	Dachbegrünung intensiv	3.000 m²
	Fläche insgesamt	ca. 3.000 m²

Systeme und Lieferanten	
Dachbegrünung	„Gemüse auf dem Dach" mit Floradrain® FD 40 und „Sedumteppich" mit Fixodrain® XD 20

Wirkungsweisen und Effekte	
Hitzeschutz	
Regenwassermanagement	
Ressourcenschonung	
Biodiversität	

Kosten/Aufwände	
Errichtung	€€
technische Wartung (z. B. Prüfung, Reinigung, Fernwartung, Filtertausch von Bewässerungsanlagen etc.)	€€
Pflegekosten Dachbegrünung	€€

Vegetationstechnik	
Dauerhaftigkeit	mehr als 45Jahre
jährliche Begrünungsdauer	saisonal/Intensivgarten
Wasserbedarf	mittel

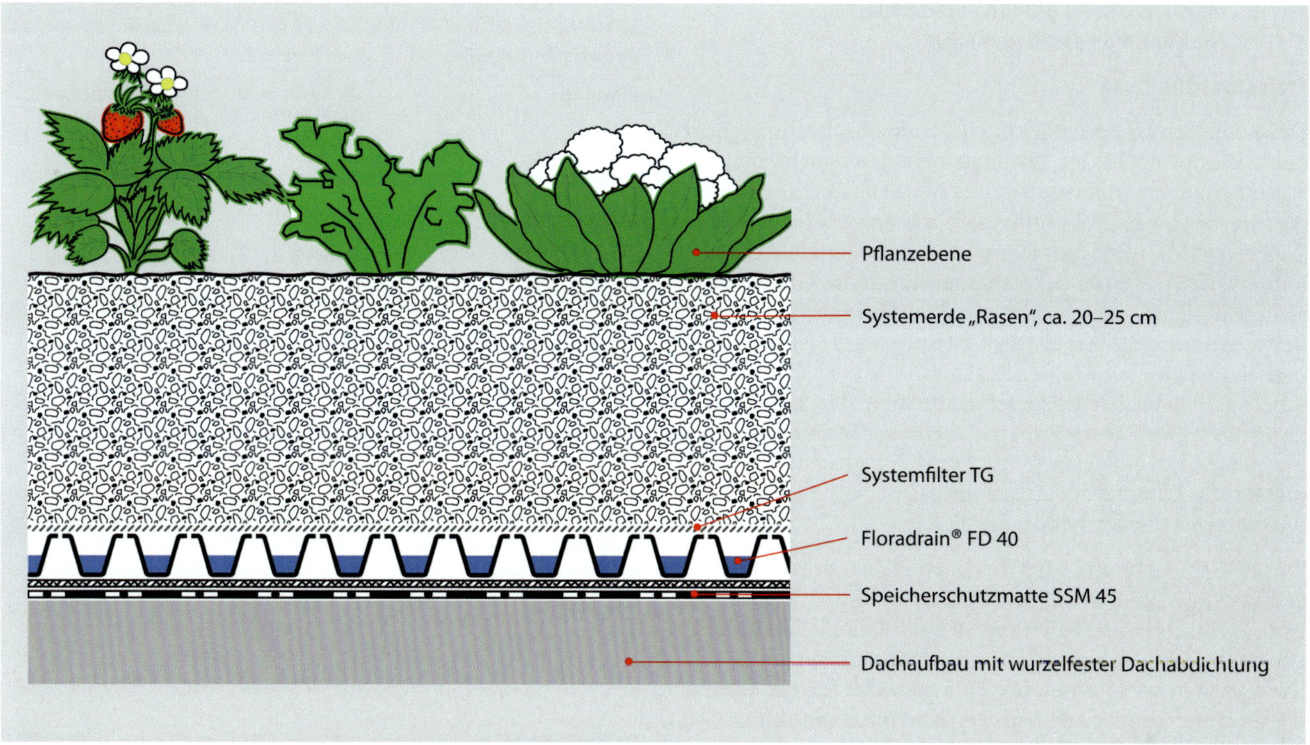

Abb. 7.67: Systemaufbau bei einem Projekt des urbanen Dachgärtnerns: Zusätzlich zum Dachaufbau mit wurzelfester Abdichtung ist eine Speicherschutzmatte zu empfehlen. Des Weiteren wurden die Dränplatte Floradrain FD40, ein Filtervlies, in diesem Falle Systemfilter TG, und humose Systemerde Typ Rasen in einer Dicke von 20 bis 25 cm verwendet (Quelle: ZinCo GmbH, Nürtingen).

Abb. 7.68: Zwischen den Lichtbändern kam der Systemaufbau „Sedumteppich" mit Fixodrain® XD 20 zum Einsatz (Quelle: ZinCo GmbH, Nürtingen). Die Gemüsebeete sind zur besseren Bewirtschaftung als Hochbeete ausgeführt.

Abb. 7.69: In den Hochbeeten kam der Systemaufbau „Gemüse auf dem Dach" mit Floradrain® FD 40 zum Einsatz (Quelle: ZinCo GmbH, Nürtingen).

7.1.19 Intensiv: Dachbegrünung Freizeitgarten Axel-Springer-Neubau, Berlin

Projektbeschreibung

Der kubusförmige Axel-Springer-Neubau in Berlin ergänzt den Axel-Springer-Kiez, das Ensemble der verschiedenen Räumlichkeiten am Hauptsitz des Medien- und Technologieunternehmens. Er befindet sich im Herzen des früheren Zeitungsviertels und auf dem ehemaligen Verlauf der innerdeutschen Grenze, der sich quer durch das Gebäude zieht. Mit dem Neubau rückt die Axel-Springer-Familie in Berlin zusammen. Das ermöglicht eine engere Vernetzung und einen besseren Wissensaustausch für die ca. 5.000 Beschäftigten. Gleichzeitig bietet die genutzte Dachfläche einen attraktiven Raum für betriebliche Veranstaltungen und Empfänge. Die außergewöhnliche Architektur steht nicht nur für die Zukunft des Arbeitens, sie ist auch Symbol für die digitale Transformation des Verlags.

Durch die Begrünung wird die Dachfläche optimal als grüne Oase mitten in der Stadt genutzt (Abb. 7.70 und Abb. 7.71). Die Mitarbeiter haben so die Möglichkeit, ihre Pausen im Grünen zu verbringen. Dazu sind verschiedene Eventflächen vorgesehen. Die Herausforderung für den Garten- und Landschaftsbau-Betrieb Hildebrandt: Es mussten verschiedene Begrünungssysteme geplant und eingebaut werden. Dies erfolgte u. a. mit unterschiedlichen, den jeweiligen Bedingungen angepassten Dränageplatten, variierenden Substratarten und -höhen sowie vielfältiger Vegetation.

Das 55 m hohe Gebäude stellte die Verantwortlichen für die Dachbegrünung aber vor die größte Herausforderung: Als die Dachbegrünung aufgebracht werden konnte, waren die Baukrane bereits abgebaut und die schräg angelegte Glasfassade eingebaut. Also gab es keine Möglichkeit, das Material von außen nach oben zu befördern. Die erschwerten Förderwege führten durch das Gebäudeinnere und einen Versorgungsschacht auf dem Dach. So wurden beispielsweise die ca. 1.270 m^3 Substrat mithilfe eines ausgeklügelten Systems über Schläuche durch das Treppenhaus nach oben geblasen. Aber auch alle anderen Begrünungsmaterialien fanden ihren Weg durch das Gebäude.

Begrünung im Detail

Die Dachfläche fällt nach außen zur Befahranlage hin schräg ab. Die Schräge ist mithilfe der Systemlösung Schrägdach mit Schubsicherung und extensiver Begrünung ausgeführt. In der Mitte des Daches befinden sich die Systemlösungen Gartendach und Landschaftsdach, zum Teil mit Substrathöhen über 40 cm für intensive Dachbegrünungen, die auch die Bepflanzung mit Bäumen ermöglichen (Abb. 7.72 bis Abb. 7.75). Die dabei eingesetzten Drän- und Wasserspeicherelemente verfügen über einen hohen Wasserspeicher, vermeiden Staunässe durch den schnellen Abfluss von Überschusswasser und sorgen so für die Bewässerung der Vegetation. Die ebenfalls verlegten Dränelemente sorgen für eine hohe Dränleistung unter den begehbaren Verkehrswegen und -flächen.

Objektdaten		
Bauherr*in/Betreiber*in	Axel Springer SE, Berlin	
Planung	Office for Metropolitan Architecture OMA, Rotterdam, Architekt Rem Koolhaas	
Grünplanung	Wiggenhorn & Van den Hövel, Hamburg	
Ausführung LaBau	Klaus Hildebrandt GmbH, Hamburg	
Bauzeit	Sommer 2019 bis Frühjahr 2020	
Bauweise	Massivbau	
Art der Begrünung	intensive und extensive Dachbegrünung:	
	Schrägdach	ca. 850 m^2
	Garten- und Landschaftsdach	ca. 6.000 m^2

Systeme und Lieferanten	
Dachbegrünung	Optigrün international, Krauchenwies
Systemlösung	Kombination aus Optigrün-Landschaftsdach und Optigrün-Gartendach sowie Optigrün-Schrägdach Bewässerungsanlage mit Regenwasser

Wirkungsweisen und Effekte	
Hitzeschutz	
Regenwassermanagement	
Ressourcenschonung	
Biodiversität	
Klimaverbesserung	+++

Kosten/Aufwände	
Errichtung	€€
technische Wartung (z. B. Prüfung, Reinigung, Fernwartung, Filtertausch von Bewässerungsanlagen etc.)	€€
Pflegekosten Dachbegrünung	€€

Vegetationstechnik	
Dauerhaftigkeit	mehr als 50 Jahre

Abb. 7.70: Gesamtansicht des Axel-Springer-Neubaus, Berlin (Quelle: Optigrün international AG, Krauchenwies)

Abb. 7.71: Axel-Springer-Neubau, Berlin – anderer Blickwinkel (Quelle: Optigrün international AG, Krauchenwies)

Abb. 7.72: Optigrün-Systemlösung Gartendach (Quelle: Optigrün international AG, Krauchenwies): Es besteht aus einer Schutzlage über der Dachhaut, einer Dränschicht sowie einer Substratschicht, die gemäß der gewählten Gehölze in der Höhe variiert.

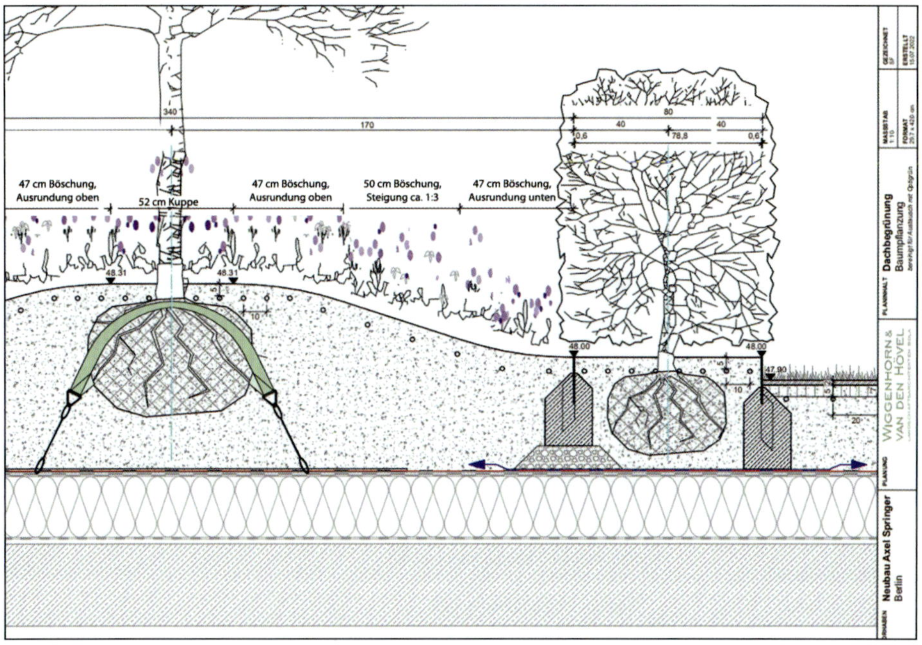

Abb. 7.73: Optigrün-Systemlösung Landschaftsdach (Quelle: Optigrün international AG, Krauchenwies): Neben Schutzlagen können im Einzelfall noch besondere Sicherungsmaßnahmen für die Gehölze integriert werden.

Abb. 7.74: Technischer Schnitt zur Verankerung der Gehölze und der Flächenmodellierung am Axel-Springer-Neubau; Entwurf zur Verankerung der Großbäume von Fortmann von Wiggenhorn & Van den Hövel Architekten, Hamburg (Quelle: Optigrün international AG, Krauchenwies)

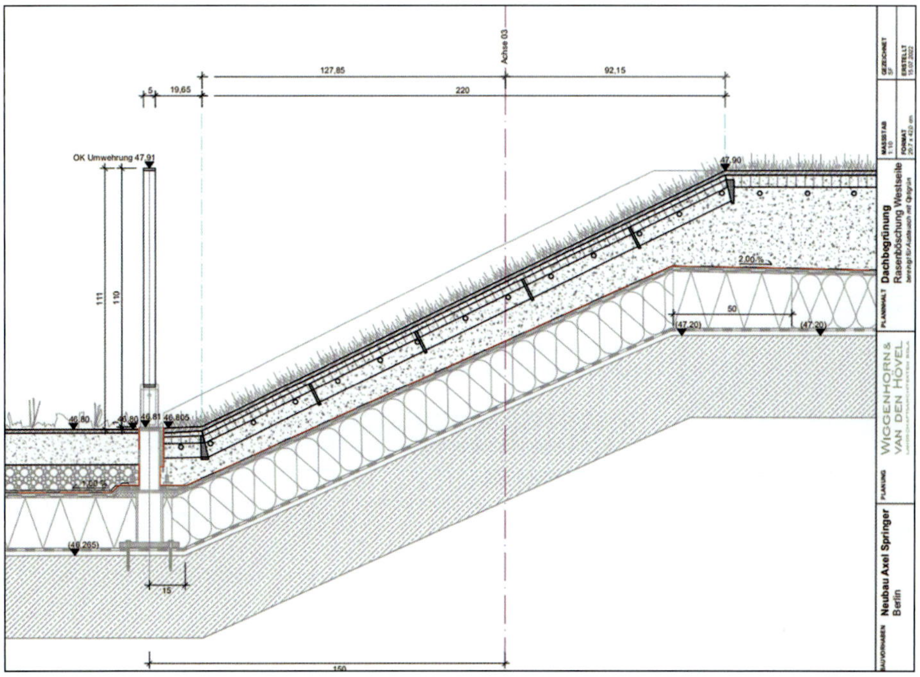

Abb. 7.75: Detail der Rasenböschung mit Rutschsicherung; Entwurf von Fortmann von Wiggenhorn & Van den Hövel Architekten, Hamburg (Quelle: Optigrün international AG, Krauchenwies)

7.1.20 Intensiv: Bauwerksbegrünung Kö-Bogen II, Düsseldorf

Projektbeschreibung

Mit Fertigstellung des Kö-Bogens II findet eine umfangreiche städtebauliche Neugestaltung im Zentrum von Düsseldorf ihren Abschluss. Wo 2013 noch eine vielbefahrene Hochstraße – in Insiderkreisen „Tausendfüßler“ genannt – und der graue Betondeckel der Tiefgarage am Gustaf-Gründgens-Platz die Innenstadt prägten, laden heute im Rahmen einer spektakulären Architektur Bauminseln, Sitzmöglichkeiten, eine geneigte Dach-Rasenfläche mit ca. 1.300 m^2 und Gastronomie gegenüber dem neu errichteten Büro- und Geschäftsgebäude zum Verweilen ein.

Die vegetationstechnische Herausforderung bei der Fassadenbegrünung bestand darin, Pflanzen an der Fassade den erforderlichen Lebensraum zu bieten. Dabei waren der Wasser- und der Wärmehaushalt der Laubfläche von besonderem Interesse. Unter dem Aspekt, eine nicht giftige Pflanzenart zu verwenden, entschieden sich die Planer für geschnittene Hainbuchen in Reinkultur. Die grüne Schrägfassade mit den Heckenelementen erstreckt sich über mehrere 1.000 m. Die Hecke ist so angelegt, dass sie regelmäßig geschnitten werden kann und der architektonische Gesamteindruck über lange Zeit bestehen bleibt.

Beim Dach des Hauptgebäudes stellten die Schräge des Daches mit bis zu 5 m Höhenunterschied und Windsog Herausforderungen dar. Eine Besonderheit sind die über die Fassade hinauslaufenden 52 Heckenelemente, sogenannte Finger (Abb. 7.76 und Abb. 7.77). Schaut man von der Schadowstraße an der Fassade des Kö-Bogens II nach oben, könnte man meinen, die Hainbuchen schwebten in der Luft.

Die Herausforderung für die Grünfläche des Schrägdachs Foodcourt (Abb. 7.78) bestand darin, dem Rasen den passenden Vegetationsraum zu geben, die hohe Belastung durch bis zu 1.000 Personen auf der Rasenfläche zu meistern und in der Dachneigung von ca. 12 ° ein berechnetes Schubsicherungssystem zu entwickeln.

Abb. 7.76: Das dichte Blattwerk der Hainbuchen sorgt ganzjährig für ein angenehmes Klima mitten in der Stadt (Quelle: Optigrün international AG, Krauchenwies).

Objektdaten		
Bauherr*in/Betreiber*in	CENTRUM Düsseldorf und B&L Gruppe Hamburg	
Planung	ingenhoven architects, Christoph Ingenhoven, Düsseldorf	
Grünplanung	wissenschaftliche Beratung: Prof. Dr. Karl-Heinz Strauch, Berlin	
	Dr. Albert Reif, Freiburg	
	Optigrün, Krauchenwies	
	ArGe Carpinus Kö-Bogen II (Leonhards, Wuppertal, und Benning, Havixbeck)	
Ausführung Dach- und Fassadenbegrünung	ArGe Carpinus Kö-Bogen II (Leonhards, Wuppertal, und Benning, Havixbeck)	
Baujahr	2017 bis 2020	
Bauweise	Massivbau	
Art der Begrünung	Dachbegrünung Schrägdach (Rasen) (Foodcourt)	1.300 m^2
	Dachbegrünung intensiv, in Pflanzgefäßen bzw. Randelementen (Hauptdach)	2.500 m^2
	Fassadenbegrünung troggebunden (Schrägfassade) in Pflanzgefäßen	2.375 m^2

Systeme und Lieferanten	
Dachbegrünung	Optigrün international, Krauchenwies
Fassadenbegrünung außen	Optigrün international, Krauchenwies
Lieferung und Aufzucht Hainbuchen	Bruns, Bad Zwischenahn

Wirkungsweisen und Effekte	
Hitzeschutz	
Regenwassermanagement	
Ressourcenschonung	
Biodiversität	
Klimaverbesserung	+++

Kosten/Aufwände	
Errichtung	€ €
technische Wartung (z. B. Prüfung, Reinigung, Fernwartung, Filtertausch von Bewässerungsanlagen etc.)	€
Pflegekosten Dachbegrünung	€ €
Pflegekosten Fassadenbegrünung	€ €

Vegetationstechnik	
Dauerhaftigkeit	mehr als 50 Jahre
jährliche Begrünungsdauer	ganzjähriges Blattwerk
Wasserbedarf	zwischen 1 und 10 l/(m Kübel · Tag)
Düngemittelbedarf	gering
Pflanzenschutz	nach Bedarf (sehr gering)

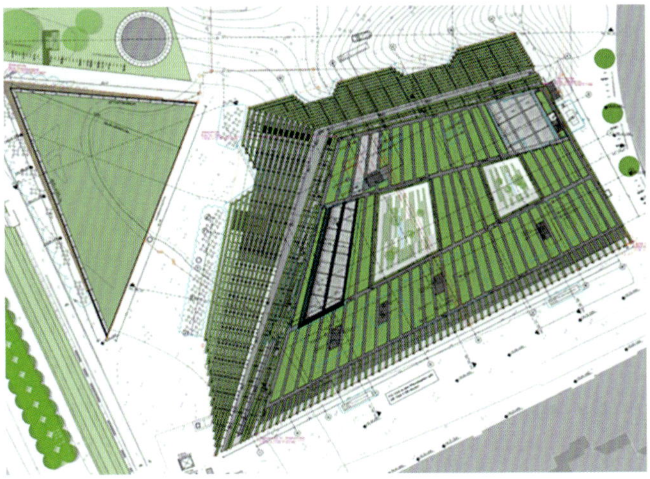

Abb. 7.77: Situationsplan zum Projekt (Quelle: ingenhoven architects und ArGe Carpinus, Düsseldorf). Deutlich wird darin, dass es sich um eine Auflösung von Dach- und Fassadenbegrünung handelt. Die Biomasseoptimierung für dieses Grundstück ist mit den Heckenelementen gelungen.

Abb. 7.78: Schrägdach auf dem Foodcourt (Quelle: Optigrün international AG, Krauchenwies; ingenhoven architects, Düsseldorf)

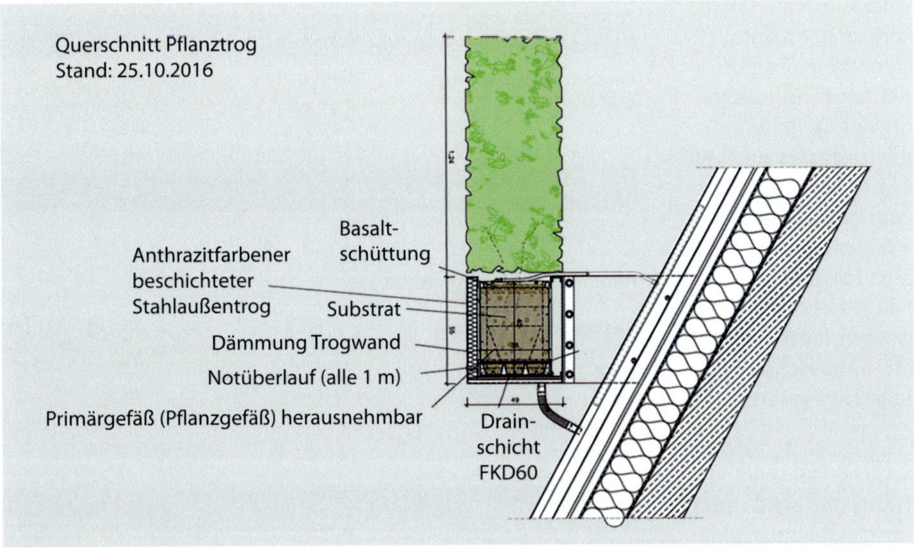

Abb. 7.79: Exemplarischer Schnitt zu einem Hainbuchen-Pflanzkübel und der Verankerung in der Fassade (Quelle: ingenhoven architects und ArGe Carpinus, Düsseldorf)

Abb. 7.80: Optigrün-Schubsicherungssystem mit Beregnungsschläuchen für das Schrägdach auf dem Foodcourt (Quelle: Optigrün international AG, Krauchenwies)

Begrünung im Detail

Die Hainbuchenhecke der Fassadenbegrünung ist in Pflanzgefäßen mit speziellem, auf die Pflanzen abgestimmtem Substrat und wasserspeichernden sowie wasserabführenden Funktionsschichten eingepflanzt (Abb. 7.79). Die Hainbuchen wurden 3 Jahre in den Pflanzgefäßen vorgezogen und konditioniert. In dieser Zeit konnte eine entsprechende Verwurzelung erzielt werden, die die Grundlage für eine windsogsichere Hecke an der Fassade sicherstellt.

Auf dem Dach des Hauptgebäudes wurden Hainbuchen in Hochbeeten mit Einfassungen aus Randelementen gepflanzt, um den notwendigen Wurzelraum zu gewährleisten. Aufgrund des Höhenunterschieds des Daches von bis zu 5 m erfolgte eine Einteilung in Entwässerungssegmente mit bauseitigen Schwellen. Innerhalb dieser Segmente wurde eine Systemlösung Gartendach mit Drän- und Wasserspeicherelementen auf einem Umkehrdach realisiert. Ein digitales Controlling sowie ein nachhaltiges Pflegemanagement durch die ArGe Carpinus Kö-Bogen II tragen künftig dafür Sorge, dass die Hainbuchen für ein lebenswertes Klima in Düsseldorf sorgen.

Die erforderliche Schubsicherung auf dem bauseitigen Schräg-Umkehrdach Foodcourt erfolgte mit einer Schrägdachplatte inklusive einer automatischen Bewässerung des Rasens, realisiert mit Tröpfchenbewässerung durch Unterflur-Tropfschläuche, und einer Schubsicherung mit Schubträgern und Schubschwellen (Abb. 7.80). Das Substrat wurde in mehreren Gängen eingeschlämmt und abgewalzt, um eine hohe Verdichtung zu erzielen. Auf einem zusätzlich verlegten Geogitter wurde eine extrastarke Fertigrasensode aufgebracht, die aufgrund ihrer starken Verwurzelung eine hohe Zugfestigkeit sicherstellt. Die Ausführung wurde von den Spezialisten der ArGe Carpinus umgesetzt.

7.2 Fassadenbegrünung

7.2.1 Bodengebunden: Q4 Q7 NeckarPark, Stuttgart

Projektbeschreibung

Das einstige Güterbahnhofsgelände NeckarPark liegt gegenüber dem Cannstatter Wasen. Die Neubauten Q4 Q7 als Bürogebäude mit einer qualitativ hochwertigen Natursteinfassade, moderne Büroflächen mit Mix aus Einzel-, Teambüros und Open-Space-Büroflächen, dienen u. a. auch als Lärmschutzbebauung für dahinterliegende Wohnbebauung. Die Gebäude Q4 und Q7 der Volksbank Stuttgart sind mit DGNB „Platin" ausgezeichnet. Innerhalb eines ausgefeilten Dach-, Fassadenbegrünungs- und Bewässerungskonzepts wurde hier eine ca. 1.400 m² mächtige trog- und bodengebundene Begrünung realisiert (Abb. 7.81).

Das Mindestmaß der Pflanztröge bei den troggebundenen Ausführungen beträgt hier 60 cm × 60 cm je Laufmeter. Bodengebunden wurde pro Pflanze 1 m³ Erdreich nach den FLL-Empfehlungen für Baumpflanzungen – Teil 2: Standortvorbereitung für Neupflanzungen, Pflanzgruben und Wurzelraumerweiterung, Bauweisen und Substrate (2010) vorgesehen. Die verankerten Halter wurden horizontal durch die Plattenfugen der hochwertigen vorgehängten hinterlüfteten Fassade aus Natursteinplatten hindurchgeführt (Abb. 7.82 und Abb. 7.83). Als angelehnt stehende Konstruktionsweise erfolgt eine Lastableitung der Rankgitter- und Pflanzengewichte in den Boden (Abb. 7.84). Ein ausgeklügeltes Zisternenkreislaufsystem mit Regenwasseranbindung versorgt die Pflanzen mit Wasser. Sämtliches Regenwasser wird auf dem Gebäude über die Dachflächen gesammelt und in eine Zisterne unter dem Gebäude in der Tiefgarage geleitet. Selbst das Abtropfwasser läuft zurück in die Zisterne, da die Tröge nicht gesondert angeschlossen sind, sondern schlicht auf die Dachfläche entwässern.

Begrünung im Detail

Die Pflanzgefäße bestehen aus Aluminium und sind innenseitig als Hitze-/Kälteschutz mit Styrodurplatten ausgekleidet. Die Seitenwände und der Boden sind wasserdicht verschweißt, die Nähte geschliffen. Die Wandstärke beträgt 3 bis 5 mm und die Oberfläche wurde in RAL-Farbe nach Wunsch farbig beschichtet. Ein eingeschweißtes Überlaufrohr befindet sich auf der Rückseite in der Seitenwand.

Die Rank- und Kletterpflanzen wurden nach Wuchshöhe und Exposition ausgewählt.

Verwendete Pflanzenarten

Insgesamt wurden gut 330 Pflanzen eingesetzt – Schlinger, keine Starkschlinger, und Ranker für niedrigere Wuchshöhen, ebenso Spreizklimmer: *Aristolochia macrophylla, Vitis coignetiae, Clematis montana, Lonicera Henryi, Schisandra chinensis, Rosa* Hybr. ‚Lykkefund', *Aristolochia tomentosa, Euonymus fortunei Coloratus, Akebia quinata.*

Objektdaten		
Bauherr*in/Betreiber*in	DIBAG Industriebau AG, München; GU Baresel GmbH, Leinfelden-Echterdingen	
Planung	PLAN 7 Architekten, Stuttgart; Grohmann + Schönhut Landschaftsarchitekten (AKNW), Velbert	
Grünplanung Fassaden	Vertiko GmbH	
Ausführung LaBau	Garten-Moser GmbH u. Co. KG	
Baujahr	2019	
Bauweise	Vertiko Rank- und Kletterhilfen in angelehnt-stehender Konstruktion	
Art der Begrünung	Dachbegrünung intensiv und extensiv (werden hier nicht vorgestellt)	ca. 1.500 m²
	Fassadenbegrünung bodengebunden	ca. 700 m²
	Fassadenbegrünung troggebunden	ca. 700 m²

Systeme und Lieferanten	
Fassadenbegrünung außen	Vertiko Rank- und Kletterhilfen in angelehnt stehender Konstruktion

Wirkungsweisen und Effekte	
Hitzeschutz	
Regenwassermanagement	
Ressourcenschonung	
Biodiversität	
CO_2-Bindung	++

Kosten/Aufwände	
Errichtung	€€
technische Wartung (z. B. Prüfung, Reinigung, Fernwartung, Filtertausch von Bewässerungsanlagen etc.)	€
Pflegekosten Fassadenbegrünung	€€

Vegetationstechnik	
Dauerhaftigkeit	30 bis 40 Jahre
jährliche Begrünungsdauer	immergrün und saisonal
Wasserbedarf	gering Bewässerungsart: Der Wasserbedarf wird über ein ausgeklügeltes Regenwasser-Zisternenkreislaufsystem gedeckt.
Düngemittelbedarf	gering
Pflanzenschutz	gering

Abb. 7.81: Gesamtansicht eines Innenhofs des Q4 Q7 NeckarParks mit der Kübelbegrünung. Der Hof ist als Intensivgründach ausgelegt (Quelle: Garten-Moser GmbH u. Co. KG – by Norbert Rösch).

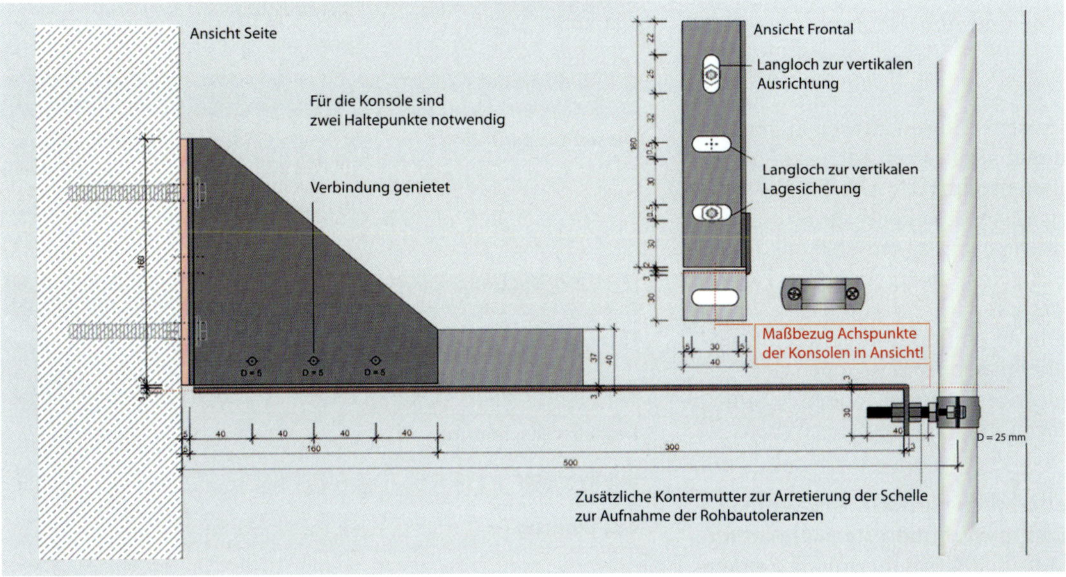

Abb. 7.82: Schnitt der Wandhalter und Konsolen (Quelle: Vertiko GmbH, Freiburg). Davon sind im Projekt ca. 675 verbaut worden. Detailskizzen zur Befestigung.

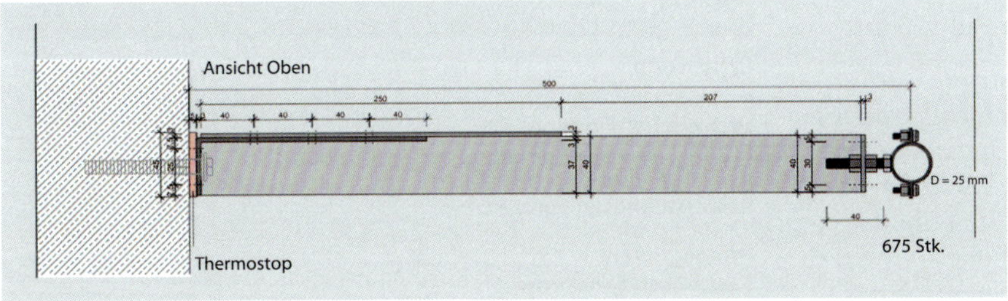

Abb. 7.83: Draufsicht der Wandhalter und Konsolen (Quelle: Vertiko GmbH, Freiburg)

Abb. 7.84: GFK-Kletterhilfen, frisch aufgestellt (Quelle: Vertiko GmbH, Freiburg). Ziel ist es, dass die gewählten Pflanzen die Wand innerhalb der nächsten Jahre flächig bedecken.

7.2.2 Bodengebunden: Wohnhäuser Zelterstraße, Berlin

Projektbeschreibung

72 Interessenten hatten sich zu einer der größten Baugruppen Berlins zusammengefunden; es gab keinen Bauträger, der das Risiko getragen und daran verdient hat. Dadurch lagen die Quadratmeterpreise weit unter dem Marktniveau. Die hohe Wirtschaftlichkeit des Projekts, insbesondere niedrige Baukosten und niedrige Gesamtkosten, bewirkten, dass Haushalte aus dem Kiez Eigentum bilden konnten und die soziale Einbindung des Vorhabens in das Quartier gelungen ist. Den Innenhof der Zelterstraße 5 bis 11 in Berlin wertet eine bodengebundene Fassadenbegrünung mit Gerüstkletterpflanzen an Polygrün-Klettergerüsten aus Glasfaser-Verbundwerkstoff gestalterisch und mikroklimatisch zweckmäßig auf (Abb. 7.85 und Abb. 7.86).

Begrünung im Detail

Die montagefertigen Gerüststrukturen aus schlanken, elastischen GFK-Stäben und -Rohren wurden exklusiv von Polygrün-Kletterhilfen produziert (Abb. 7.87). Insgesamt wurden 32 Klettergerüste, bestehend aus 35 einzelnen Elementen mit einer Feldweite von 25 cm × 30 cm, individuell gefertigt und wunschgemäß in einem hellen Farbton lackiert. Die – u. a. aus gestalterischen Gründen vereinheitlichte – Feldweite stellt einen funktionierenden Kompromiss für die unterschiedlichen Abmessungen der Klettergerüste und ihre Verwendung für rankende und schlingende Kletterpflanzen mit angemessener Wuchshöhe dar.

Die Befestigung der Kletterhilfen vor wärmegedämmten Betonwänden (Wärmedämm-Verbundsystem, Gesamtdicke ca. 17 cm) erfolgte mit zuverlässig thermisch trennenden ThoBraTherm-Fassadenankern und sehr schlanken, unauffälligen Klemmhaltern, die in diesem Fall 150 mm Wandabstand der Klettergerüste herstellen.

Entsprechend den Klettergerüsten und den Lichtverhältnissen an den beiden unterschiedlich hohen Längsseiten des Innenhofs wurden 32 Pflanzen ausgewählt. Diesen steht aufgrund der Unterkellerung des gesamten Innenhofs (Tiefgarage) nur eine beschränkte Substrathöhe als Wurzelraum zur Verfügung. Das Bepflanzungskonzept sah u. a. *Aristolochia macrophylla*, *Akebia quinquefolia* sowie Arten und Sorten von *Clematis*, *Vitis* und eventuell *Rosa* vor. Die gepflanzten *Vitis*-Arten bildeten unter den gegebenen Standortbedingungen auf beiden Hofseiten die dichtesten und gleichförmigsten Grünvolumen (Abb. 7.88).

An einigen Stellen entwickelte sich unplanmäßiger Fassadenbewuchs mit Efeu, der offenbar bauherrnseits bisher toleriert wird.

Die Bewässerung der Pflanzstellen erfolgt über eine automatisierte Beregnungsanlage, die den gesamten Innenhof erfasst.

Objektdaten		
Bauherr*in/Betreiber*in	Bauherrengemeinschaft Zelterstraße 5, Berlin	
Planung	zanderrotharchitekten gmbh, Berlin	
Grünplanung	zanderrotharchitekten gmbh, Berlin; PolygrünKletterhilfen, Mechernich	
Ausführung LaBau	nicht bekannt; Montagearbeiten Polygrün	
Baujahr	2011	
Bauweise	Polygrün Rank- und Klettergerüste an Einzelhaltern	
Art der Begrünung	Fassadenbegrünung bodengebunden (im Dachsubstrat)	ca. 275 m²

Systeme und Lieferanten	
Fassadenbegrünung	bodengebundene Fassadenbegrünung mit Polygrün Rank- und Klettergerüsten an Einzelhaltern vor Wärmedämm-Verbundsystem

Wirkungsweisen und Effekte	
Hitzeschutz	
Regenwassermanagement	
Ressourcenschonung	
Biodiversität	
CO_2-Bindung	++

Kosten/Aufwände	
Errichtung	€€
technische Wartung (z. B. Prüfung, Reinigung, Fernwartung, Filtertausch von Bewässerungsanlagen etc.)	€
Pflegekosten Fassadenbegrünung	€€
Filmbeitrag Dt. Landschaftsarchitekturpreis	https://www.youtube.com/watch?v=T232-snH8Ok

Vegetationstechnik	
Dauerhaftigkeit	mehr als 40 Jahre
jährliche Begrünungsdauer	wintergrün
Wasserbedarf	mittel
Düngemittelbedarf	gering
Pflanzenschutz	gering
Pflanzenschnitt	Im Innenhof des Bauvorhabens ist kein Fahrzeugeinsatz (Arbeitsbühne) möglich. Dem daraus resultierenden Mehraufwand bei den periodisch erforderlichen Rückschnitten wurde durch Höhenbeschränkung der Begrünungen Rechnung getragen.

Abb. 7.85: Polygrün-Kletterhilfen und Bepflanzung in der Zelterstraße im Jahr 2017 (Quelle: Polygrün / T. Brandwein, Mechernich)

Abb. 7.86: Polygrün-Kletterhilfen und Bepflanzung in der Zelterstraße im Jahr 2011 (Quelle: Polygrün / T. Brandwein, Mechernich)

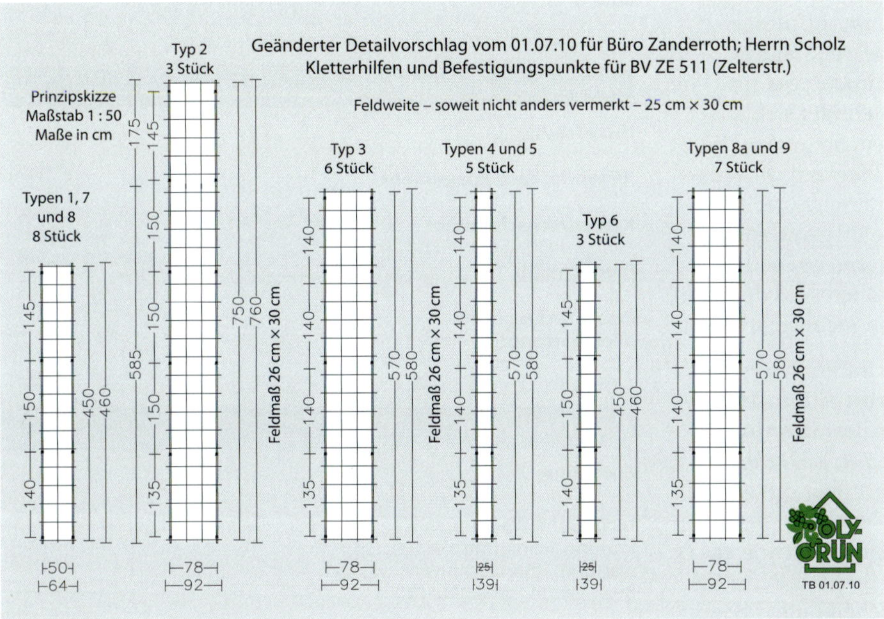

Abb. 7.87: Konstruktionsskizze der Polygrün-Kletterhilfen (Quelle: Polygrün / T. Brandwein, Mechernich)

Abb. 7.88: Fotodetail: *Vitis riparia* und *Clematis* im Jahr 2014 (Quelle: Polygrün / T. Brandwein, Mechernich)

7.2.3 Bodengebunden: Hauptsitz Kostner Unternehmensgruppe, Vahrn, Südtirol

Projektbeschreibung

Bei dem Gebäude handelt es sich um den neuen Verwaltungssitz auf dem Gelände der Kostner Unternehmensgrupp bei Vahrn in Südtirol. Das Gebäude in Massivholzbauweise wurde von den renommierten und nach den Cradle-to-Cradle-Prinzipien arbeitenden Architekten von Partner und Partner aus Berlin entworfen und bis zur Fertigstellung begleitet. Die Fassade ist etagenweise an 3 der 4 Gebäudeseiten komplett mit verschiedenen Rank- und Kletterpflanzen begrünt (Abb. 7.89 und Abb. 7.90).

Begrünung im Detail

Die Begrünung erfolgte unter Verwendung von größenoptimierten Gefäßen aus pulverbeschichtetem Edelstahl mit integriertem Pflanzsystem. Darin werden beliebige Erdpflanzen unter Verwendung eines speziellen Substrats in einen Spezialkulturtopf mit vielen Belüftungsöffnungen umgetopft. Die bepflanzten Kulturtöpfe werden in das Gefäß eingesetzt und hängen einige Zentimeter tief im Wasserreservoir. Oberhalb des Wassers befindet sich ausschließlich Luft mit hoher Luftfeuchtigkeit. Staunässe, Wurzelverdichtung und ein Verwachsen der Pflanzen im Wurzelbereich sind ausgeschlossen. Der Austausch einzelner Pflanzen ist punktuell und jederzeit ohne Pflanzarbeiten möglich. Die erforderlichen Pflanzsubstratmengen, die Gewichtsanforderungen sowie die Aufbauhöhen sind deutlich reduziert. Das Pflanzsystem ist von außen nicht sichtbar.

Durch das substratfreie Wasserreservoir im Pflanzsystem ergibt sich eine wartungs- und technikarme automatische Versorgung der Pflanzen: Die druckfreie Bewässerung erfolgt mittels eines Zulaufs je Etage (Abb. 7.91). Die Weitergabe an die folgenden Gefäße funktioniert über ein wartungsfreies Überlaufprinzip. Das letzte Gefäße je Etage ist an die vorhandenen Fallrohre der Dachentwässerung angeschlossen. Der Wasserstand wird je Etage an 2 Referenzgefäßen automatisch erfasst und entsprechend nach Bedarf nachgespeist. Der Aufbau des Pflanzsystems ermöglicht leicht zu handhabende Gefäßmaße von 300 mm × 300 mm für die Wuchshöhe von einem Geschoss je Gefäß. Das Gewicht der Gefäße beträgt voll bepflanzt, mit Zierkies abgedeckt und komplett mit Wasser befüllt ca. 100 kg/lfm im Vergleich zu herkömmlichen substratbasierten Lösungen mit ca. 300 kg/lfm und mehr. Die einzelnen Gefäße sind mit Laufleisten für die Rankseile und Windsicherungsklemmen für die Kulturtöpfe ausgestattet. Die Fassadenbegrünung wird von Konsolen getragen, die zuvor in der Fassade befestigt wurden.

Pflanzenauswahl, Installation sowie Instandhaltung erfolgten unter Aufsicht von Paul Luther des Meraner GaLaBau-Betriebs Grünkultur Luther.

Die automatische Bewässerung und Nährstoffversorgung wurden von der Firma Knecht GmbH aus Baden-Württemberg geplant und installiert.

Verwendete Pflanzenarten

Akebia quinata, Lonicera henryi, Humulus lupus, Clematis armandii, Clematis alpina.

Objektdaten		
Bauherr*in/Betreiber*in	Ekos GmbH	
Planung	Partner und Partner Architekten (Berlin)	
Grünplanung	Vertiko GmbH	
Ausführung LaBau	Grünkultur Luther, Meran	
Baujahr	2021	
Bauweise	Gebäude: Massivholzbauweise Begrünung: umlaufende Lineargefäße an Fassadenkonsolen	
Art der Begrünung	Fassadenbegrünung boden- und troggebunden	ca. 500 m² (ca. 200 lfm)

Systeme und Lieferanten	
Fassadenbegrünung außen	Hydro Profi Line® Gefäße aus Edelstahl; Hersteller: GKR Hydro GmbH

Wirkungsweisen und Effekte	
Hitzeschutz	
Regenwassermanagement	
Ressourcenschonung	
Biodiversität	
Ersatz technischer Verschattung	+++

Kosten/Aufwände	
Errichtung	€€
technische Wartung (z. B. Prüfung, Reinigung, Fernwartung, Filtertausch von Bewässerungsanlagen etc.)	€
Pflegekosten Fassadenbegrünung	€

Vegetationstechnik	
Dauerhaftigkeit	Pflanzsystem/Gefäße: mehr als 50 Jahre Pflanzen: ca. 10 bis 30 Jahre
jährliche Begrünungsdauer	saisonal, immergrün
Wasserbedarf	gering Bewässerungsart: automatisch (Frischwasser inkl. Nährstoffzugabe; durch das Pflanzsystem um 50 bis 80 % reduzierter Wasserverbrauch)
Düngemittelbedarf	gering
Pflanzenschutz	gering bzw. in Folgejahren zu beobachten

Abb. 7.89: Visualisierung des Architektenteams zur Zielvorstellung des Gebäudes mit umlaufender etagenweiser Fassadenbegrünung (Quelle: GKR Hydro GmbH, München)

Abb. 7.90: Habitusbild der Fassade: Der Wechsel von Fenster- und Holzflächen über 3 Etagen ist zu erkennen (Quelle: GKR Hydro GmbH, München).

Abb. 7.91: Nahansicht der bepflanzten Gefäße mit sichtbarer Anbindung der Gefäße an die vorhandene Dachentwässerung (Quelle: GKR Hydro GmbH, München)

7.2.4 Bodengebunden: DESY HALLE 36, Hamburg

Projektbeschreibung

Das Deutsche Elektronen-Synchrotron (DESY) und die Umweltbehörde der Stadt Hamburg realisieren auf dem Forschungscampus in Hamburg-Bahrenfeld eines der größten Projekte der Hansestadt zur Gebäudebegrünung. Dabei werden rund 4.600 m² Fassaden- und Dachfläche von DESYs Halle 36 mit rund 25.000 Gräsern, Stauden und Klettergehölzen bepflanzt. Durch Klimamittel wird das Projekt mit insgesamt 410.000 € gefördert, DESY steuert einen ähnlichen Beitrag bei.

Ziele sind die Kühlung der Innenräume und die Vermeidung von Temperaturschwankungen für die sensiblen Maschinen sowie ein spürbarer Kühlungseffekt auf dem Außengelände (Abb. 7.92 und Abb. 7.93).

Es handelt sich um ein Vorzeigeprojekt mit Pilotcharakter aufgrund des besonderen Erscheinungsbilds.

Ziel des Campus-Gesamtkonzepts „Green DESY" ist u. a., vorhandene Bausubstanz zu nutzen und Niederschlagswasser auf dem Gelände der DESY zu sammeln, zurückzuhalten und über ein Rohrsystem der dezentralen Nutzung verfügbar zu machen. Darüber hinaus soll bei den Innenräumen Energie durch den Kühleffekt von Begrünung im Sommer eingespart werden. Der Bau ist in das Forschungsprojekt „Energieeffiziente Gebäudekühlung" der TU Berlin eingebunden.

Begrünung im Detail

Mit einer vorgestellten Konstruktion aus Stahlstützen und -trägern erhalten die Hallen eine zweite Haut (Abb. 7.94). Die davor gesetzten Stabgittermatten bieten durch ihre sowohl vertikalen als auch horizontalen Verbindungen optimalen Halt für eine Vielzahl von Rank- und Kletterpflanzen (Abb. 7.95 und Abb. 7.96). Das bodengebundene System unterstützt die natürliche Wuchsrichtung der Pflanzen nach oben. Eine Gräser- und Staudenpflanzung bildet einen weichen Übergang und schützt gleichzeitig den empfindlichen Fuß der Rank- und Kletterpflanzen vor Sonne. Zur komfortablen Pflege wurde ein Wartungsgang installiert. Über den großen Toreinfahrten wurde auf hängende, mit Substrat gefüllte Pflanzboxen zurückgegriffen, da an dieser Stelle keine Möglichkeit zur bodengebundenen Begrünung bestand.

Die Fassadenbegrünung (1.874 m²) wurde mit der vorgestellten Stahlkonstruktion (1.402 m²), mit Rankseilsystem (238 m²) und Direktbewuchs (194 m²) realisiert. Die Living Wall umfasst ca. 40 m².

Verwendete Pflanzenarten

Insgesamt wurden ca. 25.000 Pflanzen unter Berücksichtigung von 29 Arten an der Fassade mit Lebensräumen z. B. für Käfer und Bienen sowie wichtigen Nahrungshabitaten für Vögel eingesetzt (Abb. 7.97).

Dachbegrünung (2.560 m²):
- Nelken
- Natternkopf
- *Ysop*
- Gewöhnlicher Dost

Objektdaten		
Bauherr*in/Betreiber*in	Deutsches Elektronen-Synchrotron DESY	
Planung	Architekt unbekannt	
Grünplanung	L+ Holzapfel-Herziger & Benesch Part GmbB	
Ausführung LaBau	Klaus Hildebrandt GmbH; Bewässerungstechnik: Fa. Grahm; Pflegeauftrag: Fa. Wiese und Suhr	
Baujahr	1970er-Jahre / Begrünung 2021	
Bauweise	Gewerbe-/Forschungshalle	
Art der Begrünung	Dachbegrünung extensiv 6 cm	2.560 m²
	Fassadenbegrünung bodengebunden	1.834 m²
	Living Wall außen	ca. 40 m²

Systeme und Lieferanten	
Dachbegrünung	6 cm Substratdicke, Optigrün, mit Trenn-, Schutz- und Speichervlies, Extensivsubstrat, Kiesleiste, Kiesrandstreifen und Rasengitterplatten
Fassadenbegrünung außen	Entwurf L+: Stahlkonstruktion für Ranksystem (vorgestellt)
	Wartungspfad als Gitterrost
	Ranksystem (eingespannt)
	Doppelstabmattenfelder 8/6/8 mm
	Rundrohr als Rankhilfe
	Rankseilsystem in schwerer Ausführung, Maschenweite 200 mm × 100 mm mit Bewässerungstechnik

Wirkungsweisen und Effekte	
Hitzeschutz	
Regenwassermanagement	
Ressourcenschonung	
Biodiversität	

Kosten/Aufwände	
Errichtung	€€
technische Wartung (z. B. Prüfung, Reinigung, Fernwartung, Filtertausch von Bewässerungsanlagen etc.)	€
Pflegekosten Dachbegrünung	€
Pflegekosten Fassadenbegrünung	€

Vegetationstechnik	
Dauerhaftigkeit	40 Jahre
jährliche Begrünungsdauer	saisonal
Wasserbedarf	Es liegen noch keine Erfahrungen vor.
	Bewässerungsart: Regenwasserrückhalt und Bewässerung mit Regenwasser durch Sammlung auf dem eigenen Grundstück
	Energieeinsparung durch Kühleffekt der Innenräume im Sommer
Düngemittelbedarf	nach Bedarf
Pflanzenschutz	nach Bedarf
Sonstiges	Von L+ wurde für die dauerhafte Pflege und das Facility Management ein Pflege- und Entwicklungsplan erstellt. Eine Pflegefirma wurde damit beauftragt.

Abb. 7.92: Photoshop-Zielvorstellung: mit Grün Energie und Trinkwasser sparen im Gewerbebau (Quelle: BUKEA/Landschaftsarchitektur L+, Hamburg / luminousfields). Rund 4.600 m^2 Fassaden- und Dachfläche der bestehenden Halle 36 werden begrünt.

Abb. 7.93: Visualisierung der Zielvorstellung der Fassadenbegrünung (Quelle: BUKEA/Landschaftsarchitektur L+, Hamburg / luminousfields)

Abb. 7.94: „Vorher": Die Halle 36 des Deutschen Elektronen-Synchrotrons (DESY) erhält mit einer vorgestellten Konstruktion aus Stahlstützen und -trägern sowie einem Stahlranksystem eine zweite Haut (Quelle: BUKEA/ L+ Landschaftsarchitekten, Hamburg).

- Felsennelken
- *Sedum*
- Thymian

Living Wall u. a.:
- Kiwi
- Kletterrosen
- Blauregen
- Efeu
- Wilder Wein
- Waldrebe

Kletterpflanzen:
- Efeu *Hedera helix* Woerner, 39 Stk
- Waldgeißblatt *Lonicera periclymenum* ‚Serotina' 7 Stk
- Wilder Wein *Parthenocissus inserta* 27 Stk
- Wilder Wein Parthenocissus quinquefolia Engelmannii 18 Stk
- Scharlach-Wein *Vitis coignetiae* 7 Stk
- Scharlach-Wein *Vitis coignetiae* 7 Stk
- Kletterhortensie *Hydrangea petiolaris* 23 Stk
- Strahlengriffel *Actinidia arguta* ‚Jenny' 10 Stk
- Strahlengriffel Actinidia arguta ‚Weiki' 5 Stk
- Fünfblättrige Akebie *Akenia quinata* 24 Stk
- Berg-Waldrebe *Clematis montana* ‚Elisabeth' 5 Stk
- Berg-Waldrebe *Clematis montana* 'New Dawn' 2 Stk
- Berg-Waldrebe *Clematis montana* 'Odorata' 7 Stk
- Berg-Waldrebe *Clematis montana var. rubens* 11 Stk
- Oktober-Waldrebe *Clematis maximowicziana* 4 Stk
- Gold-Waldrebe Clematis *tangutica* 'Anita' 4 Stk
- Waldrebe *Clematis triternata* 'Rubromarginata' 6 Stk
- gewöhnl. Waldrebe *Clematis viticella* 'Mary Rose' 5 Stk
- gewöhnl. Waldrebe *Clematis viticella* 'Prince Charles' 6 Stk
- gewöhnl. Waldrebe *Clematis viticella* 'Royal Velours' 8 Stk
- gewöhnl. Waldrebe *Clematis viticella* 'Södertälje' 4 Stk
- gewöhnl. Waldrebe *Clematis viticella* 'Venosa Violacea' 3 Stk
- Blauregen *Wisteria brachybotrys* 'Shiro Capitan' 5 Stk
- Blauregen *Wisteria floribunda* 8 Stk
- Blauregen *Wisteria floribunda Macrobotrys* 6 Stk
- Blauregen *Wisteria sinensis Caroline* 5 Stk
- Blauregen *Wisteria sinensis Prolific* 9 Stk
- Blauregen *Wisteria* × *formosa Isaii* 12 Stk
- *Rosa* (Rambler) American Pillar 6 Stk
- *Rosa* (Rambler) Appleblossom 3 Stk
- *Rosa* (Rambler) Bobby James 7 Stk
- *Rosa* (Rambler) Félicité et Perpétue 3 Stk
- *Rosa* (Rambler) Guirlande d'Amour 2 Stk
- *Rosa* (Rambler) Hiawatha 6 Stk
- *Rosa* (Rambler) Kiftsgate 3 Stk
- *Rosa* (Rambler) Kiftsgate Violet 6 Stk
- *Rosa* (Rambler) Lykkefund 2 Stk
- *Rosa* (Rambler) Perennial Blue 3 Stk
- *Dianthus carthusianorum* 845 Stk
- *Echium vulgare* 806 Stk
- *Hyssopus officinalis* 461 Stk
- *Iris barbata-nana* 'Dark Vadder' 922 Stk
- *Origanum vulgare* 1.229 Stk
- *Petrorhagia saxifraga* 922 Stk
- *Sedum album* 5.760 Stk
- *Sedum cauticola* 3.072 St
- *Sedum ewersii* 2.458 Stk
- *Sedum spurium* ‚Album Superbum' 5.760 Stk
- *Sedum spurium* ‚Fuldaglut 3.840 Stk
- *Thymus serphyllum* 2.458 Stk
- *Thymus vulgaris* 'Compactus' 3.686 Stk
- *Amsonia tabernaemontana var. salicifolia* 157 Stk
- *Aster* × *frikartii* ‚Wunder von Stäfa' 71 Stk
- *Carex remota* 120 Stk
- *Geranium sylvaticum* 'Mayflower' 26 Stk
- *Geranium* × *cantabrigiense* ‚Berggarten' 267 Stk
- *Geranium* × ‚Brookside' 201 Stk
- *Geranium* × 'Stephanie' 106 Stk
- *Kalimeris mongolica* 'Antonia' 20 Stk
- *Luzula sylvatica* 'Marginata' 151 Stk
- *Polystichum setiferum* 'Proliferum' 10 Stk
- *Persicaria (Bistorta) amplexicaule* 'Blackfield' 59 Stk
- *Persicaria (Bistorta) amplexicaule* 'White Eastfield' 124 Stk
- *Allium atropurpureum* 8/10 250 Stk
- *Allium sphaerocephalon* 6/+ 500 Stk
- *Chionodoxa luciliae* 5/+ 2.500 Stk
- *Narcissus jonquilla* 'Pueblo', 10/12 500 Stk
- *Puschkinia scilloides var. libanotica* 5/6 1.500 Stk

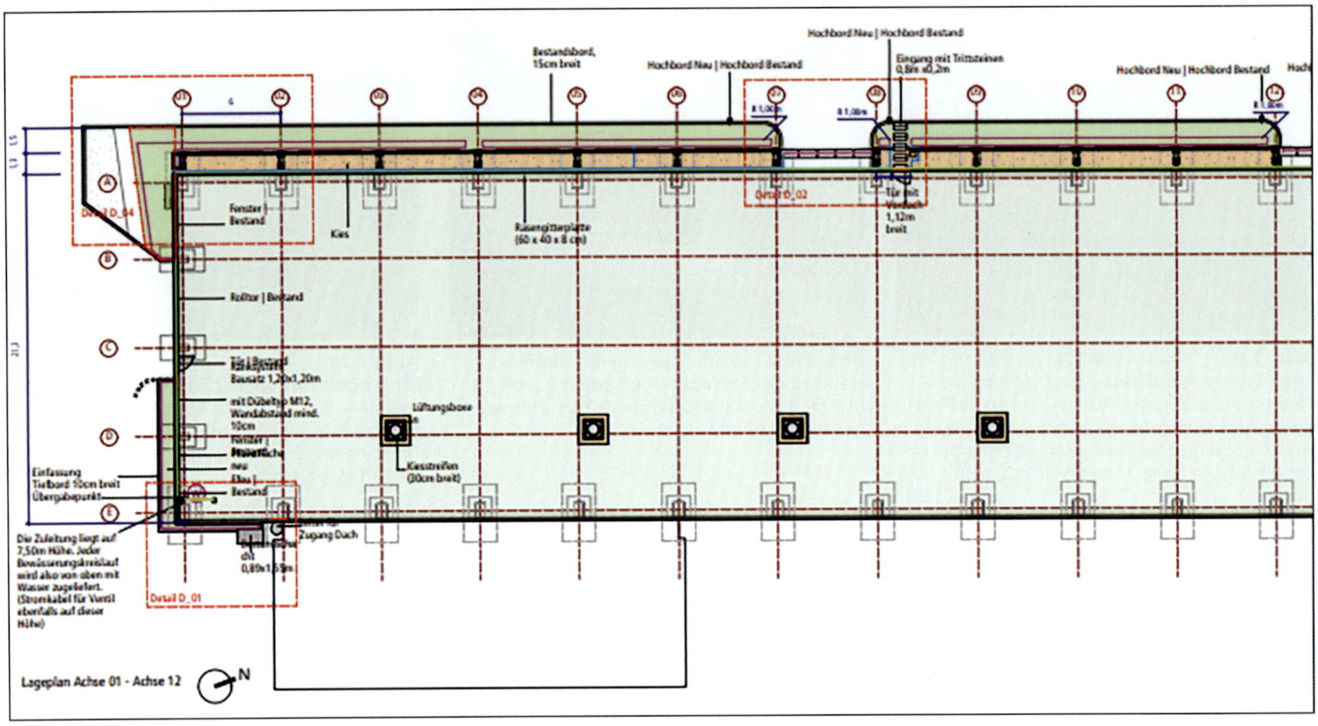

Abb. 7.95: Detailzeichnung zur technischen Konstruktion der Kletterhilfen und der Befestigungen (Quelle: L+ Landschaftsarchitekten, Hamburg)

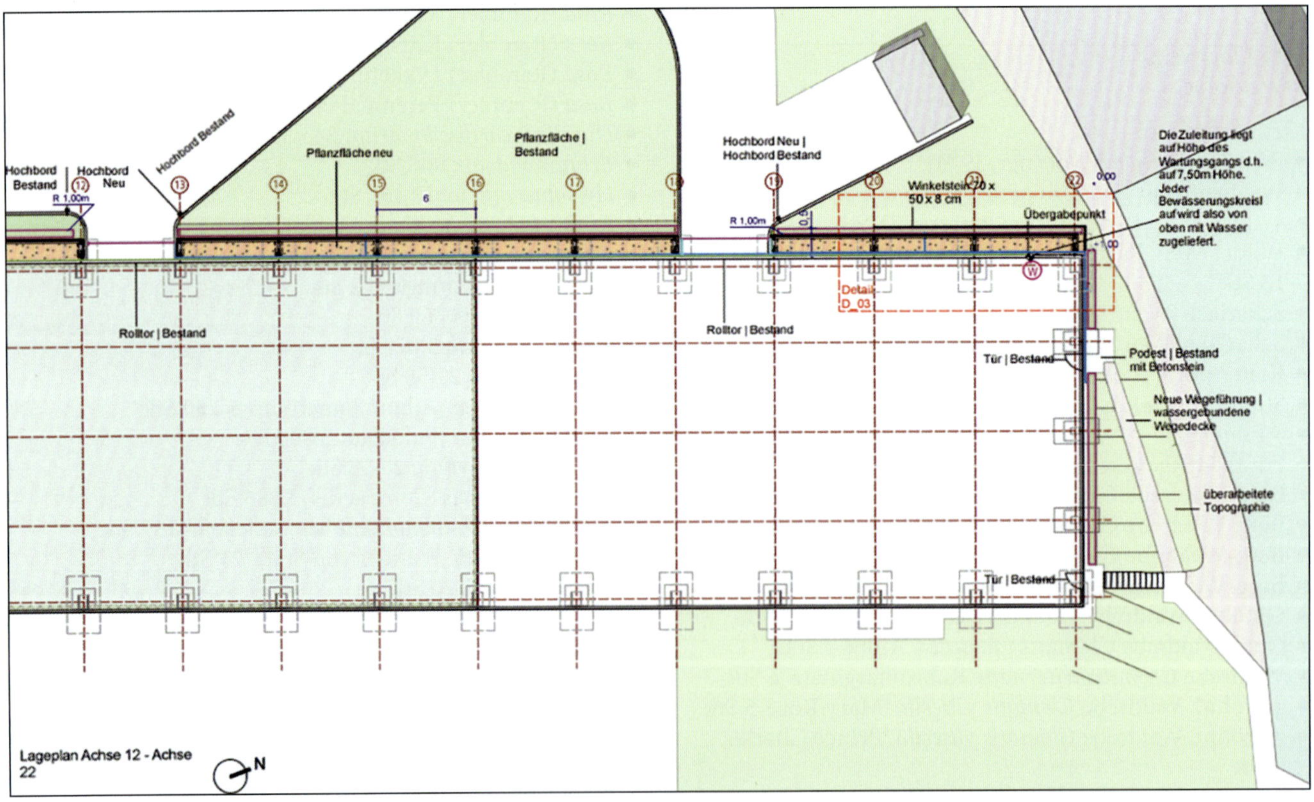

Abb. 7.96: Detail der Ecklösung mit darunterliegendem Pflanzstreifen (Quelle: L+ Landschaftsarchitekten, Hamburg)

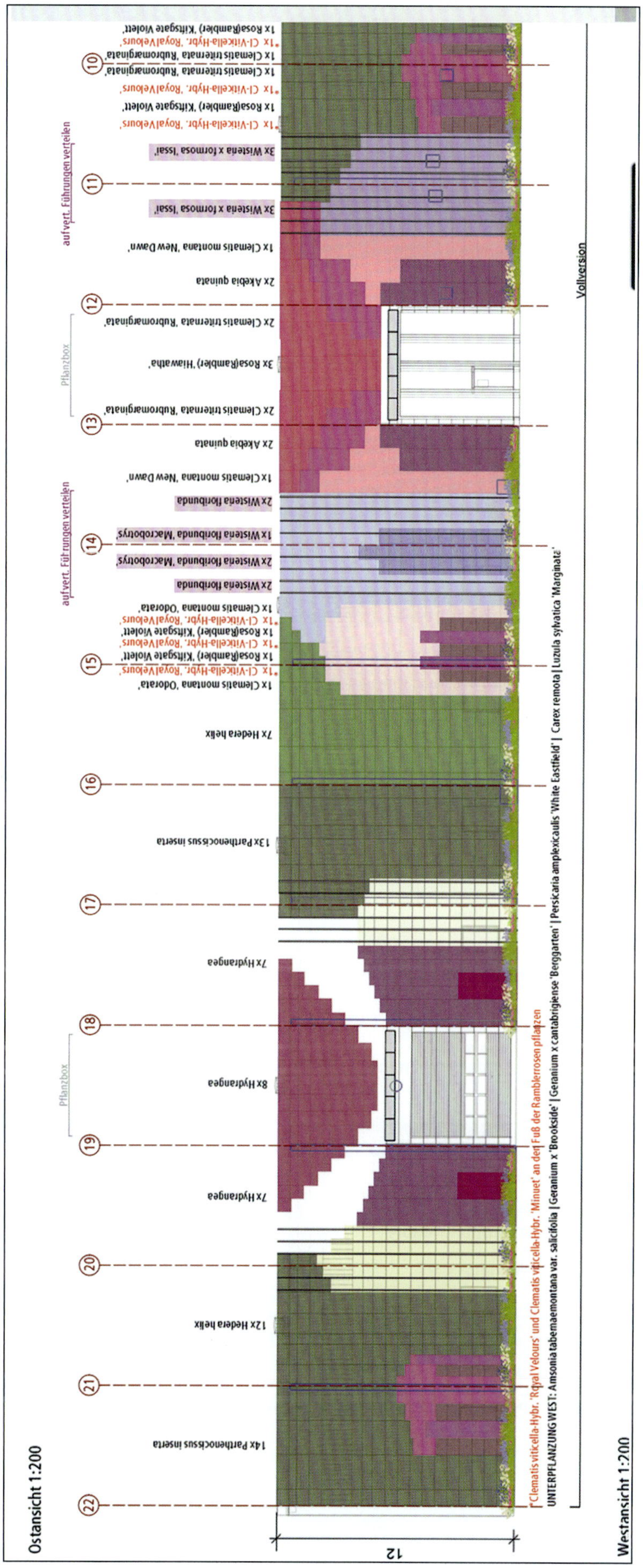

Abb. 7.97: Gesamt-Pflanzplan der Ostfassade, Farbkonzept (Quelle: L+ Landschaftsarchitekten, Hamburg)

7.2.5 Troggebunden: Industriegebäude FR8, Frankfurt a. M.

Projektbeschreibung

Der Neubau des Industriegebäudes FR8 in einem Bestandsgewerbegebiet in Frankfurt wurde 2021 fertiggestellt. Generalunternehmer war die Adam Hörnig Baugesellschaft, die Planungsabstimmung erfolgte mit Royal Haskoning DHV, Frankfurt.

Jakob Leonhards Söhne setzte das Vertiko-Begrünungssystem nach Fachplanung der Vertiko GmbH um. Diese ca. 1.400 m² umfassende wandgebundene Begrünung aus dem Erdreich sowie aus Trögen in horizontaler Bauweise auf Schwerlastkonsolen wurde für einen optimierten Lastabtrag mit einer angelehnt stehenden Konstruktion der Rankhilfen umgesetzt (Abb. 7.98).

Begrünung im Detail

Vor der Sandwich-Fassade wurden in horizontaler Bauweise die Pflanzquartiere auf Schwerlastkonsolen montiert. Diese sind an der konstruktiven Wand befestigt und durchdringen die Sandwich-Paneele. Die baustellenfertigen gedämmten und lackierten Pflanztröge aus Aluminium wurden mittels Scherenbühnen leer auf die Konsolen transportiert (Abb. 7.99). Dort wurden die 96 Tröge von 3 m Länge mit einem Querschnitt von 60 cm × 60 cm montiert (Abb. 7.100) und entsprechend FLL-Richtlinien befüllt. Im Bodenbereich wurden Pflanzquartiere nach den FLL-Empfehlungen für Baumpflanzungen – Teil 2 (2010) angelegt. Die Tröge kommen auf ein gefülltes und wassergesättigtes Gewicht von gut 500 kg/lfm.

Sechs Bewässerungskreise aus einer Gesamtlänge von ca. 710 m Tropfrohr wurden an der Begrünung verlegt (Abb. 7.101). Nimmt man im Jahresschnitt ca. 12 Wochen mit Zeiten ohne Bewässerung an, ergibt dies einen Wasserbedarf von ca. 4.900 m³ pro Woche. Die Bewässerungszeit entspricht somit ca. 31 Wochen pro Jahr. Dieser Wasserbedarf wird zu einem großen Teil in Umgebungskühlungsleistung durch die Evapotranspiration der Pflanzen umgesetzt.

Verwendete Pflanzenarten

Anhand eines detaillierten Pflanzplans wurden immergrüne und saisonale Rank- und Kletterpflanzen gemischt verwendet. Insgesamt wurden 347 Pflanzen aus 6 Arten angepflanzt: *Lonicera henryi, Aristolochia macrophylla, Menispermum canadense, Clematis montana, Clematis tangutica* und *Lonicera japonica*. Als Bodendecker wurden zusätzlich gut 1.400 winterharte Stauden und kleine Sträucher gesetzt.

Objektdaten		
Bauherr*in/Betreiber*in	GU Adam Hörnig Baugesellschaft mbH & Co. KG	
Planung	Royal Haskoning DHV	
Grünplanung	Vertiko GmbH	
Ausführung GaLaBau	Jakob Leonhards Söhne GmbH & Co. KG	
Baujahr	2022	
Bauweise	wandgebundene Begrünung aus dem Erdreich sowie aus Trögen auf Schwerlastkonsolen in horizontaler Bauweise, angelehnt stehende Konstruktion der Rankhilfen	
Art der Begrünung	Fassadenbegrünung troggebunden	ca. 1.400 m²

Systeme und Lieferanten	
Fassadenbegrünung außen	Vertiko Rank- und Kletterpflanzensysteme inkl. Schwerlastkonsolen und Trögen

Wirkungsweisen und Effekte	
Hitzeschutz	
Regenwassermanagement	
Ressourcenschonung	
Biodiversität	
CO_2 Bindung	++

Kosten/Aufwände	
Errichtung	€ €
technische Wartung (z. B. Prüfung, Reinigung, Fernwartung, Filtertausch von Bewässerungsanlagen etc.)	€
Pflegekosten Fassadenbegrünung	€ €

Vegetationstechnik	
Dauerhaftigkeit	30 bis 40 Jahre
jährliche Begrünungsdauer	immergrün und saisonal
Wasserbedarf	gering Bewässerungsart: keine Zisterne; somit ergeben sich 15,32 l/(m Pflanztrog bzw. Pflanze · Woche) Wasserbedarf
Düngemittelbedarf	gering
Pflanzenschutz	gering

Abb. 7.98: Vertiko Rank- und Kletterhilfen-System FR8 Frankfurt inklusive Schwerlastkonsolen und Trögen (Quelle: Vertiko GmbH, Freiburg)

Abb. 7.99: Lieferung und Montage der Tröge auf dem vorbereiteten Rahmen (Quelle: Vertiko GmbH, Freiburg)

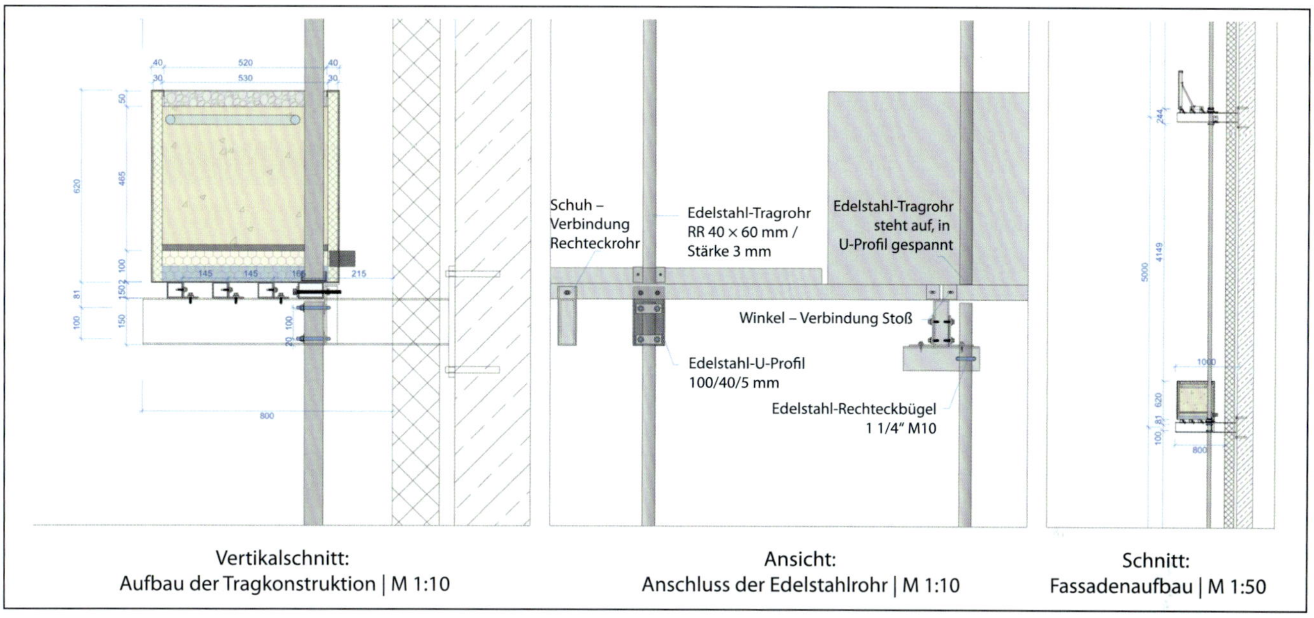

Abb. 7.100: Technische Details der Befestigung der Pflanzkübel an einem Beispiel sowie im Schnitt durch die Fassade (Quelle: Vertiko GmbH, Freiburg)

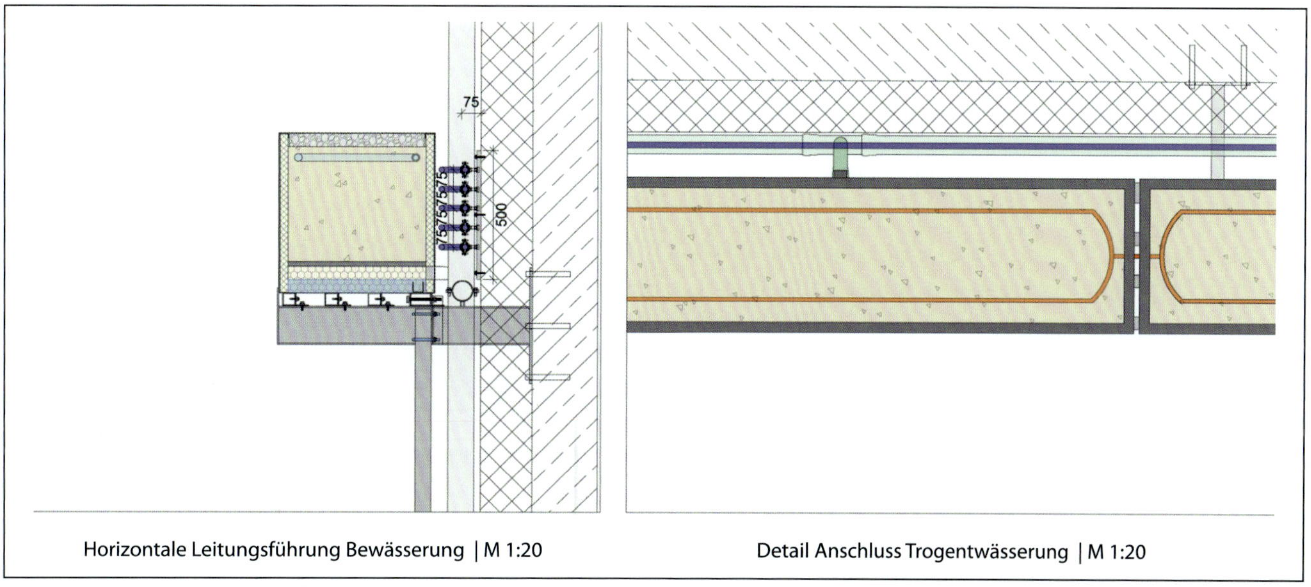

Abb. 7.101: Details des Anschlusses für Be- und Entwässerung (Quelle: Vertiko GmbH, Freiburg). Wichtig ist, neben einer robust funktionierenden Bewässerung auch eine ausreichende Entwässerung einzubauen sowie das Wasser im Kreislauf zu führen.

7.2.6 Troggebunden: Projekt Orthomol, Langenfeld

Projektbeschreibung

Auf einem Firmengelände fand eine bauliche Nachverdichtung statt. Ein Industriegebäude aus den 1970er-Jahren galt es wärmetechnisch zu sanieren und durch Begrünung optisch aufzuwerten (Abb. 7.102). Beide Gebäudeteile wurden über ein Anschlussbauwerk verbunden. Die Vertikalbegrünung verschmilzt optisch beide Gebäudeteile. Die Begrünung trägt so auch zu einer besseren Akzeptanz der Nachverdichtung bei.

Begrünung im Detail

Zur Begrünung wurden vorbepflanzte Panels verwendet, die auf einer Unterkonstruktion von Aluminiumprofilen installiert wurden (Abb. 7.103). Die Panels haben eingebaute Bewässerungsleitungen, die automatisierte Bewässerung über Tröpfchenschläuche erfolgt mit Stadtwasser. Die Lösung war mit den gewählten Flexipanels gut zu bewältigen.

Die gestalterische Aufgabe, einen zusammenhängenden Baukörper zu definieren, wurde hier gelöst (Abb. 7.104). Denkbar wäre es auch gewesen, durch die Pflanzenauswahl Neu- und Altbau zu betonen. Lösungsvarianten mittels der Pflanzenauswahl sind die Herausforderung an die Planer.

Abb. 7.102: Gesamtansicht vor Beginn der Installation der Wandbegrünungen (Quelle: aspirantes Vertikal Grün GmbH, Sinsheim-Hoffenheim)

Objektdaten		
Bauherr*in/Betreiber*in	Orthomol Pharmazeutische Vertriebs GmbH, Langenfeld	
Grünplanung	Sempergreen BV, LR Odijk, Niederlande	
Ausführung GaLaBau	Green Office Rhein Ruhr, Neuss	
Baujahr	2019	
Bauweise	Sempergreen Begrünungselemente	
Art der Begrünung	Wandbegrünung	170 m²

Systeme und Lieferanten	
Fassadenbegrünung außen	Sempergreen

Wirkungsweisen und Effekte	
Biodiversität	

Kosten/Aufwände	
Errichtung	€ €
technische Wartung (z. B. Prüfung, Reinigung, Fernwartung, Filtertausch von Bewässerungsanlagen etc.)	€ €
Pflegekosten Innenraumbegrünung	€ €

Vegetationstechnik	
Dauerhaftigkeit	mehr als 25 Jahre
jährliche Begrünungsdauer	immergrün/sommergrün
Wasserbedarf	mittel Bewässerungsart: mit Stadtwasser
Düngemittelbedarf	gering, kontinuierlich
Pflanzenschutz	mittel

Abb. 7.103: Montagephase der Wandpanels mittels Hebebühne (Quelle: aspirantes Vertikal Grün GmbH, Sinsheim-Hoffenheim). Die Arbeitssicherheit ist bei Montagearbeiten an Fassaden von grundlegender Bedeutung. In diesem Fall konnten Hubsteiger problemlos an die Fassade gefahren werden.

Abb. 7.104: Durch die wandgebundenen Grünelemente sind Alt- und Neubau optisch zusammengefügt worden (Quelle: aspirantes Vertikal Grün GmbH, Sinsheim-Hoffenheim).

7.2.7 Troggebunden: IKEA Westbahnhof, Wien, Österreich

Projektbeschreibung

Der IKEA Westbahnhof bietet keine Parkplätze für Kunden, dafür aber 160 Bäume an den Fassaden und auf dem Dach (Abb. 7.105). Im Gebäude befindet sich neben dem Möbelhaus auch ein Hostel, dessen begrünte Dachterrasse öffentlich zugänglich und konsumfrei ist (Abb. 7.106). Das Gebäude ist auf Fußgänger, Radfahrer und Benutzer von öffentlichen Verkehrsmitteln ausgelegt. Die Bäume und Sträucher prägen das Bild des Gebäudes und kühlen die Umgebung: an einem typischen Hitzetag um bis zu 1,5 °C Lufttemperatur im Vergleich zur bebauten Umgebungssituation.

In der Ideenwettbewerbsphase wurde eine GREENPASS-Vorzertifizierung angewendet, um die Auswirkungen der verschiedenen Planungsentwürfe und die Wirkungsleistung des begrünten Gebäudes aufzuzeigen. Mit der Zertifizierung wurde die weitere Planung begleitet und optimiert. Das Objekt ist das weltweit erste GREENPASS-Platinum-zertifizierte Gebäude – die höchste Stufe des internationalen Zertifizierungsstandards für Klimaresilienz.

Begrünung im Detail

Die bauwerksbezogenen Bäume und Sträucher wachsen aus überdimensionalen Pflanztöpfen und werden sensorgesteuert mit Wasser und Nährstoffen versorgt. Die runden Tröge sind aus weißem, 5 mm dickem Stahlblech mit Innenverkleidung. Sie gibt es in verschiedenen Größen (L, M, S). Jeder Pflanztrog bzw. Baum wird von der automatischen, sensorgesteuerten Bewässerungsanlage (mit insgesamt mehr als 30 Bewässerungskreisen) versorgt, um auf den individuellen Wasserbedarf der Pflanzen zu reagieren (Abb. 7.107). Die Ableitung von Überschusswasser aus den Trögen erfolgt über ein Rinnensystem.

Gepflanzt wurden bis zu ca. 10 m hohe Bäume, die ein Jahr lang in der Baumschule auf den neuen Lebensraum vorbereitet worden waren. Die Auswahl der Arten orientierte sich an stadtklimaverträglichen, für den Wiener Raum geeigneten Gehölzarten wie z. B. Schwarzkiefern, Birken, Wildkirschen und Ahorn sowie an der Gehölzvegetation Schwedens (Abb. 7.108). Aufgrund unterschiedlicher Standortbedingungen verfügen alle 4 Fassadenseiten über andere Baumarten. Die flächige, vertikale Begrünung an der Nord- und Westfassade wurde direkt am Grund verankert und mit Kletterpflanzen (Blauregen) geschmückt. Als zusätzliche Rankhilfe dienen Stahlseile, die mit Ankern an der Fassade befestigt wurden. Begrünte Innenhöfe (Voids) schaffen kleine Grünoasen im Gebäudeinneren. Die Verankerung der Tröge sowie der Vegetation wurde entsprechend den simulierten Windlasten sichergestellt. Die Gehölze wurden dabei mit einer unterirdischen Wurzelballenverankerung ausgestattet.

Objektdaten		
Bauherr*in/Betreiber*in	IKEA Einrichtungen – Handelsgesellschaft m.b.H	
Planung	querkraft architekten	
Grünplanung	Kräftner Landschaftsarchitektur, Green4Cities	
Ausführung GaLaBau	Fa. Jakel Grünbau, Bewässerungsanlage: Fa. Raintime	
Baujahr	2018 bis 2021	
Bauweise	Stahlbeton-Skelettbauweise	
Art der Begrünung	Dachbegrünung semiintensiv	260 m²
	Fassadenbegrünung troggebunden	810 m²
	Bäume in Trögen	160 Stk.

Systeme und Lieferanten	
Dachbegrünung	Optigrün GmbH
Bewässerung	Raintime GmbH
Bäume	Baumschule Lappen

Wirkungsweisen und Effekte	
Hitzeschutz	
Regenwassermanagement	
Ressourcenschonung	
Biodiversität	
GREENPASS Platinum	+++

Kosten/Aufwände	
Errichtung	€€
technische Wartung (z. B. Prüfung, Reinigung, Fernwartung, Filtertausch von Bewässerungsanlagen etc.)	€€
Pflegekosten Dachbegrünung	€
Pflegekosten Fassadenbegrünung	€€

Vegetationstechnik	
Dauerhaftigkeit	20 bis 50 Jahre
jährliche Begrünungsdauer	sommer- und immergrün
Wasserbedarf	mittel Bewässerungsart: Trinkwasser
Düngemittelbedarf	mittel
Pflanzenschutz	gering

Abb. 7.105: IKEA Westbahnhof Wien mit 160 Bäumen am Gebäude sowie Dach- und Fassadenbegrünungen (Quelle: Kräftner Landschaftsarchitektur, Wien, Österreich)

Abb. 7.106: Öffentlich zugängliche und konsumfreie begrünte Dachterrasse mit Blick über Wien (Quelle: Kräftner Landschaftsarchitektur, Wien, Österreich)

Abb. 7.107: Innenhofbegrünungen (Voids) mit troggebundener Begrünung und semiintensiver Dachbegrünung inklusive automatischer Bewässerung (Quelle: Kräftner Landschaftsarchitektur, Wien, Österreich)

Abb. 7.108: Bei der troggebundenen Begrünung wurde auf die Auswahl von sommer- und immergrünen heimischen Pflanzen geachtet, um den größten Effekt der Klimaregulation zu erreichen (Quelle: Kräftner Landschaftsarchitektur, Wien, Österreich).

7.3 Innenraumbegrünung

7.3.1 Lufthansa Aviation Center (LAC), Frankfurt a. M.

Projektbeschreibung

Das Center hat mit seinen 6 Stockwerken eine Glasfläche von 55.000 m². Im Gebäude befinden sich 2.400 Arbeitsplätze und 1.400 Parkplätze (Lufthansa Aviation Center, 2022).

Die Pflanzflächen der insgesamt 9 Atrien des Lufthansa Aviation Centers liegen über einer Tiefgarage (Abb. 7.109). Sie sollen verschiedene klimatische Zonen der Erde symbolisieren. Die von der Autobahn aus gut erkennbaren Innengärten werden mit Beleuchtung als Imageträger des Betreibers entsprechend in Szene gesetzt. Die Atrien sind gleichzeitig ein Rahmen, in dem verschiedene Kunstwerke präsentiert werden können.

Nach 15 Jahren hat das Begrünungskonzept immer noch Bestand (Abb. 7.110). Im Laufe der Jahre haben sich Stärken und Schwächen in der Bepflanzung gezeigt, insbesondere die Anfälligkeit für Krankheiten und Schädlinge. Das erfahrene Personal der Pflegefirma und deren Präsenz von Anfang an hat derartige Faktoren frühzeitig erkennen lassen und nachhaltige Schäden verhindert. Sowohl die Schädlingsprophylaxe mit Nützlingen sowie ein auf Erfahrungen beruhendes Bewässerungs- und Düngekonzept sichern den Status quo der Begrünung.

Das Lufthansa Aviation Center unterschreitet mit seinem jährlichen Heizenergieverbrauch die Vorgaben der Energieeinsparverordnung (EnEV) 2007 um etwa 60 %. Das Gebäude ist aufgrund der Energieeffizienz mit dem Titel „GreenBuilding-Partner" von der EU ausgezeichnet worden. Das Niedrigenergiekonzept bedeutet eine jährliche CO_2-Einsparung von 1.200 t. Das Gebäude erfüllt hohe Qualitätsanforderungen bei der Verglasung der Atrien und der Gebäudedoppelhaut. Die Innenraumbegrünung erfüllt die Funktion des „Klima- und Schallpuffers" bei niedrigem Heizenergieverbrauch. Die Bewässerung der Atriengärten erfolgt mit Regenwasser, das in einer Zisterne mit 200 m³ Fassungsvermögen zwischengespeichert wird (Lufthansa Aviation Center, 2022).

Begrünung im Detail

Der Substrataufbau beträgt 1,0 m. Die Bewässerung erfolgt automatisch über Tropfschläuche. Zusätzlich steht zur Erhöhung der Luftfeuchtigkeit für den Hof Bamboo eine Hochdruck-Sprühnebelanlage zur Verfügung (Abb. 7.111). Die Bauwerksbeleuchtung ist in Bezug auf Lichtstärke und spektrum als ergänzende Pflanzenbeleuchtung in den lichtarmen Wintermonaten ausgelegt (Abb. 7.112). Die Umgebungsparameter wie Temperatur, Licht und Luftfeuchtigkeit werden über Messpunkte in den Atrien ständig kontrolliert.

Objektdaten		
Bauherr*in/Betreiber*in	Lufthansa AG	
Planung	ingenhoven architects	
Grünplanung	WKM Landschaftsarchitekten, Düsseldorf	
Ausführung GaLaBau	Leonhards, Wuppertal	
Baujahr	2007	
Bauweise	Bürogebäude mit 9 begrünten Innenhöfen	
Art der Begrünung	Innenraumbegrünung	3.600 m²

Wirkungsweisen und Effekte	
Hitzeschutz	
Regenwassermanagement	
Ressourcenschonung	
Biodiversität	

Kosten/Aufwände	
Errichtung	€ €
technische Wartung (z. B. Prüfung, Reinigung, Fernwartung, Filtertausch von Bewässerungsanlagen etc.)	€ €
Pflegekosten Innenraumbegrünung	€ €

Vegetationstechnik	
Dauerhaftigkeit	dauerhaft, mehr als 45 Jahre
jährliche Begrünungsdauer	tropisch/immergrün
Wasserbedarf	gering Bewässerungsart: Regenwasseranlage, Dachwasser
Düngemittelbedarf	mittel
Pflanzenschutz	gering

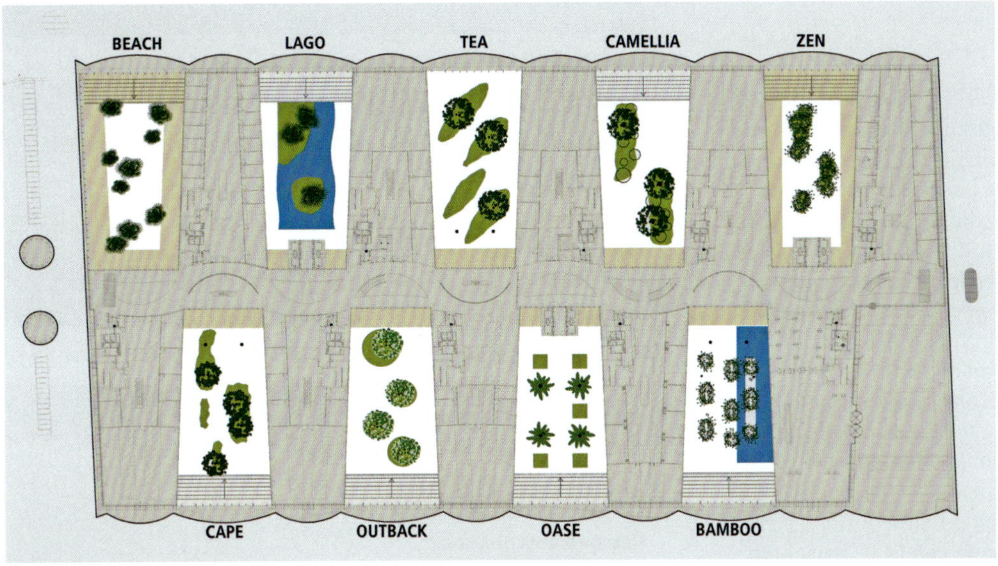

Abb. 7.109: Prinzipskizze der Gärten im Lufthansa Aviation Center in Frankfurt (Quelle: WKM Landschaftsarchitekten GmbH)

Abb. 7.110: Die Atrien haben sich über die Zeit von nunmehr 15 Jahren alle gut entwickelt (Quelle: WKM Landschaftsarchitekten GmbH). Insbesondere der Unterwuchs ist dicht und üppig. Für die Entwicklung der thematisch gewählten Gehölze ist auch für die kommenden Jahre noch ausreichend Luftraum zur freien Entwicklung vorhanden.

Abb. 7.111: Der BambooGarten im japanischen Stil (Quelle: WKM Landschaftsarchitekten GmbH)

Abb. 7.112: Zusatzbeleuchtung im Innengarten Beach mit WashingtonPalmen und BeachVolleyballFeld (Quelle: Esch)

7.3.2 Stadtwerke Düsseldorf

Projektbeschreibung

Der neue Hauptsitz der Stadtwerke Düsseldorf, der 2001 vom Büro Ingenhoven Architekten fertiggestellt wurde, befindet sich auf einem ehemaligen Kraftwerksgelände. Der Gebäudekomplex besteht aus 4 parallel zu den beiden Altbauten ausgerichteten Riegeln, die durch 3 verglaste Innenhöfe miteinander verbunden sind (Abb. 7.113). Gläserne Aufzüge und geschwungene Treppen vom Erd- bis ins erste Obergeschoss führen zu den verschiedenen Ebenen. Die Atrien sind somit nicht nur durch den Ausblick aus den verglasten Büroräumen erlebbar. Stege und Atrien werden zu Orten der Begegnung und Kommunikation. Der Boden der Atrien ist als Industrieestrich ausgeführt, der durch organisch geformte Pflanzinseln gegliedert wird. Durch die Integration ehemaliger Kraftwerksteile, wie Kohlepaternoster, Schüttanlage und Kessel, erhält jeder Hof – trotz einheitlicher Bepflanzung – einen eigenen Charakter.

Begrünung im Detail

Die Pflanzflächen der insgesamt 3 Atrien der Stadtwerke Düsseldorf liegen über einer Tiefgarage. Der Substrataufbau beträgt 1,0 m. Die Bewässerung erfolgt automatisch über Tropfschläuche. Die Bauwerksbeleuchtung ist in Bezug auf Lichtstärke und -spektrum als ergänzende Pflanzenbeleuchtung in den lichtarmen Wintermonaten ausgelegt. Die Umgebungsparameter, wie Temperatur, Licht und Luftfeuchtigkeit, werden über Messpunkte in den Atrien ständig kontrolliert.

Aus leicht gewölbten Pflanzflächen, die einheitlich mit Mondogras bewachsen sind, ragen bis zu 9 m hohe Feigenbäume hervor (*Ficus nitida*), die bei Dunkelheit angestrahlt werden (Abb. 7.114 und Abb. 7.115).

Die Pflege erwies sich als recht unkompliziert. Schädlingsbefall mit Woll-/Schmierläusen ist latent vorhanden, aber nicht dominant. Australische Marienkäfer wurden bei Bedarf eingesetzt. Besonders wichtig ist ein kräftiger jährlicher Korrekturschnitt (Auslichten und Einkürzen), um das statische Gleichgewicht zu erhalten und ein Umfallen oder Auseinanderbrechen der Bäume zu verhindern. Die Pflanzung ist auch nach 2 Jahrzehnten noch erfolgreich.

Objektdaten		
Bauherr*in/Betreiber*in	Stadtwerke Düsseldorf	
Planung	ingenhoven architects	
Grünplanung	WKM Landschaftsarchitekten GmbH	
Ausführung GaLaBau	Leonhards, Wuppertal	
Baujahr	2001	
Bauweise	Bürogebäude mit 3 Atrien	
Art der Begrünung	Innenraumbegrünung	2.500 m^2

Wirkungsweisen und Effekte	
Hitzeschutz	
Regenwassermanagement	
Ressourcenschonung	
Biodiversität	

Kosten/Aufwände	
Errichtung	€ €
technische Wartung (z. B. Prüfung, Reinigung, Fernwartung, Filtertausch von Bewässerungsanlagen etc.)	€
Pflegekosten Innenraumbegrünung	€ €

Vegetationstechnik	
Dauerhaftigkeit	Jahrzehnte; aktuell 21 Jahre
jährliche Begrünungsdauer	immergrün
Wasserbedarf	mittel Bewässerungsart: Tropfschlauch
Düngemittelbedarf	gering
Pflanzenschutz	gering

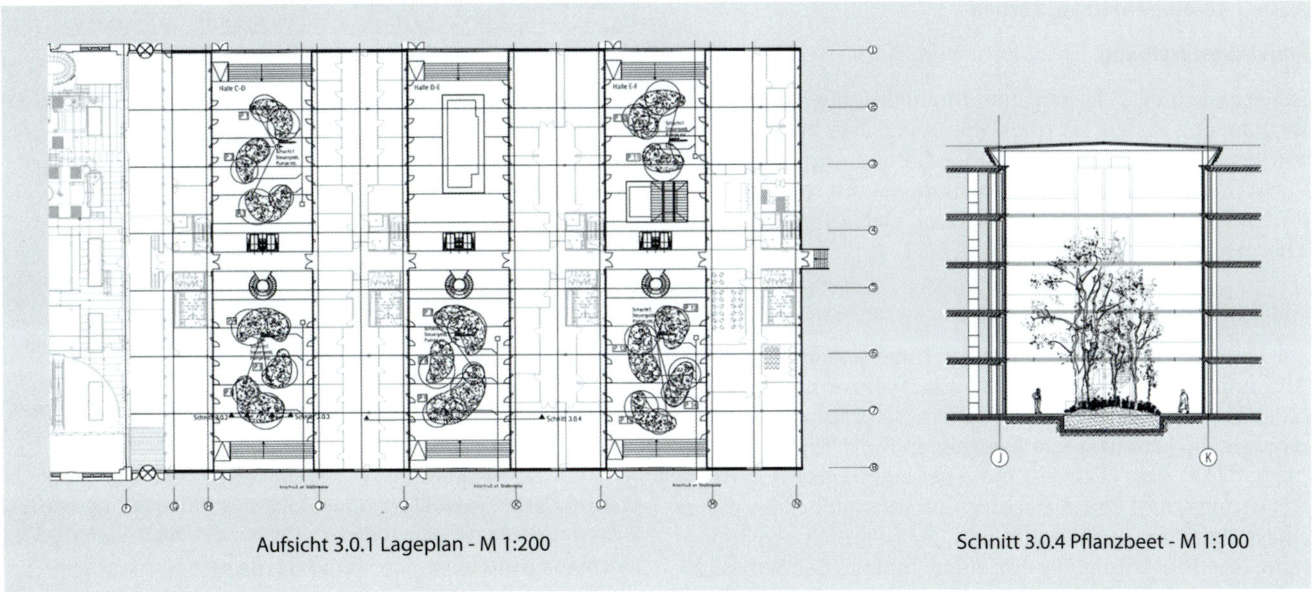

Abb. 7.113: Lageplan im Maßstab i. O. 1:200 sowie ein Schnitt i. O von 1:100 des Gebäudes der Stadtverwaltung Düsseldorf (Quelle: WKM Landschaftsarchitekten GmbH)

Abb. 7.114: Gut entwickelte Chinesische Feige (*Ficus nitida*), kombiniert mit dem japanischen Mondogras (*Ophiopogon japonicus*) als Unterwuchs (Quelle: WKM Landschaftsarchitekten GmbH. Besonderer Wert wurde auf den ungehinderten Verkehrsweg für die Besucher des Gebäudes gelegt. Diese Pflanzung hat sich nun über mehr als 10 Jahre bestens bewährt.

Abb. 7.115: Ähnliche Ansicht abends mit Beleuchtung der Pflanzgruppen (Quelle: WKM Landschaftsarchitekten GmbH. Die Belichtung ist erforderlich einerseits für typisches Wuchsverhalten der tropischen Pflanzen als auch als akzentsetzende Beleuchtung in den Wintermonaten und in den Abendstunden. Akzent- und Pflanzlicht sind separat zu steuern, um sowohl optimiertes Wuchsverhalten zu unterstützen als auch im Hinblick auf die Energie effektiv zu bleiben.

7.3.3 Carolus-Thermen, Aachen

Projektbeschreibung

Sanierung einer 25 Jahren alten Innenraumbegrünung. Die Bepflanzung in den Thermen war üppig, aber zu groß geworden. Die Lösung bei der Neugestaltung war es, in den Wasserbecken freistehende Begrünungen mit tropischen Bodendeckern zu verwenden, die von vielen Punkten der Therme aus sichtbar sind (Abb. 7.117).

Begrünung im Detail

Die Unterkonstruktion besteht aus Traversenelementen aus Aluminium mit einem KG-Rohr aus PVC zur Ummantelung, das mit einer Stahlplatte auf ein Betonfundament verschraubt ist. Darauf sind die einzelnen Einzeltöpfe montiert (Abb. 7.118). Das Ganze ist mit einer automatisierten Bewässerungs- und Düngertechnik ausgestattet, bei der es nur eine Steigleitung je Säule gibt und über der obersten Topfreihe eine Ringleitung die einzelnen Töpfe in der Senkrechten versorgt (Abb. 7.119). Es wurden in den 2 7-m-Säulen, den 2 5,5-m-Säulen und der 4-m-Säule sowie in der vertikalen Fläche an der Wasserwand 2.854 Einzelpflanzen eingesetzt (umgerechnet 58 m^2 = 34 m Gesamtlänge). Eine zusätzliche LED-Pflanzenbeleuchtung mit 35 Einzelstrahlern versorgt die Pflanzen mit Licht.

Abb. 7.116: Über ein mobiles Gerüst wurden die Säulen bepflanzt.

Objektdaten		
Bauherr*in/Betreiber*in	Kur- und Badegesellschaft mbh / Carolus Thermen Bad Aachen, Aachen	
Grünplanung	Aplantis AG Gerhard Zemp, Bern	
Ausführung LaBau	Grüne Lebensräume GmbH / Carsten Stakalies, Neuss	
Baujahr	2021	
Bauweise	Unterkonstruktion aus Truss Traversen Element aus Aluminium mit einem KG-Rohr aus PVC zur Ummantelung, das mit einer Stahlplatte auf ein Betonfundament verschraubt ist	
Art der Begrünung	Innenraumbegrünung von Säulen	58 m^2

Systeme und Lieferanten	
Innenraumbegrünung	Vertigan Systems

Wirkungsweisen und Effekte	
Biodiversität	(2 Blätter)
Raumklimatisierung	+++

Kosten/Aufwände	
Errichtung	€€ (Investitionssumme insgesamt ohne Fundamente ca. 125.000 €)
technische Wartung (z. B. Prüfung, Reinigung, Fernwartung, Filtertausch von Bewässerungsanlagen etc.)	€€ (monatlich)
Pflegekosten Innenraumbegrünung	€€ (ca. 5.000 €/Jahr)

Vegetationstechnik	
Dauerhaftigkeit	mehr als 25 Jahre
jährliche Begrünungsdauer	immergrün
Wasserbedarf	mittel, ca. 0,7 l/(m^2 · Tag)
Düngemittelbedarf	gering, kontinuierlich
Pflanzenschutz	mittel

Abb. 7.117: Carolus-Thermen: Gesamtansicht des fertigen Projekts (Quelle: aspirantes Vertikal Grün GmbH, Sinsheim-Hoffenheim)

Abb. 7.118: Querschnitt durch den Säulenaufbau: in der Mitte die Tragkonstruktion, umlaufend die Pflanzeinschübe mit dahinterliegender Bewässerung (Quelle: aspirantes Vertikal Grün GmbH, Sinsheim-Hoffenheim)

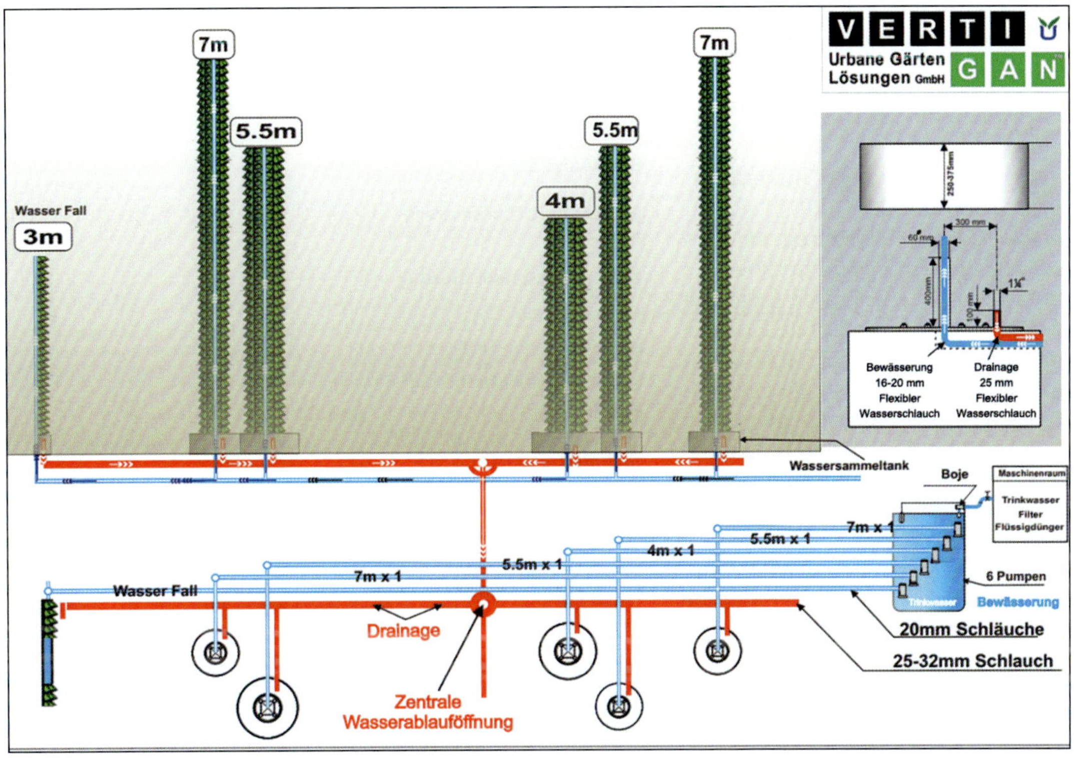

Abb. 7.119: In diesem speziellen Projekt lag eine Herausforderung in dem ausreichenden Pumpendruck zur Bewässerung in den unterschiedlich hohen Säulen. Gezeigt ist der technische Plan zur Problemlösung (Quelle: aspirantes Vertikal Grün GmbH, Sinsheim-Hoffenheim).

7.4 Living Walls

7.4.1 Außen: Wandgebundene Begrünung eines Wohnhauses, Berlin

Projektbeschreibung

Bei dem Wohnhaus Ecke Glogauer und Reichenberger Straße in Berlin-Kreuzberg handelt es sich um einen Neubau, der 2016 fertiggestellt wurde. Ursprünglich befand sich auf diesem Grundstück eine Baulücke aus dem Zweiten Weltkrieg, die jahrelang als privater Parkplatz genutzt wurde. Das Gebäude fügt sich harmonisch in die vorhandene Blockrandbebauung ein und bereichert den Stadtteil zusätzlich mit einer großflächigen wandgebundenen Fassadenbegrünung (Abb. 7.120). Sie ist ein besonderes Gestaltungselement und leistet zudem einen Beitrag zur Kleinklimaverbesserung. Bei dieser wandgebundenen Fassadenbegrünung handelt es sich um eine vorgehängte, hinterlüftete Fassade ohne direkte Verbindung zum gewachsenen Boden. Positiv ist die klimatisierende Wirkung der vorgesetzten begrünten Fassade sowohl für das Gebäude als auch für den umgebenden urbanen Raum. Aufgrund der positiven ökologischen und bauphysikalischen Eigenschaften können Betriebskosten für Heizung oder Kühlung eingespart werden.

Begrünung im Detail

Nach DIN 18516-1 „Außenwandbekleidungen, hinterlüftet – Teil 1: Anforderungen, Prüfgrundsätze" (2010) setzt sich die Konstruktion aus der Fassadenbekleidung, dem Hinterlüftungsraum, der Dämmung und der Unterkonstruktion zusammen. Voraussetzung ist ein statisch tragender Verankerungsgrund. Die vorgehängte hinterlüftete Fassade ist nach den allgemein anerkannten Regeln der Technik und den entsprechenden bauaufsichtlichen Zulassungen gebaut. Dabei ist dieses System an nahezu alle geometrischen Formen anpassbar (Abb. 7.121 und Abb. 7.122). Das System besteht aus einer Unterkonstruktion mit Aluminiumkonsolen und -profilen, abgestimmt auf den geplanten Wandaufbau. Darauf sind die Aluminium-Verbundplatten mit einem patentierten Vlies-Substrat-System und der Bepflanzung montiert. Die Konstruktion ist zwängungsfrei mithilfe von Fix- und Gleitpunkten montiert. Dabei weisen die vertikalen Tragprofile die gleiche thermische Längenausdehnung wie die Aluminium-Verbundplatten des Trägersystems auf. Im Hinterlüftungsraum der Fassadenbegrünung sind Montageplatten und Brandschutzriegel eingebaut.

Abb. 7.120: Wohnhaus in der Glogauer Straße, Berlin (Quelle: Vertiko GmbH & skygardens, Freiburg – by leistungsfotografie.ch)

Objektdaten		
Bauherr*in/Betreiber*in	David Evans & Charles Skinner, Berlin	
Planung	Partner und Partner Architekten & Architektin Sarah Rivière	
Grünplanung	Vertiko GmbH	
Ausführung GaLaBau	Vertiko GmbH	
Baujahr	2016	
Bauweise	vorgehängte hinterlüftete Fassade	
Art der Begrünung	Living Wall außen	200 m^2

Systeme und Lieferanten	
Fassadenbegrünung außen	Vertiko Living Wall Outdoor

Wirkungsweisen und Effekte	
Hitzeschutz	
Regenwassermanagement	
Ressourcenschonung	
Biodiversität	
Gesundheit/Dichtestressreduktion	+++
Energiekosteneinsparung	+

Kosten/Aufwände	
Errichtung	€ € €
technische Wartung (z. B. Prüfung, Reinigung, Fernwartung, Filtertausch von Bewässerungsanlagen etc.)	€
Pflegekosten Fassadenbegrünung	€ €

Vegetationstechnik	
Dauerhaftigkeit	30 bis 40 Jahre
jährliche Begrünungsdauer	immergrün
Wasserbedarf	mittel Bewässerungsart: 2,2 l/($m^2 \cdot$ Tag) über Trinkwasser, da die Anbindung einer Regenwasserzisterne hier nicht vorgesehen war
Düngemittelbedarf	gering
Pflanzenschutz	gering

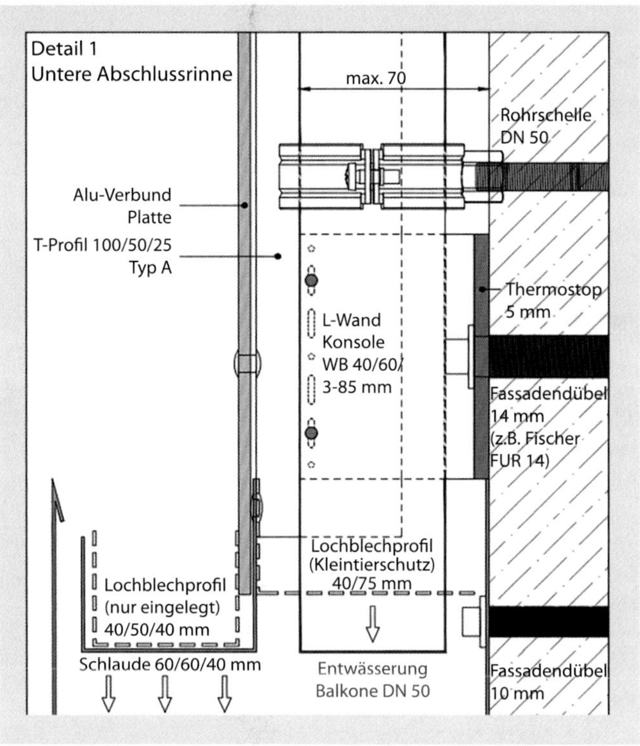

Abb. 7.121: Detail untere Abschlussrinne (Quelle: Vertiko GmbH, Freiburg)

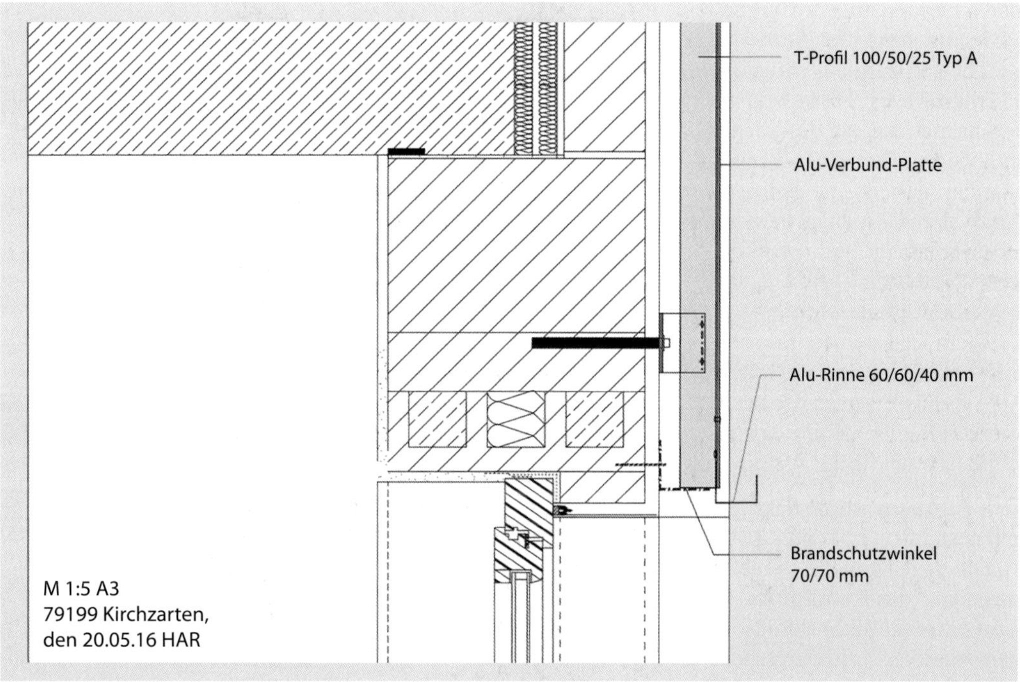

Abb. 7.122: Detail Anschluss Fenster (Quelle: Vertiko GmbH, Freiburg)

Ein besonderes Detail ist die flächige Vor-Ort-Montage, individuell gestaltet – mit einer geschlossenen Pflanzendecke nach ca. 3 Monaten (bei einer Pflanzung im Frühjahr). Aus brandschutztechnischer Sicht wurde ein Temperatursensor eingebaut, der bei einem Schwellenwert von 60 °C die Öffnung der Magnetventile auslöst und die Bewässerung aktiviert. Die Bewässerungstechnik befindet sich im Keller, einschließlich Vorlaufbehälter. Eine robuste Tauchpumpe versorgt die Pflanzen mit Wasser und eine spezielle Vorrichtung bringt zusätzlich Nährlösung (Trinkwasser mit Flüssigdünger) in die druckkompensierten Tropfrohre ein. Da das Berliner Trinkwasser sehr kalkhaltig ist, wird es mit einer fünfstufigen Osmoseanlage aufbereitet. Die Steuerung ist webbasiert, sodass man jederzeit darauf zugreifen kann. Die Bewässerung läuft das gesamte Jahr über. Durch einen Frostsensor wird die Bewässerung bei 3 °C abgeschaltet.

Das Begrünungssystem ist ein Vlies-Substrat-System mit einem Gewicht von 30 kg/m^2 (voll bewachsen und wassergesättigt). Die Pflanzen befinden sich in Pflanztaschen. Aus einer Datenbank mit über 300 Pflanzen wurden dafür verschiedene Stauden und Gräser ausgewählt; die Pflanzung erfolgte nach Pflanzplan.

7.4.2 Außen: Parkhaus EMBL, Heidelberg

Projektbeschreibung

Bei dem Parkhaus auf dem EMBL-Gelände in Heidelberg handelt es sich um einen Bestandsbau, der 2021 eine neue Fassade in Form einer Living Wall erhalten hat. Die Stahlkonstruktion erforderte eine maßgeschneiderte Planung der Unterkonstruktion. Das Parkhaus bereichert das EMBL-Gelände nun mit einer großflächigen wandgebundenen Fassadenbegrünung (Abb. 7.123). Sie ist ein besonderes Gestaltungselement und leistet zudem einen Beitrag zur Mikroklimaverbesserung. Bei dieser wandgebundenen Fassadenbegrünung handelt es sich um eine vorgehängte hinterlüftete Fassade ohne direkte Verbindung zum gewachsenen Boden. Positiv sind der Schallschutz und die klimatisierende Wirkung der begrünten Fassade sowohl für das Gebäude als auch für den urbanen Raum.

Begrünung im Detail

Der Aufbau einer Fassade erfolgt nach DIN 18516-1. Sie setzt sich aus der witterungsbeständigen Außenverkleidung, dem Hinterlüftungsraum, der Dämmung und einer Unterkonstruktion zusammen. Voraussetzung dafür ist ein statisch tragender Verankerungsgrund. Die Schwierigkeit besteht auch in der limitierten möglichen Länge von Verankerungsteilen, die eine ausreichende Länge im Verankerungsgrund haben müssen. Die zunehmenden Stärken der Dämmung stellen dabei die zu bewältigende Herausforderung dar. Die vorgehängten hinterlüfteten Fassaden (VHF) sind nach den allgemein anerkannten Regeln der Technik und den entsprechenden bauaufsichtlichen Zulassungen gebaut – dabei ist dieses System an nahezu alle geometrischen Formen anpassbar. Das System besteht aus einer Unterkonstruktion mit Aluminiumkonsolen und -profilen, abgestimmt auf den geplanten Wandaufbau (Abb. 7.124). Darauf sind die Aluminium-Verbundplatten mit einem patentierten Vlies-Substrat-System und der Bepflanzung montiert. Die Konstruktion ist zwängungsfrei mithilfe von Fix- und Gleitpunkten montiert. Dabei weisen die vertikalen Tragprofile die gleiche thermische Längenausdehnung wie die Aluminium-Verbundplatten des Trägersystems auf.

Ein besonderes Detail bei dem Parkhaus ist die flächige Vor-Ort-Montage, individuell gestaltet – mit einer geschlossenen Pflanzendecke nach ca. 3 Monaten (bei einer Pflanzung im Frühjahr). Etwa 60 m² der Aluminium-Unterkonstruktion wurden auf einer Stahlkonstruktion montiert, mit V4A-Schrauben verankert und eingemessen. Fixierungslöcher wurden in den Stahlriegel gebohrt. Haltepaare aus Aluminium-C-Profilen und Aluminium-Quadratrohren wurden montiert – der Abstand tragende Konstruktion / Grünwand beträgt ca. 380 mm. Die weiteren ca. 100 m² wurden mit Wandböcken und Aluminium-T-Profilen montiert. Der Abstand tragende Konstruktion / Grünwand beträgt dort ca. 60 mm (Abb. 7.125 und Abb. 7.126).

Das Begrünungssystem ist ein Vlies-Substrat-System mit einem Gewicht von 30 kg/m² (voll bewachsen und wassergesättigt). Die Pflanzen befinden sich in Pflanztaschen. Aus einer betriebseigenen Datenbank mit über 300 Pflanzen wurden die Stauden und Gräser ausgewählt; die Pflanzung erfolgte nach einem auf dieses Projekt abgestimmten Pflanzplan.

Objektdaten		
Bauherr*in/Betreiber*in	EMBL Heidelberg	
Planung	Planrausch GmbH	
Grünplanung	Vertiko GmbH	
Ausführung LaBau	Vertiko GmbH	
Baujahr	2021	
Bauweise	vorgehängte hinterlüftete Fassade	
Art der Begrünung	Living Wall außen	160 m²

Systeme und Lieferanten	
Fassadenbegrünung außen	Vertiko Living Wall Outdoor

Wirkungsweisen und Effekte	
Hitzeschutz	
Regenwassermanagement	
Ressourcenschonung	
Biodiversität	
Lärmschutz	+++

Kosten/Aufwände	
Errichtung	€€€
technische Wartung (z. B. Prüfung, Reinigung, Fernwartung, Filtertausch von Bewässerungsanlagen etc.)	€
Pflegekosten Fassadenbegrünung	€€

Vegetationstechnik	
Dauerhaftigkeit	30 bis 40 Jahre
jährliche Begrünungsdauer	immergrün
Wasserbedarf	mittel Bewässerungsart: 2,2 l/(m² · Tag) über Trinkwasser, da die Anbindung einer Regenwasserzisterne hier nicht vorgesehen war
Düngemittelbedarf	gering
Pflanzenschutz	gering

Abb. 7.123: Parkhaus EMBL, Heidelberg, frisch bepflanzt (Quelle: Vertiko GmbH, Freiburg)

Abb. 7.124: Detailansicht der montierten Unterkonstruktion (Quelle: Vertiko GmbH, Freiburg)

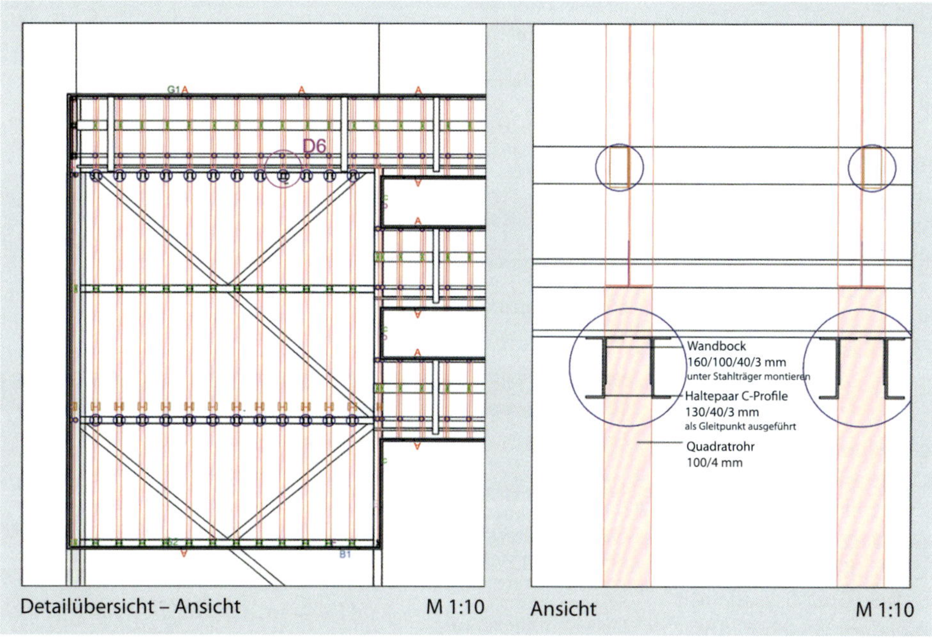

Abb. 7.125: Detailplan der Halterungen in der Ansicht (Quelle: Vertiko GmbH, Freiburg)

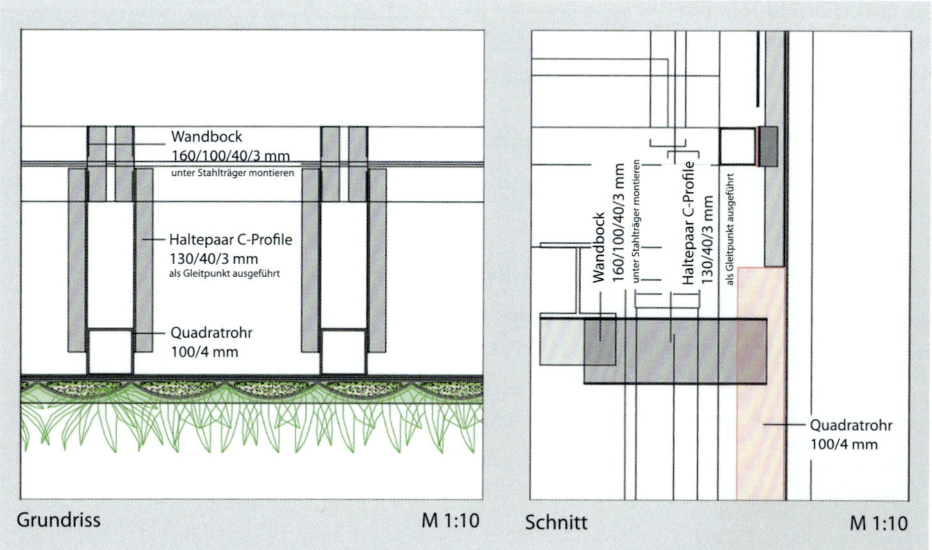

Abb. 7.126: Detailplan der Halterungen in der Draufsicht (Quelle: Vertiko GmbH, Freiburg)

7.4.3 Außen: BMW Group Plant, Dingolfing

Projektbeschreibung

Das BMW-Group-Werk Dingolfing ist ein Verbund von BMW-Werken in der Region. Mit einer Gesamtfläche von rund 280 ha ist das Werk der größte Produktionsstandort der BMW Group in Europa. Als besonderes Detail ist das Empfangsgebäude mit einer 50 m² großen Living Wall bedeckt (Abb. 7.127). Die Entscheidung für die Flexipanels fiel, da es sich um eine leicht gerundete Fassade handelt, die so nahezu nahtlos bedeckt werden konnte (Abb. 7.128 und Abb. 7.129).

Je nach Anforderungen der Architekten können mit dem Flexipanel freie Gebäudeformen passgenau begrünt werden. Die einzelnen Paneele sind entsprechend den Anforderungen der Kunden mit den gewünschten Pflanzenarten in der eigenen Gärtnerei vorkultiviert. Je nach gewählten Arten können diese Module innen oder außen eingesetzt werden. Die Artenauswahl kann für vollsonnige oder schattige Standorte angepasst werden.

Die SemperGreenwall ist Cradle to Cradle zertifiziert und unterstreicht, wie auch im Falle von BMW, die Mission, weiterhin zu einer grünen und lebenswerten Welt beizutragen. Dieses Fassadensystem verfügt über 2 Brandschutzzertifikate nach der europäischen Brandschutzklassifizierungsnorm (DIN EN 13501-1 „Klassifizierung von Bauprodukten und Bauarten zu ihrem Brandverhalten – Teil 1: Klassifizierung mit den Ergebnissen aus den Prüfungen zum Brandverhalten von Bauprodukten" [2010]). Dies ist die höchste Einstufung A2-s2,d0 und die Einstufung B-s2,d0.

Begrünung im Detail

Die Flexipanels werden wie ein Regalsystem auf einer entsprechenden Unterkonstruktion aus Aluminium-Omega-Profilen befestigt. Sie sind in der Regel mit abschließender Rinne und einer seitlichen Rahmung ausgestattet. Diese werden auf dem Aluminium-Omega-Profil an der Wand montiert. Bei der Montage wird eine begrünte Fassade mit einem automatischen Bewässerungssystem versehen. Integrierte Bewässerungstunnel in jeder Platte sorgen für eine gleichmäßige Verteilung von Wasser und Nährstoffen. Die Steuerung ist webbasiert und ermöglicht eine räumlich unabhängige Überwachung rund um die Uhr.

Abb. 7.127: SemperGreenwall BMW Dingolfing (Quelle: Sempergreen B. V., Odijk, Niederlande)

Objektdaten		
Bauherr*in/Betreiber*in	BMW Group	
Grünplanung	BLACK Garten- und Landschaftsbau GmbH	
Ausführung LaBau	Sempergreen Vertical Systems	
Baujahr	2021	
Bauweise	Flexipanels auf Rahmen-Unterkonstruktion an der Eingangsfassade	
Art der Begrünung	Living Wall außen	50 m²

Systeme und Lieferanten	
Fassadenbegrünung außen	SemperGreenwall System (Flexipanels)

Wirkungsweisen und Effekte	
Hitzeschutz	
Regenwassermanagement	
Ressourcenschonung	
Biodiversität	
Feinstaubbindung	++
CO_2-Aufnahme	++
Lärmminderung	++

Kosten/Aufwände	
Errichtung	€€€
technische Wartung (z. B. Prüfung, Reinigung, Fernwartung, Filtertausch von Bewässerungsanlagen etc.)	€€
Pflegekosten Fassadenbegrünung	€€€

Vegetationstechnik	
Dauerhaftigkeit	30 Jahre
jährliche Begrünungsdauer	immergrün
Wasserbedarf	Bewässerungsart: automatisierte Bewässerung, mittlere Intensität mit Leitungswasser, webbasiertes Monitoring
Düngemittelbedarf	gering
Pflanzenschutz	nur bei Bedarf

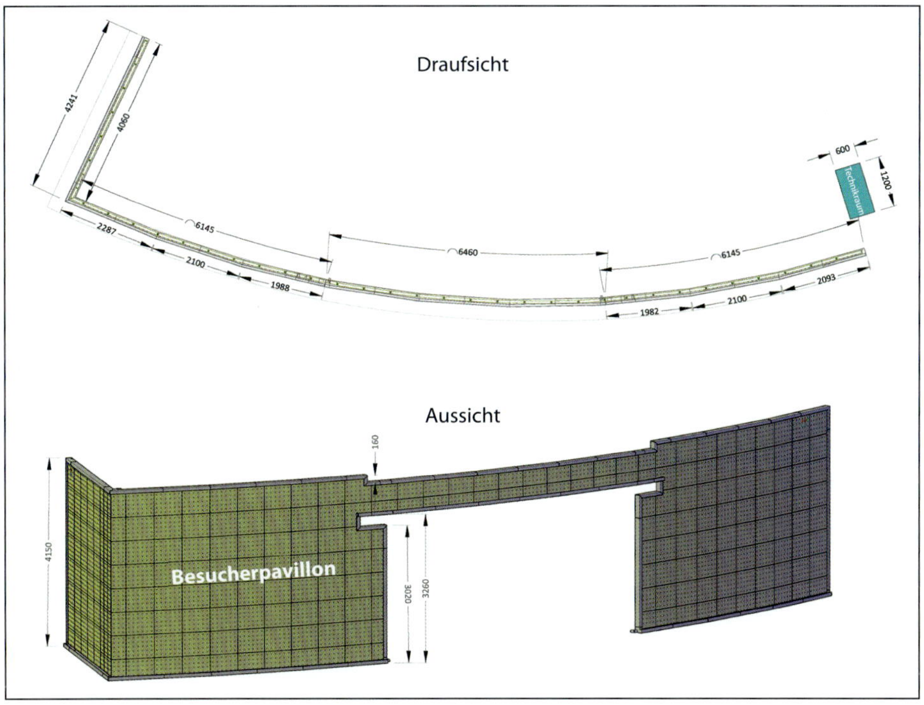

7.128: Drauf- und Ansicht der Konstruktion der Greenwall (Quelle: Sempergreen B. V., Odijk, Niederlande). Die Herausforderung der leichten Gebäuderundung ließ sich mit dem Raster der Flexipanels gut nachbilden. So entsteht der Eindruck einer nahtlosen Begrünung.

Abb. 7.129: Teilansicht der Ecklösung (Quelle: Sempergreen B. V., Odijk, Niederlande)

7.4.4 Vertikale Außen- und Innenbegrünung Brillux, Münster

Projektbeschreibung

Auf dem Firmengelände einer Farbenfirma in Münster wurde ein multifunktionaler hochwertiger Gästewohn- und Seminarbereich geschaffen. Vertikalbegrünungen im Innen- und Außenbereich sind wesentliche Elemente der qualitativ hochwertigen Gestaltung (Abb. 7.130 und Abb. 7.132). Diese sorgen für gutes Raumklima und ein optisch ansprechendes Arbeitsumfeld mit einem hohen Maß an Privatheit. Details dieses Entwurfs sind den Plänen in Abb. 7.131 und Abb. 7.133 zu entnehmen.

Begrünung im Detail

Die Wandbegrünungen sind mit Sempergreen Flexipanels ausgeführt. Bei der Gestaltung standen funktionale Aspekte, wie gute Raumklimatisierung und Schalldämmung, im Zentrum des Interesses der Eigentümer.

Es ist eine Reihe von Atrium-/Innenhofgärten entstanden, die mit einer großen Artenfülle von Stauden und Gräsern bepflanzt wurden. Damit sind abgeschirmte Ruhebereiche entstanden. Die optische Verknüpfung mit den Innenbereichen wird durch große Fensterfronten möglich. Als besondere Details sind Wasserfallelemente in die Vertikalbegrünung integriert.

Abb. 7.130: Gesamtansicht eines der Außen-Gartenräume (Quelle: aspirantes Vertikal Grün GmbH, Sinsheim-Hoffenheim)

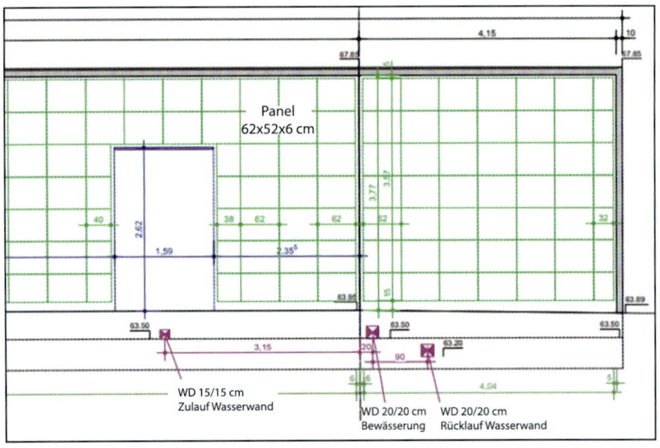

Abb. 7.131: Planungsdetails: Ausschnitt der Anordnung der Flexipanels um die beiden Wasserwände herum (Quelle: aspirantes Vertikal Grün GmbH, Sinsheim-Hoffenheim)

Objektdaten		
Bauherr*in/Betreiber*in	Brillux, Münster	
Landschaftsarchitekt	Dietmar Hoffjann, Borken	
Innenarchitektin (Innenraumbegrünung)	Carole Asfour-Lin, Münster	
Ausführung LaBau	Grüne Lebensräume GmbH / Carsten Stakalies, Neuss	
Baujahr	2021	
Bauweise	Sempergreen Begrünungselemente	
Art der Begrünung	Living Wall außen, freistehend	14 m²
	Living Wall innen	87 m²
Sonstiges	Wasserwand, innen: Aqua-Ko, Münster	

Systeme und Lieferanten	
Wandbegrünung außen	Sempergreen
Fassadenbegrünung innen	Sempergreen

Wirkungsweisen und Effekte	
Hitzeschutz	
Regenwassermanagement	
Biodiversität	

Kosten/Aufwände	
Errichtung	€€
technische Wartung (z. B. Prüfung, Reinigung, Fernwartung, Filtertausch von Bewässerungsanlagen etc.)	€€
Pflegekosten Fassadenbegrünung	€€
Pflegekosten Innenraumbegrünung	€€

Vegetationstechnik	
Dauerhaftigkeit	mehr als 30 Jahre
jährliche Begrünungsdauer	immergrün
Wasserbedarf	mittel
Düngemittelbedarf	mittel
Pflanzenschutz	mittel

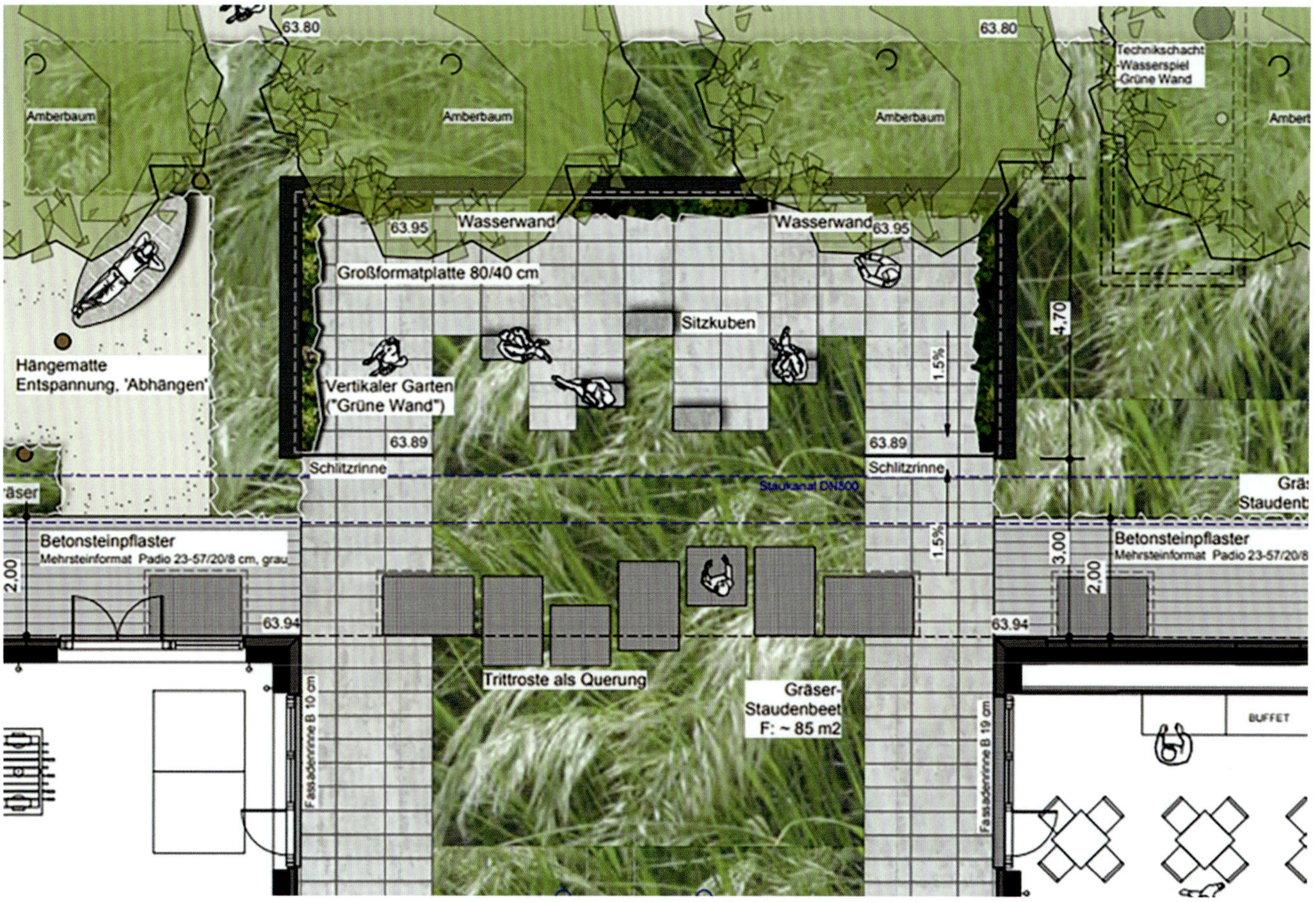

Abb. 7.132: Einer der Innenhöfe, die für die Pausenerholung ausgelegt sind (Quelle: aspirantes Vertikal Grün GmbH, Sinsheim-Hoffenheim). Die vertikale Begrünung schafft die erforderliche private Abgrenzung. Die integrierten Wasserwände unterstreichen diese Atmosphäre.

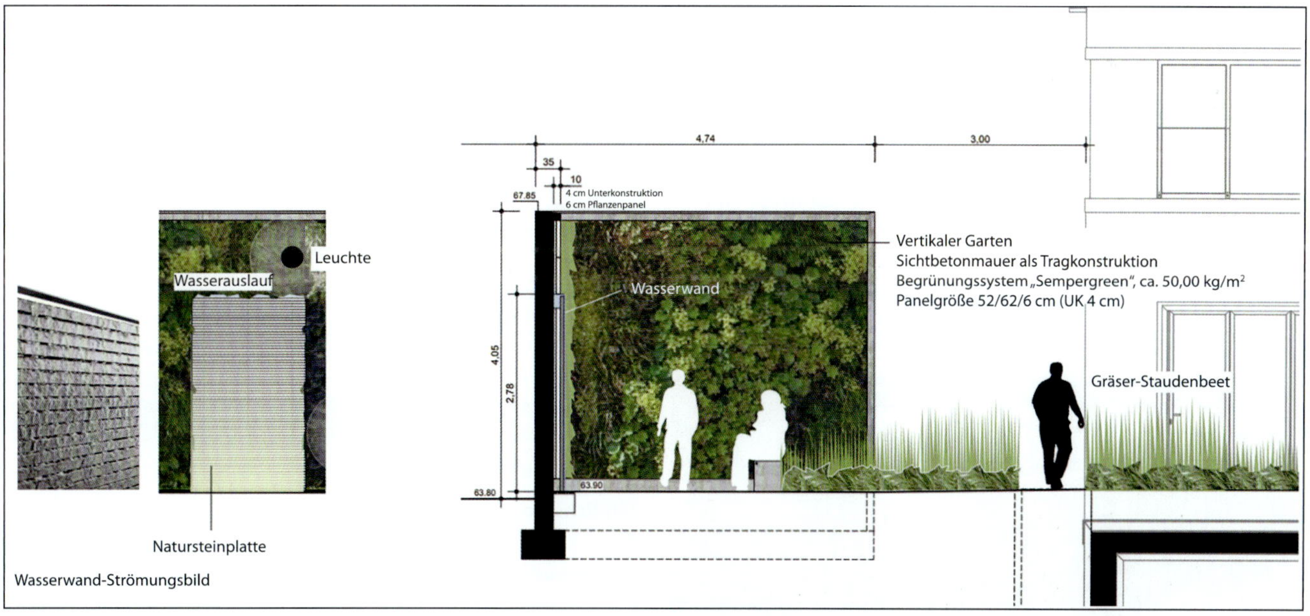

Abb. 7.133: Planungsdetails: Wasserwand, und Vertikalbegrünung (Quelle: aspirantes Vertikal Grün GmbH, Sinsheim-Hoffenheim)

7.4.5 Außen: Neubau der ENNI Zentrale, Moers

Projektbeschreibung

Eine besondere Schwierigkeit der Realisierung bestand in der Koordination der unterschiedlichen Anforderungen an die Vertikalbegrünung.

Zum einen mussten 63 Fensteröffnungen bautechnisch in zugelassener Bauart eingebunden werden (Abb. 7.134). Die Schwierigkeit bestand dabei u. a. in der Einbindung einer nicht sichtbar hinter der Begrünungsebene verlaufenden Sonnenschutzanlage. Die gesamte Fassade ist als Kombinationsfassade in Vorhangbauweise mit 180 mm mineralischer Dämmung errichtet worden (Abb. 7.135). Jede Fensteröffnung musste eine gesonderte Abdichtungskonstruktion erhalten, damit durch die dauerhafte Bewässerung keine Schäden am Gebäude entstehen. Zusätzlich sollte ein einheitlich-ästhetisches Gestaltungbild entstehen. Alle konstruktiven Verkleidungen wurden daher auf Maß gefertigt und in dem Farbton DB 709 beschichtet.

Zum anderen bestand der Wunsch des Bauherrn, die Fassade sofort nach Installation der Elemente als „Grüne Wand" zu erleben. Der Bauherr legte Wert auf den schnellen Flächenschluss der Pflanzung. Um diesen Effekt garantieren zu können, wurden die Pflanzpaneele nach dem System „Sempergreen" mit 96 Pflanzen/m² 8 Monate im Gewächshaus vorkultiviert und anschließend eingebaut.

Im Rahmen der Windsoglastberechnung der Fassade wurde die Anzahl der Befestigungen bezogen auf den Quadratmeter Fläche ermittelt. Als Unterkonstruktion für die Fassadenbegrünung wurde ein System gewählt. Damit wurden neben den Konsolen und Tragprofilen auch alle notwendigen Verankerungs-, Verbindungs- und Befestigungsmittel aus einer Hand geliefert. Die Entscheidung für die Konsole aus Edelstahl A 4 ist begründet durch deren hohe Tragfähigkeit und ihre geringe Wärmeleitfähigkeit sowie die flexible Aufnahmemöglichkeit der Tragprofile. Die Möglichkeit der Ausbildung von Fest- bzw. Gleitpunkten besteht und ist konstruktiv genutzt worden. Dies führte zu einer maximalen Flexibilität bei der Planung und Montage der Fassade, was sich wiederum sehr positiv auf den zeitlichen Projektablauf auswirkt.

Abb. 7.134: Luftbildaufnahme der Fassadenbegrünung bei ENNI in Moers (Quelle: Dipl. Ing. Clemens Belke, Lennestadt)

Objektdaten		
Bauherr*in/Betreiber*in	ENNI Energie & Umwelt Niederrhein GmbH, Moers	
Planung	Carpus + Partner AG, Aachen	
Grünplanung	Fa. Grün-Raum-Planung, Dipl. Ing. Clemens Belke, Lennestadt	
Ausführung GaLaBau	Fa. GDL Belke GmbH, Lennestadt	
Baujahr	2021	
Bauweise	Beton-Fertigteilbauweise	
Art der Begrünung	Living Wall außen	605 m²
	Living Wall innen	60 m²

Systeme und Lieferanten	
Fassadenbegrünung außen	Belke/Sempergreen/Ejot
Innenraumbegrünung	Belke/Sempergreen/Ejot

Wirkungsweisen und Effekte	
Hitzeschutz	3 von 3 Symbolen
Regenwassermanagement	2 Symbole
Ressourcenschonung	2 Symbole
Biodiversität	3 Symbole

Kosten/Aufwände	
Errichtung	€€€ (1.200 €/m²)
technische Wartung (z. B. Prüfung, Reinigung, Fernwartung, Filtertausch von Bewässerungsanlagen etc.)	€
Pflegekosten Fassadenbegrünung	€€ (36 €/m²)
Pflegekosten Innenraumbegrünung	€€ (36 €/m²)

Vegetationstechnik	
Dauerhaftigkeit	mehr als 30 Jahre
jährliche Begrünungsdauer	immergrün/saisonal
Wasserbedarf	Mittel Bewässerungsart: automatische Bewässerung ca. 60 m³ Monat, deshalb 100 l/(m² · Monat) Trinkwasser
Düngemittelbedarf	10 kg Dünger auf 605 m² / 6 Monate
Pflanzenschutz	nicht notwendig

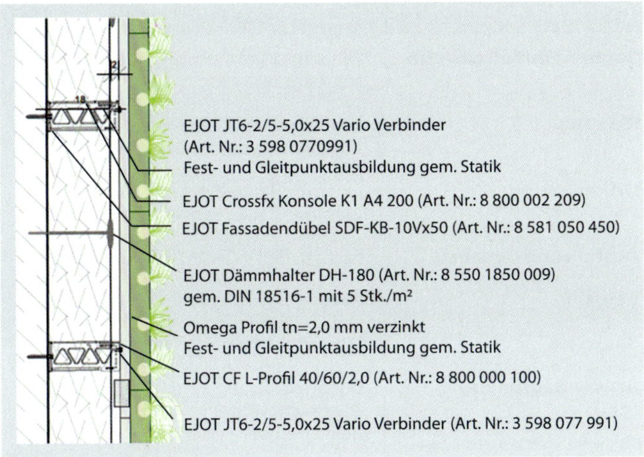

Abb. 7.135: Vertikalschnitt der intensiven Fassadenbegrünung, wie sie in Moers umgesetzt wurde (Quelle: Dipl. Ing. Clemens Belke, Lennestadt)

Abb. 7.136: Die Fassadenbegrünung wird mit einer Hebebühne gepflegt (Quelle: Dipl. Ing. Clemens Belke, Lennestadt).

Begrünung im Detail

Die Fassade wurde mit modularen Vegetationselementen gestaltet. Jedes einzelne Element wurde im Gewächshaus vorkultiviert. Die Bepflanzung der Elemente wurde nach dem entwickelten Pflanzplan vorgenommen. Nach der Bepflanzung erhielt jedes Element eine Nummer, sodass eine Gesamterscheinung nach Plan an der Fassade gewährleistet werden kann (Abb. 7.136). Aufgrund der großen Dichte der Pflanzen pro Quadratmeter wurde eine Gesamtzahl von 57.600 Pflanzen allein an der Ostfassade installiert.

Das abwechslungsreiche Bild berücksichtigt die verschiedenen Strukturen und Texturen der einzelnen verwendeten Arten. Dadurch bietet sich dem Betrachter ein jahreszeitlich abwechslungsreiches Bild mit großflächigen Blüten in 3 Farbtönen. Die Pflanzenauswahl ist das Ergebnis vieler Jahre Erprobungsarbeit. Bei den 3 Fassaden (Ostfassade, Innenhof, Foyer), die im Zuge des Bauvorhabens realisiert wurden, variiert die Vegetationsauswahl aufgrund der unterschiedlichen Standortansprüche der Arten. Sowohl das Klima des Standorts als auch die Ausrichtung der Wand spielen bei der Pflanzenauswahl und -zusammenstellung eine große Rolle.

Alle Parameter der Vegetation werden mit einer Kontroll- und Überwachungssensorik dauerhaft überwacht. Die Ergebnisse sind in 46 Messbereichen online abrufbar. Die Sensoren zeichnen sowohl die Temperaturen auf als auch die Feuchtigkeit. So kann die Bewässerung ideal angepasst werden. Außerdem werden die Nährstoffgehalte gemessen, um die Konzentration der eingesetzten, speziell auf die Bedürfnisse von Fassadenbegrünungen angepassten Düngelösung passgenau einzustellen. Zusätzlich macht das Monitoring ein schnelles und gezieltes Eingreifen bei Konfliktsituationen möglich. Die Fernwartung ermöglicht es, den Zustand der Fassade über das ganze Jahr zu kontrollieren und dem Kunden die versprochene Qualität zu garantieren.

Eine besondere Herausforderung der Ausführung am Objekt in Moers bestand in der Aufgabe, 2 Vertikalbegrünungen im Außenbereich sowie die Innenraumbegrünung in einem Technikraum, der sich ungefähr 20 bis 40 m von den Begrünungsflächen entfernt im Inneren des Gebäudes befindet, zu integrieren und dort anzusteuern. Alle Sensorkabel sowie alle Bewässerungsleitungen mussten bis zu diesem Raum verzogen werden.

Dazu mussten 2 Brandwände F 90 gekreuzt werden, was als solches schon eine erhebliche technische Herausforderung für das Gewerk darstellt. Alle konstruktiven Bauelemente sind nach Brandschutzkriterien ausgewählt worden. Dazu zählen sowohl die verwendete mineralische Dämmung als auch die Vegetationselemente. Die Vegetationselemente werden auf Basis einer ca. 5 cm starken Mineralfaserschicht produziert, die den Wurzelraum für die Vegetation darstellt. In Zusammenhang mit den Temperatursensoren ist das Eigenlöschverhalten der vertikalen Begrünung bei einem Brandereignis von innen nach außen gefahrlos gewährleistet. Im Brandfall funktioniert die Bewässerungsanlage wie eine Sprinkleranlage im Innenraum.

7.4.6 Außen: Hochregallager der Fa. Klinke, Neuenrade

Projektbeschreibung

Das Alleinstellungsmerkmal des Projekts ist die selbsttragende Konstruktion der Vertikalbegrünung auf der Nord- und Westseite. Dort wurde die Begrünung oberhalb der im EG befindlichen Produktionshallen an der Wand des neuen Hochregallagers errichtet (Abb. 7.137 und Abb. 7.138). Die Wände des Hochregallagers besaßen jedoch keine Lastreserven, um die vertikale Begrünung mit dem Gewicht von 40 kg/m² aufzunehmen. Darum wurde es notwendig, eine freitragende, über eine Spannweite von 20 m konstruierte Stahlkonstruktion aufzubauen, die auf den Knotenpunkten der Halle unterhalb abgelastet wurde (Abb. 7.139). Die Wand des Hochregals hat lediglich die zur Lagestabilisierung notwendigen Punkte zur Verfügung gestellt.

Der Bauherr lagert im Hochregallager Produkte für die Musikinstrumenteproduktion, die über das Jahr möglichst temperaturneutral ohne große Wärmeeinwirkung gelagert werden sollen. Dafür wurde die klimaneutrale Kühlung des Hochregalraums gewünscht. Durch die vertikale Begrünung wird auf Basis der Verdunstungsleistung an der Wand über das Jahr eine maximale Temperatur von 15 °C im Innenraum nicht überschritten.

Begrünung im Detail

Für die Begrünung wurden die relativ leichtgewichtigen Sempergreen-Flexipanels gewählt. Diese sind mit einer Vielzahl von bewährten und dauerhaften Pflanzen bestückt und flächendeckend vorkultiviert. Auf den nachfolgenden Fotos sind etwa *Bergenia*, *Geranium* und *Heuchera* deutlich zu erkennen. Einige Gräser und Seggen bilden weitere prägende ganzjährige Pflanzstrukturen.

Objektdaten		
Bauherr*in/Betreiber*in	Fa. Julius Klinke GmbH & Co KG, Neuenrade	
Planung	Schnabel Architekt & Beratender Ingenieur PartG mbB, Neuenrade	
Grünplanung	Fa. Grün-Raum-Planung, Dipl. Ing. Clemens Belke, Lennestadt	
Ausführung GaLaBau	Fa. GDL Belke GmbH, Lennestadt	
Baujahr	2020	
Bauweise	Massivbau, Hebel Porenbetonplatten	
Art der Begrünung	Dachbegrünung extensiv (hier nicht weiter beschrieben)	ca. 2.000 m²
	Living Wall außen	450 m²

Systeme und Lieferanten	
Dachbegrünung	Sempergreen
Fassadenbegrünung außen	Belke/Sempergreen/Ejot

Wirkungsweisen und Effekte	
Hitzeschutz	
Regenwassermanagement	
Ressourcenschonung	
Biodiversität	

Kosten/Aufwände	
Errichtung	€€€ (850 €/m²)
technische Wartung (z. B. Prüfung, Reinigung, Fernwartung, Filtertausch von Bewässerungsanlagen etc.)	€€ (zweimal im Jahr)
Pflegekosten Fassadenbegrünung	€€ (36 €/m², 2 Pflegegänge im Jahr)

Vegetationstechnik	
Dauerhaftigkeit	mehr als 30 Jahre
jährliche Begrünungsdauer	immergrün/saisonal
Wasserbedarf	mittel, Verdunstungskühlung Bewässerungsart: automatische Bewässerung ca. 50 m³/Monat, deshalb 110 l/(m² · Monat) Trinkwasser
Düngemittelbedarf	8 kg Dünger auf 450 m² in 6 Monaten
Pflanzenschutz	nicht notwendig

Abb. 7.137: Intensive Fassadenbegrünung am Hochregallager der Fa. Klinke (Quelle: Dipl. Ing. Clemens Belke, Lennestadt)

Abb. 7.138: Blick auf Fassaden- und Dachbegrünung (Quelle: Dipl. Ing. Clemens Belke, Lennestadt)

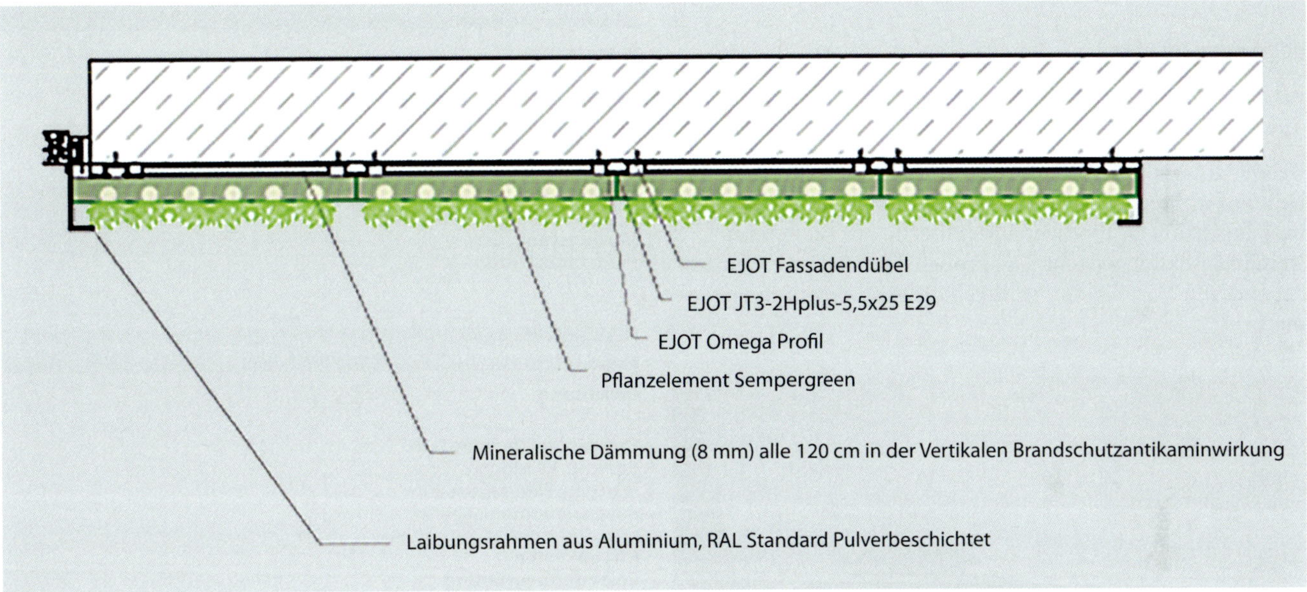

Abb. 7.139: Systemschnitt horizontal: Aufbau der Fassadenbegrünung am Objekt Hochregallager der Fa. Klinke (Quelle: Dipl. Ing. Clemens Belke, Lennestadt)

7.4.7 Außen: „Haus des Meeres", Wien, Österreich

Projektbeschreibung

Nach Übernahme des 1944 gebauten Flakturms durch die „Haus des Meeres GmbH" wurde eine optische und ökologische Aufwertung der bis dato blanken Betonwand (nordseitig) angedacht und umgesetzt (Abb. 7.140 und Abb. 7.141). Die Besonderheiten sind die Bauhöhe > 40 m und die massive Beschaffenheit des Betons am Flakturm sowie die Wandstärke von bis zu 4 m.

Neben der Betonfestigkeit sind es auch Fassadensprünge, die über eine Bauhöhe von 30 m über 20 cm ausmachen. Diese Ungleichheit sollte mit der hinterlüfteten Unterkonstruktion ausgeglichen werden (Abb. 7.142, Abb. 7.143 und Abb. 7.144). Zudem hätte Bohren und Dübeln zu viel Zeit gekostet. Es wurde deshalb „geschossen", d. h., nach einer kleinen Zentrierbohrung wird ein 50-mm-Dübel mit großer Krafteinwirkung in den Beton hineingeschossen; Auszugsversuche haben über 1,4 t Zuglast attestiert.

Begrünung im Detail

Bis ca. 11 Uhr morgens hat die obere Hälfte der Begrünung direkte Sonneneinwirkung.

Bei der Auswahl der Pflanzen wurde auf die Ausgewogenheit von Immergrün und saisonalen Blühakzenten geachtet und zusätzlich an Biodiversität in Bezug auf Bienen und weitere Insekten gedacht. Die große Diversität ist einer der besonderen Vorteile der wandgebundenen Begrünungsformen.

Abb. 7.140: Von der Wiener Einkaufsstraße Mariahilferstraße aus sieht man eine üppige Grünmasse am geschichtsträchtigen Flakturm (Quelle: DieStadtbegrüner – Sascha Haas, Wien).

Objektdaten		
Bauherr*in/Betreiber*in	Haus des Meeres GmbH	
Planung	DieStadtbegrüner	
Grünplanung	Sascha Haas, Wien	
Ausführung LaBau	Tech Metall GmbH	
Baujahr	2019	
Bauweise	vorgehängtes und hinterlüftetes Fassadensystem	
Art der Begrünung	Living Wall außen	375 m^2

Systeme und Lieferanten	
Fassadenbegrünung außen	System „Grünwand" (www.gruenwand.com)

Wirkungsweisen und Effekte	
Hitzeschutz	
Regenwassermanagement	
Ressourcenschonung	
Biodiversität	
Verdunstung, CO_2, Feinstaub, Optik	+++

Kosten/Aufwände	
Errichtung	€ € €
technische Wartung (z. B. Prüfung, Reinigung, Fernwartung, Filtertausch von Bewässerungsanlagen etc.)	€
Pflegekosten Fassadenbegrünung	€ €

Vegetationstechnik	
Dauerhaftigkeit	50 Jahre
jährliche Begrünungsdauer	immergrün/saisonal/Sonstiges: 30 : 70 %
Wasserbedarf	ausschließlich die Menge an Wasser, das die Pflanzen auch verdunsten können; Vermeidung von abtropfendem Überschusswasser
Düngemittelbedarf	gering durch Depotdünger; 3 bis 6 Monate
Pflanzenschutz	keiner notwendig; Pflanze sitzt im Trog, wie sie per Samen vorgezogen wurde

Abb. 7.141: Die Höhe und die Geschichte des Flakturms sowie auch das neue Blütenmeer sorgen für eine ganz eigene Stimmung. Die einzelnen horizontalen Pflanzstrukturen des Metallbaus sind noch zu erahnen (Quelle: DieStadtbegrüner – Sascha Haas, Wien).

Abb. 7.142: Bild aus der Bauphase mit Baugerüst (Quelle: DieStadtbegrüner – Sascha Haas, Wien). Die horizontalen Pflanzstrukturen sind gerade frisch bepflanzt (Bauphase 2020).

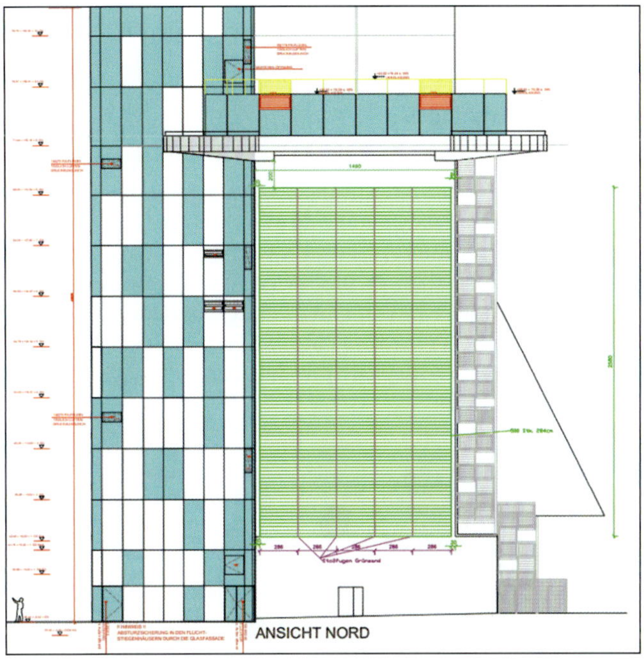

Abb. 7.143: Bauskizze des 13-geschossigen Bauwerks mit der Anordnung der Metall-Pflanzgefäße an der Bunkerwand (Quelle: DieStadtbegrüner – Sascha Haas, Wien)

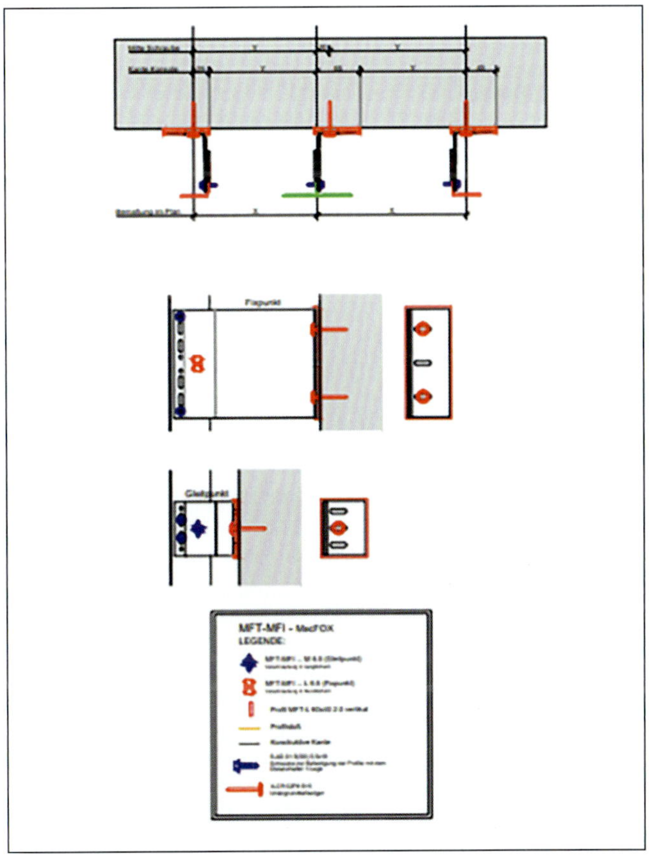

Abb. 7.144: Auszug aus dem Montageplan der Wandverankerungen (Quelle: DieStadtbegrüner – Sascha Haas, Wien)

7.4.8 Außen: Fassadengrün in der Hannovergasse, Wien

Projektbeschreibung

Das Projekt zeigt die Diversität der unterschiedlichsten Begrünungsmethoden an einer Fassade, angefangen im Erdgeschoss mit vorkultivierten Pflanzhecken und Trögen mit Rank- und Schlingpflanzen, die bis in das erste Obergeschoss reichen. Weiter geht es im zweiten Geschoss mit den für Wien typischen „Blumenkisterln“ mit hängenden Pflanzen. Im dritten Geschoss setzten die Stadtbegrüner ein vorgehängtes und hinterlüftetes Fassadenbegrünungssystem in Schichtbauweise um und pflanzten Stauden und Kräuter aus (Abb. 7.146 und Abb. 7.147). Ganz oben im vierten Obergeschoss ragen 2 GraviPlants, 2 rotierende Bäume, horizontal aus der Fassade (Abb. 7.148 und Abb. 7.149). Den Abschluss auf dem Dach bildet eine Dachbegrünung mit klassischer Methode zur Selbstbepflanzung, überwiegend mit Trögen in Systembauart samt Bewässerungsanlage. Die Besonderheit findet sich definitiv in der Vielfalt an Begrünungsmethoden.

Begrünung im Detail

Die Fassade zeigt nach Norden. Bis ca. 10 Uhr morgens hat die obere Hälfte der Begrünung aber auch ihre Sonne. Bei der Auswahl der Pflanzen wurde einerseits auf die Ausgewogenheit von Immergrün und saisonalen Blühakzenten gedacht und zusätzlich an Biodiversität in Bezug auf Bienen und Insektenhotels; davon gibt es einige am Dach. Die Diversität ist einer der großen Vorteile der wandgebundenen Begrünungsformen; gepaart mit den Rankpflanzen erreicht man ein Optimum.

Abb. 7.145: Seitliche Straßenansicht

Objektdaten		
Bauherr*in/Betreiber*in	Sparr GmbH	
Planung	DieStadtbegrüner	
Grünplanung	Andreas Lichtblau	
Ausführung LaBau	90DEGREEN GmbH	
Baujahr	2019	
Bauweise	viele verschiedene Begrünungsmethoden, fassadengebunden auch als Rankgerüst und mit Schlingpflanzen etc. sowie mit Speziallösungen	
Art der Begrünung	Dachbegrünung intensiv	30 m²
	Fassadenbegrünung bodengebunden	40 m²
	Fassadenbegrünung troggebunden	80 m²
	Living Wall außen	40 m²
	drehende Bäume; GraviPlant	2

Systeme und Lieferanten	
Dachbegrünung	Tröge
Fassadenbegrünung außen	System 90DEGREEN (www.90degreen.com)
Sonstiges	GraviPlant

Wirkungsweisen und Effekte	
Hitzeschutz	ja, aber Nordseite
Regenwassermanagement	
Ressourcenschonung	 (vor allem Verbesserung)
Biodiversität	
Verdunstung, CO_2, Feinstaub, Optik	+++

Kosten/Aufwände	
Errichtung	€€€
technische Wartung (z. B. Prüfung, Reinigung, Fernwartung, Filtertausch von Bewässerungsanlagen etc.)	€€
Pflegekosten Dachbegrünung	€
Pflegekosten Fassadenbegrünung	€€

Vegetationstechnik	
Dauerhaftigkeit	50 Jahre
jährliche Begrünungsdauer	immergrün/saisonal blühend: 30 bzw. 70 %
Wasserbedarf	ausschließlich die Menge an Wasser, die Pflanzen auch verdunsten können; kein Überschusswasser
Düngemittelbedarf	gering durch Depotdünger in den Trögen und Injektionsdüngung bei der wandgebundenen Variante, rund 5 Monate pro Jahr
Pflanzenschutz	bis dato immer wieder Dickmaulrüsslerbefall (neue Plage in ganz Wien und Umgebung) und einmal im EG ein Pilz; überschaubar wenig

Abb. 7.146: Die an sich schon schöne Stuckfassade des Gebäudes in der Hannovergasse vor den Begrünungsmaßnahmen im Jahr 2018 (Quelle: DieStadtbegrüner – Andreas Lichtblau, Wien)

Abb. 7.147: Gesamtansicht des Gebäudes nach dem Abschluss der Begrünungsmaßnahmen: „unser Highlight in dem Grätzl", wie es im Internet von Bewohnern geschrieben steht (Quelle: DieStadtbegrüner – Andreas Lichtblau, Wien)

Abb. 7.148: Lieferung der horizontal rotierenden Buchsbäumchen (Quelle: DieStadtbegrüner – Andreas Lichtblau, Wien)

Abb. 7.149: Montage dieser Gehölze, die zukünftig an der Fassade rotieren und dadurch komplett horizontal wachsen (Quelle: DieStadtbegrüner – Andreas Lichtblau, Wien)

7.4.9 Außen: Fassadenbegrünung der MA48, Wien, Österreich

Projektbeschreibung

Im Zuge eines Sanierungsverfahrens wurde das 1960er-Jahre-Magistratsgebäude in der Stadt Wien effizienter gestaltet und großflächig mit einer Grünfassade ausgestattet (Abb. 7.150). Die mittlerweile mehr als 10 Jahre alte Begrünung mit mehr als 17.000 Pflanzen gilt als Pilotprojekt für Fassadenbegrünung in Europa. Das Projekt wurde langjährig wissenschaftlich von der Universität für Bodenkultur sowie der TU Wien hinsichtlich Vegetationstechnik, Mikroklima und Bauphysik begleitet.

Die vollautomatische und sensorgesteuerte Bewässerung findet über 3.500 lfm Tropfschläuche mit 12 einzeln steuerbaren Zuleitungen statt. Um einen Brandüberschlag zu verhindern, gibt es 300 m lange lineare, ca. 30 cm breite Brandschottelemente aus Metall zwischen jeder Etage. Die wissenschaftliche Begleitung zeigt, dass die Fassadenbegrünung die Transpirationsleistung und Sauerstoffproduktion von 4 ausgewachsenen 100-jährigen Buchen bzw. die Leistung von 75 Klimakühlgeräten mit 8 Stunden Betriebsdauer und einer Leistung von 3.000 W erbringt (Abb. 7.151). Der winterliche Wärmeverlust des Gebäudes in W/m^2 reduziert sich durch den gesamten Systemaufbau um bis zu 50 %. Die gemessene Oberflächentemperatur der Begrünung unterscheidet sich an sonnigen Tagen von der Oberflächentemperatur der ursprünglichen Putzfassade und des dunkleren Sockelbereichs um bis zu 15 °C zugunsten der Begrünung.

Begrünung im Detail

Bei der Lösung handelt es sich um eine fassadengebundene Begrünung bzw. Living Wall des Systems Grünwand. Diese ist eine Entwicklung der österreichischen Firmen Die StadtBegrüner / Techmetall GmbH und Dachgrün GmbH (Pflanzwannen, Substrate, Pflanzensortimente). Das Grünwandsystem wurde unter wissenschaftlicher Begleitung der BOKU, Institut für Ingenieurbiologie und Landschaftsbau, beginnend 2008 konzipiert und wird seither laufend optimiert, beispielsweise in Bezug auf das Pflanzensortiment an verschiedenen Versuchsstandorten mit unterschiedlicher Exposition. Auf bzw. in rund 2.850 lfm Aluminiumschalen wurden auf einer vertikalen Fassadenfläche von rund 850 m^2 insgesamt rund 17.000 Pflanzen bzw. Stauden, Gräser und Kräuter, wie z. B. Immergrüne Schleifenblume, Blaugräser, Katzenminze, Federnelke, Grasnelken, Lavendel, Gemeine Schafgarbe und Echter Thymian, eingesetzt (Abb. 7.152 und Abb. 7.153). Der Pflegeaufwand beschränkt sich auf ein bis 2 Pflegedurchgänge pro Jahr mittels Hubsteiger und entsprechender Sicherung des Gehsteigs.

Objektdaten		
Bauherr*in/Betreiber*in	Stadt Wien – Magistratsabteilung 48 – Abfallwirtschaft, Straßenreinigung und Fuhrpark	
Grünplanung	Universität für Bodenkultur, Institut für Ingenieurbiologie und Landschaftsbau	
Ausführung LaBau	dieStadtBegrüner/Dachgrün	
Baujahr	Januar bis September 2010	
Bauweise	1960er-Jahre-Ziegelbau ohne konventionelle Wärmedämmung	
Art der Begrünung	Living Wall außen	850 m^2
Sonstiges	wissenschaftliche Begleitung durch Universität für Bodenkultur, Institut für Ingenieurbiologie und Landschaftsbau	

Systeme und Lieferanten	
Fassadenbegrünung außen	dieStadtBegrüner, Techmetall / Grünwand Klimafassade
Bewässerung	Fa. Prochaska / TORO Bewässerung

Wirkungsweisen und Effekte	
Hitzeschutz	
Regenwassermanagement	
Ressourcenschonung	
Biodiversität	
Bauphysik	+++

Kosten/Aufwände	
Errichtung	€€€
technische Wartung (z. B. Prüfung, Reinigung, Fernwartung, Filtertausch von Bewässerungsanlagen etc.)	€
Pflegekosten Fassadenbegrünung	€

Vegetationstechnik	
Dauerhaftigkeit	20 bis 50 Jahre
jährliche Begrünungsdauer	saisonal
Wasserbedarf	mittel Bewässerungsart: Trinkwasser
Düngemittelbedarf	mittel
Pflanzenschutz	gering

Abb. 7.150: Fassadenbegrünung auf dem Gebäude MA48 nach einer Vielzahl von Jahren, hier der Zustand 2021 (Quelle: GREENPASS, Wien)

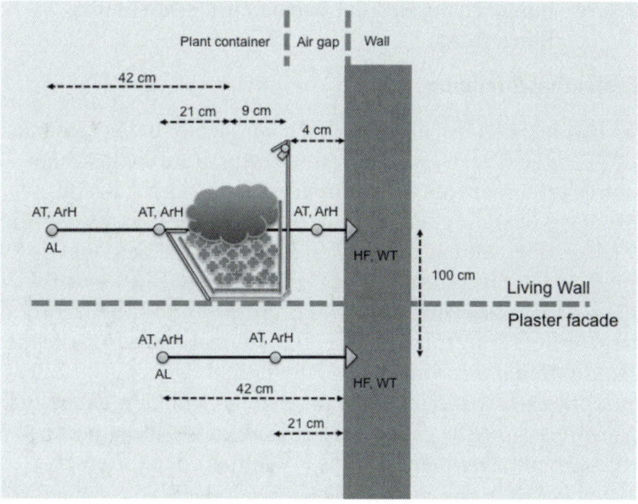

Abb. 7.151: Der prinzipielle Aufbau der horizontalen Pflanzreihen beim MA48 mit der Darstellung von Dauer-Klimamesspunkten vor und hinter der Begrünung (Quelle: GREENPASS, Wien)

Abb. 7.152: Details zum Aufbau dieser Metallfassade: Die Aufnahme stammt von kurz nach der Installation (Quelle: Köhler, November 2019), die horizontalen Pflanzkästen sind gut erkennbar. Die Bewässerungselemente sind überwiegend in Kanalschächte mit Metallabdeckung verlegt, jede Pflanzreihe hat eine eigene Wasserversorgung. Die Einzelpflanzen sind noch gut zu erkennen.

Abb. 7.153: Die Aufnahme vom November 2015 (Quelle: Scharf) zeigt, dass die Vegetation die Fläche gut bedeckt und zu einem Gräser-Kräuter-Rasen geworden ist. Im Bild ist noch ein Dränrohr aus einer Kübelreihe zu erkennen.

7.4.10 Innen: Living Wall der Roman Klis Design GmbH, Herrenberg

Projektbeschreibung

Es handelt sich um einen vielfach ausgezeichneten Umbau des Firmensitzes von Klis Design (https://www.klisdesign.com/de/), einer weltweit führenden Agentur für Brand Strategy, Branding, Packaging- und POS-Design. Es war die Zielsetzung, vom altmodischen Bürogebäude zu den, wie es hieß, „Malediven des Designs" zu gelangen. Ein wesentlicher Aspekt des Umbaus war das umfassende Innenraumbegrünungskonzept und damit eine Bürogestaltung, die die Produktivität der Mitarbeiter unterstützt. Über 2.100 Zimmerpflanzen wurden in verschiedenen Grünelementen zur Verminderung des Stresslevels, zur Kreativitätssteigerung und für ein allgemein positives Wohlbefinden eingesetzt.

Begrünung im Detail

In Zusammenarbeit mit der Ippolito Fleitz Group, einem führenden und multidisziplinären Designstudio, wurden unterschiedliche Begrünungselemente mit integriertem Pflanzsystem passend zum Projekt entwickelt und entsprechend den Anforderungen gefertigt: u. a. Pflanzinseln (Abb. 7.154, Abb. 7.155 und Abb. 7.156), Hängeampeln (Abb. 7.157 und Abb. 7.158) sowie grüne Wände.

Im Pflanzsystem werden beliebige Erd- oder Hydropflanzen unter Verwendung von Zeostrat in einen Spezialkulturtopf mit vielen Belüftungsöffnungen umgetopft. Die bepflanzten Kulturtöpfe werden in das jeweilige Begrünungselement mit integriertem Pflanzsystem eingesetzt und hängen einige Zentimeter tief im Wasserreservoir. Oberhalb des Wassers befindet sich ausschließlich Luft mit hoher Luftfeuchtigkeit. Staunässe, Wurzelverdichtung und ein Verwachsen der Pflanzen im Wurzelbereich sind ausgeschlossen. Der Austausch einzelner Pflanzen ist punktuell und jederzeit ohne Pflanzarbeiten und Schmutz möglich. Die erforderlichen Pflanzsubstratmengen, die Gewichtsanforderungen sowie die Aufbauhöhen sind deutlich reduziert. Das Pflanzsystem ist von außen nicht sichtbar.

Die bei diesem Projekt verwendeten Begrünungselemente werden manuell versorgt. Umso wichtiger sind die wesentlich verlängerten Gießintervalle durch das System von 4 bis 24 Wochen.

Pflege und Instandhaltung erfolgen durch einen lokalen Gärtner.

Objektdaten		
Bauherr*in/Betreiber*in	Roman Klis Design	
Planung	Ippolito Fleitz Group	
Grünplanung	GKR Hydro GmbH	
Ausführung LaBau	GKR Hydro GmbH	
Baujahr	2018	
Bauweise	Innenraumbegrünung	
Art der Begrünung	Living Wall innen	22 m²
	Innenraumbegrünung am Boden und auf Regalen	1.050 m²

Systeme und Lieferanten	
Innenraumbegrünung	verschiedene Hydro Profi Line® Begrünungssysteme; Hersteller: GKR Hydro GmbH

Wirkungsweisen und Effekte	
Raumklima, Nature-based Experience, psychologisches Wohlbefinden etc.	+++

Kosten/Aufwände	
Errichtung	€€€
technische Wartung (z. B. Prüfung, Reinigung, Fernwartung, Filtertausch von Bewässerungsanlagen etc.)	€

Vegetationstechnik	
Dauerhaftigkeit	Pflanzsystem/Gefäße: mehr als 50 Jahre
	Pflanzen: ca. 10 Jahre
jährliche Begrünungsdauer	immergrün (indoor)
Wasserbedarf	gering
	Bewässerungsart: manuelle Bewässerung; durch das Hydro Profi Line® Pflanzsystem ist der Wasserverbrauch um ca. 50 bis 80 % reduziert
Düngemittelbedarf	gering
Pflanzenschutz	gering

Abb. 7.154: Schematischer Aufbau und Funktionsprinzip aller Hydro Profi Line® Pflanzsysteme mit manueller Versorgung (Quelle: GKR Hydro GmbH, München)

Abb. 7.155: Fertig aufgestelltes und bepflanztes Pflanzbecken in einer pulverbeschichteten Edelstahlvariante mit einer in der Pflanzhöhe abgestuften, tropisch anmutenden Bepflanzung (Quelle: GKR Hydro GmbH, München)

Abb. 7.156: Basismodell des Pflanzbeckens während der Installation (Quelle: GKR Hydro GmbH, München). Die Systemoberfläche zwischen den Gefäßen wird abschließend mit Zierkies o. Ä. nach Kundenwunsch abgedeckt.

Abb. 7.157: Besonderheiten beim Projekt waren die Hängeampeln in verschiedenen Größen (Quelle: GKR Hydro GmbH, München). Diese schränken die Nutzfläche im Büro nicht ein, haben aber volle klimatisierende Funktionen.

Abb 7.158: In diese Hängeampeln kann Beleuchtung integriert werden. Mittels gespannter Seile kann die Vegetation im Zuge des Wuchses nach Belieben dirigiert werden (Quelle: GKR Hydro GmbH, München).

7.4.11 Innen: Spreepalais am Dom, Berlin

Projektbeschreibung

Das Spreepalais, das sich in der historischen Mitte Berlins befindet, wurde im Jahr 2002 mit einem hohen ästhetischen Anspruch neu errichtet. Die bestehende Architektur der ursprünglichen alten Münzprägeanstalt wurde dabei in der neuen Architektur berücksichtigt (Abb. 7.159). Im glasüberdachten Atrium des Spreepalais befindet sich die Living-Wall-Innenraumbegrünung mit einer abwechslungsreichen Pflanzenvielfalt (Abb. 7.160 und Abb. 7.161). Die positiven klimatischen Effekte bewirken eine verbesserte Raumluft und damit eine höhere Qualität des Aufenthalts. Die Innenraumbegrünung befindet sich an einer vorgehängten hinterlüfteten Fassade und hat keinen Kontakt zur tragenden Wand. Als Pflanzen kommen unterschiedliche Blüh- und Blattschmuckstauden aus den Tropen und Subtropen zum Einsatz.

Begrünung im Detail

Nach DIN 18516-1 setzt sich die Konstruktion auch bei einer Innenraumbegrünung aus einer Fassadenbekleidung, dem Hinterlüftungsraum und einer Dämmung sowie der Unterkonstruktion zusammen. Voraussetzung ist ein statisch tragender Verankerungsgrund. Die vorgehängte hinterlüftete Fassade ist nach den allgemein anerkannten Regeln der Technik und den entsprechenden bauaufsichtlichen Zulassungen gebaut – dabei ist dieses System an nahezu alle geometrischen Formen anpassbar. Das System besteht aus einer maßgeschneiderten Unterkonstruktion mit Aluminiumkonsolen und -profilen, abgestimmt auf den geplanten Wandaufbau. Darauf sind die Aluminium-Verbundplatten mit einem patentierten Vlies-Substrat-System und der Bepflanzung montiert. Die Konstruktion ist zwängungsfrei mithilfe von Fix- und Gleitpunkten montiert, wobei die vertikalen Tragprofile die gleiche thermische Längenausdehnung wie die Aluminium-Verbundplatten des Trägersystems aufweisen.

Ein besonderes Detail bei der Innenraumbegrünung im Spreepalais ist die flächige Vor-Ort-Montage, individuell gestaltet – mit einer geschlossenen Pflanzendecke nach ca. 3 Monaten. Das Bogenmaß von 6,4 lfm erforderte besondere Aufmerksamkeit (Abb. 7.162). Die hinter dem Begrünungssystem liegenden Natursteinplatten wurden mittig und in den Plattenfugen mit 10 mm Gewindestangen durchdrungen (Abb. 7.163). Die Unterkonstruktion wurde mit L-Wandkonsolen, T-Profilen und Aluminium-Vierkantrohren als Fußplatte umgesetzt.

Eine robuste Tauchpumpe pumpt das Gießwasser mit Nährlösung in druckkompensierte Tropfrohre und versorgt die Pflanzen. Da das Berliner Trinkwasser sehr kalkhaltig ist, wird es mit einer fünfstufigen Osmoseanlage aufbereitet. Die Steuerung ist webbasiert, sodass man jederzeit darauf zugreifen kann.

Das Begrünungssystem ist ein Vlies-Substrat-System mit Innenraumsubstrat und integrierten Tropfrohren. Das Gewicht beträgt ca. 30 kg/m² (voll bewachsen und wassergesättigt). Die Pflanzen befinden sich in Pflanztaschen. Aus einer Datenbank mit über 300 Pflanzen wurden verschiedene tropische und subtropische Zierpflanzen ausgewählt; die Pflanzung erfolgte nach Pflanzplan.

Objektdaten		
Bauherr*in/Betreiber*in	Deka Immobilien Investment GmbH, Frankfurt a. M.	
Planung	neo systems architects, Berlin	
Grünplanung	Vertiko GmbH	
Ausführung LaBau	Vertiko GmbH	
Baujahr	2016	
Bauweise	vorgehängte hinterlüftete Fassade	
Art der Begrünung	Living Wall innen	48 m²

Systeme und Lieferanten	
Innenraumbegrünung	Vertiko Living Wall Indoor

Wirkungsweisen und Effekte	
Hitzeschutz	
Regenwassermanagement	
Ressourcenschonung	
Biodiversität	
Akustik/Lärmschutz	+++
Mikroklima Innenraum	+++

Kosten/Aufwände	
Errichtung	€ € €
technische Wartung (z. B. Prüfung, Reinigung, Fernwartung, Filtertausch von Bewässerungsanlagen etc.)	€
Pflegekosten Fassadenbegrünung	€ €

Vegetationstechnik	
Dauerhaftigkeit	30 bis 40 Jahre
jährliche Begrünungsdauer	immergrün
Wasserbedarf	mittel Bewässerungsart: 2,2 l/(m² · Tag) über Trinkwasser, da die Anbindung einer Regenwasserzisterne hier nicht vorgesehen war
Düngemittelbedarf	gering
Pflanzenschutz	gering

Abb. 7.159: Ausgangssituation im Atrium des Spreepalais in der Nähe des Berliner Doms: im Grunde ein großer Raum mit viel Begrünungspotenzial und dem Bedarf, die Innenraumluft entsprechend durch Bepflanzung anzufeuchten (Quelle: Vertiko GmbH, Freiburg)

Abb. 7.160: Gesamtansicht der Vertiko Living Wall Indoor im Spreepalais (Quelle: Vertiko GmbH, Freiburg)

Abb. 7.161: Schrägperspektive auf die fertiggestellte Begrünung im Atrium des Spreepalais: ein vertikaler Garten mit Anmutung eines tropischen Gartens. Im Vordergrund ist üppig wachsender Nestfarn zu erkennen (Quelle: Vertiko GmbH, Freiburg).

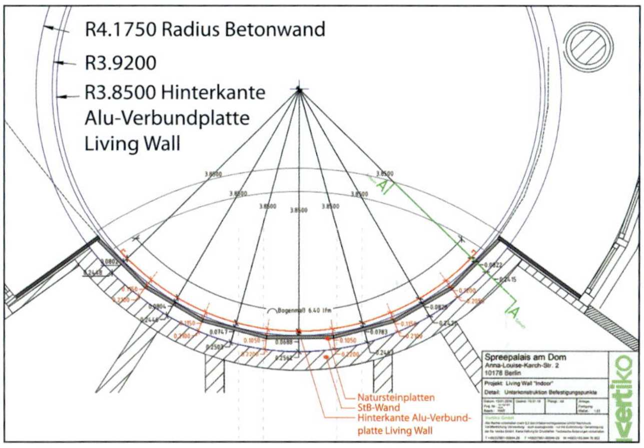

Abb. 7.162: Draufsicht und Unterkonstruktion des Aufbaus mit der entsprechenden Vermaßung (Quelle: Vertiko GmbH, Freiburg)

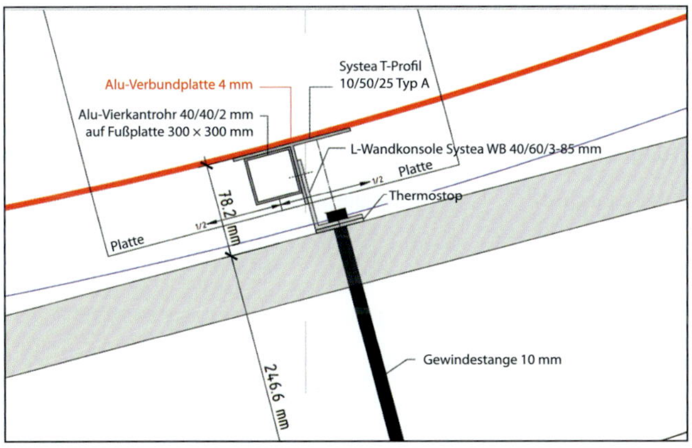

Abb. 7.163: Wichtige Details in der Konstruktion sind die richtig dimensionierten Verankerungen in den vorhandenen Steinplatten (Quelle: Vertiko GmbH, Freiburg).

7.4.12 Innen: Büroloft Fürstenstraße, Chemnitz

Projektbeschreibung

Im Jahr 1881 wurde die Strumpfmaschinenfabrik Alban Ludwig mit Schwerpunkt auf der Herstellung von Baumwoll- und Werkzeugmaschinen errichtet. Im Jahr 2016 erwarb nun die B&O Bau und Projekte GmbH den denkmalgeschützten Bau. Das neue Büroloft mit insgesamt 2.500 m^2 wurde als Nutzfläche ausgebaut.

Grundlegend für die Innenraumgestaltung war die Sichtbarmachung der charakteristischen Baustruktur des Industriedenkmals. Die neue Nutzung zeichnet sich durch bewusst zeitgenössische, präzise gesetzte Einbauten aus. Das Treppenhaus inklusive Aufzug beheimatet nun eine Living Wall Indoor (Abb. 7.164, Abb. 7.165 und Abb. 7.166).

Insbesondere im Innenraum sind schalldämmende und -absorbierende Eigenschaften wichtig. Im Treppenhaus der Fürstenstraße finden Gespräche statt, wird gelacht, schlagen Türen zu, entstehen Tritt- und Laufgeräusche. Ein Akustiktest des Systems innerhalb von Prüflaborbedingungen ergab folgende Ergebnisse:

- Schallabsorptionsgrad: Nach DIN EN ISO 354 „Akustik – Messung der Schallabsorption in Hallräumen" (2003) und nach VDI 3755 „Schalldämmung und Schallabsorption abgehängter Unterdecken" (2010), im Hallraum bewertet, ergibt sich ein Schallabsorptionsgrad α_W von 0,75 (H). Dieser befindet sich im oberen Bereich der Schallabsorberklasse C, knapp auf der Schwelle zu B. Dies entspricht einer Klassifizierung als hochabsorbierend.
- Schalldämm-Maß: Nach DIN EN ISO 10140 „ Akustik – Messung der Schalldämmung von Bauteilen im Prüfstand – Teil 1: Anwendungsregeln für bestimmte Produkte" (2021) erreicht das Innenraumbegrünungssystem ein bewertetes Schalldämm-Maß von $R_W = 22$ dB. Dämmt es den Schall um 22 dB, ist das beispielsweise vergleichbar mit einer Schallschutzwand für das Büro.

Begrünung im Detail

Es wurden tropische Pflanzenarten gewählt, die für die vertikale Begrünung erprobt sind. Durch die hohe Pflanzdichte entwickelt sich schnell ein hoher vegetativer Deckungsgrad. Eine Start-up-Pflege sowie eine optimierte Dünge- und Wasserzufuhr unterstützen den zügigen Lückenschluss. Viele unterschiedliche Sorten und Arten sorgen für eine abwechslungsreiche Struktur und Textur des vertikalen Grüns. Die Gestaltung in Streifen und Bändern zieht den Blick des Betrachters stets auf die üppige Vegetation. Unterschiedliche Blühzeiten sorgen für einen ganzjährigen Blühaspekt. Der Pflanzplan wurde in gegenseitiger Abstimmung mit den Projektpartnern erstellt. Die insgesamt 3.610 Pflanztöpfe enthalten insgesamt 14 Arten. Davon sind 38 Pflanztöpfe als solitäre optische Highlights gesetzt worden.

Die Start-up-Pflege während der ersten 3 Monate erforderte besondere Beachtung. Bewässerung und Düngung wurden mehrmals nacheinander auf den Bedarf der Pflanzen eingestellt und feinjustiert.

Objektdaten		
Bauherr*in/Betreiber*in	B&O Bau und Projekte GmbH	
Planung	LTHX Architekten GmbH	
Grünplanung	Vertiko GmbH	
Ausführung LaBau	Boymann GmbH & Co. KG	
Baujahr	2019	
Bauweise	vorgehängte hinterlüftete Fassade	
Art der Begrünung	Living Wall innen	132 m^2

Systeme und Lieferanten	
Wandbegrünung innen	Vertiko Living Wall Indoor

Wirkungsweisen und Effekte	
Hitzeschutz	
Regenwassermanagement	
Ressourcenschonung	
Biodiversität	
Akustik/Lärmschutz	+++
Mikroklima Innenraum	+++

Kosten/Aufwände	
Errichtung	€ € €
technische Wartung (z. B. Prüfung, Reinigung, Fernwartung, Filtertausch von Bewässerungsanlagen etc.)	€
Pflegekosten Fassadenbegrünung	€ €

Vegetationstechnik	
Dauerhaftigkeit	30 bis 40 Jahre
jährliche Begrünungsdauer	immergrün
Wasserbedarf	mittel Bewässerungsart: 2,2 l/($m^2 \cdot$ Tag) über Trinkwasser, da die Anbindung einer Regenwasserzisterne hier nicht vorgesehen war
Düngemittelbedarf	gering
Pflanzenschutz	gering

Abb. 7.164: Bild der Rohbauphase des Bürolofts Fürstenstraße in Chemnitz: die zu begrünende Wand (Quelle: Vertiko GmbH, Freiburg)

Abb. 7.165: Vertiko Living Wall Indoor im Büroloft Fürstenstraße, kurz nach der Fertigstellung (Quelle: Vertiko GmbH, Freiburg)

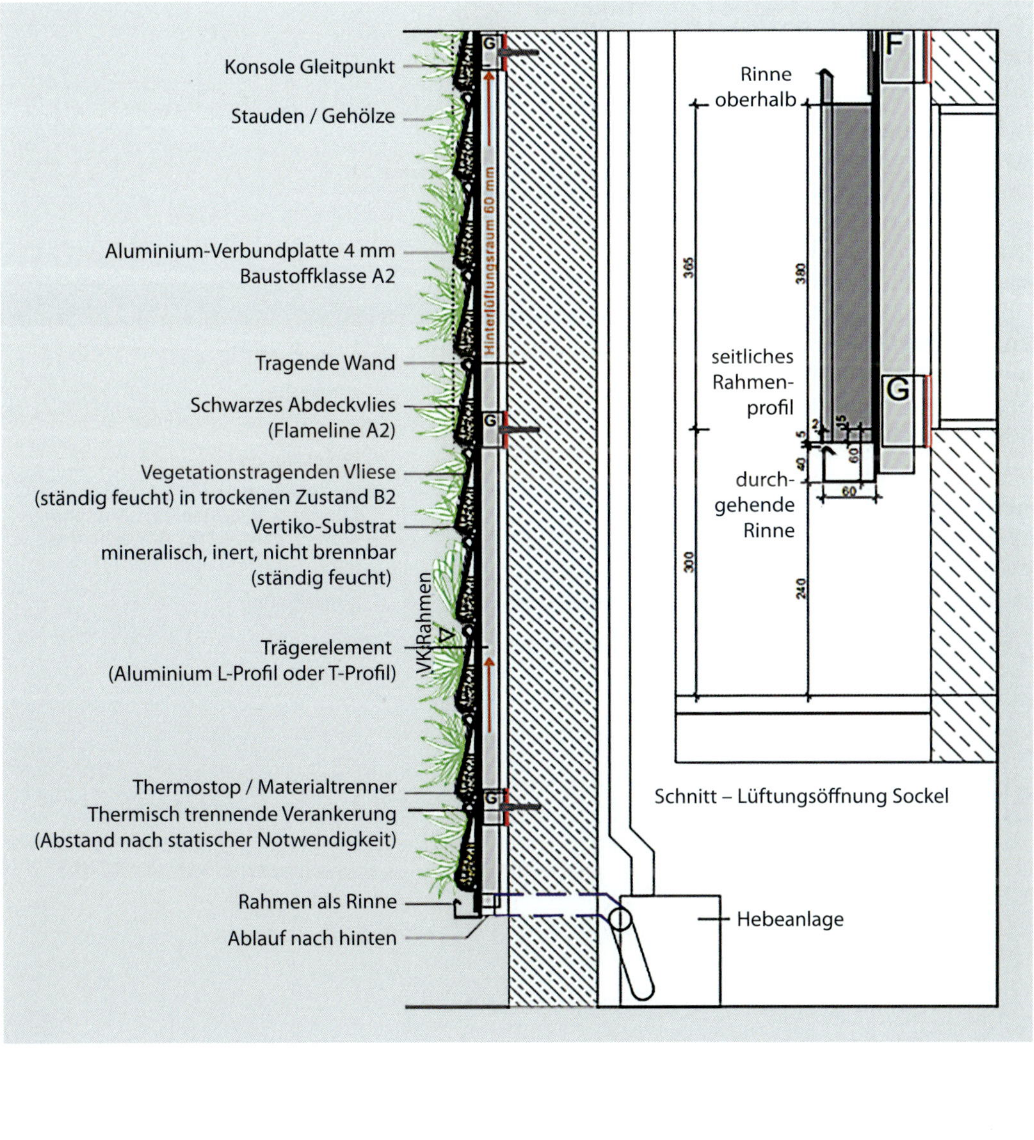

Abb. 7.166: Schnitt durch das in Chemnitz verwendete Living-Wall-System für einen Innenraum (Quelle: Vertiko GmbH, Freiburg). Wichtig: die gute Verankerung in der tragenden Wand, die Aluminium-Verbundplatte, das vegetationtragende Vlies sowie das Abdeckvlies. Abtropfendes Wasser wird gesammelt und zurückgeführt.

7.5 Besondere Begrünung

7.5.1 Grüngleis im Netz der Verkehrsgesellschaft Frankfurt a. M.

Projektbeschreibung

Im Bestandsnetz der Verkehrsgesellschaft Frankfurt a. M. (VGF) sind bislang ca. 12,4 km des Streckennetzes von Stadt- und Straßenbahn begrünt. Bei jeder grundhaften Gleiserneuerung sowie im Neubau wird zudem geprüft, ob eine Gleisbegrünung im Zuge dieser Maßnahme technisch und baulich möglich ist. Das Ziel einer Gleisbegrünung ist einerseits der stadtgestalterische Mehrwert und andererseits der große ökologische Nutzen.

Begrünung im Detail

Die Art des Oberbaus wird anhand der täglichen Streckenbelastung bestimmt. Unterschieden werden dabei die Begrünung auf klassischem Beton-Schwellengleis und die Begrünung auf Feste-Fahrbahn-Systemen, wie z. B. Betonlängsbalken oder Betonfertigteil-Gleisrost. In großen Teilen des Frankfurter Streckennetzes kann das klassische Beton-Schwellengleis begrünt werden. Dies kann einfacher und schneller realisiert werden, mit einem geringeren Kostenaufwand. Feste-Fahrbahn-Systeme dagegen, z. B. Betonlängsbalken aus Ortbeton, können die Bauzeit erheblich verlängern. Bestimmte Bereiche können bzw. sollten aus technischer Sicht nicht als Grüngleis realisiert werden, wie z. B. in Weichen, auf Brücken und im Haltestellenbereich der Niederflurfahrzeuge (Straßenbahn).

Je nach System und technischen Bedingungen kann die Vegetationsebene hoch- oder tiefliegend ausgeführt werden. Der Aufbau des Begrünungssystems ist bei allen Bauarten gleich, mit dem Unterschied, dass bei einem hochliegenden Grüngleis die Schiene mit Kammerfüllelementen umschlossen wird, um Streuströme zu vermeiden. Um das Auswaschen des Substrats in den Schotter bzw. die Frostschutzschicht zu verhindern, wird ein Geotextil eingebaut, worauf Substrat und Saatgut folgen. Aktuell werden sowohl Rasen als auch *Sedum* als Vegetation im Grünen Gleis verwendet, abhängig von Standort und Oberbauausführung (Abb. 7.167 und Abb. 7.168).

Von einer Bewässerung wird in Zeiten des Klimawandels abgesehen. Stattdessen werden trockenstressresistente Pflanzen wie *Sedum* dort eingesetzt, wo eine Substratschicht von 15 cm nicht realisiert werden kann.

Objektdaten		
Bauherr*in/Betreiber*in	Verkehrsgesellschaft Frankfurt a. M.	
Planung	NT31.22 Fachteam Bau	
Grünplanung	NT31.22 Fachteam Bau	
Ausführung LaBau	obliegt der jeweiligen Baufirma	
Bauweise	begrüntes Beton-Schwellengleis, feste Fahrbahnsysteme mit Betonlängsbalken, Gleisrost	
Art der Begrünung	Grüngleis, Länge:	12,4 km

Wirkungsweisen und Effekte	
Hitzeschutz/ Verdunstungskühlung	
Regenwassermanagement	
Biodiversität	
Schallreduktion	hochliegende Vegetationsebene +++, tiefliegende Vegetationsebene ++
Schadstoffbindung	++

Kosten/Aufwände	
Errichtung	€ € €
technische Wartung (z. B. Prüfung, Reinigung, Fernwartung, Filtertausch von Bewässerungsanlagen etc.)	€
Pflegekosten (Mahd, manuelle Unkrautentfernung, Düngung)	€

Vegetationstechnik	
Dauerhaftigkeit	25 bis 30 Jahre
jährliche Begrünungsdauer	immergrün
Wasserbedarf	keiner, gering
	Bewässerungsart: Eine Bewässerung ist nicht vorgesehen, eine Ausnahme besteht während der Anwachsphase der Vegetation.
Düngemittelbedarf	keiner, gering
Pflanzenschutz	keiner

Abb. 7.167: Variante 1: Tiefliegendes Rasengleis – Linie 18 Richtung Gravensteiner-Platz (Quelle: Stadtwerke Verkehrsgesellschaft Frankfurt a. M., Kurt-Schumacher-Str. 8, 60311 Frankfurt a. M.)

Abb. 7.168: Variante 2: Hochliegendes Sedum-Gleis – zwischen Triftstraße und Niederrad Bahnhof (Quelle: Stadtwerke Verkehrsgesellschaft Frankfurt a. M., Kurt-Schumacher-Str. 8, 60311 Frankfurt a. M.)

7.5.2 „Impulsprojekt Stuttgart", Baden-Württemberg

Projektbeschreibung

Das Impulsprojekt Stuttgart im Wagenhallenareal ist eine Umsetzungsmaßnahme, die im Rahmen des Forschungsprojekts „Integrierte Strategien zur Stärkung urbaner blaugrüner Infrastrukturen" 2020 und 2021 in Betrieb war. Es demonstriert das Zusammenwirken von alternativen Wasserressourcen sowie deren Aufbereitung, Speicherung und Bereitstellung als Bewässerungswasser für Fassadenbegrünung. Aufgrund des zeitlich befristeten Charakters eignet es sich zudem als Beispiel für Begrünung von temporären Bauten. Bei diesem Projekt sind Wohncontainer begrünt worden. Übertragbar ist dieses Modell etwa auf Festivals, Events, Messen und Campingplätze. Auf die modulare Wiederverwendung der Komponenten wurde geachtet. Sie können wie die hier eingesetzten Container an anderer Stelle erneut aufgestellt werden.

Begrünung im Detail

Das Impulsprojekt Stuttgart besteht aus 3 Hauptkomponenten: Fassadenbegrünung, Retentionszisterne und multifunktionale Pflanzenkläranlage (Abb. 7.169, Abb. 7.170 und Abb. 7.171). Begrünt wird ein dreigeschossiger Wohncontainer, vor dessen südwestorientierte Fassade ein Gerüst zur Befestigung der Begrünung gestellt wird. Die Retentionszisterne fängt das Dachwasser zur weiteren Nutzung auf und puffert Starkregen. Das leichtverschmutzte Grauwasser kommt aus Duschen und Handwaschbecken der Wohncontainer, wird zwischengespeichert und zur Pflanzenkläranlage, die in einem Containermodul eingebaut wurde, geleitet. Das gereinigte Grauwasser wird zusammen mit dem Regenwasser zur Bewässerung genutzt. Sowohl die Fassadenbegrünung wie auch die Pflanzenkläranlage sind als klimawirksame Grünflächen konzipiert, die von der zentralen Plattform aus inszeniert werden. Nach dem Ende der Projektlaufzeit kommen alle Komponenten erneut zum Einsatz (Abb. 7.172). Die Ergebnisse der Vergleichsmessungen von begrünter und unbegrünter Seite des Containerbauwerks sind auf der Internetseite des Projekts dokumentiert: www.interess-i.net.

Im Erdgeschoss steht eine 40 cm tiefe, bewachsene Lärmschutzwand. Im ersten Obergeschoss ist ein Ranksystem im Trog auf dem Gerüstboden befestigt. In beiden Ebenen wird ein Substrat für intensive Dachbegrünung verwendet. Im 2. Obergeschoss ist eine Living Wall mit einer 5 cm starken Mineralwolle montiert. Alle 3 Systeme werden mit Regen- und aufbereitetem Grauwasser über eine zentrale Steuerungseinheit bewässert und gedüngt.

Die Pflanzenkläranlage (5 m²) im Containermodul ist integraler Bestandteil des multifunktionalen Impulsprojekts. Sie besteht aus 2 Kompartimenten, die mit Rhein- und Lavasand befüllt sind. Der Schichtaufbau setzt sich aus 25 cm Dränschicht und 75 cm Substratschicht zusammen, in die Schilfrhizome ausgebracht wurden.

Verwendete Pflanzenarten

- Helix® Elementa (EG): Efeu, Lavendel, Storchschnabel, Bartblume
- Helix® Elata (1. OG): Efeu, Blaue Waldrebe
- Helix® Biomura (2. OG): Fingerkraut, Amethyst-Schwingel, Storchschnabel, Drahtnelke (Heidenelke), Frauenmantel, Schleifenblume, Efeu

Objektdaten		
Bauherr*in/Betreiber*in	TU München, Green Technologies in Landscape Architecture (GTLA)	
Planung	Daniel Schönle Architektur und Stadtplanung / GTLA	
Ausführung LaBau	Helix Pflanzen GmbH, Andreas Knauf Garten und Landschaftsbau	
Baujahr	2020	
Bauweise	Gerüst (Fassadenbegrünung) und Container (Pflanzenkläranlage)	
Art der Begrünung	Fassadenbegrünung troggebunden	13,5 bis 22 m²
	Living Wall außen	10,5 bis 12 m²
	Lärmschutzwand	12 bis 16 m²

Systeme und Lieferanten	
Fassadenbegrünung außen	Helix-Pflanzen GmbH
Pflanzenkläranlage	Planung Dr. Bruch und Partner

Wirkungsweisen und Effekte	
Hitzeschutz	
Regenwassermanagement	
Ressourcenschonung	
Biodiversität	

Kosten/Aufwände	
Errichtung	€ € €
technische Wartung (z. B. Prüfung, Reinigung, Fernwartung, Filtertausch von Bewässerungsanlagen etc.)	€ € €
Pflegekosten Fassadenbegrünung	€ € €

Vegetationstechnik	
Dauerhaftigkeit	temporäres Projekt, auf Wiederverwendung angelegt
Wasserbedarf	mittel bis hoch
	Bewässerungsart: Bewässerungssystem, das Regenwasser und aufbereitetes Grauwasser nutzt; Wasserbedarf zwischen 350 und 850 l/(m² · Jahr)
Düngemittelbedarf	mittel
Pflanzenschutz	mittel
bewachsener Bodenfilter	

Abb. 7.169: Impulsprojekt Stuttgart von oben mit den Hauptkomponenten Fassadenbegrünung, Retentionszisterne und im blauen Container vor dem Gebäude die Pflanzenkläranlage (Quelle: Bernd Eisenberg, Stuttgart)

Abb. 7.170: Gesamtansicht des Impulsprojekts 2020 (Quelle: Julian Rettig, Stuttgart)

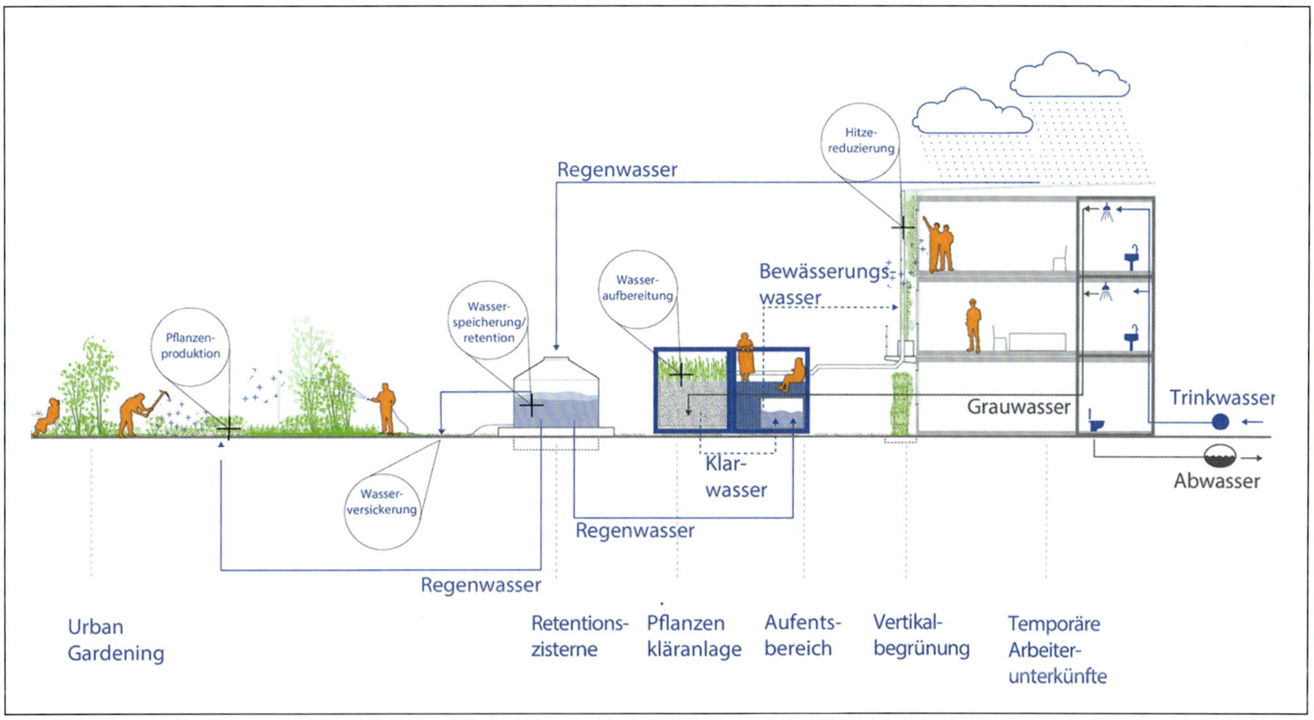

Abb. 7.171: Funktionsschema Impulsprojekt Stuttgart: Funktionen und Wirkungen (Quelle: Eisenberg et al., 2022, Abb. 15)

Abb. 7.172: Modulare, wiederverwendbare Fassadenbegrünung im Gerüst: erstes OG Ranker im Troggefäß, 2. OG Living Wall (Quelle: Ferdinand Ludwig, München)

8 Förderinstrumente zur Dach- und Fassadenbegrünung

Gunter Mann

Kaum ein anderes Land hat wie Deutschland eine ganze Pallette an direkten und indirekten Förderungen der Gebäudebegrünung (Abb. 8.1).

Dieses Kapitel bezieht sich größtenteils auf den BuGG-Marktreport Gebäudegrün 2021. Aktuelle Informationen zur Förderung von Dach- und Fassadenbegrünungen in Deutschland sind unter www.gebaeudegruen.info/foerderung zu finden.

8.1 Kommunale Förderinstrumente

Die Dach- und Fassadenbegrünung gewinnen im Rahmen einer klimaangepassten und wassersensiblen Stadtentwicklung bundesweit an Bedeutung, denn sie bilden einen Mehrfachnutzen für die Stadt. Auf kommunaler Ebene kann die Umsetzung von Dach- und Fassadenbegrünung durch verschiedene Instrumente gefördert werden, die sich in ihrem Wirkungsbereich, ihrer Verbindlichkeit und ihrem finanziellen Aufwand für die Stadt unterscheiden. Folgende direkt und indirekt fördernde Instrumente stehen der Kommunalpolitik zur Verfügung:

- Festsetzungen in Bebauungsplänen,
- Gestaltungssatzungen,
- Förderprogramme mit finanziellen Zuschüssen,
- Ökopunkte im Rahmen der Eingriffsregelung
- Gebührenreduktion bei der gesplitteten Abwassergebühr.

Mit Städteumfragen und zusätzlichen eigenen Recherchen hat der Bundesverband GebäudeGrün e.V (BuGG) aktuelle Zahlen zu den kommunalen Förderinstrumenten zusammengetragen, die auszugsweise nachfolgend vorgestellt werden.

Festsetzung in Bebauungsplänen

Der Bebauungsplan (B-Plan) ist nach dem Baugesetzbuch vom 26. April 2022 ein verbindlicher Bauleitplan. Er wird durch Satzung beschlossen und schafft Baurecht bei Neubauvorhaben oder bei baulichen Änderungen in einem bestimmten Geltungsbereich (beplanter Innenbereich) einer Gemeinde. Um bestimmte Ziele in der Bauleitplanung zu erreichen, können aus städtebaulichen Gründen rechtsverbindliche Festsetzungen getroffen werden. Die Gründe einer Festsetzung sind in § 9 Abs. 1 BauGB aufgelistet. Als rechtliche Grundlage zur Festsetzung einer Dach- oder Fassadenbegrünung können je nach Zielsetzung § 9 Abs. 1 Nr. 20 sowie Nr. 25a, b BauGB dienen. Auch länderspezifische Bauordnungen und Landeswassergesetze in Verbindung mit § 9 Abs. 4 BauGB können für Gebäudegrün hinzugezogen werden.

Abb. 8.1: So vielfältig die Gebäudebegrünung bei diesem Objekt ist, so vielfältig sind die verschiedenen Förderprogramme zur Dach- und Fassadenbegrünung (Quelle: Bundesverband GebäudeGrün, Berlin).

Als Ergebnis der BuGG-Städteumfrage 2021 (BuGG-Marktreport Gebäudegrün, 2021) lässt sich für alle deutschen Städte mit mehr als 50.000 Einwohnenden festhalten, dass ca. 83 % der Städte Dachbegrünung und 55 % der Städte Fassadenbegrünung bereits in B-Plänen festgesetzt haben.

Hervorzuheben für Dachbegrünungen ist, dass

- die Festsetzungen vor allem für Flachdächer und flach geneigte Dächer gelten,
- die im Durchschnitt geforderte Schichthöhe bei 10 cm und mehr liegt,
- bei einigen Städten Wert auf eine artenreiche Bepflanzung gelegt wird,
- sich Anlagen zur Nutzung der Solarenergie und Gründächer ergänzen und
- erste Festsetzungen in Kombination mit Retentionselementen getroffen werden.

Abb. 8.2: Bei den Fassadenbegrünungen werden vorrangig bodengebundene Formen bezuschusst.

Abb. 8.3: Bei den Zuschüssen für Dachbegrünung geht die Tendenz zu höherwertigen Begrünungsformen.

Hervorzuheben für Fassadenbegrünungen ist, dass

- in der Regel bodengebundene Fassadenbegrünungen festgesetzt werden (Abb. 8.2),
- die Parameter Ausrichtung der Fassade, Größe der Fassade und Fenster/Öffnungen für eine Begrünung bestimmend sind,
- als Richtwert der Festsetzung vor allem der prozentual zu begrünende Anteil der Fassadenfläche dient und
- zum Teil Vorgaben zur Pflanzgüte, Größe der Pflanzfläche und Pflanzenarten getroffen werden.

Gestaltungssatzungen

In den meisten Bundesländern können Gemeinden entsprechend ihren Landesbauordnungen in einer Satzung örtliche Bauvorschriften erlassen, die gestalterische Anforderungen an bauliche Anlagen definieren. Ihr Wirkungsbereich kann sich auf den gesamten Innenbereich einer Gemeinde beziehen oder auf Teile des Innenbereichs und sowohl für Neubauvorhaben als auch für Umbaumaßnahmen und Sanierungen im Bestand gelten. Die Dach- und Fassadenbegrünung kann unter dem Punkt „Begrünung baulicher Anlagen" in einer Gestaltungssatzung verankert werden (vgl. § 86 Abs. 1 Nr. 7 Musterbauordnung vom 27. September 2019). Sie ist in der Regel Teil einer kommunalen Begrünungs- oder Freiflächensatzung, in der auch qualitative Anforderungen an die Begrünung festgesetzt werden können (Qualitätskriterien). Vorteil der Gestaltungssatzung gegenüber einem B-Plan ist der größere Wirkungsbereich. Auch eine Gestaltungssatzung ist rechtlich bindend, bildet jedoch nur den kleinsten politisch durchsetzbaren Nenner und stellt daher zum Teil geringere Anforderungen als die Festsetzung im B-Plan.

Das Förderinstrument wird von deutschen Städten mit mehr als 50.000 Einwohnenden bisher nur vereinzelt genutzt. 12 % der Städte haben eine Gründach-Satzung und nur 4 % eine Fassadengrün-Satzung (BuGG-Marktreport Gebäudegrün, 2021).

Zur Dachbegrünung lässt sich feststellen, dass

- die Gestaltungsvorgaben vor allem für Flachdächer und flach geneigte Dächer gelten,
- bei allen Satzungen eine Mindestgröße der Dachfläche zur verbindlichen Begrünung angegeben wird (10 bis 200 m^2),
- einige Städte eine Mindestdicke der Substratschicht oder durchwurzelbaren Gesamtschicht von mindestens 10 cm vorgeben und
- in den meisten Städten die Begrünungspflicht zugunsten von Energiegewinnungsanlagen auf Dachflächen entfallen kann.

Zur Fassadenbegrünung lässt sich feststellen, dass

- besonders großflächige Außenwände zu begrünen sind und daher Industrie- und Gewerbegebiete im Fokus stehen,
- sich die Vorgaben auf die bodengebundene Begrünung mit Kletterpflanzen beziehen und
- die Parameter Größe der Fassade und Fenster/Öffnungen für eine Begrünung bestimmend sind.

Zuschüsse für Dach- und Fassadenbegrünung

Bei einem Förderprogramm handelt es sich um ein Instrument der direkten Förderung. Durch Zuschüsse oder zinsgünstige Darlehen wird ein finanzieller Anreiz geschaffen, freiwillig Dach- und Fassadenbegrünungen umzusetzen. Über Förderprogramme können zielgerichtet dort Förderungen angeboten werden, wo ein großer Handlungsbedarf besteht oder andere Instrumente nicht greifen. Bei kommunalen Förderprogrammen sind die Städte selbst die Fördermittelgeber. Die Mittel stammen in der Regel aus dem eigenen kommunalen Haushalt und können mit Landes- und Bundesmitteln verbunden werden.

Als Ergebnis der BuGG-Städteumfrage 2021 und anschließenden Recherche lässt sich für alle Städte mit mehr als 50.000 Einwohnenden festhalten, dass bereits 82 Städte und somit ca. 42 % finanzielle Zuschüsse für Dachbegrünungen bereitstellen (BuGG-Marktreport Gebäudegrün, 2021). Für Fassadenbegrünungen bieten 65 Städte und somit ca. 34 % finanzielle Zuschüsse an. Darüber hinaus haben auch Städte mit weniger als 50.000 Einwohnenden in der Städteumfrage angegeben, Gebäudegrün zu fördern. Für Dachbegrünungen bieten 24 und für Fassadenbegrünungen 16 kleinere Städte finanzielle Zuschüsse an. Insgesamt konnten 106 Städte mit Förderprogrammen für Gründächer und 81 Städte mit Förderprogrammen für Fassadengrün ermittelt werden. Im Vergleich zum Marktreport 2020 konnten in diesem Jahr viel mehr Förderprogramme aufgelistet werden. Grund dafür ist u. a. das Sonderprogramm „Klimaresilienz in Kommunen“, mit dem das Land Nordrhein-Westfalen Kommunen finanziell bei der Förderung von Dach- und Fassadenbegrünung unterstützt.

Die Förderhöhen variieren stark von Stadt zu Stadt. Es ist festzuhalten, dass

- die Spanne der maximalen Förderung für Dachbegrünungen von 10 bis 85 €/m² sowie von 100 bis 100.000 €/Vorhaben reicht,
- die Spanne der maximalen Förderung für Fassadenbegrünungen von 10 bis 80 €/m² sowie von 256 bis 100.000 €/Vorhaben reicht und
- die Förderquote zwischen 20 und sogar 100 % der förderfähigen Kosten bei Einzelfallentscheidungen schwankt. Bei einem Großteil der Städte liegt die maximale Förderung bei 50 %.

Ökopunkte im Rahmen der Eingriffsregelung

Das Ziel der Eingriffsregelung nach Bundesnaturschutzgesetz (BNatSchG) vom 18. August 2021 ist die Sicherung der Leistungs- und Funktionsfähigkeit des Naturhaushalts sowie des Landschaftsbilds bei einem geplanten Eingriff in Natur und Landschaft. Dabei werden in vielen Bundesländern Biotopwertverfahren angewandt, um die negativen Auswirkungen eines Eingriffs in Natur und Landschaft zu ermitteln und bei unvermeidbaren Beeinträchtigungen angemessene Kompensationsmaßnahmen anzusetzen. Grundlage der Biotopwertverfahren bilden Wertpunkte („Ökopunkte“), die jedem Biotop- oder Nutzungstyp anhand von verschiedenen naturschutzfachlichen Bewertungskriterien innerhalb einer Biotopwertliste zugeordnet sind. Die Gegenüberstellung der Bilanzierung eines Wirkraums vor und nach einem Eingriff ermöglicht es, den Umfang der notwendigen Kompensationsmaßnahmen aufgrund des Wertverlusts in Ökopunkten (ÖP) abzubilden. Entsprechend dem Verursacherprinzip sind die angesetzten Kompensationsmaßnahmen vom Verursacher des Eingriffs verpflichtend zu planen und umzusetzen. Abhängig vom Biotopwertverfahren des Bundeslands und von den zuständigen Naturschutzbehörden kann einer Dach- oder auch Fassadenbegrünung eine bestimmte Anzahl an Ökopunkten zugesprochen werden, sodass diese den Kompensationsbedarf vermindern.

Als Ergebnis der BuGG-Städteumfrage 2021 (BuGG-Marktreport Gebäudegrün, 2021) lässt sich für alle deutschen Städte mit mehr als 50.000 Einwohnenden festhalten, dass ca. 25 % der Städte Ökopunkte für Dachbegrünungen und ca. 7 % der Städte Ökopunkte für Fassadenbegrünungen vergeben. Je nach Werteskala und Begrünungsaufbau variiert die Anzahl der Ökopunkte für Gründächer von 0,5 bis 19 ÖP/m². In einigen Bundesländern findet die Dachbegrünung in der Biotopwertliste keine Berücksichtigung. Auch bei der Fassadenbegrünung variiert die Anzahl an Ökopunkten von 4 bis 19 ÖP/m². In den Biotopwertlisten der meisten Bundesländer ist die Fassadenbegrünung nicht aufgeführt.

Gebührenreduktion bei der gesplitteten Abwassergebühr

Gemeinden regeln individuell durch Satzung die Abwasserbeseitigung für ihr Gemeindegebiet und stellen die notwendige Infrastruktur sicher. Zur Kostendeckung von Bau, Betrieb und Instandhaltung der öffentlichen Abwasserbeseitigungseinrichtungen erheben die Gemeinden eine Abwassergebühr (als Benutzungsgebühr) bei den Grundstückseigentümern und -eigentümerinnen. Innerhalb der gesplitteten Abwassergebühr wird die Beseitigung des Schmutzwassers nach dem Frischwassermaßstab berechnet. Zur Ermittlung der Niederschlagswassergebühr dient hingegen die befestigte und abflusswirksame Fläche mit Kanalanschluss des jeweiligen Grundstücks. Für Maßnahmen, die zum lokalen Regenwasserrückhalt beitragen, kann innerhalb der Satzung eine Gebührenreduktion für die Niederschlagswasserbeseitigung erlassen werden. Zu diesen Maßnahmen zählt u. a. die Dachbegrünung, sodass diese indirekt gefördert wird.

Als Ergebnis der BuGG-Städteumfrage 2021 (BuGG-Marktreport Gebäudegrün, 2021) und Recherche der Abwassersatzungen lässt sich für alle deutschen Städte mit mehr als 50.000 Einwohnenden (193 Städte) festhalten, dass

- alle Städte die gesplittete Abwassergebühr eingeführt haben,
- bei 149 Städten (77 %) eine Gebührenreduktion für Gründächer besteht,
- die Niederschlagswassergebühr für das Jahr 2021 im Durchschnitt bei 0,8 7 €/m² (149 Städte) liegt,
- die durchschnittliche maximale Gebührenreduktion für eine Dachbegrünung 59 % bzw. 0,51 €/m² (149 Städte) beträgt und
- je nach Stadt die Höhe der Niederschlagswassergebühr pro Jahr und die Höhe der maximalen Gebührenreduktion für eine Dachbegrünung stark variiert.

Folgende Bedingungen für eine Reduktion können zusammengefasst werden:

- geschlossene Pflanzendecke,
- dauerhafte Begrünung,
- Aufbauhöhe/Substratschichtdicke,
- Abflussbeiwert oder dauerhafter Wasserrückhalt,
- mehrschichtige Bauweise,
- maximale Dachneigung,
- Aufbau nach Stand der Technik.

8.2 Landesförderprogramme zur Gebäudebegrünung

Die Stadtstaaten Berlin, Hamburg und Bremen verfügen über Förderprogramme, die den Fokus direkt auf Gebäudebegrünung setzen. Während die „Hamburger Gründachförderung“ und das Bremer Förderprogramm „Begrünung von Dächern“ sowohl für Neubauten als auch für den Bestand gelten, fördert Berlin im Rahmen des Programms „1.000 Grüne Dächer“nur die Nachrüstung von Dachbegrünung auf bestehenden Gebäuden sowie besonders innovative Projekte als „Green Roof LAB“. Seit dem Jahr 2020 bezuschusst Hamburg neben der Dachbegrünung auch die Fassadenbegrünung. Zu den Förderberechtigten der 3 genannten Programme zählen Privatpersonen, Unternehmen, Verbände und Vereinigungen.

Bei einigen Flächenländern (z. B. Hessen und Thüringen) bestehen mit Bezug zu Klimaschutz und Klimaanpassung Förderprogramme, die Kommunen bei ihren Bestrebungen und Aufgaben finanziell unterstützen. Darin werden investive Vorhaben zur Gebäudebegrünung aufgrund ihrer stadtklimatischen und regenwasserwirtschaftlichen Wirkung als eine unter vielen Maßnahmen gefördert. Förderberechtigt sind vorrangig Kommunen und, je nach Förderprogramm, auch andere Zielgruppen.

Im Bereich der Wohnraumförderung und Hausmodernisierung bieten verschiedene Landesförderbanken (z. B. Bremer Aufbau-Bank und NRW.Bank) langfristig zinsgünstige Darlehen und Zuschüsse für die Umsetzung von Dach- und Fassadenbegrünungen an. Ziel ist neben der Förderung stadtökologischer Aspekte auch die Verschönerung des Wohnumfelds.

Weitere Bundesländer (z. B. Niedersachsen) haben mit den finanziellen Mitteln der Corona-Hilfen kurzfristig Sonderprogramme aufgestellt, bei denen die Gebäudebegrünung als zusätzliche Maßnahme zur Förderung der Nachhaltigkeit, der Biodiversität, des Stadtklimas, des Wasserhaushalts und der Klimaresilienz bezuschusst wird. Die Sonderprogramme weisen im Gegensatz zu anderen Landesförderprogrammen nur einen kurzen Förderzeitraum von ein bis 2 Jahren auf.

8.3 Städtebauförderung (Finanzhilfen von Bund und Ländern)

Ziel der Städtebauförderung ist es, Gemeinden mit Bundes- und Landesmitteln bei städtebaulichen Herausforderungen zu unterstützen und Missstände in gesamtstaatlicher Verantwortung abzubauen. Seit dem Jahr 2020 hat sich die Förderstruktur der Städtebauförderung gewandelt. Von großer Bedeutung aus Sicht der Gebäudebegrünung ist die inhaltliche Neuerung, dass Klimaschutz- und Klimaanpassungsmaßnahmen, insbesondere zur Verbesserung der grünen Infrastruktur, im Rahmen der Gesamtmaßnahme zu Fördervoraussetzungen werden. Darüber hinaus sind Begrünungsmaßnahmen als Querschnittsaufgabe in allen Programmen förderfähig. Daran knüpft sich die Erwartung, dass zukünftig mehr Dach- und Fassadenbegrünungen über die Städtebauförderung bezuschusst werden. Aufgrund der Planungshoheit der Gemeinden bei der Durchführung von städtebaulichen Sanierungsmaßnahmen sind sie alleinige Förderberechtigte. Die Städtebauförderung bietet durch die Finanzhilfen von Bund und Ländern insbesondere finanzschwächeren Kommunen eine Möglichkeit, umfangreiche Begrünungs-, Klimaschutz- und Klimaanpassungsmaßnahmen im ausgewiesenen Sanierungsgebiet umzusetzen.

8.4 Bundesförderprogramme zur Gebäudebegrünung

In ressortspezifischen Förderprogrammen des Bundes werden Maßnahmen zum Klimaschutz und zur Klimaanpassung sowie zur energetischen Sanierung mit Zuschüssen oder zinsgünstigen Darlehen gefördert. Aufgrund der teilweise weit gefassten Begriffe förderfähiger Maßnahmen und der Multifunktionalität der Gebäudebegrünung besteht ein breites Förderangebot zur Dach- und Fassadenbegrünung. Es handelt sich oftmals um die Förderung von Modellprojekten; dabei können die Förderberechtigten stark variieren. Herauszustellen ist die neue Bundesförderung für effiziente Gebäude (BEG), bei denen seit dem 1. Januar 2021 auch Privatpersonen eine Förderung von Bundesebene erhalten können und bei der Sanierung von Gebäuden unterstützt werden. Im Förderbereich „Gebäudehülle“ werden für den Erhalt und die Neuanlage von Dach- und Fassadenbegrünungen als Wärmedämmmaßnahmen finanzielle Zuschüsse mit einem Fördersatz von 20 % vergeben. Voraussetzung für eine Förderung bei Einzelmaßnahmen an der Gebäudehülle ist der Einbezug eines Energieeffizienzexperten.

Zu den bestehenden Bundesförderprogrammen gehören außerdem:

- Klimaanpassung in sozialen Einrichtungen (BMU),
- Maßnahmen zur Anpassung an die Folgen des Klimawandels (BMU),
- Bundesförderung Serielles Sanieren (BMWi),
- Energetische Stadtsanierung – Quartiersversorgung (BMI).

Als weiterer Fördermittelgeber in Deutschland ist die Kreditanstalt für Wiederaufbau (KfW) zu nennen. Im Auftrag des Bundes wickelt die KfW-Bankengruppe Förderprogramme ab und bietet eigene Förder- und Finanzierungsleistungen an. Über das KfW-Umweltprogramm wird Unternehmen ein zinsgünstiges Darlehen für Umweltschutzmaßnahmen, zu denen auch Dach- und Fassadenbegrünungen zählen, gewährt.

9 Ausblick: Zukunft der Bauwerksbegrünung

Manfred Köhler

9.1 Erfahrungen aus bisherigen Projekten der Bauwerksbegrünung

Kein Ausblick ohne Rückblick – von den Hängenden Gärten mit ihrer Pflanzenvielfalt und ihrem ausgeklügelten Bewässerungssystem bis hin zu Ökohäusern der BUGA war es ein langer Weg, mit weiterhin viel Potenzial auch für zukünftiges Bauen.

Anlässlich der Bundesgartenschau 1985 wurden in Berlin Wohnhäuser nach ökologischen Erkenntnissen errichtet. Die Gebäudebegrünung war dabei ein sichtbares Zeichen. Die aktuellen Bewohner dieser Siedlung wurden kürzlich in Bezug auf ihre Wohnzufriedenheit befragt. Das Ergebnis ist eindeutig: Eine überwältigende Zufriedenheit mit den seinerzeit sehr innovativen Bauweisen ist nachweisbar. Ein Indikator für die Zufriedenheit ist der geringe Bewohnerwechsel über die vergangenen Jahrzehnte (Köhler u. Kuiveda, 2015). Unter der Prämisse des kosten- und flächensparenden Bauens interpretierten die 5 anlässlich der Bundesgartenschau eingeladenen Architekten Peter Stürzebecher, Otto Steidle, Erich Schneider-Wessling, Thomas Herzog und Bernd Faskel ökologisches zeitgenössisches Bauen. Die Entwürfe zeigten im Einzelnen eine große Variantenfülle im Rahmen der Anforderungen

- verdichtete Bauweise,
- flexible Grundrisse,
- optimierte Begrünung an Dach (Abb. 9.1), Fassaden und Innenraum und
- Möglichkeiten zur Selbstversorgung (Permakultur) im und am jeweiligen Gebäude.

Diese Ziele gelten heute immer noch als innovativ für zukünftiges Bauen. Von den genannten Kriterien allerdings hat sich der Gedanke der Selbstversorgung bei den heutigen relativ geringen Kosten für Lebensmittel bisher noch nicht durchsetzen können. Urbanes Gärtnern erfährt allerdings seit Jahren eine erhöhte Aufmerksamkeit unter dem Aspekt der Nachhaltigkeit sowie der Begeisterung für „frische und lokale Produkte". Unter dem Eindruck des Krieges gegen die Ukraine bekommt diese Versorgung hinsichtlich der Aspekte „Unabhängigkeit", steigende Lebensmittelpreise und Reduktion von Transportwegen Anerkennung in weiten Kreisen der Bevölkerung.

Verfolgt man die Entwicklung des ökologischen Bauens seit den 1980er-Jahren, finden sich vergleichbare Ansätze bei einer Reihe bekannter Architekten, etwa bei Ken Yeang (Yeang, 2006). Er propagiert ökologisches Bauen sowohl für Einzelgebäude als auch bei stadtplanerischen Gesamtkonzepten. Wichtig ist dabei eine analytische Herangehensweise an Bauprojekte nach der Systematik von sich überlagernden Kreisläufen, wie:

Abb. 9.1: Nach 3 Jahrzehnten sind die begrünten Dachflächen eines Ökohauses der BUGA 1985 noch voll funktionsfähig. Allerdings ohne den seinerzeit angedachten Gemüseanbau zur Selbstversorgung. Es besteht aber die Möglichkeit, diesen im Bedarfsfall zu aktivieren.

- **blaue Infrastruktur:** Wasserkreisläufe (möglichst auf dem Grundstück zu realisieren, einschließlich Reinigung bzw. Mehrfachnutzung), Pflanzsubstrat und Bepflanzung als Einheit für effektive Lösungen (Deely et al., 2020),
- **grüne Infrastruktur:** Optimierung der Bepflanzungen, lokale Biodiversität, essbare Bepflanzung, visuelle und funktionale Grünstrukturen am und im Gebäude,
- **rote Infrastruktur:** Bewohner-, Nutzerverhalten,
- **graue Infrastruktur:** weitere technische Infrastruktur von Kommunikations- und Fortbewegungstechniken einschließlich Liftanlagen und Rettungswegen.

Dieser Kreislaufansatz findet sich zunehmend auch in Konzepten anderer Planer wieder, und zwar in Form folgender Ökobausteine:

- **Lokaler Wasserkreislauf:** Regen- und Brauchwasser sollten möglichst auf dem Grundstück genutzt werden; nur im Ausnahmefall sollte davon etwas abgeleitet werden. Das gelingt, wenn Mehrfachnutzung, Kreisläufe, Verdunstung und Versickerung aufeinander abgestimmt sind. Der Gebäudebegrünung kommt dabei eine nennenswerte Rolle zu, etwa bei der Reduktion und der Reinigung von Grauwasser (Lakho et al., 2021). Diese Reinigung kann auch mit Innenraumbegrünungen erreicht werden (Khan et al., 2021).
- **Energieautarkie des Gebäudes:** Dafür stehen folgende Optionen zur Verfügung: Gebäudedämmung, Wärmerückgewinnung, Nutzung der solaren Einstrahlung, Gebäudekühlung auch über die Verdunstungsleistung der Pflanzen, Energiegewinnung auch durch Fotovoltaiksysteme an Dach und Fassade sowie durch Einbindung von Erdwärme.

- **Biodiversität:** Es können Pflanznischen unterschiedlicher Ausprägung zur Ansiedlung von Pflanzen- und Tierarten auch unter lokalen, funktionalen und dekorativen Gesichtspunkten sowie unter Berücksichtigung des Gebrauchswerts angelegt werden.
- **Differenziertes Verkehrskonzept für alle Nutzergruppen:** Dies schließt auch die erforderlichen Flächen für den ruhenden Verkehr ein. Stichworte wären in diesem Zusammenhang etwa die mit Kletterpflanzen verschatteten Stellplätze sowie die versickerungsfähigen und bepflanzten Bodenbeläge/Bodenfilter.
- **Lebenszyklusbetrachtungen:** Wie viel Primärenergie wird in das Bauvorhaben gesteckt? Wie sieht die Energiebilanz des Gebäudes im Betrieb aus? Wie lassen sich die Komponenten nach einer Nutzungsphase rückhaltlos zurückbauen oder weiterverwenden?
- **Baumaterialien mit kleinem ökologischem Fußabdruck:** Kork und Lehm seien (etwa von Goodhew et al., 2021) stellvertretend als zukünftige Baumaterialien genannt, die zunächst eher experimentell, in Zukunft aber auch unter dem Aspekt der lokalen Materialien und der Kreislaufwirtschaft mehr Bedeutung auch bei den modularen Wandbegrünungen bekommen können – auch wenn energiedichte Materialien wegen ihrer langfristigen Haltbarkeit auch zukünftig noch einen festen Platz im Baugeschehen behalten werden.
- **CO_2-Betrachtungen:** Es ist der entsprechende CO_2-Fußabdruck der Materialien, der Betriebs- und der Rückbauphase zu definieren. Auch wenn dieser Betrachtungsschritt gewisse naturwissenschaftliche Schwächen aufweist, ist er ökonomisch aktuell akzeptiert und gefordert. Auch unter diesem Aspekt kann die Gebäudebegrünung betrachtet werden und entlastet die Gesamtbilanz eines Bauwerks. Die Bepflanzung und ihre Substrate binden CO_2 durch ihr Wachstum, reduzieren den Energieverbrauch des Gebäudes und werden kalkulierbar und zu einer Größe, die als Vergleichswert zwischen Planungsvarianten abstrahiert eine Beurteilung erlaubt. Sie steht leider im Gegensatz zu dem Ziel der Erhöhung der Biodiversität (Köhler u. Kaiser, 2021).

Diese Stadtkonzepte lassen sich auch in Kleinstädten und Dörfern umsetzen, so etwa bei einer Siedlung in Lohne. Dort wird jetzt schon über Jahrzehnte gezeigt, dass auch geneigte Dächer langfristig und störungsfrei begrünt sein können (Abb. 9.2). Viel möglich ist auch bei Einkaufszentren: Deren Dach- sowie auch Innenraumbegrünung rechnen sich ökonomisch für die Betreiber, weil die Verweildauer der Kunden verlängert und damit dann mehr Umsatz generiert wird (Abb. 9.3).

9.2 Zukunft der Gebäudebegrünung

Bisher sieht die nächste Generation von Ökohäusern meist sehr technisch aus. Die High-Tech-Außenhaut ist optimiert für die darunter liegenden Mikrosolarpaneele. Wärmeüberschuss im Sommer kann in Tanks im Keller für den Winter eingespeist werden. Umgekehrt kann das abgekühlte Wasser für Phasen der sommerlichen Gebäudekühlung genutzt werden – es ist ein Schritt hin zu den möglichen Energie-Plus-Gebäuden (Abb. 9.4).

Abb. 9.2: Begrünte 45°-Dächer in der niedersächsischen Kleinstadt Lohne nach mehr als 10 Jahren

Abb. 9.3: Funktionale Innenraumbegrünung in einer Berliner Einkaufszone

Abb. 9.4: Energie-Plus-Gebäude in Wietow bei Wismar

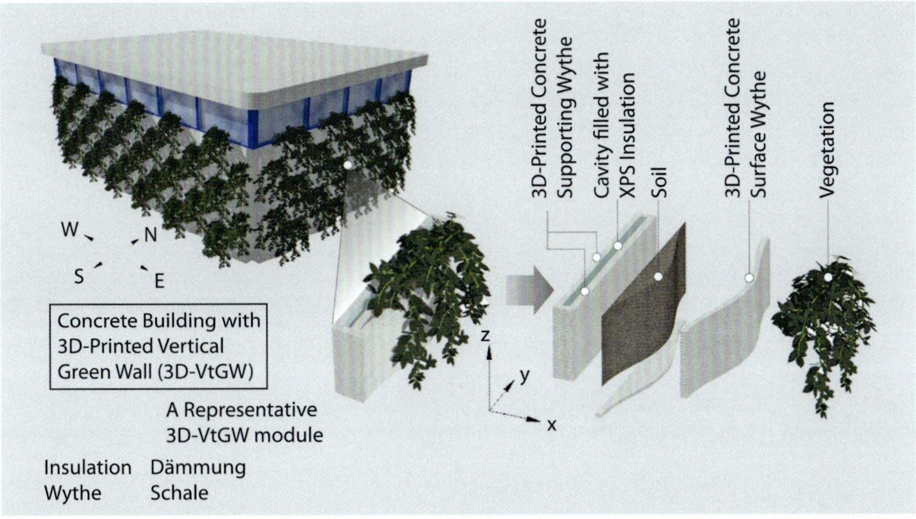

Abb. 9.5: Beispiel für ein im 3-D-Druckverfahren hergestelltes Wandmodul (Quelle: He et al., 2020, fig. 1[6])

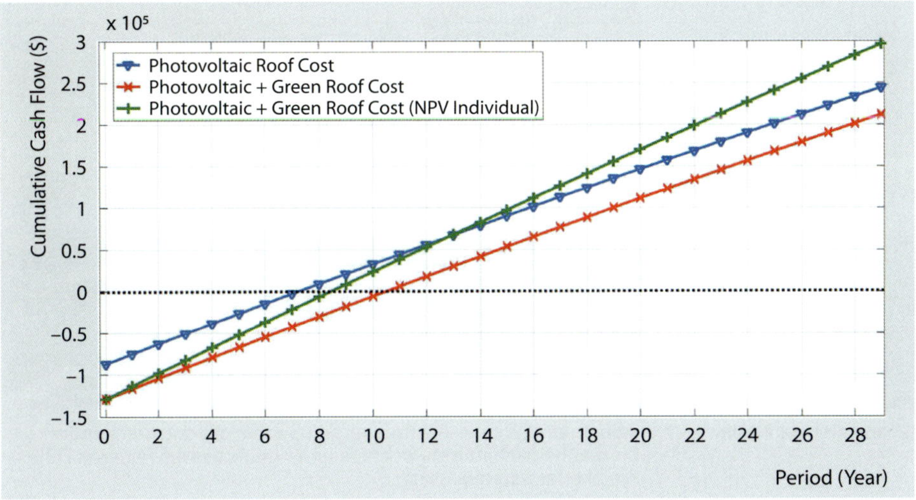

Abb. 9.6: Kumulativer Cashflow von Dach-Fotovoltaik-Varianten (Quelle: Catalbas et al., 2021, fig. 12[7]) Die Variante Gründach und Fotovoltaikanlage ist zwar etwas teurer in der Anschaffung. Über die Nutzungsdauer rechnet sich diese Investition aber bei Auswahl der geeigneten Komponenten.

Neue Technologien

Die Begrünungstechnik bietet auch für die Bauindustrie neue Technologien. Aufwendige Fassaden mit integrierten Pflanztaschen können, wie es das Beispiel in Abb. 9.5 zeigt, auch mit einem 3-D-Drucker passgerecht und in freier Form in der Vorfertigung gedruckt und dann auf der Baustelle passgenau zusammengefügt werden. Dort müssen sie nur noch bepflanzt werden.

Kosten und ökologisches Bauen sind ein Dauerthema. Begrünung und Fotovoltaik sind in ihrer gemeinsamen Wirkung eine ökologische wie ökonomische Lösung mit Synergismus. Catalbas et al. untersuchten Fotovoltaik und Gründach in verschiedenen Bauweisen (Catalbas et al., 2021). Während sich, setzt man aktuelle Kosten an, der Break-even-Punkt für diese Bauweisen nach 8 bis 10 Jahren einstellt, ist in den Folgejahren der Ertrag der Fotovoltaikanlage über begrünten Flächen nachweislich höher. Catalbas et al. zeigen für ein vergleichendes Beispiel (Abb. 9.6) auf, dass die Kosten für eine Fotovoltaikanlage auf einem Dach ohne Gründach (blaue Linie) zunächst geringer sind als in der Kombination mit einem Gründach. Die optimierte Ausführung Fotovoltaiki auf Gründach (grüne Linie) bedeutet aber spätestens nach 10 Jahren mehr Ertrag als die erste Variante.

Dieselben Autoren untersuchten auch das CO_2-Äquivalent dieser Bauweisen, ein immer mehr an Bedeutung gewinnendes Kriterium in der Baubranche. Auch dabei schneiden die Dachvarianten überzeugend gut ab (Abb. 9.7). Die Dach-Fotovolatik-Anlagen sind überzeugend gut im Verhältnis von Energieertrag zu CO_2-Äquivalent.

Von der technisch bestimmten Gestalt der früheren Experimentierhäuser, von Physikern optimiert geplant, ist der nächste Schritt derjenige hin zu ästhetisch und ökologisch angepassten Wohntürmen. Diese sind auch in hochpreisigen Toplagen realisierbar, weil auch bei geringem Grundflächenbedarf das Bauen in die Höhe die hohen Grundstückspreise pro Wohneinheit reduziert, der Lagefaktor aber zählt. So hat das Land Berlin mit einer Senatsrichtlinie den Weg für solche Ökotower in Zentrumslagen geebnet. Die oben genannten Ökobausteine sind dabei umzusetzen. Für diese Planungsaufgabe wird zukünftig entsprechend geschultes Personal zur Gebäudebegrünung erforderlich werden.

6) Reprint from: He, Y.; Zhang, Y.; Zhang, C.; Zhou, H.: Energy-saving potential of 3D printed concrete building with integrated living wall. In: Energy & Buildings 222 (2020), Elsevier-Copyright Lizenz Nr: 5297530212905

7) Reprint from Catalbas, M. C.; Kocak, C.; Yenipinar, B.: Analysis of photovoltaic-green roofs in OSTIM industrial zone. In: International Journal of Hydrogen Energy 46 (2021), Nr.27, S.14.844–14.856. 2. Abb. Reprint from: Elsevier-Copyright Lizenz Nr: 5297530692043

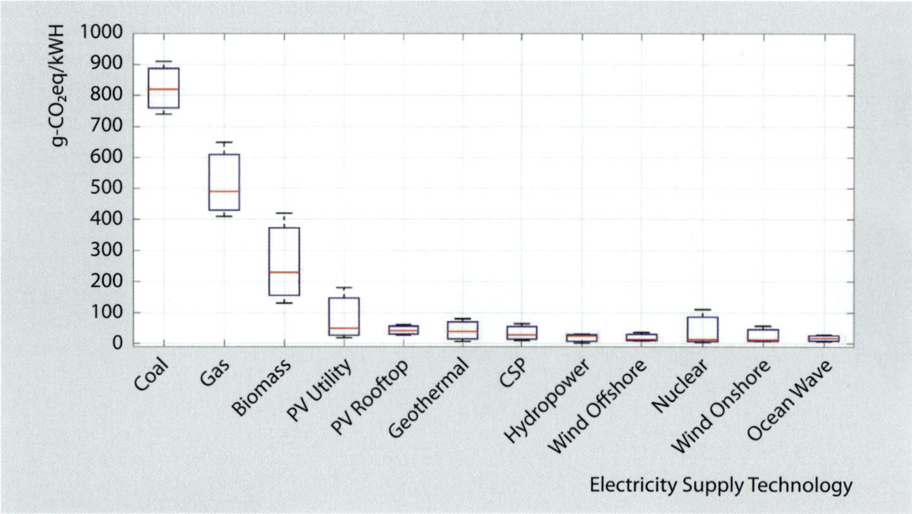

Abb. 9.7: Lebenszyklusbetrachtungen in Bezug auf das CO_2-Äquivalent. Die PV-Rooftop-Anlagen schneiden im Hinblick auf den CO_2-Ausstoß besonders günstig ab, wie es der Vergleich etwa mit Kohle, Gaus, Biomasse zeigt. (Quelle: Catalbas et al., 2021, fig. 7[8])

Abb. 9.8: Urbanes Gärtnern in Hydroponikbauweise auf einem Hotel in Oslo

Abb. 9.9: Urbanes Gärtnern in Aquaponik mit entsprechender Kreislaufwirtschaft mit Fischtank und Kräuterbeeten (eigenes DBU-Projekt des Kapitelautors)

Diesbezügliche Pioniere haben seit dem Projekt „Brooklyn Grange" die Landwirtschaft auf und in Gebäude zurückgeholt. Frisch und lokal – so etwas gibt es als erfolgreiches ökonomisches Modell auf Dachflächen (Beispiel Oslo). Abb. 9.8 zeigt ein Beispiel, wie aus einem als Extensivdach geplanten Dach ein pflanzenbauliches Produktionsdach wurde. Die ökonomische Basis ist der Absatz der Pflanzen direkt in der darunter liegenden Hotelküche. Es entfallen damit sowohl die Miete für die Fläche als auch das Vermarkten der fertigen Produkte. Andere Pioniere erschließen dunkle Flächen in Kellern als hydroponische Gärtnerflächen, mit energiesparender LED-Technik und der Kreislaufwirtschaft mit Tanks, in denen Fische aufgezogen werden und deren Abläufe als Dünger im Sinne der Kreislaufwirtschaft zu einer ökonomischen Unabhängigkeit in der Nahrungsmittelversorgung beitragen (Abb. 9.9).

Abb. 9.10 ist die Visualisierung eines aktuell in der Vorbereitung befindlichen Projekts, bei dem ein Hochhaus ökologisch optimiert werden soll. Die hohe Gestaltqualität zeichnet sich durch umlaufende, ca. 5km Pflanzkübel an den Balkonen aus, die das Gebäude als begrünte Landmarke positiv im Stadtraum hervorheben werden. Das Berlin hat zur Förderung ökologischer Hochhäuser in den letzten Jahren ein Hochhausleitbild verabschiedet, um zukünftig nachhaltiges grünes Bauen landesweit zu fördern.

Der Blick von den Zentrumslagen in die Peripherie der Großstädte zeigt in Deutschland vielfach zwar Höhenbeschränkungen, aber mit der Erlaubnis, die großzügigen Gartengrundstücke mit Gebäuden nachzuverdichten. Dabei ist im Sinne des friedlichen Nebeneinanders zwischen

Abb. 9.10: Konzept für einen Grüntower nicht nur in London, mit konsequenter umlaufender Begrünung an allen Balkonen (Quelle: R. Weber, Frankfurt)

8) Reprint from Catalbas, M. C.; Kocak, C.; Yenipinar, B.: Analysis of photovoltaic-green roofs in OSTIM industrial zone. In: International Journal of Hydrogen Energy 46 (2021), Nr.27, S.14.844–14.856. 2. Abb. Reprint from: Elsevier-Copyright Lizenz Nr: 5297530692043

Abb. 9.11: Einbindung eines Neubaus in die vorhandene Nachbarschaftsbebauung durch konsequente Fassadenbegrünung (Projekt Santalaia, Bogota, Kolumbien)

Abb. 9.12: Detail: Flächige Bepflanzung mit einem seitens des Investors gewünschten Planungsziel von nahezu „blütenfreiem Aspekt", in diesem Falle u. a. mit der eher unscheinbar blau blühenden *Vinca minor* und dem Zierspargel

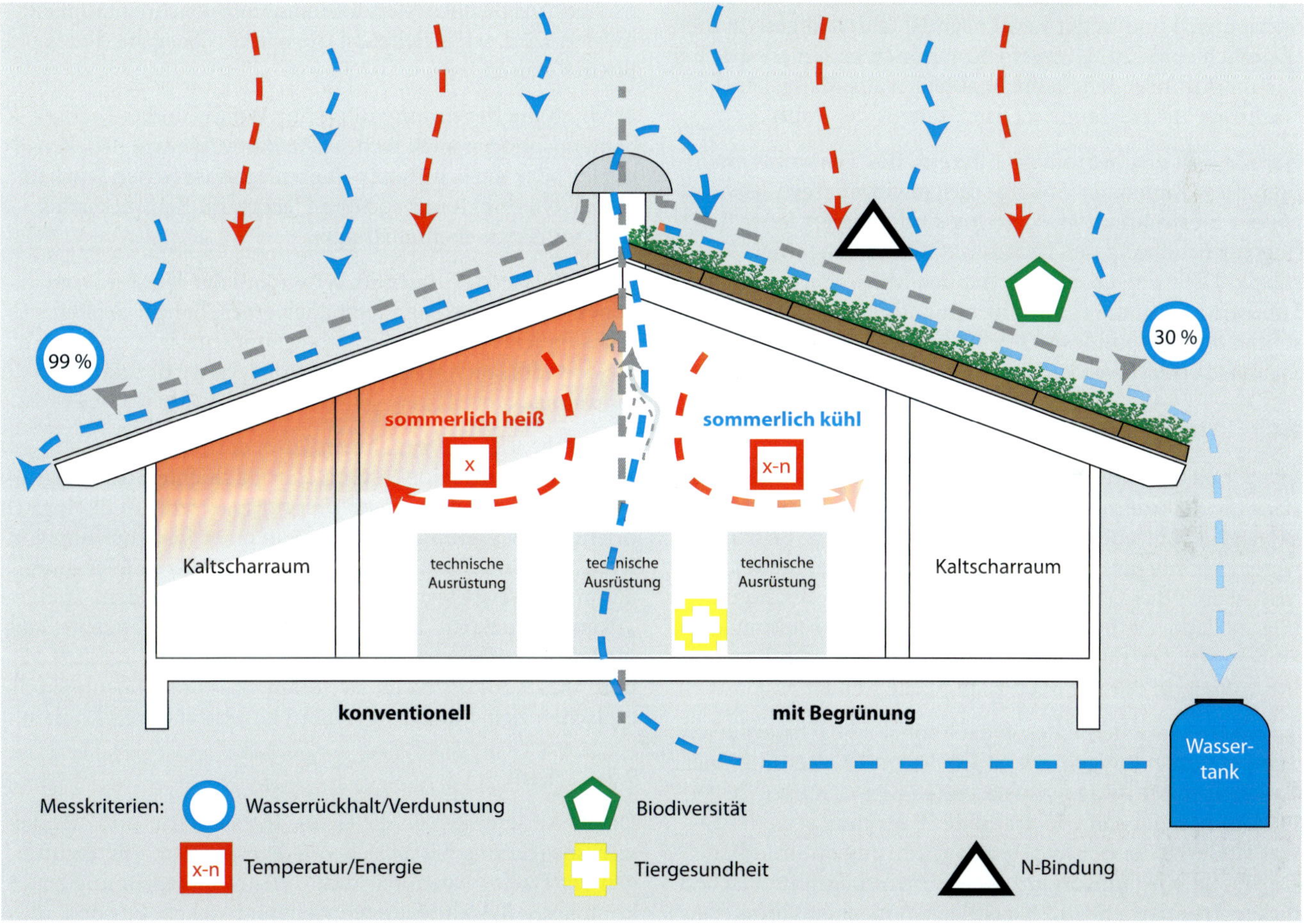

Abb. 9.13: Prinzipskizze zu einer Stallanlage und dem Einsatz der Grünen Infrastruktur mit dem Ziel des Tierwohls und der Reduktion der Stickstoffbelastung im weiteren Umfeld der Anlagen

Altbewohnern der Bestandsbauten und Bewohnern der Neubauten wiederum die Gebäudebegrünung die Lösung zur Konfliktentschärfung (Abb. 9.11). Der massive Baukörper ist in den Baubestand durch konsequente Dach- und Fassadenbegrünung harmonisch eingebunden und ermöglicht den Altbewohnern einen „Grünblick", der durch Vogelgezwitscher weiterhin Stadtnatur ermöglicht und über die Verdunstung darüber hinaus Kühlleistung als „Ökosystemdienstleistung" bietet (Abb. 9.12).

9.3 Gebäudegrün im ländlichen Bauen mit dem Tierwohl im Fokus

Auch typische Agrarbetriebe können von der Grünen Infrastruktur wie der Gebäudebegrünung profitieren. Dafür gibt es erste realisierte Beispiele. Abb. 9.13 zeigt, dass auch bei Stallbauten aus funktionalen wie ästhetischen Gründen ein Bedarf an Vegetationsschichten besteht. Die großflächig vorhandenen Dächer von Mastställen der Schweine-, Rinder- und Geflügelbetriebe sowie der Eier- oder Milchproduktion werden zwar schon häufig für Fotovoltaikzellen benutzt. Diese Stallanlagen mit ihren großen Tierbesatzdichten sind gleichzeitig immissionsrelevante Betriebe und erfordern Genehmigungen nach dem Immissionsschutzgesetz. Effektive Filteranlagen sind die technischen Auflagen, um Stickstoff- und Feinstaubemissionen zu binden. Sie sind auch problematisch im Hinblick auf den Wasserrückhalt. Das Tierwohl hängt mit der Feinstaubbelastung sowie der sommerlichen Aufheizung der meist schlecht gedämmten Stallungen zusammen. Dabei könnten Kletterpflanzen Abhilfe schaffen.

Großställe sind Hotspots der Stickstoff- und Nährstoffbelastung. Mittels eines Gründachs können diese Nährstoffeinträge wirkungsvoll im Pflanzenaufwuchs fixiert werden (Abb. 9.14). Grüne Infrastruktur im Umfeld der Stallanlagen kann das ablaufende Regenwasser der Dächer reinigen. Die belastete Luft aus den Stallanlagen könnte in Pflanzenfiltern von Feinpartikeln und chemischen Komponenten gereinigt werden. Die Reinigungstechniken der Pflanzen sind auch ökonomisch und in der Regel nach 10 Jahren abgeschrieben (Estelrich et al., 2021). Solche Komponenten fehlen aber bei den marktführenden Stallbauanbietern aus Mangel an Nachfrage und fehlendem Druck seitens der Politik.

Gerade jetzt erst beginnt im Interesse des Tierwohls ein zaghaftes Umdenken. Solange die Gewinnmargen, etwa bei der Eierproduktion, so gering sind, rangiert jeder Beitrag zur Erhöhung der Tiergesundheit noch in einer Luxusrubrik. Die wenigen entsprechenden Musterbetriebe in der Landwirtschaft, die es aus Eigeninitiative bereits umsetzen, sollten deshalb bundesweit gefördert und politisch zum Standard erklärt werden.

9.4 Vision für die nächsten Jahre

Die Klimakrise und das Wachstum der meisten Städte machen die Erfordernisse deutlich, mit mehr Bauwerksbegrünung gegenzusteuern. Auch wenn alle Gebäude begrünt wären, könnte dies vielleicht den Klimawandel nicht aufhalten, aber das Leben unter den veränderten Bedingungen könnte dadurch für viele Menschen durch Absenkung der Spitzenwerte erträglicher werden, wie es etwa das Beispiel Ikea, Wien, in diesem Buch zeigt (siehe Kapitel 3.7).

Schon ein typischen Extensivdach führt zu nachweislichen Temperatursenkungen, wie es Köhler und Kaiser mit einer 20-jährigen Messung nachwiesen (Köhler u. Kaiser, 2019). Es kommt auf jeden Quadratmeter Begrünung an, der Effekt ist durch die richtige Detailausführung optimierbar. Der Effekt wird umso spürbarer, je mehr begrünte Flächen dieser Art es geben wird. Dachflächen machen schon etwa ⅓ der bebauten Stadtflächen aus – das wäre ein erster Anfang. Die Fassaden sind ein nächster Schritt. Aktive Verdunstungskühle durch die Nutzung des energetischen Prozesses der Verdunstungskühle wäre ein weiterer.

Neue Ideen für die Integration der Grünen Infrastruktur sind für Neubauten und bei Bestandssanierungen gefragt. Dafür ist europaweit die Neue Bauhausinitiative angetreten, kreative Lösungen zu entwickeln (siehe https://europa.eu/new-european-bauhaus/index_de). Wie weit sich die technischen Lösungen der „Smart Home Solution" auch auf die Begrünung auswirken oder ob das händische Gärtnern in den nächsten 10 Jahren eher zu einem erforderlichen haptischen Ausgleich zu der dominanten Bildschirmtätigkeit werden wird, wird vielleicht die nächste Ausgabe dieses Buches weisen.

Abb. 9.14: Die *Sedum*-Dächer auf Stallanlagen in Lohne sind ein guter, immer noch zu wenig kopierter Ansatz, die hohe Stickstofffracht aus Stallanlagen direkt an der agrarischen Entstehungsquelle in Pflanzen zu binden. Das reduziert die Stickstofffracht, ein Umweltschutzziel in ländlich geprägten Räumen. Die Ernte des Pflanzenmaterials ermöglicht den Landwirten eine Zusatzeinnahme aus dem Verkauf prächtig gedüngter Vegetationsmatten.

Auch ob die Begrünung nicht nur Wohn- und Gewerbebauten, sondern auch technische Bauwerke wie Brückenpfeiler oder die erwähnten Stallanlagen erreichen wird, die aktuell eher noch unbegrünte Flecken im Bauwerksatlas sind, wird sich ebenfalls zeigen.

Die Kriegszerstörungen in Syrien und der Ukraine sind neben allem Schrecken jetzt auch eine Chance, ökologisches Bauen beim Wiederaufbau zu integrieren und somit diese Städte, auch wenn es Jahre dauern wird, zukunftsfähig zu machen.

Es besteht auch ein zunehmender Bedarf, Menschen, die aus anderen Krisenregionen nach Europa flüchten, an geeigneten Orten in der Nähe ihrer Ursprungsgebiete mit ökologisch orientierten Siedlungskonzepten in einer Verknüpfung von Kreislauf- und Sozialprojekten zu unterstützen. Der internationale Wettbewerb unter Studierenden mit dem Titel „Home Base Earth" brachte beeindruckende Konzepte, auf die an dieser Stelle nur verwiesen werden kann (Abb. 9.15 und Abb. 9.16). Es bleibt zu hoffen, dass diese Lösungen die typischen Zelt-Flüchtlingsstätten künftig ersetzen können.

9.5 Fazit

Die Anforderungen an die Grüne Infrastruktur und die Bauwerksbegrünung haben sich von den singulären Betrachtungen der Dach-, Fassaden- und Innenraumbegrünung zu komplexen Systemlösungen weiterentwickelt. Für den Fachplaner wird es zu einer Aufgabe, aus einer Vielzahl von Möglichkeiten eine optimierte Lösung für die gestellte Planungsaufgabe auf der Grundstücksebene oder für den Neubaukomplex so zu entwickeln, dass positive Wirkungen sowohl für die Bewohner als auch für den Stadtteil entstehen.

Die gewissen Mehrkosten der Grünen Infrastruktur sind in Bezug zu der Nutzungsdauer zu stellen. Die in der Regel vielfachen ökologischen Vorteile auf der Bewohnerebene sowie die Vorteile für die Stadt sind etwa in Form von Sterndiagrammen aufzustellen und liefern Argumente, die Bauwerksbegrünung bei allen Projekten verpflichtend zu integrieren.

Abb. 9.15: Home-Base-Earth-Skizze zum Wettbewerb (Zeichnung von Dhiru Thadani, Washington, DC, für den Wettbewerb „Home Base Earth"). Diese kleine Skizze beschreibt ohne Worte den dringenden Bedarf, die typische temporäre Lösung sowie die mögliche Variante einer Stadtplanung mit der Berücksichtigung der lokalen Gegebenheiten und der Verwendung der Möglichkeiten der Grünen Infrastruktur. Fortschreitende Dürre, etwa in Nordafrika, verstärkt den zukünftigen Bedarf an entsprechenden Lösungsansätzen erheblich. Die aktive Einbindung der Hilfesuchenden in allen Arbeitsschritten ist dabei ebenso essenziell wie die Bereitstellung einiger technischer Materialien und von Fachkräften unterschiedlicher Ausrichtung.

Abb. 9.16: Von der Idee zum Konzeptplan: Ausschnitt aus dem Wettbewerbsbeitrag der Gruppe WAKA, Indonesien (Quelle: Manfred Köhler u. Florian Betzler im Rahmen des Wettbewerbs „Home Base Earth"). Teilansicht zweier Bambus-Hausgruppen. Näheres zum Wettbewerb und zur weiteren Umsetzung bei den Initiatoren des Wettbewerbs Florian Betzler und Manfred Köhler.

10 Anhang

10.1 Verzeichnis Normen und Richtlinien (jeweils in den neuesten Fassungen)

10.1.1 Normen

DIN EN ISO 354:2003-12 Akustik – Messung der Schallabsorption in Hallräumen

DIN EN 410:2011-04 Glas im Bauwesen – Bestimmung der lichttechnischen und strahlungsphysikalischen Kenngrößen von Verglasungen

DIN ISO 527-01:2012-06 Kunststoffe – Bestimmung der Zugeigenschaften – Teil 1: Allgemeine Grundsätze

DIN EN 673:2011-04 Glas im Bauwesen – Bestimmung des Wärmedurchgangskoeffizienten (U-Wert) – Berechnungsverfahren

DIN EN 795:2012-10 Persönliche Absturzschutzausrüstung – Anschlageinrichtungen

DIN EN 1055:1996-03 Kunststoff-Rohrleitungssysteme – Rohrleitungssysteme aus Thermoplasten für Abwasserleitungen innerhalb von Gebäuden – Prüfverfahren für die Temperaturbeanspruchbarkeit

DIN 1876-1:1998-01 Mit Kautschuk oder Kunststoff beschichtete Textilien – Prüfungen bei niedrigen Temperaturen – Teil 1: Biegeversuch

DIN 1986-100:2016-12 Entwässerungsanlagen für Gebäude und Grundstücke – Teil 100: Bestimmungen in Verbindung mit DIN EN 752 und DIN EN 12056

DIN EN 1991-1-1:2010-12 Einwirkungen auf Tragwerke – Teil 1-1: Allgemeine Einwirkungen auf Tragwerke – Wichten, Eigengewicht und Nutzlasten im Hochbau

DIN EN 1991-1-2:2010-12 Einwirkungen auf Tragwerke – Teil 1-2: Allgemeine Einwirkungen – Brandeinwirkungen auf Tragwerke

DIN EN 1991-1-3:2010-12 Einwirkungen auf Tragwerke – Teil 1-3: Allgemeine Einwirkungen, Schneelasten

DIN EN 1991-1-4:2010-12 Einwirkungen auf Tragwerke – Teil 1-4: Allgemeine Einwirkungen – Windlasten

DIN 1998:2018-07: Unterbringung von Leitungen und Anlagen in öffentlichen Verkehrsflächen – Richtlinie für die Planung

DIN 4095:1990-05 Baugrund; Dränung zum Schutz baulicher Anlagen; Planung, Bemessung und Ausführung

DIN EN 4102-1:1998-05 Brandverhalten von Baustoffen und Bauteilen – Teil 1: Baustoffe; Begriffe, Anforderungen und Prüfungen

DIN 4102-2:1977-09 Brandverhalten von Baustoffen und Bauteilen; Bauteile, Begriffe, Anforderungen und Prüfungen

DIN 4102-3:1977-09 Brandverhalten von Baustoffen und Bauteilen; Brandwände und nichttragende Außenwände, Begriffe, Anforderungen und Prüfungen

DIN 4102-7:2018-11 Brandverhalten von Baustoffen und Bauteilen – Teil 7: Bedachungen –Anforderungen und Prüfungen

DIN 4108-2:2011-10 Wärmeschutz und Energie-Einsparung in Gebäuden – Teil 2: Mindestanforderungen an den Wärmeschutz

E DIN 4108-3:2012-01 Wärmeschutz und Energie-Einsparung in Gebäuden – Teil 3: Klimabedingter Feuchteschutz – Anforderungen, Berechnungsverfahren und Hinweise für Planung und Ausführung

DIN 4426:2017-01 Einrichtungen zur Instandhaltung baulicher Anlagen – Sicherheitstechnische Anforderungen an Arbeitsplätze und Verkehrswege – Planung und Ausführung

DIN EN ISO 6946:2018-03: Bauteile – Wärmedurchlasswiderstand und Wärmedurchgangskoeffizient – Berechnungsverfahren

DIN EN ISO 7730:2006-05 Ergonomie der thermischen Umgebung – Analytische Bestimmung und Interpretation der thermischen Behaglichkeit durch Berechnung des PMV- und des PPD-Indexes und Kriterien der lokalen thermischen Behaglichkeit

DIN EN ISO 9863-1:2005-05 Geokunststoffe – Bestimmung der Dicke unter festgelegten Drücken – Teil 1: Einzellagen

DIN EN ISO 9863-2:1996-10 Geotextilien und geotextilverwandte Produkte – Bestimmung der Dicke unter festgelegten Drücken – Teil 2: Verfahren zur Bestimmung der Dicke der Einzellagen von mehrlagigen Produkten

DIN EN ISO 10140:2021-09 Akustik – Messung der Schalldämmung von Bauteilen im Prüfstand – Teil 1: Anwendungsregeln für bestimmte Produkte

DIN EN 12056-3:2001-01 Schwerkraftentwässerungsanlagen innerhalb von Gebäuden – Teil 3: Dachentwässerung, Planung und Bemessung

DIN EN 12464-1:2011-08 Licht und Beleuchtung – Beleuchtung von Arbeitsstätten – Teil 1: Arbeitsstätten in Innenräumen

DIN EN 13252:2016-12 Geotextilien und geotextilverwandte Produkte – Geforderte Eigenschaften für die Anwendung in Dränanlagen

DIN EN 13501-1:2010-01 Klassifizierung von Bauprodukten und Bauarten zu ihrem Brandverhalten – Teil 1: Klassifizierung mit den Ergebnissen aus den Prüfungen zum Brandverhalten von Bauprodukten

DIN EN 13948:2008-01 Abdichtungsbahnen – Bitumen-, Kunststoff- und Elastomerbahnen für Dachabdichtungen – Bestimmung des Widerstandes gegen Wurzelpenetration.

DIN EN 15251:2012-04 Eingangsparameter für das Raumklima zur Auslegung und Bewertung der Energieeffizienz von Gebäuden – Raumluftqualität, Temperatur, Licht und Akustik

DIN 18195-4:2011-12 Bauwerksabdichtungen – Teil 4: Abdichtungen gegen Bodenfeuchte (Kapillarwasser, Haftwasser) und nichtstauendes Sickerwasser an Bodenplatten und Wänden, Bemessung und Ausführung

DIN 18195-5:2011-12 Bauwerksabdichtungen – Teil 5: Abdichtungen gegen nichtdrückendes Wasser auf Deckenflächen und in Nassräumen, Bemessung und Ausführung

DIN 18195-7:2009-07 Bauwerksabdichtungen – Teil 7: Abdichtungen gegen von innen drückendes Wasser, Bemessung und Ausführung

DIN 18516-1:2010-06 Außenwandbekleidungen, hinterlüftet – Teil 1: Anforderungen, Prüfgrundsätze

DIN 18531:2017 Abdichtung von Dächern sowie von Balkonen, Loggien und Laubengängen

DIN 18533:2017 Abdichtung von erdberührten Bauteilen

DIN 18533-2:2017-07 Abdichtung von erdberührten Bauteilen – Teil 2: Abdichtung mit bahnenförmigen Abdichtungsstoffen

DIN V 18599-1:2011-12 Energetische Bewertung von Gebäuden – Berechnung des Nutz-, End- und Primärenergiebedarfs für Heizung, Kühlung, Lüftung, Trinkwarmwasser und Beleuchtung – Teil 1: Allgemeine Bilanzierungsverfahren, Begriffe, Zonierung und Bewertung der Energieträger

DIN 18915:2018-06 Vegetationstechnik im Landschaftsbau – Bodenarbeiten

DIN 18916:2016-06 Vegetationstechnik im Landschaftsbau – Pflanzen und Pflanzarbeiten

DIN 18917:2018-07 Vegetationstechnik im Landschaftsbau – Rasen und Saatarbeiten

DIN 18919:2002-08 Vegetationstechnik im Landschaftsbau – Entwicklungs- und Unterhaltungspflege von Grünflächen

ÖNORM L 1131:2010 06 01 Gartengestaltung und Landschaftsbau – Begrünung von Dächern und Decken auf Bauwerken – Anforderungen an Planung, Ausführung und Erhaltung (Österreich)

SIA 312 Begrünen von Dächern. Schweizerischer Ingenieur- und Architektenverein, Zürich (Schweiz, noch in der Vernehmlassung und nicht veröffentlicht)

UNI 11235:2007 Istruzioni per la progettazione, l'esecuzione, il controllo e la manutenzione di coperture a verde (Italien)

10.1.2 Gesetze und Verordnungen

Baugesetzbuch (BauGB) in der Fassung der Bekanntmachung vom 03.11.2017 (BGBl. I S. 3634), das zuletzt durch Artikel 2 des Gesetzes vom 26.04.2022 (BGBl. I S. 674) geändert worden ist

Bouwbesluit v. 22.12.2021 [online]. Internet: https://www.onlinebouwbesluit.nl/?v=11 [Zugriff: 16.07.2022]

Bundesnaturschutzgesetz: Gesetz über Naturschutz und Landschaftspflege (BNatSchG) vom 29.07.2009 (BGBl. I S. 2542), das zuletzt durch Artikel 1 des Gesetzes vom 18.08.2021 (BGBl. I S. 3908) geändert worden ist

Gebäudeenergiegesetz: Gesetz zur Einsparung von Energie und zur Nutzung erneuerbarer Energien zur Wärme- und Kälteerzeugung in Gebäuden (GEG) vom 08.08.2020 (BGBl. I S. 1728)

Gesetz zum Schutz der Kulturpflanzen (Pflanzenschutzgesetz – PflSchG) vom 06.02.2012 (BGBl. I S. 148, 1281), das zuletzt durch Artikel 3 des Gesetzes vom 18.08.2021 (BGBl. I S. 3908) geändert worden ist

Musterbauordnung (MBO), Fassung November 2002, zuletzt geändert durch Beschluss der Bauministerkonferenz vom 27.09.2019

Verordnung (EU) 2020/852 des Europäischen Parlaments und des Rates vom 18.06.2020 über die Einrichtung eines Rahmens zur Erleichterung nachhaltiger Investitionen und zur Änderung der Verordnung (EU) 2019/2088. Amtsblatt der Europäischen Union, 22.06.2020, S. L 198/13–198/43

Verordnung über das Inverkehrbringen von Düngemitteln, Bodenhilfsstoffen, Kultursubstraten und Pflanzenhilfsmitteln (Düngemittelverordnung – DüMV) v. 05.12.2012 (BGBl. I S. 2482), die zuletzt durch Artikel 1 der Verordnung. vom 02.10.2019 (BGBl. I S. 1414) geändert worden ist

Verordnung über energiesparenden Wärmeschutz und energiesparende Anlagentechnik bei Gebäuden (Energieeinsparverordnung – EnEV) v. 24.07.2007, Bundesgesetzblatt I S. 1519

Verordnung über Arbeitsstätten (Arbeitsstättenverordnung ArbStättV) v. 12.08.2012, Bundesgesetzblatt I S. 2179

VOB/C ATV DIN 18315:2012-09 VOB Vergabe- und Ver- tragsordnung für Bauleistungen – Teil C: Allgemeine Technische Vertragsbedingungen für Bauleistungen (ATV) – Verkehrswegebauarbeiten – Oberbauschichten ohne Bindemittel

VOB/C ATV DIN 18316:2012-09 VOB Vergabe- und Vertragsordnung für Bauleistungen – Teil C: Allgemeine Technische Vertragsbedingungen für Bauleistungen (ATV) – Verkehrswegebauarbeiten – Oberbauschichten mit hydraulischen Bindemitteln

VOL/A:2009-07 Vergabe- und Vertragsordnung für Leistungen (VOL) – Teil A: Allgemeine Bestimmungen für die Vergabe von Leistungen (VOL/A)

VOL/B:2003-08 Vergabe- und Vertragsordnung für Leistungen (VOL) – Teil B: Allgemeine Vertragsbedingungen für die Ausführung von Leistungen

10.2 Literaturverzeichnis

Ahsan, M. M.; Cheng, W.; Hussain, A. B.; Chen, X.; Wajid, B. A.: Knowledge mapping of research progress in vertical greenery systems (VGS) from 2000 to 2021 using CiteSpace based scientometric analysis. In: Energy & Buildings (2022)

Akram, M. W.; Hasannuzaman, M.; Cuce, E.; Cuce, P. M.: Global technological advancement and challenges of glazed window, facade system and vertical greenery-based energy savings in buildings: a comprehensive review. In: Energy and Built Environment (2022), in press

Alcazar, S. S.; Bass, B.: Life cycle assessment of green roofs – case study of an eight storey residential building in Ma- drid and Implication for green roof benefits. In: Fourth Annual Greening Rooftops for Sustainable Communities Conference, Awards and Trade Show 2006 Conference Proceedings (2006). S. 1–12

ASR A1.6:2012-01 Technische Regel für Arbeitsstätten – Fenster, Oberlichter, lichtdurchlässige Wände

Bakhshoodeh, R.; Ocampo, C.; Oldham, C.: Thermal performance of green facades: review and analysis of published data. In: Renewable and Sustainable Energy Reviews 155 (2022)

Bartfelder, F.; Köhler, M.: Experimentelle Untersuchungen zur Funktion von Fassadenbegrünungen. FU-Berlinforschung, 3. Ausschreibung. Berlin: FU, 1987

Bass, B.; Martens, R.; Alcazar, S.: Roof-envelope ratio impact on green roof energy performance. In: Urban ecosyst (2008), Nr. 11, S. 399–408.

Bergefurt, L.; Weijs-Perree, M.; Appel-Meulenbroek, R.; Arentze, T.: The physical office workplace as a resource for mental health – a systematic scoping review. In:Building and Environment 207 (2022)

Bettgenhäuser, K.; Boermans, T.; Offermann, M.; Krechting, A.; Becker D.; Kahles, M.; Pause, F.; Müller, T.: Klimaschutz durch Reduzierung des Energiebedarfs für Gebäudekühlung. Gutachten i. A. des Umweltbundesamtes (2011), Nr. 20

Blanc, P.: Mur vegetal – Realisations [online]. 2012. Internet: https://www.verticalgardenpatrickblanc.com/realisations [Zugriff: 16.07.2022]

Blanc, P.: Vertikale Gärten – Die Natur in der Stadt. Stuttgart: Verlag Eugen Ulmer, 2008

Blanc, P.: The vertical Garden. New York: Norton, 2008

Blanco, I.; Convertino, F.; Schettini, E.; Vox, G.: Energy analysis of a green facade in summer: an experimental test in mediterranean climate conditions. In: Energy & Buildings 245 (2021)

Brandwein, T.: Mündliche Mitteilung, telefonisch, Juni 2012

Brechtel, H.: Interzeption. In: Baumgartner, A.; Liebscher, H. J. (Hrsg.): Lehrbuch der Hydrologie, Band I (Allgemeine Hydrologie). Stuttgart: Borntraeger, 1990, S. 313–326

Brenneisen, S.: Space for Urban Wildlife: Designing Green Roofs as Habitats in Switzerland. In: Urban Habitat (2006), Nr. 4(1), S. 27–36 [online]. Internet: http://urbanhabitats.org/v04n01/urbanhabitats_v04n01_pdf.pdf [Zugriff: 16.07.2022]

Brethour, C.; Watson, G.; Sparling, B.; Bucknell, D.; Moore, T.: Literature Review of Documented Health and Environmental Benefits Derived from Ornamental Horticulture Products [online], 2007. Internet: https://www.agrireseau.net/horticulture-arbresdenoel/documents/Reports_Ornamentals_Health_Benefits.pdf [Zugriff: 16.07.2022]

Bringslimark, T.; Hartwig, T.; Patil, G.G.: The psychological benefits of indoor plants: A critical review of the experimental literature. In: Journal of Environmental Psychology (2009), Nr. 29, S. 422–433

BuGG-Fachinformation „Begrüntes Umkehrdach". Berlin: Bundesverband GebäudeGrün e.V. (BuGG), 2022

BuGG-Fachinformation „Biodiversitätsgründach". Berlin: Bundesverband GebäudeGrün e. V. (BuGG), 2020

BuGG-Fachinformation „Geeignete Gehölze für Dachbegrünungen". Berlin: Bundesverband GebäudeGrün e.V. (BuGG), 2020

BuGG-Fachinformation „Leitfaden sicherer Gewerkeübergang Dachbegrünung". Berlin: Bundesverband GebäudeGrün e. V. (BuGG), 2020

BuGG-Fachinformation „Solar-Gründach". Berlin: Bundesverband GebäudeGrün e. V. (BuGG), 2020

BuGG-Marktreport Gebäudegrün 2021. Berlin: Bundesverband GebäudeGrün E. V. (BuGG), 2021

Carsen, R.: Silent spring. Boston: Houghton Mifflin Company, 1962

Catalano, C.; Marcenò, C.; Laudicina, V. A.; Guarino, R.: Thirty years unmanaged green roofs: ecological research and design implications. In: Landscape and Urban Planning 149 (2016), S. 11–19

Catalano, C.; Laudicina, V. A.; Badalucco, L.; Guarino, R.: Some European green roof norms and guidelines through the lens of biodiversity: Do ecoregions and plant traits also matter? In: Ecological Engineering 115 (2018), S. 15–26

Catalbas, M. C.; Kocak, C.; Yenipinar, B.: Analysis of photovoltaic-green roofs in OSTIM industrial zone. In: International Journal of Hydrogen Energy 46 (2021), Nr. 27, S. 14.844–14.856

Choi, J. Y.; Park, S. A.; Jung, S. Y.; Lee, J. Y.; Son, K. C.; An, Y. J.; Lee, S. W.: Physiological and psychological responses of humans to the index of greenness of an interior space. In: Complementary Therapies in Medicine 28 (2016), S: 37–43

Coma, J.; Chafer, M.; Perez, G.; Cabeza, L. F.: How internal heat loads of buildings affect the effectiveness of vertical greenery systems? An experimental study. In: Renewable Energy 151 (2020), S. 919–930

Connelly, M.: Acoustical characeristics of vegetated roofs – contributions to the ecological performance of buildings and the urban soundscape. Vancouver, The University of British Columbia, Diss., 2011

Convertino, F.; Vox, G.; Schettini, E.: Evaluation of the cooling effect provided by a green facade as nature-based system for buildings. In: Building and Environment 203 (2021)

Czapiewski, O. M.: Zur Akzeptanz von Fassadenbegrünungen. Eine Befragung über Fassadenbegrünungen im Raum Neubrandenburg. Neubrandenburg, Hochschule Neubrandenburg, Masterarbeit, 2022

Daly, J.; Burchett, M.; Torpy, F.: Plants in the Classroom can improve student performance. Centre for Environmental Sustainability. In: Fac. of Sciences, Sydney, 2010

Dapper, H.: Zur Stoffproduktivität der Großen Brennessel an einem Ruderalstandort. In: Verh. Bot. Ver. Prov. Brandenburg, Berlin 103 (1966), S. 54–64

Davis, M. M.; Hirmer, S.: The potential for vertical gardens as evaporative coolers: an adaptation of the 'Penman Monteith Equation'. In: Building and Environment 92 (2015), S. 135–141

Deely, J.; Hynes, S.; Barquín, J.; Burgess, D.; Finney, G.; Silio, A.; Alvarez-Martínez, J. M.; Bailly, D.; Balle-Beganton, J.: Barrier identification framework for the implementation of blue and green infrastructures. In: Land Use Policy 99 (2020)

DGUV Information 112-198. Benutzung von persönlichen Schutzausrüstungen gegen Absturz. Stand: September 2019. Berlin: Deutsche Gesetzliche Unfallversicherung e. V. (DGUV), 2019

DGUV Information 201-056. Planungsgrundlagen von Anschlageinrichtungen auf Dächern. Stand: August 2015. Berlin: Deutsche Gesetzliche Unfallversicherung e. V. (DGUV), 2015

Dili, A. S.; Naseerb, M. A.; Varghesec, T. Z.: Passive control methods for a comfortable indoor environment: In: Comparative investigation of traditional and modern architecture of Kerala in summer Energy and Buildings (2011), Nr. 43, S. 653–664

Dominici, L.; Fleck, R.; Gill, R. L.; Pettit, T. L.; Irga, P. J.; Comino, E.; Torpy, F. R.: Analysis of lighting conditions of indoor living walls: effects on CO_2 removal. In: Journal of Building Engineering 44 (2021)

Dover, J. W.: Green infrastructure. Incorporating plants and enhancing biodiversity in buildings and urban environments. New York: Routledge, 2015

Droste zu Hülshoff, B. v.: Struktur, Biomasse und Zuwachs eines älteren Fichtenbestandes. In: Forstw. Cbl. 89 (1970), S. 162–171

Dunnet, N.; Kingsbury, N.: Planting Green Roofs and Living Walls. Oregon: Timber Press, 2008

Dvorak, B.; Yang, S.; Menotti, T.; Pace, Z.; Mehta, S.; Ali, A. K.: Native plant establishment on a custom modular living wall system in a humid subtropical climate. In: Urban Forestry & Urban Greening 63 (2021)

Dzhambov, A. M.; Lercher, P.; Browning, M. H. E. M.; Stoyanov, D.; Petrova, N.; Novakov, S.; Dimitrova, D. D.: Does greenery experienced indoors and outdoors provide an escape and support mental health during the COVID-19 quarantine? In: Environmental Research 196 (2021)

Ecosystem-based Adaptation [online]. Nairobi, Kenya: UN environment programme, 2022. Internet: https://www.unenvironment.org/explore-topics/climate-change/what-we-do/adaptation-and-resilience/ecosystem-based-adaptation [Zugriff: 14.07.2022]

Eisenberg, B.; Minke, R.; Steinmetz, H.; Ludwig, F.: Zu viel – zu wenig: Wie können Lösungen für eine nachhaltige Bewässerung von Stadtgrün aussehen? In: Hitze, Trockenheit und Starkregen. Klimaresilienz in der Stadt der Zukunft. Berlin: Deutscher Städte- und Gemeindebund (DStGB), 2022, S. 23–24

Elsadek, M.; Liu, B.; Xie, J.: Window view and relaxation: viewing green space from a high-rise estate improves urban dwellers' wellbeing. In: Urban Forestry & Urban Greening 55 (2020)

Estelrich, M.; Vosse, J.; Coma, J.; Atanasova, N.; Costa, J. C.; Gattringer, H.; Buttiglieri, G.: Feasibility of vertical ecosystem for sustainable water treatment and reuse in touristic resorts. In: Journal of Environmental Management 294 (2021)

Eumorfopoulou, E. A.; Aravantinos, D.: The contribution of a planted roof to the thermal protection of buildings in Greece. In: Energy and Buildings (1998), Nr. 27(1), S. 29–36.

Eumorfopoulou, E. A.; Kontoleon, K. J.: Experimental approach to the contribution of plant-covered walls to the thermal behavior of building envelopes. In: Building and Environment (2008), S. 1–15

FBB-SchlagLicht4 „Entwässerung mit Druckströmung bei begrünten Dächern" [online]. Saarbrücken: Fachvereinigung Bauwerksbegrünung e. V. (FBB), 2010. Internet: https://www.gebaeudegruen.info/fileadmin/website/downloads/bugg-schlaglicht/FBB-SchlagLicht_4_Original.pdf [Zugriff: 16.07.2022]

Feng, C.; Meng, Q.; Zhang, Y.: Theoretical and experimental analysis of the energy balance of extensive green roofs. In: Energy and Buildings (2010), Nr. 42, S. 959–965

Fleck, R.; Gill, R. L.; Pettit, T.; Irga, P. J.; Williams, N. L. R.; Seymour, J. R.; Torpy, F. R.: Characterisation of fungal and bacterial dynamics in an active green wall used for indoor air pollutant removal. In: Building and Environment 179 (2020)

FLL-Dachbegrünungsrichtlinien. Richtlinie für die Planung, Bau und Instandhaltung von Dachbegrünungen. Bonn: Forschungsgesellschaft Landschaftsentwicklung Landschaftsbau e. V. (FLL), 2018

FLL-Empfehlung für Planung, Bau und Instandhaltung von Übergangsbereichen von Freiflächen zu Gebäuden – Gelb- druck. Bonn: Forschungsgesellschaft Landschaftsentwicklung Landschaftsbau e. V. (FLL), 2012

FLL-Empfehlungen für Baumpflanzungen – Teil 2: Standortvorbereitung für Neupflanzungen, Pflanzgruben und Wurzelraumerweiterung, Bauweisen und Substrate. Bonn: Forschungsgesellschaft Landschaftsentwicklung Landschaftsbau e. V. (FLL), 2010

FLL-Empfehlungen für Planung, Bau und Instandhaltung von Verkehrsflächen auf Bauwerken. Bonn: Forschungsgesellschaft Landschaftsentwicklung Landschaftsbau e. V. (FLL), 2020

FLL-Gütebestimmungen Stauden. Bonn: Forschungsgesellschaft Landschaftsentwicklung Landschaftsbau e. V. (FLL), 2015

FLL-Richtlinie zur Innenraumbegrünung. Richtlinie für die Planung, Ausführung und Pflege von Innentraumbegrünungen. Bonn: Forschungsgesellschaft Landschaftsentwicklung Landschaftsbau e. V. (FLL), 2000

FLL-Richtlinien zur Innenraumbegrünung: Richtlinie für die Planung, Ausführung und Pflege von Innentraumbegrünungen. Bonn: Forschungsgesellschaft Landschaftsentwicklung Landschaftsbau e. V. (FLL), 2011

FLL-Richtlinien für Planung, Bau und Instandhaltung von begrünbaren Flächenbefestigungen. Bonn: Forschungsgesellschaft Landschaftsentwicklung Landschaftsbau e. V. (FLL), 2018

FLL-TL-Baumschulpflanzen – Technische Lieferbedingungen für Baumschulpflanzen (Gütebestimmungen). Bonn: Forschungsgesellschaft Landschaftsentwicklung Landschaftsbau e. V. (FLL), 2020

Fox, M.; Morewood, J.; Murphy, T.; Lunt, P.; Goodhew, S.: Living wall systems for improved thermal performance of existing buildings. In: Building and Environment 207 (2022)

Franco, A.; Fernandez-Canero, R.; Perez-Urrestarazu, L.; Valera, D. L.: Wind tunnel analysis of artificial substrates used in active living walls for indoor environment conditioning in Mediterranean buildings. In: Building and Environment (2012): Nr. 51, S. 370–378

Frontczak, M.; Andersen, R. V.; Wargocki, P.: Questionnaire survey on factors influencing comfort with indoor environmental quality in Danish housing. In: Building and Environment (2012), Nr. 50, S. 56–64

Georgi, J. N.; Dimitriou, D.: The contribution of urban green spaces to the improvement of environment in cities: Case study of Chania, Greece. In: Building and Environment (2010), Nr. 45, S. 1401–1414

Getter, K. L.; Rowe, D. B.: The role of extensive green roofs in sustainable development. In: HortSciences (2006): Nr. 41(5), S. 1271–1285

Getter, K. L.; Rowe, D. B.; Robertson, G. P.; Cregg, B. M.; Andresen, J. A.: Carbon sequestration potential of extensive green roofs. In: Environmental Science and Technology (2009), Nr. 43(19), S. 7564–7570

Gonzalez-Martín, J.; Kraakman, N. J. R.; Perez, C.; Lebrero, R.; Munoz, R.: A state of the-art review on indoor air pollution and strategies for indoor air pollution control. In: Chemosphere 262 (2021)

Goodhew, S.; Boutouil, M.; Streiff, F.; Le Guern, M.; Carfrae, J.; Fox, M.: Improving the thermal performance of earthen walls to satisfy current building regulations. In: Energy & Buildings 240 (2021)

Grinde, B.; Patil, G.: Biophilia: Does Visual Contact with Nature Impact on Health and Well being? [online]. In: Int. J. Res. Public Health (2009). Nr. 6, S. 2332–2343. Internet: https://www.ncbi.nlm.nih.gov/pmc/articles/PMC2760412/ [Zugriff: 16.07.2022].

Gunawardena, K.; Steemers, K.: Living walls in indoor environments. In: Building and Environment 148 (2019), S. 478–487

Guo, K.; Qian, H.; Liu, F.; Ye, J.; Liu, L.; Zheng, X.: The impact of using portable humidifiers on airborne particles dispersion in indoor environment. In: Journal of Building Engineering 43 (2021)

Hagentoft, C. E.: Introduction to Building Physics. Schweden: Studentlitteratur AB, 2003

Hauck, T. E.; Weisser, W. W.: Animal-Aided Design [online]. Freising: Projektleitung, 2015

He, J.; Hoyano, A.: Experimental study of cooling effects of a passive evaporative cooling wall constructed of porous ceramics with high water soaking-up ability. In: Building and Environment (2010), Nr. 45, S. 461–472

He, Y.; Zhang, Y.; Zhang, C.; Zhou, H.: Energy-saving potential of 3D printed concrete building with integrated living wall. In: Energy & Buildings 222 (2020)

Henke, A.: Photovoltaik in Kombination mit Dach- und Fassadenbegrünungen. In: Dach + Grün (2017), Nr. 2, S. 30–33

Heybrock, G.: Der Tayrona-Trockenwald Nord Kolumbien. Eine Ökoysystemstudie unter besonderer Berücksichtigung der Biomasse, Blattflächenindex (LAI). In: Giessener Geogr. Schriften 55 (1984), S. 1–104

HighTech-LowEx: Energieeffizienz Berlin Adlershof 2020. Abschlussbericht Teil 8: Energieeffiziente Gebäude. BMWi EnEff: Stadt, Förderkennzeichen 03ET1038A und B, 2014

Hongming, H.; Jim, C. Y.: Simulation of thermodynamic transmission in green roof ecosystem. In: Ecological Modelling (2010), Nr. 221, S. 2949–2958

Horr, Y. A.; Arif, M.; Kaushik, A.; Mazroei, A.; Katafygiotou, M.; Elsarrag, E.: Occupant productivity and office indoor environment quality: a review of the literature. In: Building and Environment 105 (2016), S. 369–389

Hughes, B. R.; Calautit, J. K.; Ghan, S. A.: The development of commercial wind towers for natural ventilation: A review. In: Applied Energy (2012), Nr. 92, S. 606–627

Indraganti, M.; Humphreys M. A.: A comparative study of gender differences in thermal comfort and environmental satisfaction in air-conditioned offices in Qatar, India, and Japan. In: Building and Environment 206 (2021)

Ip, K.; Lam, M.; Miller, A.: Shading performance of a vertical deciduous climbing plant canopy. In: Building and Environment (2010), Nr. 45, S. 81–88

Kaltsidi, M. P.; Fernández-Cañero, R.; Pérez-Urrestarazu, L.: Assessment of different LED lighting systems for indoor living walls . In: Scientia Horticulturae 272 (2020)

Kellert, S. R.: Building for Life. Designing and Understanding the Human-Nature Connection. Washington: Island press, 2005

Kent, M.; Schiavon, S.: Evaluation of the effect of landscape distance seen in window views on visual satisfaction. In: Building and Environment 183 (2021)

Khan, A. H. A.; Kiyani, A.; Mirza, C. R.; Butt, T. A.; Barros, R.; Ali, B.; Iqbal, M.; Yousaf, S.: Ornamental plants for the phytoremediation of heavy metals: present knowledge and future perspectives. In: Environmental Research 195 (2021)

Kim, J.; Dear, R.; Cândido, C.; Zhang, H.; Arens, E.: Gender differences in office occupant perception of indoor environmental quality (IEQ). In: Building and Environment 70 (2013), S. 245–256

[Klimaanalyse Kassel]: zur Ermittlung des Gefährdungspotenzials sowie Maßnahmen zur Anpassung an den Klimawandel für den Zweckverband Raum Kassel [online]. Kassel: Zweckverband Raum Kassel, 2019. Internet: https://www.zrk-kassel.de/media/files/download/pdf/klimaanalyse-2019/endbericht_klimaanalyse_zrk_2019.pdf [Zugriff: 17.07.2022]

Klug, B. M.: Die Projektbeschreibung – BMW-Pilotprojekt: Das grüne Büro [online]. 2012. Internet: https://www.dghk.net/index.php?artikel=530

Köhler, M. (Hrsg.): Fassaden- und Dachbegrünung. Stuttgart: Ulmer Verlag, 1993

Köhler, M.: Messung von Oberflächentemperaturen begrünter Dächer mittels Infrarot-Thermographie. In: Dach + Grün (2005a), Nr. 14(3), S. 12–17

Köhler, M.: Die Pflanzenwelt des Tropical Island in Brand südlich Berlins. In: Dach + Gruen (2005b), Nr. 14(2), S. 24–29

Köhler, M.: Green facades – a view back and some visions. In: Urban ecosystems (2008a), Nr. 11, S. 423–436

Köhler, M.: Viel Grün lässt Patienten besser genesen. In: Dach + Grün (2008b), Nr. 17(1), S. 17–23

§Köhler, M.: Präferenz für eine Innenraumbegrünung. In: Dach + Grün (2011), Nr. 20(3), S. 18- 19

Köhler, M.; Kaiser. D.: Evidence of the climate mitigation effect of green roofs – a 20-year weather study on an extensive green roof (EGR) in Northeast Germany. In: Buildings (2019)

Köhler, M.; Kaiser, D.: Green roof enhancement on buildings of the university of applied sciences in Neubrandenburg (Germany) in times of climate change. In: Atmosphere 12 (2021), Nr. 3, S. 382

Köhler, M.; Kuievda, N.: Praxiserfahrungen mit den Ökohäusern. In: Dach und Grün 3 (2015), S. 6–11

Köhler, M.; Malorny, W.: Wärmeschutz durch extensive Gründächer. In: Venzmer, H.: Europäischer Sanierungskalender 2009. Berlin, Beuth Verlag, 2009

Köhler, M.; Milbrandt, F.: Mit Living Walls zur Lärmreduktion. Dach + Grün (2012), Nr. 21(1), S. 6–12

Köhler, M.; Nistor, C. R.: Wandgebundene Begrünungen – Quantifizierung einer neuen Bauweise der Klima-Architektur. FLL-Forschungsreihe 1-2015. Stuttgart: Fraunhofer IRB Verlag, 2015

Köhler, M.; Poll, P.: Long-term performance of selected old Berlin greenroofs in comparison to younger extensive greenroofs in Berlin. In: Ecological Engineering (2010), Nr. 36, S. 722–729

Köhler, M.; Schmidt, M.: Hof-, Fassaden- und Dachbegrü- nung. Ergebnisse einer zwölfjährigen Begrünungsutopie. In: Landschaftsentwicklung und Umweltforschung (1997), Nr. 105, S. 1–158

Köhler, M.; Schmidt, M.: Energetic aspects of green roofs. In: Proc. World Green Roof Congress. London, 16.–19.09.2008, 2008

Kolb, W.; Eppel, J.; Schwarz, T.; Trunk, R.; Marx, I.; Schönfeld, P.: Dachbegrünung. Veitshöchheim: Bayerische Landesanstalt für Weinbau und Gartenbau, Selbstverlag, 2009

Kompost RAL-GZ 251. Erläuterung der RAL-Prüfzeugnisse und hinterlegter Qualitäts-/Prüfkriterien. Köln: Bundesgütegemeinschaft Kompost e. V., 2010

Konopka, J.; Heusinger, J.; Weber, S.: Extensive urban green roof shows consistent annual net uptake of carbon as documented by 5 years of Eddy covariance flux measurements. In: Journal of Geophysical Research: Biogeosciences 126 (2020)

Kontoleon, K. J.; Eumorfopoulou, E. A.: The effect of the orientation and proportion of a plant-covered wall layer on the thermal performance of a building zone Building and Environment (2010), Nr. 45, S. 1287–1303

Krusche, P.; Althaus, D.; Gabriel I.: Ökologisches Bauen. Gütersloh, Bauverlag, 1982

Lakho, F. H.; Vergote, J.; Ihsan-Ul-Haq Khan, H.; Depuydt, V.; Depreeuw, T.; Van Hulle, S. W. H.; Rousseau, D. P. L.: Total value wall: full scale demonstration of a green wall for grey water treatment and recycling. In: Journal of Environmental Management 298 (2021)

La Roche, P.; Yeom, D. J.; Ponce, A.: Passive cooling with a hybrid green roof for extreme climates. In: Energy and Buildings 224 (2020), S. 1

Larson, D.; Kelly, P. E.; Matthes, U.; Lundholm, J.; Gerrath, J.: The Urban Cliff Revolution: Origins and Evolution of Human Habitats. Markham, Ontario: Fitzhenry & Whiteside Publishers, 2006

Lassalle, F.: Mündliche Mitteilung, Mai 2012, La Rochelle

Lei, Q.; Yuan, C.; Lau, S. S. Y.: A quantitative study for indoor workplace biophilic design to improve health and productivity performance. In: Journal of Cleaner Production 324 (2021)

Lindemann-Matthies, P.; Benkowitz, D.; Hellinger, F.: Associations between the naturalness of window and interior classroom views, subjective well-being of primary school children and their performance in an attention and concentration test. In: Landscape and Urban Planning 214 (2021)

Liu, L.; Cao, J.; Ali, M.; Zhang, J.; Wang, Z. L.: Impact of green roof plant species on domestic wastewater treatment. In: Environmental Advances (2021)

Living Panels #NatureBASE [online]. Wien: NatureBase GmbH, 2022. Internet: https://www.naturebase.at/assets/infofolder_livingpanels_web_2022.pdf [Zugriff: 17.07.2022]

Lohr, V. I.; Pearson-Mims, C. H.; Goodwin, G. K.: Interior plants may improve worker productivity and reduce stress in a windowless environment – From 'Plants-for-People'. In: Journal of Environmental Horticulture (1996), Nr. 14(2), S. 97–100

Lück, K.: Energy efficient building services for tempering performance-oriented interior spaces – A literature review. In: Journal of Cleaner Production (2012), Nr. 22, S. 1–10

Lufthansa Aviation Center. https://www.lufthansagroup.com/de/lac/architektur.html [Zugriff: 24.07.2022]

Mahmoudi, A.; Mousavi, S. A.; Darvishi, P.: Greywater as a sustainable source for development of green roofs: characteristics, treatment technologies, reuse, case studies and future developments. In: Journal of Environmental Management 295 (2021)

Mankiewicz, P. S.; Spartos, P.; Dalski, E.: Green roofs and local temperature: how green roofs partition water, energy, and costs in urban energy-air conditioning budgets. In: Proc. of 7th North American Green Roof Conference: Greening Rooftops for Sustainable Communities, Atlanta, GA. 3.-5.06.2009, 2009

Mann, G.: Die Rolle begrünter Dächer aus zoologischer Sicht. Tübingen, Technische Universität Tübingen, Dissertation, 1995

Mann, G. (1998): Vorkommen und Bedeutung von Bodentieren (Makrofauna) auf begrünten Dächern in Abhängigkeit von der Vegetationsform. Dissertation Univ. Tübingen

Mann, G. (1996): Die Rolle begrünter Dächer in der Stadtökologie. Biologie in unserer Zeit 5, 292-299

Manso, M.; Teotonio, I.; Silva, C. M.; Cruz Olivierra, C.: Green roof and green wall benefits and costs: a review of the quantitative evidence. In: Renewable and Sustainable Energy Reviews 135 (2021), S. 110111

Mårtensson, L. M.; Fransson, A. M.; Emilsson, T.: Exploring the use of edible and evergreen perennials in living wall systems in the Scandinavian climate. In: Urban Forestry & Urban Greening 15 (2016), S. 84–88

Minke, G.; Witter, G.: Häuser mit grünem Pelz – ein Handbuch zur Hausbegrünung. Frankfurt: Verlag D. Fricke, 1982

Mujan, I.; Licina, D.; Kljajic, M.; Culic, A.; Andelkovics, A. S.: Development of indoor environmental quality index using a low-cost monitoring platform. In: Journal of Cleaner Production 312 (2021)

Nihlgard, B.: Plant biomasss, primary production and distribution of chemical elements in a beech and a planted spruce forest in South Sweden. In: Oikos 23 (1972), S. 69–81

Oberndorfer, E.; Lundholm, J.; Brass, B.; Coffmann, R.; Doshi, H.; Dunnett, N.; Gaffin, S.; Köhler, M.; Liu, K.; Rowe, B. : Green Roofs as Urban Ecosystems: Ecological Structures, Functions, and Services. In: Bioscience (2007), Nr. 57 (10), S. 823–833

Ogawa, H.; Yoda, K.; Ogino, K.; Kira, T.: Comparative ecological studies on three main types of forest vegetation in Thailand. II. Plant biomass. In: Nature and Live in S. E. Asia 4 (1965), S. 49–80

Ottelé, M.: The Green Building Envelope. Delft: Universität Delft, Diss., 2011

Ottelé, M.; Perini, K.; Fraij, A.; Haas, E. M.; Rossana, J.: Vertical greening systems and the effect on air flow and temperature on the building envelope. In: Building and Environment (2011), Nr. 46, S. 2287–2294

Pan, L.; Chu, L. M.: Energy saving potential and life cycle environmental impacts of a vertical greenery system in Hong Kong: a case study. In: Building and Environment 96 (2016), S. 293–300

Parhizkar, H.; Khoraskani, R. A.; Tahbaz, M.: Double skin façade with Azolla; ventilation, indoor air quality and thermal performance assessment. In: Journal of Cleaner Production 249 (2020)

Peck, S. W.; Callaghan, C.: Greenbacks from green roofs: forging a new industry in Canada, Status report on benefits, barriers and opportunities for green roof and vertical garden technology diffusion, environmental adaptation research group. Ottawa, Canada: Canada Mortgage and Housing Corporation, 1999

Pérez G.; Rincón, L.; Vila, A.; González, J. M.; Cabeza, L. F.: Green vertical systems for buildings as passive systems for energy savings. In: Applied Energy (2011), Nr. 88, S. 4854–4859

Pérez, G.; Coma, J.; Chafer, M.; Cabeza, L. F.: Seasonal influence of leaf area index (LAI) on the energy performance of a green facade. In: Building and Environment 207 (2022)

Perez-Urrestarazu, L.; Kaltsidi, M. P.; Nektarios, P. A.; Markakis, G.; Loges, V.; Perini, K.; Fernandez-Canero, R.: Particularities of having plants at home during the confinement due to the COVID-19 pandemic. In: Urban Forestry & Urban Greening 59 (2021)

Pergams, O. R. W.; Zaradic, P. A.: Is love of nature in the U.S. becoming love of electronic media? 16-year downtrend in national park visits explained by watching movies, playing video games, internet use, and oil prices. In: J Environ Management (2006), Nr. 80, S. 387–393

Pergams, O.R.W. and P.A. Zaradic. 2008. Evidence for a fundamental and pervasive shift away from nature-based recreation. Proceedings of the National Academy of Sciences of the United States of America (2008), Nr. 105(7), S. 2295–2300

Perini, K.; Ottelé, M.; Haas, E. M.; Raiteri, R.: Greening the building envelope, façade greening and living wall systems. In: Open Journal of Ecology (2011), Nr. 1(1), S. 1–8

Pille, L.; Säumel, I.: The water-sensitive city meets biodiversity: habitat services of rain water management measures in highly urbanized landscapes. In: Ecology and Society 26 (2021), Nr. 2, S. 23

Prodanovic, V.; Hatt, B.; McCarthy, D.; Zhang, K.; Deletic, A.: Green walls for greywater reuse: understanding the role of media on pollutant removal. In: Ecological Engineering 102 (2017), S. 625–635

Prodanovic, V.; Zhang, K.; Hatta, B.; McCarthya, D.; Deletic, A.: Optimisation of lightweight green wall media for greywater treatment and reuse. In: Building and Environment 131 (2018), S. 99–107

Prodanovic, V.; McCarthy, D.; Hatt, B.; Deletic, A.: Designing green walls for greywater treatment: the role of plants and operational factors on nutrient removal. In: Ecological Engineering 130 (2019), S. 184–195

Publizierbarer Endbericht „Living Green City“ [online]. Graz: StadtLABOR Graz, 2017. Internet: https://stadtlaborgraz.at/wp-content/uploads/2022/05/Living-Green-City_6.ass-scd-lgc-publiziebarer-endbericht-final-kompr.pdf [Zugriff: 17.07.2022]

Raji, B.; Tenpierik, M. J.; Dobbelsteen, A.: The impact of greening systems on building energy performance: a literature review. In: Renewable and Sustainable Energy Reviews 45 (2015), S. 610–623

Ren, J.; Tang, M.; Zheng, X.; Lin, Y.; Xu, Y.; .Zhang, T.: The passive cooling effect of window gardens on buildings: a case study in the subtropical climate. In: Journal of Building Engineering (2022)

Rezazadeh, H.; Salahshoor, Z.; Ahmadi, F.; Nasrollahi, F.: Reduction of carbon dioxide by bio-facades for sustainable development of the environment. In: Environ. Eng. Res. 27 (2022), Nr. 2, S. 200583

RSM Rasen 2022. Regel-Saatgut-Mischungen 2022. Bonn: Forschungsgesellschaft Landschaftsentwicklung Landschaftsbau e. V. (FLL), 2022

Rath, J.; Kießl, K.: Auswirkungen von Fassadenbegrünungen auf den Wärme- und Feuchtehaushalt von Außenwänden und Schadensrisiko. FraunhoferInstitut für Bauphysik, IBP-Bericht FtB-4/1989, 1989

Regeln für Abdichtungen – mit Flachdachrichtlinie – Stand Dezember 2016 mit Änderungen November 2017, Mai 2019 und März 2020. Hrsg.: Zentralverband des Deutschen Dachdeckerhandwerks – Fachverband Dach-, Wand- und Abdichtungstechnik – e. V.. Köln: Verlagsgesellschaft Rudolf Müller, 2020

Reichmann B.; Köhler, M.; Schmidt, M.: Konzepte der Regenwasserbewirtschaftung – Gebäudebegrünung – Gebäudekühlung – Leitfaden. Berlin: Senat für Stadtentwicklung, 2010

Renterghem, T.; Botteldooren D.: Numerical evaluation of sound propagating over green roofs. In: Journal of Sound and Vibration (2008), Nr. 317, S. 781–799

Richtlinie für die Zulassung von Geotextilien zum Filtern und Trennen für Deponieabdichtungen [online]. Bundesamt für Materialforschung und -prüfung (BAM), 9. Aufl., 2020: Internet: https://tes.bam.de/TES/Content/DE/Downloads/rili_aug_schutzschicht_zulassung-rili.pdf?__blob=publicationFile [Zugriff: 16.07.2022]

Rowe, D. B.: Green roofs as a means of pollution abatement. In: Environmental Pollution (2011), Nr. 159, S. 2100–2110

Sailor, D.: A green roof model for building energy simulation programs. In: Energy and Buildings (2008), Nr. 40(8), S. 1466–1478

Sashua-Bar, L.; Pearlmutter, D.; Evyatar, E.: The cooling efficiency of urban landscape strategies in a hot dry climate. In: Landscape and Urban Planning (2009), Nr. 92, S. 179–186

Scharf, B.: Plants in cities – effects of green infrastructure on urban energy and water balance. Wien, BOKU-Universität für Bodenkultur, Institut für Ingenieurbiologie und Landschaftsbau (IBLB), Dissertation, 2020

Scharf, B.: Plants in cities – effects of green infrastructure on urban energy and water balance. Vienna: University of Natural Resources and Life Sciences Vienna, Dissertation, 2021

Scharf, B; Pitha, U; Trimmel, H.: Thermal performance of green roofs. Copenhagen: World Green Roof Congress Copenhagen 2012 „Urban Grey to Urban Green“, 2012

Scharf, B; Kraus, F; Vali, N; Küsters, P.: Duisburg Green Impact Guide. Unpublished, 2022

Schlösser, S.: Zur Akzeptanz von Fassadenbegrünungen. Meinungsbilder Kölner Bürger – eine Bevölkerungsumfrage. Köln: Universität Köln, Diss., 2003

Shafique, M.; Xue, X.; Luo, X.: An overview of carbon sequestration of green roofs in urban areas. In: Urban Forestry & Urban Greening 47 (2020)

Singh, A.; Syal, M.; Korkmaz, S.: Effects of Green Buildings on Employee Health and Productivity. In: American Journal of Public Health (2010), Nr. 12(9), S. 1665–1668

Smith, A. J.; Tucker, M.; Pitt, M.: Healthy, productive workplaces: towards a case for interior plantscaping. In: Facilities 29 (2011), Nr. 5/6, S. 209–223

Summary for policymakers. In: Climate change 2021: the physical science basis. Contribution of working group I to the sixth assessment report of the Intergovernmental Panel on Climate Change. Cambridge: Cambridge University Press, 2021, S. 3–32

TEEB Manual for Cities: Ecosystem services in urban management [online]. Geneva: The Economics of Ecosystems and Biodiversity, 2011. Internet: http://teebweb.org/publications/other/teeb-cities/ [Zugriff: 14.07.2022]

Thomaidi, V.; Petousi, I.; Kotsia, D.; Kalogerakis, N.; Fountoulakis, M. S.: Use of green roofs for greywater treatment: role of substrate, depth, plants, and recirculation. In: Science of the Total Environment 807 (2022)

TRBS 2121. Technische Regeln für Betriebssicherheit – Gefährdungen von Beschäftigten durch Absturz – Allgemeine Anforderungen. Ausgabe: Juli 2018. Berlin: Bundesanstalt für Arbeitsschutz und Arbeitsmedizin, 2018. Gemeinsames Ministerialblatt, Nr. 39/40, 05.10.2018, S. 741

Ulrich, R. S.: Effects of health facility interior design on wellness: Theory and recent scientific research. In: Journal of Health Care Design (1991), Nr. 3, S. 97–109.

Ulrich, R. S.: View through a window may influence recovery from surgery. In: Science (1984), Nr. 224, S. 420–421

Ulrich, R. S.; Simons, R. F.; Losito, B. D.; Fiorito, E.; Miles, M. A.; Zelson, M.: Stress recovery during exposure to natural and urban environments. In: Journal of Environmental Psychology (1991), Nr. 11, S. 201-230

Urban Heat Islands – Strategieplan Wien [online]. Wien: Magistrat der Stadt Wien, Wiener Umweltschutzabteilung – Magistratsabteilung 22, 2015. Internet: https://www.businessart.at/download/?id=urban-heat-islands-strategieplan-wien-2016.pdf [Zugriff: 14.07.2022]

Van den Bogerd, N.; Dijkstra, C. S.; Tanja-Dijkstra, K.; de Boer, M. R.; Seidell, J. C.; Koole, S. L.; Maas, J.: Greening the classroom: three field experiments on the effects of indoor nature on students' attention, well-being, and perceived environmental quality. In: Building and Environment 171 (2020)

Van der Linden, A. C.: Bouwpysica. 6. Aufl., Amersfoort; ThiemeMeulenhoff bv, 2006

Van Esch, E.; Minjock, R.; Colarelli, S. M.; Hirsch, S.: Office window views: View features trump nature in predicting employee well-being. In: Journal of Environmental Psychology 64 (2019), S. 56–64

VDI 3755:2015-01. Schalldämmung und Schallabsorption abgehängter Unterdecken. Düsseldorf: Verein Deutscher Ingenieure, 2015

Vignes, A.; Calmes, J.; Carles, J.: Eclairment et production vegetales chez la vigne vierge. Comtes rendus hebdomadaire des senaces de l'àcademie des sciences. In: Ser. D: Sciences naturelles 273 (1971), S. 872–875

Wang, C.; Zhang, F.; Wang, J.; Doyle, J. K.; Hancock, P. A.; Mak, C. M.; Liu, S.: How indoor environmental quality affects occupants' cognitive functions: a systematic review. In: Building and Environment 193 (2021)

Weiler, S.; Scholz-Barth, K.: Green roof Systems. Weinheim: Wiley, 2009

Weißbuch Stadtgrün, Grün in der Stadt – Für eine lebenswerte Zukunft. Berlin: Bundesministerium für Umwelt, Naturschutz, Bau und Reaktorsicherheit (BMUB), Referat Öffentlichkeitsarbeit, 2007

White, S. H.: Vegetation bearing Architectonic structure and System. Patentschrift Nr. 2.119.523 (1938), United States Patent Office

Wolf, K. L.: Retail and Urban Nature: Creating a Consumer Habitat [online]. Submitted for the 2002 People/Plant Symposium, 2002

Wolkoff, P.; Azuma, K.; Carrer, P.: Health, work performance, and risk of infection in office-like environments: the role of indoor temperature, air humidity, and ventilation. In: International Journal of Hygiene and Environmental Health 233 (2021)

Wong, C. E.; Teo, Z. W. N.; Shen, L.; Yu, H.: Seeing the lights for leafy greens in indoor vertical farming. In: Trends in Food Science & Technology 106 (2020), S. 48–63

Wolverton, B. C.: Volatile organic compounds – Sources, measurements, emissions and the impact on air quality 1985. In: Indoor Air, Supp. 3, 1985

Wolverton, B. C., Wolverton, J. D.: Plants and soil microorganisms: Removal of formaldehyde, xylene, and ammonia from the indoor environment, In: J. Mississippi Acad. Sci. (1993), Nr. 38(2), S. 11–15

Wolverton, B. C.; Johnson, A.; Bounds, K.: Interior Landscape Plants for Indoor Air Pollution Abatement. In: NASA/ALCA Final Report, Plants for Clean Air Council, Davidsonville, Maryland, 1989

Wong, N. H.; Tan K. A. Y.; Tan, P. Y.; Chiang, K.; Wong, N. C.: Acoustics evaluation of vertical greenery systems for building walls. In: Building and Environment (2010a), Nr. 45, S. 411–420

Wong, N. H.; Tan, A. Y. K.; Chen, Y.; Sekar, K.; Tan, P. Y.; Chan, D.; Chiang, K.;, Wong, N. C.: Thermal evaluation of vertical greenery systems for building walls. In: Building and Environment (2010b), Nr. 45, S. 663–672

Wu, P.; Fang, Z.; Luo, H.; Zheng, Z.; Zhu, K.; Yang, Y.; Zhou, X.: Comparative analysis of indoor air quality in green office buildings of varying star levels based on the grey method. In: Building and Environment 195 (2021)

Yeang, K.: A manual for ecological design. Weinheim: Wiley, 2006

Yeom, S.; Kim, H.; Hong, T.; Park, H. S.; Lee, D. E.: An integrated psychological score for occupants based on their perception and emotional response according to the windows' outdoor view size. In: Building and Environment 180 (2020)

Yin, J.; Zhu, S.; MacNaughton, P.; Allen, J. G.; Spengler, J. D.: Physiological and cognitive performance of exposure to biophilic indoor environment. In: Building and Environment 132 (2018), S. 255–262

Yin, J.; Yuan, J.; Arfaeia, N.; Catalano, P. J.; Allen, J. G.; Spengler, J. D.: Effects of biophilic indoor environment on stress and anxiety recovery: a between-subjects experiment in virtual reality. In: Environment International 136 (2020)

Zehnsdorf, A.; Knechtel, S.; Trabitzsch, R.: Sumpfpflanzendächer – Stand der Anwendung und Forschung. In: Zehnsdorf, A.; Trabitzsch, R. (Hrsg.): Projekt Forschungsgründach. Leipzig: Helmholtz-Zentrum für Umweltforschung – UFZ, 2019, S. 9–14

Zhang, J.; Jiang, L.; Liu, Z.; Li, Y.; Liu, K.; Fang, R.; Li, H.; Qu, Z.; Liu, C.; Li, F.: A bibliometric and visual analysis of indoor occupation environmental health risks: development, hotspots and trend directions. In: Journal of Cleaner Production 300 (2021)

10.3 Weiterführende Literatur

Abdultawab, Q. A.; Keumala, N.; Rao, S. P.; Zulkiflee, A.: Experimental determination of thermal performance of glazed façades with water film, under direct solar radiation in the tropics. Building and Environment (2011), Nr. 46, S. 2238–2246

Allgemeine Bedingungen für die Entwässerung in Berlin – ABE [online]. Hrsg: Berliner Wasserbetriebe. Berlin. Internet: https://www.bwb.de/en/assets/downloads/ABE.pdf [Zugriff: 16.07.2022]

Ansel, W.; Baumgarten, H.; Dickhaut, W.; Kruse, E.; Meier, R. (Hrsg.): Leitfaden Dachbegrünung für Kommunen. Nürtingen: DDV Verlag, 2011

Ansel, W.; Diem, A.: Integratives Regenwassermanagement mit Dachbegrünung am Beispiel des Baugebietes „Hohlgrabenäcker" in Stuttgart-Zuffenhausen. In: Dachbegrünung in der modernen Städtearchitektur. Nürtingen: IGRA Verlag, S. 153–156

ANSI/ASHRAE-Standard 55-2010 Thermal Environmental Conditions for Human Occupancy. American Society of Heating, Refrigerating and Air-Conditioning (ASHRAE)

Banting, D.; Doshi, H.; Liu, J.: Report on the environmental benefits and costs of Green roof Technology for the City of Toronto. City of Toronto, 2005

Betzler, F.: Simon-v.-Utrecht-Straße. Neubau eines Geschäftshauses mit einer Klimafassade. Wismar: Hochschule Wismar, Masterarbeit, 2010

BGR/GUV-R 198 Benutzung von persönlichen Schutzausrüstungen gegen Absturz. Regel. Deutsche gesetzliche Unfallversicherung (DGUV), Berlin, 2011

BGV C22 Unfallverhütungsvorschrift Bauarbeiten. Hauptverband der gewerblichen Berufsgenossenschaften (HVBG), Berlin, 2010

BREEAM, BRE Environmental Assessment Method, 2012. http://www.breeam.org [Zugriff: 26.07.2012]

Bribián I. Z.; Capilla, A. V.; Usón, A. A.: Life cycle assessment of building materials: Comparative analysis of energy and environmental impacts and evaluation of the eco-efficiency improvement potential. In: Building and Environment (2011), Nr. 46(5), S. 1133–1140

Britto, C. M. A.; Neila, F. J.: El comportamiento termico de la cubierta ecológica en Madrid. In: Arquitectura, Urbanismo Y Naturacion Urbana, Colegio Oficial der Ingenieros Agronomos de Centro y Canaris, Madrid (1998), S. 95–100

Chiang, K.; Tan, A.: Vertical Greenery for the tropics. Nparcs, Singapore, 2009

Cheng, C. Y.; Ken, K. K. S.; Chu, L. M.: Thermal performance of a vegetated cladding system on facade walls. In: Building and Environment (2010), Nr. 45, S. 1779–1787

Chilla. T.: Natur-Elemente in der Stadtgestaltung. Köln: Universität zu Köln, Mathematisch-Naturwissenschaftliche Fakultät, Diss., 2004

Darlington, A.: Ecology of walls. London: Heinemann Publishers, 1981

DGNB, Deutsche Gesellschaft für Nachhaltiges Bauen, 2012. http://www.dgnb.de [Zugriff: 26.07.2012]

DVWK-Merkblatt 238 Ermittlung der Verdunstung von Land- und Wasserflächen. Stand: 1996. Deutscher Verband für Wasserwirtschaft und Kulturbau

Flächenverbrauch einschränken – jetzt handeln. Dessau: Kommission Bodenschutz beim Bundesumweltamt (KBU), 2009

FLL-Fassadenbegrünungsrichtlinien: Richtlinien für die Planung, Bau und Instandhaltung von Fassadenbegrünungen. Bonn: Forschungsgesellschaft Landschaftsentwicklung Landschaftsbau e. V. (FLL), 2018

FLL-Regel-Saatgut-Mischungen Rasen – RSM. Bonn: Forschungsgesellschaft Landschaftsentwicklung Landschaftsbau e. V. (FLL), 2012

FLL-Richtlinien Fassadensockelputz/Außenanlage. Gemeinsame Richtlinie der Berufsverbände FV der Stuckateure für Ausbau und Fassade Baden-Württemberg, Verband Garten und Landschafts- und Sportplatzbau Baden-Württemberg. Stand: 2004. Stuttgart: Berufsverbände FV der Stuckateure für Ausbau und Fassade Baden-Württemberg, Verband Garten und Landschafts- und Sportplatzbau Baden-Württemberg (Hrsg.), 2004

Förderprogramm Dachbegrünung. Hrsg: Bremer Umwelt Beratung [online]. Bremen. Internet: https://www.bremer-umwelt-beratung.de/Foerderprogramme-Dachbegruenung.html [Zugriff: 16.07.2022]

Gartenbaubibliothek, 2021. https://www.gartenbaubibliothek.de/ [Zugriff: 167.07.2022]

Hinweise zur Pflege und Wartung begrünter Dächer. Bonn: Forschungsgesellschaft Landschaftsentwicklung Landschaftsbau e.V. (FLL), Fachvereinigung Bauwerksbegrünung e.V. (FBB), Zentralverband des Deutschen Dachdeckerhandwerks e.V. (ZVDH), Bundesverband Garten-, Landschafts- und Sportplatzbau e.V. (BGL), 2002

Holzmüller, K.: Natürlich Klimaschutz – Grüne Dächer in Düsseldorf: Finanzielle Förderung und quantitative Luftbildauswertung.

In: Dachbegrünung in der modernen Städtearchitektur, S. 145-148, Nürtingen: IGRA Verlag, 2009

Ip, C.; Ken, K. S.; Cheung, K. S.; Chu, L. M.: Thermal performance of a vegetated cladding system on facade walls. In: Building and Environment (2010), Nr. 45(8), S. 1779–1787

Kaltenbach, F.: Lebende Wände, vertikale Gärten – vom Blumentopf zur Systemfassade. In: Detail. Zeitschrift für Architektur + Baudetail (2008), Nr. 12, S. 1455

Kellert, S. R.; Wilson E. O.: The biophilia Hypothesis. Washington: Island Press, 1993

Köhler, M.: Der Einsatz von Infrarot-Thermographie bei der Beurteilung von Gebäudebegrünungen. In: Dach + Grün (2005), Nr. 14(1), S. 8–12

Köhler, M.: Extensive Gründächer – Rechenbare Vorteile in der Eingriffsegelung. In: Stadt + Grün, (2006), Nr. 55(9), S. 40–44

Köhler, M.: Long Term Vegetation Research on Two Extensive Green Roofs in Berlin [online]. Urban Habitats (2006), Nr. 4(1), S. 1541–7115. Internet: https://www.urbanhabitats.org/v04n01/berlin_pdf.pdf [Zugriff: 16.07.2022]

Köhler, M.; Kresse, W.; Belz, C.: Ein Beitrag zum Berliner Umweltatlas. In: Dach + Grün (2011), Nr. 20(3), S. 12–15

Konzepte der Regenwasserbewirtschaftung – Gebäudebegrünung – Gebäudekühlung [online]. Hrsg.: Senatsverwaltung für Stadtentwicklung, Berlin, 2010. Internet: https://www.stadtentwicklung.berlin.de/bauen/oekologisches_bauen/download/SenStadt_Regenwasser_dt_bfrei_final.pdf [Zugriff: 16.07.2022]

LEED. Leadership in Energy and Environmental Design, 2012. https://www.leedonline.com [Zugriff: 26.07.2012]

Mann, G.: Vorkommen und Bedeutung von Bodentieren (Makrofauna) auf begrünten Dächern in Abhängigkeit von der Vegetationsform. Tübingen: Universität Tübingen, Diss. 1998

Murray, P.: The sustainable Self - A personal approach to Sustainability Education. London: Routlegde, 2011

Nutzungsdauern von Bauteilen für Lebenszyklusanalysen nach dem Bewertungssystem Nachhaltiges Bauen (BNB) [online]. Stand: 03.11.2011. Hrsg.: Bundesinstitut für Bau-, Stadt- und Raumforschung (BBSR). Internet: https://www.nachhaltigesbauen.de/fileadmin/pdf/Nutzungsdauer_Bauteile/BNB_Nutzungsdauern_von_Bauteilen__2011-11-03.pdf [Zugriff: 16.07.2022]

Ökologisch Bauen – Projektkonzeption und städtebauliche Planung [online]. Hrsg.: Senatsverwaltung für Stadtentwicklung, Berlin, 2012b. Internet: https://www.stadtentwicklung.berlin.de/bauen/oekologisches_bauen/ [Zugriff: 16.07.2022]

Osmundson, T.: Roof Gardens. New York, London: W.W. Norton & Company, 1999

Ottelé, M.; Perini, K.; Fraaij, A. L. A.; Haas, E. M.; Raiteri E.: Comparative life cycle analysis for green facades and living wall systems. In: Energy and Buildings (2011), Nr. 43, S. 12

Pfoser, N.: Architekturmedium Pflanze. Potenziale einer neuen Fassadengestaltung. In: Stadt + Grün (2010a), Nr. 03

Pfoser, N.; Gebäude Begrünung Energie. Potenziale und Wechselwirkungen. FLL-Schriftenreihe Forschungsvorhaben Bonn (Deutschland). Selbstverlag, 2014, https://www.irbnet.de/daten/rswb/13109006683.pdf [Zugriff 26.08.2022]

Pfoser, N.: Vertikale Begrünung. Stuttgart: Ulmer, 2018

Ramesh, T.; Prakash, R.; Shukla, K. K.: Life cycle energy analysis of a residential building with different envelopes and climates in Indian context. In: Applied Energy (2012), Nr. 89, S. 193–202

Schmidt, M.: Gebäudebegrünung und Verdunstung. Garten und Landschaft (2008), Nr. 118, S. 15–18

Sichter, J.; Hiort, K.: Ein Netz aus Wissenschaft und Wirtschaft, Medien und Technologie: Berlin Adlershof. In: Lütke-Daldrup, E.; Zlonicky, P.: Große Projekte in Deutschen Städten. Berlin: Bundesministerium für Verkehr, Bau und Stadtentwicklung (BMVBS)

Susca, T.; Gaffin, S. R.; Dell'Osso, G. R.: Positive effects of vegetation: Urban heat island and green roofs. In: Environmental Pollution (2011), Nr. 159, S. 2119–2126

Tan, P. Y.; Chiang, K.; Chan, D.; Wong, N. H.; Chen, Y.; Tan, A.: Vertical Greenery for the tropics. Singapur: Npark, 2009

Tarife – Niederschlagswassergebühr, Stand: 2022. Hrsg: Berliner Wasserbetriebe [online]. Berlin. Internet: https://www.bwb.de/de/gebuehren.php [Zugriff: 16.07.2022]

Thoennessen, M.: Elementdynamik in fassadenbegrünendem Wilden Wein. In: Kölner Geograph. Arbeiten (2002), Nr. 78, S. 1–110

Verbeeck, G.; Hens, H.: Life cycle inventory of buildings: A calculation method. In: Building and Environment (2010), Nr. 45, S. 1037–1041

Wolpensinger, H.: Das Internetportal für ökologische Siedlungen. Internet: https://sdg21.eu/oekosiedlungen [Zugriff: 16.07.2022]

Wong, N. H.; Tay, S. F.; Wong, R.; Ong, C. L.; Sia, A.: Life cycle cost analysis of rooftop gardens in Singapore. In: Building and Environment (2003), Nr. 38, S. 499–509

Wurzelfeste Produkte. Bahnen, Abdichtungen u. a. mit Prüfungen nach dem FLL-Verfahren sowie nach DIN EN 13948 [online]. Saarbrücken: Fachvereinigung Bauwerksbegrünung e. V., 2016. Internet: https://www.gebaeudegruen.info/fileadmin/website/downloads/bugg-fachinfos/Wurzelfeste_Produkte/WBB_2016.pdf [Zugriff: 16.07.2022]

10.4 Verbände, Firmen und Anbieter

Die Liste der Verbände, Firmen und Anbieter erhebt keinen Anspruch auf Vollständigkeit. Datenbasis stellen die Mitglieder des BUGG dar. Diese wurden um Firmen ergänzt, die weltweit Bauwerksbegrünungen anbieten. Alle hier genannten Kontakte sind im Zuge der Bucherstellung überprüft worden (Stand Mai 2022).

Tabelle 10.1: Anbieter von Begrünungssystemen der Arbeitsbereiche bodengebundene Fassadenbegrünung sowie wandgebundene Begrünun gssysteme, Dach- und Innenraumbegrünungen (Stand: April 2022). Seit der Ausgabe 2012 hat sich die Anzahl der Firmen in diesem Sektor etwa verdoppelt. Kein Anspruch auf komplette Vollständigkeit der Firmenübersicht.

	Name	Arbeitsbereiche			Homepage	Markt in D	andere Länder	Bemerkungen
		Wand	Dach	innen				
1	6fürsGruen	×	×		http://www.6-f-g.de/de/dachbegruenung/dachbegruenung.html	×	D	Dachbegrünung, Schwimmteichbau, Geovliese
2	90degreen	×			http://www.90degreen.com/	×	Österreich	Steinwollesystem, Teilnehmer im HS-Neubrandenburg-Vergleichstest, Graviplants und Mooswände
3	ACO		×		https://www.aco-hochbau.de/	×	div. Länder	Entwässerungsrinnen
4	Alseco	×			https://www.alsecco.de	×		Fassadenbaustoffe
5	alwitra			×	https://alwitra.de/	×	div. Länder	Dichtungsbahnen
6	AnsGlobal	×	×		https://www.ansgroupglobal.com/		England	
7	aplantis				https://www.aplantis.ch/	×	Schweiz	
8	Aponix	×			https://www.aponix.eu/	×		vertikales urbanes Gärtnern
9	Aqua Resins Technologies bv	×	×	×	https://aquaresinstechnologies.com/	×	Niederlande, Australien	Dämm- und Wasserpeichermedien für die Begrünungen
10	Aquatechnik	×	×	××	https://www.aquatechnik.com/	×		Bewässerungselemente
11	Argex	×	×		https://argex.eu/de	×	Europa	Substrate u. a. für Gründächer
12	Arta Gradinilor	×		×	https://www.artagradinilor.ro		Rumänien	
13	Aspirantes	×			https://www.vertikal-gruen.de/	×		
14	Atlantis	×	×	×	https://atlantiscorporation.com.au/roof-garden-installation/		in ca. 45 Ländern	Regenwasser und Begrünungstechniken
15	Austrotherm	×	×		https://www.austrotherm.de/	×		Dämmstoffe
16	Bauder		×		www.bauder.de	×	Europa	alle Varianten der Dachbegrünung
17	Benettihome			×	https://www.benettihome.it/de		Italien, Hongkong	Moosbegrünungen als Bilderrahmen, Mooswände
18	Bernkert		×		https://www.benkert-dachbegruenung.de/	×		
19	Biolit Vertical Green	×			https://www.biolit-vertical-green.de/	×		
20	Biotecture	×			www.biotecture.uk.com		GB	Living Walls auf Steinwollebasis
21	BoHo			×	http://b-o-h-o.de/	×	D	begrünte Textilschnüre für innen, FBB Stuttgart
22	Boymann	×	×	×	www.boymann.de	×		
23	Braas		×		https://www.bmigroup.com/de/fuer-bauherren/gewerbliche-bauherren/flachdach/gruendach	×	div. Länder	Braas Dachtechnologie
24	Bundesverband GebäudeGrün e.V. (BuGG)	×	×	×	www.gebaeudegruen.info	×		
25	Breathingwall	×		×	http://www.breathingwall.com/		Canada	Innenraumluftreinigung
26	Carlisle		×		https://www.carlislesyntec.com/en/Roofing-Products/Specialty/Roof-Garden		USA, Kanada, Europa	mit zahlreichen Tochterunternehmen im Bereich der Gebäudedichtung
27	Carl-Stahl – Decorcable	×			https://www.carlstahl-architektur.com/anwendungen/fassade/fassadenbegruenung/?gclid=EAIaIQobChMIp--A24uH9wIVNJBoCR0PygZFEAAYASAAEgJsH_D_BwE	×	in div. Ländern weltweit	Edelstahlseile für Kletterpflanzen sowie alle Formen von Seilkonstruktionen; Green Cable
28	Carsten Stakalies Element Green Green Office	×		×	https://www.gruene-lebensraeume.de https://www.green-office.mobi/ http://www.gruene-lebensraeume.de/produkte/vertikale-begruenung/	×	D	vorwiegend Innenraumbegrünungen
29	Cidade Jardim	×	×	×	https://institutocidadejardim.com.br		Brasilien, Südamerika	Dach-Fassaden-Begrünung sowie Urban Farming
30	Consagros		×		https://www.consagros.ch/de/consagros	×		Bodenzuschlagstoffe
31	Consis Engeneering	×			https://www.corenet.gov.sg/e-catalogue/companies/c/consis-engineering-pte-ltd.aspx		China, Singapur	Kunststoff-Kleinpflanzboxen mit individueller Bewässerung (mit im CUGE-Test 2008)

Tabelle 10.1: (Fortsetzung)

	Name	Arbeitsbereiche			Homepage	Markt in D	andere Länder	Bemerkungen
		Wand	Dach	innen				
32	Contec		×		https://www.contec.ch/de/	×	Schweiz, Europa	Kautschukfolien-Hersteller
33	Copijn / Wonderwall	×	×	×	www.copijn.nl	×	Niederlande und Europa	hydroponisches System
34	Corthum		×		https://corthum.de/	×		Dachsubstrate
35	Creabeton, Skyflor	×		×	https://www.architonic.com/de/product/creabeton-materiaux-skyflor-vertikales-begruenungssystem/1367577		Schweiz, D	Beton-Keramik-Fassaden-Elemente
36	Cultilene / Cultiwall	×		×	https://cultilene.com/	×	Niederlande, UK	glasfaserplattenbasierte Systeme
37	Dacheinkauf Nordwest	×	×		https://www.denw.de/	×		
38	Dafa		×		https://dafa.com.pl/	×	Polen	
39	DAKU		×		https://www.daku.it/en		Italien u. weitere Länder	
40	Danialu		×		https://www.danialu.de/Startseite.html	×		
41	Danosa		×		http://www.danosa.fr	×	weltweit	Dichtungsbahnenhersteller mit eigenem Gründach-system
42	Delta Dörken		×		https://www.doerken.de/de/index.php	×		Folienhersteller Warzwaw, Wroclaw
43	Diadem – APP		×		www.grundach.com	×	Europa	Dachsystemhersteller
44	Die Raumbegrüner			×	https://www.dieraumbegruener.de	×		Innenraumbegrünung, meist auf Hydrokulturbasis
45	Die Stadtbegrüner	×	×	×	https://www.diestadtbegruener.com	×	Österreich	Zusammenschluss verschiedener Anbieter
46	Dispo Enregis		×		https://www.dispoplus.info/		D	Substrate
47	Doerken		×		http://www.doerken.de/	×	international	Dachabdichtung
48	Dosmundos	×	×	×	http://www.dosmundos.org/		Kolumbien	
49	DOW		×		https://de.dow.com/de-de.html			Abdichtungen, weltweit
50	Dragon Wall Planting System	×	×		keine Homepage, Direktmarketing		China	Dragon Products – Hong Kong
51	DWS-pohl		×		https://secupohl.com/	×		Absturzsicherung
52	Ecavert	×	×		http://www.ecavert.ch/		Schweiz	vertikale Wasserreinigung
53	Ecoclean	×	×	×	https://www.ecoclean.com.my/empiregreen/projects.php		Malaysia	ehemaliger Name: Empiregreen
54	Ecorain	×	×	×	https://www.ecorain.de/	×		Bewässerungsmaterialien
55	Ecotelhado/ Ecoparade	×	×	×	http://www.ecotejado.com/		Mexico, Brasilien	System aus Brasilien stammend
56	Elementgreen			×	https://element-green.com/			Innenraumbegrünung
57	Elevated Landscape Technologies, ELT	×	×		https://eltindia.com/		CA, USA, GB, Singapur u. a.	seit 2003 im Geschäft mit modularen Begrünungen (mit im CUGE-Test 2008)
58	Elmich / Isola	×	×		http://www.isola.com/ https://www.elmich.com/	×	seltweit	Isola: Ausgangspunkt Norwegen, in Asien und Australien schon weit verbreitet (mit im Test CUGE 2008)
59	Empiregreen	×	×	×	http://www.empiregreen.com		Malaysia, SE-Asia	Yale Wong, Y. L. Systemanbieter
60	Enka solutions, Low and Bonar		×		https://enkasolutions.com/	×	weltweit	Dachsystem
61	Epiclay	×		×	https://epiclay.eu/de/	×	DK, Österreich	Tonelemente
62	Epiweb	×	×	×	https://www.epiweb.se/english.htm	×	Skandinavien	saugfähiges Material für Wandbegrünung
63	Ernst Schoeffmann Bedachungen		×		https://www.dachdecker-schoeffmann.de/	×		Dachdichtungen
64	Eurolam	×			www.eurolam.de	×		Metalljalousie mit Pflanzflächen, u. a. Moosbegrünung. Lamellenhersteller
65	Everplant	×	×	×	http://everplant.com.hk/Everplant_Technology_Ltd./index.html		Hongkong	ELT-USA
66	Fairplants Systems		×		https://www.fairplants-system.de/	×		Dachbegrünungssystem
67	FassadenGrün	×			https://www.fassadengruen.de	×		
68	FDT		×		https://www.fdt.de/	×	D, weltweit	Dachbahnenhersteller

Tabelle 10.1: (Fortsetzung)

	Name	Arbeitsbereiche			Homepage	Markt in D	andere Länder	Bemerkungen
		Wand	Dach	innen				
69	Firestone		×		https://www.firestonebpe.com/regions	×	weltweit	Baumaterialien
70	Florafelt				https://florafelt.com/		Australien	flexible Pflanztaschen
71	Flordepot			×	www.flordepot.de	×		Dachbegrünung
72	flordesign	×	×	×	https://www.flor-design.de/startseite	×	D	
73	Flowall	×			https://www.naturgartenfreude.de/naturgarten balkon/wandbepflanzung/	×	GB	feste Pflanzboxen, eigenes Patent
74	Foamglas		×		https://www.foamglas.com/de-de/	×		Dämmstoffe
75	Foampartner		×		https://www.foampartner.com/home/	×	europaweit	Dämmmaterial
76	Fornatec		×		https://fornatec.de/	×	europaweit	
77	Fraseba		×		https://www.fraseba.de/	×		Substrathersteller
78	Fytogreen	×	×	×	https://fytogreen.com.au/		Australien	Anwender u. a. von Aqua Resin, Marktführer in Australien
79	GAF		×		https://riedelgreenroofing.com		USA, Kanada	Vertrieb div. Systeme
80	Gelsenrot	×	×	×	http://www.gelsenrot.de	×	Schweiz, Österreich	Substrate und Systemlösungen
81	Geoplast	×	×	×	https://www.geoplastglobal.com/de/gruen/		Italien, Europa	PP-Kunststoffprodukte zur Fassadenbegrünung, für Dachgärten und weitere Anwendungen
82	GKR	×	×	×	https://www.gkr-hydro.de/	×	England, Österreich	Begrünungssysteme aus Doppelgefäßen mit integriertem Wasserspeicher
83	GLT	×	×	×	http://agreenroof.com/green-walls/		USA, div. Länder	Ursprung: Portland, Oregon, seit 2014 auch Urban-vertical-Aarming-Elemente
84	Gradini verticale	×		×	http://www.gr-v.com		Rumänien, Osteuropa	Fassaden-, Innenraum- und Moosbegrünung
85	Green living technology	×	×		https://www.agreenroof.com/		Ca, USA	
86	Green office			×	https://www.green-office.mobi/		D	Zusammenarbeit mit div. Anbietern
87	Green roof Services		×		www.greenroofservice.com		USA	Systemlieferant für Dachbegrünungsmaterialien
88	Green roofing systems		×		http://www.greenroofingsystems.pl/	×	Polen	Systemanbieter
89	Greenboat	×	×				China	Kunststoff-Pflanzmodule
90	Greenface	×			http://www.greenface.nl/en/home.html	×	Niederlande	
91	Greenfond		×		https://greenfond.eu/en	×	Polen, Europa	Systemanbieter
92	Greenfortune	×		×	https://greenfortune.com/de	×	D, div. Länder in Europa, China, Dubai	Partner von Indoorlandscaping,
93	GreenGrid		×		https://www.greengridroofs.com/		Kanada, USA	
94	Greenology	×	×	×	https://greenology.sg/		Singapur	alle Formen der Stadtbegrünung mit künstlerischem Anspruch
95	GreenplantsforGreen-buildings			×	https://greenplantsforgreenbuildings.org/		USA	
96	Greenscreen	×			http://greenscreen.com/		US, Canada, Singapur, Asien	aus Kalifornien kommend, sehr viele Varianten für Kletterhilfen in Metall für viele Anwendungen, Schwerpunkt Kletterpflanzen (mit im CUGE-Test 2008)
97	Greensky		×		https://www.boningale-greensky.co.uk/		England	
98	Greenwall	×			https://greenwall.pro/hu		Ungarn	
99	Greenwall/Verde360 indoorlandscaping	×	×	×	http://www.verde360.com.mx/	×	D, USA, Mexico	adiabate Verdunstungskühle, Unterbau auf Phenolharzschaum
100	Greenwall	×	×		https://greenwall.com.au/		Australien	Fassadensystem
101	Greenwall tec	×			http://greenwalltec.at/		Ungarn, Österreich	Moosbegrünungen
102	Greenwall.pro	×			https://greenwall.pro/hu/		Ungarn	
103	Greenwalls	×			https://www.greenwalls.com.hk/		Hongkong	Spezialität Innenluftreinigung
104	Grün Absturzsicherungen		×		https://gruen-gmbh.de/de/absturzsicherung/	×		Zubehör
105	Gründachtechnik		×		http://www.gruendachtechnik.de/index.html	×		alle Varianten der Dachbegrünung
106	G-Sky Green	×	×	×	www.g-sky.com		CA, USA	modulares System mit Aluminiumrahmen, seit 2006
107	Hainer	×	×				China, Asien	Dach-, Fassadengrün, Marktführer in Shanghai, Webpage in D. nicht zu öffnen

Tabelle 10.1: (Fortsetzung)

	Name	Arbeitsbereiche			Homepage	Markt in D	andere Länder	Bemerkungen
		Wand	Dach	innen				
108	Handsel	×	×		http://www.hgreen.com/		Korea	Modulsystem
109	Hannor Shanghai	×	×	×	http://www.hannor.com		China	hauptsächlich in Shanghai tätig
110	Hansegrand		×		https://hansegrand.eu/			Substrate
111	Hauke-Erden		×		https://www.hauke-erden.de/	×		
112	Helix	×			https://www.helix-pflanzen.de/pflanzensysteme	×	D, Europa	div. Kletterpflanzen- und Modulvarianten
113	HTI Bär und Ollenroth	×	×	×	https://www.hti-handel.de/	×		Lieferant von Produkten rund um die Gebäudebegrünung
114	Humbert		×		https://www.humbert.de/	×		Dachsubstrate
115	Humko	×		×	www.greenwalls.si https://humko.si/	×	Slowenien, Europa	gewölbte horizontale Module in Kunststoff oder Metall, Teilnehmer am Test in Frankfurt
116	Hunet Japan	×					Japan, Singapur	Moosfassaden
117	Hydroflora			×	https://www.hydroflora.de/	×		Hydrokultur
118	Hydroplant			×	https://www.hydroplant.ch/	×	Schweiz	Innenraumbegrünung
119	Hydrotec		×		https://www.hydrotechusa.com/		USA	einer der Pioniere in den USA
120	Icopal		×		http://www.icopal.de/systemloesungen/begruente-daecher/	×	international	Dachabdichtung
121	ILD – Leckortung		×		https://www.ild-group.com/	×	weltweit	Leckortung Dächer
122	Immo Herbst		×	×	https://www.immo-herbst.de/	×		Dach- und Innenraumbegrünung
123	Intalok	×	×	×	http://www.intalok.org		China, Asien	sowie weitere Hangsicherungsmaßnahmen, Wall-Fish-Tanks, Vertikalbegrünungen aller Art
124	Intewa	×	×		https://www.intewa.com/de/home/	×	mehrere Länder	Regenwasserbewirtschaftung
125	Inventaevert	×	×		https://www.inventaevert.fr/		Frankreich, Europa	
126	Isatis Montana		×		https://isatismontana.com/	×	D, Mittelmeerraum	Kultur von Pflanzen
127	Jackson		×		https://www.jackon-insulation.de/	×	USA	Dämmstoffe
128	Jakob	×			www.jakob.com	×	Europa, USA, Asien	Begrünungsbeispiele mit Seilsystemen
129	Jean Francois Dauras	×			https://www.archivision.fr/		x	Biodiversitätsspezialist
130	Kaatop	×			https://kaatop.com/en	×	Brasilien, Südeuropa	Begrünungsmodul für urbanes Gärtnern
131	Kalzip	×		×	https://www.kalzip.com/kalzip-news/		USA, weltweit, D: Karlsruhe	schon 2001 beim IFLA Congress in Singapur als Aussteller dabei
132	Kettinger		×		http://www.kettinger.de/	×		Vliesanbieter
133	Knauf insulation / urbanscape	×	×	×	https://www.urbanscape-architecture.com/de/	×	europaweit	
134	Kraiburg		×		https://www.kraiburg-relastec.com/	×		Dachbaustoffe
135	LAGUS		×		https://www.lagus.de/	×		Regenwasserbewirtschaftung
136	Landlab Wallgreen	×	×		https://www.landlab.pt/		Portugal	
137	Lanxess		×		https://lanxess.com	×	D, weltweit	Preventol als Beimengung in vielen Dichtungsbahnen
138	Latingreen	×	×				Chile	*Sphagnum*-gefüllte Living-Wall-Systeme
139	Le prieure Vegetal.i.D	×	×		http://www.vegetalid.com/		Frankreich	seit 1993 Jahren, Dachbegrünungen; überwiegend mit vorgefertigte Substrateinheiten, auch Beiträge zur Blau-Grünen Infrastruktur
140	Leca – Saint Gobain		×		https://www.leca.com/	×	europaweit	Blähtonhersteller
141	Les Jardines de Gally	×	×	×	https://www.lesjardinsdegally.com/		Frankreich	
142	Liko	×		×	https://www.liko-s.de		Tschechien, Nachbarländer	Präsentation auf dem 1. EUGIC in Ungarn
143	Limeparts	×			https://www.limeparts-drooghmans.be/	×	Belgien, Österreich	Kleinkübel, Metallfassaden
144	Link Baustoffe		×		https://linkbaustoffe.de/cms/	×		Substrate
145	LiveRoof		×		https://liveroof.com/		USA und weitere 10 Länder	ca. 5.000 Projekte realisiert, modularer Aufbau

Tabelle 10.1: (Fortsetzung)

	Name	Arbeitsbereiche			Homepage	Markt in D	andere Länder	Bemerkungen
		Wand	Dach	innen				
146	LiveWall	×			https://livewall.com/		USA	seit 2015 am Markt
147	Michael Furbish	×	×	×	http://furbishco.com/		USA	Maryland, Living Wall, Biowall
148	Mobilane	×	×		www.mobilane.de	×	Niederlande	Kassettensysteme
149	Monsun		×		https://www.monsun.cc/	s		Materialien zur Dachbegrünung
150	Mur vegetal	×		×	www.verticalgardenpatrickBlanc.com	×	weltweite Projekte	Geovliessysteme, seit mehr als 10 Jahren
151	My Green top		×		https://mygreentop.de/	×		Dachsystem
152	Nedlaw	×			https://www.nedlawlivingwalls.com/		USA, CA	„Biofiltrationssystem auf der Basis Vertikalbegrünung"
153	NextGen Living walls	×		×	https://www.nextgenlivingwalls.com/		Niederlande, USA, Mittlerer Osten	einschließlich Raumtrenner Innenräume und Moos-wände
154	Nittedal Torfvindusti;		×		https://www.nittedal-torvindustri.no		Norwegen, Skandinavien	Taktorv, Floralux
155	Nophadrain	×	×	×	https://www.nophadrain.de/	×	Niederlande, Europa, Mittlerer Osten, weitere Länder	
156	Oberflächenschutz	×	×		https://www.oberflaechenschutz.at/	×	Österreich	
157	OBS	×	×	×	https://www.obs24.de/	×	D, Niederlande, Europa	breites Sortiment für Gebäudegrün und Freiräume
158	Optigruen	×	×	×	https://www.optigruen.de/	×	Europa, Amerika, z. T. weitere Länder	alle Formen der Dachbegrünung, Teilnehmer am HS-Neubrandenburg-Test; einer der Marktführer
159	Paisajismo urbano	×			https://paisajismourbano.com/		Kolumbien, Latein-Ameri-ka, Spanien	bekannt: Santalaia-Projekt
160	PDT		×		https://www.resitrix.com/de/	×	Europa	Dachdichtungsbahnen
161	Pflanztopfhalter	×		×	https://www.salyspo.de/	×		
162	Plantica	×	×	×	https://www.plantica.mx/		Mexico	
163	Plants on walls / Florafelt	×		×	https://www.plantsonwalls.com/		USA, Mexico	
164	Pohl – Fassade	×			https://www.pohl-facades.com/de	×		
165	Polygrün	×			https://www.fassadenbegrünung-polygrün.de/	×	D	GFK-Kletterhilfen, mehr als 30 Jahre und hunderte realisierte Beispiele
166	Purus plastics		×		https://www.purus-plastics.de/	×		
167	Quad-lock		×		https://www.quadlock.com/		USA, Kanada	
168	Radke-Biotechnik	×	×	×	http://www.radtkebiotec.de/bio/water.htm	×		Raumluftreinigung, *Sedum* aufgeklebt, Innenraum-begrünung
169	Rau	×			www.rau.de	×		freistehende Lärmschutzwände
170	Ravago		×		https://ravagobuildingsolutions.com/de/de/	×		Dämmstoffe
171	Re-natur		×		https://www.re-natur.de/	×		
172	Richard Brink		×		https://www.richard-brink.de/	×		Substrate
173	Rollrasen Müller		×		https://www.mueller-rollt-rasen.de/	×		Fertigrasen
174	Rooflite		×		https://skylandusa.com/		USA, Kanada	Dachsubstrate nach FLL von Anfang an in den USA dabei
175	Ruof	×		×	https://ruof.eu	×	D, Spanien, weitere Länder	auch Moosbegrünungen
176	Sachsenband		×		https://www.sachsenband.de/	×		
177	Schadenberg	×	×		https://www.schadenberg.nl/	×	Niederlande	
178	Secalflor		×		https://www.secalflor.de/		D, Spanien, weitere Länder	Erosions-, Substratmatte, in 19 Ländern
179	Sedumdirect		×		https://www.sedumdirect.nl/en	×	Niederlande	*Sedum*-Matten und Sprossenansaat
180	Sempergreen	×	×	×	http://www.sempergreen.com/DE/	×	Niederlande, Europa, China, div. weitere Länder	Steinwollesysteme für Innen und Außen, Dach-begrünung mit *Sedum*-Matten
181	Shimizu Parabienta	×			Homepage aktuell nur in japanischer Sprache		Japan, Singa-pur	relativ kostengünstige Fassadenmodule, jede Modulbox-reihe mit eigener Bewässerung (CUGE-Test 2008).

Tabelle 10.1: (Fortsetzung)

	Name	Arbeitsbereiche			Homepage	Markt in D	andere Länder	Bemerkungen
		Wand	Dach	innen				
182	Sika		×		https://deu.sika.com/	×	weltweit	
183	Sky-garden /Soiltec		×		http://sky-garden.de/	×	D	
184	Skygardens		×		https://www.skygardens.ch/	×	Schweiz	
185	Sol	×	×	×			China	
186	Solidian	×			https://solidian.com	×	europaweit	Kletterhilfen
187	Soprema – Vivagreen – sopranature	×	×	×	https://www.soprema-international.com/en/product/green-roof/on-roofs/sopranature-range/sopranature-ar	×	Frankreich, weltweit	Dachmodulsystem, Teilnehmer im HS-Neubrandenburg-Test
188	Spaeter	×	×		https://www.spaeter.de/	×		Materiallieferant
189	Spor yapi	×	×		http://sporyapi.com/en		Türkei	Rasenmatten
190	Techmetall / Mikrohaus	×			www.mikrohaus.com		Österreich	Metall-Fassadenbau, Begrünungseinheiten
191	Tecta		×		https://www.tectaamerica.com/		USA	
192	Thomas Brandmeier	×			https://www.brandmeier.de/	×	D, Europa	K. Living Walls II
193	Tracer Vertiflores	×	×	×	https://tracer.fr/de/vertiflore-grunes-wandsystem		Frankreich, Europa	
194	Treebox	×			https://www.alexandrafroggatt.com/treebox/		England	
195	Tremco		×		https://www.tremcoroofing.com/		USA, Kanada	
196	Triflex		×		https://www.triflex.com/de	×		Dachdichtungen
197	UMV-Begrünungssysteme		×		www.umv-gmbh.de	×		Dachbegrünungen mit vorgefertigten Vegetationsmatten
198	Unika Kalkstein	×			https://www.unika-kalksandstein.de/	×		
199	Uniseal	×	×		https://uniseal.com.sg/homepage/		Singapur, div. Länder Asiens	
200	Vedag / VEDAG/BMI-Group		×		www.vedag.de	×	weltweit	Dachbahnen und Zubehör
201	Vegtech	×	×		www.vegtech.se		Schweden, Skandinavien	Gründachprodukte einschließlich LW-Technik
202	Verti G HDB	×	×		keine aktuelle Homepage		Singapur	HDB-Eigenprodukt, nicht mehr am Markt, CUGE-Test-Teilnehmer
203	Vertical	×	×	×	https://www.daku.it/en		Italien u. viele weitere Lände	
204	Vertical Green	×		×	https://vertical-green.at/	×	Österreich	
205	Verticalgreen				https://www.verticalgreen.com.sg/		Singapur	Hydrokultursystem
206	Verticalis by hydroplant	×		×	https://www.hydroplant.ch/		Schweiz, div. Länder Europas	„Raumklima-Design"
207	Verticalgreendesign GmbH	×		×	www.verticalgreendesign.berlin	×		
208	Verticalgreensolution	×			https://www.verticalgreendesign.berlin/	×		
209	Vertigan	×	×	×	https://vertigan.de	×	China	
210	Vertigarden	×		×	http://vertigarden.com		GB	Kunststoffkisten, lebende Pflanzbilder
211	Vertiko	×		×	http://www.vertiko-gmbh.de	×	Schweiz, Österreich	Geovlieskonstruktionen mit Moosmatte sowie weitere technische Varianten
212	Vertiss / Novintiss	×			https://www.vertiss.net/	×	Frankreich,viele weitere Länder	Styroporrahmen mit Hydrogelsubstrat, Teilnehmer am HS-Neubrandenburg-Test
213	Vertuss	×		×	https://www.vertuss.com/de/Produkte	×	Niederlande, Europa allg.	
214	Vsioverdis	×			https://visioverdis.com/de	×	Europa allg.	horizontal wachsende Bäume
215	VTS		×		https://www.ulopor.de/	×		Blähschiefer für die Dachbegrünung
216	Vulcatec		×		www.vulkatec.de	×	Europa	vulkanische Substrate für Dach- und Innenraum
217	VYDRO		×		https://www.fapu.de/index.php/en	×	weltweit	PU-Schäume als Dämm- und Tagschichten in Begrünungen
218	Wallflore	×		×	https://wallflore.nl/	×	Niederlande, Europa	
219	Wallgreen	×	×	×	https://www.wallgreen.com.br/		Brasilien, Portugal, Spanien	

Tabelle 10.1: (Fortsetzung)

	Name	Arbeitsbereiche			Homepage	Markt in D	andere Länder	Bemerkungen
		Wand	Dach	innen				
220	Weiß+Appetito		×		https://www.weissappetito.com/home.html	×	Schweiz	Substrate
221	Wolverton			×	http://www.wolvertonenvironmental.com/		USA	Pflanzen als Reinigungssysteme
222	Xeroflor / NIRA		×		www.xeroflor.de https://xeroflornorthamerica.com/	×	D, Kanada, USA	Pflanzmatten für die Dachbegrünung
223	Y-ess Modular Geo-Void systems		×		https://www.alderburgh.com/	×	England, Europa	Fokus auf Regenwassertanks und Gründächern
224	Zeobon		×	×	www.zeobon.com	×	D, Europa	Substrate für Dach-, Fassaden- und Innenraumbegrünung
225	Zinco	×	×		http://www.zinco.de	×	weltweit	alle Varianten der Dachbegrünung, seit 2011 auch ein Vertikalmodul auf dem Markt, 2008 war ein Vorläufermodul bereits im CUGE-Versuch, Kunststoff mit Kleinpflanztaschen; mit Nature-Line-Öko-Materialien. Einer der Marktführer
226	Ztcinternational	×	×		http://www.ztcinternational.com/		Indien, Singapur, Asien	auf der Basis von Elmich-Produkten, Weiterentwicklungen für den indischen Markt

10.5 Stichwortverzeichnis

T

U

V

W

X

Z

Nicole Pfoser **Bauwerksbegrünung im Bestand**

Bauwerksbegrünung im Bestand

Fassaden und Dächer nachträglich begrünen

mit 279 Abbildungen und 5 Tabellen

Prof. Dr.-Ing. Nicole Pfoser

Professorin für Objektplanung im Studiengang Landschaftsarchitektur an der Hochschule für Wirtschaft und Umwelt Nürtingen-Geislingen (HfWU)

RM Rudolf Müller

Bibliografische Information der Deutschen Nationalbibliothek

Die Deutsche Nationalbibliothek verzeichnet diese Publikation in der Deutschen Nationalbibliografie; detaillierte bibliografische Daten sind im Internet über http://dnb.d-nb.de abrufbar.

Maßgebend für das Anwenden von Regelwerken, Richtlinien, Merkblättern, Hinweisen, Verordnungen usw. ist deren Fassung mit dem neuesten Ausgabedatum, die bei der jeweiligen herausgebenden Institution erhältlich ist. Zitate aus Normen, Merkblättern usw. wurden, unabhängig von ihrem Ausgabedatum, in neuer deutscher Rechtschreibung abgedruckt.

Aus Gründen der besseren Lesbarkeit wird bei Personenbezeichnungen und personenbezogenen Hauptwörtern die männliche Form verwendet. Entsprechende Begriffe gelten im Sinne der Gleichbehandlung grundsätzlich für alle Geschlechter. Die verkürzte Sprachform hat nur redaktionelle Gründe und beinhaltet keine Wertung.

Das vorliegende Werk wurde mit größter Sorgfalt erstellt. Verlag, Herausgeber und Autoren können dennoch für die inhaltliche und technische Fehlerfreiheit, Aktualität und Vollständigkeit des Werkes keine Haftung übernehmen.

Wir freuen uns, Ihre Meinung über dieses Fachbuch zu erfahren. Bitte teilen Sie uns Ihre Anregungen, Hinweise oder Fragen per E-Mail: fachmedien.architektur@rudolf-mueller.de

Lektorat: Dr. Doris Kliem, Urbach
Satz und Umschlaggestaltung: WMTP Wendt-Media Text-Processing GmbH, Birkenau
Druck und Bindearbeiten: Westermann Druck Zwickau GmbH, Zwickau
Printed in Germany

ISBN 978-3-481-04789-4 (Buch-Ausgabe), Produktionscharge *001
ISBN 978-3-481-04790-0 (E-Book-Ausgabe als PDF)
ISBN 978-3-481-04791-7 (Buch mit E-Book als PDF), Produktionscharge *001

PEFC-zertifiziert
Dieses Produkt stammt aus nachhaltig bewirtschafteten Wäldern, Recycling und kontrollierten Quellen
PEFC/04-31-3513
www.pefc.co.uk

Vorwort

Die zunehmende Verdichtung und die spürbaren Auswirkungen des Klimawandels stellen Städte weltweit vor wachsende Herausforderungen und erfordern neue Konzepte für eine nachhaltige Stadtentwicklung. In diesem Kontext hat sich die Begrünung von Bestandsgebäuden als zentrale Strategie etabliert. Sie verbindet ökologische und klimatische Vorteile mit sozialen und ökonomischen Mehrwerten, die nicht nur einzelne Gebäude, sondern ganze Stadtquartiere aufwerten können.

Dieses Buch rückt die Begrünung von Bestandsgebäuden in den Mittelpunkt und bietet eine ganzheitliche Betrachtung dieses Themas. Es beleuchtet, wie begrünte Dächer und Fassaden zu einem verbesserten Mikroklima beitragen, indem sie Temperaturschwankungen ausgleichen, die Energieeffizienz von Gebäuden steigern und den urbanen Wasserhaushalt regulieren. Neben diesen unmittelbaren Vorteilen schaffen sie auch wertvolle Lebensräume für Pflanzen und Tiere, fördern die Biodiversität und tragen somit zur ökologischen Resilienz urbaner Räume bei.

Ein weiterer Schwerpunkt liegt in der praktischen Umsetzung: Von der Planung über die Auswahl geeigneter Pflanzen und Materialien bis hin zur langfristigen Pflege von Begrünungen bietet dieses Buch konkrete Handlungsempfehlungen. Es zeigt, wie bestehende Gebäudestrukturen effizient genutzt und in multifunktionale Flächen verwandelt werden können, die sowohl ästhetisch ansprechend als auch funktional sind. Dabei kommen auch innovative Ansätze wie die Integration von Photovoltaik und Regenwassermanagement zur Sprache, die zusätzliche Synergien ermöglichen und die Nachhaltigkeit der Projekte weiter erhöhen.

Besonderes Augenmerk wird auf die wirtschaftlichen und rechtlichen Rahmenbedingungen gelegt. Neben den zahlreichen Fördermöglichkeiten und steuerlichen Anreizen, die Bauwerksbegrünungen für private wie öffentliche Bauherrschaften attraktiv machen, werden auch die relevanten gesetzlichen Vorgaben detailliert erläutert. Diese Aspekte sind von zentraler Bedeutung, um die Planung und Umsetzung solcher Projekte rechtssicher und effizient zu gestalten.

Das Buch richtet sich an eine breite Zielgruppe: Planende und bauausführende Fachleute, Architekturschaffende, Vertreterinnen und Vertreter der öffentlichen Verwaltung sowie private und kommunale Bauherrschaften. Es bietet die theoretischen Grundlagen und die praxisorientierten Lösungen und Best-Practice-Beispiele aus der Praxis. Sie illustrieren, wie Begrünungsmaßnahmen erfolgreich umgesetzt werden können. Die gestalterischen und funktionalen Potenziale von Begrünungen reichen weit über den Klimaschutz hinaus. Sie leisten einen wichtigen Beitrag zur Steigerung der Aufenthaltsqualität in Städten, indem sie ästhetische Akzente setzen, Lärmbelastungen reduzieren und neue Erholungsräume schaffen. In Kombination mit einer nachhaltigen Stadtplanung eröffnen sie vielfältige Möglichkeiten, urbane Räume lebenswerter zu machen und zugleich den Wert bestehender Immobilien zu steigern.

Mit diesem Buch möchte ich allen Beteiligten Werkzeuge und Inspiration an die Hand geben, um die Potenziale von Bauwerksbegrünungen auszuschöpfen. Es ist mein Ziel, einen aktiven Beitrag zur nachhaltigen Transformation urbaner Lebensräume zu leisten und einen Anstoß zu geben, die Herausforderungen des Klimawandels gemeinsam anzugehen. Lassen Sie uns die Städte von morgen nicht nur widerstandsfähiger, sondern auch grüner und lebenswerter gestalten.

Während vorangegangene Publikationen, wie „Vertikale Begrünung“ (Verlag Eugen Ulmer) und „Grüne Fassaden“ (Detail Verlag) einen breiteren Kontext der Fassadenbegrünung fokussieren, zielt dieses Buch darauf ab, eine umfassende und praxisnahe Perspektive auf die Bauwerksbegrünung im Bestand (Dach- und Fassadenbegrünung) zu vermitteln.

Der Leitfaden „Gebäude Begrünung Energie“, gefördert mit Mitteln der Forschungsinitiative Zukunft Bau des Bundesministeriums für Bau-, Stadt- und Raumforschung diente diesem Fachbuch als weitere Grundlage, um auch Potenziale und Wechselwirkungen von Begrünungen im Bestand zu beleuchten.

Darmstadt, Februar 2025 Dr. Nicole Pfoser

Inhalt

1 Einleitung

Der gerade in Siedlungsräumen nicht nachlassende bauliche Flächenbedarf und unsere Wertschätzung noch verbleibender innerstädtischer Grünflächen stehen in stetiger Konkurrenz. Das sommerliche Klima in der Stadt ist infolge der städtischen Speichermasse überhitzt, Stadträume werden akustisch vom Verkehr dominiert, die Atemluft ist mit Emissionsgiften und Stäuben belastet. Die Gestaltung der Stadträume lässt ein erkennbares übergeordnetes Vegetationskonzept vermissen.

Der Druck, Bauflächen zu entwickeln, führt in vielen Fällen zu einer fortschreitenden Ausweitung und Verdichtung des Stadtraums mit negativen Folgen, wie der Zunahme der Bebauungsdichte (sommerliche Hitzespeicherung, Emissionen der Wärme- und Kälteversorgung) und des Individualverkehrs (Flächenversiegelung, Schall, Emissionen). Darüber hinaus nimmt infolgedessen auch der natürliche Wasserrückhalt ab. Im Zusammenwirken dieser Faktoren kommt es in der Regel zu erheblichen klimatischen, lufthygienischen und akustischen Belastungen. Versiegelte Bodenflächen wie auch Fassaden und Dächer leiten das Regenwasser unvermindert und nahezu unverzögert der Kanalisastion zu. Der Klimabeitrag der Verdunstung ist deshalb minimal, die Belastung der Kanalisation jedoch erheblich, was bei Starkregenereignissen zu Rückstau und damit zu urbanen Überflutungen führen kann. Die Schallabsorption ist geringfügig, schallharte Flächen reflektieren und überlagern Verkehrsgeräusche zu Dauerlärm. Die ungefilterte direkte und reflektierte Sonnenstrahlung heizt die städtischen Oberflächen auf. Die Materialbeanspruchung ist infolge mechanischer Kräfte durch wechselnde Temperaturextreme und vorzeitige Alterung, verursacht durch Witterungseinflüsse und UV-Strahlung, hoch. Heiße Thermik baut sich auf, die natürliche Fensterlüftung kühlt die Innenräume nicht genügend ab. Der Überhitzung der Flächen kann die verminderte nächtliche Abkühlung nicht mehr ausreichend entgegenwirken. Es bilden sich städtische Hitzeinseln. Vollklimatisierung mit maschineller Kühlung präsentiert sich als vordergründige Lösung, verstärkt jedoch infolge der vermehrten Abwärme durch die Umwandlung elektrischer Energie den Effekt der städtischen Aufheizung.

Die Frage nach zukunftsweisenden Ansätzen zur Linderung dieser Defizite stellt sich mit Nachdruck. Naheliegend wäre die alleinige Betrachtung der baulichen Nachverdichtung oder des resilienten Stadtgrüns – strategisches Ziel sollte jedoch eine effiziente Stärkung der städtischen Resilienz insgesamt sein. Dies erfordert Konzepte zur Anpassung an die Klimaveränderungen mit Themen wie multifunktionalen Flächennutzungen, ökologischen Bewässerungslösungen, zielführenden Flächenbegrünungen sowie Lösungen zur dezentralen Energieversorgung und Verbrauchsminimierung, zu Mobilität und stadtgestalterischen Aspekten. Mit der doppelten Innenentwicklung (bauliche Verdichtung und zugleich Erhaltung, Weiterentwicklung und Qualifizierung des urbanen Grüns) rücken die bauliche Entwicklung – im besten Fall ohne weiteren Flächenverbrauch – sowie die gleichzeitige Aktivierung bestehender Flächen zur Stadtbegrünung in den Fokus. „Bauwerksbegrünung im Bestand“ bietet in großem Umfang klimaaktive Vegetationsflächen. Durch die Aktivierung dieser ungenutzten Flächen lässt sich enormes Potenzial hinsichtlich städtebaulicher und freiraumplanerischer Kriterien, wasserwirtschaftlicher Aspekte, Lösungen zu Klimaschutz und Klimaanpassung, naturschutzfachlicher Aspekte sowie einer Reduktion des Energiebedarfs, Leistungssteigerung aktiver Energiegewinnung, Materialschutz/Materialökonomie und der Wertsteigerung von Immobilien nutzen, wie dieses Fachbuch aufzeigt.

Bedeutung der Bauwerksbegrünung in der heutigen Stadtentwicklung

Die Bauwerksbegrünung nimmt eine zentrale Rolle ein, da sie Lösungen in Bezug auf die aktuellen Herausforderungen der zunehmenden Urbanisierung bereitstellt. In besiedelten Bereichen verschärfen dichte Bebauung, versiegelte Flächen und der Mangel an Grünräumen städtische Klimaprobleme wie den Urban-Heat-Island-Effekt. Bauwerksbegrünungen, wie Dach- und Fassadenbegrünungen, bieten dafür eine nachhaltige Lösung, indem sie das Mikroklima verbessern, den Energieverbrauch senken und städtische Lebensräume ästhetisch und ökologisch aufwerten. Begrünte Flächen speichern Regenwasser, was das städtische Abwassersystem entlastet und das Risiko von Überschwemmungen mindert. Darüber hinaus fördern sie die Biodiversität, indem sie notwendige Lebensräume für Insekten, Vögel und Pflanzen in ansonsten versiegelten urbanen Gebieten schaffen. Die Begrünung von Bauwerken bietet nicht nur ökologische Vorteile, sondern trägt auch zur Steigerung der Lebensqualität der Bewohner bei: Sie wirkt lärm- und luftreinigend, schafft ästhetisch ansprechende Umgebungen und bietet potenzielle Erholungsräume inmitten der Stadt. Darüber hinaus gewinnen Bauwerksbegrünungen an wirtschaftlicher Bedeutung: „Grüne Gebäude“ sind energieeffizienter, und ihre Begrünungen schützen Flächen vor Temperaturextremen, was die Heiz- und Kühlkosten reduziert. Gleichzeitig erhöhen sie den Wert von Immobilien und verbessern das städtische Erscheinungsbild. Bauwerksbegrünung bietet die Möglichkeit, bestehende städtische Strukturen ökologisch zu optimieren. In der heutigen Stadtplanung und -entwicklung ist sie daher ein unverzichtbarer Bestandteil einer nachhaltigen, lebenswerten und zukunftsfähigen Stadt.

Relevanz der Begrünung bestehender Gebäude

Die Begrünung bestehender Gebäude spielt eine entscheidende Rolle bei der Anpassung an die Folgen des Klimawandels. Die Auswirkungen der Klimakrise sind deutlich spürbar – mit häufigeren Hitzewellen, Starkregenereignissen und anhaltender Trockenheit. Begrünte Gebäude sind ein wirkungsvoller Beitrag zur Minderung dieser Effekte. Gerade da, wo dichter Baubestand und Flächenversiegelung zu erheblichen klimatischen Belastungen führen, beinflussen Gebäudebegrünungen das Mikroklima positiv.

Die Vegetation auf Dächern und Fassaden (siehe Abb. 1.1) puffert Temperaturschwankungen und reduziert Temperaturspitzen im Gebäudeinneren. Dies senkt den Energiebedarf für Heizung im Winter und Kühlung im Sommer und trägt damit zur Energieeffizienz und zur Verringerung von CO_2-Emissionen bei. Darüber hinaus bieten „grüne" Stadträume, so auch begrünte Gebäude, eine nachhaltige Lösung für das städtische Wassermanagement: Sie speichern Regenwasser, verdunsten und leiten das Wasser verzögert ab, was die Belastung städtischer Abwassersysteme reduziert und das Risiko von Überflutungen verringert. Diese Funktion ist in Zeiten vermehrt auftretender Starkregenereignisse von zentraler Bedeutung.

Auch in Bezug auf den Artenschutz bieten begrünte Bestandsgebäude erhebliche Vorteile. Sie schaffen wertvolle Lebensräume für Vögel, Insekten und Pflanzen und tragen so zur ökologischen Vielfalt in städtischen Gebieten bei. Dies ist besonders in dicht bebauten und versiegelten Bereichen wichtig, wo natürliche Grünflächen rar sind.

Durch die Begrünung bestehender Gebäude lassen sich zudem positive soziale und wirtschaftliche Effekte realisieren. Die verbesserte Lebensqualität durch Lärmreduktion und Verbesserung der Luftqualität sowie auch das Gestaltungspotenzial durch „Grün" und die damit erhöhte Aufenthaltsqualität steigern den Wert von Immobilien und werten ganze Stadtviertel auf.

Die Begrünung von Bestandsgebäuden macht Städte widerstandsfähiger gegenüber den Folgen des Klimawandels und leistet zugleich einen wesentlichen Beitrag zur Nachhaltigkeit. Sie ist ein zentrales Element einer ganzheitlichen und zukunftsfähigen Stadtentwicklung.

Zielsetzung des Buches

Die Zielsetzung dieses Buches liegt im Wissenstransfer und in der praxisorientierten Anleitung zur Bauwerksbegrünung im Bestand. Angesichts der zunehmenden Bedeutung von Maßnahmen zur ökologischen und klimatischen Anpassung in der Stadtentwicklung bietet dieses Werk eine fundierte Grundlage für Fachleute, Bauherren, Planer und Kommunen, um das Potenzial von Dach- und Fassadenbegrünungen im Gebäudebestand auszuschöpfen.

Die Inhalte dieses Werkes vermitteln neben theoretischem Wissen praxisnahe Lösungsansätze. Das Buch zeigt auf, wie Bestandsgebäude durch Begrünungsmaßnahmen nachhaltig aufgewertet werden können und welche positiven Auswirkungen dies auf das Mikroklima, die Energieeffizienz und die Lebensqualität im urbanen Raum hat. Durch eine detaillierte Darstellung technischer, gestalterischer und ökologischer Aspekte bietet es eine umfassende Anleitung, die von der Planung über die Umsetzung bis hin zur Instandhaltung von Begrünungsprojekten reicht.

Darüber hinaus werden rechtliche Rahmenbedingungen, finanzielle Fördermöglichkeiten und die Integration von Bauwerksbegrünungen in bestehende Stadtplanungsprozesse beleuchtet. Anhand von Best-Practice-Beispielen und Fallstudien wird gezeigt, wie Begrünungskonzepte im Bestand erfolgreich realisiert werden können. Das Buch dient somit als praxisnahes Werkzeug, um die Umsetzung von Begrünungsprojekten zu erleichtern und gleichzeitig das Bewusstsein für die Bedeutung der Bauwerksbegrünung als integralem Bestandteil nachhaltiger Stadtentwicklung zu stärken.

Bauwerksbegrünungen werden zukünftig immer mehr eine Schlüsselrolle bei der Gestaltung nachhaltiger und klimaresilienter Städte einnehmen. Die noch vielfach ungenutzte Lösung der multifunktionalen Flächennutzung, wie der Kombination von Begrünung mit Solarenergie, dem Umgang mit Regen-/Betriebswasser, der Integration von vertikalen Gärten und von Lebensräumen auf dem Dach sowie der Verbindung mit urbaner Landwirtschaft, zeigt, dass die Potenziale der Bauwerksbegrünung noch lange nicht ausgeschöpft sind.

Ziel ist es, Planenden, Bauherren, Studierenden und Lehrenden der betroffenen Disziplinen, ausführenden Fachunternehmen sowie privaten, öffentlichen und kommunalen Auftraggebern und interessierten Laien die notwendigen Kenntnisse und Werkzeuge an die Hand zu geben, um bestehende Gebäude effektiv zu begrünen, das Flächenpotenzial optimal auszuschöpfen und gleichzeitig die zahlreichen ökologischen, ökonomischen und gestalterischen Vorteile zu nutzen.

Abb. 1.1: Dach- und Fassadenbegrünungen am Genossenschaftswohnbau Wagnis 4 in München

2 Beweggründe zur Gebäudebegrünung im Bestand

Zunächst gilt es, der fortschreitenden Zersiedelung des peripheren städtischen Umfelds entgegenzuwirken, um Lebensräume und Biodiversität sowie wesentliche Ressourcen, wie Nahrungsmittel- und Rohstoffproduktion und die für das Klima wichtige natürliche Verdunstungsleistung, zu erhalten. Das städtische Qualitätskriterium öffentlich nutzbarer und stadtbildprägender Grünräume fällt zunehmend dem erheblichen Bedarf an baulicher Nachverdichtung zum Opfer.

Die Herausforderung liegt zukünftig darin, die anhaltende bzw. zunehmende Nachfrage nach qualitativ hochwertigem städtischem Wohn- und Arbeitsraum in Innenstädten weitgehend ohne weiteren Flächenverbrauch zu akzeptablen Preisen zu erfüllen. Es gilt dafür zunächst, mittels Innenverdichtung durch eine Aktivierung von Bestandsreserven (z. B. Ausbau leerstehender Dachgeschosse) und durch Bestandserweiterungen (Aufstockungen) Raumgewinne zu erzielen, bevor bauliche Ergänzungen (Neubauten, Anbauten) auf unversiegelten Bodenflächen umgesetzt werden, die danach für städtisches Leben und Stadtgrün auf lange Sicht nicht mehr zur Verfügung stehen.

Die zunehmende bauliche Dichte erfordert also alternative Lösungswege. Einen beachtlichen Ausgleich und umso höheren Stellenwert erreichen neben Dachbegrünungen im Bestand als begrüntes Flachdach mit neuen Bereichen für Aufenthalt, Erholung, Sport und Spiel auch Flächen für regenerative Energiegewinnung und innovative Begrünungslösungen von Fassaden sowie Kombinationen dieser Elemente. Intensive Dachbegrünungen bieten neben ihren stadtklimatischen Vorteilen neue Nutzungsmöglichkeiten als Gemeinschafts- oder Privatgärten bzw. über öffentlichen Nutzungen (wie z. B. Hoch- oder Tiefgaragenbauten) als städtische Grünanlagen (siehe Abb. 2.1). Dächer können zudem auch zur Nahrungsmittelproduktion (städtische bzw. private Gewächshäuser/Aquaponik) und zur Betriebs-/Grauwasserklärung dienen. Integrierte Wasserkonzepte fordern Flächen zur Speicherung des Grau- und Niederschlagwassers, die zudem das Stadtklima durch sommerliche Verdunstungskühlung verbessern und Wasserreserven für Trockenperioden bereitstellen.

In den 1980er- und frühen 1990er-Jahren standen vor allem ökologische Beweggründe bei der Realisierung von Gebäudebegrünungen im Vordergrund. Die mögliche Senkung von Heizwärme- oder Kühlbedarfen spielte zu dieser Zeit nur eine untergeordnete Rolle. Auch bei der Reduktion von Luftschadstoffen boten technische Innovationen noch ein größeres Einsparpotenzial.

Heute steht bei der Entscheidung für eine Gebäudebegrünung ein breites Spektrum an Leistungsfaktoren im Vordergrund, zu denen auch die ökologischen Funktionen gehören. Bei der Benennung möglicher Leistungsfaktoren muss einerseits zwischen der Art des Bestandsgebäudes unterschieden werden (Privathaus, Geschosswohnungsbau oder Sonder-, Gewerbe- und Industriebauten), andererseits zwischen Leistungsfaktoren, die direkt auf das Gebäude einwirken, und jenen, die eher das Gebäudeumfeld stärken. In der Regel spielen sowohl die Potenziale zur gestalterischen, baulichen (z. B Materialschutz hinsichtlich UV-Strahlung und Alterung) und energetischen Optimierung der Gebäude als auch die Potenziale zur Verbesserung des Gebäudeumfelds – insbesondere der Aufenthaltsqualität im öffentlichen Raum – eine Rolle.

Abb. 2.1: Der MFO-Park Zürich / Neu Oerlikon als Beispiel für eine städtische Grünanlage, entstanden durch Fassadenbegrünung eines ehemaligen Fabrikgebäudes

Die Leistungsfaktoren lassen sich grob in drei Kategorien einteilen: Ökologie/Umweltaspekte, Aufenthaltsqualität (unterteilt in Umfeldverbesserung und Gestaltung/Corporate Identity) sowie Kostenvorteile.

Ökologie-/ Umweltaspekte — Aufenthaltsqualität — Kostenvorteile

Die Kategorie Ökologie und Umweltaspekte hat in den vergangenen Jahren unter dem Druck des Klimawandels, der damit verbundenen Vergrößerung stadtklimatischer Probleme (Überhitzung, Zunahme von Starkregenereignissen

Abb. 2.2: Bildausschnitt der Fassaden des Bosco verticale in Mailand

Abb. 2.3: Stadthaus M1, Freiburg i. Br.: senkrechte Aufleitung der Begrünung an nicht rostenden Stahlseilen

usw.) und der infolgedessen erforderlichen Anpassung urbaner Gebiete an die neuen Herausforderungen erheblich an Bedeutung gewonnen. Auch wenn begrünte Einzelgebäude nicht in der Lage sind, ein ganzes Viertel stadtklimatisch zu „retten", so führt eine konsequente Anwendung passender Begrünungskonzepte in einem Quartier doch zu einer deutlichen und kurzfristigen Reduktion negativer Effekte. Der Aspekt der Aufenthaltsqualität ist in jüngster Zeit durch Gebäudebegrünungen in den Fokus der Öffentlichkeit gerückt. Dach- und Fassadenbegrünungen werden an Wohnneubauten heute zum Image- und Identifikationsfaktor (vgl. Abb. 2.2 und 2.3).

Resultat aktueller Stadtentwicklungen ist zudem zunehmend die Begrünung von Bestandsgebäuden, z. B. die Fassadenbegrünungen des Abfallwirtschaftsamts MA 48 und des Verwaltungsgebäudes MA 31 in Wien (siehe Abb. 2.4 und 2.5), das nachträglich begrünte und jüngst prämierte Technische Rathaus in Friedrichshafen (siehe Abb. 2.6) sowie die Dach- und Fassadenbegrünungen des Green DESY in Hamburg-Bahrenfeld (siehe Abb. 8.1) und des Bunkers in Hamburg St. Pauli (siehe Abb. 2.7).

Abb. 2.4: Fassadenbegrünung der Magistratsabteilung MA 48, Wien

Abb. 2.5: Fassadenbegrünung der Magistratsabteilung MA 31, Wien

Abb. 2.6: Technisches Rathaus, Friedrichshafen: nachträgliche Fassadenbegrünung mit integrierter Photovoltaik (raderschallpartner, FreiraumSüd, Pfoser) (Quelle: Guido Kasper Photograph, Konstanz)

Abb. 2.7: Begrünter Bunker Hamburg St. Pauli

Abb. 2.8: Grünes Zimmer: temporäre Begrünung im Stadtraum

Auch das in den Innenstädten an wechselnden Orten zu findende sogenannte Grüne Zimmer wird gerne eingerichtet, um bestehende versiegelte Freiräume aufzuwerten (siehe Abb. 2.8). Diese Projekte vereinen die Suche nach einer zukunftsfähigen, ökologisch bewussten Lebensweise mit einem Gestaltungs- und Bildungsanspruch.

Gebäudebegrünungen tragen inzwischen nachgewiesenermaßen auch zur Senkung der Betriebskosten (meist im Bereich Gebäudekühlung) bei. Die Höhe dieser Betriebskostenreduktion ist dabei jedoch stark von den baulichen Rahmenbedingungen (Dämmung, Passivhausstandard usw.) eines Gebäudes abhängig und teils entsprechend vernachlässigbar. Gebäudebegrünungen führen aber auf jeden Fall zu einer Umfeldverbesserung mit erheblichen gesamtgesellschaftlichen Kosteneinsparungen, denn jeder Hitzetag kostet Deutschland 40 Mio. € (Karlsson/Ziebarth, 2018). Hohe Erwartungen werden daher an die Potenziale von Gebäudebegrünungen zur Gebäude- und Umgebungskühlung sowie auch zur Reduktion von Luftschadstoffen und Lärm gehegt. Die Gebäudebegrünung kann auch bei Luft- und Lärmschutz einen wichtigen Beitrag leisten.

2.1 Institutionelle Vorgaben und Hintergründe

Wesentlich ist die strategische Förderung punktueller Entwicklungen in ausgewählten Stadtquartieren unter Berücksichtigung des Klimas und von vorhandenen Flächenpotenzialen.

Entwicklungsbedarf besteht z. B. je nach örtlicher Gegebenheit aufgrund stadtklimatischen Problemstellungen, hohem Instandsetzungsbedarf, erhöhter Luftbelastung, störendem Umgebungslärm und/oder der Notwendigkeit einer Verbesserung der ökologischen Funktionen. Ein gezielter Förderansatz kann Quartiere mit vielfältigem Handlungsbedarf optimieren.

Dabei ist kaum die verbreitete stadtweite Förderung, sondern vor allem die Unterstützung von quartiers- und/oder gebäudebezogenen Planungen zielführend. Die Förderung kann im Rahmen von Programmen zur Anpassung an den Klimawandel, zur Entwicklung von grünen Infrastrukturen oder zur Quartiersentwicklung erfolgen. Die Förderbestimmungen setzen ein integriertes Handlungskonzept voraus, das die Auswahl der Gebiete bzw. der Handlungs- und Förderschwerpunkte begründet. Das Ergebnis sind Best-Practice-Quartiere, die der Verbreitung einer zukunftsweisenden Stadtentwicklung und der Erweiterung des Wissens zu neuen Aufgaben sowie der Erfahrung einer zunehmend erforderlichen Interdisziplinarität auf allen Ebenen dienen. Der Einsatz eines sogenannten Gebietsmanagers zur Netzwerkbildung (Eigentümer untereinander, Eigentümer und kommunale Fachabteilungen) zur Unterstützung der energetischen und klimatischen Optimierung der Stadtteile sowie zur Begleitung von Antragstellung/Genehmigung hat sich bereits als Vorteil erwiesen.

Neben Ortssatzungen und informellen Maßnahmen, die vor allem auf eine Überzeugung der Eigentümer setzen, ist eine Verankerung in Bebauungsplanverfahren das geeignete Mittel, die Umsetzung nötiger Maßnahmen im Stadtraum zu sichern. Zusätzlich sind Festsetzungen in Bebauungsplänen stadtweit zu vereinheitlichen und im Vorfeld interdisziplinär mit ämterübergreifend koordinierten baulichen Regelungen (z. B. zu Abstandsflächen, Eigentumsrecht, Denkmalschutz) abzustimmen.

In Einzelfällen wird es erforderlich sein, das Baurecht auf eine konsequente Innenverdichtung (effizientere Nutzung und Ergänzung des Baubestands) und zur weitgehenden Erhaltung noch bestehender, stadtökologisch wertvoller, unversiegelter Grün- und Freiflächen anzupassen.

Informationsveranstaltungen und -medien, Simulationssoftware und – besonders wirkungsvoll – motivierende Demonstrationsvorhaben zur Darstellung von Gestaltungsmöglichkeiten und Nutzungsvorteilen von Gebäudebegrünungen dienen einer anschaulichen öffentlichen Präsentation und somit einer maximalen Verbreitung.

Zukunftsgerechte Quartiersentwicklungen mit kurzen Wegen, einer guten Durchlüftung, einem verantwortungsvollen Umgang mit Wasser und Energie, einer konsequenten Durchgrünung und Entsiegelung zur Maximierung der Verdunstungsleistung, um städtischer Überhitzung und Starkregenereignissen entgegenzuwirken, sowie die Verwendung intelligenter und ressourcenschonender Materialien und Bauweisen sollten das Leitbild zukünftiger Planungen sein.

Allein durch die Anwendung des lange vorhandenen Wissens zu ökologischen, wirtschaftlichen und sozialen Lösungen erschließen sich wegweisende Perspektiven für zukünftiges Planen und Bauen, vom Einzelgebäude bis hin zur großflächigen Nachverdichtung der Innenstädte. Die städtische Innenverdichtung und die Begrünung des Bestands bieten eine Chance, Themen wie die Anpassung an den Klimawandel, die Stärkung der Artenvielfalt sowie den Ressourcenschutz punktuell zu unterstützen.

2.1.1 EU-Taxonomie

Die EU-Taxonomie ist ein Klassifikationssystem, das von der Europäischen Union entwickelt wurde, um wirtschaftliche Aktivitäten als umweltfreundlich oder nachhaltig zu kennzeichnen. Sie ist ein zentrales Instrument im Rahmen des EU-Aktionsplans zur Finanzierung nachhaltigen Wachstums und soll dazu beitragen, Investitionen in nachhaltige Projekte und Aktivitäten zu lenken. Sie ist 2020 in Kraft getreten.

Die Hauptziele der EU-Taxonomie sind:

1. Transparenz: Bereitstellung klarer Definitionen für Investoren und Unternehmen, was als nachhaltige Wirtschaftstätigkeit gilt.
2. Vergleichbarkeit: Erleichterung des Vergleichs von Finanzprodukten und Investitionen hinsichtlich ihrer Nachhaltigkeit.
3. Risikomanagement: Unterstützung von Finanzinstituten bei der Identifizierung und dem Management von Umwelt- und Klimarisiken.
4. Förderung grüner Investitionen: Anreize für Investitionen in nachhaltige Projekte und Technologien.

Die EU-Taxonomie definiert sechs Umweltziele:

- Klimaschutz,
- Anpassung an den Klimawandel,
- nachhaltige Nutzung und Schutz von Wasser- und Meeresressourcen,
- Übergang zu einer Kreislaufwirtschaft,
- Vermeidung und Verminderung der Umweltverschmutzung,
- Schutz und Wiederherstellung der Biodiversität und der Ökosysteme.

Um als nachhaltig eingestuft zu werden, muss eine wirtschaftliche Tätigkeit wesentlich zu einem oder mehreren dieser Ziele beitragen, dabei keinen signifikanten Schaden an den anderen Zielen verursachen (Do-no-significant-Harm-Prinzip) und bestimmte soziale Mindeststandards erfüllen. So stärkt die EU-Taxonomie den Einsatz von Dach- und Fassadenbegrünung an Bestandsbauten im Sinne der blau-grünen Infrastruktur (Blue-Green Infrastructure [BGI]) in mehrerer Hinsicht. Blau-grüne Infrastruktur kombiniert Wasser- und Vegetationsmanagement und bietet so ökologische, wirtschaftliche und soziale Vorteile. Im Folgenden werden die Themenfelder aufgeführt, in denen die EU-Taxonomie Dach- und Fassadenbegrünung im Bestand fördert.

Wassereffizienz

Bestandsbauten können Maßnahmen zur Verbesserung der Wassereffizienz dienen. Die Verwendung von Regenwasser oder die Nutzung von Grauwasser kann u. a. auch Begrünungen zugutekommen.

Regenwassermanagement umfasst Wasserrückhaltung und -speicherung: Begrünte Dächer und Fassaden nehmen Regenwasser auf, speichern es und geben es langsam ab, was die Belastung der städtischen Entwässerungssysteme verringert und das Risiko urbaner Überschwemmungen reduziert.Gesammeltes Regenwasser kann u. a. zur Bewässerung von Dach- und Fassadenbegrünungen (siehe Abb. 2.9) sowie zur Prozesskühlung verwendet werden, was den Wasserverbrauch senkt und zur nachhaltigen Wassernutzung beiträgt.

Abb. 2.9: Wagnis 4, München: gespeichertes Regenwasser zur Bewässerung der Hochbeete der Dachbegrünung

Pflanzen und Substrate begrünter Dächer und Fassaden verbessern die Wasserqualität, indem sie Schadstoffe aus dem Regenwasser filtern (z. B. Blei, Zink, Kupfer, Kadmium), bevor es in das Grundwasser oder die Kanalisation gelangt. Auch die Wasserqualität von Betriebs-/Grauwasser zur Wasserwiederverwendung (z. B. zur Toilettenspülung oder Pflanzenversorgung) wird verbessert.

Verbesserung der Energieeffizienz und Klimaanpassung

Bestandsgebäude müssen nach Renovierungen Verbesserungen der Energieeffizienz aufweisen. Begrünungen bieten dazu sinnvolle Low-Tech-Maßnahmen.

Begrünte Dächer und Fassaden unterstützen die Temperaturregulierung. Sie tragen zur Kühlung von Gebäuden bei, indem sie die solare Wärmeeinstrahlung absorbieren und Wasser verdunsten. Dies reduziert den Bedarf an Klimaanlagen, senkt somit den Energieverbrauch und verhindert die sommerliche Aufheizung.

Dach- und Fassadenbegrünungen dienen einer geringeren Wind-/Feuchtebelastung von Dächern und Außenwänden. Dies kann den Wärmedurchlass und damit den Heizbedarf verringern und den Energieverbrauch reduzieren. Auf diese Weise senken sie die Wärmeverluste der Gebäudehülle.

Renovierungsstandards

Renovierungen müssen energetischen Standards entsprechen, um als nachhaltig eingestuft zu werden. Die EU-Taxonomie legt fest, dass Renovierungsmaßnahmen eine signifikante Reduktion des Primärenergieverbrauchs erzielen müssen, um Nachhaltigkeitskriterien zu erfüllen. Dabei kann Gebäudebegrünung unterstützen.

Nachhaltige Baumaterialien

Bei Renovierungen sollen nachhaltige und umweltfreundliche Materialien verwendet werden. Materialien mit geringem CO_2-Fußabdruck, Recyclingmaterialien und solche aus nachhaltigen Quellen werden bevorzugt, so auch Dach- und Fassadenbegrünungen.

Biodiversität und Lebensraum

Dach- und Fassadenbegrünungen schaffen Lebensräume für eine Vielzahl von Pflanzen- und Tierarten (siehe Abb. 2.10), fördern die urbane Biodiversität und unterstützen die Vernetzung von Grünflächen.

Begrünte Flächen wie Dach- und Fassadenbegrünungen sind Lebensräume für Bestäuber wie Bienen und Schmetterlinge. Dies trägt zur Erhaltung der Biodiversität bei.

Abb. 2.10: Eine Amsel nascht am Efeu (Quelle: Günter Utz, Donauwörth).

Klimaanpassung und Resilienz

Durch die Begrünung von Dächern und Fassaden kann die Umgebungstemperatur gesenkt werden, was zur Abschwächung des städtischen Wärmeinseleffekts und damit zur Hitzeminderung beiträgt.

Begrünte Strukturen bieten Schutz vor extremen Wetterbedingungen wie starken Winden und Hagel und verbessern die strukturelle Resilienz von Gebäuden.

Verbesserung der Luftqualität

Begrünte Dächer und an Fassaden binden bzw. verstoffwechseln Schadstoffe und Feinstaub (Luftreinigung) und tragen so zu einer Verbesserung der städtischen Luftqualität bei.

Ästhetische und soziale Vorteile

Begrünte Dächer und Fassaden verbessern das Stadtbild. Sie tragen zur Aufwertung städtischer Räume bei, erhöhen die Lebensqualität und bieten Erholungsflächen für Nutzer und Bewohner.

Grünflächen haben nachweislich positive Auswirkungen auf die mentale Gesundheit und das Wohlbefinden.

Langfristige Wertsteigerung

Nachhaltig renovierte Bestandsbauten gewinnen an Wert. Energieeffiziente und umweltfreundliche Gebäude sind attraktiver für Mieter und Käufer und führen zu höheren Immobilienwerten, während bei nicht grünen Projekten die Gefahr eines Wertverlusts und höherer Finanzierungskosten bestehen kann.

Finanzielle Anreize und Zugang zu grüner Finanzierung

Projekte, die den Kriterien der EU-Taxonomie entsprechen, erhalten leichter Zugang zu grünen Finanzierungen und Fördermitteln. Dies macht Investitionen in blau-grüne Infrastruktur wirtschaftlich attraktiv.

Berichterstattung und Transparenz

Eigentümer und Verwalter von Immobilien müssen offenlegen, inwieweit ihre Projekte den Kriterien der EU-Taxonomie entsprechen. Dies fördert die Transparenz und regt Investoren an, nachhaltige Investitionsentscheidungen zu treffen. Die EU-Taxonomie unterstützt die Integration von Dach- und Fassadenbegrünungen als Teil der blau-grünen Infrastruktur, um nachhaltige, widerstandsfähige und lebenswerte städtische Umgebungen zu schaffen.

Inzwischen gibt es auch für Bestandsgebäude und Bestandsquartiere Simulationslösungen zur Klärung, inwieweit der EU-Taxonomie entsprochen wird (z. B. EU-Taxonomie-Check, GreenPass). Es erfolgen eine Konformitätsprüfung, eine umfassende Klimarisikoanalyse, die Darstellung von Optimierungslösungen sowie eine Bestätigung der Wirksamkeit von Maßnahmen mit Wirkungs- und Leistungsfaktoren für die ESG-Berichtserstattung (Berichterstattung zu den Themen Environmental, Social, Governance).

Ziel der ESG-Berichterstattung ist es, Nachhaltigkeitsziele zu erreichen und gleichzeitig wirtschaftliche und soziale Verantwortung zu übernehmen. Im Kontext der Gebäudebegrünung bedeutet dies, bestehende Flächenpotenziale bestmöglich zu nutzen, um ökologische Vorteile, wie eine Verbesserung des Stadtklimas und eine Stärkung der Biodiversität, zu fördern. Gleichzeitig werden ökonomische Aspekte wie Energieeinsparungen und die Steigerung des Immobilienwerts berücksichtigt sowie gestalterische Maßnahmen einbezogen, die die Lebensqualität und das Wohlbefinden in urbanen Räumen verbessern.

2.1.2 Landesbauordnung

Die Landesbauordnungen (LBO) der einzelnen Bundesländer in Deutschland regeln Anforderungen an Bauvorhaben einschließlich der Außenanlagen und ihre Nutzung außerhalb des Bauplanungsrechts. Diese Bauordnungen können Anforderungen und Vorschriften in Bezug auf Dach- und

Fassadenbegrünungen enthalten. Der Einfluss der Landesbauordnungen auf Dach- und Fassadenbegrünungen umfasst mehrere Aspekte:

Bauvorschriften und Genehmigungen

Dach- und Fassadenbegrünungen sind genehmigungspflichtig, insbesondere wenn sie mit baulichen Änderungen verbunden sind oder die Statik des Gebäudes betreffen.

Bauordnungen können spezifische Anforderungen an die Planung und Ausführung von Begrünungsmaßnahmen stellen, um die Sicherheit und Stabilität des Gebäudes zu gewährleisten.

Brandschutz

Begrünte Dächer und Fassaden müssen den Brandschutzanforderungen der Landesbauordnungen entsprechen. Diese geben die Verwendung bestimmter Materialien und Bauweisen vor, um Feuerbeständigkeit zu gewährleisten. Spezielle Maßnahmen können erforderlich sein, um die Ausbreitung von Feuer zu verhindern, wie z. B. Brandschutzriegel oder feuerfeste Trennschichten.

Statik und Lasten

Begrünte Dächer und Fassaden erhöhen die Lasten, die auf das Gebäude wirken. Die Landesbauordnungen schreiben vor, dass die Tragfähigkeit der Gebäudestruktur überprüft und gegebenenfalls verstärkt werden muss, um zusätzliche Lasten durch Substrat, Pflanzen und Wasser aufnehmen zu können. Statische Nachweise können erforderlich sein, um die Sicherheit der Begrünungsmaßnahmen zu bestätigen. Bereits vorhandene statisch relevante Strukturen sollten dabei für eine ökonomisch sinnvolle nachträgliche Begrünung berücksichtigt werden (siehe Abb. 2.11).

Abb. 2.11: Intensive Dachbegrünung über tragenden Wänden, extensive Begrünung in den übrigen Bereichen

Wasserführung und Entwässerung

Die Entwässerung von begrünten Dächern und Fassaden muss geregelt sein, um Schäden am Gebäude und an angrenzenden Gebäuden/Grundstücken zu vermeiden. Die Bauordnungen können Vorschriften zur Ableitung des Regenwassers und zur Vermeidung von Staunässe enthalten.

Regenwasserrückhaltung und -nutzung können gefördert werden, um die Belastung der städtischen Kanalisation zu verringern.

Umwelt- und Klimaschutz

Einige Landesbauordnungen fördern aktiv Maßnahmen zur Verbesserung der Gebäudeenergieeffizienz und des Klimaschutzes, so auch Dach- und Fassadenbegrünungen, u. a. zur Reduzierung städtischer Wärmeinseleffekte, zur Stärkung der Artenvielfalt und zur Regulierung von Verdunstung und Niederschlägen.

Ästhetische und städtebauliche Anforderungen

Begrünungen können auf ästhetische und städtebauliche Anforderungen treffen, die in den Bauordnungen festgelegt sein können. Dies betrifft insbesondere die Integration in das Stadtbild und den Erhalt der architektonischen Qualität. In auf der Grundlage der Bauordnung ergangenen gemeindlichen Regelungen (sogenannten örtlichen Bauvorschriften) können spezielle Gestaltungsanforderungen bestehen, die die Art und Weise der Umsetzung der Begrünung vorgeben.

Beispiele spezifischer Regelungen

Explizite Vorschriften für die Begrünung von Dächern und Fassaden sind beispielsweise die Vorgabe bestimmter Dachneigungen oder prozentualer Flächenanteile, die zu begrünen sind, die Festlegung von Mindestsubstrathöhen und zeitliche Vorgaben zur Erreichung von Vitalität und Flächendeckung projektierter Begrünungen.

Landesbauordnungen stellen sicher, dass diese Maßnahmen sicher, funktional und ästhetisch ansprechend umgesetzt werden. Es gibt auch Kommunen, die eigene Satzungen und Richtlinien zur Förderung von Dach- und Fassadenbegrünung erlassen haben, die über die Landesbauordnungen hinausgehen. Die Städte Berlin, Hamburg und München sind beispielhaft in ihren Unternehmungen, Gebäudebegrünungen im urbanen Raum zu stärken.

Wünschenswert wären privilegierende Regelungen für Fassadenbegrünungen bezüglich des Wärmeschutzes. In Baden-Württemberg bleiben nachträgliche Reduzierungen der Gebäudeabstände durch nachträgliche Wärmedämmung bis 30 cm abstandsflächenrechtlich außer Betracht; zivilrechtlich ist in Baden-Württemberg ein Überbau durch nachträgliche Wärmedämmung um bis zu 25 cm in der Regel keine abwehrfähige Beeinträchtigung des Nachbarn.

Die Stadt Wien hat vorbildlich festgelegt, dass Fassadenbegrünungen bis 20 cm Abstand zur Fassade genehmigungsfrei sind. Für Begrünungen mit größeren Abständen ist ein Bauantrag zu stellen. Gibt es keine Beanstandung binnen zwei Monaten, so kann die Begrünung ausgeführt werden. Diese Regelung verringert den Verwaltungsaufwand und fördert gleichzeitig niederschwellig umweltfreundliche und nachhaltige Bauweisen, die zur Verbesserung der städtischen Lebensqualität und zum Klimaschutz beitragen.

2.1.3 Sonstige Regelungen

Vorgaben auf städtischer Ebene sind entscheidende rechtliche Instrumente, um Gebäudebegrünung im urbanen Raum zu verankern und die damit verbundenen Vorteile für das Stadtklima zu nutzen. Städte sind daher gefordert, Gebäudebegrünung verstärkt in ihren Masterplänen zu berücksichtigen, insbesondere in Verbindung mit energetischen Maßnahmen und Sanierungen. Dies stellt sicher, dass Begrünungen sowohl bei der Gebäudeplanung und -erweiterung als auch bei energetischen Sanierungen von Beginn an mitgedacht werden (Dettmar et al., 2016).

Gebäudebegrünungen gewinnen im Rahmen einer klimaangepassten und wassersensiblen Stadtentwicklung zunehmend bundesweit an Bedeutung. Diese positive Entwicklung ist längst überfällig, denn Begrünungen bieten einen vielfältigen Nutzen für die Stadt. Kommunen können die Umsetzung von Dach- und Fassadenbegrünungen im Stadtgebiet sowohl direkt als auch indirekt durch verschiedene Instrumente fördern (vgl. Dettmar et al., 2016; BuGG-Marktreport Gebäudegrün, 2021; Gohlke, 2023).

Ansel identifiziert drei zentrale Bausteine einer kommunalen Förderstrategie (Ansel, 2011):

1. Fordern (Bauleitplanung und Gestaltungssatzung),
2. Fördern (Förderprogramme und gesplittete Abwassergebühr),
3. Informieren (Öffentlichkeitsarbeit).

Die Instrumente unterscheiden sich hinsichtlich ihres Wirkungsbereichs, ihrer Verbindlichkeit und des finanziellen Aufwands für die Stadt (vgl. Ansel, 2011).

Über die Bauleitplanung, die bauplanungsrechtliche Eingriffsregelung und eine Gestaltungssatzung kann die Umsetzung von Gebäudegrün indirekt rechtsverbindlich gefordert werden (Baustein 1). Die Gesetzgebung auf Basis der genannten Instrumente sowie der aktuelle Stand indirekter Förderungen von Dach- und Fassadenbegrünungen wird im Anschluss dargestellt.

Bauleitplanung

Die Bauleitplanung folgt dem Baugesetzbuch (BauGB) vom 3. November 2017, zuletzt geändert am 20. Dezember 2023, und hat das Ziel einer nachhaltigen städtebaulichen Entwicklung, die eine menschenwürdige Umwelt sichert, die natürlichen Lebensgrundlagen schützt und fördert sowie den Klimaschutz und die Klimaanpassung unterstützt (§ 1 Abs. 5 BauGB). Bauleitpläne werden gemäß § 2 Abs. 1 BauGB von der Gemeinde in eigener Verantwortung aufgestellt.

Der Bebauungsplan (B-Plan) als verbindlicher Plan schafft Baurecht bei Neubauvorhaben sowie bei baulichen Änderungen in einem festgesetzten Geltungsbereich (§ 30 BauGB) und wird als Satzung beschlossen. Um die im Bauleitplan festgelegten Ziele zu erreichen, werden rechtsverbindliche Festsetzungen getroffen (§ 9 Abs. 1 BauGB). Für Dach- oder Fassadenbegrünungen können je nach Zielsetzung § 9 Abs. 1 Nr. 14, 20 sowie Nr. 25a, b BauGB als Festsetzungsgrundlage dienen. Auch länderspezifische Bauordnungen und Landeswassergesetze in Verbindung mit § 9 Abs. 4 BauGB können berücksichtigt werden (vgl. Dettmar et al., 2016; BuGG-Marktreport Gebäudegrün, 2021).

Die hohe Verbindlichkeit der Umsetzung von Dach- und Fassadenbegrünungen durch die Bauherrschaft ist ein großer Vorteil des B-Planes. Ein Nachteil dieses Instruments ist jedoch der geringe Wirkungsbereich, da ein B-Plan nur für eine begrenzte Fläche innerhalb des Gemeindegebiets gilt (vgl. Ansel, 2011). Zudem sind Kontrollen der Ausführung sowie regelmäßige behördliche Prüfungen der Vitalität der Begrünung zielführend.

Laut der Städteumfrage 2021 des Bundesverbands GebäudeGrün (BuGG) haben etwa 83 % der deutschen Städte mit mehr als 50.000 Einwohnern Dachbegrünungen und 55 % Fassadenbegrünungen in ihren Bebauungsplänen festgesetzt (vgl. BuGG-Marktreport Gebäudegrün, 2021).

Festsetzungen zu Fassadenbegrünungen betreffen in der Regel bodengebundene Begrünungen. Bestimmend sind dabei die Ausrichtung der Fassade, die Größe der Fassade und das Vorhandensein von Fenstern oder Öffnungen. Der prozentual zu begrünende Anteil der Fassadenfläche dient als Richtwert. Teilweise gibt es Vorgaben zur Pflanzgüte, zur Größe der Pflanzfläche oder zu den zu verwendenden Pflanzen (vgl. Dettmar et al., 2016; BuGG-Marktreport Gebäudegrün, 2021). Auch Anforderungen zur Erreichung der Zielvegetation innerhalb eines bestimmten Zeitrahmens können festgelegt werden.

Für Gründächer betreffen Festsetzungen vor allem Flachdächer und flach geneigte Dächer, wobei im Durchschnitt eine Schichthöhe von 10 cm und mehr gefordert wird. Einige Städte legen Wert auf eine artenreiche Bepflanzung (z. B. Festlegung der Begrünung mit heimischen Arten). Auch die Kombination von Solarenergienutzung und Dachbegrünung kann gefordert werden. Für die Festsetzung eines Solargründachs können § 9 Abs. 1 Nr. 25a und Nr. 23b BauGB verbunden werden (vgl. BuGG-Marktreport Gebäudegrün, 2021; Gohlke, 2023).

Die aktuelle Planungspraxis zeigt, dass intensive Dachbegrünungen im Vergleich zu extensiven Dachbegrünungen derzeit eine untergeordnete Rolle spielen. Zugängliche intensive Gründächer sind jedoch zusätzliche Erholungs- und Freizeitflächen und bieten großes Potenzial für die Begrünung im Rahmen der Nachverdichtung wachsender Städte. Sie sollten in der verbindlichen Bauleitplanung stärker berücksichtigt werden (vgl. Förderrichtlinie Dach- und Fassadenbegrünung – Machbarkeitsstudie, 2022).

Um sicherzustellen, dass auch einfache Extensivbegrünungen Mindestwirkungen erzielen, sollten in textlichen Festsetzungen auf der Grundlage von § 9 Abs. 1 Nr. 25a BauGB entsprechende Qualitäten in Bezug auf Substrathöhe, Pflanzenauswahl, Biodiversität und Mindestgrünanteil angegeben werden.

Für eine koordinierte Umsetzung von Dach- und Fassadenbegrünungen sollte einem Masterplan zur städtischen Klimaanpassung und Starkregenprävention gefolgt werden. Die Schulung und Vernetzung der zuständigen Stellen innerhalb der kommunalen Verwaltung und eine Schnittstellendefinition sind entscheidend für den konsequenten Ausbau qualitativ hochwertiger und wirkungsvoller städtischer Begrünungen.

Bauplanungsrechtliche Eingriffsregelung

Die Eingriffsregelung gemäß Bundesnaturschutzgesetz (BNatSchG) vom 29. Juli 2009, zuletzt geändert am 23. Oktober 2024, ist ein wesentliches Instrument zum Schutz von Natur und Landschaft. Ihr Ziel ist es, die Funktionsfähigkeit des Naturhaushalts und das Landschaftsbild bei geplanten Eingriffen in Natur und Landschaft zu sichern. Ein Eingriff liegt vor, wenn die Gestalt oder Nutzung einer Grundfläche so verändert wird, dass eine erhebliche Beeinträchtigung dieser Schutzgüter zu erwarten ist (§ 14 BNatSchG). Die Aufstellung, Änderung, Ergänzung oder Aufhebung von Bauleitplänen kann zu Beeinträchtigungen führen, weshalb dann die bauplanungsrechtliche Eingriffsregelung als Gegenstand der Abwägung angewendet wird (§ 1a Abs. 3 BauGB und § 18 BNatSchG).

Laut § 13 BNatSchG gilt der Grundsatz:

„Erhebliche Beeinträchtigungen von Natur und Landschaft sind vom Verursacher vorrangig zu vermeiden. Nicht vermeidbare erhebliche Beeinträchtigungen sind durch Ausgleichs- und Ersatzmaßnahmen oder, soweit dies nicht möglich ist, durch einen Ersatz in Geld zu kompensieren."

Das Bundesamt für Naturschutz (BfN) betont, dass das Vermeidungsgebot, das Verursacherprinzip und das Folgenbewältigungsprinzip die Basis der Eingriffsregelung bilden und wichtige Grundlagen zur Erreichung der Ziele des Naturschutzes und der Landschaftspflege darstellen (vgl. Eingriffsregelung, 2024). Um die Schwere der Beeinträchtigung durch einen Eingriff in einem definierten Untersuchungsraum zu ermitteln und angemessene Kompensationsmaßnahmen anzusetzen, wenden die zuständigen Naturschutzbehörden verschiedene Verfahren an. Grundlage dieser Verfahren sind Wertstufen oder Wertpunkte (auch Ökopunkte genannt), die jedem Biotop- oder Nutzungstyp anhand naturschutzfachlicher Bewertungskriterien in einer Biotopwertliste zugeordnet werden. Durch die Gegenüberstellung der Bilanzierung eines Wirkraums vor und nach einem geplanten Eingriff lässt sich der Umfang der notwendigen Kompensationsmaßnahmen bestimmen. Entsprechend dem Verursacherprinzip müssen die Verursacher die geplanten Kompensationsmaßnahmen umsetzen. Abhängig vom Biotopwertverfahren des jeweiligen Bundeslands und den zuständigen Naturschutzbehörden kann eine Dach- oder Fassadenbegrünung eine bestimmte Anzahl an Ökopunkten erhalten, wodurch der Kompensationsbedarf reduziert wird (vgl. Gohlke, 2021; Gohlke, 2023). Zur Bewältigung der Eingriffsfolgen können in Bebauungsplänen (B-Plänen) nach entsprechender Abwägung Dach- und Fassadenbegrünungen gemäß § 9 BauGB festgesetzt werden. Diese Festsetzungen können sowohl zur Vermeidung von Beeinträchtigungen als auch zur Kompensation unvermeidbarer erheblicher Beeinträchtigungen dienen (vgl. Ansel, 2011). Eine BuGG-Städteumfrage aus dem Jahr 2021 zeigt, dass etwa 25 % der deutschen Städte mit mehr als 50.000 Einwohnern Ökopunkte für Dachbegrünungen und etwa 7 % Ökopunkte für Fassadenbegrünungen vergeben (vgl. BuGG-Marktreport Gebäudegrün, 2021).

Gestaltungssatzung

In den Bundesländern können Gemeinden gemäß ihren Landesbauordnungen örtliche Bauvorschriften durch Satzungen erlassen, die gestalterische Anforderungen an bauliche Anlagen festlegen. Diese Gestaltungssatzungen können spezifische Vorgaben zur Gebäudebegrünung enthalten. Der Geltungsbereich solcher Satzungen kann den gesamten Innenbereich einer Gemeinde umfassen oder nur Teile davon abdecken. Die Vorschriften gelten sowohl für Neubauten als auch für Umbauten und Sanierungen im Bestand. In der Regel werden Anforderungen zu Dach- und Fassadenbegrünungen in kommunalen Begrünungs- oder Freiflächensatzungen festgehalten. Unter dem Punkt „Begrünung baulicher Anlagen" können Dach- und Fassadenbegrünungen verankert werden (vgl. § 86 Abs. 1 Nr. 7 Musterbauordnung in der Fassung vom November 2002, zuletzt geändert am 23./24. November 2023). Auch qualitative Anforderungen (Qualitätskriterien) können festgelegt werden (vgl. BuGG-Marktreport Gebäudegrün, 2021; Gohlke, 2023). Der Vorteil der Gestaltungssatzung gegenüber einem Bebauungsplan (B-Plan) liegt in ihrem größeren Wirkungsbereich, der auch den nicht beplanten Innenbereich gemäß § 34 BauGB umfassen kann. Beide Instrumente sind rechtlich bindend. Jedoch stellt die Gestaltungssatzung geringere Anforderungen an die Begrünung oder wird erst ab einer bestimmten Flächengröße verpflichtend (vgl. Ansel, 2011).

Während im B-Plan Festsetzungen zur Gebäudebegrünung objektspezifisch auf den Gebäudetyp und die baulichen Gegebenheiten abgestimmt werden, müssen Gestaltungssatzungen aufgrund ihrer oft flächendeckenden Geltung umsetzbare Bestimmungen für alle Gebäudetypen und auch für Bestandssanierungen vorsehen (vgl. Förderrichtlinie Dach- und Fassadenbegrünung – Machbarkeitsstudie, 2022).

Die BuGG-Städteumfrage 2021 zeigt, dass dieses Instrument nur vereinzelt von deutschen Städten mit mehr als 50.000 Einwohnern genutzt wird. Vorgaben zu Gründächern finden sich bei 12 % der Städte, während nur 4 % der Städte Regelungen zur Fassadenbegrünung haben.

Gestaltungsvorgaben gelten vor allem für Flachdächer und flach geneigte Dächer. Einige Städte geben eine Mindestdicke der Substratschicht oder der durchwurzelbaren Gesamtschicht von 10 cm vor.

Zudem wird eine Mindestgröße der Dachfläche zur verbindlichen Begrünung zwischen 10 und 200 m^2 angegeben. Gestaltungsvorgaben zur Fassadenbegrünung beziehen sich auf bodengebundene Begrünungen mit Kletterpflanzen und nehmen insbesondere Industrie- und Gewerbegebiete in den Fokus. Diese weisen häufig großflächige, fensterlose Außenwände auf und besitzen dadurch ein großes Begrünungspotenzial. Als Vorgabe zur Begrünung sind die Parameter Größe der Fassade und das Vorhandensein von Fenstern bzw. Öffnungen bestimmend (vgl. BuGG-Marktreport Gebäudegrün, 2021).

Energieeinsparverordnung und Gebäudeenergiegesetz

Es gibt keine Verpflichtung zur Begrünung von Gebäuden im Rahmen der Energieeinsparverordnung (EnEV) oder des Gebäudeenergiegesetzes (GEG). Diese fokussieren sich auf Energieeffizienz und erneuerbare Energien und nicht auf direkte Begrünungsmaßnahmen.

Indirekte Vorteile können jedoch im Zusammenhang mit Gebäudebegrünungen relevant sein, da Dach- und Fassadenbegrünungen einen Beitrag zur Energieeinsparung leisten, indem sie die Wärmeverluste der Gebäudehülle reduzieren (geringere Wind- und Feuchtebelastung) und im Sommer durch Verschattung und Verdunstungskühlung zur Kühlung der Gebäudeoberflächen und der Umgebung beitragen. Diese Vorteile können zusätzlich zur Einhaltung der energetischen Anforderungen des GEG energetische Gebäudeoptimierungen unterstützen. Zudem werden bei der Bewertung von Gebäuden nach Nachhaltigkeitsstandards (z. B. der Deutschen Gesellschaft für Nachhaltiges Bauen [DGNB] oder der Leadership in Energy and Environmental Design [LEED]) Gebäudebegrünungen positiv berücksichtigt.

Im Rahmen des europäischen Green Deal und der EU-Gebäuderichtlinie werden Maßnahmen zur Steigerung der Energieeffizienz von Gebäuden diskutiert, die auch ökologische Aspekte, wie z. B. die Gebäudebegrünung, beinhalten, insbesondere im Zusammenhang mit Klimaanpassungsstrategien.

2.1.4 Förderungen zur Umsetzung

Beweggründe zur Begrünung von Bestandsgebäuden können u. a. auch finanzielle Unterstützungen sein. Die nachträgliche Begrünung von Gebäuden kann durch diverse Förderinstrumente unterstützt werden.

So fördern Programme beispielsweise ökologische, klimatische und ästhetische Aufwertungen in städtischen und ländlichen Gebieten:

Kommunale Förderprogramme

Einige Städte und Gemeinden bieten spezifische Förderprogramme zur nachträglichen Begrünung von Gebäuden an (siehe Abb. 2.12). Diese Programme werden in der Regel im Rahmen von Umwelt- und Klimaschutzmaßnahmen entwickelt und können Zuschüsse oder zinsgünstige Darlehen für die Begrünung von Fassaden, Dächern oder Innenhöfen umfassen. Die Förderungen können unterschiedlich ausgestaltet sein, z. B. als Pauschalbeträge pro Quadratmeter begrünter Fläche oder als Prozentsatz der Gesamtkosten.

Abb. 2.12: Leitfäden zu Förderung und Umsetzung von Dach- und Fassadenbegrünungen der Hansestadt Hamburg (Quellen: Handbuch Grüne Wände, 2020; Dachbegrünung – Leitfaden zur Planung, 2023)

Förderprogramme der Bundesländer

Auch auf Landesebene gibt es Förderprogramme für Gebäudebegrünungen. Diese Programme sind häufig Teil größerer Initiativen zur Verbesserung der städtischen Umweltbedingungen, zur Anpassung an den Klimawandel oder zur Förderung der Biodiversität. In einigen Bundesländern gibt es spezielle Programme zur Förderung von Dach- und Fassadenbegrünungen, die private Gebäudeeigentümer, Unternehmen und kommunale Einrichtungen adressieren (z. B. Hamburg: Gründachförderung für Neubauten und Nachrüstung bestehender Dächer sowie Förderung von Fassadenbegrünungen an Neu- und Bestandsbauten).

Bundesweite Förderprogramme

Auf Bundesebene können Fördermittel über Programme wie die KfW-Förderung bereitgestellt werden. Die Kreditanstalt für Wiederaufbau (KfW) bietet Förderkredite und Zuschüsse für Maßnahmen zur Energieeffizienz und Klimaanpassung, in deren Rahmen auch Fassaden- und Dachbegrünungen gefördert werden. Zudem gibt es bundesweite Programme, die speziell auf grüne Infrastruktur abzielen und Zuschüsse für die nachträgliche Begrünung von Gebäuden bieten.

Förderungen durch Umwelt- und Naturschutzorganisationen

Einige Stiftungen, Umweltverbände und Naturschutzorganisationen bieten finanzielle Unterstützung für Projekte zur Gebäudebegrünung. Diese Förderungen sind meist projektgebunden und unterstützen besonders innovative oder umweltfreundliche Ansätze. Beispiele sind Förderungen für die Schaffung von Lebensräumen für gefährdete Arten oder die Integration von Begrünungen in größere ökologische Projekte.

EU-Fördermittel

Über die Europäische Union gibt es ebenfalls Fördermöglichkeiten, insbesondere im Rahmen von Programmen wie LIFE+ (Umwelt- und Klimaschutz) oder der Europäischen Regionalförderung (EFRE). Diese Programme können Projekte zur nachträglichen Gebäudebegrünung unterstützen, insbesondere wenn sie Teil größerer nachhaltiger Stadtentwicklungsprojekte sind. Anträge für EU-Fördermittel sind oft komplex und erfordern eine intensive Projektplanung sowie die interdisziplinäre Kooperation mit Partnern, z. B. aus der Kommunalverwaltung oder der Wissenschaft.

Steuerliche Anreize

In einigen Fällen können auch steuerliche Vorteile genutzt werden, um die Kosten für die nachträgliche Begrünung von Gebäuden zu senken. Dies kann durch Abschreibungen oder spezielle steuerliche Vergünstigungen im Rahmen von energetischen Sanierungen geschehen.

Private Förderinitiativen und Kooperationsprojekte

Unternehmen und private Stiftungen bieten mitunter Förderungen oder finanzielle Anreize für Gebäudebegrünungen an, oft im Rahmen von CSR-Programmen (Corporate social Responsibility) oder als Teil von Partnerschaften zwischen öffentlichen und privaten Akteuren.

Vorgehensweise bei der Beantragung von Förderungen

- Informationsbeschaffung: Zunächst sind die Fördermöglichkeiten auf kommunaler, Landes- und Bundesebene sowie durch private Initiativen zu prüfen. Informationen sind in der Regel auf den Websites der zuständigen Behörden oder Organisationen zu finden.
- Inanspruchnahme von Beratung: Zum Beispiel unterstützen das Klima- oder Quartiersmanagement, Energieberater sowie spezialisierte Planungsbüros dabei, Fördermöglichkeiten optimal auszuschöpfen.
- Antragstellung: Je nach Förderprogramm muss ein Antrag gestellt werden, der in der Regel eine genaue Projektbeschreibung, einen Kostenplan und oft auch einen Umsetzungszeitplan enthält.

2.2 Leistungspotenziale der Bauwerksbegrünung

Charakteristisch für das Klima von Städten ist der deutliche Unterschied zum Umlandklima. Das Stadtklima ist tendenziell wärmer (Wärmeinseleffekt), Wind und Verdunstung sind weniger stark ausgeprägt. Bewölkung, Niederschläge, Nebel und Smog treten häufiger auf. Besonders problematisch sind Inversionswetterlagen, die im Winter zur Ansammlung von Luftschadstoffen führen können. Die größte Belastung für Stadtbewohner stellt die sommerliche Überwärmung mit ausbleibender nächtlicher Auskühlung dar. Die Zahl der Hitzetage in Deutschland hat in den letzten Jahrzehnten signifikant zugenommen.

Ein Hitzetag ist definiert als ein Tag, an dem die maximale Lufttemperatur 30 °C oder mehr erreicht. Daten und Analysen des Deutschen Wetterdienstes (Becker et al., 2022) zum Anstieg der Hitzetage zeigen folgende Entwicklungen:

- 1950 bis 1990: In diesem Zeitraum gab es in Deutschland im Durchschnitt etwa drei und bis zu zehn Hitzetage pro Jahr, je nach Region.
- 1990er-Jahre: Die Zahl der Hitzetage stieg an, mit bis zu 16 Hitzetagen pro Jahr in vielen Teilen Deutschlands.
- 2000er-Jahre: Ein weiterer signifikanter Anstieg war festzustellen. Einige Regionen erreichten bis zu 19 Hitzetage pro Jahr. Besonders hoch war die Belastung im Jahr 2003.
- 2010 bis 2020: Dieses Jahrzehnt zeigte eine Fortsetzung des Trends. Die Zahl der Hitzetage erreichte neue Höchststände, insbesondere in den Jahren 2015, 2018 und 2019. In einigen Teilen Deutschlands, vor allem in den südlichen und östlichen Regionen, wurden bis zu 20 Hitzetage verzeichnet (siehe Abb. 2.13).
- 2020er-Jahre: Bereits in den ersten Jahren dieses Jahrzehnts wurden in einigen Regionen Deutschlands wieder über 17 Hitzetage registriert.

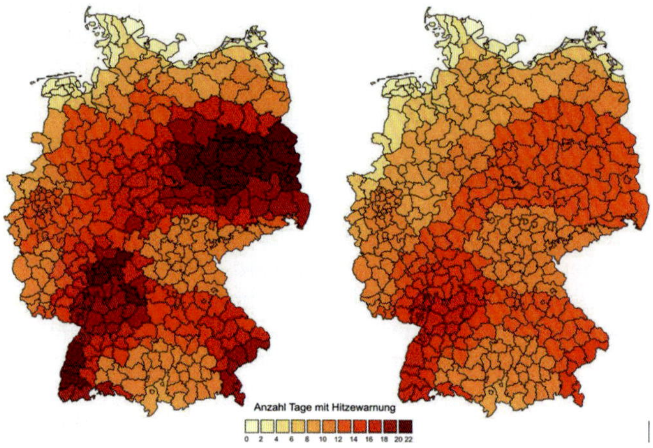

Abb. 2.13: Anzahl der Hitzewarnungen im Sommer 2018 (links) und während der Hitzewelle vom 23. Juli bis 9. August (rechts) (Quelle: Pressemitteilung Hitzewarnsystem, 2018)

Der Anstieg der Zahl der Hitzetage hat erhebliche Auswirkungen auf die Gesundheit, Landwirtschaft und Infrastruktur in Deutschland. Neben der Zunahme der Hitzetage werden nach aktueller Datenlage zugleich mehr und intensivere Starkregenereignisse und urbane Hochwasser verzeichnet. Besonders betroffen vom städtischen Wärmeinseleffekt sind die Innenstadtgebiete mit ihrem hohen Versiegelungsgrad. Ihnen fehlt meist auch die Verbindung zu Frisch- und Kaltluftschneisen. Der Erhalt von Frisch- und Kaltluftschneisen im Rahmen städtischer Grünsysteme ist ein wesentlicher Beitrag zur Verbesserung des Stadtklimas und damit auch zur Anpassung an die Folgen des Klimawandels. Weitere Schritte sind Entsiegelungs- und Begrünungsmaßnahmen, wo immer es möglich ist. Nur so kann der städtischen Überhitzung entgegengewirkt werden, u. a. durch Verdunstung und Verschattung. Auch Luftqualität und Aufenthaltsqualität können durch Begrünungsmaßnahmen verbessert werden. Wichtig ist die Auswahl der passenden Begrünung für den konkreten Ort, um z. B. ungewollte Schadstoffansammlungen in engen, stark befahrenen Straßenräumen oder Schwüleeffekte in engen Hinterhöfen zu vermeiden. Gerade in verdichteten, von Verkehr geprägten Innenstadtquartieren hat die Fassadenbegrünung entscheidende Vorteile.

Die folgenden Unterkapitel zeigen das vielfältige Potenzial der Gebäudebegrünung hinsichtlich der Optimierung von Bestandsgebäuden sowie der möglichen Umfeldverbesserung im Zusammenhang. Sie gliedern die Ergebnisse in Ökologie-/Umweltaspekte, Aufenthaltsqualität und Kostenvorteile.

2.2.1 Gebäudeoptimierung

Neben Funktion, Gestaltung und Kosten wird zunehmend auch der Ressourcenverbrauch während der Herstellung, im Betrieb, bei Sanierungen sowie beim Rückbau zum entscheidenden Faktor. Der Beitrag zum Klimaschutz ist dabei eine wichtige Zielgröße und ein Maßstab für die Effizienz der eingesetzten Mittel. Gebäudebegrünungen haben aufgrund ihrer positiven klimatischen Effekte und der hohen Gestaltungs- und Nutzungsqualität einen festen Platz im Planungsprozess gefunden. Gebäudebegrünungen tragen zu einem nachhaltigen Umgang mit Energie bei, indem sie passive Kühl- und Wärmeregulierungen der Gebäudehülle unterstützen. Sie ermöglichen eine saisonale Steuerung der Solarwärmegewinnung und verbessern die Effizienz von Photovoltaikanlagen durch die natürliche Kühlung der Umgebung.

Verschleißfaktoren wie chemische Einwirkungen, starke Temperaturschwankungen, mechanische Belastung und ultraviolette Strahlung führen zu einer vorzeitigen Alterung und Schädigung der Dach- und Fassadenmaterialien. Eine fachgerecht ausgeführte Begrünung bietet Schutz vor diesen Einflüssen sowie vor immer häufiger auftretenden extremen Wetterereignissen wie Großhagel. Sie reduziert ganzjährig Temperaturextreme auf u. a. Dachabdichtungen und Fassadenmaterialien und senkt dabei außerdem den Energiebedarf für Heizen und Kühlen. Darüber hinaus verbessern Gebäudebegrünungen das Stadtbild, schaffen Akzeptanz und tragen zur Lärmminderung, Luftreinhaltung und Hitzevermeidung bei. Insbesondere in städtischen Gebieten bieten begrünte Dächer und Fassaden einen zusätzlichen Nutzen, etwa durch direkte Zugänge zu Dachgärten, Blickschutz und Verschattung, die ein gefragtes Qualitätsmerkmal darstellen. Je nach Intensität der Begrünung ergeben sich vielfältige Nutzungsmöglichkeiten: von geschützten Ruhebereichen über Spielflächen bis hin zum Anbau von Zier- und Nutzpflanzen (siehe Abb. 2.14, 2.15 und 2.16).

2.2.2 Umfeldverbesserung

Dach- und Fassadenbegrünungen bereichern das visuelle Stadterlebnis aus verschiedenen Blickwinkeln und tragen in städtischen Gebieten entscheidend zur Umfeldverbesserung bei. Dachbegrünungen werten den oftmals eintönigen Ausblick auf frei bewitterte Dachflächen erheblich auf, und auch Fassadenbegrünungen bieten ein wesentliches Gestaltungspotenzial zur visuellen Optimierung der Stadtlandschaft. Besonders in heterogen bebauten und stark versiegelten Gebieten sorgen begrünte Fassaden für eine ästhetische Verbesserung und schaffen ein harmonisierendes Zusammenspiel zwischen Architektur und „Natur".

Fassaden- und Dachbegrünungen tragen zur klimatischen, akustischen und sozialen Aufwertung des Wohn- und Arbeitsumfelds bei. Sie sorgen insbesondere in dicht besiedelten Gebieten für eine wirksame Lärmminderung und einen Schutz vor Hitzeentwicklung, indem sie die Gebäudewände verschatten und die Umgebung kühlen.

Bestandsdächer bieten zudem ein großes Flächenpotenzial. Kindergärten und Schulen können dort z. B. dringend benötigte Spiel- und Sportflächen ohne zusätzlichen Bodenverbrauch und ohne Verkehrsgefährdung realisieren.

Nahrungsmittelanbau in der Stadt wird verbrauchernah und mit kurzen Wegen möglich. Überdeckte Tiefgaragenebenen bereichern als baumbestandene Quartiersplätze das Stadtbild und das Alltagsleben. Damit können selbst in stark verdichteten Gebieten Grüninseln entstehen.

	Ökologie-/ Umweltaspekte	**Aufenthaltsqualität**	**Kostenvorteile**
Gebäudeoptimierung			
Wärmehaltung	winterlicher Lebensraum und Nahrungsangebot für Fauna, Ressourcenschonung (Materialschutz / Reduktion der Dämmung)	Temperaturausgleich	Reduktion von Wärmeverlusten der Gebäudehülle, geringere Wind- / Feuchtebelastung
Kühlung	sommerliche Umgebungskühlung, Kühlung der Gebäudeoberflächen	Temperaturregulierung: Verschattung, Verdunstungskühlung	Substitution technischer Systeme (Klima- / Lüftungsanlage
Licht	Ressourcenschonung (Substitution technischer Verschattung, Reduktion künstlicher Innenraumbeleuchtung)	Verschattungswirkung, Blendschutz, Blickschutz, Qualität des Ausblicks, Licht- und Schattenspiel	Substitution technischer Systeme, Einsparung der Wartung technischer Verschattung, Windwächter, Reduktion von Kunstlicht
Strom	Stromersparnis durch Unterstützung / Vermeidung technischer Verbraucher	ökologische Energie zur Lebensraumverbesserung (z. B. Sicherheit durch Beleuchtung / Gehwegtemperierung)	Leistungssteigerung durch Photovoltaik, Kühlenergieeinsparung (z. B. Kosteneinsparung bei Prozesskühlung), Energiebeitrag durch Biomasse
Lüftung	Ressourcenschonung durch Unterstützung / Substitution technischer Systeme	Verbesserung der Luftqualität, Luftreinigung, Luftbefeuchtung	Luftvorkonditionierung durch Temperaturregulierung und Staubfilterung
Wasser	erweiterter Lebensraum für Flora und Fauna, Umgebungskühlung	erhöhte Verdunstungsleistung / Kühlwirkung, Wasser als Gestaltungselement	Trinkwassereinsparung, Einsparung von Kühltechnik / -kosten, Grauwasserklärung, Regenwasserrückhalt
Material/ Ökobilanz	Kohlenstoffspeicherung, O_2-Produktion, Filterung von Feinstäuben	Substitution aufwendiger Sichtfassaden durch Naturelement	Materialökonomie, Materialschutz (UV-Strahlung, Alterung), Verlängerung der Lebensdauer, Reduktion des Energiebedarfs

Abb. 2.14: Gebäudebezogene Leistungsfaktoren der Gebäudebegrünung

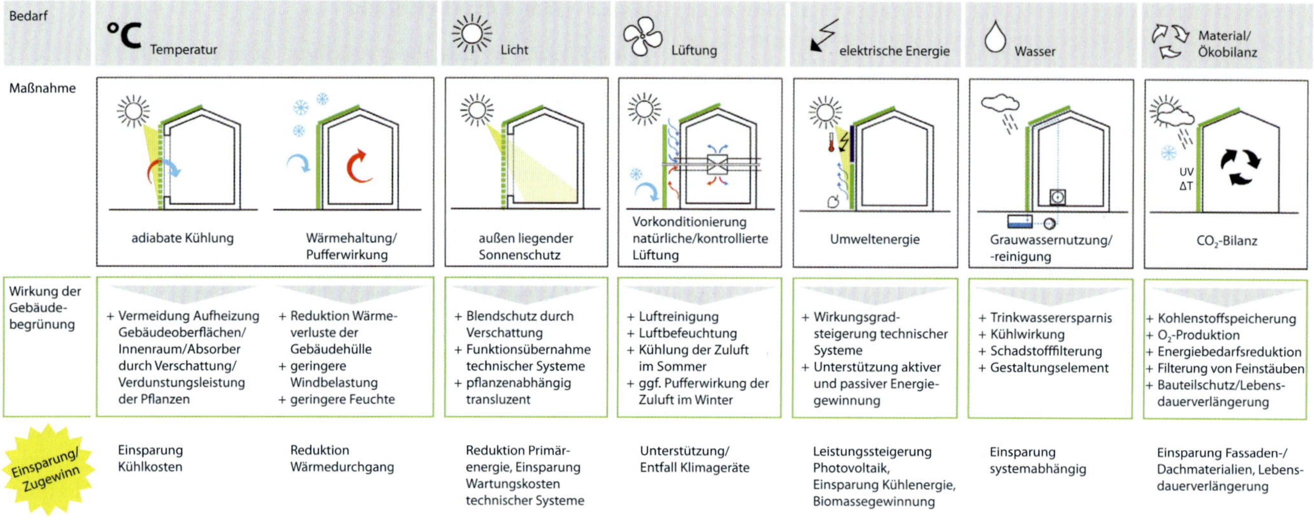

Abb. 2.15: Gebäudeoptimierung: Effekte und Einsparungen durch Gebäudebegrünung

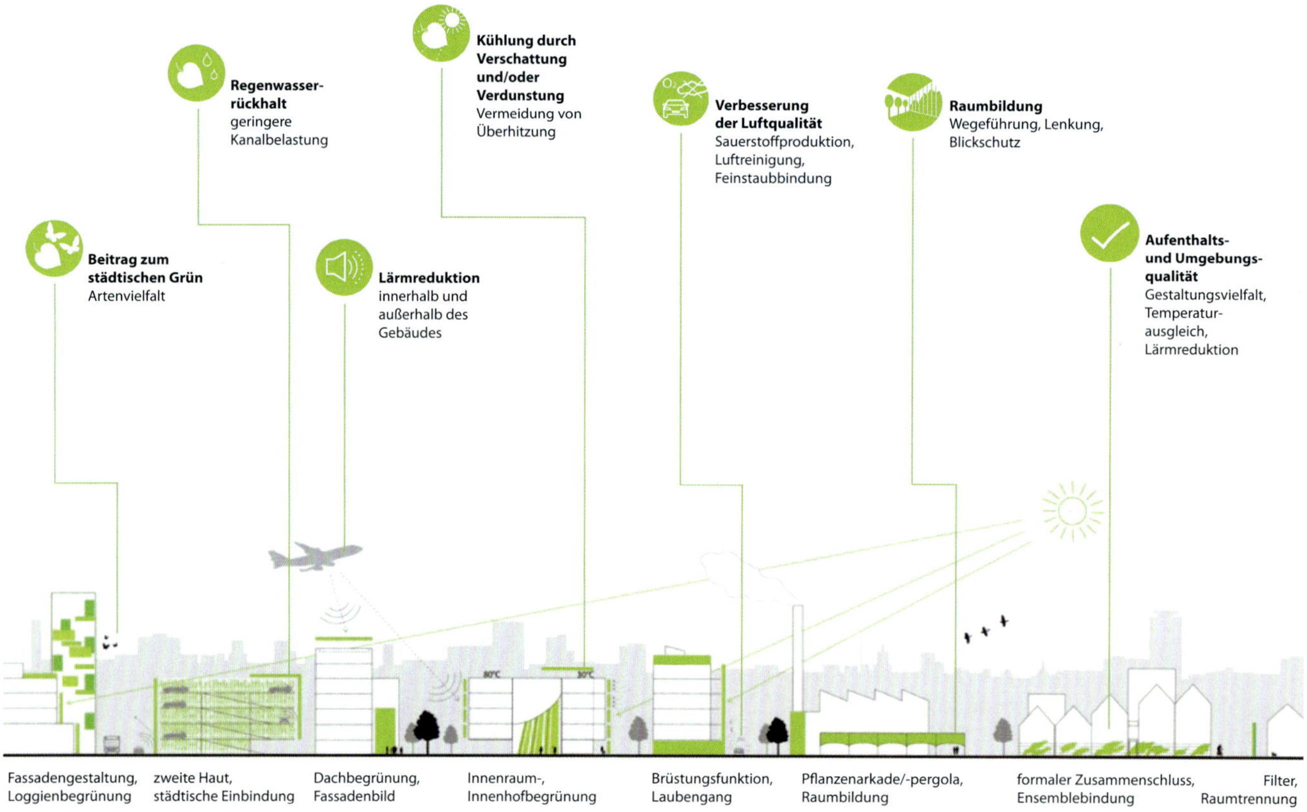

Abb. 2.16: Die Motivation für Gebäudeoptimierung und Umfeldverbesserung: die Vorteile

Auch hochliegende Dachbegrünungen werten als attraktive obere Gebäudeabschlüsse die Adresse und ihr Umfeld auf. Technische Dachflächen verwandeln sich in natürliche Gärten der Begegnung und Erholung. Auch mit Kletterpflanzen begrünte, nutzbare dreidimensionale Strukturen schaffen Grünräume von höchster Qualität (siehe Abb. 2.1).

Begrünte Wände verwandeln triste Bestandsfassaden in lebendige Strukturen, Kletterpflanzen an Laubengängen schaffen Orte, die zur Begegnung und Erholung einladen (wie z. B. beim Wagnis 1 und Wagnis 4 in München; siehe Abb. 1.1). Begrünungen werten nicht nur das Gebäude selbst auf, sondern verbessern auch das gesamte Umfeld, indem sie ästhetische Akzente setzen und die Eigenintiative zur Begrünung fördern – nicht selten haben begrünte Best-Practice-Projekte einen Nachahmereffekt.

Damit gehen klimatische Leistungen des zusätzlichen Stadtgrüns wie Kühlung durch Verschattung und Verdunstung, Luftreinigung durch Adsorption und Auswaschung von Feinstäuben sowie eine Sauerstoffanreicherung der Luft bei gleichzeitiger Kohlenstoffbindung der Pflanzen durch Fotosynthese einher. Der gesamtstädtische Nutzen zeigt sich sowohl in der Entlastung der Kanalisation durch

	Ökologie-/ Umweltaspekte	Aufenthaltsqualität	Kostenvorteile
Umfeldverbesserung			
Regenwasserrückhalt	Verdunstungsleistung, Umgebungskühlung, Reinigung des Wassers	zusätzliche Kühlwirkung, Gebäudekühlung im Sommer	geringere Kanalbelastung/Niederschlagwassergebühr, Einsparung von Leitungswasser
Regenwasserverdunstung	Reduktion versiegelter Flächen, Erhöhung der Verdunstungsrate, Beitrag zu regionalen Niederschlägen	Kühlung des Stadtraums	Reduktion von Starkregenereignissen, Sturm- und Hagelschäden, Kanalentlastung
Vermeidung von Überhitzung	Verdunstungsleistung, Umgebungskühlung, Ressourcenschonung	Minderung von sommerlicher Hitze und Reflexion	Materialschutz infolge Minderung von Temperaturextremen und UV-Belastung
Reduktion der Luftbelastung	Kohlenstoffspeicherung, O_2-Produktion, Filterung von Feinstäuben	Verbesserung der Luftqualität, visuelle Umweltqualität	Oberflächenschutz von Materialien (Instandhaltung, thermische Belastung, chemische Beanspruchung)
Minderung der Lärmbelastung	geringere Umweltbelastung	Lärmminderung durch Absorptions- und Reflexionsleistung, Reduktion der Gebäudetransmission	Passanten-/Besucherfreundlichkeit (Gesundheit, Sicherheit), Aufenthalts- und Kommunikationsqualität
Akzeptanz	Schaffung zusätzlicher Grünflächen, Nutzungsangebot und Lebensraum für die Fauna	Gestaltungsvielfalt (Raumbildung, Gliederung, Lenkung), Kühlwirkung, Lärmreduktion, Verbesserung der Luftqualität	Aufwertung der Adresse, Attraktivität, Fernwirkung, Corporate Identity, psychologische/medizinische/soziale Vorteile
Biodiversität	Erweiterung des Nahrungs- und Lebensraums	Vielfalt, natürliches Gestaltungspotenzial	Vorbeugung des Artensterbens (z. B. Sicherung der Nahrungskette und der Bestäubung)

Abb. 2.17: Umfeldbezogene Leistungsfaktoren der Gebäudebegrünung

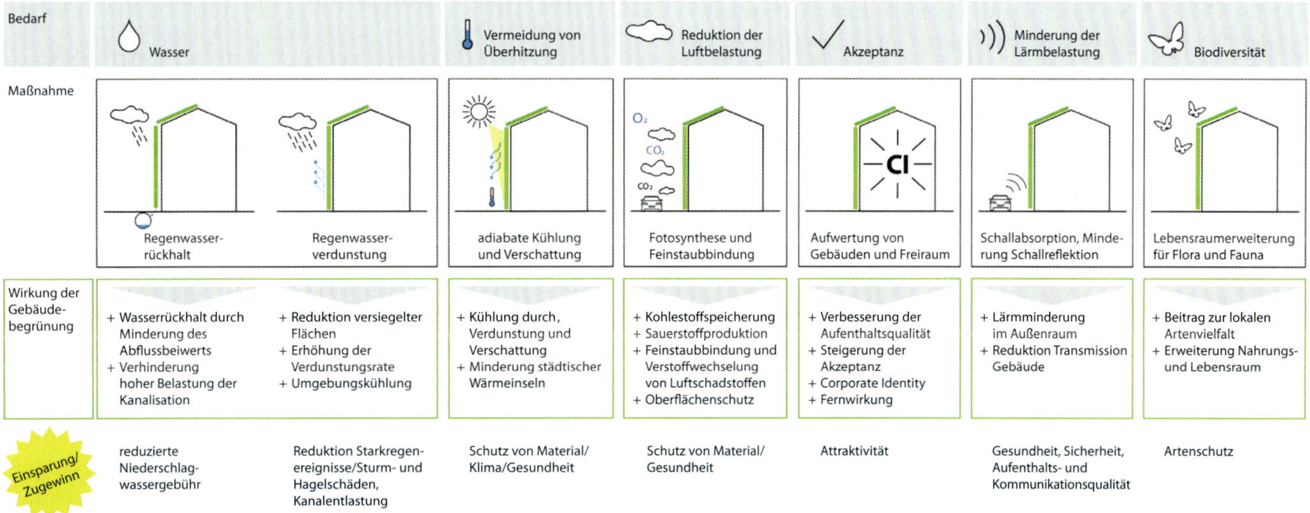

Abb. 2.18: Umfeldverbesserung: Effekte durch Gebäudebegrünung

die Aufnahme und langsame Abgabe von Niederschlägen als auch in der Verbesserung der Luftqualität.

Darüber hinaus bieten sowohl Dach- als auch Fassadenbegrünungen wertvolle Lebensräume für die städtische Fauna. Mit neuen Nahrungs- und Lebensraumangeboten übernehmen sie eine „Trittsteinfunktion" und schaffen Verbindungen zwischen den natürlichen Flächen innerhalb und außerhalb der Stadt. Abb. 2.17 und 2.18 führen die Kriterien zur Umfeldverbesserung durch Gebäudebegrünungen im Detail auf.

2.2.3 Ökologie/Umweltaspekte

Abgesehen vom Energieverbrauch während des Betriebs eines Gebäudes verursacht schon der Einsatz von Materialien durch die damit verbundenen Ressourcenströme zusätzliche Energiebedarfe und Auswirkungen auf die Umwelt. Daher ist nicht nur der Energiebedarf im Betrieb, sondern auch der Energieeinsatz für die Herstellung und Entsorgung von Bauteilen und Baustoffen von großer Bedeutung. Gegenwärtig wird der Energieverbrauch in Energiebilanzen hauptsächlich auf die Betriebsphase eines Gebäudes beschränkt. Allerdings fordern immer mehr

Bewertungssysteme für nachhaltiges Bauen, wie beispielsweise das DGNB, eine ganzheitliche Lebenszyklusanalyse. Zu den wichtigsten Bewertungskriterien zählen der Primärenergiegehalt (erneuerbar bzw. nicht erneuerbar [PEI], gemessen in der Einheit MJ), das Treibhauspotenzial (Global Warming Potential [GWP], gemessen in der Einheit kg CO_{2eq}) sowie die Lebensdauer (gemessen in der Einheit a) eines Materials (Hegger et al., 2007).

Die Gebäudebegrünung selbst ist ein ökologischer „Baustoff". Dies gilt zumindest für Begrünungen ohne großen konstruktiven Mehraufwand und ohne aufwendige technische Lösungen zur Instandhaltung. Sie sind biodiversitätsfördernd, verbessern die Luftqualität (Feinstaubbindung), wirken temperaturregulierend und bieten so Materialschutz und die Einsparung fossiler Energieträger durch mögliche Energieeinsparungen an Heiz- und Kühlenergie. Durch Fotosynthese binden vitale Begrünungen das klimawirksame Gas CO_2 in Form von Kohlenstoff (C) im Pflanzengewebe und produzieren über den Lebenszyklus O_2 . Zu beachten ist dabei jedoch der CO_2/O_2-Kreislauf: Pflanzen binden CO_2, setzen jedoch nach Ende ihrer Lebenszeit wieder CO_2 frei. Das größte Potenzial von Pflanzen liegt in deren Verdunstungsleistung, die zur Klimaregulierung auf lokaler und globaler Ebene beiträgt.

Energieaufwendung für die Konstruktion

Fassadenbekleidungen und Dachbeläge bilden die äußere Hülle eines Gebäudes und tragen in der Regel zu einem hohen Anteil an grauer Energie des Gesamtgebäudes bei. Bei der Gebäudebegrünung sollte der gesamte Aufbau einschließlich aller Funktionsschichten, Unterkonstruktionen und Befestigungen ganzheitlich betrachtet werden. Ökobilanziell sind bodengebundene Wand- und Fassadenbegrünungen positiv zu bewerten. Eventuelle Materialien für Wuchsaufleitungen müssen bei der Betrachtung mitberücksichtigt werden. Wandgebundene Bauweisen sind aufgrund ihrer komplexeren Konstruktion in der Regel materialintensiver (Hegger et al., 2007).

Dachbegrünungen erfordern oft den Einsatz von Kunststoffen. Jedoch binden extensiv begrünte Flachdächer mit PVC- oder EPDM-Dichtbahnen im Vergleich zu Bitumenbahnen meist weniger graue Energie und weisen gleichzeitig eine längere Lebensdauer auf (Hegger et al., 2007). Das Substrat hat durch seinen großen Anteil am Gesamtaufbau einen erheblichen Einfluss auf die Umweltwirkung eines Gründachs. Einige Anbieter verwenden inzwischen Recyclingmaterialien, wie Ziegelbruch oder Biokunststoffe, in ihren Systemaufbauten. Im Sinne der Ökologie wird der Einsatz von ressourcenschonenden Materialien zur Dach- und Fassadenbegrünung empfohlen. Firmen reagieren bereits mit der Entwicklung innovativer Lösungen. So gibt es beispielsweise Gründachsysteme, bei denen sowohl die Schutzmatte und das Drainageelement als auch das Filtervlies aus nachwachsenden Rohstoffen bestehen (Schenk, 2013). Zudem sollte bei der Herstellung von Begrünungssystemen und bei der Installation von Begrünungen auf eine mögliche Trennbarkeit der Materialien für den Rückbau geachtet werden (Cradle to Cradle).

Dauerhaftigkeit

Fassadenbekleidungen und Dachbeläge müssen hohen Anforderungen an den Witterungsschutz gerecht werden, weshalb die Langlebigkeit dieser Bauteile ein entscheidendes Kriterium ist. Häufige Reparaturen oder der Austausch von Bauteilen erfordern im Laufe des Lebenszyklus höhere Energie- und Kostenaufwendungen.

Begrünungen wirken sich in dieser Hinsicht positiv auf die Bauteile aus, da sie Temperaturextreme abmildern (sowohl saisonale als auch Tag-Nacht-Schwankungen) und so die darunterliegenden Bauteile vor thermischen Belastungen schützen. Messungen zeigen, dass die Temperaturamplitude einer 20 cm dicken, mit Efeu bewachsenen Fassade an einem sommerlichen Schönwettertag nur 10 K betrug, während die unbegrünte Fassade Schwankungen von 30 K aufwies (Rath et al., 1989). Messungen auf dem und unterhalb des Substrataufbaus eines extensiven Gründachs der Ufa-Fabrik in Berlin-Tempelhof zeigten im Vergleich zu einem benachbarten Bitumendach deutlich geringere Temperaturunterschiede im Tag-Nacht-Gang. Das Bitumendach ohne Kiesschicht wies Schwankungen von 50 K auf, was zu einer stärkeren nächtlichen Abkühlung und einer intensiveren Aufheizung am Tag führte. Im Gegensatz dazu betrug die Temperaturschwankung auf dem Gründach nur 20 K und an der Dachabdichtung nur 10 K (Konzepte der Regenwasserbewirtschaftung, 2010).

Die Begrünung verringert nicht nur solarstrahlungs- und materialbedingte Temperaturschwankungen, sondern reduziert auch die UV-bedingte Alterung der Materialien und schützt so die Dachhaut. Je nach Art der Begrünung werden 40 bis 80 % der Sonneneinstrahlung entweder reflektiert oder im Blattwerk absorbiert (50 % Absorption, 30 % Reflexion). Begrünte Fassaden weisen zudem eine geringere Wandfeuchte auf als unbegrünte Wände. Bei einer efeubedeckten Fassade entfällt die Schlagregenbelastung nahezu vollständig (Rath et al., 1989; Köhler, 1993).

Insgesamt tragen Gebäudebegrünungen zu einer Verlängerung der Lebensdauer von Dachabdichtungen bei. Experten gehen von einer Lebensdauerverlängerung von zehn bis 20 Jahren aus (Hämmerle, 2004). Während frei bewitterte oder mit Kies bedeckte Abdichtungsbahnen in der Regel eine Lebensdauer von 20 bis 30 Jahren aufweisen, kann eine extensive Dachbegrünung die Lebensdauer auf bis zu 40 Jahre und mehr verlängern. Dadurch verlängern sich auch die Austauschzyklen erheblich (Nutzungsdauern von Bauteilen, 2017).

Flankierende Maßnahmen

Gebäudebegrünungen haben eine Vielzahl positiver Effekte, die je nach Bauweise, Standort, Größe und Instandhaltung (Pflege und Wartung) höher oder niedriger ausfallen. Umfeldverbesserungen betreffen städtebauliche und freiraumplanerische sowie wasserwirtschaftliche Aspekte. Ein Beitrag zu Klimaschutz und Klimaanpassung und naturschutzfachliche Aspekte sind deshalb zu erwarten. Weitere Potenziale liegen in der Gebäudeoptimierung (z. B. Materialschutz, Reduktion der Energiebedarfe, Wertsteigerung). Dach- und Fassadenbegrünungen sind wesentliche Bausteine der Anpassung an den Klimawandel. Weitere mögliche

Lösungen einer zukunftgerechten Stadtentwicklung werden im Folgenden aufgeführt und sind bei den jeweiligen Projekten/Sanierungsvorhaben mitzudenken.

Beschattung

Eine natürliche Beschattung kann folgende Vorteile mit sich bringen: u. a. Klimaverbesserung (z. B. Komfort, Evapotranspiration und Beschattungsfaktor), Abflussbeiwert, CO_2-Speicherung und Erhöhung der Biodiversität am Standort. Sie kann mittels Bäumen, Großsträuchern und Hecken sowie Pergolen mit Kletterpflanzen erreicht werden.

Technische Beschattungen können mithilfe von Sonnensegeln, Sonnenschirmen und Sonnenschutzlamellen sowie mit Dächern und Pergolen umgesetzt werden. Eine technische Beschattung ist vor allem hinsichtlich der Aspekte Klima, thermischer Komfort und Beschattungsfaktor wirksam.

Bodenschutz und Entsiegelung

Bodenschutz und Entsiegelung können durch Schaffung und Erhalt von Grünflächen und die Schaffung von durchlässigen Oberflächen/Versickerungsflächen sowie von teilweise durchlässigen Oberflächen erreicht werden.

Durch Bodenschutz und Entsiegelungen wird die Kanalisation entlastet, die Grundwasserneubildung wird gefördert und das Klima wird positiv beeinflusst (thermischer Komfort, Verringerung der Abstrahlung, Evapotranspiration, Verbesserung der Luftqualität). Der Abflussbeiwert verändert sich positiv, und die CO_2-Speicherung sowie die Biodiversität werden verbessert.

Blaue Infrastruktur

Die blaue Infrastruktur kann durch Teiche und Wasserflächen, Nebelsysteme und Wassersprinkler, nachhaltige Stadtentwässerungssysteme sowie Wasserspeicherlösungen optimiert werden.

Unter Einbindung blauer Infrastruktur in die Planung können folgende Standortfaktoren verbessert werden: Klima (thermischer Komfort, Strahlung und Verdunstungsleistung), Wasser (Abflussbeiwert, Trinkwassereinsparung durch mögliche Grauwassernutzung und Wasserrückhalt, Wasserreinigung) und Biodiversität (offene Wasserflächen als zusätzlicher/erweiterter Lebensraum für Fauna und Flora).

2.2.4 Kostenvorteile und mögliche Berücksichtigung von Lebenszykluskosten

Gebäudebegrünungen im Bestand bieten zahlreiche Kostenvorteile: Sie reduzieren Energiekosten durch Temperaturregulierung, senken Abwasserkosten durch Regenwasserrückhaltung, verlängern die Lebensdauer von Bauteilen, steigern den Immobilienwert und bieten Zugang zu Fördermitteln. Zudem verringern sie Lärmbelastungen, fördern Gesundheit und Produktivität und sind ein wesentlicher Baustein der Stadtentwicklung zur Anpassung an den Klimawandel.

Für Bauherren und Investoren stehen oft die Investitionskosten im Mittelpunkt, während die Betriebskosten und Einsparungen über den gesamten Lebenszyklus hinweg meist unberücksichtigt bleiben. Eine Lebenszyklusbetrachtung hingegen umfasst sämtliche Kosten und kann den nachhaltigen Nutzen einer Baumaßnahme verdeutlichen. Investitionen in Klimaschutz und Energieeinsparungen sind typischerweise mit höheren Anfangskosten verbunden, bieten jedoch langfristig Vorteile – dies gilt auch für die Gebäudebegrünung. Zwar verursacht die Begrünung von Dächern und Fassaden in der Regel höhere Kosten als konventionelle Gebäudehüllen, doch über den Lebenszyklus hinweg ergeben sich ökonomische Vorteile. Dass Begrünungen nicht zwangsläufig teurer sein müssen, zeigen die folgenden Erläuterungen.

Investition und Wartung

Für die Investition in Fassadenbegrünungen und Gründächer sind je nach Bauweise und Flächengröße Kosten in unterschiedlicher Höhe anzusetzen. Die Instandhaltungskosten (Pflege und Wartung) sind ebenfalls zu berücksichtigen. Unter anderem durch Materialsubstitutionen (z. B. Einsparungen von Fassadenbekleidungen, Bekiesung von Dächern) sowie durch Reduzierung von Wartungs- und Sanierungszyklen infolge des Schutzes der Materialien durch Pflanzen sind bei sinnvoller Planung aber sogar Einsparungen zu erwarten.

Einsparpotenziale

Die Einsparpotenziale sind vielfältig:

- Einsparung von Sowiesokosten,
- Lebensdauerverlängerung von Dachabdichtungen und Fassadenkonstruktionen,
- Einsparungen durch finanzielle Förderungen,
- Senkung der Abwassergebühr,
- Energieeinsparung.

Einsparung von Sowiesokosten

Sowiesokosten sind Ausgaben, die auch bei einer herkömmlichen Bauweise anfallen würden oder bei denen die Gebäudebegrünung entsprechende Funktionen übernimmt. Beispielsweise kann eine Kiesschicht zum Schutz einer Dachabdichtung als Sowiesomaßnahme betrachtet werden, deren Kosten mit der Investition der Begrünung verrechnet werden können. Dadurch reduziert sich der Aufwand für eine Begrünung. Im Einsatz mit einer Photovoltaik-Aufdachanlage kann eine Dachbegrünung als Auflast die Funktion konventioneller Auflasten wie von Betonplatten oder einer Kiesschüttung übernehmen und als statische Sicherung dienen. Je nach Art einer Fassadenbegrünung können Materialien vorgehängter hinterlüfteter Fassadenaufbauten oder auch Renovierungskosten eingespart werden. Eine vorgehängte hinterlüftete Natursteinbekleidung kostet beispielsweise ca. 300 €/m^2. Die Kosten bodengebundener Fassadenbegrünungen liegen deutlich darunter (siehe Abb. 4.1). Der Aufpreis wandgebundener Begrünungen wird dadurch ebenso deutlich reduziert.

Lebensdauerverlängerung von Materialien

Eine Dachbegrünung kann über die Minderung von UV-Belastung und thermischen Schwankungen die Lebensdauer einer Dachabdichtung verlängern oder sogar verdoppeln. Durch die später notwendig werdende Instandsetzung ist dies vor allem wirtschaftlich von Vorteil. Kosten, die bereits nach 20 bis 30 Jahren fällig wären, können so um weitere zehn bis 20 Jahre aufgeschoben werden.

Fassaden hinter beschattenden und schützenden Begrünungen sind ebenfalls deutlich weniger UV-Belastungen und Temperaturextremen ausgesetzt, was die Fassadenwartung und die Kosten für Instandsetzungen deutlich reduziert. Begrünungen und Substrate bieten zudem einen Schutz vor Hagel, denn 4 cm große Hagelkörner können harte Bedachungen und Fassadenbekleidungen zerstören. Die Sanierung einer Dachabdichtung kostet mit z. B. 70 bis 75 €/m² weit mehr als eine extensive Dachbegrünung.

Finanzielle Förderungen

Zur Reduktion der Flächenversiegelung gewähren Städte und Gemeinden häufig finanzielle Zuschüsse, auch für Gebäudebegrünungen. Die Höhe der Förderungen und die entsprechenden Bedingungen variieren jedoch. Werden Fördermittel bewilligt, können diese die Kosten für Gebäudebegrünungen senken, in einigen Fällen sogar halbieren. Voraussetzung ist eine Antragsstellung vor Beginn der Maßnahme bzw. Auftragserteilung.

Senkung der Abwassergebühr

Gründächer tragen durch ihre Fähigkeit der Wasserrückhaltung (Retention) dazu bei, die Kanalisation bei Regenereignissen zu entlasten. Diese Eigenschaft wird häufig durch eine Senkung der Abwassergebühren pro Quadratmeter Dachfläche und Jahr honoriert. Voraussetzung ist das Gelten einer getrennten bzw. gesplitteten Abwassergebühr. Im Unterschied zur Abwassergebühr auf Basis des Frischwasserverbrauchs wird dabei zwischen Niederschlagswasser und Schmutzwasser unterschieden. Die Gebühr für das Niederschlagswasser bemisst sich im Wesentlichen nach der versiegelten Grundstücksfläche. In der Regel werden begrünte Dächer als Entsiegelungsmaßnahme anerkannt.

Energieeinsparung

Gründächer und vollflächige Fassadenbegrünungen tragen durch ihren Schichtaufbau zur Verringerung von Wärmeverlusten im Winter (geringere Wind- und Feuchtebelastung) und zur Kühlung der Gebäudeoberflächen im Sommer. Begrünung und Substratschichten können jedoch derzeit nicht im Wärmeschutznachweis nach EnEV (DIN 4108) und GEG berücksichtigt werden.

Dennoch lässt sich eine zusätzliche Energieeinsparung nachweisen. Schon ein extensives Gründach mit einer Substratschicht von 10 cm erzielt eine Energieeinsparung, die einer herkömmlichen Dämmung (WLG 040) von 1 cm entspricht (Handbuch Stadtklima, 2011). Darüber hinaus können Energiekosten für eine Klimatisierung in den Sommermonaten gesenkt werden. Dies gilt auch für Fassadenbegrünungen, die zur Beschattung eingesetzt werden. In Kombination mit einer Photovoltaikanlage auf dem Dach kann durch die Erhöhung des Wirkungsgrads der Anlage ein finanzieller Nutzen erzielt werden, der je nach Anlagengröße, Förderungen und Strompreis variiert.

Wertsteigerung

Neben den genannten Kriterien haben auch sogenannte weiche Faktoren wie das Wohlbefinden, die erhöhte Aufenthaltsqualität und die Verbesserung der Gestaltungsqualität eine wirtschaftliche Bedeutung. Obwohl sie in der Regel nicht direkt finanziell quantifiziert werden können, sind sie dennoch zu berücksichtigen.

Zunehmend werden Wertsteigerungen durch „Grün" offensichtlich. Dies zeigen beispielsweise Umwandlungsprojekte wie die Highline in New York sowie im Neubausektor z. B. die begrünten Hochhäuser Bosco verticale in Mailand (siehe Abb. 2.19), die zwischen 2014 und 2022 einen enormen Wertzuwachs erfahren haben. Der Verkaufswert ist in diesem Zeitraum von ca. 8.000 auf über 11.500 €/m² angestiegen (Rosso, 2024).

Abb. 2.19: Begrünte Hochhäuser Bosco verticale in Mailand

3 Systematische Vorgehensweise zur Begrünung der Stadt

Viele Städte sind inzwischen in puncto Hitze und Starkregenereignisse vom Klimawandel betroffen. Die Stadtverwaltungen machen es sich daher zunehmend zur Aufgabe, die Anpassung an den Klimawandel in ihr Verwaltungshandeln zu integrieren.

Wichtig ist demnach die Priorisierung individueller Themenstellungen der Städte und Gemeinden zur Anpassung an die Folgen des Klimawandels. Zudem können über die Ausgangslage mit ihren verschiedenen Stadtraumtypen oder auch über Simulationen (z. B. Greenpass) auf das Umfeld sinnvoll abgestimmte Maßnahmen definiert werden.

Die folgenden Unterkapitel beschreiben mögliche Strategien zur Maßnahmenfindung für die Bauwerksbegrünung im Bestand.

3.1 Hilfestellung zur Auswahl möglicher zu begrünender Gebäude

Machbarkeitsstudien haben das Ziel, gesamtkonzeptionell aufzuzeigen, inwieweit sich Bestandsgebäude in Hotspots der Hitzebelastung für eine Gebäudebegrünung eignen.

Beweggründe für Dach- und Fassadenbegrünungen können, wie beschrieben, in vielen Kategorien verortet werden: Klimaanpassung, Ökologie/Umweltaspekte, Umfeldverbesserung, Imagefaktor und Kostenvorteile. Auch die räumliche Ebene ist ein Entscheidungsfaktor: Steht die Verbesserung des Straßenraums im Vordergrund, soll diese auf der Gebäudeebene wirken oder wird das Quartier als Ganzes von einer Gebäudebegrünung profitieren?

- Im Bereich der Gebäude können besonders die adiabate Kühlleistung, die Wärmehaltung und der Schutz vor Überhitzung von Bedeutung sein.
- Auf der Ebene des Straßenraums können die Reduktion von Luftschadstoffen und Lärmbelastung sowie die Aufwertung des Straßenraums von Bedeutung sein.
- Auf der Ebene des Quartiers kommt neben einer Regulierung der Hitzebelastung ebenfalls die Reduktion von Luftschadstoffen und Lärmbelastung zum Tragen, dazu die Erhöhung der Biodiversität und die Steigerung der Aufenthalts- und Wohnqualität im ganzen Quartier.

Städtebauliche Konzepte zur Klimaanpassung zeigen Handlungsoptionen zu Dach- und Fassadenbegrünungen bei Neu- und Bestandsbauten auf. Innerhalb von Klimaanpassungskonzepten stehen u. a. die Entwicklung klimafunktionaler, vernetzter Grün- und Freiraumsysteme sowie klimaoptimierte Stadt- und Gebäudestrukturen im Vordergrund. Machbarkeitsstudie und Begrünungsempfehlungen sollten neben der Anpassung an die klimatische Situation zusätzlich nachfolgende Themenstellungen betrachten, um eine umfassende Abwägung basierend auf vergleichbaren Parametern zu ermöglichen.

Lärmreduktion

Ein Abbau der Schallintensität wird über Entfernung (Minderung), Reflexion (Streuung) und Absorption (Dämpfung) bewirkt. Zur effizienten Lärmminderung sind zunächst wandgebundene Fassadenbegrünungen sowie intensive Dachbegrünungen von Vorteil, die durch das hohe Massengewicht ihrer Substrate den Abbau der Schallenergie begünstigen. Der Minderungseffekt durch Pflanzen ist stark von der Blätterdichte, der Blattfläche und -dicke sowie von der vorherrschenden Blattstellung abhängig (Wong et al., 2010). Dabei wirken die Effekte der Reflexion und der Umwandlung von Schallenergie in mechanische Bewegung. Im städtischen Freiraum bewirkt die Absorptionsfläche Fassade an idealer Position eine Minderung der Schallausbreitung im Straßenraumprofil. Wandgebundene Begrünungen haben in der Regel bereits aus Gestaltungsgründen in der Vollausprägung einen dichten, flächendeckenden Bewuchs, dessen Schallbinnenreflexionen direkt vom Substrat und/oder Substratersatz absorbiert werden.

Schadstoffbindung

Die Konzentration von Feinstaub, Stickstoffdioxid und Ozon liegt in Städten oftmals über den in der EU geltenden Grenzwerten (Nebel, 2018) und schädigt so Bewohner, Gewässer und Böden (Tomik, 2019). In den Fähigkeiten der Staubbindung und der Fotosynthese zeigt sich die Bedeutung von Vegetation im baulichen Kontext. Voraussetzung dafür ist der Erhalt der Pflanzenvitalität. Insbesondere Fassadenbegrünungen im Straßenraum können durch ihre große Blattmasse Feinstäube vor Ort filtern und binden (Thönnessen, 2002). Moose sind zudem in der Lage, organische Bestandteile zu verstoffwechseln (Frahm, 2008).

Gestaltung

Die Gestaltung städtischer Gebäude, insbesondere ihrer Fassaden, liefert häufig Ansatzpunkte für die Begrünungsfunktionen der architektonischen und klimatischen Aufwertung. Mit horizontalen oder vertikalen Begrünungsfeldern wird nicht nur ein Beitrag zur Verbesserung des Kleinklimass geleistet, sondern es werden auch Gebäudefassaden gegliedert und Proportionen betont oder gezielt korrigiert. Vollflächige Begrünungen verwandeln Fassaden in „vertikale Gärten“.

Zusatznutzen

Begrünte Dachflächen überzeugen zusätzlich zur gestalterischen Aufwertung mit ihrem Nutzungspotenzial als Erholungs- und Sportflächen sowie als Flächen zum Obst-, Kräuter- und Gemüseanbau.

3.1.1 Machbarkeitsstudie

Für einen ersten Schritt zur Etablierung von Programmen zur Dach- und Wand- bzw. Fassadenbegrünung oder zur Klärung, welche Gebäude für Begrünungsvorhaben priorisiert werden, können stadtklimatische Analysen (Stadtklimakarten) herangezogen werden. Darin werden in der Regel Klimatope und die stadtklimatische Belastung des Stadtgebiets dargestellt. Meist sind auch besonders belastete Straßen verzeichnet (Lärm- und Schadstoffbelastung). Oft enthalten die Klimaanalysen auch Handlungsempfehlungen zur Verbesserung des Stadtklimas in belasteten Bereichen, wie eben die Begrünung von Hof-, Dach- oder Fassadenflächenn (siehe Abb. 3.1)

Die Fassadenbegrünung hat dabei gegenüber den anderen Maßnahmen den Vorteil, dass sie nur geringe Flächen in Anspruch nimmt, bei nahezu allen Gebäuden meist relativ einfach und günstig realisiert werden kann und in engen Straßen nicht zu einer zusätzlichen Anreicherung von Luftschadstoffen führt. Auch die Sichtbarkeit im Straßenraum ist bei einer Fassadenbegrünung gegeben, im Gegensatz zu Hof- und Dachbegrünungen.

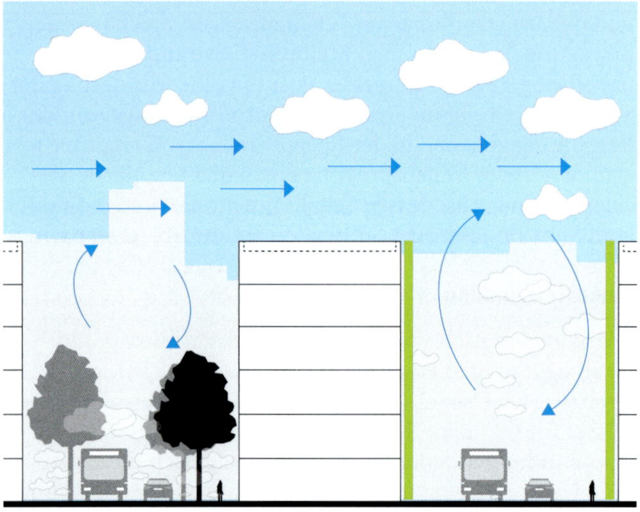

Abb. 3.1: Fassadenbegrünung als Schadstofffilter und Lärmschutz (Quelle: Preiss, 2013)

Die Maßnahmeneffizienz von Dach- und Fassadenbegrünung ist gerade in verdichteten, stadtklimatisch belasteten Innenstadtquartieren am höchsten. Dort überlagern sich Probleme aus den Bereichen Lärm- und Schadstoffbelastung sowie nächtliche Überwärmung mit sozialen Problemstellungen, wie hohen Leerstandsquoten und niedrigen Sanierungsraten. Die mangelnde Aufenthaltsqualität dieser Quartiere resultiert einerseits aus ökologisch problematischen Faktoren und wirkt andererseits auf sozialer wie ökonomischer Ebene. Gebäudebegrünungen funktionieren in solchen Quartieren als Baustein einer umweltgerechten und integrativen Quartiersentwicklung.

Weisen mehrere Stadtquartiere eine hohe Belastung auf, können weitere Sensitivitätsfaktoren als Auswahlkriterien herangezogen werden, wie ein hoher Anteil an Kindern, Hochaltrigen und Kranken oder eine große Bevölkerungsdichte. Aber auch das Flächenpotenzial im Quartier kann ein Kriterium sein.

Machbarkeitsstudien der Stadt Freiburg und der Stadt Basel zur Umsetzung von Begrünungen des durch die Städte verwalteten Gebäudebestands in Hotspots der Hitzebelastung zeigen Strategien zur Priorisierung von Gebäuden auf. Diese Strategien werden im Folgenden näher erläutert.

3.1.2 Methodik und mögliche Vorgehensweise

Im Prüfungsumfang befinden sich zunächst alle städtisch verwalteten Gebäude.

Die Vorgehensweise ist unterteilt in drei Abschnitte:

- Phase 1: Vorauswahl von begrünungsgeeigneten Gebäuden,
- Phase 2: Bewertung der Begrünungsvarianten und Ortsbegehung,
- Phase 3: Begrünungsempfehlungen.

Phase 1 besteht aus zwei Schritten: einer Priorisierung durch Gutachter sowie der Priorisierung der Stadtverwaltung. Der ursprüngliche Gesamtumfang betrachteter Bestandsgebäude verringert sich somit auf eine überschaubare Gesamtzahl. Ablauf, Auswahl- und Ausschlussgründe sind den folgenden Hinweiskästen zu entnehmen.

Phase 1 – Vorauswahl von begrünungsgeeigneten Gebäuden

Priorisierungskriterien:

- Hitzebelastung
- Sensitivitätsfaktoren
- Flächenpotenzial
- hochfrequentiert
- imagefördernd
- einfach und günstig
- Sanierungsstand

Ausschlusskriterien:

- bereits begrünt
- nicht konsequent den Kriterien der Priorität entsprechend
- Ausschluss durch Denkmalschutz
- angemietete Gebäude
- Abgängigkeit des Gebäudes

Phase 2 besteht aus der Bewertung und Kommunikation der unterschiedlichen Begrünungstypen nach Aspekten der Ökologie, Umfeldverbesserung, Gestaltung, Pflege, Kosten sowie Klimawandelanpassung.

In der Folge finden Ortsbegehungen zur Prüfung der Begrünbarkeit statt. Dabei werden potenziell begrünbare Flächen der jeweiligen Objekte begutachtet und fotodokumentiert, und es werden Messungen und Analysen vorgenommen.

Phase 2 – Bewertungskriterien der Begrünungsvarianten

- Klimaadaption
- Ökologie
- Umfeldverbesserung
- Gestaltung
- Pflege
- Kosten

Phase 3 führt die beiden vorangegangenen Phasen zusammen, eine ausführliche Dokumentation der Ergebnisse wird erstellt. Diese beinhaltet weitere Analysen bezüglich Umsetzbarkeit, Pflege- und Wartungsaufwand sowie Wirtschaftlichkeit inklusive detaillierter Ausarbeitungen zu Kostenschätzungen.

Phase 3 – Begrünungsempfehlungen

- Zusammenführung der Phasen 1 und 2
- Dokumentation der Ergebnisse

Auf diese Weise werden umfangreiche und konkrete Empfehlungen zur Fassaden- und Dachbegrünung von Bestandsbauten ausgearbeitet.

3.1.3 Vorauswahl von begrünungsgeeigneten Bestandsgebäuden

Die Vorauswahl begrünungsgeeigneter Gebäude verläuft, wie bereits erwähnt, als zweistufiger Auswahlprozess. In einem ersten Schritt werden Gebäude anhand von Bewertungskriterien bezüglich der Eignung für eine Gebäudebegrünung priorisiert. Darauf basierend, werden in einem zweiten Schritt vorausgewählte Gebäude seitens der Stadtverwaltung vor dem Hintergrund des Sanierungsstands der jeweiligen Gebäude sowie der aktuellen Sanierungsplanungen in die Kategorien „hoch priorisiert" und „niedrig priorisiert" eingestuft.

Für diesen ersten Schritt des Auswahlprozesses wird z. B. auf Grundlage eines auf einem Geoinformationssystem (GIS) basierenden Datenbestands, eines Klimaanpassungskonzepts sowie anhand von 3-D-Stadtmodellen eine Vorauswahl potenziell zur Begrünung geeigneter Gebäude tabellarisch nach Priorität geordnet zusammengestellt.

Die Bewertung folgt den Kriterien Hitzebelastung, Sensitivitätsfaktoren (z. B. großer Anteil an Kindern, Hochaltrigen und Kranken oder hohe Bevölkerungsdichte), Flächenpotenzial (Projekt mit umfangreichen begrünungsfähigen Flächen), Frequentierung (hohe Nutzungs-/Besuchsfrequenz), Imageförderung (Verbesserung des Gesamteindrucks durch z. B. gestalterische Attraktivität/Aufenthaltsqualität) und Aufwand (einfach und günstig). Sie kann über Punktgrößen verdeutlicht werden. Deren Festlegung erfolgt qualitativ als Mengensymbol der zuvor beschriebenen Merkmale (Gewichtung hoch bis niedrig bzw. viel bis wenig).

In erläuternden Skizzen und Beschreibungen werden geeignete Begrünungstypen aufgezeigt (siehe Abb. 3.2). In der Untersuchung ausgeschlossen werden Projekte, die nicht konsequent den Kriterien der Priorität entsprechen, die also z. B. bereits begrünt, abgängig oder durch den Denkmalschutz ausgeschlossen sind. Dabei stellt der Denkmalschutz kein grundsätzliches Ausschlusskriterium für eine Gebäudebegrünung dar.

Zudem ist es sinnvoll, projektbezogene ergänzende Prioritäten aufzuführen, wie z. B. Klima (notwendige Klimaadaption vor Ort), Bildung (Einrichtungen mit Chancen umweltbezogener Bildung), Umfeldverbesserung (gestalterisches und klimatisches Potenzial), Biotopverbund (Vernetzung von Einzelbiotopen), Identifikation (Verbesserung der Akzeptanz des Ortes/Gebäudes).

Im Rahmen einer solchen Maßnahmenstudie kann aufgezeigt werden, welche Formen der Dach- und Fassadenbegrünung möglich erscheinen, und welche Vor- und Nachteile verschiedene Optionen mit sich bringen. Welche Variante oder Kombination von Varianten letztlich infrage kommt, ergibt sich aus der Zielsetzung für die Dach- bzw. Fassadenbegrünung:

Sollen ökologische Aspekte im Vordergrund stehen? Soll die Begrünung durch architektonische Aufwertung oder zusätzliche Flächennutzung zur Verbesserung der Akzeptanz und Lebensqualität bei Anwohnern oder im Stadtteil beitragen? Soll die Begrünung dem Image (einer positiven Außendarstellung) dienen?

Bei jeglicher Gebäudebegrünung ist zu klären, welcher Gesamteindruck mit der Begrünung erreicht werden kann. Ist ein architektonisch klares, monochromes Bild gewünscht? Soll die Begrünung ganzjährig wirksam sein? Soll sie möglichst bunt und vielfältig wirken?

Auf der Basis der Zusammenstellung verschiedener möglicher Varianten mitsamt ihren jeweiligen Vor- und Nachteilen können weitere Planungsschritte anhand der Zielsetzungen zur Gebäudebegrünung in Angriff genommen

Abb. 3.2: Beispiel zur Prioritätenklärung g aus der Machbarkeitsstudie zur Umsetzung der Begrünung des durch das Gebäudemanagement der Stadt Freiburg (GMF) verwalteten Gebäudebestands in Hotspots der Hitzebelastung (Freiburg im Breisgau – Machbarkeitsstudie Dach- und Fassadenbegrünung, 2020)

werden. Planung, Ausführung und dauerhafte Pflege müssen nach den anerkannten Regeln der Technik erfolgen und von Fachfirmen für Gebäudebegrünung ausgeführt werden, um ein fehlerfreies und dauerhaftes Ergebnis sicherzustellen.

Eine Entscheidungsmatrix kann eine Auswahl vereinfachen. Dabei können vergleichend verschiedene Kriterien in eine Gesamtbetrachtung mit Punktevergabe einfließen, wie die Begrünungsform, mögliche Flächengrößen der Begrünungen und deren Exposition, ökologische und gestalterische Aspekte, wie Themen der Klimafunktion (Unterthemen zu Hitze. Wasser, Immission), gesellschaftliche/gestalterische Funktionen sowie auch wirtschaftliche Bewertungen (geschätzte Kosten für die Herstellung und Instandhaltung).

3.1.4 Begrünungsempfehlungen

Nach der zweistufigen Vorauswahl begrünungsgeeigneter Gebäude in Phase 1 sowie der Bewertung der Begrünungsvarianten mit Ortsbegehung in Phase 2 werden in der Phase 3 Begrünungsempfehlungen erarbeitet.

Für alle seitens der Stadt vorgeschlagenen Objekte stehen in der Regel Luftaufnahmen, im besten Fall 3-D-Stadtmodelle, zur Verfügung. Eine umfassende Datenbereitstellung (Grundrisspläne, Schnitte, Ansichten, Leitungspläne) zu hoch priorisierten Projekten macht detaillierte Analysen möglich. Sämtliche Objekte werden anhand dieser Grundlagen und mithilfe von 3-D-Stadtmodellen, Fotografien und ggf. Vor-Ort-Begehungen im Hinblick auf folgende Kriterien untersucht:

- Welche Flächen der Vorauswahl am Objekt kommen für eine Begrünung infrage?
- Wie kann die Pflege einer Begrünung dauerhaft sichergestellt werden?
- Welche statische Belastbarkeit kann jeweils angenommen werden?
- Wie ist die Beschaffenheit der Wandaufbauten an den zu begrünenden und angrenzenden Flächen?
- Welche Exposition haben die begrünbaren Flächen?
- Welche Maßnahmen werden für eine Standortverbesserung erforderlich?
- Ist eine Bewässerung sinnvoll oder erforderlich?
- Welche Pflanzen eignen sich, auch unter Berücksichtigung der Sicherheit im Betrieb? Es können z. B. keine bekletterbaren Rankhilfen eingesetzt werden, wenn die Gefahr besteht, dass sie von Passanten erklommen werden. Dies wiederum hat Auswirkungen auf die Pflanzenauswahl.
- Wie kann die Begrünung möglichst kostengünstig realisiert und unterhalten werden?

Für Begrünungen bei hoch priorisierten Gebäuden werden detaillierte Begrünungsempfehlungen erarbeitet. Diese bestehen aus einer Begrünungskonzeption und beinhalten Kostenschätzungen für die Herstellung sowie für die Pflege und Wartung in Bruttopreisen.

Für Begrünungen bei niedrig priorisierten Gebäuden werden weniger detaillierte Begrünungsempfehlungen erarbeitet. Eine grobe Kostenschätzung für Herstellung sowie Pflege und Wartung in Bruttopreisen ist jedoch ebenfalls enthalten.

3.2 Ausgangslage Stadtraumtypen

Zahlreiche Städte haben in den vergangenen Jahrzehnten Stadtraumtypenkataloge erstellt und dazu Referenzstadträume detailliert untersucht (z. B. Berlin: Stadtraumtypen-Katalog, 2008). Diese Vorgehensweise kann mit entsprechend angepassten Kriterien auf eine Gebäudebegrünungskatalogisierung anhand typischer Referenzsituationen übertragen werden, bevor eine zeitintensive Detailklärung einzelner Projekte beginnt. So eignet sich diese Vorgehensweise zur Ermittlung des städtischen Flächenpotenzials zur Fassaden- und Dachbegrünung und ist der erste Schritt zur Optimierung stadtplanerischer und architektonischer Entscheidungen. Im besten Fall nutzen Städte, soweit möglich, die synergetische Zusammenfassung der Ziele Solarstadt und blau-grüne Stadt, um eine Wandlung zu erreichen. Sie berücksichtigen mit dieser Parallelbearbeitung planerische, rechtliche und umsetzungstechnische Synergieeffekte. Bereitstehende Solarkataster eignen sich beispielsweise in Kombination mit hochauflösenden Luftbildern, geeignete Flächen für zukünftige Dachbegrünungen im Gebäudebestand zu erkennen. Viele Städte/Gemeinden haben über diese Kombination bereits Gründachkataster entwickelt. Städtische 3-D-Modelle unterstützen bei der Vorklärung möglicher Fassadenbegrünungen. Anhand der Bebauungsstruktur können zudem Stadtraumtypen identifiziert und erste Flächenpotenziale erfasst werden. Dazu können z. B. die städtebaulichen Kennwerte der energetischen Stadtraumtypen (EST) des Forschungsprojekts UrbanReNet (2009 bis 2012) herangezogen werden (Dettmar et al., 2020). Von den verschiedenen Stadtraumtypen lässt sich tendenziell auch auf die Eigentümerstruktur schließen: Quartiere in Zeilenbauweise befinden sich eher im Besitz von Wohnungsbaugesellschaften, während Gebiete mit Blockrand- oder Innenstadtbebauung meist eine heterogene Eigentümerstruktur aufweisen, mit einem hohen Anteil privater Einzeleigentümer. Im Rahmen der Öffentlichkeitsarbeit zur Gebäudebegrünung muss gezielt auf diese Eigentümerstrukturen eingegangen werden, um die gewünschte Umsetzungsdichte im Quartier zu erreichen (vgl. Dettmar et al., 2020).

Zur weiteren Qualifizierung der Gebiete können die (energetischen) Stadtraumtypen um zusätzliche Informationen ergänzt werden, wie beispielsweise folgende:

- Der Dach- und Fassadenaufbau (abgeleitet von der Baualtersklasse oder dem Sanierungsstand) liefert erste Anhaltspunkte für die mögliche Art der Begrünung.
- Die bodennahe Temperatur an Sommerabenden (Kriterium nächtliche sommerliche Überwärmung, siehe z. B. Karten der Thermalbefliegung oder Klimamessfahrten) gibt Auskunft über den Grad der stadtklimatischen Belastung.
- Der Biotopflächenfaktor (Verhältnis naturhaushaltwirksamer Flächen zur gesamten Grundstücksfläche, Berechnung: Biotopflächenfaktor = (Fläche · Anrechnungsfaktor) / Grundstücksfläche; vgl. Der Biotopflächenfaktor, 2021), gibt die Naturhaushaltswirksamkeit (u. a. Verdunstungswirkung, Versickerungswirkung, Biotopwirkung) einer Parzelle an.

Mithilfe dieser Faktoren (Fassadenaufbau, Biotopflächenfaktor und bodennaher Temperatur) zusätzlich zu den Informationen, die die Statraumtypen bieten, kann eine Kommune ökonomisch Stadtquartiere identifizieren, die sowohl einen hohen Handlungsbedarf als auch eine hohe Effizienz bei der Umsetzung von Maßnahmen aufweisen. Im Folgenden werden auf der Grundlage von Publikationen von Everding und Pfoser sowie Dettmar und Mitarbeitern unterschiedliche Stadtraumtypen auf eine Begrünungseignung überprüft (Everding, 2007; Pfoser, 2010; Dettmar et al., 2020). Zur Verfügung stehen damit städtebauliche Kennwerte (Grundflächenzahl [GRZ], Geschossflächenzahl [GFZ], Anzahl der Gebäude pro Hektar, Geschossigkeit, Wohneinheiten pro Hektar, Einwohnerzahlen pro Hektar, die Wohnfläche, die Hüllfläche sowie die Größe und Neigung der Dachflächen) und Kennwerte zur Fassade (Hüllfläche der Fassade, Fensteranteil, Exposition, Fassadenaufbau, Boden-/Biotopflächenfaktor und Werte zu bodennahen Temperaturen). Diese Kennzahlen sind wertvoll zur Begrünungsentscheidung im Detail. Die folgend aufgeführten Beschreibungen und Erfahrungswerte zeigen, welche Begrünungseignung je nach Stadtraumtyp zu erwarten ist.

3.2.1 Stadtraumtypen mit überwiegender Wohnnutzung

Die Begrünung, so auch die Gebäudebegrünung von Stadträumen mit Wohnnutzung, spielt eine zunehmend wichtige Rolle in der Stadtentwicklung. Neben den zuvor genannten ökologischen Vorteilen werden Wohnumfelder durch Begrünungen gestalterisch attraktiver, die Lebensqualität, das Wohlbefinden der Bewohner und das soziale Miteinander werden gestärkt. Insbesondere in Wohnquartieren, in denen es an Grünflächen mangelt, bieten Dach- und Fassadenbegrünungen eine wertvolle Möglichkeit, kurzfristig zusätzliche Grünflächen zu schaffen, die der Erholung und Begegnung dienen.

Kleinteilige, freistehende Wohnbebauung bestehend aus Ein- und Zweifamilienhäusern

Dieser Stadtraumtyp beschreibt ein lockeres, durchgrüntes Wohngebiet mit niedrigem Versiegelungsgrad, das hauptsächlich durch freistehende Ein- oder Zweifamilienhäuser mit Steildächern (z B. Satteldach, Walmdach) geprägt ist und typischerweise eine niedrige Bebauungsdichte aufweist (siehe Abb. 3.3 und 3.4). Die Gebäude sind in der Regel ein- oder zweigeschossig.

Der hohe Anteil an begrünten Gärten und unversiegelten Flächen sowie ein vergleichsweise geringer Anteil an baulichen Speichermassen verhindern in der Regel eine sommerliche Überhitzung der Stadträume. Allerdings führen die geringe bauliche Dichte und das ungünstige A/V-Verhältnis der Gebäude im Winter zu verstärkten Wärmeverlusten durch Wind, Feuchte und nächtliche Kaltluft. Das hat je nach Sanierungszustand und Baujahr einen erhöhten Heizwärmebedarf zur Folge.

Aufgrund der geringen Bodenversiegelungsrate, der kompakten Gebäude mit kleinteiligen Dach- und Fassadenflächen sowie einem hohen Fensterflächenanteil sind in einer solchen Bebauung primär punktuelle, bodengebundene Fassadenbegrünungen sinnvoll (Direktbegrünungen oder Begrünungen mit Gerüstkletterpflanzen). Sie dienen als Wärme-/Kältepuffer vor geschlossenen Außenwänden oder auch zur sommerlichen Verschattung vor Fenstern und Wintergärten. Fassadenbegrünungen sind oft einfach realisierbar, da die Eigentumsverhältnisse klar sind und ausreichend Abstand zu Nachbargebäuden vorhanden ist.

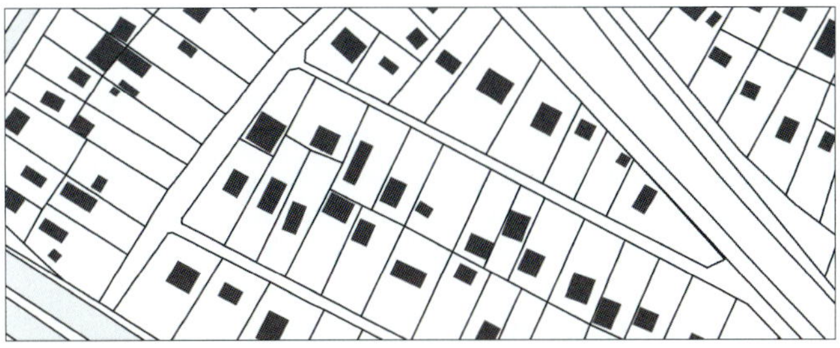

Abb. 3.3: Ausschnitt aus dem Schwarzplan einer kleinteiligen, freistehenden Wohnbebauung in Berlin, bestehend aus Ein- und Zweifamilienhäusern (Quelle: Berlin – Schwarzplan & Stadtplan, 2024)

Abb. 3.4: Kleinteilige, freistehende Wohnbebauung in durchgrüntem Wohngebiet

Sofern Dächer nicht unverschattet der Gewinnung von Solarenergie (Photovoltaik, Kollektorflächen) vorbehalten sind, können Schrägdachbegrünungen installiert werden.

Kleinteilige, freistehende Wohnbebauung bestehend aus Mehrfamilienhäusern

Die Bebauungsdichte ist auch bei diesem Stadtraumtyp moderat. Die Mehrfamilienhäuser sind freistehend, mit größeren Abständen zwischen den Gebäuden. Mit einer größeren Anzahl von Wohneinheiten pro Gebäude weist die Bebauungsstruktur eine niedrige bzw. mittlere Dichte auf (siehe Abb. 3.5 und 3.6).

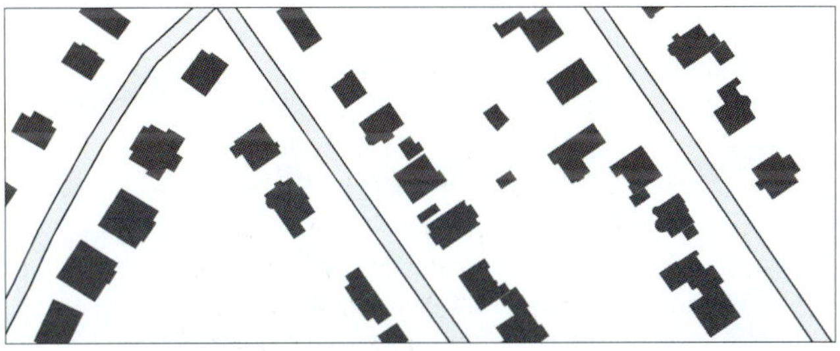

Abb. 3.5: Ausschnitt aus dem Schwarzplan einer kleinteiligen, freistehenden Wohnbebauung in Berlin, bestehend aus Mehrfamilienhäusern (Quelle: Berlin – Schwarzplan & Stadtplan, 2024)

Abb. 3.6: Kleinteilige, freistehende Wohnbebauung in Form von Mehrfamilienhäusern

Durch die freistehende Anordnung bleibt ausreichend Fläche für nicht versiegelte Bereiche, wie Vorgärten und Gärten. Der hohe Anteil an Vegetation, die geringe Bodenversiegelung, die Freistellung der Gebäude und größere Fassadenbereiche ermöglichen eine effiziente Begrünung von Fassaden mit bodengebundenen Kletterpflanzen (Direktbewuchs oder Gerüstkletterpflanzen) als Wärme- und Kältepuffer vor geschlossenen Außenwänden und als Sonnenschutz vor Fenstern und Wintergärten. Steildächer können extensiv begrünt werden, sofern sie nicht der Gewinnung solarer Energie dienen. Flachdächer oder flach geneigte Dächer der Haupt- und Nebengebäude (z. B. Garagen) können für extensive Dachbegrünungen genutzt werden, auch in Kombination mit PV-/Sonnenkollektoren. Stabile Konstruktionen lassen auch intensive Dachbegrünungen zu. Eine Gebäudebegrünung in Ergänzung zu den umliegenden Grünflächen trägt zur Aufwertung der ökologischen und klimatischen Funktionen des Stadtraums bei.

Reihenhausbebauung

Reihenhausbebauung ist eine Wohnbebauung in kostengünstiger, verdichteter Bauweise. Eine Reihenhauszeile umfasst in der Regel mindestens drei, meist jedoch fünf bis sechs Einfamilienhäuser. Die Parzellierung ist kleinteilig – infolge der geringeren Grundfläche der Gebäude entsteht eine deutlich höhere Bebauungsdichte als bei freistehenden Gebäude (siehe Abb. 3.7 und 3.8). Reihenhausbebauungen weisen eine kompakte, effiziente Flächennutzung mit moderatem Versiegelungsgrad und einem im Vergleich zu kleinteiligen freistehenden Wohngebäuden günstigeren Verhältnis von Außenfläche zu Volumen (A/V-Verhältnis) auf (geringere winterliche Auskühlung). Dabei sind die Möglichkeiten zur Gebäudebegrünung auf die Vorder- und Rückseiten, die seitlichen Abschlüsse der Kopfbauten sowie die Dächer beschränkt.

Die Anordnung der Gebäude unterteilt die Parzellen in eine einsehbare Vorgartenzone und private, nicht einsehbare Hausgärten im hinteren Bereich. Die Reihenhauszeilen bestehen aus gekuppelten, bis zu dreigeschossigen Einfamilienhäusern, die parallel oder orthogonal zueinander angeordnet sind. Im Unterschied zur klassischen Zeilenbebauung können einzelne Gebäude innerhalb einer Reihe versetzt sein und müssen nicht einer durchgehenden Baulinie folgen. Aufgrund der individuellen Eigentümerstruktur können die Fassaden der einzelnen Reihenhäuser unterschiedlich gestaltet werden (Gestaltungssatzungen beachten). Auch bodengebundene Fassadenbegrünungen sind möglich (Direktbegrünungen oder Gerüstkletterpflanzen an Wuchsaufleitungen auf Abstand zur Fassade). Eventuell vorhandene Rücksprünge der Fassaden dienen einer natürlichen Wuchsbegrenzung und erleichtern die Pflege. Es ist darauf zu achten, dass Nachbarfassaden nicht überwachsen werden (durch regelmäßige Pflege und gegebenenfalls konstruktive Wuchsbegrenzungen).

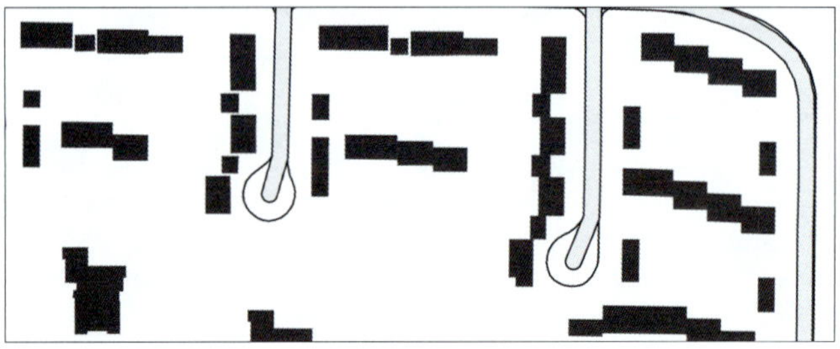

Abb. 3.7: Ausschnitt aus dem Schwarzplan einer Reihenhausbebauung in Berlin (Quelle: Berlin – Schwarzplan & Stadtplan, 2024)

Abb. 3.8: Reihenhäuser mit efeubegrüntem Reihenendhaus

Mit zunehmender Bebauungsdichte und steigendem Versiegelungsgrad erhöht sich auch die thermische Belastung in Reihenhaussiedlungen, was zu einem Anstieg der sommerlichen Hitzeentwicklung führen kann. Die zusammenhängenden Gartenparzellen bieten (sofern begrünt) jedoch Potenzial zur Verbesserung des Stadtklimas.

Die Möglichkeit zur Gebäudebegrünung ist bei Reihenhäusern gegeben, aber im Vergleich zu freistehenden Häusern aufgrund der geschlossenen Bauweise eingeschränkt (fehlende Seitenwände und höherer Fensterflächenanteil). Jedoch bieten die Vorder- und Rückfassaden sowie die Dächer Möglichkeiten zur Gebäudebegrünung.

Flachdächer oder leicht geneigte Dächer eigenen sich für extensive Dachbegrünungen (auch in Kombination mit Photovoltaik) und einfache Intensivbegrünungen. Steildächer können extensiv begrünt werden, sofern die Flächen nicht durch technische Einrichtungen zur Solarenergiegewinnung belegt sind. Unversiegelte Bereiche mit Boden- und Bodenwasseranschluss machen punktuelle Fassadenbegrünungen (direktbegrünt oder in Form von aufgeleiteten Gerüstkletterpflanzen) einfach und kostengünstig möglich und dienen der Stärkung der urbanen Biodiversität am Standort.

Zeilenbebauung niedriger bis mittlerer Geschossigkeit

Die Bebauungsdichte in Gebieten mit Zeilenbebauungen niedriger bis mittlerer Geschossigkeit ist moderat bis hoch. Die zumeist vier- bis sechsgeschossigen Gebäude stehen in paralleler oder leicht versetzter Anordnung zueinander, die Fläche wird also effizient genutzt (mehr Wohneinheiten, geringerer Flächenverbrauch).

Die Bebauungsdichte ist im Vergleich zu kleinteiligen, freistehenden Wohnbebauungen deutlich erhöht, jedoch niedriger als in dichten urbanen Quartieren. Zwischen den Gebäudereihen befinden sich häufig großzügige Grünflächen, Spielplätze oder Wege, die den Anteil unversiegelter Flächen erhöhen (siehe Abb. 3.9 und 3.10). Das A/V-Verhältnis bei Zeilenbebauungen ist günstig, da die Baukörper eine kompakte Bauform aufweisen.

Im Gegensatz zu kleinmaßstäblichen freistehenden Gebäuden verfügen Zeilenbebauungen über weniger Außenflächen

Abb. 3.9: Ausschnitt aus dem Schwarzplan einer Zeilenbebauung in Berlin mit niedriger bis mittlerer Geschossigkeit (Quelle: Berlin – Schwarzplan & Stadtplan, 2024)

Abb. 3.10: Zeilenbebauung in München, Ackermannbogen

pro Wohneinheit. Das geht mit geringeren Wärmeverlusten einher und führt somit zu einer besseren Energieeffizienz. Das größere Bauvolumen, große, verdichtete Parkplatzflächen sowie ein gegebenenfalls geringerer Baumbestand verstärken jedoch den Wärmeinseleffekt. Gleichzeitig können die weitläufigen Außenanlagen (abhängig von der Bepflanzung und deren Vitalität und Verdunstungsleistung) zur nächtlichen Abkühlung beitragen. Je nach Ausrichtung der Gebäudezeilen kann es zu einer punktuellen Zunahme der Windbelastung kommen. Das ist bei einer Gebäudebegrünung zu berücksichtigen. Die Baukörper an den Rändern der Zeilenbebauung fungieren in der Regel als Lärm- und Windschutz für die dahinterliegenden Gebäude, was durch nachträgliche Begrünungen optimiert werden kann. Die Giebelseiten sind oft fensterlos, der Boden darunter unversiegelt, sodass flächige Fassadenbegrünungen einfach zu realisieren sind, z. B. durch Direktbewuchs (nicht an dünnem Spachtelputz von Wärmedämm-Verbundsystemen [WDVS]) oder mit Gerüstkletterpflanzen an davorgestellten Wuchsaufleitungen. Steht kein Bodenanschluss zur Verfügung, können Begrünungen in Pflanzgefäßen oder wandgebundene vertikale Gärten zum Einsatz kommen. Dafür ist jedoch eine technische Versorgung mit entsprechenden technischen Einrichtungen nötig.

Der Anteil an Fensterflächen der übrigen Fassadenbereiche liegt im mittleren Bereich. Eine Begrünung mit senkrecht aufgeleiteten Gerüstkletterpflanzen lässt sich zwischen den Fenstern gut umsetzen. Mit ausreichendem Abstand lassen sich auch beschattende Begrünungen mit Gerüstkletterpflanzen zur sommerlichen Verschattung und mit den Vorzügen des Sichtschutzes vor Fenstern und Balkonen realisieren (siehe Abb. 3.11). Flachdächer oder leicht geneigte Dächer von Zeilenbebauungen eignen sich in der Regel für extensive Dachbegrünungen, nebeneinander auch in Kombination mit solaraktiven Flächen.

In der Sanierung können Wuchsaufleitungen für Fassadenbegrünungen an Konstruktionen zur Nachrüstung von Balkonen integrativ eingeplant werdenn. Eventuell vorhandene Aufstockungen bieten die Möglichkeit, nutzbare Gartendächer mit PV-Pergolen zu realisieren und so einen großen Mehrwert für die Bewohnerschaft, das Stadtklima und die Stadtökologie zu schaffen (siehe Abb. 3.12).

Abb. 3.11: Begrünte Laubengänge einer Zeilenbebauung in München

Abb. 3.12: BOKU, Wien: Dachpergola mit integrierter semitransparenter Photovoltaikanlage. Ein Lichtdurchlass von 28 bis 30 % bietet im Sommer eine gute Aufenthaltsqualität (Verschattung) und macht darunter eine Dachbegrünung (auch intensiv) möglich (Quelle: Irene Zluwa, Wien).

Großmaßstäbliche Wohnbebauung hoher Geschossigkeit aus Ketten- und Zeilenhochhäusern

Diese großmaßstäbliche, unregelmäßige und weitläufige Bebauung mit überwiegender Wohnnutzung, bestehend aus sieben- bis 16-geschossigen Mehrfamilienhäusern in gekuppelter Bauweise (Zeilen oder Gebäudeketten), ermöglicht eine intensive Nutzung des vorhandenen Raumes. Zwischen den Baukörpern dominieren ausgedehnte, begrünte Freiflächen, die das Bild des Quartiers prägen (siehe Abb. 3.13 und 3.14).

Die großmaßstäbliche Bebauung führt jedoch zu Verschattungen, die sowohl große Teile der Außenanlagen als auch Fassaden betreffen (winterliche Auskühlung). Der Wärmeinseleffekt ist aufgrund der großen Baumassen, Straßen und ausgedehnten Parkplatzflächen deutlich spürbar. Entsiegelungsmaßnahmen sowie die Verschattung durch Bäume und dreidimensionale Strukturen mit Gerüstkletterpflanzen könnten diesbezüglich kurz- bis mittelfristig Abhilfe schaffen. Gleichzeitig ermöglichen die ausgedehnten Grünflächen eine nächtliche Abkühlung, wenn Bepflanzungen mit großer Blattmasse und hoher Verdunstungsleistung eingesetzt werden. Eine zeilen- oder blockförmige Anordnung der Baukörper kann je nach Ausführung zu erheblichen Windlasten führen, die das Gebäudeumfeld und eventuelle Gebäudebegrünungen beeinträchtigen können.

Dieser Stadtraumtyp bietet ein großes Flächenpotenzial von Fassaden und Dächern zur umfangreichen Nutzung und gestalterischen Aufwertung (solaraktive Nutzung,

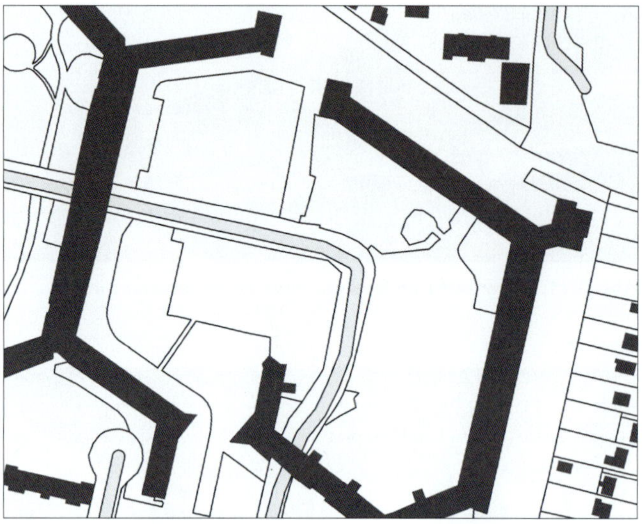

Abb. 3.13: Ausschnitt aus dem Schwarzplan einer großmaßstäblichen Wohnbebauung hoher Geschossigkeit aus Ketten- und Zeilenhochhäusern in Berlin (Quelle: Berlin – Schwarzplan & Stadtplan, 2024)

Abb. 3.14: Biotope City, Wien: großmaßstäbliche Wohnbebauung

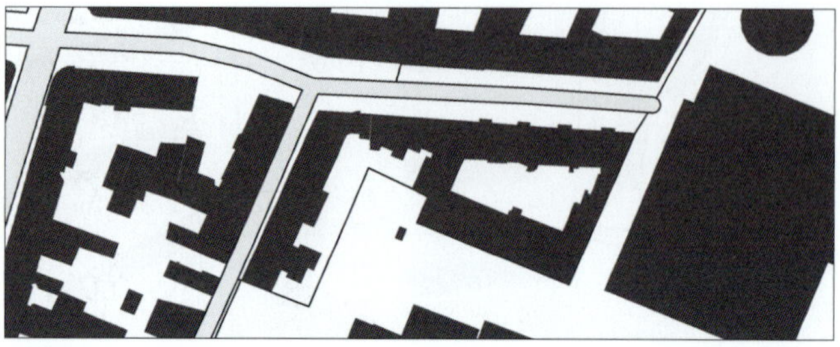

Abb. 3.15: Ausschnitt aus dem Schwarzplan einer großmaßstäblichen Wohnbebauung hoher Geschossigkeit aus Punkthochhäusern in Berlin (Quelle: Berlin – Schwarzplan & Stadtplan, 2024)

Abb. 3.16: Bosco verticale, Mailand

Nachrüstung von Fassaden und Dachbegrünungen). Das Potenzial zur Begrünung ist bei diesen hochgeschossigen Gebäuden gegeben, jedoch eingeschränkt durch die Bauhöhe und die erhöhte Windbelastung. Die Dächer bieten Raum für Dachterrassen und Dachbegrünung mit wunderbaren Ausblicken.

Balkone können ebenfalls der Begrünung dienen. Auch Begrünungen der Fassaden sind möglich, jedoch jenseits der Höhen bodengebundener Begrünungen technisch anspruchsvoll. Die großen Freiflächen zwischen den Gebäuden bieten viel Raum für zusätzliche Maßnahmen zur Verbesserung der Aufenthaltsqualität und Stadtökologie (wie z. B. Flächenentsiegelung, Begrünung mit Verdunstungsleistung, Umgang mit Regenwasser, Biodiversität) und sollten diesbezüglich prioritär mitgedacht werden.

Großmaßstäbliche Wohnbebauung hoher Geschossigkeit aus Punkthochhäusern

Die Bebauungsdichte ist bei diesem Stadtraumtyp hoch, da viele Wohneinheiten auf einer verhältnismäßig kleinen Grundfläche untergebracht sind. Durch die vertikale Ausrichtung der Gebäude bleiben große unversiegelte Fläche zwischen den Hochhäusern erhalten bzw. stellen über großen Tiefgaragen Freiräume zur Verfügung. Die Grundflächen der Hochhäuser sind vergleichsweise klein. Jedoch führt die Notwendigkeit von Erschließungsstraßen, Parkplätzen und anderen infrastrukturellen Einrichtungen zu einem insgesamt erhöhten Versiegelungsgrad (siehe Abb. 3.15). Durch das gute A/V-Verhältnis (wenig Außenfläche im Verhältnis zum Volumen) entsteht ein effizienter Energiehaushalt. Wärmeverluste im Winter sind reduziert; dies senkt den Heizwärmebedarf. Die kompakte Bauweise trägt zu einer besseren Energieeffizienz bei als bei kleinteiligen freistehenden Gebäuden, kann jedoch in den Sommermonaten als große unbeschattete Fläche auch in Summe mit den umliegenden versiegelten Flächen zu einer erhöhten Wärmeabstrahlung im Gebiet führen.

Punkthochhäuser bieten Potenziale zur Gebäudebegrünung. Vor allem Balkone sind gut mit niedrig wachsenden Gehölzen in Pflanzgefäßen begrünbar (siehe Abb. 3.16). Vertikale Begrünungen der Fassaden sind technisch anspruchsvoll. Fassadenbegrünungen der unteren Gebäudebereiche sind dagegen verhältnismäßig einfach zu realisieren, vor allem, wenn ein Boden-/Bodenwasseranschluss zur Verfügung steht. Zudem können Flachdächer oder Dachterrassen für Dachbegrünungen genutzt werden, wenn sie nicht durch technische Anlagen belegt sind. Die großen Freiflächen rund um die Punkthochhäuser bieten ebenfalls Potenzial für ausgedehnte Grünanlagen (auch über Tiefgaragen), die nicht nur das Stadtbild und die Aufenthaltsqualität aufwerten, sondern auch zur Steigerung der urbanen Biodiversität beitragen.

Blockrandbebauung

Dieser Stadtraumtyp, Blockrandbebauungen aus gekuppelten, drei- bis sechsgeschossigen Mehrfamilienhäusern, die überwiegend für Wohnzwecke genutzt werden, kann in Abhängigkeit vom Standort im Erdgeschoss auch kleinere Gewerbe- oder Büroflächen enthalten. Die Gebäude sind in geschlossener Bauweise errichtet, die Fassaden schließen meist direkt an den öffentlichen Raum (Gehweg) an (siehe Abb. 3.17 und 3.18). Einige Quartiere zeichnen sich zudem durch ansprechend gestaltete Vorgartenzonen (bei zurückgesetzten Fassaden) und Gartenhöfe im Blockinneren aus.

In dichten Blockstrukturen mit kleineren Innenhöfen spielen Fassaden- und Dachbegrünungen eine wichtige Rolle

Abb. 3.17: Ausschnitt aus dem Schwarzplan einer Blockrandbebauung in Berlin (Quelle: Berlin – Schwarzplan & Stadtplan, 2024)

Abb. 3.18: Begrünung einer Blockrandbebauung in Paris

für die Schaffung zusätzlicher Grünflächen. Die großen Baumassen, die Straßen und die versiegelten Höfe sorgen für eine hohe Wärmespeicherung (trotz temporärer Verschattung durch Gebäudeteile). Das kann in Kombination mit einem mangelnden Luftaustausch innerhalb der Blöcke zu einem Wärmeinseleffekt führen. Unversiegelte und begrünte Flächen sowie Dach- und Fassadenbegrünungen können zur Temperaturregulierung beitragen und die Wohn- und Aufenthaltsqualität deutlich verbessern.

Die Straßenfassaden sind je nach Baualtersklasse oft reichhaltig ornamentiert und kleinteilig gegliedert, lassen sich aber dennoch begrünen. Dafür sind vor allem Gerüstkletterpflanzen geeignet, die, das Erdgeschoss begrünend, optisch die Gebäudebasis stärken. Als gestalterischer Abschluss kann eine Lisene im Übergang vom Erdgeschoss zum ersten Obergeschoss dienen. Mit größerem Abstand können Gerüstkletterpflanzen auch über Verzierungen hinweg mehrere Geschosse hochgeführt werden. Bestenfalls werden den Gerüstkletterpflanzen mit ihren Unterpflanzungen ausreichend dimensionierte Pflanzstreifen zur Verfügung gestellt. Ist dies nicht möglich, sind Pflanzgefäße mit künstlicher Wasser- und Nährstoffversorgung eine Alternative. Die Gebäudeaußenwände zum Innenhof sind meist schlicht und funktional gestaltet. Direktbegrünungen mit Bodenanschluss sind dort eine günstige Lösung und von Vorteil für Bienen und Schmetterlinge. Etwas aufwendiger ist die Begrünung mit Gerüstkletterpflanzen (Vorteil größerer Gestaltungsmöglichkeiten und Einsatz auch vor Balkonen/Loggien/Laubengängen zur Verschattung und als Blickschutz).

Die Innenhöfe sind zudem häufig mit niedriggeschossigen Gebäuden wie Garagen oder Werkstätten sowie Grünflächen und Baumbestand ausgestattet. Sie dienen als halböffentlicher Raum für die Bewohner des Blockes (siehe Abb. 3.19). Die Nebengebäude lassen sich ebenfalls mit Kletterpflanzen und, je nach Tragkraft, zumindest mit extensiven Dachbegrünungen ausstatten. Das wertet die Innenhöfe optisch und stadtökologisch auf. Ein weiteres

Abb. 3.19: Innenhof WUK, Wien

Merkmal ist die abwechslungsreiche Dachlandschaft, die durch Gauben, Erker, Vor- und Rücksprünge sowie Brandmauer-Überstände geprägt ist. Auch in solchen Bereichen sind im Rahmen einer Sanierung schon die schönsten Dachgärten und zusätzlicher (privater) Lebensraum entstanden. Die Begrünung von Fassaden wertet das städtebauliche Bild auf und mindert Wärmeinseleffekte.

3.2.2 Stadtraumtypen mit überwiegender Mischnutzung

In Mischnutzungsgebieten, die oft durch eine hohe Bebauungsdichte und intensive Flächennutzung gekennzeichnet sind, stehen klassische Grünflächen wie Parks oder Gärten nur begrenzt zur Verfügung. Dach- und Fassadenbegrünungen können dort als wertvolle Ergänzung dienen. In Stadträumen mit überwiegender Mischnutzung, wo Wohnen, Arbeiten, Gewerbe und Freizeit eng miteinander verbunden sind, tragen zusätzliche Grünflächen zur Verbesserung des Stadtbilds und der Luftqualität bei, sie wirken temperaturregulierend und reduzieren den Lärm. Das ist besonders in Gebieten mit hohem Verkehrsaufkommen von Vorteil. Darüber hinaus erhöhen sie die Wohn-, Lebens- und Arbeitsqualität, indem sie in oft grauen urbanen Umgebungen grüne Oasen schaffen, die zur Erholung und sozialen Interaktion einladen. Für Gewerbebetriebe bieten Dachgärten und begrünte Fassaden zudem eine Möglichkeit, das Firmenimage nachhaltig und umweltbewusst aufzuwerten. In Stadträumen mit Mischnutzung schaffen Dach- und Fassadenbegrünungen somit einen Mehrwert gleich auf verschiedenen Ebenen.

Dörfliche Bebauung

Die Bebauungsdichte in dörflichen Siedlungen ist unterschiedlich: Während der historisch gewachsene Dorfkern eine hohe Bebauungsdichte und einen geringen Anteil an Freiflächen aufweist, wird die Bebauung zum Rand der Siedlung hin lockerer und geht allmählich in eine kleinteilige Bebauung über (siehe Abb. 3.20, 3.21 und 3.22).

Die Gebäude stehen oft grenzständig zum öffentlichen Raum (entlang des Gehsteigs) oder frei auf großzügigen Grundstücken. Sie sind durch unversiegelte Gärten, Grünflächen oder landwirtschaftliche Nutzflächen voneinander getrennt. Das trägt zu einem offeneren und durchgrünten Charakter bei. Dieser Stadtraumtyp ist insgesamt von Hinterhöfen, kleinen Plätzen und Aufweitungen geprägt. Dadurch unterscheidet er sich deutlich von kleinteiliger, freistehender Wohnbebauung aus Ein-, Zwei- oder Mehrfamilienhäusern. Versiegelte Bereiche beschränken sich meist auf die Gebäudegrundflächen, Zufahrtswege und gelegentlich kleine Hof- oder Parkplatzflächen. Dieser ge-

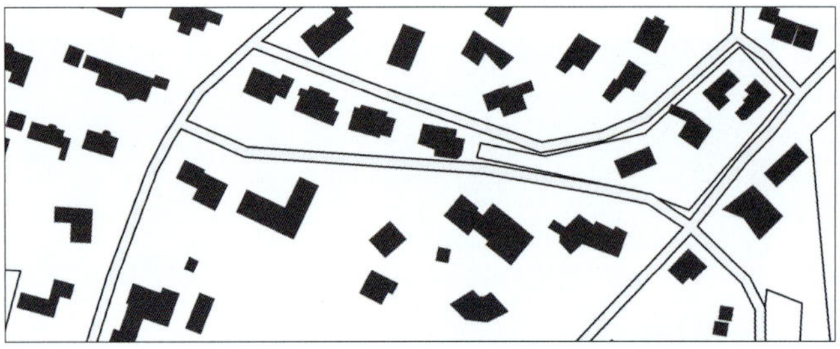

Abb. 3.20: Ausschnitt aus dem Schwarzplan einer dörflichen heterogenen, offenen Bebauung in Basel (Quelle: Basel – Schwarzplan & Stadtplan, 2024)

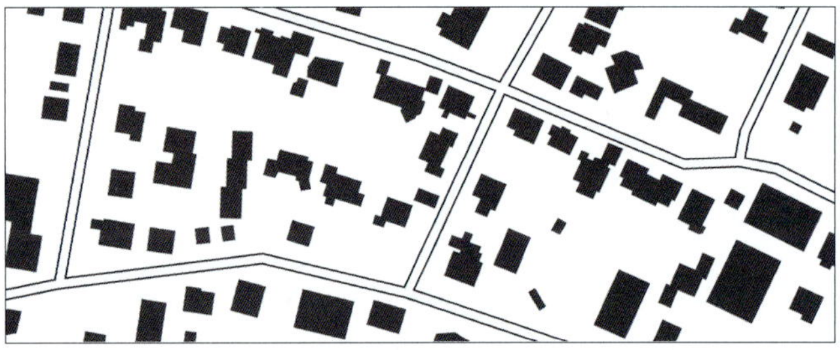

Abb. 3.21: Ausschnitt aus dem Schwarzplan einer dörflichen geschlossenen Bebauung (straßenbegleitend) in Basel (Quelle: Basel – Schwarzplan & Stadtplan, 2024)

Abb. 3.22: Dörfliche Bebauung

Abb. 3.23: Ausschnitt aus dem Schwarzplan einer historischen Altstadtbebauung in Basel, Bebauung freiraumbetont (Quelle: Basel – Schwarzplan & Stadtplan, 2024)

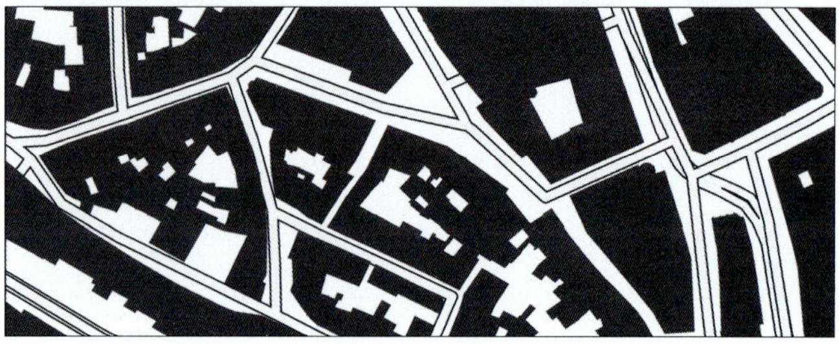

Abb. 3.24: Ausschnitt aus dem Schwarzplan einer historischen Altstadtbebauung in Basel mit dichter Bebauungsstruktur (Quelle: Basel – Schwarzplan & Stadtplan, 2024)

Abb. 3.25: Begrünung einer historischen Altstadtbebauung in Basel

ringe Versiegelungsgrad fördert die Versickerung von Regenwasser und trägt zu einem ausgeglichenen Mikroklima bei. Das A/V-Verhältnis ist bei dörflicher Bebauung aufgrund der freistehenden Gebäude ungünstiger als bei kompakteren Bauformen. Die große Außenfläche im Verhältnis zum Gebäudevolumen führt zu höheren Wärmeverlusten im Winter und erhöhten Energiebedarfen für Heizung und Kühlung.

In Bereichen mit hoher Bebauungsdichte und geneigten Dächern sollte die aktive Solarenergiegewinnung Vorrang haben. Dafür ungeeignete Dachflächen stehen für eine Begrünung zur Verfügung; in landwirtschaftlichen Betrieben fördert sie durch die natürliche Klimatisierung nachgewiesenermaßen das Tierwohl. Die Vielzahl an Begrünungsmöglichkeiten, sowohl an Fassaden als auch auf Dächern, bietet in dörflichen Bebauungen Lösungen zur Kühlung (durch Verschattungs- und Verdunstungsleistung der Pflanzen) und Wärmehaltung (mit immergrünen Pflanzen durch den Schutz vor Feuchte und Wind) sowie zusätzliche Optionen für eine naturnahe Gestaltung und die Förderung der Biodiversität.

Historische Altstadtbebauung

Die Bebauungsdichte in historischen Altstädten ist meist hoch, da die Gebäude in enger Anordnung errichtet wurden. Die überwiegend zwei- bis sechsgeschossigen Gebäude sind häufig in geschlossener Bauweise entlang enger Straßen und Gassen angeordnet (siehe Abb. 3.23 und 3.24). Die Fläche wird also effizient genutzt.

Nicht selten stehen die Gebäude, je nach örtlicher Bauweise aus Fachwerk oder in Massivbauweise, unter Denkmalschutz. Im Vergleich zu moderneren Stadtquartieren oder suburbanen Wohngebieten ist die Bebauungsdichte deutlich höher. Jedoch bleibt aufgrund der kleinteiligen und teilweise unregelmäßigen Struktur eine gewisse Durchlässigkeit im Stadtbild erhalten. Die dichte Bebauung, die engen Gassen und dje kleinen Plätze bieten in der Regel nur wenig Raum für Grünflächen oder unversiegelte Bereiche. Die Folgen sind eine starke Flächenversiegelung und eine hohe sommerliche Wärmebelastung.

Das Potenzial zur Gebäudebegrünung ist bei der historischen Altstadtbebauung in erster Linie durch die begrenzten Flächen und die bauliche Substanz (kleinteilige Lochfassaden) eingeschränkt, es gibt jedoch mögliche Lösungen. Größere zusammenhängende Fassadenbegrünungen an fensterlosen Rückseiten oder Giebelwänden sind eine Option. Punktuelle Begrünungen mit Kletterpflanzen, bodengebunden in Pflanzscheiben oder, besser, Pflanzstreifen, können ebenfalls zur Verbesserung des Mikroklimas und zur Reduzierung des Wärmeinseleffekts beitragen (siehe Abb. 3.25). Im besten Fall werden Gerüstkletterpflanzen, ausreichend hinterlüftet, eingesetzt, um die historische

Bausubstanz vor Einwuchs zu schützen. Auch die Innenhöfe bieten gelegentlich Potenzial zur Begrünung.

Die Dächer der historischen Altstadtbebauung sind häufig kleinteilig, geneigt und traditionell gedeckt. Deshalb sind extensive Dachbegrünungen nur bedingt realisierbar. In Einzelfällen können jedoch Dachgärten auf Flachdachbereichen, sanierten oder neu aufgestockten Gebäudeteilen integriert werden. Dort können sie zusätzlich zur Erholung und zur Verbesserung des Stadtklimas beitragen. Begrünungsmaßnahmen, insbesondere an Fassaden und in Höfen, leisten einen wertvollen Beitrag zur Förderung der Biodiversität und unterstreichen den besonderen Charakter der Altstadt.

Innenstadtbebauung

Im Vergleich zu Rand- oder Vorstadtgebieten ist die Bebauungsdichte innerstädtischer Bereiche am höchsten, entsprechend dem urbanen Charakter und der zentralen Lage. Die Gebäude sind in der Regel vier- bis achtgeschossig und in geschlossener Bauweise entlang breiter Straßen und Plätze angeordnet (siehe Abb. 3.26 und 3.27). Sie dienen vorrangig der Wohn- und Gewerbenutzung. Freiflächen und Grünzonen sind begrenzt und meist auf kleinere Parks oder öffentliche Plätze beschränkt.

Der Großteil der Flächen ist durch Gebäude, Straßen und Plätze geprägt, der Versiegelungsgrad ist sehr hoch. Dies führt zu einer erhöhten Wärmeentwicklung, insbesondere während der Sommermonate. Private Gärten oder größere Grünflächen sind selten. Jedoch können vereinzelt öffentliche Grünanlagen sowie Baumreihen an Straßen vorhanden sein. Fassadenbegrünungen sind möglich, aber aufgrund der dichten Bauweise und des hohen Fensteranteils eher begrenzt. Bodengebundene Begrünungen an Wuchsvorkonstruktionen sind nach einer Standortaufbereitung gegebenenfalls möglich. Andernfalls können Gerüstkletterpflanzen in Pflanzgefäßen wachsen oder wandgebundene Begrünungen zum Einsatz kommen – alles willkommene

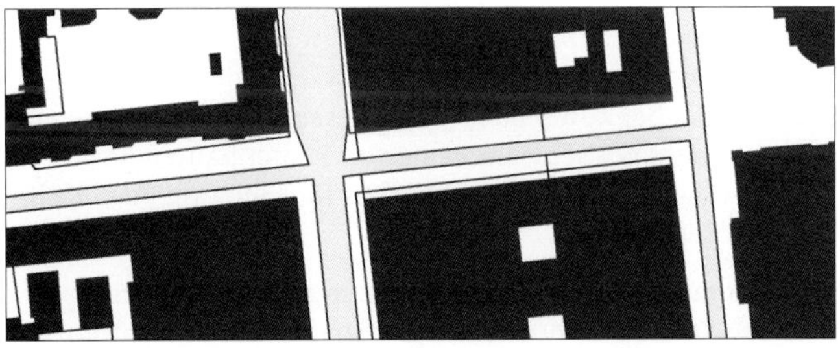

Abb. 3.26: Ausschnitt aus dem Schwarzplan einer Innenstadtbebauung in Berlin (Quelle: Berlin – Schwarzplan & Stadtplan, 2024)

Abb. 3.27: Glogauer Straße, Berlin: Innenstadtbebauung mit wandgebundener Fassadenbegrünung

Möglichkeiten, um das Mikroklima zu verbessern und die städtische Hitzeentwicklung zu mindern. Auch Flachdächer bieten Potenzial für extensive Dachbegrünungen oder nutzbare Dachgärten, die sowohl zur Verbesserung des städtischen Klimas als auch zur Schaffung von Erholungsräumen beitragen.

Innenstadtbebauungen bieten aufgrund ihrer großen Bebauungsdichte und des hohen Versiegelungsgrads sowie der Nutzungskonkurrenz nur begrenzte Möglichkeiten für traditionelle Grünflächen. Dach- und Fassadenbegrünungen leisten daher einen wertvollen Beitrag zur Aufenthaltsqualität, zur Klimaregulation und zur Förderung der urbanen Biodiversität.

3.2.3 Stadtraumtypen mit überwiegender Büro- und gewerblicher Nutzung

In Stadträumen mit überwiegender Büro- und gewerblicher Nutzung wird der urbane Raum durch Gebäudebegrünungen ökologisch aufgewertet. Gleichzeitig ergeben sich funktionale Vorteile für die Arbeitsumgebung. In dicht bebauten Gewerbegebieten, in denen herkömmliche Grünflächen oft fehlen, bieten begrünte Dächer und Fassaden eine Möglichkeit, das Mikroklima am Standort zu verbessern, Energie zu sparen und die Luftqualität zu steigern. Insbesondere in Bürogebäuden, in denen ein angenehmes Raumklima essenziell für die Produktivität der Mitarbeitenden ist, schafft die Begrünung eine natürliche Möglichkeit zur Temperaturregulierung. Darüber hinaus leisten begrünte Flächen einen wichtigen Beitrag zur Lärmminderung. Das erhöht in verkehrsreichen Gewerbegebieten den Arbeitskomfort und die Aufenthaltsqualität erheblich. Zusätzlich tragen Dach- und Fassadenbegrünungen in Gewerbegebieten zur Steigerung der Biodiversität bei, indem sie gerade mit der Aktivierung der oft großen Hüllflächen umfangreiche Lebensräume für Pflanzen und Tiere schaffen, die in diesen dicht besiedelten urbanen Räumen sonst wenig Platz finden. Auch aus ästhetischer Sicht sind in diesen Stadträumen Gebäudebegrünungen von Vorteil. Sie verbessern das Erscheinungsbild, schaffen attraktive Arbeitsumgebungen und stärken das nachhaltige Image von Unternehmen. Besonders in Zeiten, in denen Umweltbewusstsein und Corporate social Responsibility immer mehr an Bedeutung gewinnen, setzen begrünte Gebäude ein Zeichen für das Engagement eines Unternehmens in puncto Nachhaltigkeit.

Geschäfts-, Büro- und Verwaltungsbebauung

Die bauliche Dichte in Geschäfts-, Büro- und Verwaltungsgebieten ist in der Regel hoch. Die Gebäude sind meist mehrgeschossig und für eine intensive Flächennutzung ausgelegt, da sie eine Vielzahl von Arbeitsplätzen und unterschiedliche Nutzungen auf relativ kleiner Grundfläche bieten. Typisch sind Gebäudekomplexe mit fünf bis zehn Geschossen oder auch höhere Bürogebäude und Verwaltungstürme. Diese Bauweise ermöglicht eine effiziente Nutzung der Grundstücke.

Der Versiegelungsgrad ist ebenfalls sehr hoch, weil Geschäfts- und Bürogebäude große Flächen für Gebäudegrundrisse, Parkplätze, Tiefgaragen und Verkehrswege beanspruchen (siehe Abb. 3.28). Offene Bereiche sind häufig befestigt oder erschlossen, der Anteil natürlicher Böden ist

Abb. 3.28: Ausschnitt aus dem Schwarzplan einer Geschäfts-, Büro- und Verwaltungsbebauung in Berlin (Quelle: Berlin – Schwarzplan & Stadtplan, 2024)

Abb. 3.29: Dachbegrünung auf einem Umkehrdach von Büro- und gewerblichen Gebäudenutzungen in Wien

klein. Nur vereinzelt finden sich in diesen Gebieten Grünflächen, die in der Regel eher funktional und dekorativ gestaltet sind, wie kleine Parks oder begrünte Innenhöfe.

Das Potenzial zur Gebäudebegrünung ist in Geschäfts-, Büro- und Verwaltungsgebieten vorhanden, aber eingeschränkt. Fassadenbegrünungen bieten eine Möglichkeit, städtische Wärmeinseleffekte zu verringern. Gerade bei modernen Bürogebäuden mit großen Glasflächen kann eine Begrünung zur sommerlichen Verschattung beitragen und somit den Kühlbedarf reduzieren. Wandgebundene Begrünungen oder die Integration von Gerüstkletterpflanzen in Pflanzgefäßen, an geeigneten Fassaden auch bodengebunden (nach einer Standortaufbereitung), bewirken eine ästhetische und funktionale Verbesserung des Stadtbilds. Flachdächer, die bei Büro- und Verwaltungsgebäuden oft anzutreffen sind, bieten Potenzial für extensive Dachbegrünungen (siehe Abb. 3.29), aber auch für nutzbare Dachgärten. Diese können nicht nur zur Verringerung des Regenwasserabflusses beitragen, sondern von Mitarbeitenden auch als Ruhezonen genutzt werden. Dachpergolen mit semitransparenten PV-Paneelen machen Energiegewinnung, Beschattung, eine Verbesserung der Aufenthaltsqualität und intensive Bepflanzungen in einer Flächenüberlagerung möglich und führen zu einer hohen Flächeneffizienz.

Gewerbebebauung hallenförmig

Hallenbauten, wie sie für Produktionsstätten, Lagerhallen oder Logistikzentren typisch sind, erstrecken sich oft flächig über große Grundstücke (siehe Abb. 3.30 und 3.31). Durch diese großflächige Bauweise und aufgrund der in der Regel niedrigen Geschossigkeit bleibt die Nutzungsdichte im Vergleich zu Büro- oder Wohngebieten gering.

Die Gebäude sind in der Regel freistehend und benötigen viel Raum für Zufahrtswege, Parkplätze und Betriebshöfe. Die Folge ist eine lockere Bebauungsstruktur. Der Versiegelungsgrad in hallenförmigen Gewerbegebieten ist oft sehr hoch: Da die Hallenbauten selbst große Flächen beanspruchen und zusätzlich großzügige Zufahrts- und Rangierflächen sowie Parkplätze erforderlich sind, bleibt nur wenig Raum für unversiegelte Flächen oder Grünbereiche. Dies hat nicht selten negative Auswirkungen auf die Wasseraufnahmefähigkeit und das lokale Mikroklima. Da die Hallen eine ausgedehnte Grundfläche und eine niedrige Bauhöhe aufweisen, besitzen sie verhältnismäßig große Außenflächen im Verhältnis zum Volumen. Dies führt zu erhöhten Wärmeverlusten, insbesondere an den Dach- und Wandflächen. Die Energieeffizienz dieser Gebäude ist daher oft geringer als bei kompakten, mehrgeschossigen Bauformen. Insbesondere bei schlecht isolierten Hallenbauten kann dies zu einem hohen Energiebedarf für Heizung oder Kühlung führen.

Abb. 3.30: Ausschnitt aus dem Schwarzplan einer hallenförmigen Gewerbebebauung in Berlin (Quelle: Berlin – Schwarzplan & Stadtplan, 2024)

Abb. 3.31: Begrünungspotenzial einer hallenförmigen Gewerbebebauung

Das Potenzial zur Gebäudebegrünung bei hallenförmigen Gewerbebauten ist hoch. Die großen Dachlandschaften bieten viel Raum für extensive Dachbegrünungen (auch Solar- und Biodiversitätsdächer) und gegebenenfalls anteilige semintensive Begrünungen, die zur Verbesserung des Mikroklimas beitragen, indem sie Regenwasser zurückhalten, einen Verdunstungsbeitrag leisten und die Wärmeregulierung unterstützen. Sie senken somit den Energiebedarf für die Klimatisierung und den Instandhaltungsaufwand der Hallen. Dachbegrünungen schützen zudem die großflächigen Dachabdichtungen vor UV-Strahlung, Temperaturextremen und Witterungseinflüssen wie Hagel und erhöhen damit die Lebensdauer der Dachkonstruktionen. An den meist fensterlosen Fassaden könnten Fassadenbegrünungen (boden- und wandgebunden) zur Aufwertung des

Erscheinungsbilds und zur Verbesserung der ökologischen Qualität am Standort beitragen, so auch zur Verbesserung der Luftqualität.

Gewerbebebauung zeilenförmig

Die Gebäude, häufig Produktionsstätten, Werkstätten oder Verwaltungsgebäude, sind in parallelen Reihen angeordnet, die Fläche wird also effektiv genutzt (siehe Abb. 3.32).

Diese Anordnung ermöglicht eine gute Erschließung einzelner Gebäude. Gleichzeitig bleibt Raum für Verkehrswege, Parkplätze oder Ladezonen.

Im Vergleich zu hallenförmigen Gewerbegebieten ist die Bebauungsdichte in zeilenförmigen Gewerbebebauungen höher, da die Baukörper oft mehrere Geschosse aufweisen. Dadurch erhöht sich die nutzbare Fläche pro Grundstück. Der Versiegelungsgrad in zeilenförmigen Gewerbegebieten ist hoch, weil große Flächen für die Gebäude, Zufahrtswege und Parkplätze benötigt werden. Dennoch kann es infolge der zeilenförmigen Anordnung der Gebäude auch unversiegelte Zwischenbereiche geben, die als Grünstreifen oder Freiflächen genutzt werden. Da die Gebäude meist kompakter und mehrgeschossig sind, verringert sich die relative Außenfläche, wodurch Wärmeverluste im Vergleich zu eingeschossigen, weit ausgedehnten Bauten geringer ausfallen. Dies trägt zu einer besseren Energieeffizienz der Gebäude bei, insbesondere in Bezug auf Heiz- und Kühlanforderungen.

Das Potenzial zur Gebäudebegrünung ist bei zeilenförmigen Gewerbebebauungen groß (siehe Abb. 3.33). Solargründächer und Biodiversitätsdächer sind sinnvolle Lösungen, da sie die Energiegewinnung auf großer Fläche mit den ökologischen Vorteilen von Dachbegrünungen kombinieren. Wasserdächer können der natürlichen Prozesskühlung dienen und sparen Energie durch Vermeidung technischer Verbraucher. Durch die Aufbereitung von Betriebswasser (Chemie, Grauwasser) auf Dachflächen mit Repositionspflanzen kann Wasser mehrfach verwendet werden. Wasserdächer erweitern zudem die Flora und Fauna im Wasserbiotop und am Standort.

Wegen der kompakteren Bauweise und der unversiegelten Freiflächen zwischen den Gebäuden bieten sich auch Möglichkeiten für Fassadenbegrünungen mit bodengebundenen Gerüstkletterpflanzen. Wandgebundene Begrünungen sind ebenfalls möglich. Beide Lösungen stärken zugleich die Corporate Identity der Firma.

Die oft großen Flachdächer eignen sich für extensive Dachbegrünungen und Biodiversitätsdächer. Diese Begrünungsmaßnahmen können zudem die Aufenthaltsqualität für die Mitarbeitenden verbessern, zur Förderung der Biodiversität beitragen und die Attraktivität des Gewerbegebiets erhöhen. Abhängig von den Tragwerken ist auch eine Nachrüstung von Solargründächern möglich.

Abb. 3.32: Ausschnitt aus dem Schwarzplan einer zeilenförmigen Gewerbebebauung in Berlin (Quelle: Berlin – Schwarzplan & Stadtplan, 2024)

Abb. 3.33: Begrünter Zwischenraum einer zeilenförmigen Gewerbebebauung in Wien

3.2.4 Sonderbauten

Sonderbauten, wie Schulen, Krankenhäuser, Einkaufszentren, Sporthallen oder kulturelle Einrichtungen, zeichnen sich durch ihre besondere Nutzung und oft großflächige Bauweise aus. Darüber hinaus haben Sonderbauten auch eine starke symbolische Wirkung. Dach- und Fassadenbegrünungen an Sonderbauten bieten nicht nur ökologische, funktionale und ästhetische Vorteile, sondern sind auch öffentlichkeitswirksam. Sie signalisieren Engagement für Nachhaltigkeit und Umwelt. Das ist besonders bei öffentlichen Einrichtungen oder stark frequentierten Gebäuden wichtig. Begrünte Sonderbauten können so als Vorbilder für nachhaltiges Bauen dienen und zeigen, wie funktionale Anforderungen mit ökologischen und ästhetischen Zielen vereint werden können.

Handels- und Gewerbebauten

Die Bebauungsdichte in Gebieten mit Handels- und Gewerbebauten ist meist moderat bis hoch. Dieser Stadtraumtyp umfasst oft Einzelhandelszentren, Lager- und Vertriebsgebäude sowie kleinere Produktionsstätten. Diese Gebäude sind häufig ein- oder mehrgeschossig angelegt und für eine effiziente Flächennutzung konzipiert. Die Bebauungsdichte ist in diesen Gebieten höher als in rein industriellen Gewerbegebieten, da auf relativ kleiner Grundfläche eine Vielzahl von Betrieben untergebracht ist. Dabei werden oft größere Verkaufs- oder Lagerflächen benötigt. Deshalb wird eine breite, flächige Bauweise bevorzugt.

Der Versiegelungsgrad ist oft sehr hoch, weil große Flächen durch Gebäude, Parkplätze, Lieferzonen und Zufahrtswege überplant sind (siehe Abb. 3.34). Insbesondere Einzelhandelszentren und Supermärkte benötigen umfangreiche Parkmöglichkeiten für Kunden. Dies hat eine intensive Bodenversiegelung und eine entsprechende sommerliche Wärmebelastung zur Folge.

Das Potenzial zur Gebäudebegrünung an Handels- und Gewerbebauten ist groß, wird jedoch oft nur wenig genutzt. Flachdächer bieten sich ideal für Dachbegrünungen (auch Solargründächer) an, die zur Verbesserung des städtischen Mikroklimas, zur Reduktion des Wärmeinseleffekts und durch Wasserrückhalt bei Regenereignissen zur Entlastung der Kanalisation beitragen können (siehe Abb. 3.35). Zudem kann durch Fassadenbegrünungen, insbesondere bei

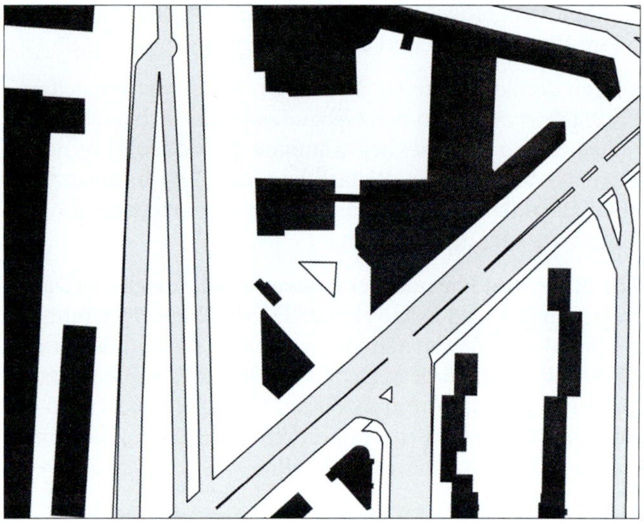

Abb. 3.34: Ausschnitt aus dem Schwarzplan eines Gebiets mit Handels- und Gewerbebauten in Berlin (Quelle: Berlin – Schwarzplan & Stadtplan, 2024)

Abb. 3.35: Darwinstraße, Berlin: Handels- und Gewerbebauten mit Dachlandschaft (erstellt durch Grüntuch Ernst Architekten)

eingeschossigen Bauten, das Mikroklima positiv beeinflusst und der Energieverbrauch durch natürliche Beschattung gesenkt werden. Begrünungsmaßnahmen tragen auch zur optischen Aufwertung und zur Steigerung der Aufenthaltsqualität im Gebiet bei.

Bildungs- und Forschungsbauten

Diese Gebäude bieten Schulen, Universitäten, Forschungseinrichtungen und Laborkomplexen Raum und sind häufig auf weitläufigen Campusgeländen oder in dafür ausgewiesenen Stadtteilen angesiedelt. Die Bebauungsdichte ist in der Regel niedriger als in reinen Wohn- oder Gewerbegebieten, da solche Bauten oft größere Freiflächen für Bewegungsräume, Grünanlagen, Sportplätze oder experimentelle Außenbereiche benötigen. Trotz der moderaten Dichte sind die Gebäude häufig mehrgeschossig, um den Nutzungsanforderungen von Unterricht, Forschung und Verwaltung gerecht zu werden.

Der Versiegelungsgrad in diesen Gebieten ist moderat bis hoch. Ein Großteil der Fläche ist durch Gebäude, Zufahrtsstraßen, Parkplätze und Erschließungswege versiegelt (siehe Abb. 3.36). Der Versiegelungsgrad hängt dabei stark von der Art der Institution und den verfügbaren Freiflächen ab.

Das Potenzial zur Gebäudebegrünung ist groß. Viele der Einrichtungen verfügen über Flachdächer, die sich ideal für Dachbegrünungen und Biodiversitätsdächer oder als Solargründächer eignen. Diese Gründächer können zusätzlich als wertvolle Aufenthaltsflächen für Forschung und Erholung genutzt werden. Auch Fassadenbegrünungen sind möglich, insbesondere bei großen Gebäudekomplexen (siehe Abb. 3.37).

Abb. 3.36: Ausschnitt aus dem Schwarzplan eines Gebiets mit Bildungs- und Forschungsbauten in Berlin (Quelle: Berlin – Schwarzplan & Stadtplan, 2024)

Abb. 3.37: Bildungsbau Primeo Energie Kosmos – Open House, Basel

Fassadenbegrünung hat nicht nur zahlreiche ökologische Vorteile, sondern wertet den Standort auch ästhetisch auf und dient als Beispiel für nachhaltiges Bauen. Bildungs- und Forschungseinrichtungen haben zudem oft den Anspruch, innovative und umweltfreundliche Technologien zu integrieren. Dadurch können Begrünungsmaßnahmen eine zusätzliche symbolische und wissenschaftliche Bedeutung erhalten.

Kultur- und Religionsbauten

Diese Gebäude umfassen Theater, Museen, Bibliotheken, Kirchen, Moscheen und Tempel. Sie nehmen oft größere Grundstücke ein, die nicht nur für die Gebäude selbst, sondern auch für repräsentative Außenbereiche, wie Vorplätze, Gärten oder Höfe, genutzt werden (siehe Abb. 3.38 und 3.39). Diese Flächen sind die Ursache für eine niedrigere Bebauungsdichte als in Wohn- oder Gewerbegebieten. In städtischen Bereichen können Kultur- und Religionsbauten jedoch in dichterer Nachbarschaft zu anderen Gebäudetypen stehen, insbesondere in historischen Stadtzentren. Der Versiegelungsgrad ist stark abhängig von der Nutzung der Freiflächen. Bei vielen Kultur- und Religionsbauten sind große Vorplätze, Parkflächen oder Zufahrtswege versiegelt, insbesondere bei häufig besuchten Einrichtungen wie Museen oder großen Gotteshäusern. Gleichzeitig gibt es oft unversiegelte Bereiche, wie Gärten, Parkanlagen oder Innenhöfe, die den Versiegelungsgrad senken und das städtische Mikroklima sowie die Biodiversität verbessern.

Kultur- und Religionsbauten können begrünt werden. Dies ist jedoch abhängig von der Architektur und den ästhetischen Anforderungen und muss im Einzelfall geprüft werden. Traditionelle Bauten wie Kirchen oder historische Museen legen oft Wert auf den Erhalt der ursprünglichen Fassade, was Begrünungsmaßnahmen einschränken kann.

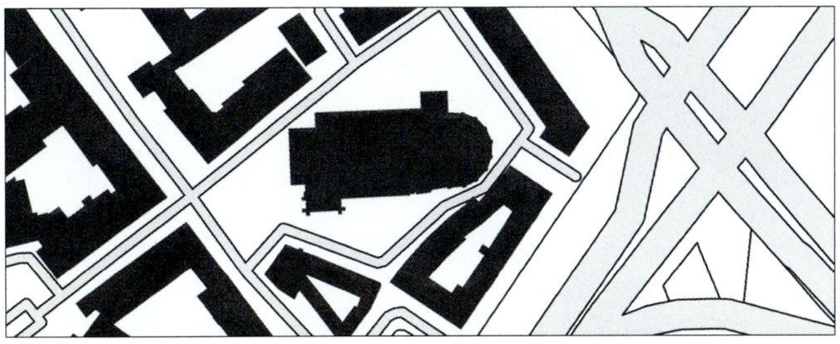

Abb. 3.38: Ausschnitt aus dem Schwarzplan eines Gebiets mit Kultur- und Religionsbauten in Berlin (Quelle: Berlin – Schwarzplan & Stadtplan, 2024)

Abb. 3.39: Kulturbau Glyptothek, München

Bei modernen Kultur- und Religionsgebäuden besteht jedoch häufig die Möglichkeit, Fassaden- und Dachbegrünungen zu integrieren, sofern kein Urheberrechtsschutz (mehr) besteht. Flachdächer bieten sich für extensive, gegebenenfalls auch intensive Dachbegrünungen an, die zudem als Erholungsflächen genutzt werden können. Fassadenbegrünungen können den städtischen Wärmeinseleffekt reduzieren, die Aufenthaltsqualität verbessern und gleichzeitig das Stadtbild aufwerten.

Betreuungs-, Pflege- und Vollzugsbauten

Zu dieser Gruppe gehören Pflegeheime, Krankenhäuser, Justizvollzugsanstalten und andere Betreuungseinrichtungen. Sie sind oft großflächig angelegt, um viele Personen in unterschiedlichen Funktionsbereichen unterzubringen. In Pflege- und Gesundheitseinrichtungen ist die Bebauungsdichte häufig höher, da mehrgeschossige Gebäude erforderlich sind, um eine Vielzahl von Patientenzimmern, Pflegebereichen und Verwaltungsräumen zu integrieren. In Vollzugsbauten, wie Gefängnissen, ist die Bebauungsdichte ebenfalls hoch. Dabei beeinflussen spezielle architektonische Anforderungen, wie Sicherheitszonen und Hofbereiche, die Flächennutzung. Der Versiegelungsgrad ist in solchen Gebieten oft hoch – große Flächen sind Gebäuden, Zufahrtswegen, Parkplätzen und technischen Anlagen vorbehalten. Insbesondere Krankenhäuser und Justizvollzugsanstalten benötigen eine umfassende Infrastruktur, wie Parkplätze für die Belegschaft und Besuchende sowie Transportwege für Notfall- und Versorgungsdienste. Dennoch sind Grünflächen in Pflege- und Betreuungsbauten willkommen, da sie den Bewohnern oder Patienten zur Erholung dienen (siehe Abb. 3.40 und 3.41).

Wie alle Gebäude können auch Betreuungs-, Pflege- und Vollzugsbauten begrünt werden. Der Umfang ist jedoch von der Nutzung und den Sicherheitsanforderungen abhängig. In Pflege- und Gesundheitseinrichtungen bieten Flachdächer oft Potenzial für Dachbegrünungen bzw. Dachgärten, die sowohl die Energieeffizienz und die

Abb. 3.40: Ausschnitt aus dem Schwarzplan eines Gebiets mit Betreuungs-, Pflege- und/oder Vollzugsbauten in Berlin (Quelle: Berlin – Schwarzplan & Stadtplan, 2024)

Abb. 3.41: Hotel Wilmina, ehemaliges Gerichtsgebäude und Frauengefängnis in Berlin, transformiert von Grüntuch Ernst Architekten

Stadtökologie verbessern als auch zur Entspannung der Bewohner oder Patienten beitragen. Begrünte Dachflächen könnten auch als therapeutische Gärten oder zur Erholung/Regeneration genutzt werden.

Fassadenbegrünungen sind ebenfalls möglich und sinnvoll, insbesondere bei Pflege- und Betreuungsgebäuden, wo sie das Mikroklima verbessern und auch eine beruhigende Wirkung auf die Bewohner haben.

In Vollzugsbauten sind Begrünungsmaßnahmen oft eingeschränkt, da Sicherheitsanforderungen im Vordergrund stehen. Dennoch bieten Innenhöfe und begrenzte Außenflächen viel mögliche Fläche für kontrollierte Begrünungen, die zu einem erholsamen und beruhigenden Umfeld für Insassen und Personal beitragen.

Verkehrsbauten

Bahnhöfe, Flughäfen, Busbahnhöfe, Parkhäuser, Brücken und Straßeninfrastrukturen sind in dieser Kategorie zu finden. Diese Gebäude sind oft weitläufig angelegt, um die hohen Anforderungen an Personen- und Güterströme zu erfüllen. Die Gebäude stehen meist frei, um ausreichend Raum für Verkehrsanbindungen und -ströme zu gewährleisten.

Der Versiegelungsgrad in Gebieten mit Verkehrsbauten ist in der Regel sehr hoch. Straßen, Parkplätze, Zufahrten und Abstellflächen für Fahrzeuge führen zu einer nahezu vollständigen Bodenversiegelung (siehe Abb. 3.42 und 3.43). Flughäfen und Bahnhöfe benötigen zudem große Flächen für Rollfelder, Bahngleise und Parkplätze, was den Versiegelungsgrad weiter erhöht. Unversiegelte Flächen sind oft auf wenige dekorative Grünbereiche oder Funktionsbereiche zur Wasserableitung und Entwässerung beschränkt. Die Folgen sind ein eingeschränktes Wasseraufnahmevermögen und ein erhöhter Wärmeinseleffekt.

Das Potenzial zur Gebäudebegrünung von Verkehrsbauten ist abhängig von der Bauweise; selten ist eine Begrünung

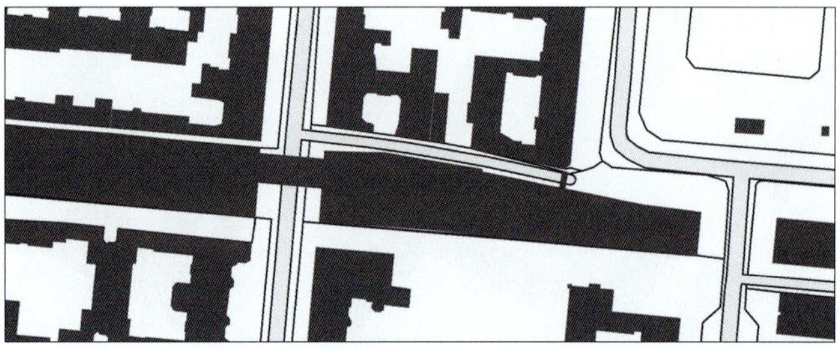

Abb. 3.42: Ausschnitt aus dem Schwarzplan eines Gebiets mit Verkehrsbauten in Berlin (Quelle: Berlin – Schwarzplan & Stadtplan, 2024)

Abb. 3.43: Verkehrsbau Bahnhof Wien West

Abb. 3.44: Ausschnitt aus dem Schwarzplan eines Gebiets mit Sportstätten in Berlin (Quelle: Berlin – Schwarzplan & Stadtplan, 2024)

Abb. 3.45: Drei-Feld-Sporthalle Markt Großostheim inklusive Nahwärmeverbund zur Versorgung des Freibads und umliegender Gebäude

ausgeschlossen. Flachdächer von Verkehrsbauten wie Bahnhöfen, Parkhäusern oder Bushaltestellen bieten Potenzial für Dachbegrünungen unterschiedlichster Arten (vom Extensivgründach bis hin zu nutzbaren Dachgärten sowie deren Kombination mit Anlagen zur Solarenergiegewinnung).

Bei diesen Bauten kann zudem die Fassadenbegrünung eine Möglichkeit darstellen, die Stadtökologie zu verbessern und gleichzeitig den visuellen Eindruck der meist funktionalen Bauten zu optimieren. Flughäfen und große Bahnhöfe verfügen oft über weitläufige Flächen, die durch gezielte Begrünungsmaßnahmen die Luft- und Aufenthaltsqualität sowie das Klima positiv beeinflussen können.

Sportstätten

Sportstätten umfassen Hallen- und Freiluftsportanlagen, wie Stadien, Sporthallen, Schwimmbäder, Tennisplätze oder Sportplätze. Diese Einrichtungen nehmen viel Raum ein und benötigen große Freiflächen für Spielfelder, Tribünen und Zuschauerbereiche.

Der Versiegelungsgrad bei Sportstätten ist stark variabel und hängt von der Art der Sporteinrichtung ab. Bei Freiluftanlagen wie Fußballplätzen, Leichtathletikstadien oder Tennisplätzen ist der Versiegelungsgrad relativ niedrig, da die Spielflächen oft unversiegelt bleiben.

Die umgebenden Bereiche, wie Zuschauerplätze, Zufahrtswege und Parkplätze, sind jedoch meist stark versiegelt. Bei Hallen- und Indoor-Sportanlagen, wie Schwimmhallen oder Fitnesscentern, ist der Versiegelungsgrad deutlich höher, da die Gebäude große Flächen beanspruchen und zusätzliche Infrastruktur, wie Parkplätze und Zufahrten, benötigen (siehe Abb. 3.44 und 3.45). Es bleiben nur wenige Grünflächen, meist zur dekorativen Gestaltung.

Gebäudebegrünungen sind bei solchen Bauten sinnvoll, insbesondere aufgrund der ausgedehnten Dach- und Fassadenflächen von Hallensportanlagen oder Stadien. Flachdächer oder leicht geneigte Dächer von Sporthallen und Stadien eignen sich gut für Dachbegrünungen, die zur Reduzierung des Wärmeinseleffekts und zur Verbesserung des Regenwassermanagements beitragen. Fassadenbegrünungen (boden- oder wandgebunden) an großen Gebäuden, wie Schwimm- oder Sporthallen, bieten eine Möglichkeit, das Mikroklima zu verbessern und die Energieeffizienz zu erhöhen.

Begrünte Fassaden könnten gleichzeitig das Erscheinungsbild der oft funktional gestalteten Sportanlagen aufwerten. Der Bildungsaspekt ist dabei ebenfalls zu berücksichtigen.

Sonstiges

Die Kategorie Sonstiges umfasst eine Vielzahl an Bauformen, die sich nicht eindeutig einem spezifischen Nutzungszweck, wie Wohnen, Gewerbe oder Verkehr, zuordnen lassen. Dazu gehören Sonderbauten wie Funktionsgebäude, technische Anlagen, Infrastruktur-Stützpunkte oder Spezialbauten für Logistik, Versorgung und öffentliche Dienste (siehe Abb. 3.46). Aufgrund der Heterogenität dieser Bauten variieren die Eigenschaften hinsichtlich Bebauungsdichte, Versiegelungsgrad und Begrünungspotenzial stark.

Funktionsgebäude, die weiträumige Außenanlagen, wie Parkplätze, Lager- oder Betriebshöfe, benötigen, sind meist von großen versiegelten Flächen umgeben. Technische Infrastrukturbauten wie Klärwerke oder Kraftwerksanlagen weisen oft einen hohen Versiegelungsgrad auf, da sie für spezielle betriebliche Anforderungen befestigte Flächen brauchen.

Das Potenzial zur Gebäudebegrünung ist bei den Bauformen in der Kategorie Sonstiges je nach Art des Gebäudes unterschiedlich. Insbesondere großflächige, eingeschossige Gebäude, wie Lagerhallen oder technische Anlagen, bieten Potenzial für Dachbegrünungen. Fassadenbegrünungen eignen sich besonders bei Gebäuden, die große, zusammenhängende Fassadenflächen aufweisen (siehe Abb. 3.46). Begrünungsmaßnahmen tragen nicht nur zur Reduktion des Wärmeinseleffekts bei, sondern verbessern auch die

Abb. 3.46: Mur végétal da la Gare du Nord, Paris: wandgebundene Fassadenbegrünung eines Lüftungsschachts

visuelle Integration solcher Funktionsbauten in das Stadt- oder Landschaftsbild. Auch bei Anlagen im ländlichen Bereich können diese Maßnahmen zu einer besseren Umweltanpassung und zur Förderung der Biodiversität beitragen.

Abschließend lässt sich festhalten, dass die unterschiedlichen Stadtraumtypen in ihrer Bebauungsdichte, dem Versiegelungsgrad und dem Potenzial zur Gebäudebegrünung im Bestand stark variieren. Unabhängig vom Typ des Stadtraums bleibt die Begrünung von Dächern und Fassaden eine zentrale Maßnahme zur Erhöhung der Energieeffizienz und zur Anpassung an klimatische Herausforderungen, während die Balance zwischen Bebauung und naturnahen Flächen die nachhaltige Entwicklung urbaner Räume fördert.

3.3 Steuerung durch Förderungen und örtliche Bauvorschriften

Die direkte finanzielle Förderung von Gebäudebegrünungen ist stets Teil eines umfassenden Pakets bestehender Instrumente, die Begrünungsmaßnahmen im städtischen Raum unterstützen können. Förderungen setzen sowohl auf planerische Festsetzungen als auch auf finanzielle Anreize. Kommunen können Gebäudebegrünungen beispielsweise durch ihr Satzungsrecht vorschreiben. Bebauungspläne haben sich seit Langem als wirksames Mittel erwiesen, um Dach- und Fassadenbegrünungen im urbanen Raum zu fördern und den Versiegelungsgrad zu verringern. Gemäß § 9 Abs. 1 Nr. 25 BauGB können Gebäudebegrünungen im Einzelfall oder nach § 31 Abs. 2 BauGB als Ausgleichsmaßnahme festgesetzt werden. Besteht innerhalb eines Bebauungsplangebiets eine Festsetzung zur Begrünung, ist der Bauherr verpflichtet, diese umzusetzen (Dettmar et al., 2016). Begleitende Unterlagen mit Begründungen sind zur Erläuterung der rechtlichen, baulichen und vegetationstechnischen Voraussetzungen sinnvoll (Dachbegrünung – Leitfaden zur Planung, 2018).

Während in früheren Förderprogrammen zur Dach- und Fassadenbegrünung hauptsächlich ökologische und gestalterische Ziele im Vordergrund standen, sind diese Ziele heute eng mit der Notwendigkeit verknüpft, dem Klimawandel auch auf lokaler Ebene entgegenzuwirken. Besonders dicht besiedelte urbane Gebiete müssen aufgrund ihrer besonderen Anfälligkeit bezüglich der Folgen des Klimawandels angepasst werden. Angesichts zunehmender stadtklimatischer Herausforderungen, wie „heißer Tage" (≥ 30 °C), „tropischer Nächte" (≥ 20 °C) und Starkregenereignisse, erhalten das Stadtgrün und die Flächenentsiegelung eine zentrale Bedeutung (Dettmar et al., 2016).

Neben öffentlichen Flächen und Gebäuden rücken zunehmend auch private Immobilien und Grundstücke in den Mittelpunkt des Interesses für die Gebäudebegrünung. Städte setzen daher auf Förderprogramme, um private Gebäudebesitzer zur Begrünung von Dächern, Fassaden und Höfen zu motivieren. Diese Programme kombinieren häufig die Förderung von Dach- und Fassadenbegrünungen oder zielen allgemein auf eine Stärkung des Stadtgrüns ab. Im Vordergrund stehen finanzielle Anreize, die durch Beratungsangebote und Wettbewerbe ergänzt werden (Dettmar et al., 2016).

In den dicht bebauten und stark versiegelten Innenstadtbereichen sind stadtklimatische Probleme besonders ausgeprägt, während der Platz für neue Grünflächen begrenzt ist. Dies ist einer der Gründe, warum Dach- und Fassadenbegrünungen zunehmend in den Fokus städtischer Förderprogramme und Initiativen rücken. Grundsätzlich sollten in stark verdichteten Quartieren entsprechend den örtlichen Gegebenheiten und Flächeneignungen jedoch alle verfügbaren Begrünungsoptionen ausgeschöpft werden – sei es die Begrünung von Dächern, Fassaden und Höfen oder die Entwicklung versiegelter Bestandsflächen hin zu baumbestandenen Plätzen oder Parkanlagen. Der räumliche Schwerpunkt (flächendeckend oder lokal bedarfsorientiert) und die Form der Unterstützung (z. B. finanzielle Förderung, Beratung oder Wettbewerbe) spielen eine wichtige Rolle dabei, effiziente Maßnahmen zu entwickeln (Dettmar et al., 2016).

3.3.1 Urbane Begrünungsprogramme

Grundsätzlich folgen urbane Begrünungsprogramme zwei unterschiedlichen Ansätzen:

Es gibt punktuelle Programme mit gezieltem thematischem Schwerpunkt und eine flächige Herangehensweise ohne thematischen Schwerpunkt (siehe Tabelle 3.1). Empfehlungen gehen in Richtung der punktuellen Programme mit stadtklimatischem Schwerpunkt. Die Konzentration dieser Programme auf eine punktuelle Strategie macht es möglich, gezielt Stadtquartiere mit besonderen Bedarfen herauszufiltern, in denen

- eine nachgewiesene stadtklimatische Problematik, gegebenenfalls auch eine erhöhte Vulnerabilität (Potenzial/Notwendigkeit zur Anpassung an die Klimawandelfolgen) besteht,
- ein hoher Sanierungsbedarf besteht (Potenzial/Notwendigkeit zur Reduktion der Folgen des Klimawandels) und/oder
- eine erhöhte Luftbelastung mit Schadstoffen vorherrscht sowie auch gegebenenfalls Probleme mit Lärm bestehen (Potenzial/Notwendigkeit zur Verbesserung der ökologischen Funktionen und der Aufenthaltsqualität).

Tabelle 3.1: Vor- und Nachteile der flächigen und der punktuellen Förderung von Begrünungsmaßnahmen

Förderungsansätze	Beschreibung	Vorteile	Nachteile
flächige Förderung	Die flächige Förderung setzt keine räumlichen oder stadtklimatischen Schwerpunkte. In allen Kommunen und in allen Stadtgebieten können Begrünungsmaßnahmen gefördert werden. Der Fokus liegt auf dem Interesse der Gebäudebesitzer und einer breiten Umsetzung.	• Die Förderung wird vor allem von engagierten Eigentümern in Anspruch genommen. Daher bestehen gute Umsetzungschancen.	• Es werden keine räumlichen Schwerpunkte auf stadtklimatisch besonders belastete Gebiete gelegt (fehlende Zielstellung). • Die Förderung kann auch in stark durchgrünten, kaum belasteten Gebieten in Anspruch genommen werden (fehlende Maßnahmeneffizienz).
punktuelle Förderung	Bei der punktuellen Förderung können gezielt räumliche Schwerpunkte gesetzt werden. Es können einzelne Städte und Stadtquartiere mit besonderem stadtklimatischem Handlungsbedarf definiert werden. Der Fokus liegt auf dem lokalen Bedarf und der räumlichen Effizienz der Maßnahme.	• Die Umsetzung kann gezielt in stadtklimatischen Problemvierteln gefördert werden. Das bewirkt eine hohe Effizienz der Maßnahme. • Bei der Förderung können Quartiere mit laufenden Sanierungs- oder Entwicklungskonzepten miteinbezogen werden (bei entsprechender stadtklimatischer Problematik). Dadurch können bei der Umsetzung Synergieeffekte erzielt werden.	• Gebäudeeigentümer müssen erst aktiviert werden. Der stadtklimatische Handlungsbedarf korreliert nicht notwendigerweise mit den Interessen oder dem Umsetzungswillen der Gebäudebesitzer. • Gerade in innerstädtischen Gebieten mit hohem Anteil an Miets- und Geschäftshäusern kann eine Umsetzung durch fehlende Motivation der Gebäudeeigentümer erschwert werden.

Diese Problemlagen treten häufig in innerstädtischen Gebieten mit großen Durchgangsstraßen auf. Aufgrund ihrer zentralen Lage haben diese Straßen oft eine hohe Einwohnerdichte und eine mangelnde Aufenthaltsqualität. Aufgrund des Baualters stehen häufig Sanierungen an. Die Versiegelung trägt in diesen Gebieten besonders stark zum urbanen Hitzeinseleffekt bei. Flächendeckende Programmansätze sprechen solche Gebiete mit ihren diversen komplexen Problemstellungen nicht gezielt an bzw. fördern gegebenenfalls nur die weitere Begrünung bereits gut begrünter Quartiere. Hingegen ermöglicht ein punktueller Programmansatz die gezielte Förderung genau dieser besonders betroffenen Stadtviertel (Dettmar et al., 2016).

3.3.2 Förderung quartiersorientierter Unterstützungsansätze

Unterstützungsprogramme setzen unterschiedliche Schwerpunkte bei der finanziellen Förderung. Die Handlungsschwerpunkte liegen dabei auf der Planung, der Investition oder der Standortaufbereitung. Die Vor- und Nachteile der verschiedenen Förderschwerpunkte werden im Folgenden näher beschrieben.

In kommunalen Begrünungsprogrammen gibt es neben den formalen Ansprechpersonen für die Antragstellung und die finanzielle Förderung auch Ansprechpersonen für fachliche Beratung. Diese Beratung kann direkt von den Grünflächenämtern, von durch die Stadt geförderten Begrünungsbüros (z. B. Green City) oder von einem beauftragten Fachplaner geleistet werden. Wesentlich ist, dass fachliche Beratungen im Finanzvolumen eines Unterstützungsprogramms berücksichtigt werden, um die notwendige Akzeptanz für Gebäudebegrünungen zu schaffen und durch die Aufklärung eventuelle Bauschäden zu vermeiden (Dettmar et al., 2016).

Handlungsschwerpunkt Planung

Bei dieser Variante wird zunächst die Planung eines Gesamtkonzepts oder eines Quartierskonzepts zur Gebäudebegrünung im ausgewählten Stadtquartier gefördert. Die Kommune tritt als Antragsteller und Fördermittelempfänger auf und erstellt das Konzept selbst oder beauftragt ein Planungsbüro damit. Das Quartierskonzept identifiziert die Flächenpotenziale und definiert mögliche Realisierungswege, einschließlich geeigneter Begrünungstechniken für verschiedene Gebäudetypen, gegebenenfalls notwendiger Tiefbauarbeiten sowie gestalterischer Chancen zur Aufwertung des Quartiers. Dieses Verfahren ist für alle Beteiligten vergleichsweise einfach, es gewährleistet jedoch nicht automatisch die Umsetzung der Maßnahmen durch die Gebäudeeigentümer. Daher sollte eine gewisse Umsetzungsbindung verankert werden. Darauf aufbauend kann auch die Planung bis hin zur Ausführung einer Gebäudebegrünung (einschließlich aller Abstimmungen und Genehmigungen) gefördert werden.

Handlungsschwerpunkt Investition

Bei dieser Fördervariante wird die Investition der Gebäudeeigentümer in Material und Umsetzung gefördert. Die Prüfung der Anträge und die Bewilligung der Mittel erfolgen durch die Kommune. In der kommunalen Förderrichtlinie muss klar definiert werden, welche Investitionen in welcher Höhe förderfähig sind bzw. von der Förderung ausgeschlossen werden. Üblicherweise werden Kosten für Pflanzmaterial, Befestigungsmaterial und die Ausführung durch einen geeigneten Fachbetrieb gefördert. Auch Eigenleistungen der Gebäudebesitzer können anteilig unterstützt werden. Die bewilligten Mittel können entweder als Prozentsatz der Kosten für die Ausführung durch einen Fachbetrieb, als Betrag pro Quadratmeter begrünte Dach- oder Wand-/Fassadenfläche oder als Pauschalbetrag festgesetzt werden (Dettmar et al., 2016).

Handlungsschwerpunkt Standortaufbereitung

Es werden Vorbereitungen potenzieller Pflanzstandorte durch Maßnahmen wie Entsiegelung, Umlegung oder Schutz von Versorgungsleitungen sowie die Beseitigung möglicher Altlasten gefördert. Dies kann sowohl private als auch öffentliche Flächen in der Nähe der Gebäude betreffen. Eingriffe auf öffentlichen Flächen erfordern weitergehende Genehmigungen und Kooperationen mit der Kommune. Die Prüfung der entsprechenden Anträge und die Vergabe der Mittel erfolgen nach den bereits beschriebenen Verfahren. Diese Förderform eignet sich besonders für dicht bebaute und stark versiegelte Innenstadtquartiere, in denen die stadtklimatischen Probleme am deutlichsten spürbar sind. In solchen Gebieten können der hohe Versiegelungsgrad, ungünstig verlaufende Versorgungsleitungen oder bestehende Altlasten und die damit verbundenen Beseitigungskosten erhebliche Hindernisse für die Umsetzung von Begrünungsmaßnahmen darstellen. Durch die Förderung z. B. von Standortaufbereitungen für Fassadenbegrünungen wird die spätere Umsetzung der Begrünungsmaßnahmen erst ermöglicht, da die Kosten für die Aufbereitung oft die der eigentlichen Fassadenbegrünung übersteigen. Aufgrund der Komplexität der innerstädtischen Lagen erfordert dies jedoch einen hohen Koordinations- und Organisationsaufwand für alle Beteiligten, einschließlich der Koordinierung verschiedener Behörden sowie der Einholung von Genehmigungen unterschiedlicher Ämter. Eine enge Zusammenarbeit zwischen Gebäudeeigentümern und der Kommune gewährleistet den fachlich erfolgreichen Abschluss der Maßnahme (Dettmar et al., 2016).

3.3.3 Hemmnisse und Hürden auf dem Weg zu Gebäudebegrünung

Obwohl die zahlreichen Vorteile und Potenziale der Fassaden- und Dachbegrünungen erwiesen sind, stoßen diese in der Praxis bei Bauherren und Investoren zum Teil auf Ablehnung. Die Vorbehalte sind meist auf Planungsfehler sowie auf mangelhafte Ausführung und Pflege zurückzuführen. In anderen Fällen basieren sie auf fehlendem (Fach-) Wissen oder Vorurteilen. Für eine gelungene Förderung von Gebäudebegrünungen müssen solche hindernden Bedenken bekannt sein, um darauf angemessen reagieren zu können, z. B. mit fachkompetenten Beratungen und Planungen.

Kosten bei der Herstellung

Gebäudebegrünungen werden, vor allem im Bestand, oft nur als additives Gestaltungselement betrachtet. Neben systemtypischen Baukosten wirken sich individuelle Einflüsse auf die Gesamtkosten aus: Die bau- und wartungstechnische Erreichbarkeit der begrünten Flächen, die Pflanzenauswahl, die Pflanzungsdichte und der erforderliche Aufwand für die Wasser- und Nährstoffversorgungsanlage sowie laufende Ausgaben für die Erhaltung sind variable Kostenfaktoren. Eine vergleichende Betrachtung der Wirtschaftlichkeitsaspekte (Investition und Instandhaltung) integrativer Entwurfsansätze bei einer Gebäudeerneuerung (z. B. im Zusammenhang mit energetischen Sanierungen) zeigt auf, dass im Gegenzug aber auch bestimmte Einsparungen möglich sind (vgl. Pfoser, 2016). Dies betrifft signifikant den Herstellungsaufwand von Fassadensichtoberflächen an den von Begrünung bedeckten Fassadenbereichen oder die Sanierung einer zuvor bekiesten Dachfläche. Diese Maßnahmen können zu einer vollständigen Kompensation der Begrünungskosten führen, rechnet man die Baukosten von eingesparten Materialkosten gegen.

Besondere Kostenvorteile lassen sich im Bereich preisgünstiger bodengebundener Fassaden- und extensiver Dachbegrünungstechniken erzielen. Auch bei wand- und fassadengebundenen Bauweisen und Mischformen zeigt sich der Spareffekt: Durch Sichtfassadensubstitution können wirtschaftliche Lösungen realisiert werden. Durch Dach- und Fassadenbegrünungen, insbesondere bei vollflächiger Ausbildung, werden die Außenflächen langfristig wirksam gegen Niederschläge, Schmutz und UV-Schädigung geschützt. Zu einer erhöhten Lebensdauer tragen auch deutlich niedrigere Temperaturdifferenzen an den Gebäudeoberflächen bei (Gebäude Begrünung Energie, 2014).

Kosten und Aufwand für Pflege und Wartung

Bedenken wegen vermeintlich hoher Kosten und aufgrund von Verlustrisiken infolge von Fehlplanung oder ausbleibender Wartung (verlorene Investitionen) werden bisher nicht fachgerecht ausgeräumt (Gebäude Begrünung Energie, 2014). Sowiesokosten im Unterhalt des Gebäudes sind gegenzurechnen, Lebenszykluskosten einzubeziehen. Bei beispielsweise erhöhten Wartungskosten von großflächigen bzw. hoch am Gebäude montierten Begrünungen ist von realen Einspareffekten bei einer z. B. halbjährlichen Bündelung der Begrünungs- und Fassadenwartung bzw. Glasreinigung auszugehen (siehe Abb. 3.47).

Gleiches gilt für die nötige Erreichbarkeit der Flächen mit Leitern oder Befahrsystemen (Oettelé, 2011; Gebäude Begrünung Energie, 2014). Die Einsparpotenziale einer möglichen Substitution von Sonnenschutzfolien und technischen Verschattungssystemen sowie die Einsparung durch Begrünung hinsichtlich Heiz-/Kühlenergie und Wartung technischer Verschattungssysteme sind ebenfalls zu berücksichtigen. Beachtenswert sind zusätzlich mögliche einspar-

Abb. 3.47: Begrüntes Hochhaus in Taipei: Bündelung der Pflege der Begrünung mit der Fassadeninstandhaltung

bare Investitionen für Raumklimageräte und deren Betriebskosten, anfallende Renovierungskosten (abhängig von Materialart, Farbe, Oberfläche und der örtlichen Schmutzbelastung) sowie notwendige Sanierungen aufgrund von Schäden an den Gebäudeoberflächen infolge eines direkten Witterungsangriffs (Sturm, Hagel). Zusammenfassend ist davon auszugehen, dass Pflege- und Wartungskosten extensiver Dachbegrünungen, bodengebundener Fassadenbegrünungen, einfacher wandgebundener Fassadenbegrünungen und von Mischformen durch die geschilderten Einsparungen kompensiert werden (Pfoser, 2016).

Wettstreit zwischen Architektur und Natur

Der Lebensraum Stadt ist von heterogenem Gebäudebestand und wachsenden Angebots- und Erlebniserwartungen geleitet – deren bauliche Erfüllung unterliegt zudem (mit Ausnahmen) rein wirtschaftlich optimierenden Interessen. Wird Architektur nicht im gesamtkonzeptionellen städtischen Zusammenhang gedacht, stehen im Fortschreiten der städtischen Verdichtung Freiraum, Vegetation und Fauna auf der Seite der Verlierer.

Der Begriff Green Building ist noch immer dem energieeffizienten Bauen vorbehalten, jedoch nicht zwangsläufig mit Vegetation.

Die gestalterische Kombination beider Inhalte ist noch selten, wird aber zunehmend Thema. Das kann unterschiedliche Gründe haben. Zum einen ist das städtische Platzangebot begrenzt, zum anderen entwickelt sich eine geänderte ökologische Einstellung – dies in Verbindung mit neuen bautechnischen Umsetzungsmöglichkeiten (Oswalt, 1998; Fabbrizzi, 2003; Graf, 2008; Pfoser, 2016). Die konzeptionelle Zusammenführung von Architektur und Landschaftsarchitektur ist Basis dieses Gestaltungswegs. Soweit die Form nur dem Gestaltungsziel folgt, gewinnt das Ergebnis die klimatischen Vorteile der Pflanzenanwendung ganz nebenbei. Handelt es sich um einen integrativen Ansatz, sind die vielfältigen Begrünungsvorteile überzeugend, wie gesenkter Energiebedarf und Leistungssteigerung, Materialschutz und Materialökonomie, Wertsteigerung, die Umfeldverbesserung mit umfassendem Nutzen für die Stadt sowie städtebauliche und freiraumplanerische Qualitäten, wasserwirtschaftliche Argumente, Beiträge zur Klimaanpassung und naturschutzfachliche Aspekte. Die in den Vordergrund tretende Erkenntnis der Mehrfachfunktion Gestaltung/Ökologie/Energie hilft der Überwindung von Vorurteilen.

Interessenkonflikte

Infolge der Spezialisierung von Teilgewerken sowie der wachsenden Komplexität von Anforderungen und Lösungen nimmt die Zahl der in die Planung rechtzeitig einzubindenden Fachrichtungen, Planungspartner und Behörden zu. Die erforderliche Interdisziplinarität erstreckt sich über den gesamten Prozess von Planung, Ausführung und Instandhaltung.

Kommunale Forderungen zur Begrünung setzen rechtzeitige verwaltungsübergreifende Abstimmungen und Schnittstellenklärungen hinsichtlich möglicher Interessenkonflikte voraus, wie z. B. Flächennutzung, Abstandsflächen, Nachbarrecht, Flächenkonkurrenz (z. B. Leitungsinfrastruktur, technische Aufbauten), Brandschutz, Zugänglichkeit (Installation, Pflege, Wartung, Erneuerung, gegebenenfalls Rückbau, Haftung). Diese Vorklärungen ermöglichen zugleich eine Unterstützung der Begrünungsabsichten einzelner Bauherren im Hinblick auf Planung, Fördergesuche sowie eine Vermeidung von Ausnahmeanträgen.

Sonderregelungen, wie eine genehmigungsfreie Fassadenbegrünung bis zu 20 cm (Beispiel Wien), adäquat zu genehmigungsfreien nachträglichen Dämmungen bis zu 25 cm (nach Landesbauordnung), sind wünschenswert. In Wien können zudem genehmigungspflichtige Fassadenbegrünungen ausgeführt werden, wenn seitens der genehmigenden Behörde binnen zwei Monaten kein Einspruch erhoben wird. Diese Regelungen führen insgesamt zu einer deutlichen Zunahme von Begrünungen im Bestand.

Planerischer und konstruktiver Mehraufwand

Der planerische und bauliche Mehraufwand hinsichtlich der Erweiterung des Bauleistungsbereichs und nötiger Abstimmungen mit Fachplanern und Ausführenden (z. B. in den Bereichen Vegetations- und Ver-/Entsorgungstechnik, Gebäudestatik sowie konstruktivem Aufbau) lässt sich nicht leugnen.

Zur Beurteilung der Ressourceninanspruchnahme einer Begrünung ist jedoch eine ökonomische Lebenszyklusbetrachtung zielführend. Die dabei relevanten Lebenszyklusphasen umfassen Planungsphase, Herstellungsphase (Materialwahl, Produktion, Transport), Konstruktionsphase (Auslieferung, Baustelleneinrichtung, Montage), Nutzungsphase (Kosten für Betrieb, Pflege und Instandhaltung), Erneuerungsphase (Teilerneuerung, Gesamterneuerung, gegebenenfalls Umbau) sowie Rückbau- und Entsorgungsphase (Weiterverwendung, Recycling, energetische Verwertung, Deponie) (König et al., 2009). Der Einfluss von Kosteneinsparungen und gegebenenfalls einem Zugewinn durch Wertsteigerung (z. B. Erhöhung der mietaktiven Fläche als Dachgarten, Magnetwirkung begrünter Gebäude), mögliche Material- und Techniksubstitutionen, die Senkung des Energiebedarfs und den Bauteilschutz bzw. die Verlängerung der Materiallebensdauer sind in der Gesamtkonzeption zu berücksichtigen und langfristig abzuwägen und wirken so ausgleichend.

Unkenntnis des Zusatznutzens

Derzeit überwiegen Vorurteile und Hemmnisse noch, das Wissen um die Potenziale von Gebäudebegrünungen ist gering. Dabei sind die Vorteile vielfältig. Sie liegen z. B. in der Gebäudeoptimierung (z. B. Einsparung von Kühlkosten, Reduktion des Wärmedurchgangs, Unterstützung/Entfall von Klimageräten, Unterstützung von aktiver/passiver Energiegewinnung, Steigerung des Immobilienwerts, Nutzflächenerweiterung, Bauteilschutz). Weitere Vorteile ergeben sich aus der Umfeldverbesserung, wie z. B. wasserwirtschaftliche Aspekte (Senkung der Niederschlagswassergebühr, Reduktion von Schäden durch Starkregenereignisse, Sturm und Hagel, Kanalentlastung), der Beitrag zum Klimaschutz (Vermeidung von Überhitzung, Verringerung der Luftbelastung), städtebauliche/freiraumplanerische Gründe (Aufwertung von Gebäuden und Freiraum, Minderung der Lärmbelastung) und naturschutzfachliche Aspekte (Eingriffsminimierung, Biotopverbund, Artenvielfalt sowie erweiterter Lebensraum für Flora und Fauna). In der ganzheitlichen Betrachtung zeigen sich demnach Kosten-/Nutzenvorteile nicht nur für den Eigentümer eines begrünten Gebäudes, sondern auch für die Stadt. Diese Vorteile beruhen hauptsächlich auf ökologischen Vorteilen, baulichen Schutzeffekten und einer gesteigerten Aufenthaltsqualität (Pfoser, 2016; Dachbegrünung – Leitfaden zur Planung, 2018).

Zielkonflikte mit technischer Gebäudeinfrastruktur

Technikgläubigkeit und die untergeordnete oder fehlende Berücksichtigung von Gebäudebegrünungen in Zertifizierungssystemen und der Energieeinsparverordung stellen die Lowtech-Lösung Gebäudebegrünung in den Hintergrund. Die zunehmende bauliche Dichte und der Umgang mit dem Bestand erfordern jedoch alternative Lösungswege. Eine konsequente Durchgrünung und Entsiegelung zur Maximierung der Verdunstungsleistung sowie eine maximale Nutzung des Hüllflächenpotenzials von Gebäuden sollten das Leitbild zukünftiger Planungen und Sanierungen sein. Ziel ist es, zugunsten von Begrünungen den Platzbedarf für Gebäudetechnik möglichst zu begrenzen. Multifunktionale Flächenlösungen sollten Stand der Technik sein, auch zur Vergrößerung der Biodiversität (z. B. sommerliche Verschattung durch sommergrüne Kletterpflanzen, Solargründächer, Retentionsdächer, Kombination von Gebäudebegrünung und Betriebs-/Prozesswasserklärung).

Sorge vor möglichen Schäden am Gebäude

Vorurteile gegenüber Fassaden- und Dachbegrünungen hinsichtlich Verselbstständigung der Pflanzen, Schmutz und Substanzschädigung bis hin zur Durchfeuchtung der Bausubstanz halten sich und werden durch nicht fachgerecht ausgeführte Begrünungen bestätigt.

Neben der Klärung der Zielvorstellungen und Umsetzungsstrategien gilt es, Fehlerquellen und die daraus resultierenden Schadensverläufe zu vermeiden.

Die Schadensursachen gliedern sich (abgesehen von einer bereits vorgeschädigten Bausubstanz) in folgende Kategorien:

- bautechnische Planungsfehler,
- ungeeignete Begrünungsform bzw. Pflanzenwahl,
- mangelhafte bzw. ausbleibende Pflege und Wartung (siehe Abb. 3.48).

Schäden sind demnach nicht primär auf die Begrünung selbst zurückzuführen. Daher gilt es vor allem, Widerstände aus Unkenntnis sowie aus fehlerhafter Anwendung auszuräumen, indem die Themen in ihrer botanischen Vielseitigkeit in direktem Zusammenhang mit den heutigen Kenntnissen zur Bautechnik und zum energetischen Bauen dargestellt werden. Eine entsprechend erweiterte interdisziplinäre Planungsintensität ist deshalb heute eine unerlässliche Voraussetzung für die vorsorgliche Schadensvermeidung.

Abb. 3.48: Überlastung und Abriss einer wandgebundenen Begrünung durch ausbleibende Pflege und Wartung

Angst vor Ungeziefer

In großem Umfang haben Begrünungsanwendungen mit Vorurteilen der „Ungeziefervermehrung" zu kämpfen (Schlößer, 2003). Umfragen relativieren diesen Sachverhalt jedoch. So werden Aussagen zu Bedenken vor Ungeziefer weitgehend von Bewohnern unbegrünter Gebäude getroffen.

Bewohner begrünter Gebäude sprechen sich diesbezüglich dagegen eher positiv aus. Zur Beurteilung wurde der Frage nachgegangen, welche Einstellungen zur Begrünungsanwendung an Gebäudefassaden in der Bevölkerung vorherrschen und inwieweit diese Art der städtischen Grüngestaltung von den Bürgern beachtet und akzeptiert wird.

Dazu wurden in 24 Stadtteilen von Köln zeitgleich schriftliche Befragungen durchgeführt. Im Ergebnis standen immerhin 84 % der Bewohner von begrünten Häusern und 68 % der Bewohner von unbegrünten Gebäuden einer Begrünung spontan positiv gegenüber (Schlößer, 2003).

Mangel an Fachwissen und Fachkräftemangel

Eine gelungene Fassadenbegrünung setzt Planung, Ausführung und Pflege nach den aktuellen Regeln der Technik voraus (vgl. Fassadenbegrünungsrichtlinien, 2018; Dachbegrünungsrichtlinien, 2018). An Gebäudebegrünung interessierte Bauherren und Investoren treffen noch immer auf unzureichend ausgebildete oder unmotivierte Ratgeber. Eine gleichermaßen zukunftsweisende sowie dem Stand der Technik entsprechende Aufklärung über die heutigen Möglichkeiten findet selten statt. Kosten und Gegenwert (monetärer wie nicht monetärer) können von Bauherren und Investoren nicht abgewogen werden. Überlegungen zu Umweltverantwortung, verantwortlichem Handeln und den eigenen Vorteilen basieren nicht auf belegten Fakten. Bauherren und Investoren werden dadurch in ihren Bedenken hinsichtlich vermeintlich überproportional hoher Kosten bzw. großer Verlustrisiken infolge von Fehlplanung oder falscher Wartung allein gelassen. Bei Beratung, Planung und Ausführung sollte daher die Fachkompetenz der Beteiligten gewährleistet sein (z. B. durch den Nachweis von Referenzen bzw. Referenzobjekten). Dem Fachkräftemangel ist durch eine Stärkung der Begrünungsbranche sowie die Eröffnung neuer Berufsfelder entsprechend den aktuell erweiterten Begrünungslösungen entgegenzuwirken (Dettmar et al., 2016; Pfoser, 2016).

Fehlende Abstimmung

Die Komplexität von Begrünungen gerade bei der Gebäudesanierung (Stichworte Dämmfassade/Umkehrdach) bedarf gleichermaßen einer Steuerung wie einer fachlichen Abstimmung der Gewerke (siehe Abb. 3.49). Auf die Kompetenz von Fachplanern und Fachbetrieben kann bei der Begrünung weder im Bereich der Planung noch bei der Ausführung und Pflege verzichtet werden. Gerade imageprägende Möglichkeiten, wie fassadenüberspannende bodengebundene Begrünungen, wandgebundene Begrünungen, intensive Dachbegrünungen sowie Multifunktionslösungen (z. B. Solargründach, Retentionsgründach, Biodiversitätsdach) setzen die Einbeziehung zusätzlicher Fachkenntnisse und ein positives Verhältnis zu einer interdisziplinären Optimierungsleistung voraus (Dettmar et al., 2016; Pfoser, 2016).

Abb. 3.49: Planungs- und Kommunikationsfehler: vorhandene Wuchsvorkonstruktion, jedoch fehlender Pflanzstreifen

Fehlende Auflagen und Förderungen

Städtische Auflagen zur Dach- und Fassadenbegrünung sind heute üblich, zur Fassadenbegrünung neuer Bauvorhaben jedoch eher selten. Obwohl konkrete genehmigungsrelevante Eingriffs- und Ausgleichsberechnungen bei Bauanträgen zur täglichen Routine geworden sind, liegen verlässliche Daten für eine Bewertung der unterschiedlichen Gebäudebegrünungstechniken praktisch nur zur Dachbegrünung und zur traditionellen bodengebundenen Wand- und Fassadenbegrünung vor. Der noch recht junge Datenfundus zu den neueren wandgebundenen Begrünungstechniken lässt eine Definition von Anforderungen und Bewertungskriterien erstmals mit den Forschungsprojekten „Green Pass" und „Wandgebundene Begrünungen – Quantifizierungen einer neuen Bauweise in der Klima-Architektur" zu (Köhler/Nistor, 2015). Dennoch besteht weiterer Forschungsbedarf. Einheitliche steuerliche Anreize zur Förderung der Fassadenbegrünung fehlen ebenfalls noch (Dettmar et al., 2016; Pfoser, 2016). Bei einer Befragung des Bundesverbands GebäudeGrün e. V. (BuGG) im Jahr 2019 gaben rund 137 von 206 Städten (67 %) an, Festsetzungen zur Dachbegrünung in Bebauungsplänen zu berücksichtigen. 93 Städte (45 %) gaben an, Festsetzungen zur Fassadenbegrünung in Bebauungsplänen zu berücksichtigen. Nur 41 Städte (20 %) gaben an, Fassadenbegrünung direkt zu fördern (BuGG-Marktreport Gebäudegrün, 2021). Das Fehlen von Auflagen und Förderungen wird meist mit dem notwendigen Koordinations- und Organisationsaufwand unterschiedlicher Behörden sowie durch Kapazitätsengpässe zur Überwachung der Vitalität von Begrünungen begründet. Andererseits gewährleistet gerade eine enge Zusammenarbeit von Gebäudebesitzer und Kommune das fachlich gute Gelingen der Maßnahme.

Fehlende Gesamtschau

Die wirtschaftliche Optimierung privater Investorenprojekte zielt auf den Verkaufserlös ab. Wo nur der merkantile Gewinn zählt, erfolgt die Realisierung auf einem niedrigen, gerade noch unangreifbaren Qualitätslevel. Auch bei großem Begrünungspotenzial besteht kein (über die Mindesterfüllung der vertraglichen Verpflichtungen hinausgehendes) Engagement des Investors, zusätzliche Ausgaben für die städtische Quartiersqualität oder für ökologische Verbesserungen der Umweltbedingungen im Nahbereich (und im Ganzen) zu tätigen. Es werden gegebenenfalls höchstens höhere Unterhaltungskosten bei Minimierung der Investitionskosten in Kauf genommen. Selbst in wichtigen städtischen Lagen haben Planer – soweit es keine entsprechenden Auflagen oder Ansprüche gibt – derzeit kaum Chancen, verantwortungsvolle Beiträge zu Lebenszyklusqualitäten ihrer Projekte durchzusetzen. Eine vorausschauende, multiple Faktoren miteinbeziehende Planung rechnet sich unter den aktuellen Bedingungen noch immer nicht. Das gegenwärtige Bauen fällt aufgrund der primären Fokussierung auf die Investitionskosten für einen gemeinsam getragenen integrativen Begrünungsanspruch aus. Einzelne additive Dach- und Fassadenbegrünungen der Bewohner leisten dort zumindest einen – wenn auch unsystematischen – Beitrag zur ökologischen und gestalterischen Verbesserung (Dettmar et al., 2016; Pfoser, 2016).

Mangelnde Akzeptanz

Der Nutzen der Gebäudebegrünung, die Zunahme und Beständigkeit ihrer Anwendung hängen letztlich von einem fachlichen und gestalterischen Erfolg der Ergebnisse und von einer breiten, auf gute Erfahrungen gegründeten Akzeptanz ab. Die interdisziplinäre Vernetzung von Bautechnik/Begrünungstechnik, Ökologie, Botanik, Gestaltung und kommunaler Steuerung ist die unverzichtbare Grundlage des Erfolgs. Die mit einer fehlerfreien Anwendung einhergehende Zunahme der Akzeptanz bei gleichzeitiger Wertschöpfung ist Voraussetzung für eine kontinuierliche Einbeziehung der Begrünung in die künftige Stadtentwicklung und für ihre rechtzeitige Berücksichtigung in der Gebäudeplanung. Die umfassende Systematisierung zu Gestaltungsmöglichkeiten und Anwendungsbedingungen heutiger Begrünungstechniken wirkt Vorurteilen, Informationsmangel, Anwendungsfehlern aus Unkenntnis und Fehlinvestitionen entgegen. Aktuelle Informations- und Simulationslösungen tragen dazu bei, Gebäudebegrünungen zukünftig in größerer Breite als verantwortungsvollen Beitrag der Architektur zu Stadtklima und Stadtbild behördlich vorgeben und planerisch leisten zu können (siehe Abb. 3.50).

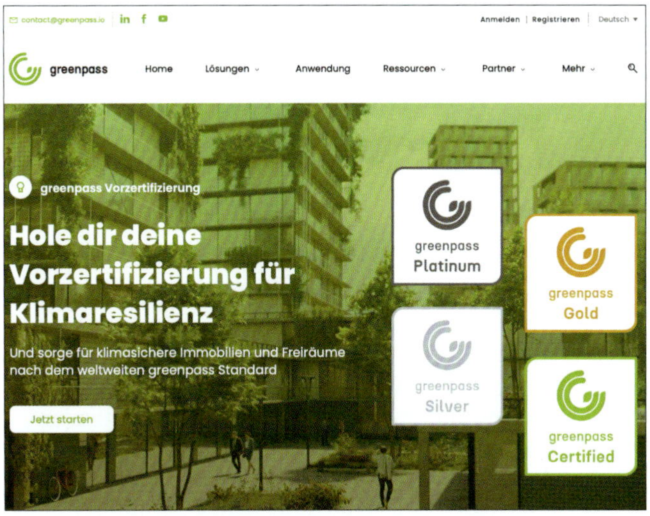

Abb. 3.50: Simulations- und Zertifizierungslösungen (Quelle: Greenpass Vorzertifizierung, 2024)

3.4 Instrumente zur Stärkung der Begrünung

Es sind verschiedene Lösungsansätze denkbar, mit denen die Bedenken von Bauherren und Investoren bezüglich einer Gebäudebegrünung zerstreut werden könnten. So wären Forderungen, direkte und indirekte Förderungen mögliche Optionen. Die Bandbreite reicht von gesetzlichen Vorgaben zur Begrünung (konsequente Festschreibung im Bebauungsplan, Auslegung von Bebauungsplänen) über finanzielle Zuschüsse für Planung, Konstruktion, Herstellung, Pflege und Wartung bis hin zu Anreizprogrammen hinsichtlich Klimaanpassung, energetischer Gebäudeoptimierung und wasserwirtschaftlicher Aspekte (z. B. gesplittete Abwassersatzung).

Freiwillige Bauwerksbegrünungen im Bestand

Freiwillige Gebäudebegrünungen im Bestand sind willkommen und möglich, sofern sie nicht das Planungs- und Nachbarrecht verletzen. Sie sind die Grundlage für gewollte und somit gut gepflegte und vitale Begrünungen.Als Anreiz ist eine freiwillige Begrünung durch Neuregelungen zu vereinfachen. Die Stadt Wien gilt in diesem Zusammenhang mit folgenden Festsetzungen als gutes Vorbild (Bauordnungsnovelle 2023, Inkrafttreten am 14. Dezember 2023 und 13. März 2024). Es wurden folgende Regelungen festgesetzt:

- Notwendige technische Systeme für die Begrünung von Fassaden dürfen bis zu 20 cm über Fluchtlinien, in Abstandsflächen sowie in Abstände im Gartensiedlungsgebiet vorragen. Dies entspricht z. B. der Regelung der deutschen Landesbauordnung für nachträgliche Wärmedämmungen mit bis zu 25 cm.
- Bei einer Kombination von Wärmedämmungen und Fassadenbegrünung darf um bis zu 30 cm überragt werden.
- Außerhalb von Schutzzonen bei Dachneigungen von höchstens 15 ° darf die bestehende Gebäudehöhe bzw. der oberste Gebäudeabschluss zur Begrünung von Dächern um weitere 15 cm überschritten werden.
- Bei einer Kombination von Wärmedämmungen (30 cm) und Dachbegrünung darf die Gebäudehöhe um bis zu 45 cm überschritten werden.

Eine entsprechende Änderung der deutschen Landesbauordnung ist wünschenswert.

Eine in Deutschland einheitliche Definition bewilligungsfreier Wuchsaufleitungen zur bodengebundenen Begrünung mit Gerüstkletterpflanzen an Bestandsbauten steht ebenfalls aus. Geregelt werden könnte darin z. B. eine maximale, bewilligungsfrei zu begrünende Geschosshöhe (außerhalb von Schutzzonen und Gebieten mit Bausperre) sowie der Umgang mit der Bau- und Fluchtlinie (z. B. genehmigungsfreie Begrünung bis 20 cm vor der Bau- oder Fluchtlinie). Ebenso sollten bauanzeigepflichtige Wuchsaufleitungen für Gerüstkletterpflanzen definiert werden.

Forderungen

Die Forderung von Gebäudebegrünungen ist Teil verschiedener Instrumente zur Unterstützung von Begrünungen im städtischen Raum. Kommunen können beispielsweise über den Bebauungsplan (B-Plan) Gebäudebegrünungen vorschreiben.

Diese Option ist ein wirksames Mittel, um Dach- und Fassadenbegrünungen im urbanen Raum zu etablieren und den Versiegelungsgrad zu reduzieren. Laut § 9 Abs. 1 Nr. 25 BauGB können Gebäudebegrünungen im Einzelfall oder gemäß § 31 Abs. 2 BauGB als Ausgleichsmaßnahme festgelegt werden. Wird eine Begrünung innerhalb eines Bebauungsplangebiets vorgeschrieben, ist der Bauherr verpflichtet, diese umzusetzen (Pfoser, 2016).

Satzungen haben den rechtlichen Charakter eines Bebauungsplans. Wenn eine darin geforderte Begrünung nicht umsetzbar ist, kann unter Umständen nach Absprache mit der genehmigenden Behörde alternativ eine Begrünung an anderer Stelle gefordert werden, etwa als Hof-, Dach- oder Fassadenbegrünung.

Zudem können städtebauliche Verträge die Begrünung von Gebäuden verbindlich vorschreiben. Diese Vorgaben auf kommunaler Ebene sind wichtige Mittel, um Gebäudebegrünung im Stadtraum zu verankern und damit die Vorteile von Begrünungen, auch zugunsten des Stadtklimas, zu nutzen. Kommunen sollten daher Gebäudebegrünungen insbesondere im Bestand in Verbindung mit energetischen Maßnahmen oder Sanierungen stärker in ihre Planungen einbeziehen, um ein Mitdenken von Begrünung bei der Gebäudeplanung/-sanierung zu verankern (Dettmar et al., 2016).

Die Stadt Wien schreibt beispielsweise eine Gebäudebegrünung von anteilig 20 % vor, wenn ein Bestandsgebäude zu 25 % verändert wird (z. B. durch eine Sanierung oder einen Dachausbau).

Gebäudebegrünungen sollten zudem im Genehmigungsverfahren der Voraussetzung einer laufenden Instandhaltung (Wartung und Pflege) durch qualifiziertes Fachpersonal unterliegen (vgl. Auflagen zugunsten des Brandschutzes bezüglich Brandmeldeanlagen). Wesentliche Grundlage kann der projektierte Lebenszyklus des Bauteils/Bauwerks sein, mindestens jedoch eine vorzugebende Lebensdauer (z. B. zehn Jahre). Ein auf die Standortqualitäten bezogenes Begrünungsziel mit Pflegekonzept ist zu entwickeln und dient als Basis für die Planung, Realisierung und Instandhaltung.Begründungstexte zu den Festsetzungen unterstützen die Akzeptanz und Umsetzung der Forderungen (Dachbegrünung – Leitfaden zur Planung, 2018).

Förderung

Die Hauptziele bei der Förderung urbaner Begrünungsmaßnahmen sind ebenfalls die Reduktion des Klimawandels und die Anpassung an dessen Folgen. Die Verbesserung ökologischer Funktionen und die Steigerung der Aufenthaltsqualität sind dabei wesentliche Kriterien. Dazu zählen zudem die Verbesserung der Luftqualität und die Verringerung der Lärmbelastung, um somit auch zum umweltbezogenen und menschlichen Gesundheitsschutz beizutragen (Dettmar et al., 2016).

In früheren Förderprogrammen für Dach- und Fassadenbegrünungen standen vor allem ökologische und gestalterische Aspekte im Fokus. Heute werden diese Ziele aus zwingendem Anlass zunehmend mit der Notwendigkeit verknüpft, auf lokaler Ebene Maßnahmen gegen den globalen Klimawandel zu ergreifen. Insbesondere in dicht besiedelten urbanen Gebieten, die besonders anfällig für dessen Folgen sind, kann so die Resilienz erhöht werden.

Angesichts der Zunahme stadtklimatischer Herausforderungen, wie „heißer Tage“ (≥ 30 °C), „tropischer Nächte“ (≥ 20 °C) und Starkregenereignisse, gewinnt das Stadtgrün an Bedeutung für die Bewältigung dieser Aufgaben.

Als sinnvoll hat sich eine Förderung mit stadtklimatischem Schwerpunkt erwiesen. Einzelne Städte und Quartiere mit besonderer stadtklimatischer Relevanz können so gezielt identifiziert werden. Die Umsetzung von Maßnahmen sollte prioritär in Problemgebieten gefördert werden, um eine hohe Effizienz der Fördermaßnahme zu gewährleisten. Auch Quartiere mit laufenden Sanierungs- oder Entwicklungskonzepten, die von stadtklimatischen Herausforderungen betroffen sind, können in die Förderung einbezogen werden. Dies ermöglicht die Nutzung von Synergieeffekten bei der Umsetzung der Maßnahmen (Dettmar et al., 2016).

Neben öffentlichen Flächen und Gebäuden geraten zunehmend auch private Gebäude und Grundstücke in den Fokus. Zahlreiche Kommunen setzen inzwischen Förderprogramme für Dach- oder Fassadenbegrünungen ein, um private Eigentümer zur Begrünung ihrer Immobilien zu motivieren. Meist handelt es sich dabei um kombinierte Förderprogramme für Dach- und Fassadenbegrünungen oder um allgemeine Stadtgrünförderungen, die auch die Begrünung von Höfen und Vorgärten umfassen (Dettmar et al., 2016).

Als besonders wirkungsvoll haben sich attraktive Anreizprogramme, wie z. B. getrennte Abwassergebühren, zum Schutz der Ressource Wasser erwiesen. Weitere Anreize, wie etwa Betriebswassernutzung, Trennsysteme, die Verwertung urbaner Biomasse, Kreislaufwirtschaft oder urbane Nahrungsmittelversorgung, tragen zu zukunftsorientiertem Handeln bei.

Solche Maßnahmen beeinflussen jedoch das private Eigentumsrecht erheblich. Angemessene Steuervorteile, wie beispielsweise im Denkmalschutz üblich, könnten dafür einen Ausgleich schaffen.

Planungs- und Umsetzungshilfen

Bestehende Vorurteile, Hemmnisse und hindernde Faktoren bei der Projektierung und Umsetzung von Dach- und Fassadenbegrünungen sind häufig auf Negativbeispiele durch Planungs- und Ausführungsfehler zurückzuführen, die durch mangelndes Fachwissen Beteiligter entstanden sind. Eine sorgfältige Planung erfordert eine fundierte und fachkundige Beratung. Im Rahmen einer landesweiten Förderung sollte daher auch eine umfassende Beratungsleistung sichergestellt sein, um den Erfolg der Programme und die Akzeptanz von Gebäudebegrünungen zu gewährleisten. In städtischen Förderprogrammen wird oft eine Kombination aus einem Handlungs- und Umsetzungsleitfaden sowie einer persönlichen Beratung angeboten. Dies setzt voraus, dass in den Kommunen oder Landkreisen ausreichend qualifizierte Ansprechpersonen für eine Beratung zur Verfügung stehen, da auch ein Leitfaden Gebäudebesitzer mit der Komplexität des Themas überfordern kann.

Eine zusätzliche Möglichkeit, Planungs- und Ausführungsfehler zu vermeiden, wäre ein Web-basierter Fragenkatalog, der sowohl Beratern als auch interessierten Gebäudeeigentümern zur Verfügung steht. In diesem Fragenkatalog könnten relevante Planungskriterien abgefragt und die Nutzer durch Ja-/Nein-Entscheidungen in einem Entscheidungsbaum zur passenden Pflanzenauswahl für ihr Begrünungsprojekt geleitet werden. Dieser Katalog könnte alle wesentlichen Aspekte abdecken, von der Bodenverfügbarkeit und den Gebäudeeigenschaften über Standortbedingungen, verfügbare Begrünungssysteme und bautechnische Anforderungen bis hin zu Pflegeanforderungen und gestalterischen Optionen (siehe dazu beispielhaft Stadtgrün im Klimawandel, 2024). Ein solcher Fragenkatalog wäre eine zeitgemäße und benutzerfreundliche Lösung, die es ermöglichen würde, zusätzlich andere Zielgruppen zu erreichen, die mit einem klassischen Leitfaden vielleicht nicht erreicht würden (Dettmar et al., 2016).

Unterstützung bei der Antragstellung für Begrünungsmaßnahmen seitens der Behörden (einschließlich Förderungen, Nachbarrecht, Umgang mit bestehender Leitungsinfrastruktur sowie Denkmal- und Brandschutz) und Förderungen für die Planung, die konstruktive und bauliche Umsetzung (wie Standortvorbereitung, Wuchshilfen, Verankerungstechniken und Bewässerungssysteme) sowie die Fertigstellungspflege sind ebenfalls geeignete Maßnahmen zur Überwindung anfänglicher Hürden bei der Begrünung.

Vorbildstädte und -projekte

Für eine stadtbildprägende und klimawirksame Gebietsentwicklung sind überzeugende Vorzeigeprojekte, insbesondere begrünte öffentliche Gebäude, vertrauensbildend und effektiv (siehe Abb. 3.51). Best-Practice-Beispiele einer Straße oder eines Quartiers überzeugen ganz von selbst. Öffentlich sichtbare Informationstafeln und Messdaten zu den positiven Effekten der Begrünung verdeutlichen den Erfolg solcher Maßnahmen und tragen ebenfalls dazu bei, Vorurteile abzubauen. Dies fördert die Akzeptanz und motiviert zu Eigeninitiative. Solche Ansätze lassen sich zudem gut mit weiteren Instrumenten wie Förderungen/Forderungen kombinieren.

Erfolgssicherung

Unabhängig von konkreten Forderungen und Förderprogrammen gibt es weitere Faktoren, die den Abbau von Hemmnissen fördern. Dazu zählen u. a. die gezielte Ansprache von Bauherren und Investoren durch Öffentlichkeitsarbeit, eine kompetente fachliche Beratung in Bezug auf Planung, Ausführung und Instandhaltung, eine vorausschauende Schnittstellenklärung, die professionelle Begleitung der Maßnahmen sowie das Nutzen und Kommunizieren des Imagegewinns nach erfolgreicher Umsetzung (Kontinuität der Öffentlichkeitsarbeit).

Um diese Erfolgsfaktoren zu gewährleisten, müssen in den zuständigen Verwaltungen und Abteilungen ausreichende personelle Ressourcen zur Betreuung, Beratung und Bearbeitung vorhanden sein (Dettmar et al., 2016).

Abb. 3.51: Zunahme der Akzeptanz von Gebäudebegrünungen durch erlebbare vorbildliche Projekte

4 Bedingungen für eine erfolgreiche Fassadenbegrünung im Bestand

Eine erfolgreiche Fassadenbegrünung im Bestand erfordert eine umfassende Planung, die sowohl technische als auch gestalterische und ökologische Faktoren berücksichtigt. Anders als bei Neubauten, bei denen die Begrünung von Beginn an in die Planung integriert werden kann, stellt die Begrünung von Bestandsfassaden eine besondere Herausforderung dar. Jedes Gebäude bringt individuelle Voraussetzungen mit, die sorgfältig analysiert werden müssen und auf die die Begrünung abzustimmen ist. Dazu gehören die Prüfung der Fassadenstruktur, die bauliche Beschaffenheit sowie die statischen Gegebenheiten.

Ein weiterer wichtiger Aspekt bei der Begrünung von Bestandsfassaden ist die Einbeziehung des Umfelds. Faktoren wie die Exposition der Fassade, klimatische Bedingungen vor Ort und die Wahl geeigneter Pflanzenarten spielen eine entscheidende Rolle für den langfristigen Erfolg von Begrünungen. Es gilt, Pflanzen auszuwählen, die an die lokalen Bedingungen angepasst sind und sowohl ästhetischen als auch funktionalen Anforderungen gerecht werden, wie beispielsweise der Verbesserung des Mikroklimas, dem Schutz vor Hitze oder der Minderung von Lärmbelastung.

Darüber hinaus müssen wirtschaftliche und rechtliche Rahmenbedingungen in die Planung einfließen. Dies umfasst sowohl die Kalkulation der Kosten und die potenziellen Fördermöglichkeiten als auch die Berücksichtigung baurechtlicher Vorgaben, wie Baurecht, Brandlast, Nachbarrecht und Zugänglichkeit der Fassade. Wichtig ist zudem die Versorgung der künftigen Begrünung mit Nährstoffen und Wasser, die je nach Begrünung und Standort gewährleistet sein muss.

Die Fassadenbegrünung bestehender Gebäude bietet zudem die Möglichkeit, Sanierungen um ökologische und energetische Konzepte zu erweitern. Interdisziplinäres Fachwissen und eine sorgfältige Berücksichtigung aller relevanten Kriterien sind daher wesentlich – nicht nur für die Realisierung, sondern auch für die langfristige Pflege und Erhaltung der Begrünung. Die nachstehend beschriebenen Arbeitsschritte bilden die Grundlage für einen nachhaltigen Begrünungserfolg und stellen sicher, dass die Erwartungen sowohl gestalterisch als auch funktional erfüllt werden.

4.1 Grundlagenanalyse

Für einen größtmöglichen Begrünungserfolg ist eine umfassende Analyse unerlässlich, die zunächst finanzielle Vorklärungen beinhaltet, umsetzungsrelevante Grundlagen zum Standort ermittelt (Exposition, Klimadaten, Bodeneigenschaften) sowie, mit dem Ziel der bauamtlichen Genehmigung, planungsrelevante Aspekte klärt (planungsrechtliche und nachbarrechtliche Umfeldbedingungen). Bei der Bestandssanierung sind zudem die Chancen zu prüfen, inwieweit die Begrünung zugleich synergetisch in das ökologische bzw. energetische Sanierungskonzept integriert werden kann. Ein mögliches Ziel ist beispielsweise die saisonale Regulierung der Verschattung von Raumverglasungen (z. B. Wintergärten), von Funktionsverglasungen (Luftkollektoren, transparente Wärmedämmung usw.) oder von Loggien.

Schritte der Grundlagenanalyse

1. Finanzielle Klärungen (vorhandenes Budget, mögliche Förderungen, Ermittlung potenzieller Einsparungsmöglichkeiten)
2. standortbezogene Klärungen (Lage, Klimadaten)
3. Ermittlung planungsrechtlicher und nachbarrechtlicher Umfeldbedingungen und Vorgaben des Denkmalschutzes (Auflagen, Abstandsflächen, Brandlast, Eingriffs- und Ausgleichsregelung)
4. konstruktive Klärungen (z. B. Wand-/Fassadenkonstruktion)
5. Chancenklärung eines energetischen/ökologischen Begrünungseinsatzes
6. Klärung der Art der Begrünung (bodengebunden oder wandgebunden)

4.1.1 Klärung von Kosten und Nutzen der Fassadenbegrünung

Bei der Realisierung von Fassadenbegrünungen stellt sich die Frage der Wirtschaftlichkeit. Die Investitions- und Betriebskosten sollten in einem angemessenen Verhältnis zu den langfristigen Vorteilen stehen. Die Investitionskosten für eine Begrünung bestehen aus den Aufwendungen für die Planung, die Realisierung (Materialien wie Substrat, Pflanzen, Drainage), die Installation sowie die erforderlichen Pflege- und Wartungsmaßnahmen. Zudem können statische Anpassungen notwendig sein. Eine frühzeitige Kostenplanung und das Einholen mehrerer Angebote sind entscheidend, um unnötige Mehrkosten zu vermeiden. In vielen Kommunen gibt es Förderprogramme, die Fassadenbegrünungen finanziell unterstützen. Dadurch kann ein Teil der Investitionskosten gedeckt werden. Dies ist bei der finanziellen Planung des Projekts zu beachten.

Langfristige Kosteneinsparungen sowie positive Auswirkungen auf das Allgemeinwohl sind ebenfalls zu berücksichtigen. Fassadenbegrünungen bieten sowohl für Gebäudeeigentümer als auch für die Kommune verschiedene Vorteile, insbesondere in Bezug auf ökologische Aspekte, baulichen Schutz und eine verbesserte Aufenthaltsqualität. Betriebskosteneinsparungen durch nachträgliche Fassadenbegrünungen entstehen durch eine Einsparung von Heiz- und Kühlkosten, die durch den zusätzlichen Schutz vor Temperaturschwankungen erzielt werden. Darüber hinaus kann der Schutz der Fassaden vor Witterungseinflüssen und mechanischen Belastungen die Lebensdauer der Gebäudehülle verlängern (vor allem bei vollflächigen Begrünungen). Fassadenbegrünungen werden im Rahmen von Zertifizierungen für nachhaltiges Bauen als positiver Faktor berücksichtigt. Auch in Anreiz-/Förderprogrammen können begrünte Fassaden bei Sanierungen oder energetischen Einzelmaßnahmen finanzielle Unterstützung erhalten.

Auch mögliche Substitutionen durch Fassadenbegrünungen, etwa der Ersatz von Fassadensichtmaterialien, können gegengerechnet werden. Dieser Effekt kann zu einer vollständigen Kompensation der Begrünungskosten führen, rechnet man z. B. die Baukosten ersparter Naturstein- oder Metallsichtflächen vorgehängt hinterlüfteter Wände/Fassaden gegen. Bei einem Ersatz durch Fassadengrün bringt die Gegenrechnung einer sonst mit einem Mehrpreis von bis zu 300 €/m² anzusetzenden, hochwertigen Sichtfassade hohe Kosteneinsparungen. Von/bis-Angaben der tabellarischen Kostengegenüberstellung (siehe Abb. 4.1) berücksichtigen die Kostenspreizung der ausgewerteten marktführenden Systemhersteller. Neben systemtypischen Baukosten wirken sich individuelle Einflüsse auf die Gesamtkosten aus: Die bau-/wartungstechnische Erreichbarkeit der vertikalen Grünanlage, die Pflanzenauswahl, die Pflanzungsdichte und der erforderliche Aufwand für die Wasser- und Nährstoffversorgungsanlage sind variable Kostenfaktoren. Daraus ergeben sich Werte für ein aktuelles flächenbezogenes Kostengefälle vom städtischen Einzelgebäude (ca. 100 m² zusammenhängende Begrünungsfläche) bis zur großflächigen Fassadenbegrünung von Baublöcken/Zeilen des Siedlungsbaus oder industriellen bzw. gewerblichen Wandflächen (mit ca. 1.000 m² Fläche). Ab diesem Flächenausmaß kann von einer konstanten mittleren Flächenkostenannahme ausgegangen werden, da keine weiteren kostenrelevanten Synergieeffekte auftreten.Außergewöhnliche Höhenlagen eines Begrünungsfelds über Erdboden können in der Betrachtung nicht berücksichtigt werden. Sie wirken sich je nach Einzelfall wegen der zusätzlichen Rüst- und Gerätekosten und infolge der höheren Sicherheitsanforderungen verteuernd auf Investition und Wartung aus. Bei begrünten Fassadenteilflächen wie Werbeflächen, floralen Kunstwerken oder Betonungen bestimmter Bauteile wie z. B. am La Fayette in Berlin (Patrick Blanc) sowie bei privaten Einfamilienhäusern ist die gestalterische und technische Individualität der Begrünungstechnik das dominante Merkmal. Die Kostenspreizung ist in diesen Fällen so groß, dass ihre Aufnahme in eine tabellarische Querschnittskosteninformation nicht möglich ist.

Insgesamt zeigt sich: Je größer die Begrünung ist, desto niedriger sind im Vergleich die Kosten pro Quadratmeter. Dies gilt auch für nachträgliche Begrünungen an Bestandsbauten. Je früher und konsequenter Fassadenbegrünungen in die Planungsphase integriert werden, desto rentabler wird die Investition.

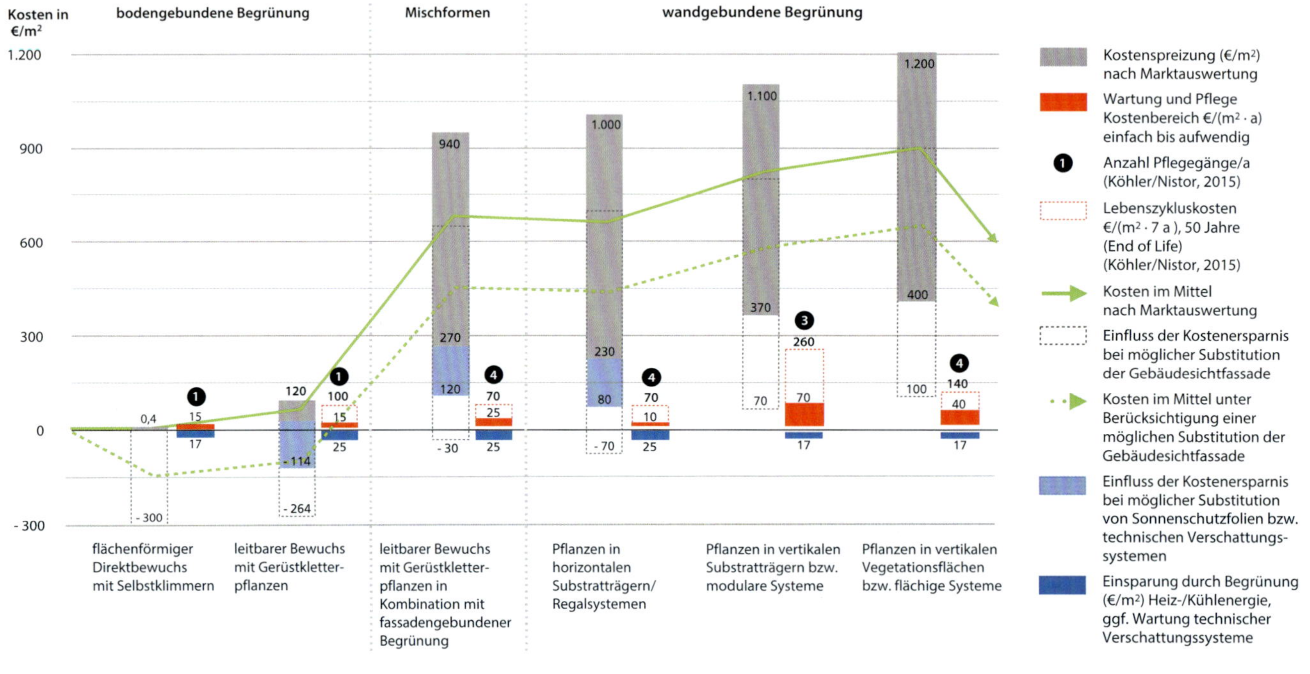

Variablen abhängig von: Auftragsvolumen (100 m²/1.000 m²), Primärkonstruktion, Systemkosten, Pflanzenauswahl- und -dichte, Technik der Wasser- und Nährstoffversorgung, Lage und Erreichbarkeit

Kosten automatisierte Bewässerung (Magnetventile, Rücklaufverhinderer, Druckregulator, Filter, Düngebeimischer, Steuereinheiten, Verbrauchsmaterial): ca. 820 €/m² (bei 1 m²), ca. 19 €/m² (bei 100 m²), ca. 5 €/m² (bei 1.000 m²) (Köhler/Nistor, 2015)

Abb. 4.1: Unterschiedliche Lösungen der Fassadenbegrünung im Kostenvergleich

Um unnötige Kosten zu vermeiden, wird zudem empfohlen, Angebote von verschiedenen Firmen einzuholen und unterschiedliche Bauweisen sowie Baustoffe zu vergleichen. Schon in der Planungsphase sollte auf Kostenoptimierung geachtet werden, indem Funktionalität und Synergieeffekte berücksichtigt werden.

Im Rahmen naturschutzrechtlicher Regelungen werden begrünte Fassaden als Minderungsmaßnahme bei der Bilanzierung berücksichtigt. Dadurch können ökologische Eingriffe direkt vor Ort teilkompensiert werden. Das reduziert den Bedarf an kostenintensiven Ausgleichsmaßnahmen an anderer Stelle. Repräsentative Fassadenbegrünungen erhöhen zudem die Akzeptanz bei den Nutzern und steigern den Wert des Gebäudes. Die ökonomischen Vorteile einer Begrünung entstehen aus der Verbesserung des Arbeits- und Wohnumfelds, der Aufwertung der Gebäudearchitektur, der Optimierung des Mikroklimas, der Schallminderung sowie der Bindung und Filterung von Schadstoffen. Darüber hinaus ist die Förderung der Artenvielfalt wesentlich. Diese Aspekte sind zwar im Kontext der Baukosten nur schwer quantifizierbar, die Wertsteigerung begrünter Projekte durch die ästhetische Aufwertung und die erhöhte Aufenthaltsqualität zeigt sich jedoch offensichtlich durch nachgewiesenermaßen geringere Bewohnerfluktuationen (z. B. Wagnis 4, München) und steigende Verkaufspreise (z. B. Bosco verticale).

Abb. 4.2 zeigt das Nutzungspotenzial unterschiedlicher boden- und wandgebundener Begrünungen, gegliedert in Nutzen für den Eigentümer und Nutzen für die Stadt. Die Kriterien der Abbildung sind Schwerpunkten zugeordnet, geringere und dennoch relevante Wirkungen werden gestrichelt dargestellt.

Um die Ressourcennutzung einer Begrünung umfassend zu bewerten, ist eine wirtschaftliche Lebenszyklusanalyse empfehlenswert. Dabei werden alle Phasen des Lebenszyklus betrachtet: von der Planungsphase über die Herstellung (einschließlich Materialwahl, Produktion und Transport), die Konstruktion (Lieferung, Baustelleneinrichtung, Montage) und die Nutzungsphase (Betriebs-, Pflege- und Instandhaltungskosten) bis zur Erneuerung, zum Rückbau und zur Entsorgung (Recycling, Weiterverwendung oder Kompostierung/Deponie).

Die Schrift „Wandgebundene Begrünungen: Quantifizierungen einer neuen Bauweise in der Klima-Architektur" der Hochschule Neubrandenburg (Köhler/Nistor, 2015) untersucht die Integration von vertikalen Begrünungen in der Architektur in Hinblick auf ihre ökologischen und ökonomischen Vorteile. Sie analysiert die Auswirkungen solcher Begrünungen auf das Mikroklima, die Energieeffizienz und die Lebensqualität in urbanen Räumen. Zudem werden Methoden zur quantitativen Bewertung der Vorteile vorgestellt, einschließlich der Kosten/Nutzen-Analyse. Die Arbeit betont die Relevanz von wandgebundenen Begrünungen für nachhaltige Baupraktiken und deren Potenzial zur Verbesserung des Stadtklimas sowie zur Förderung der Biodiversität. Sie entstand im Rahmen der Förderung durch das Bundesministerium für Bildung und Forschung (BMBF). Diese Förderung hat zum Ziel, innovative Ansätze in der Bau- und Klimaforschung und nachhaltige Baupraktiken zu unterstützen.

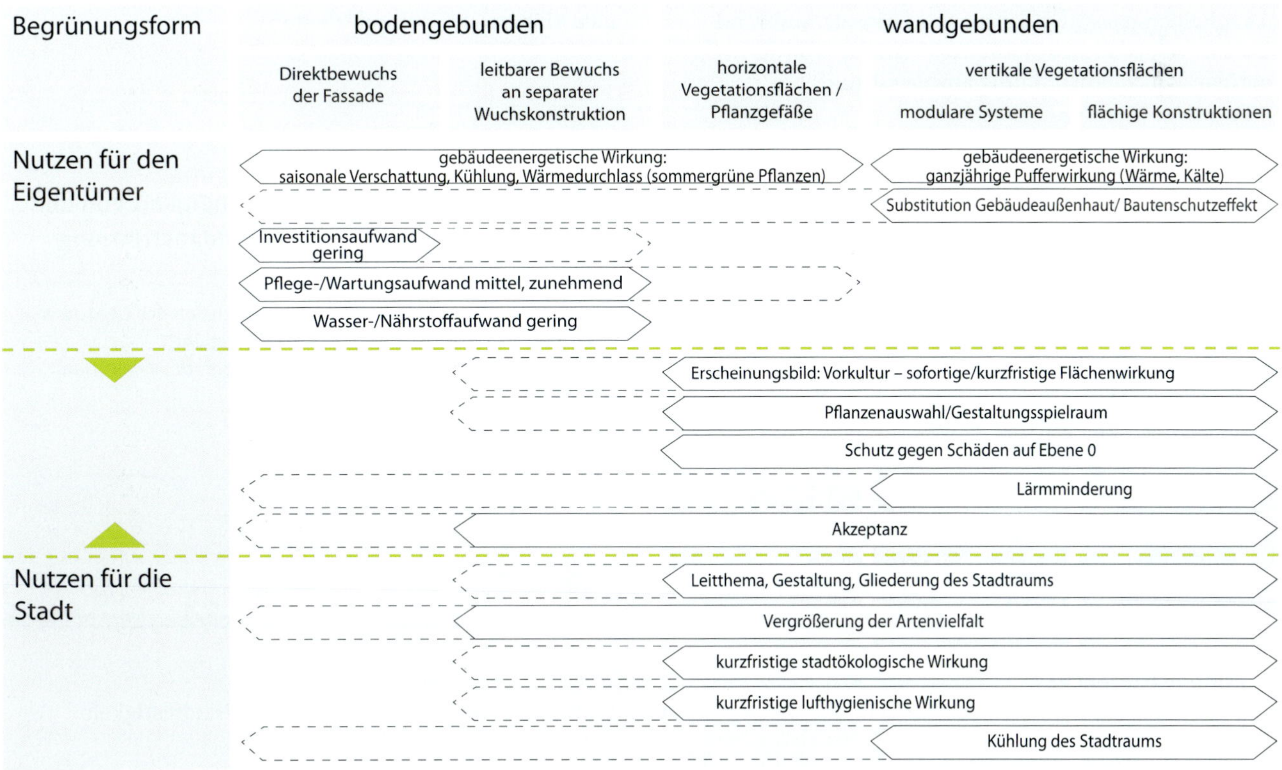

Abb. 4.2: Nutzen unterschiedlicher Begrünungsformen für den Eigentümer und die Stadt

4.1.2 Standortbezogene Klärungen

Zur korrekten Pflanzenauswahl werden Pflanzen unterschiedlichen Lebensbereichen zugeordnet (Hansen/Stahl, 1997). Diese richten sich nach den jeweiligen Standortansprüchen der Pflanzen. Es gibt für alle europäischen Standortbedingungen – abgesehen von zu großen Höhenlagen über Normalnull – botanisch und gestalterisch geeignete Pflanzen.

Lage und Ausrichtung des Gebäudes

Die Ausrichtung des Gebäudes (nach Süden, Westen, Norden oder Osten) hat direkten Einfluss auf die Sonneneinstrahlung, die Windbelastung und die Witterungseinflüsse. Gebäude oder Gebäudebereiche exponierter Lagen sind stärkeren Windbelastungen ausgesetzt. Das ist in der Planung der Fassadenbegrünung zu berücksichtigen. Eine nach Süden ausgerichtete Fassade ist einer direkter Sonneneinstrahlung ausgesetzt (sofern unverschattet), während eine nach Norden ausgerichtete Fassade in der Regel einen absonnigen Standort bietet. Fassaden, die starkem Wind oder großen Niederschlagsmengen ausgesetzt sind, erfordern ebenfalls besondere Berücksichtigung bei der Auswahl der Pflanzen und der Integration von Begrünungssystemen.

Wind kann insbesondere auf höheren Gebäuden, in offenen Lagen und in Eck- und Randbereichen problematisch für die Begrünung sein. Abstand zu Extrembereichen, angepasste Bewässerungen, windfeste Pflanzen und ein entsprechend stabiler Begrünungsaufbau sind in solchen windexponierten Lagen besonders wichtig.

Die Dauer und Intensität der Sonneneinstrahlung beeinflussen die Auswahl der Pflanzenarten. An sonnenexponierten Flächen kommen in der Regel an Hitze und Trockenheit angepasste Pflanzen zum Einsatz, während halbschattige/absonnige Standorte Pflanzen erfordern, die an geringere Lichteinstrahlung angepasst sind.

Klima

Klimatische Bedingungen, wie Temperatur, Niederschlagsmengen, Luftfeuchtigkeit und Windstärken, variieren je nach Region. In Gebieten mit extremen Hitze- oder Frostphasen müssen entsprechend Pflanzen gewählt werden, die diesen Bedingungen standhalten können. Die regionale Niederschlagsmenge beeinflusst den Wasserbedarf und damit die Planung von Bewässerungszyklen und -systemen.

Pflanzengesellschaften müssen hinsichtlich ihrer klimatischen Eignung, ihrer Versorgungsbedürfnisse (Wasser- und Nährstoffbedarf) und ihrer Wachstumseigenarten zusammenpassen und gestalterisch gezielt angeordnet werden (Konkurrenzverhalten, Wüchsigkeit, Höhe und Breite). Bezüglich der Tiefst- und Höchsttemperaturen sind nationale Karten zu den Winterhärtezonen (Heinze/Schreiber, 1984) und zur Globalstrahlung (DWD) verfügbar. Die Fassadenexposition und umgebende Bebauungen/Vegetationen können diese Werte beeinflussen, wie auch die für Pflanzen jeweils maximal verträgliche Windanströmung (siehe Abb. 4.3).

Erforderliche Vorklärungen zur Position der Begrünungsfläche:

- Höhe über Normalnull
- Klimazone/Winterhärte
- Himmelsrichtung (Nord, Süd, Ost, West)
- Lichtverhältnisse (sonnig, halbschattig, absonnig)
- durchschnittlicher Jahrestemperaturverlauf (Tiefst-/Höchsttemperaturen)
- durchschnittliche Sonnenscheindauer (Globalstrahlung)
- Grundwasserlage und -beständigkeit
- regionaler Jahresverlauf der Niederschlagsmengen
- vorherrschende Windrichtung und -stärke
- Sonstiges (z. B. Einflüsse des Klimawandels oder regionale klimatische Besonderheiten)

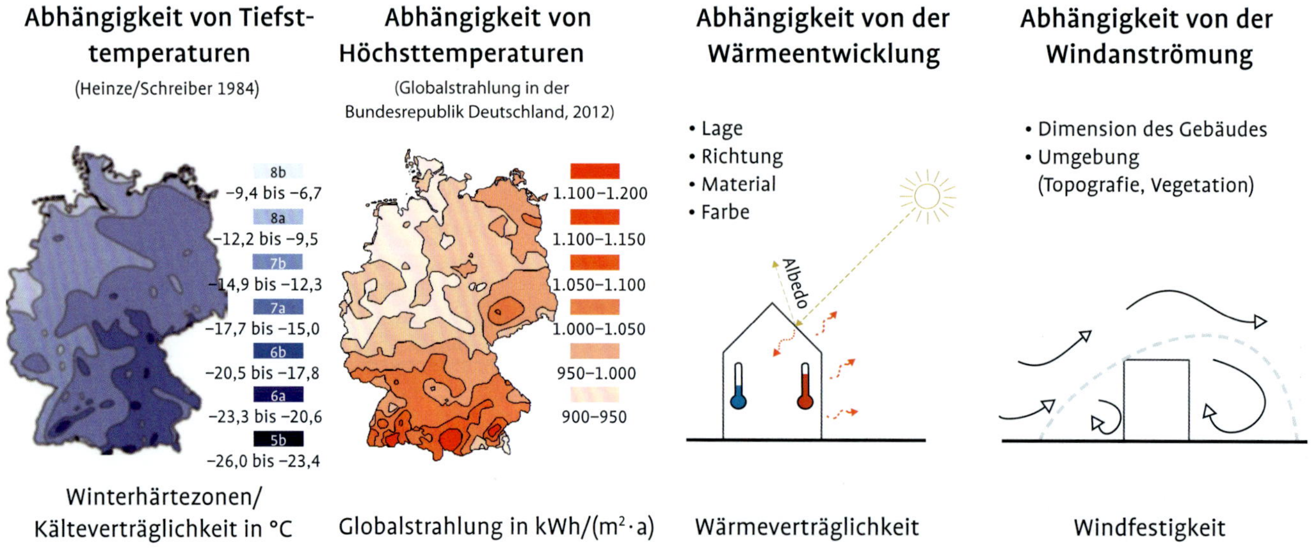

Abb. 4.3: Lebensbereichkriterien: Klima

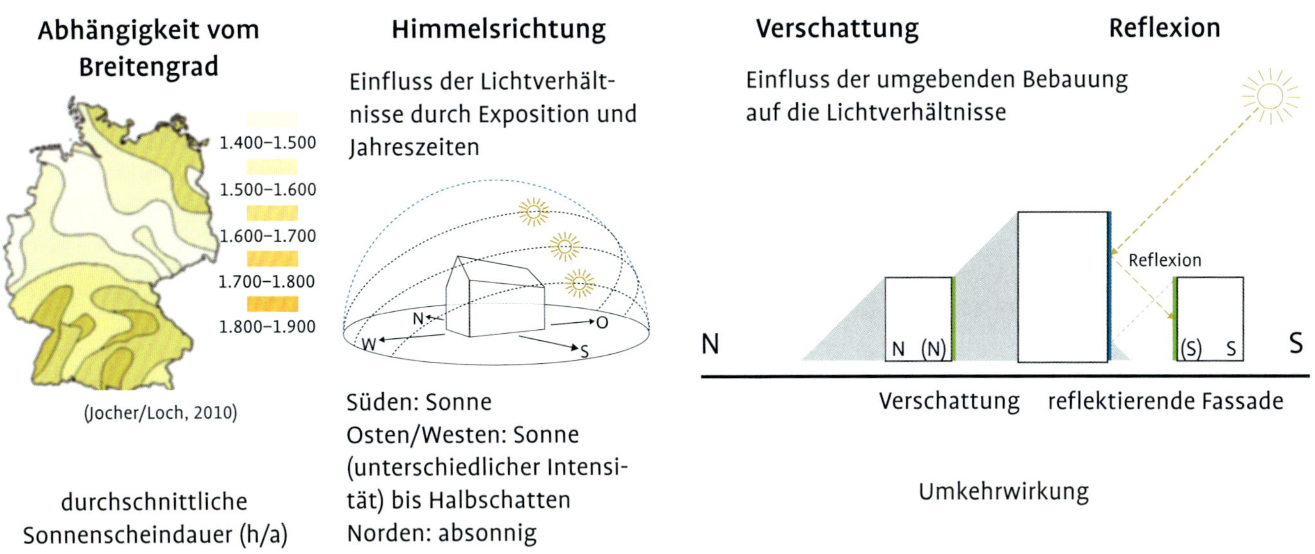

Abb. 4.4: Lebensbereichkriterien: Lichtverhältnisse

Lichtverhältnisse

Auch bezüglich der Lichtexposition sind aufeinander abgestimmte Lageanforderungen nötig (Hansen/Stahl, 1997). Die europäische Sonnenscheindauer (Jocher/Loch, 2010) nimmt von Süden nach Norden ab (siehe Abb. 4.4). Entsprechend unterschiedlich müssen geeignete Pflanzen ausgewählt werden. Besonderen Einfluss auf die Pflanzenwahl nimmt auch die Himmelsrichtung der Begrünungsfläche. Dabei ist eine mögliche Umkehrwirkung zu berücksichtigen: Südfassadenbegrünungen können durch Nachbargebäude teil- oder vollverschattet werden, es müssen also absonnige Pflanzen ausgewählt werden. Nordflächenbegrünungen können dagegen durch Sonnenlichtreflexion an gegenüberliegenden weiß gestrichene Fassaden sowie ausgedehnten Glas- oder Spiegelfassaden zu hell belichteten Flächen werden. Es müssen deswegen dafür besonders sonnenverträgliche Pflanzen ausgewählt werden.

Zu berücksichtigende Einflussfaktoren des umgebenden Geländes:

- Bodenverhältnisse des Pflanzstandorts, Bodenqualität (Zusammensetzung, pH-Wert, Sickerfähigkeit)
- Bodenbelastung durch Bauschuttanfüllungen bzw. Verunreinigungen durch Abfall (Bestand), gegebenenfalls bevorstehender Bodenaustausch
- regelmäßige Verschattungen aus in der Nähe stehender oder geplanter Vegetation (z. B. Bäumen)
- Zustand und Entwicklung vorhandenen Grünbestands
- topografische Besonderheiten (Mulden- oder Kuppenlage)
- Schutzmöglichkeit gegen mechanische Einwirkung (z. B. Vandalismus, parkende Fahrzeuge/Fahrräder, Schneeräumung, Sportfläche)
- Schutzmöglichkeit gegen chemische Belastung des Wurzelraums (z. B. Reinigungsmittel, Streusalz, Urin, Bodenkontamination, Auswaschungen der Fassade)
- Schutzmöglichkeiten gegen schädigende Einflüsse der örtlichen Fauna (z. B. Nager)
- Unterstützung der örtlichen Fauna (z. B. Lebensraum- und Nahrungsangebot für Insekten/Vögel)

Zu berücksichtigende Einflussfaktoren der umgebenden Bebauung:

- umgebende Bebauung und Bebauungsplanung
- vorhandene/geplante Tiefbaumaßnahmen entlang der Begrünung (z. B. Lage öffentlicher Ver- und Entsorgungsleitungen, Straßenbau, Straßenbeleuchtung)
- Art und Versiegelungsgrad der gebäudetangierenden Anschlussflächen
- Partikelimmissionen aus umgebender Industrie, Stäube, Feinstaub
- Windverwirbelung bzw. -umlenkung, Windschleusenbildung
- regelmäßige Sonnenlichtreflexion durch benachbarte Glas- bzw. Spiegelfassaden oder Glas- bzw. Solardächer
- regelmäßige Verschattung aus Baulichkeiten des Umfelds
- Pflanzenstandort im Regenschatten anderer Bauten
- gebäudetangierende Über-/Unterbauungen (z. B. Dachüberstände, Balkone, breite Fundamentüberstände, Tiefgaragen)

Boden- und Substratbedingungen

Für die Auswahl geeigneter Pflanzen ist die Beschaffenheit des Bodens bzw. des verwendeten Substrats entscheidend. Das Substrat muss den Pflanzen nicht nur Halt bieten, sondern auch eine gute Nährstoff- und Wasserversorgung sowie eine ausreichende Luftkapazität bei Wassersättigung sicherstellen.

Boden bzw. Substrat sollten durchlässig, nährstoffreich und strukturstabil sein. Ein lockeres, gut belüftetes Substrat sorgt dafür, dass die Pflanzenwurzeln ausreichend Sauerstoff erhalten und keine Staunässe entsteht. Die Zusammensetzung beeinflusst die Wasserhaltefähigkeit. Eine gute Drainage ist essenziell, um Staunässe und Wurzelfäule zu verhindern. Bei sehr wasserdurchlässigen Böden muss häufiger gewässert oder ein Bewässerungssystem integriert werden. Die Pflanzen müssen auf den Boden-/Substrat-pH-Wert abgestimmt werden.

Je nach Nährstoffbedarf der gewählten Pflanzen wird entweder ein nährstoffarmes Substrat verwendet oder eines, das für eine langfristige Nährstoffversorgung der Pflanzen sorgt. Eine regelmäßige Düngung kann insbesondere bei Substraten notwendig sein, wenn der Nährstoffgehalt im Laufe der Zeit abnimmt (pflanzenabhängig).

Ausgewählte Pflanzen

Anforderungen der Pflanzen und Pflanzengesellschaften sind zu berücksichtigen, wie in Bezug auf Licht (Exposition), Wasserbedarf und Wasserqualität (pH-Wert, Härte), Zusammensetzung und Menge der Nährstoffe sowie Bodeneigenschaften (Bestandteile, Azidität, Wasserspeicherfähigkeit, Durchlässigkeit und Durchlüftung) und Pflegebedarf (siehe Abb. 4.5). Der Sonnenverlauf bestimmt mit seinem mittleren Einstrahlwinkel die Wuchsrichtung sonnenbedürftiger Pflanzen. Das ist bei der Wahl des Pflanzenstandorts und bei der Planung von Wuchshilfen zu beachten. Die Erfüllung dieser Kriterien vorausgesetzt, kann die Pflanzenauswahl nach gestalterischen Zielen (Farbe, Belaubungsphase, Blühphase, Textur) getroffen werden. Die Abb. 4.3 und 4.4 fassen in einer Übersicht für Deutschland die Standortbedingungen bezüglich Klima, Lichtverhältnissen und Pflanzenbedürfnissen sowie deren Abhängigkeiten zusammen.

Zu begrünende Fassadenfläche

Auch die Beschaffenheit der Fassade/Wand spielt eine wesentliche Rolle bei der Planung von Fassadenbegrünungen, da sowohl das Material, der Fassadenaufbau (Art der Primärkonstruktion, gedämmt, ungedämmt), die Tragfähigkeit und die Oberflächenstruktur als auch der bauliche Zustand (Fugen, Vorschädigungen) entscheidenden Einfluss auf die Befestigung, das Wachstum und die langfristige Stabilität der Bepflanzung haben.

Erforderliche Vorklärungen zur Fassadenbeschaffenheit:

- Fassadengesamthöhe, -breite (bei Selbstklimmern) bzw. Dimension der Wuchshilfe abhängig von der Pflanzenauswahl (Gerüstkletterpflanzen)
- gestalterische Merkmale, Gliederung, Materialien und Farben und evtl. Verzierungen der Fassade mit Bezug zur Grüngestaltung (Flächenwahl, Pflanzen-, Systemwahl) zur Abstimmung von Befestigungselementen auf evtl. vorhandene Flächenraster
- Schadensfreiheit der Fläche, einwandfreie Fugenausbildung (Mauerwerksfugen, Dehnungsfugen)
- Homogenität, Rauheit und Struktur der Fläche (wichtig für die Haftung von evtl. eingesetzten Selbstklimmern)
- Aufheizung dunkler Wandoberflächen, insbesondere Metallfassaden, sowie dunkler Putzschichten auf Wärmedämmung
- Emmissionsfreiheit des Fassadenmaterials
- Klärung bestehender Lebensräume oder Nistplätze (z. B. Insekten, Vögel, Fledermäuse), Erhalt oder Kompensation
- Berücksichtigung evtl. geplanter späterer Umbaumaßnahmen
- voraussichtliche Renovierungsintervalle (Bestand), absehbarer energetischer Sanierungsbedarf (Bestand)

Bei der Planung sind zudem Vorklärungen zu konstruktiven/baulichen Elementen unerlässlich, um sicherzustellen, dass Stabilität, Befestigung und evtl. erforderliche Wuchsbegrenzungen auf die spezifischen baulichen Anforderungen sowie auf die Pflanzenwahl abgestimmt werden.

Erforderliche Vorklärungen zu baulichen Elementen:

- Abstimmung der Stabilität der Fassadenelemente, der Wuchskonstruktion und ihrer Befestigungen in Abhängigkeit von der Pflanzenwahl (z. B. bei Starkschlingern)
- Klärung von Lage und Ausbildung erforderlicher Begrenzungen der Wuchsausbreitung (z. B. an Fenstern, zu Nachbargebäuden, zu Flächen aktiver Solarenergiegewinnung)
- Bauweise und Montagefähigkeit der zu begrünenden Wandflächen
- Platzbedarf für Konstruktionselemente einer separaten Begrünungsebene
- Abstimmung der Stabilität der Fassadenelemente bzw. der Wuchskonstruktion und ihrer Befestigungen in Abhängigkeit von der Pflanzenwahl (z. B. bei Starkschlingern)
- Auswahl des passendes Begrünungssystems bzw. geeigneter Pflanzen in Abhängigkeit von der Fassadenfläche (z. B. Solarenergiegewinnung mit Überlagerung einer saisonalen Verschattung durch laubabwerfende Pflanzen,

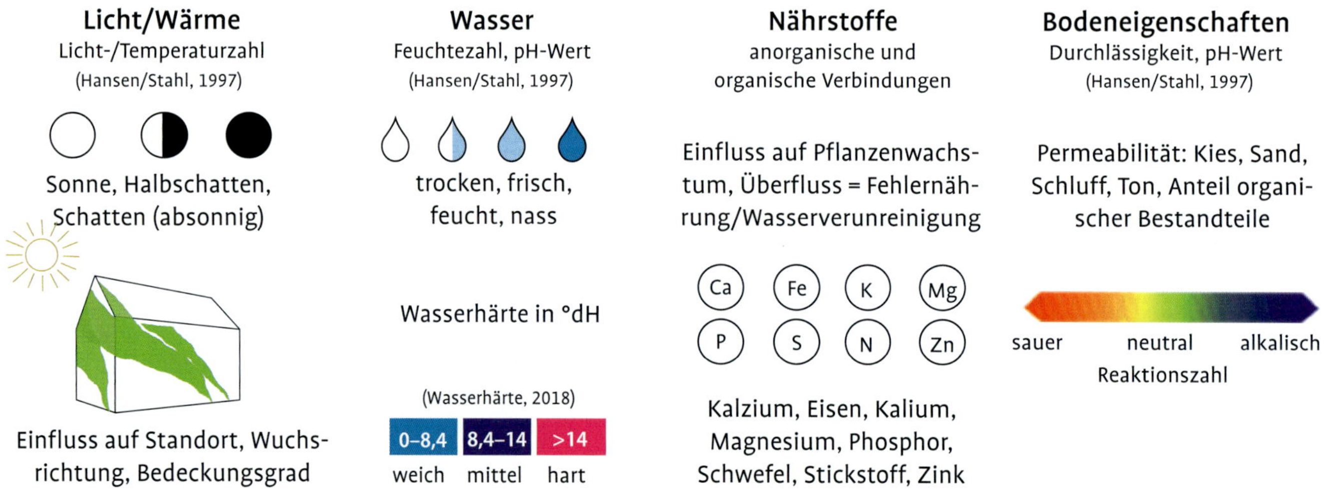

Abb. 4.5: Pflanzenbedürfnisse

wie z. B. vor Fensterflächen, Luftkollektorfassaden oder transparenten Wärmedämmungen)

Infrastruktur- und Versorgungsaspekte (Bestand und Planung) sind zu prüfen, bzw. vorauszudenken, um notwendige Stellflächen, die Wasser- und Energieversorgung sowie technische Einrichtungen für die langfristige Pflege und Wartung der Begrünung optimal integrieren zu können.

Erforderliche Vorklärungen zur Infrastruktur und Versorgung:

- Vorhaltung von Stellflächen für Wartungsgerät und -gerüst (Standort für Steiger bzw. Scherenhubtisch und Lagerort für Materialanlieferung, Standort für spätere Wartung/Pflege)
- Regenwasserbevorratung (z. B. Zisterne) für die Bewässerung, Klärung der zur Verfügung stehenden Wasserqualität (keine Belastung durch Biozide aus Wand-/Fassadenanstrichen oder Dachabdichtungen, wie z. B. Mecoprop, oder durch Weichmacher)
- Möglichkeit einer frostfreien Unterbringung der Bewässerungsanlagentechnik, gegebenenfalls mit Nährstoff-Dosieranlage
- Energieversorgung (Geräte zur Pflege und Wartung, gegebenenfalls Pumpenstrom)
- Möglichkeit zur Abführung von überschüssigem Wasser unterhalb der Begrünungsebene, gegebenenfalls Abstimmung mit der Stadtentwässerung
- in der Wand befindliche Abluft- bzw. Abgas- oder Dampfauslässe
- auf der Außenwand geführte Kabel oder sonstige Anbauten (Blitzableitung, Satellitenschüsseln, Antennen, Telefonfestnetz, Außenbeleuchtungen)

4.1.3 Planungs- und nachbarrechtliche Umfeldbedingungen

Zur Planung und Ausführung von Fassadenbegrünung sind im Vorfeld planungsrechtliche und nachbarrechtliche Vorgaben zu klären.

Bauplanungsrecht

Vorgaben durch einen Bebauungsplan

Der Umgang mit Bestandsbauten kann durch Bebauungspläne geregelt sein (z. B. Abstandsflächen, Brandlast, Eingriffs- und Ausgleichsregelung, Denkmalschutz). Der Bebauungsplan (B-Plan) kann zudem spezifische Vorgaben beinhalten, die Fassadenbegrünungen festlegen und regeln. Dies sind beispielsweise Anforderungen an die Pflanzenauswahl (einheimische oder bestimmte Arten) oder an die technische Umsetzung (z. B. Art der Kletterhilfen, Flächendeckung in Jahren).

Im Zuge von Strategien zur Klimaanpassung und zur Einführung von Nachhaltigkeitskriterien können bestehende Bebauungspläne durch förmliche Verfahren angepasst werden (Änderungsbeschluss, Beteiligung der Öffentlichkeit, Umweltprüfung, Beschlussfassung und Inkrafttreten nach öffentlicher Bekanntmachung). Bestandsgebiete können aber auch nachträglich mit Bebauungsplänen versehen werden.

Rechtmäßige Gebäude genießen Bestandsschutz. Neue Auflagen greifen in der Regel bei Sanierungen, Nutzungsänderungen, Erweiterungen und Umbauten.

Städtebauliche und architektonische Vorgaben sowie Anforderungen an die Energieeffizienz im Bebauungsplan (u. a. Gebäudehöhe und -maße) können ebenfalls Einfluss auf die Planung von Fassadenbegrünungen haben. Auch wasserrechtliche Vorgaben nach dem Wasserhaushaltsgesetz (WHG) sind einzuhalten.

Bei einer nachträglichen Fassadenbegrünung kann eine statische Überprüfung notwendig sein, um den allgemeinen bauordnungsrechtlichen Anforderungen zu entsprechen (Standsicherheit des Gebäudes und Tragfähigkeit der Fassade).

Gestaltungsvorschriften

Der Bebauungsplan oder örtliche Gestaltungssatzungen können Vorgaben zur äußeren Erscheinung von Gebäuden regeln, auch die Begrünung von Fassaden.

Bauordnungsrecht

Landesbauordnungen

Die Landesbauordnungen (LBO) der Bundesländer enthalten allgemeine Anforderungen an bauliche Anlagen und Bauprodukte. Dies betrifft insbesondere die Standsicherheit, die Tragfähigkeit der Fassaden, die Brandsicherheit sowie die Einhaltung von Abstandsflächen.

Vorgaben zu Abstandsflächen

Fassadenbegrünungen dürfen die vorgeschriebenen Abstandsflächen nicht verletzen, insbesondere wenn sie in den Bereich dieser Flächen hineinragen oder das Wachstum über die Grundstücksgrenze hinausgeht. Je nach Bundesland gibt es in den Nachbarschaftsgesetzen spezifische Regelungen zu Grenzabständen von Pflanzen. Um nachbarrechtlichen Auflagen gerecht zu werden, empfiehlt es sich, frühzeitig Landschaftsarchitekten, Architekten, Fachplaner sowie gegebenenfalls Juristen einzubeziehen.

Nachbarrecht

Das Nachbarrecht regelt Beziehungen zwischen Grundstücksnachbarn und greift hinsichtlich Gebäudebegrünungen insbesondere dann, wenn eine Begrünung nachteilige Auswirkungen auf Nachbargrundstücke hat. Es dient dem Schutz der Rechte des Nachbarn und kann Einschränkungen in Bezug auf die Ausgestaltung einer Begrünung zur Folge haben.

Nach § 1004 Bürgerliches Gesetzbuch (BGB) vom 2. Januar 2002, zuletzt geändert am 23. Oktober 2024, und den Nachbarrechtsgesetzen der Länder darf eine Begrünung nicht über die Grundstücksgrenze hinauswachsen. Der Nachbar hat das Recht, überhängende Äste oder Wurzeln abzuschneiden oder deren Entfernung zu verlangen. Zudem dürfen Nachbarn nicht unzumutbar durch die Begrünung beeinträchtigt werden, z. B. durch übermäßigen Schattenwurf, Beeinträchtigung des Lichteinfalls sowie gegebenenfalls durch Laub, Früchte und Pollen. Dies ist jedoch interpretationsbedürftig und führt in der Praxis häufig zu einer Entscheidung im Einzelfall.

Wenn für die Begrünung ein Teil des Nachbargrundstücks oder eine bestimmte Nutzung des eigenen Grundstücks notwendig ist, können privatrechtliche Vereinbarungen getroffen und durch Dienstbarkeiten gesichert werden. Diese müssen in das Grundbuch eingetragen werden und binden auch spätere Eigentümer.

Nachbarschaftsrechtliche Regelungen im Zusammenhang mit Fassadenbegrünungen betreffen vorrangig Licht- und Schattenwurf, Bewuchsüberhang, Wuchsausbreitung, Immissionsschutz und ästhetische Beeinträchtigungen.

Denkmalschutz

Bei denkmalgeschützten Gebäuden ist jede Veränderung an der Fassade genehmigungspflichtig. Eine Fassadenbegrünung kann daher nur nach Zustimmung der Denkmalschutzbehörde vorgenommen werden, um das historische Erscheinungsbild nicht zu beeinträchtigen (siehe Abb. 4.6).

Zum Teil gibt es Ausnahmen, wenn der Urzustand der Fassade durch eine spätere Beseitigung der Begrünung jederzeit wiederhergestellt werden kann. Sinnvoll ist auch das Betrachten historischen Bildmaterials (siehe Abb. 4.7).

Nicht selten waren historische Gebäude begrünt, z. B. das Herrenhaus Franz Späth in Berlin (1874), das Wohnhaus für Adolf Otto von Heinrich Tessenow (1912), diverse Gebäude von Hermann Muthesius, Gebäude in Gartenstädten dieser Zeit sowie auch Kliniken, wie z. B. das Uniklinikum Liebigstraße in Leipzig (ca. 1930).

Abb. 4.6: Begrünung des Erdgeschosses eines historischen, denkmalgeschützten Gebäudes

Brandschutz

Fassadenbegrünungen müssen den brandschutzrechtlichen Vorgaben hinsichtlich Brandlasten und Feuersicherheit entsprechen. Es muss sichergestellt werden, dass die Begrünung vital ist, nicht als Brandlast wirkt und die Ausbreitung von Feuer über die Fassade nicht begünstigt wird (siehe Abb. 4.8). Der vorbeugende Brandschutz für begrünte Fassaden erfordert daher eine sorgfältige Planung und wird durch kontinuierliche, fachgerechte Pflege und Wartung sichergestellt.

Wichtig ist die Vermeidung abgestorbener Pflanzenteile (Totholz) sowie der Erhalt der Vitalität der Pflanzen. Obwohl Pflanzen nicht als Bauprodukte klassifiziert sind, muss das Schutzziel der Begrenzung der Brandausbreitung über die Fassade unbedingt erreicht werden.

Es ist bekannt, dass gesunde und vitale Pflanzen eine geringe Entzündlichkeit aufweisen. Erst nach längerem Einwirken einer Flamme neigen sie dazu, auszutrocknen und Feuer zu fangen. In den Brandversuchen, die 2023 und 2024 von FireSafeGreen durchgeführt wurden, konnten folgende vorläufige Erkenntnisse gewonnen werden.

Alle Pflanzen waren selbstverlöschend nach Ausschalten der Primärflamme. Eine horizontale Brandausbreitung trat nicht oder nur in sehr geringem Maße auf. Eine vertikale Brandausbreitung erfolgte über dem Primärbrandbereich durch ein kurzes Aufflammen ausgetrockneter Triebe und Blätter (Sekundenbrand). Dabei verbrannten Triebe und Blätter vollständig, ohne brennend herabfallende Teile. Die Wärmefreisetzung lag deutlich unter der vergleichbarer normal entflammbarer Baustoffe. Es gibt keinen signifikanten Unterschied im Brandverhalten zwischen den Pflanzenarten (bei den gängigen Kletterpflanzen) und zwischen belaubtem und unbelaubtem Zustand (Sommer/Winter). Ein möglicher Abbrand der Begrünung führt nicht zu einer

Abb. 4.7: Sichten historischen Bildmaterials zur Klärung der Begrünung eines denkmalgeschützten Gebäudes (Familienfoto um 1900)

Abb. 4.8: Brandlast durch nicht vitale Pflanzenteile infolge mangelnder Pflege

Entzündung der dahinterliegenden Holzfassade bei einem Wandabstand von 11 cm oder mehr (Engel, 2024).

Bereits abgestorbenes Pflanzenmaterial verhält sich hingegen anders: Es entzündet sich schnell und fördert eine rasche Brandausbreitung sowie eine intensive Hitzeentwicklung.

Aus brandschutztechnischer Sicht ist die Genehmigung für begrünte Fassaden im Einzelfall erforderlich. Dabei sind Größe, Höhe und Art der Nutzung des Gebäudes entscheidende Faktoren. Die relevanten Vorschriften der Landesbauordnung sowie die Einteilung in Gebäudeklassen sind zu beachten.

Zur Sicherstellung der Rettung von Mensch und Tier sind Feuerwehrzufahrten und -aufstellflächen sowie wirksame Löscharbeiten zu realisieren (Sowiesoplanungsleistungen, die auch ohne Begrünung erforderlich sind).

Um eine Brandausbreitung zu verhindern, sollten folgende Maßnahmen ergriffen werden:

- Brandabschnitte dürfen nicht überwachsen werden.
- Ein Übergreifen von Feuer auf die Dachkonstruktion ist zu verhindern.
- Kletterhilfen und Trägersysteme sind mindestens in B1 auszuführen.
- Schutzmaßnahmen gegen Brandüberschlag sind einzurichten (z. B. durch Brandriegel aus mindestens 20 cm auskragenden Blechen).
- Maßnahmen gegen Sockelbrände sind zu treffen, etwa durch die Vermeidung von Müllaufstellflächen bei Begrünung ab dem Sockel.
- Eine ausreichende Abstandsregelung (> 5 m) zu benachbarten Objekten ist zu gewährleisten.

Treppenhäuser und innenliegende Rettungswege dürfen nur dann begrünt werden, wenn sie keine Fenster aufweisen bzw. wenn sichergestellt werden kann, dass weder Feuer noch Rauch in das Treppenhaus gelangt.

Tabelle 4.1 fasst die Empfehlungen der Arbeitsgemeinschaft der Leiter der Berufsfeuerwehren und des Deutschen Feuerwehrverbands zusammen, gegliedert nach Gebäudeklassen und Bauhöhe.

In jedem Fall muss ein Mindestabstand der Bepflanzung von 1 m zum Dachrandanschluss (Unterkante Unterkonstruktion Traufe) eingehalten werden. Für wandgebundene Bauweisen sind durchgängige Brandriegel zwischen den Geschossen zu realisieren oder jeweils ein Geschoss (mindestens 3 m Höhe) begrünungsfrei zu halten. Alternativ zu durchgängigen Brandriegeln werden unbepflanzte Bereiche um Öffnungen in den Fassaden von mindestens 0,5 m zu

Tabelle 4.1: Empfehlungen der Arbeitsgemeinschaft der Leiter der Berufsfeuerwehren und des Deutschen Feuerwehrverbands zur Gebäudebegrünung, gegliedert nach Gebäudeklassen und Bauhöhe (Brandschutz großflächig begrünter Fassaden, 2020)

Gebäude mit einer Höhe bis zu 7 m (Gebäudeklasse 1 bis 3)	**Gebäude mit einer Höhe bis zu 13 m (Gebäudeklasse 4)**	**Gebäude mit einer Höhe bis zu 22 m (Gebäudeklasse 5)**	**Gebäude mit einer Höhe über 22 m (Gebäudeklasse 5)**
Brandabschnitte dürfen nicht überwachsen werden.	Brandabschnitte dürfen nicht überwachsen werden.	Brandabschnitte dürfen nicht überwachsen werden.	Brandabschnitte dürfen nicht überwachsen werden.
Ein Übergriff von Feuer auf die Dachkonstruktion ist zu verhindern (1 m Abstand von der Begrünung zur Traufe).	Ein Übergriff von Feuer auf die Dachkonstruktion ist zu verhindern (1 m Abstand von der Begrünung zur Traufe).	Ein Übergriff von Feuer auf die Dachkonstruktion ist zu verhindern (1 m Abstand von der Begrünung zur Traufe).	Ein Übergriff von Feuer auf die Dachkonstruktion ist zu verhindern (1 m Abstand von der Begrünung zur Traufe).
	Trägersysteme sind mindestens in B1 auszuführen.	Trägersysteme sind mindestens in B1 auszuführen.	Trägersysteme sind mindestens in B1 auszuführen.
		Zur Verhinderung einer Brandentstehung ist eine Pflegeordnung zu erstellen.	Zur Verhinderung einer Brandentstehung ist eine Pflegeordnung zu erstellen.
		Zur Sicherstellung der Rettung von Mensch und Tier dürfen sich Rettungswegefenster nicht im Bereich begrünter Fassaden befinden.	Zur Sicherstellung der Rettung von Mensch und Tier dürfen sich Fenster eines notwendigen Treppenraums nicht im Bereich begrünter Fassaden befinden.
		Feuerwehrzufahrten und Aufstellflächen von Hubrettungsgeräten sind zur Sicherstellung wirksamer Löscharbeiten zu realisieren.	Feuerwehrzufahrten und Aufstellflächen von Hubrettungsgeräten sind zur Sicherstellung wirksamer Löscharbeiten zu realisieren.
			Begrünte Außenwände müssen raumabschließend feuerbeständig ausgeführt sein.
			Es ist zu prüfen, ob Löschmaßnahmen durch handgeführte Rohre über Balkone/Terrassen möglich sind.

jeder Seite und 1,0 m oberhalb der Öffnung akzeptiert. Für den Einsatz von Kletterpflanzen kann die Anbringung von Brandriegeln auf Fensterstürze beschränkt werden (siehe Abb. 4.9, 4.10 und 4.11).

Energie- und Umweltrecht

Gebäudeenergiegesetz

Fassadenbegrünungen dürfen die energetische Funktion der Fassade nicht negativ beeinflussen. Umgekehrt können sie jedoch auch als Maßnahme zur Energieeinsparung gefördert werden (Kühlung durch Verschattung und Verdunstung, Verminderung des Wärmedurchgangs).

Wasserhaushaltsgesetz

Wenn zur Bewässerung der Begrünung Regenwasser genutzt wird, sind Regelungen des Wasserhaushaltsgesetzes zu beachten. Es regelt u. a. den Schutz oberirdischer Gewässer und des Grundwassers, um deren nachhaltigen Erhalt und eine umweltverträgliche Nutzung sicherzustellen.

Naturschutzrecht und Artenschutz

Naturschutzrechtliche Bestimmungen sind zu beachten. Die Eingriffs- und Ausgleichsregelung ist ein zentraler Bestandteil des deutschen Naturschutzrechts nach Bundesnaturschutzgesetz (BNatSchG). Sie regelt, wie mit Eingriffen

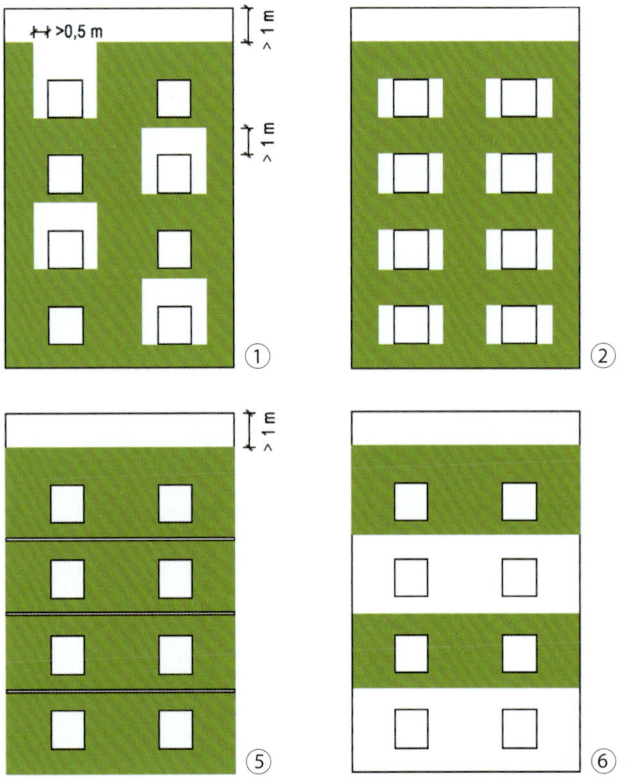

① Freihaltung um Öffnungen im Umfang austretender Flammen
② stattdessen Brandriegel an Fensterstürzen
③ Streifenbepflanzung
④ kassettenartige Bepflanzung
⑤ Brandriegel zwischen den Geschossen
⑥ unbepflanzte Geschosse

Abb. 4.9: Empfehlungen zum Brandschutz begrünter Fassaden (Quelle: Brandschutz großflächig begrünter Fassaden, 2020)

Abb. 4.10: Brandriegel über den Fensterstürzen, um Brandausbreitung zu verhindern

Abb. 4.11: Fensterleibungen als allseitige Brandriegel

in Natur und Landschaft, z. B. Flächenversiegelung durch Bauvorhaben (Straßen, Gebäude, Industrieanlagen), und anderen baulichen Maßnahmen umzugehen ist, die den natürlichen Boden, den Wasserhaushalt, die Luftqualität oder die Lebensräume von Tieren und Pflanzen negativ beeinflussen, um den ökologischen Zustand so weit wie möglich zu erhalten oder wiederherzustellen.

Das Naturschutzrecht fordert zunächst, dass Eingriffe in Natur und Landschaft vermieden oder so weit wie möglich minimiert werden. Sind Eingriffe unvermeidbar und entstehen trotz Minimierungsmaßnahmen erhebliche Beeinträchtigungen, müssen Ausgleichs- oder Ersatzmaßnahmen folgen oder Kompensationsmaßnahmen ausgewiesen werden. Diese sind im Rahmen von Bauleitplanungen bei der Abwägung oder bei der Genehmigung von Bauvorhaben rechtlich bindend zu berücksichtigen. Fassadenbegrünungen können zur Verbesserung des Standorts als Ausgleichsmaßnahmen herangezogen werden.

Haftungsrecht

Der Eigentümer eines Gebäudes ist verpflichtet sicherzustellen, dass die Begrünung keine Gefahr für Dritte darstellt, z. B. durch herabfallende Pflanzenteile. Bei Verletzung dieser Pflicht kann er haftbar gemacht werden.

Sonstige privatrechtliche Vereinbarungen

Privatrechtliche Regelungen zur Gebäudebegrünung betreffen in erster Linie die Beziehungen zwischen privaten Parteien, wie Eigentümern, Mietern, Nachbarn oder Wohnungseigentümergemeinschaften. Sie werden durch mietrechtliche Vereinbarungen, nachbarschaftsrechtliche Vorschriften, wohnungseigentumsrechtliche Regelungen sowie allgemeine Vertrags- und Haftungsfragen bestimmt und durch Verträge, Vereinbarungen und allgemeine gesetzliche Bestimmungen des BGB geregelt. Die konkrete Ausgestaltung dieser Regelungen ist abhängig von individuellen Vereinbarungen und den jeweiligen Umständen.

Mietrechtliche Aspekte

Die Begrünung eines Gebäudes kann im Mietvertrag geregelt werden. Es können Regelungen getroffen werden, ob und in welchem Umfang ein Mieter beispielsweise einen Balkon oder eine Terrasse begrünen darf. Ohne ausdrückliche Erlaubnis des Vermieters darf der Mieter in der Regel keine baulichen Veränderungen am Gebäude vornehmen, die über eine übliche Bepflanzung hinausgehen.

Falls die Gebäudebegrünung durch den Vermieter erfolgt, kann dieser möglicherweise die Kosten für die Pflege und Instandhaltung auf den Mieter umlegen, wenn dies im Mietvertrag entsprechend geregelt ist.

Wohnungseigentumsrecht

In einer Wohnungseigentümergemeinschaft bedarf die Begrünung von Gemeinschaftseigentum in der Regel eines Beschlusses der Eigentümerversammlung. Die Begrünung kann bauliche Veränderungen darstellen, die nur mit Zustimmung aller oder der Mehrheit der Eigentümer umgesetzt werden dürfen (§ 22 Wohnungseigentumsgesetz [WEG] vom 12. Januar 2021, zuletzt geändert am 10. Oktober 2024).

Falls eine Wohnungseigentümergemeinschaft die Begrünung beschließt, muss ebenfalls geklärt werden, wie die Kosten für die Umsetzung und spätere Pflege auf die Eigentümer verteilt werden.

Vertragsrecht

Bei der Beauftragung eines Unternehmens oder sonstigen Auftragnehmers zur Begrünung eines Gebäudes kommt in der Regel ein Werkvertrag zustande. In diesem Vertrag sollten Leistungen, Kosten, Fristen und Haftungsfragen klar geregelt sein.

Für Schäden Dritter, die durch die Begrünung entstehen (z. B. durch Einwuchs lichtfliehender Triebe), haftet in der Regel derjenige, der die Begrünung beauftragt hat. Auch hinsichtlich dieser Haftung kann es wichtig sein, eine klare Regelung im Vertrag zu treffen.

4.1.4 Konstruktive Grundlagen zur Fassadenbegrünung im Bestand

Um Planungsziele zu definieren, sind neben funktionalen und gestalterischen Themen konstruktive Grundlagen zur Realisierung des Bau- bzw. Sanierungsvorhabens zu klären. Passende Begrünungsformen können nur in einer bautechnischen und bauphysikalischen Zusammenschau mit der Außenhaut des Gebäudes festgelegt werden.

Grundsätzlich zu klärende konstruktive Grundlagen sind die Tragfähigkeit und Oberflächenqualität der zu begrünenden Wände (Primärkonstruktion) sowie die Exposition und das Gesamtgewicht der Begrünung (Eigengewicht ausgewachsener Begrünung, Sekundär- und Versorgungskonstruktionen, Niederschläge, Windkräfte). Auch der Wasseranschluss und die Stromversorgung (Pflege, Wartung) sind zu berücksichtigen. Es besteht in der Regel Baugenehmigungspflicht (Statik, Brandschutz, Brandlast). Eine rechtliche Klärung bei Grenzberührung ist erforderlich (Abstandsfläche, Platzbedarf für die Installation und Instandhaltung). Durch gezielt geplante Wuchsaufleitungen/ Wuchsbehälter kann erreicht werden, dass das Winterbild der Begrünung nicht von abgestorbenen Pflanzenteilen bestimmt wird. Alle Bauweisen bedürfen einer sicheren Zugänglichkeit für Wartung und Pflege, um die Instandhaltung bzw. Gestaltungsänderungen wirtschaftlich ausführen zu können. Wandgebundene Begrünungen sind abhängig von einer ganzjährig automatisch gesteuerten künstlichen Bewässerung und Nährstoffversorgung. Sorgfältig aufeinander abgestimmte Pflanzengesellschaften sind Basis eines wirtschaftlichen Pflegekonzepts. Alle Bestandteile einer Begrünung sind auf die geplante Lebensdauer abzustimmen (Gebäude Begrünung Energie, 2014).

Mögliche Fassadenkonstruktionen in Bestand oder Sanierung:

- ungedämmte Außenwände:
  - massive Wandaufbauten
  - Ständer- und Fachwerkbauweise
  - Luftkollektorfassaden zur Direkterwärmung der Wand

- gedämmte Außenwände:
  - massive Wandaufbauten
  - Ständer- und Fachwerkbauweise
  - mehrschalige, nicht hinterlüftete Wandaufbauten
  - mehrschalige, hinterlüftete Wandaufbauten
  - Luftkollektorfassaden zur Erwärmung eines Luftvolumens

Generelle Vorklärungen zur Begrünungsanwendung

Im Allgemeinen haben die Bedürfnisse der Pflanzen Vorrang und bilden die Grundlage für technische Lösungsmöglichkeiten. Ein langfristiger Nutzen der Investition kann nur gewährleistet werden, wenn die Pflanzen in ihrer natürlichen Weise gedeihen können. Die folgende technische Beschreibung zu üblichen Fassadenausbildungen gilt für alle genannten Wand-/Fassadenkonstruktionen. Vorklärungen der baulichen Untergrundeignung (Bewuchs- bzw. Montageuntergrund) berücksichtigen technische und chemische Eigenschaften, Renovierungsanforderungen sowie den Aspekt eines gegebenenfalls künftig feuchteren Kleinklimas. Im Detail sind folgende Vorklärungen erforderlich:

Wichtig ist zunächst die Vorklärung der Statik für das zu erwartende zusätzliche maximale Gesamtgewicht, die Windangriffsfläche und die Haftung bzw. Halterung der Begrünung.

Im Vorfeld abzuklären sind auch die Brandschutzauflagen (Volumen der Trockenmasse, Brandlast, Abstandsauflagen wegen Brandübergriff, Zugänglichkeit des Einsatzorts als Brandangriffsweg, zweckgebundener Wasseranschluss). Zusätzlich sind andere Gesetzesauflagen zu berücksichtigen, z. B. der Ausschluss bestimmter Pflanzen bei Kindergärten, Schulen usw. (Giftigkeit, Verletzungsgefahr). Die Vorklärung umfasst zudem baurechtliche und nachbarrechtliche Belange: Bei Wuchshilfekonstruktionen sowie bei wandgebundenen modularen und linearen Bauweisen kann die Entstehung einer missbräuchlichen Aufstiegshilfe im öffentlichen Raum ein Ausschlusskriterium sein.

Eine ausreichende und zuverlässige Versorgung der Pflanzen mit Wasser und Nährstoffen muss sichergestellt werden. Mögliche Lebensräume für die Fauna sollten bereits bei der Planung mitberücksichtigt werden. Unerlässlich ist auch die Vorklärung der späteren Wartungszugänglichkeit und erforderlicher Wartungshilfen (Stege, Leiterhaken, Wachstumsbegrenzungen), auch bei grenzständigen Wänden. Auch ein Standort für ein Lieferfahrzeug ist vorzusehen. Verankerungen und Konsolen am Gebäude sollten auf Dauer mit einem Gefälle von ca. 3 ° vom Gebäude wegstehen, um Wasserlaufspuren an Sichtflächen zu vermeiden und mögliche Undichtigkeiten an Durchdringungen zu entlasten. Wuchsbegrenzungen an Fenstern, Verglasungen und Flächenübergängen zu Dachrändern, Rinnen, Nachbargebäuden usw. sind erforderlich. Begrenzungen sind z. B. durch Kantbleche aus nicht rostendem Stahl herstellbar, die sich bei vollem Bewuchs optisch zurücknehmen und in das Fassadenbild eingliedern.

Die Funktion von Bauteilfugen in der Gebäudeaußenfläche (Dehnungsfugen, Belüftungs- oder Entwässerungsöffnungen) ist zu klären und zu berücksichtigen. Einwurzelungen sind zu vermeiden. Geklärt werden muss auch die Art der Dämmung, wenn vorhanden: Bei bestehenden Vakuum-Isolierpaneelen (VIP) würde eine Durchdringung die Dämmwirkung des jeweiligen Paneels aufheben. Bei herkömmlichen Dämmstoffen hingegen können nachträglich wärmebrückenreduzierte Befestigungen montiert, nachgedämmt und eingedichtet werden.

Spezielle Hinweise zur Begrünung der zuvor aufgeführten Wand-/Fassadenkonstruktionen werden im Folgenden zusammengefasst.

Ungedämmte Außenwände und ihre Begrünungseignung

Ungedämmte Außenwände sind Bestandteil älterer Bauten – Bauwerken, die vor dem 20. Jahrhundert errichtet wurden, Wohnhäusern und Gebäuden, die nicht modernisiert/saniert wurden, älteren Lagerhallen, Werkstätten oder Fabrikgebäuden und Altbauten mit erhaltenswürdigen Fassaden (z. B. Sichtmauerwerk oder Natursteinfassaden). Nebengebäude wie Anbauten, Schuppen, Garagen und landwirtschaftliche Gebäude (Scheunen, Ställe) sind ebenfalls oft ungedämmt. Nachfolgend werden diverse Ausführungen ungedämmter Außenwände und deren Begrünungseignung beschrieben.

Massive Wandaufbauten, ungedämmt

Abb. 4.12: Ungedämmte massive Wandaufbauten und ihre Begrünungseignung

Zu ungedämmten massiven Wandaufbauten gehören u. a. Beton-/Mauerwerkswände sowie Sichtmauerwerk-Fassaden. Es sind alle Begrünungen geeignet, sofern die Oberfläche der Konstruktionen riss- und fugenfrei ist (siehe Abb. 4.12).

> **Hinweis**
>
> - Die Pflanzenauswahl erfolgt nach der Lage der Wand, der Lichtexposition und dem Gestaltungsziel.
> - Das Gesamtgewicht der fertigen Begrünung (einschließlich Wind-, Schnee- und Eislast) ist statisch zu berücksichtigen.
> - Chemische Beschichtungen sind auf Pflanzenverträglichkeit abzustimmen.
> - Gegebenenfalls später erforderlich werdende Renovierungsarbeiten sind einzuplanen (klappbare Wuchsgerüste, modulare Bauweise usw.).
> - Auf eine korrosionsfreie Montagetechnik ist zu achten.

Ständer- und Fachwerkbauweise, ungedämmt

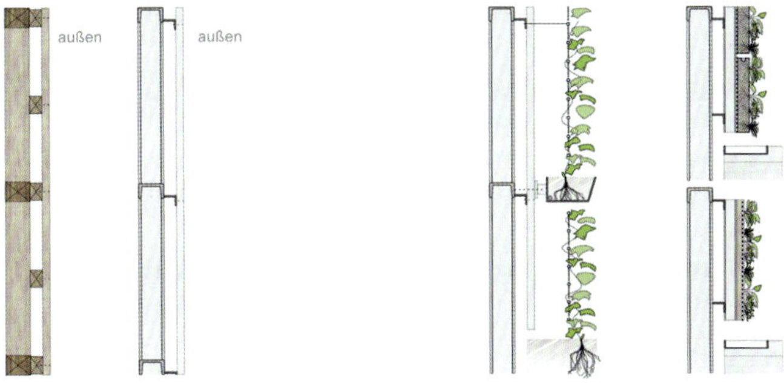

Abb. 4.13: Ungedämmte Ständer- und Fachwerkbauweisen und ihre Begrünungseignung

Holz- oder Metallskelettbauten, bekleidet oder ausgefacht, sind typische Ständer-/Fachwerkbauten. Die Bekleidungen und Ausfachungen der Konstruktion sind fugenreich und eignen sich daher ausschließlich für Begrünungen an einer eigenen vorgesetzten Wuchsebene (boden-/wandgebunden) und nicht für Direktbegrünungen, die in die Fugen einwachsen könnten (siehe Abb. 4.13).

Hinweis

- Für diese Bauweise sollten nur Pflanzen ohne lichtfliehende Eigenschaften ausgewählt werden, denn Pflanzen, die in Fugen einwachsen, sind nur mit größerem Pflegeaufwand zu beherrschen.
- Zwischen Begrünung und Wandkonstruktion ist eine Hinterlüftung einzufügen.
- Wandgebundene modulare/flächige Begrünungen werden auf die Rastervorgaben abgestimmt.

Luftkollektorfassaden zur Direkterwärmung der Wand

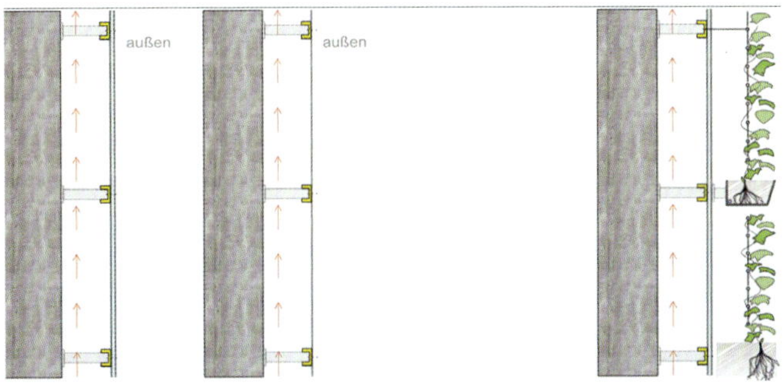

Abb. 4.14: Luftkollektorfassaden zur Direkterwärmung der Wand und ihre Begrünungseignung

Die Bauweise integriert die Solarenergiegewinnung an geeigneten Gebäudeseiten. Das sogenannte kybernetische Prinzip als Lösung für die energetische Optimierung von Bestandsbauten ist anstelle einer ganzjährig vollflächigen Dämmung mit einer Vorfassade versehen, die die solaren Wärmeenergieströme bewegt und in Materialien, Räumen und Puffern zur Nutzung bereitstellt. Sommergrüne Gerüstkletterpflanzen an einer Wuchsvorkonstruktion eignen sich zur Verschattung im Sommer und lassen unbelaubt in kälteren Jahreszeiten eine Raumlufterwärmung zu (siehe Abb. 4.14).

Hinweis

- Lage, Rasterdichte (Wuchsgerüst und Pflanzbehälter) und Pflanzenauswahl (Verschattungsgrad und Belaubungsphasen) sind auf das Energiekonzept abzustimmen.
- Es ist eine ausreichende Hinterlüftung zwischen Begrünung und Luftkollektorfassade einzuplanen.
- Bei Folienkonstruktionen ist eine Berührung durch Pflanzen auszuschließen. Auf dornige Pflanzen sollte verzichtet werden.

Gedämmte Außenwände und ihre Begrünungseignung

Gedämmte Gebäude bieten durch ihre energieeffiziente Bauweise viele Vorteile. Die Begrünung gedämmter Fassaden kann sowohl ästhetische als auch ökologische Vorteile bieten (z. B. Schutz vor Witterungseinflüssen). Allerdings müssen die technische Ausführung und die verwendeten Materialien sorgfältig aufeinander abgestimmt werden, um Wärmebrücken zu vermeiden und die Dämmwirkung nicht zu beeinträchtigen. Eine fachgerechte Planung und Montage sind daher entscheidend. Im Folgenden werden verschiedene Ausführungen gedämmter Außenwände sowie deren Eignung für eine Fassadenbegrünung erläutert.

Massive Wandaufbauten, gedämmt

Abb. 4.15: Massive gedämmte Wandaufbauten und ihre Begrünungseignung

Zu gedämmten massiven Wandkonstruktionen zählen u. a. Konstruktionen aus Dämmbeton, Leichtbeton-Mauerwerk sowie Mauerwerk aus porosiertem Ziegelmaterial. Diese Bauweisen stehen allen boden- und wandgebundenen Begrünungen zur Verfügung, mit der Ausnahme von Starkschlingern (nur bedingt geeignet).

Direktbegrünungen sollten nur bei fehlerfreier Oberfläche (Haftgrund, Rissfreiheit) erfolgen. Bei sensiblen Oberflächen (z. B. Spachtelputz, Beschichtungen, Fliesen) sollten Pflanzen auf Abstand in separater Ebene wachsen (Gerüstkletterpflanzen an Wuchsvorkonstruktionen oder wandgebundene Begrünungen; siehe Abb. 4.15).

Hinweis

- Es ist ein statischer Nachweis erforderlich.
- Wärmebrückenreduzierte Befestigungstechniken sind wichtig.
- Eine wirksame Durchlüftung des Zwischenraums zwischen Fassade und Begrünung ist sicherzustellen.

Ständer- und Fachwerkbauweise, gedämmt

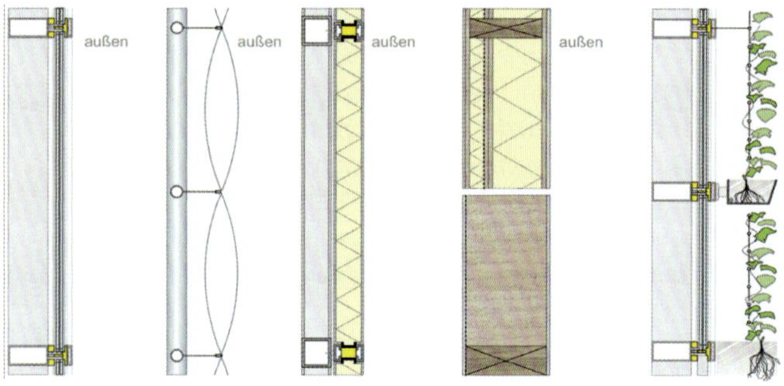

Abb. 4.16: Ständer- und Fachwerkbauweisen, gedämmt, und ihre Begrünungseignung

Diese Bauweise zeichnet sich durch eine industrielle Vorfertigung mit hoher Maßgenauigkeit aus. Es handelt sich jedoch um fugenreiche Fassaden. Daher ist eine Direktbegrünung mit lichtfliehenden Pflanzen ausgeschlossen.

Begrünungsvorkonstruktionen müssen an tragenden Pfosten-/Riegelbauteilen montiert werden (siehe Abb. 4.16; statischer Nachweis erforderlich). Die Ausfachungen sind nicht für Befestigungen geeignet.

Zur natürlichen Sommerverschattung vor Glasfassaden (Einsparung von Kühlenergie) sind sommergrüne Gerüstkletterpflanzen zu wählen.

Hinweis

- Ein statischer Nachweis ist erforderlich.
- Wuchshilfen müssen das Raster der Wandbauweise übernehmen.
- Wichtig ist die Wahl wärmebrückenreduzierter und kraftschlüssiger Montagetechniken.
- Auf ausreichende Hinterlüftung ist zu achten.

Mehrschalige, nicht hinterlüftete Wandaufbauten

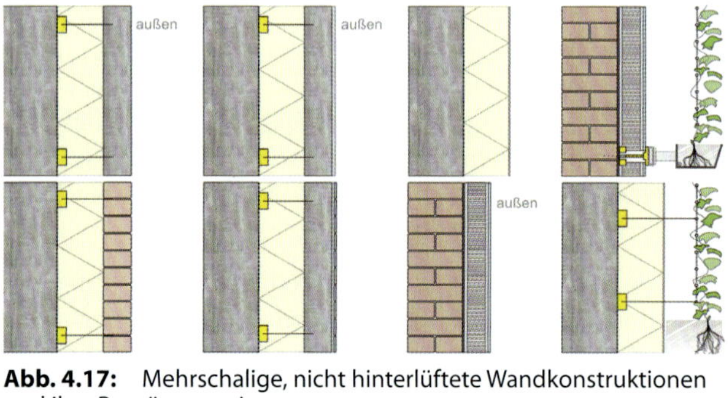

Abb. 4.17: Mehrschalige, nicht hinterlüftete Wandkonstruktionen und ihre Begrünungseignung

Diese Gruppe gedämmter Außenwände umfasst Lösungen mit Kerndämmung, mit transluzenten Wärmedämmungen (TWD) sowie Wärmedämm-Verbundsystemen. Begrünungen sind synergetisch auf die Fassaden-/Wandkonstruktion abzustimmen.

Sensible Bauteile sind von Bewuchs freizuhalten (Problem: Einwachsungen und Dickenwachstum der Triebe). Weist die Fassade Fugen auf, wird eine separate Begrünungsebene empfohlen (boden-/wandgebunden; siehe Abb. 4.17).

Hinweis

- Gegebenenfalls ist ein statischer Nachweis der Lastabtragung der Begrünungsebene in die Vormauerschale/Primärkonstruktion nötig.
- Verwendet werden sollten wärmebrückenreduzierte und statisch berechnete Halterungen/Konsolen, denn Durchbiegung schädigt die Dämmebene.
- Eine Direktbegrünung sensibler bzw. planzenphysiologisch ungeeigneter Oberflächen muss vermieden werden.
- Für eine ausreichende Hinterlüftung ist zu sorgen.

Mehrschalige, hinterlüftete Wandaufbauten

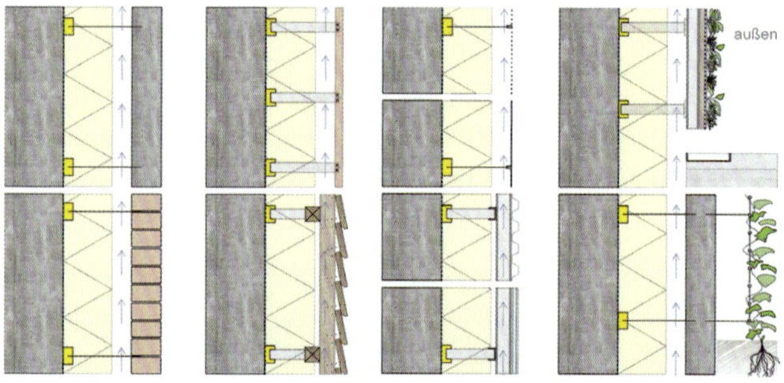

Abb. 4.18: Mehrschalige, hinterlüftete Wandkonstruktionen und ihre Begrünungseignung

Diese Bauweise basiert auf einer klaren Trennung zwischen der tragenden Schale (Statik) und der Vorsatz- bzw. Vormauerschale. Sie schützt die Primärkonstruktion und die Dämmebene vor Witterungseinflüssen wie Regen, Schnee und Wind, während die innere Schale die Wärmedämmung und Tragfähigkeit übernimmt. Die Vormauerschale kann aus diversen Materialien bestehen, wie z. B. aus Beton, Sichtmauerwerk, mineralischen Plattenmaterialien (Naturwerkstein, Betonwerkstein, Kunststein, Keramik), aus Holz oder aus Holzwerkstoffen.

Auch dünnwandige Vorsatzschalen sind möglich, wie z. B. Metallkantbleche, Kunststoff-Formelemente, Glasplatten, Acrylglas- und Polycarbonatplatten und Verbundwerkstoffe (Faserzement, Metall/Kunststoff- und Holz/Metallverbundwerkstoffe, Verbundpaneele mit Photovoltaik). Die leichtesten Materialien für Vorfassaden sind Folien und Gewebe (Kunstfaser-Textilgewebe, Metallgewebe). Die Vorsatzschale ist punktförmig horizontal und kraftschlüssig mit der tragenden Primärkonstruktion verbunden. Das Eigengewicht der Vormauerschale wird entweder direkt in das Fundament oder bei unterkellerten Gebäuden in den Kellerbaukörper abgeleitet. Mehrgeschossige Vormauerungen werden geschossweise abgetragen. Der Zwischenraum der beiden Konstruktionen dient der Dämmung und der Durchlüftung, die dafür sorgt, dass der Bereich zwischen Außenschale und Dämmung trocken bleibt.

Die Fassadenbegrünung erfolgt in der Regel als separate Begrünungsebene (abhängig vom Material der Außenschale; siehe Abb. 4.18), da sensible Bauteile von Einwachsungen freigehalten werden müssen. Bei der Ausführung müssen Wärmebrücken vermieden werden, um Energieverluste und Bauschäden durch Kondensation an kälteren Stellen der Wand zu verhindern.

Hinweis

- Eine separate Pflanzenebene mit ausreichendem Abstand zur Wand/Fassade ist von Vorteil.
- Halterungen sollten nur an gut kontrollierbaren, kraftschlüssigen Bauteilen angebracht werden.
- Statische Aspekte sind zu berücksichtigen (keine statische Belastung der Außenschale, Nachweis erforderlich).
- Eine Direktbegrünung und die Verwendung lichtfliehender Pflanzen ist bei fugenreichen Bekleidungen oder empfindlichen Oberflächen zu vermeiden.

Luftkollektorfassaden zur Erwärmung eines Luftvolumens

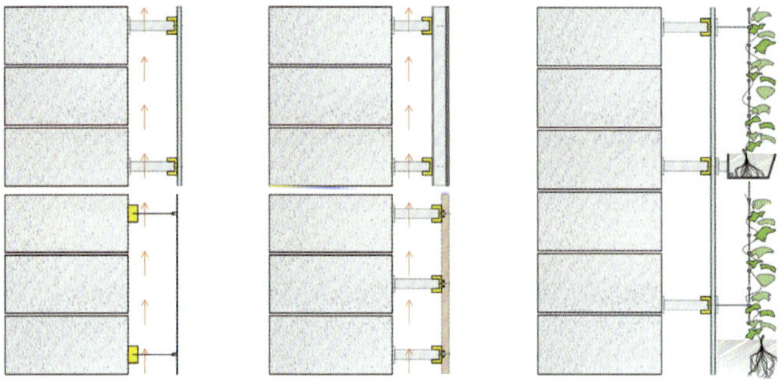

Abb. 4.19: Luftkollektorfassaden zur Erwärmung eines Luftvolumens und ihre Begrünungseignung

Bei dieser Bauweise ist die Erwärmung der Luft des Fassadenzwischenraums während der Heizperiode von Bedeutung (zur Raumtemperierung). Jede Form der Verschattung reduziert im Winter den Heizenergiegewinn. Deshalb sind immergrüne Bepflanzungen oder stark schattenspendende Wuchsvorkonstruktionen ungeeignet. Im Sommer hingegen kann die unerwünschte Erwärmung der Luft im Zwischenraum entweder durch Ablüftung oder besser durch schattenspendende sommergrüne Bepflanzungen vermieden werden. In die Fassade integrierte Wuchsvorkonstruktionen für Kletterpflanzen sollten dem Raster der Luftkollektorfassade entsprechen oder als berührungsfreie, separat vorgelagerte Grünfassade ausgeführt werden (siehe Abb. 4.19).

Für alle Vorfassadenmaterialien gilt: Bei saisonalem Energiebedarf kann eine Begrünung den winterlichen Wärmeeintrag und die sommerliche Wärmeabweisung kosteneffizient und mit geringem Primärenergieaufwand regulieren (Lowtech-Lösung). In jedem Fall ist ein Abstand zur Kollektorebene zur Reinigung und Instandhaltung der Vorfassade erforderlich. Dies fördert zugleich die Hinterlüftung und verhindert Hitzestau hinter der Begrünung.

Hinweis

- Es sind ausnahmslos sommergrüne Pflanzen auszuwählen, denn jede Form von Verschattung im Winter reduziert den Energieeintrag.
- Eine immergrüne Bepflanzung oder stark schattenbildende Wuchsvorkonstruktionen sind ungeeignet.
- Die Wuchsvorkonstruktion ist rasteridentisch mit der baulichen Vorfassade oder als berührungsfreie, separat vorgestellte Grünfassade auszuführen.
- Wichtig ist ein ausreichender Abstand der sommergrünen Gerüstkletterpflanzen zur Vermeidung von Hitzestau.

4.1.5 Chancenklärung eines energetischen/ökologischen Begrünungseinsatzes

Neben der Umfeldverbesserung (u. a. Kühlung, Regenwasserrückhalt, Verbesserung der Aufenthaltsqualität) steht das Bemühen im Mittelpunkt, die Effizienz von Bestandsgebäuden zu erhöhen, damit den Energiebedarf zu reduzieren und zugleich eine komfortable Nutzung sowie Behaglichkeit im Gebäude zu gewährleisten. Dabei bestehen sowohl bei Sanierungen als auch im Neubau die wesentlichen Maßnahmen in zwei aufeinanderfolgenden Schritten:

1. passive Strategien: Energieverbräuche und -verluste minimieren;
2. aktive Strategien: erneuerbare Energien erschließen (aktive Systeme, regenerative Energiequellen).

Gebäudeoptimierung durch Fassadenbegrünung

Um die energetischen Optimierungspotenziale von Fassadenbegrünungen zu konkretisieren, werden im Folgenden deren Einflüsse auf die Energiethemen Wärme, Kälte, Luft, Licht und elektrische Energie aufgezeigt.

Wärmehaltung

Fassadenbegrünungen tragen zur Abminderung von Temperaturextremen bei. Sie besitzen eine weitgehend ausgeglichene Temperaturamplitude in Bezug auf die vorherrschende Außentemperatur. Wintermessungen an einer Fassadenbegrünung mit Efeu ergaben einen Temperaturunterschied zwischen Außenblättern und Wandoberfläche von 3 °C (Köhler et al., 2012). Die vollflächige Efeubegrünung wirkt temperaturausgleichend, da die Fassade einer geringeren Wind- und Feuchtebelastung ausgesetzt ist (siehe Abb. 4.20).

Abb. 4.20: Effekte einer Efeubegrünung im Winter: geringere Wind- und Feuchtebelastung sowie Reduktion der Wärmeverluste der Gebäudehülle

Höhere Werte erreicht die wandgebundene Begrünung des in der Sanierung nicht gedämmten, jedoch fassadenbegrünten Wiener Abfallwirtschaftsamts, Magistratsgebäude 48 (MA 48), aus den 1950er-Jahren: Der Wärmedurchgang konnte durch die vorgehängt hinterlüftete, wandgebundene Begrünung um 0,19 W/(m^2 · K) gesenkt werden. Das entspricht im Mittel einer jährlichen Heizkostenreduktion von 20 %. Entsprechend konnte hinter dem System eine bis zu 7 °C höhere Wandtemperatur gemessen werden (Scharf et al., 2012).

Kühlung

Der Wärmeabfuhr über Verdunstung liegt der Phasenwechsel von Wasser zugrunde. Für den Wechsel des Aggregatzustands von flüssig zu gasförmig benötigt Wasser Energie: 680 kWh/m^3 (bei 30 °C). Diese Energie wird der Luft in Form von Wärme entzogen; dabei kühlt die Luft ab. Bezogen auf 1 l Wasser sind dies 0,68 kWh. Dies entspricht 1 mm Wasser, das auf 1 m^2 Fläche verdunstet wird (Konzepte der Regenwasserbewirtschaftung, 2010). Die Wirkung der adiabaten Kühlung durch Gebäudebegrünung ist durch Messungen der Wandoberflächentemperaturen zu quantifizieren. Beispielmessungen an einer wandgebundenen, flächigen Begrünung des Musée du Quai Branly in Paris zeigten an einem warmen Augusttag eine Temperatursenkung gegenüber der Umgebungstemperatur von 1,3 bis 3,5 K (Liesecke, 1988).

Die Oberflächentemperaturen eines Doppelhauses (ein anderes Beispiel) zeigten 36 °C auf dem weiß gestrichenen Fassadenputz, im Vergleich dazu aber nur 28 °C in der nahen Efeubegrünung (siehe Abb. 4.21). Der sandfarbene Fassadenputz hatte sich auf 52 °C aufgeheizt. Direkt daneben wies die Begrünung eine Maximaltemperatur von 33 °C auf, entsprechend einer Temperaturdifferenz von 19 K.

Ein weiteres Beispiel ist ein mit Efeu begrüntes Reihenendhaus (Wandaufbau: 24er-Mauerwerk aus Trümmer-Hohlblocksteinen, ungedämmt). Am Standort (Rhein-Main-Gebiet) hatte es im Hitzesommer 2018 ein halbes Jahr lang kaum geregnet. Hohe Temperaturen waren die Folge. Es gab in diesem Sommer 22 Tage mit Hitzewarnungen (Zahl der Hitzetage, 2024). In diesem mit Efeu begrünten Gebäude lagen die Innenraumtemperaturen infolge der Kühlung der Gebäudeoberflächen (durch Verschattung und Verdunstungskühlung) und der Umgebungskühlung an keinem Sommertag über 21 °C (siehe Abb. 4.22).

Abb. 4.22: Efeufassade eines Reihenendhauses mit 24er-Mauerwerk, ungedämmt; Temperaturregulierung aufgrund von Verschattung und Verdunstungskühlung durch die Begrünung. Im Sommer 2018 ließ sich dadurch eine maximale Innentemperatur von 21 °C halten.

Dies führt zu Einsparungen durch den Ersatz technischer Systeme (Klima-/Lüftungstechnik) – ein mobiles Raumklimagerät kostet im Mittel 600 € und verbraucht etwa 0,24 €/h an Energie. Eine fest installierte Split-Klimaanlage kostet pro Raum etwa 2.000 € zuzüglich Betriebskosten.

Im wandgebundenen begrünten Gebäude des MA 48 in Wien konnten nach der Begrünung zusätzlich zu den Einsparungen für Heizwärmeenergie 75 Klimageräte abgestellt werden, die in den Sommermonaten zuvor 3.000 W im Acht-Stunden-Betrieb verbraucht hatten (siehe Abb. 4.23).

Abb. 4.21: Temperaturunterschiede zwischen dem unbegrünten und dem begrünten Anteil einer Doppelhausfassade im Sommer. Einsparen lassen sich dadurch die Anschaffungs- und Betriebskosten eines mobilen Klimageräts (600 € Anschaffung, 0,24 €/h Betriebskosten) oder einer Split-Klimaanlage (2.000 € Anschaffung und 0,17 €/h Betriebskosten pro Raum).

Abb. 4.23: MA 48, Wien: Kühlung der Gebäudeflächen und Innenräume; Substitution technischer Systeme (Klima-/Lüftungsanlage). Eingespart werden 75 Klimageräte mit 3.000 W im Acht-Stunden-Betrieb.

Lüftung

Infolge der sommerlichen Temperaturregulierung der Gebäudeoberflächen durch Pflanzen sowie auch aufgrund von deren Umgebungskühlung ist in der Regel eine Fensterlüftung ausreichend und angenehm. Technische Klima- und Lüftungsanlagen können so eingespart oder durch die Verdunstungskühlung der Pflanzen unterstützt werden. Im Rahmen des durch das Bundesministerium für Wirtschaft und Klimaschutz (BMWK) geförderten Projekts „GreenFaBS" (EnOB, 2022) wurde das Ziel verfolgt, den Kühlenergiebedarf in Schul- und Verwaltungsgebäuden durch den Einsatz von Grünfassaden zu reduzieren. Dabei lag der Fokus auf einer Kombination von dezentralen Lüftungssystemen und Fassadenbegrünung, um die Energieeffizienz zu steigern. Die durchgeführten Simulationen und Versuchsaufbauten zeigten, dass Fassadenbegrünungen den jährlichen Kühlenergiebedarf um bis zu 48 % senken können, insbesondere wenn sie mit dynamischen Sonnenschutzmaßnahmen kombiniert werden. In experimentellen Studien wurden verschiedene Begrünungssysteme getestet, die erhebliche Temperatursenkungen an den Fassadenoberflächen bewirkten.

Der geringe Pflegeaufwand für die Begrünungssysteme wurde als vorteilhaft erachtet. Das Vorhaben zeigte im Ergebnis vielversprechende Perspektiven für die Kombination von Fassadenbegrünung und Lüftungstechnik, insbesondere auch bei der energetischen Sanierung von Bestandsgebäuden. Weitere positive Effekte sind die Luftbefeuchtung sowie die staubfilternde bzw. feinstaubbindende Wirkung der Pflanzen.

Licht- und Sonnenschutz

Die Verschattung und Verdunstungskälte, die die Pflanzen erzeugen, sorgen für einen Kühleffekt, indem sie die langwellige Strahlung reduzieren. Konventionelle Sonnenschutzsysteme verringern zwar die kurzwellige Einstrahlung, wandeln sie im Gegensatz zu einem Sonnenschutz durch Begrünung aber wieder in langwellige Strahlung und sensible Wärme um (Konzepte der Regenwasserbewirtschaftung, 2010). Für die saisonale Wirkung vor Fenstern eignen sich sommergrüne Pflanzen. Der Bedarf und die Begrünungsdauer überlagern sich nahezu in ihrer Zeitspanne. In den Sommermonaten, in denen eine Verschattungswirkung erwünscht ist, verschattet das Laub die solare Einstrahlung. In den Wintermonaten werden durch die laubfreien Begrünungen solare Wärmegewinne ermöglicht. Da Begrünungen technischen Sonnenschutz ersetzen können, wird ihr Einfluss zur Vermeidung von Kühllasten als hoch bewertet. In Messungen wurde die Verschattungsrate von Gerüstkletterpflanzen quantifiziert. Nach den Messungen von Kiessl und Mitarbeitern (Kiessl et al., 1989) werden 40 bis 80 % der Sonneneinstrahlung vom Laub absorbiert bzw. reflektiert. Bei einer weiteren Untersuchung wurde für eine Verschattung durch eine laubabwerfende Begrünung (Parthenocissus quinquefolia, Wisteria sinensis) ein sommerlicher Solarstrahlungsdurchgang mit 5 bis 30 % bemessen (Verschattungsrate 70 bis 95 %) (Konzepte der Regenwasserbewirtschaftung, 2010) – ein guter Wert, um maschinelle Kühleinrichtungen überflüssig zu machen. Nach Messungen von Oettelé ergibt sich bei pflanzlichen Sonnenschutzsystemen eine Kühlkostenersparnis von ca. 43 % (Oettelé, 2011). Nach Aussagen von Marco Schmidt, TU Berlin, beträgt der Primärenergiebedarf für die Kühlung des Instituts für Physik der Humboldt-Universität Berlin-Adlershof mit technischem Sonnenschutz 39 bis 49 kWh/(m^2 · a), mit den installierten Fassadenbegrünungen aber nur 22 kWh/(m^2 · a). Die Wartung/Reparatur des technischen Sonnenschutzes kostet pro Jahr etwa 16.500 €/a, im Vergleich zur Wartung und Pflege der Fassadenbegrünungen mit ca. 1.300 €/a (siehe Abb. 4.24).

Abb. 4.24: Institut für Physik, Berlin-Adlershof, Humboldt-Universität Berlin: Kosteneinsparungen durch Fassadenbegrünungen (bis zu 50 % Reduktion der erforderlichen Primärenergie und 10 % Reduktion des Aufwands für Wartung und Pflege)

Vollflächige Begrünungen mit Kletterpflanzen vor Glasfassaden bieten eine gute sommerliche Verschattung, lassen aber je nach Pflanzenauswahl Licht gefiltert durch. Dies führt zu ansprechenden Licht- und Schattenspielen. Ausblicke können auch vollständig erhalten bleiben, wie das Best-Practice-Projekt MA 31 aus Wien zeigt. Die Einstrahlung der steilstehenden Südsonne wird durch Pflanzbehälter und Sonnenschutzlamellen abgewehrt. Die seitlich neben den Fenstern wachsenden Kletterpflanzen verhindern eine Aufheizung dahinterliegender Räume durch die flacher stehende Sonneneinstrahlung aus Ost und West (siehe Abb. 4.25).

Abb. 4.25: Begrünung des Bestandsgebäudes MA 31, Wien, zur sommerlichen Hitzereduktion bei gleichzeitiger Beibehaltung des Ausblicks

Einsparung elektrischer Energie

Energieeinsparungen durch natürliche Beschattungen und durch die Vermeidung technischer Verbraucher liegen auf der Hand. Zudem werden aktive Systeme, wie Photovoltaikanlagen, durch die Senkung der Betriebstemperatur unterstützt: Eine Überhitzung von Photovoltaikpaneelen wird durch die Begrünung verhindert; damit wird die Effizienz der Photovoltaik gesteigert (siehe Abb. 4.26).

Abb. 4.26: Nachträgliche Begrünung und Beschattung des oberen Geschosses durch semitransparente Photovoltaik (Quelle: Stefan Stüber, freiraumsüd, Ravensburg)

Forschungsprojekte, wie beispielsweise das Projekt „GreenPV" der Technischen Hochschule Nürnberg, eine Studie der TU Wien („Multifunktionales System: Gebäudebegrünung und Photovoltaik"), das Projekt „VertiKKA" (vertikale Klimakläranlage) sowie das Wiener Forschungsprojekt „GrünPlusSchule" an der Schule GRG7 demonstrieren, dass die Kombination von Fassadenbegrünung und Fassadenphotovoltaik Potenziale zur Senkung des Energiebedarfs aufweist und gleichzeitig weitere ökologische Vorteile bietet, z. B. eine erhöhte Biodiversität am Standort und Kühlung sowie den Schutz der Pflanzen durch die Photovoltaikmodule vor übermäßiger Sonneneinstrahlung. Neben der Reduktion des Energieverbrauchs konnten zudem Verbesserungen des Mikroklimas und eine Verbesserung der Raumluftqualität nachgewiesen werden.

Umfeldverbesserung durch Fassadenbegrünung

Fassadenbegrünung bietet nicht nur Vorteile für Gebäude, sondern auch für das gebäudenahe städtische Umfeld. Im Folgenden wird auf die Themen Vermeidung von Überhitzung, Verdunstungsleistung, Reduktion der Luftbelastung, Minderung der Lärmbelastung sowie Förderung der Akzeptanz und der Biodiversität näher eingegangen.

Vermeidung von Überhitzung

Die Auswirkungen der städtischen Überhitzung durch Versiegelung und fehlende Vegetation sind erheblich. Neun der zehn wärmsten Jahre (seit 1881) wurden laut DWD (Deutscher Wetterdienst) seit dem Jahr 2000 gemessen (siehe Abb. 4.27). Jeder Hitzetag kostet Deutschland 40 Millio-

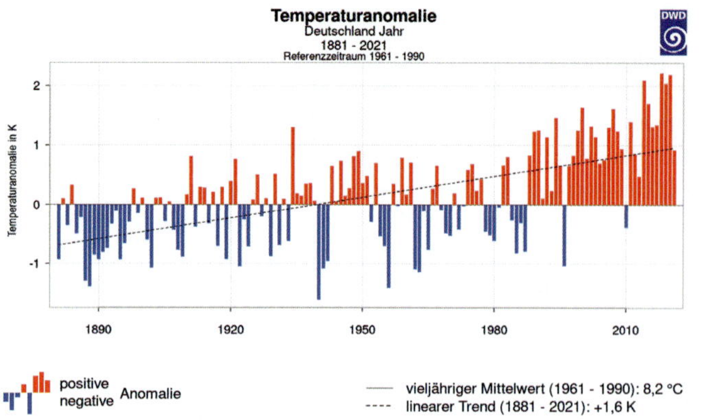

Abb. 4.27: Abweichung des Jahresmittels der Lufttemperatur für Deutschland vom vieljährigen Mittel 1961 bis 1990 für den Zeitraum 1881 bis 2021. Aufgetragen sind die Mittelwerte sowie der lineare Trend. Rot sind positive Anomalien eingezeichnet, schwarz negative (Quelle: Deutschlandwetter im Jahr 2018, 2018).

nen € durch Verlust an Arbeitskraft, Krankenhauskosten sowie früheren Tod (Karlsson/Ziebarth, 2018). Die Folge sind Gesundheitsprobleme, die Reduktion der Arbeitsleistung, ein erhöhter Energiebarf (für Klimaanlagen, die zur Kühlung über die Umwandlung von elektrischer Energie ein Vielfaches an Abwärme produzieren), Hitzeschäden (Bauwerke, Verkehrswege, Computer usw.) sowie die Belastung von Naherholungsgebieten.

Forschungsergebnisse (z. B. „GrünStadtKlima", BOKU Wien, und „Urbanes Mikroklima", TU München) sowie auch heutige Simulations- und Zertifizierungstools (z. B. GreenPass) belegen die positiven Auswirkungen von Fassadenbegrünungen auf das Mikroklima und die thermische Behaglichkeit in städtischen Umgebungen. So wird nahe besonnter Fassaden eine Reduktion des PMV-Wertes (Predicted Mean Vote) von über 4,5 auf zwei möglich sowie die Senkung des PMV-Wertes der Verkehrsflächen von 2,5 auf 1,5. Der PMV-Wert beschreibt die thermische Behaglichkeit von Personen im Raum oder in einer Umgebung und berücksichtigt die Faktoren Lufttemperatur, Oberflächentemperatur, Luftfeuchtigkeit, Luftgeschwindigkeit, Aktivitätslevel der Personen und Kleidung. Abhängig von der Bebauungsstruktur zeigen Berechnungen dicht bebauter Gebiete eine Abkühlung der mittleren Strahlungstemperatur von bis zu 15 bis 30 °C durch Begrünung und Entsiegelung (Ergebnis des Forschungsprojekts „GrünStadtKima").

Verdunstungsleistung

Die Verdunstung von Regenwasser (z. B. durch Pflanzen oder entsiegelte Flächen) trägt maßgeblich zur Kühlung von Gebäuden bei und spielt eine wichtige Rolle bei der Vermeidung des Urban-Heat-Island-Effekts in Stadträumen. In stark versiegelten Gebieten, wo der Effekt der Verdunstungskühlung fehlt, wird die solare Strahlung nicht in Verdunstung umgewandelt, sondern in fühlbare Wärme und langwellige Strahlung. Dies führt zu einer ungehinderten Aufheizung des städtischen Raumes (Konzepte der Regenwasserbewirtschaftung, 2010). Um diesen Effekt zu minimieren, sollte der Versiegelungsgrad möglichst gering gehalten werden. Die Regenwasserverdunstung trägt jedoch nicht nur zur Kühlung, sondern auch zur Bildung von

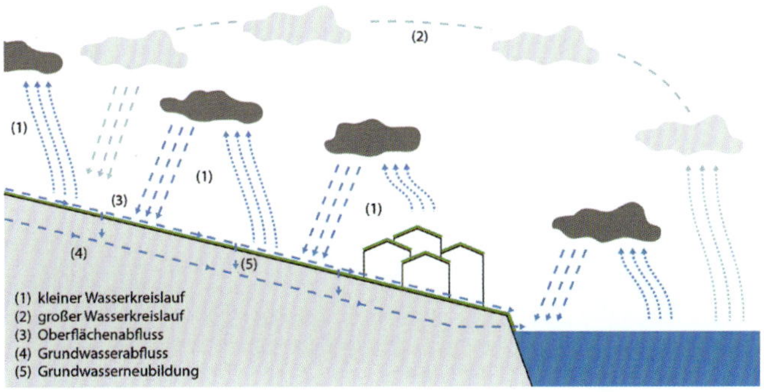

Abb. 4.28: Kleiner und großer Wasserkreislauf: Die Reduktion der Verdunstung an Land führt zur Verringerung der Niederschläge. Gebäudebegrünung kann zur Steigerung der Verdunstung von sonst versiegelten Flächen beitragen (Quelle: Konzepte der Regenwasserbewirtschaftung, 2010).

regionalem Niederschlag bei, da nur der verdunstete Teil des Regenwassers wieder in den Kreislauf zurückkehrt und für neue Niederschläge zur Verfügung steht (siehe Abb. 4.28).

Der sogenannte kleine Wasserkreislauf hat dabei einen wesentlichen Einfluss auf lokale Niederschläge. Wird die Verdunstungsmenge beispielsweise durch versiegelte Flächen reduziert, hat dies direkte Auswirkungen auf die Menge an regionalem und überregionalem Niederschlag. In Europa kann sich dieser Kreislauf bis zu viermal fortsetzen, sodass ein Rückgang der Verdunstung um 1 m^3 eine vierfache Reduktion des regionalen Niederschlags bedeutet (Konzepte der Regenwasserbewirtschaftung, 2010).

Dies stellt ein erhebliches Problem dar, vor allem, wenn man sich den täglichen globalen Verlust an Vegetation (ca. 800 km^2) vor Augen führt (350 km^2 täglicher Waldverlust, 150 km^2 tägliche globale Urbanisierungsrate und 300 km^2 Wüstenbildung pro Tag) (Schmidt, 2015). Die Folgen sind lange Trockenperioden oder unvorhersehbare Starkregenereignisse. Maßnahmen zur Erhöhung der städtischen Verdunstungsrate umfassen neben Gebäudebegrünungen die Entsiegelung von Bodenbelägen, die Erhöhung der Vegetationsfläche insgesamt sowie auch die Schaffung offener Wasserflächen.

Reduktion der Luftbelastung

Die Luft in Stadträumen besteht aus einem komplexen Gemisch von gasförmigen Stoffen und Partikeln deren Konzentration je nach Emissionsquellen und städtischer Struktur variiert. Bäume sind zwar wirksam bei der Reduktion von Feinstaub und Stickoxiden (NO_2), können jedoch in engen Straßenzügen durch die Behinderung des Luftaustauschs durch die Baumkronen die lokale Luftverschmutzung sogar erhöhen (Litschike/Kuttler, 2008; Valappil et al., 2017). Windgeschwindigkeit und Frischluftschneisen sind entscheidend für die Luftqualität (Gorbachevskaya et al., 2007). Fassadenbegrünungen helfen durch Ab- und Adsorption an Pflanzenblättern, Feinstaub zu binden. Dabei ist die Effizienz nahe der Emissionsquelle größer. Untersuchungen zeigen, dass Kletterpflanzen wie Wilder Wein bis zu 80 % der Emissionen filtern können. Bis zu 60 % wurden auf den Blattoberflächen deponiert (Gorbachevskaya et al., 2007). Begrünungsprojekte mit wandgebundener Begrünung, wie der Citytunnel Darmstadt, erbrachten eine Feinstaubreduktion von bis zu 38 % (siehe Abb. 4.29) (van Lier, 2024). Moose nehmen bei der Bindung von Feinstäuben eine besondere Rolle ein, sofern sie vital gehalten werden können. Mit ihrer großen Oberfläche können sie Stoffe aus der Luft elektrostatisch binden, einige Bestandteile aufnehmen oder diese mithilfe von Bakterien an der Oberfläche umwandeln. Die Stoffe, die nicht verstoffwechselt werden können, sedimentieren im Moosrasen (van Lier, 2024).

Abb. 4.29: Forschungsaufbau zur Messung der Konzentration von Stickoxiden und Feinstäuben im Citytunnel, Darmstadt. Durch die Begrünung lässt sich die Konzentration von Stickoxiden und Feinstäuben senken.

Minderung der Lärmbelastung

Lärmbelastung stellt in urbanen Räumen ein ernstes Problem dar, da der kontinuierliche Verkehrslärm, Bauarbeiten und dichte Bebauung zu einer lauten Geräuschkulisse führen. Diese kann sowohl die Lebensqualität der Bewohner als auch ihre Gesundheit negativ beeinflussen. Eine Verringerung der Schallintensität erfolgt durch Distanz (Minderung), Reflexion (Streuung) und Absorption (Dämpfung). Dabei wird die Schallenergie durch die Bewegung der Luftmoleküle oder das beschallte Material verbraucht. Fassadenbegrünungen beeinflussen diese Mechanismen auf unterschiedliche Weise. Insbesondere wandgebundene Begrünungen bieten durch ihre integrierte Substratschicht einen Vorteil, da sie den Energieabbau des Schalles fördern. Die Wirksamkeit der Pflanzen selbst bei der Lärmminderung hängt stark von Blattdichte, Blattfläche und -dicke sowie Blattstellung ab, da diese sowohl die Reflexion als auch die Umwandlung von Schallenergie in mechanische Bewegung unterstützen (Kunstmann/Dietrich, 2009). Im urbanen Raum wirken begrünte Fassaden als ideale Schallabsorptionsflächen, wenn sie sich an den Hauptschallausbreitungszonen entlang von Straßen befinden.

Eigene Messungen an dem fassadenbegrünten Musée du Quai Branly in Paris im Vergleich zur benachbarten Steinfassade zeigten bereits eine Schallreduktion von 5 dB bei einem bepflanzten Geotextil ohne Substrat (siehe Abb. 4.30). Mit integriertem Substrat erhöht sich die Wirkung noch. In jedem Fall machen Fassadenbegrünungen durch die Reduktion der Lärmbelastung Städte passanten- und besucherfreundlicher (Gesundheit, Sicherheit) und erhöhen die Aufenthalts- und Kommunikationsqualität.

Abb. 4.30: Lärmminderung um 5 dB durch Absorptions- und Reflektionsleistung im Vergleich zur benachbarten unbegrünten Fassade.

Abb. 4.32: Trussardi, Mailand: Aufwertung der Adresse durch Attraktion/Magnetwirkung sowie Herstellen einer Corporate Identity

Erhöhung der Attraktivität

Studien zur Akzeptanz von Fassadenbegrünungen zeigen eine überwiegend positive Einstellung in der Bevölkerung. Eine Untersuchung von Susanne Schlößer 2003 in Köln ergab, dass 84 % der Bewohner begrünter Gebäude und 68 % der Bewohner unbegrünter Gebäude Fassadenbegrünungen positiv gegenüberstanden (Schlößer, 2003). Eine eigene Studie an der begrünten Nordfassade des Musée du Quai Branly in Paris zeigte, dass in einem Untersuchungszeitraum von 1,5 Stunden an einem Sommertag im August 2011 76,4 % der Passanten (883 Personen) auf die Fassadenbegrünung reagierten. Sie schauten im Vorbeigehen zur Fassadenbegrünung (35 %), sie blieben stehen oder gingen näher an die Fassadenbegrünung heran (35 %), sie betrachteten die Pflanzen näher und fassten sie an (14 %) oder interagierten auf verschiedene Weise mit der begrünten Fassade (16 %, z B. Objektfotos oder Gruppenfotos vor der grünen Fassade; siehe Abb. 4.31). Das weist auf großes öffentliches Interesse und eine hohe Akzeptanz dieser städtischen Gestaltung hin.

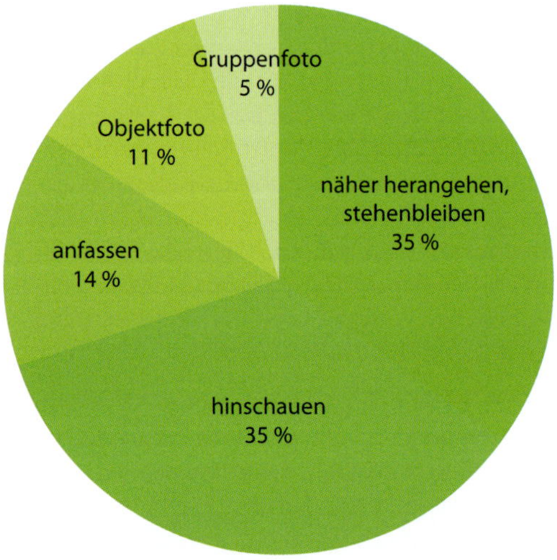

Abb. 4.31: 90-Minuten-Analyse des Passantenverhaltens (82 % von 1.156 Passanten) am Musée du Quai Branly in Paris am 21. August 2011 von 15:00 bis 16:30 Uhr bei sonnigen 35,6 °C

Begrünte Projekte sorgen für psychologische, medizinische und soziale Vorteile und verbessern die Aufenthaltsqualität. Stadtteile verwandeln sich in beliebte Orte, mit neuen Arbeitsplätzen (z. B. Bars, Restaurants, Boutiquen; siehe Abb. 4.32), Attraktionen und Lebensfreude.

Biodiversität

Fassadenbegrünungen bieten neben ihren Vorteilen in Bezug auf Klima, Schall- und Schadstoffreduktion sowie ästhetische Gestaltung auch das Potenzial, in urbanen, naturfernen Räumen neuen Lebensraum und Nahrungsangebote für die Fauna zu schaffen (siehe Abb. 4.33).

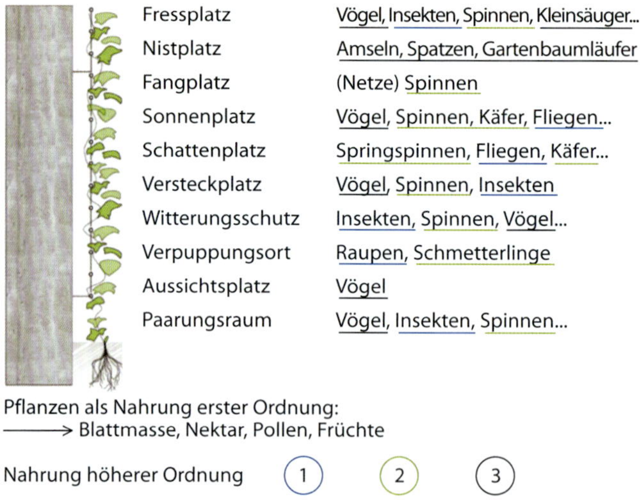

Abb. 4.33: Nahrungs- und Lebensraumangebot der Fassadenbegrünung nach der Systematik von Stocker (Stocker, 2013)

Rund 20 einheimische Vogelarten (z. B. Kleiber und Hausrotschwänzchen) laben sich an den Beeren von Efeu und Wildem Wein (wichtig im Herbst/Winter). Blüten und Fruchtstände von Kletterpflanzen und Stauden wandgebundener Begrünungen sind Bienen- und Vogelweiden (z. B. für Rotkehlchen, Amseln und Drosseln). Das dichte Blattwerk bietet optimale Bedingungen für Nistplätze und Rückzugsmöglichkeiten als Habitat für Amseln, Schwanzmeisen, Sperlinge usw. Die Efeubiene ist beispielsweise auf die Pollen des Efeus (September bis November) angewiesen und lagert diese in Brutzellen im Boden oder in Sandwänden usw. ein.

Schmetterlinge, wie der Zitronenfalter, überwintern in Fassadenbegrünungen. Mithilfe von Glycerin, Sorbit und Eiweißstoffen gelingt es ihnen, den Gefrierpunkt der Körperflüssigkeiten derart zu senken, dass sie Temperaturen von bis zu -20 °C schadlos überstehen können. Schon eine Kletterpflanze (z. B. Clematis vitalba) dient als Raupenfutterpflanze für ca. 20 polyphage Raupenarten (wie z. B. den Nachtschwalbenschwanz), als Raupenfutterpflanze für monophage Raupenarten (mit einem sehr engen Nahrungsspektrum, z. B. für diverse Waldrebenspanner) und als Nektarpflanze für weitere Raupen/Schmetterlinge (siehe Abb. 4.34). Kletterpflanzen bieten Nahrungsangebote der ersten Ordnung (Blattmasse, Nektar, Pollen, Früchte) sowie höherer Ordnung, wo Insekten von Spinnen und diese wiederum von Vögeln gefressen werden.

Abb. 4.34: Eine Erweiterung der Nahrungs- und Lebensraumangebote beugt dem Artensterben vor (Sicherung der Nahrungskette, Bestäubung).

Der entstandene Lebensraum bietet Fang- und Fressplätze, Versteckplätze, Nistplätze, Witterungsschutz, Sonnen- und Schattenplätze, Paarungsraum und Verpuppungsorte sowie auch Aussichtsplätze. Durch das „natürliche" Gestaltungspotenzial von Fassadenbegrünungen beugt man dem Artensterben vor (z. B. Sicherung der Nahrungskette/Bestäubung), was unbezahlbar ist.

4.2 Bedingungen für die Realisierung

Nach den Vorklärungen können Entscheidungen zur Umsetzung getroffen werden. Als nächste Schritte folgen Klärungen der Bodenbeschaffenheit und gegebenenfalls eine Standortaufbereitung, die Auswahl der Art der Begrünung nach Wuchsstrategie, Lebensbereich und Habitus (z. B. Wuchsverhalten, Belaubungsphase, Textur, Färbung) und in interdisziplinärer Zusammenarbeit konstruktive und versorgungstechnische Planungen. Diese beinhalten neben der Festlegung aller technischen Details (z. B. Position, Konstruktion, Material, Wasser- und Nährstoffversorgung) die Ausschreibung der Leistungen (u. a. vertragliche Vereinbarungen von Bauleistungen, Gewährleistungen, Pflege und Wartung). Neben Versorgung und Infrastruktur berücksichtigen sie auch die Terminierung, den Umfang und die Daten der Gewährleistung sowie der Pflege- und Wartungsleistungen.

Schritte zur Vorbereitung und Umsetzung

1. Klärungen der Bodenbeschaffenheitt und des Pflanzstandorts
2. Auswahl der Art und Konstruktion der Begrünung
3. Festlegung der technischen Details
4. Ausschreibung der Leistungen zur Umsetzung

Die Standortaufbereitung, die Versorgung mit Licht, Wasser und Nährstoffen sowie auch die Instandhaltung (Pflege und Wartung) sind wesentliche Kritierien für eine dauerhafte Fassadenbegrünung. Daher wird in den Folgekapiteln im Detail darauf eingegangen. Eine ausreichende Bodenbeschaffenheit und gute Wasserversorgung sind oft, gerade in versiegelten städtischen Bereichen, nicht ausreichend gewährleistet. Dennoch gibt es auch für diese Fälle gute Lösungen: aus ökologischen Gründen pioritär bodengebundene aber auch wandgebundene Begrünungen, wenn kein Boden-/Bodenwasseranschluss zur Verfügung steht. Auch die Lichtverhältnisse entscheiden über die Pflanzenauswahl.

Die Exposition der Fassade sowie umgebende Verhältnisse (angrenzende Bebauung und Baumbestand) können zu Problemen bei der Versorgung mit Niederschlagswasser führen (Regenschatten). In diesen Fällen muss in der Anwuchsphase eine bedarfsweise Bewässerung gewährleistet sein. Bei wandgebundenen Begrünungen ist die Bewässerung entsprechend anzupassen. Ohne eine fachgerechte Instandhaltung der Begrünung bleibt der Begrünungserfolg aus. Im Folgenden werden wesentliche Bedingungen für die Realisierung und Instandhaltung von Fassadenbegrünungen beschrieben.

4.2.1 Standortaufbereitung

Die Begrünung von Fassaden ist anspruchsvoll, vor allem in versiegelten Bereichen. Bei Stadtböden handelt es sich in der Regel um (stark) veränderte Substrate, die meist für eine Bepflanzung ungeeignet sind (Bauschutt, stark verdichtet). Im Erdreich kann es zudem zu Konflikten mit Kabeltrassen und Hausanschlüssen kommen. Im Gehwegbereich und im Bereich von Kabeltrassen besteht der Bodenaufbau aus mineralischen Bestandteilen, wie Sand und Kies, die ebenfalls für einen vitalen Bewuchs ungeeignet sind (siehe Abb. 4.35). Geeignetes Pflanzsubstrat muss einerseits ein gutes Wasserhaltevermögen aufweisen, andererseits darf es nicht zu Staunässe neigen. Auch die Nährstoffversorgung muss gewährleistet sein.

Typische Probleme bei bodengebundener Begrünung und mögliche Lösungen fasst Tabelle 4.2 zusammen.

Bei im öffentlichen Raum zu empfehlenden begehbaren Pflanzschutz-Bodenrosten ist im Fall einer zunehmenden Wurzelhalsdicke eine dem Wachstum angepasste, schrittweise vergrößerbare Wuchsöffnung erforderlich. Grundsätzlich müssen die Pflanzscheiben (wie Baumscheiben) von Beginn an ausreichend dimensioniert werden.

Abb. 4.35: Problematischer Standort einer bodengebundenen Fassadenbegrünung

Tabelle 4.2: Typische Probleme bei bodengebundener Begrünung und geeignete Lösungsmöglichkeiten

Probleme	**mögliche Lösungen**
ungeeigneter Boden (Bauschutt) oder verdichteter Boden (durch Baumaschinen), darüber oft nur unzureichende Oberbodenqualität in zu geringem Volumen	Lockern des Bodens, ggf. Bodenaustausch (Auswahl eines geeigneten Pflanzsubstrats)
fehlende Volumenabstimmung auf das Wurzelwuchsverhalten der Pflanze	ausreichende Dimensionierung der Pflanzgrube
Pflanzenstandort zu nah an der Gebäudewand	Berücksichtigen des späteren Triebdurchmessers am Wurzelhals
im Straßenraum überbaute Flächen (Beeinträchtigung des Niederschlags)	sickerfähiges Pflaster oder ausreichende Größe der Pflanzgrube
handelsübliche organische Substrate mit schneller Verrottung	geeignete Substratwahl (strukturstabile Substrate, z. B. Baumsubstrat), Standortaufbereitung

Bei Teilüberbauung der Pflanzgrube (befestigte Oberflächen) sollten tragfähige, strukturstabile Substrate verwendet werden (vgl. Empfehlung für Baumpflanzungen – Teil 2, 2010). Oberflächenbeläge um Pflanzstandorte müssen dauerhaft luft- und wasserdurchlässig sein.

Da Kletterpflanzen in der Regel einen hohen Wasserbedarf haben und entsprechend mit Wasser versorgt werden müssen, sind die Außenwände von Untergeschossen vor Feuchtigkeit zu schützen. Eine Abdichtung gegen nicht drückendes Wasser reicht in der Regel aus.

Der Übergangsbereich zwischen Gebäude und anstehendem Boden muss zusätzlich gegen mechanische Beanspruchung und Wurzeleindringung mit einer geeigneten Grundmauer-Schutzfolie (Geo-Drain-Folie), mit Schutzlage und Vlieskaschierung geschützt werden. Eine Drainage ist gegen Durchwurzelung mit Vlies zu schützen (Empfehlungen für Planung, Bau und Instandhaltung der Übergangsbereiche von Freiflächen zu Gebäuden, 2012). Kletterpflanzen benötigen in der Regel frische bis feuchte Böden und eine ausreichende Wasserversorgung. Kann diese nicht über eine Dauerpflege gewährleistet werden, wird eine (automatische) Bewässerungsanlage empfohlen. Zu den Planungsleistungen gehören das Berechnen der Leitungsgrößen, das Aufteilen der Flächen in Bewässerungskreise, das Erstellen von Schaltplänen sowie die Abstimmung und Schnittstellenkoordination mit anderen Gewerken (z. B. Leitungsverlegung, Dämmung, erforderliche Wanddurchbrüche und deren Abdichtung). Pflanzen dürfen zudem weder zum Hindernis für Passanten werden, noch sollten sie durch z. B. Fahrzeuge, Fußgänger, Streusalz usw. beschädigt werden.

Die nachfolgend aufgeführten Varianten eignen sich grundsätzlich sowohl für öffentliche und für genossenschaftliche Liegenschaften als auch für private Immobilien. Eine Begrünung privater Immobilen im öffentlichen Raum ist jedoch nur dann zu empfehlen, wenn seitens der Kommune eine Unterstützung möglich und gewährleistet ist (z. B. Klärung der Leitungsinfrastruktur, rechtliche Aspekte).

Wurzelraum im Boden mit Pflanzscheibe/-streifen

Die Pflanzen werden mit ihren Pflanzgruben z. B. im Bereich von Gehwegen platziert (mindestens 50 cm tief, exklusive Einfassung). Die Pflanzscheiben oder Pflanzstreifen werden gegebenenfalls durch Pflanzgitter gegen das Betreten durch Passanten usw. gesichert. Es ist eine Lösung, bei der Bau- und Fluchtlinie nicht angetastet werden. Durch eine Begrünung mit Selbstklimmern wird die Fläche betont, der öffentliche Raum dabei aber kaum beeinflusst (siehe Abb. 4.36, 4.37 und 4.38). Gerüstkletterpflanzen hingegen stellen mit ihrer Wuchsvorkonstruktion einen Eingriff in den öffentlichen Raum dar (Fuß- und Radweg). Eine Genehmigung der Bauaufsicht ist in dem Fall einzuholen.

Auf ausladende Gerüstkletterpflanzen sollte bei engen Platzverhältnissen verzichtet werden. Eine Begrünung mit Selbstklimmern ist dann vorzuziehen. Der Einsatz temporärer Begrünungseffekte ist möglich.

Die Pflanzen sollten bei dieser Lösung oberhalb des Wurzelhalses vor mechanischer Beschädigung durch Passanten, Kehrfahrzeuge usw. geschützt werden (siehe Abb. 4.39). Unterirdisch bestehen gegebenenfalls Konflikte mit der Leitungsinfrastruktur. In der Regel steht nur wenig Wurzelraum zur Verfügung. Je nach Pflanzenauswahl ist auf den Schutz bautechnisch sensibler Bereiche zu achten (Fensterläden, Balkongeländer, Lüftungsklappen usw.). Einzuplanen ist auch die Infrastruktur zur Pflanzenversorgung: Steiger, Hubbühne oder hohe Leiter für Wartung/Pflege.

Bei dieser Lösung sind Konflikte mit den unterirdischen Kabeltrassen (Verlegetiefe ca. 80 cm) zu vermeiden: Deren direkte Überbauung mit Kletterpflanzen ist nicht möglich, eine benachbarte Installation nicht ausgeschlossen. Befinden sich die Pflanzgruben im Gehwegbereich, dürfen sie kein Hindernis für Fußgänger darstellen (Sicherheitsaspekt, Barrierefreiheit). Es muss auf ein ausreichendes Volumen der Pflanzgrube geachtet werden (mindestens 1 m^3), eben-

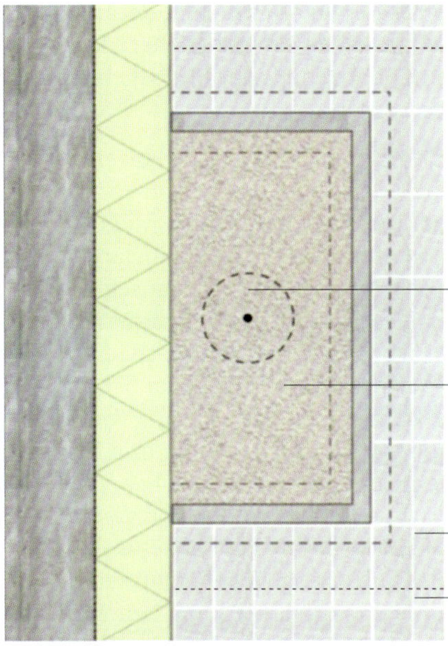

Abb. 4.36: Pflanzgrube Aufsicht

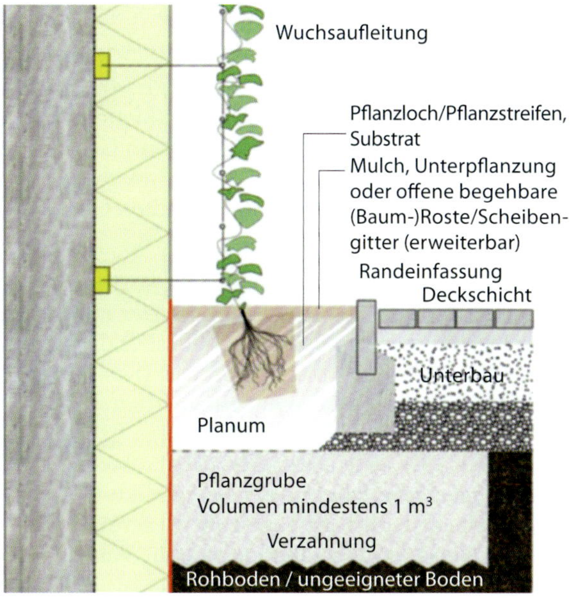

Abb. 4.38: Pflanzgrube Prinzipschnitt

Abb. 4.37: Klassische Pflanzscheibe in historischer Altstadt

Abb. 4.39: Erhöhter Pflanzstreifen (zum Schutz der Pflanzen) mit zusätzlicher künstlicher Bewässerung

so auf ein geeignetes Pflanzsubstrat. Pflanzzstreifen sind Pflanzscheiben vorzuziehen: je mehr unversiegelte Fläche, desto besser die natürliche Versorgung der Pflanzen mit Wasser, Nährstoffen und Luft. Die Bewässerung bei anhaltenden Trockenperioden muss insbesondere in den ersten Jahren gewährleistet sein. Wuchsbegrenzungen durch Metallrandwinkel sind gegebenenfalls erforderlich. Als Vorleistungen für Pflege und Wartung sind ein Wasseranschluss für extreme Trockenphasen sowie ein Stromanschluss vorzusehen. Mit zunehmender Wuchshöhe sind Hubsteiger u. Ä. erforderlich. Pflanzgruben und Wuchshilfen im öffentlichen Raum bedürfen der Zustimmung der Stadtverwaltung.

Wurzelraum in Rücksprüngen/Nischen

Nischen und Rücksprünge sind weitere Optionen, den Pflanzen mehr (Wurzel-)Raum zu gewähren (siehe Abb. 4.40). Sie sind genehmigungstechnisch einfacher zu realisieren. Für die Aufnahme des Wurzelbereichs in baulichen Nischen/Rücksprüngen gelten für den Schutz der

Abb. 4.40: Pflanzung von Gerüstkletterpflanzen in Pflanztrögen neben einem Gebäuderücksprung

Kabeltrassen, wenn erforderlich, die auf S. 76 beschriebenen Lösungen analog.

Aus gestalterischer Sicht eignen sich Nischen besonders zur Betonung vertikaler Strukturen durch Gerüstkletterpflanzen. Die Wuchsaufleitung kann bündig mit dem Gebäude abschließen oder hervorspringen (in den Gehwegbereich), um so einen spannungsvollen Kontrast zwischen Gebäude und Begrünung zu erzeugen.

Gestalterisch sind Gerüstkletterpflanzen, die an Seilen/Stäben aufgeleitet werden, eine gute Option. Der Einsatz temporärer Begrünungen ist möglich, sollte aber die eigentliche, dauerhafte Begrünung nicht behindern (Konkurrenzsituation). Die Pflanzgrube kann mit einem Pflanzgitter gesichert werden. Durch die Nische haben die Pflanzen mehr Wurzelraum. Das entschärft Anwuchsprobleme. Der Schutz vor mechanischer/chemischer Beschädigung bleibt erforderlich, ebenso der Schutz bautechnisch sensibler Bereiche und der Einsatz von Hubbühne usw. für Wartung/Pflege.

Die Lösung entschärft den Konflikt mit den Kabeltrassen im Gehwegbereich, verschärft aber möglicherweise den Konflikt mit Kabeln/Leitungen, die unterirdisch in das Gebäude führen. Passanten dürfen durch Wuchsaufleitungen nicht gefährdet werden. Es muss auf ein ausreichendes Volumen der Pflanzgrube geachtet werden, ebenso auf ein geeignetes Pflanzsubstrat. Die Bewässerung in Trockenperioden muss gewährleistet sein. Vorleistungen für Pflege und Wartung sind ein Wasseranschluss für extreme Trockenphasen sowie ein Stromanschluss. Mit zunehmender Wuchshöhe sind Hubsteiger o. Ä. erforderlich. Bei der Realisierung könnte es zu Mehrkosten gegenüber einer nicht unterbrochenen Fassade kommen.

Wurzelraum in Pflanzgefäßen

Soweit die Platzverhältnisse es zulassen, können mobile oberirdische Wuchsbehälter aufgestellt werden (siehe Abb. 4.41). Damit entfällt die Standortaufbereitung. Pflanzgefäße müssen für das Wurzelvolumen der Pflanzen ausreichend dimensioniert sein (Höhe der Container mindestens 60 cm, maximal mögliche Tiefe und Länge). Auf Bau- und Fluchtlinien ist zu achten. Ausladende Gerüstkletterpflanzen können einen Eingriff in den öffentlichen Raum darstellen. Alternativ zu aufgestellten Pflanzbehältern können bodengleich eingesenkte Pflanzcontainer mit begehbaren Gitterrosten verwendet werden.

Abb. 4.41: Begrünung in Pflanzcontainern mit erforderlicher künstlicher Bewässerung

Eine Begrünung mit leitbaren Gerüstkletterpflanzen ist Selbstklimmern aufgrund der Nachbarsituation vorzuziehen. Der Einsatz temporärer Begrünungen ist möglich. Wurzeln und Substrat werden im Falle von Kabelarbeiten im Straßen-/Gehwegbereich (Reparatur, Austausch usw.) nicht beschädigt. Bei eingesenkten Pflanzcontainern bleibt der Schutz der Pflanzen vor mechanischer Beschädigung über Oberkante Boden erforderlich, ebenso der Schutz bautechnisch sensibler Bereiche und der Einsatz von Steiger, Hubbühne oder hoher Leiter für Wartung und Pflege. Pflanzen in aufgestellten Containern sind vor Fahrzeugen, Streusalz, Urin usw. geschützt, nicht jedoch vor Vandalismus. Pflanzcontainer benötigen für die Pflanzenwahl geeignetes, strukturstabiles Substrat, gegebenenfalls eine künstliche Wasser- und Nährstoffversorgung, eine Entwässerung und Drainage sowie möglicherweise eine Wasseranstauebene.

Diese Lösungen entschärfen den Konflikt zwischen Pflanze und möglichen Kabeltrassen. Begrünungen mit direktem Bodenanschluss sind jedoch vorzuziehen, da die Wasserversorgung durch den Behälter eingeschränkt wird, sodass dauerhaft auf eine Bewässerung in Trockenperioden geachtet werden muss (gegebenenfalls Feuchtefühler verwenden). Auch ein übermäßiger Wassereintrag (z. B. Übernässung durch Starkregen/Niederschlagwasser von Dachflächen) ist zu vermeiden (Wurzelfäule, Absterben der Pflanze). Die Pflanzbehälter sowie bodengleich eingesenkte Pflanzcontainer dürfen kein Hindernis im öffentlichen Raum darstellen. Sie bedürfen einer bauaufsichtlichen Genehmigung. Vorleistungen für Pflege und Wartung umfassen einen Wasseranschluss für extreme Trockenphasen sowie einen Stromanschluss. Mit zunehmender Wuchshöhe sind Hubsteiger o. Ä. erforderlich. Gegebenenfalls muss eine Nachgenehmigung der Pflanzgruben/Container im öffentlichen Raum eingeholt werden.

4.2.2 Entscheidung über Art/Konstruktion der Begrünung

Die Bandbreite möglicher Fassadenbegrünungen umfasst zwei grundsätzlich unterschiedliche Bauweisen mit jeweils mehreren Varianten, nämlich die bodengebundene Begrünung und die wandgebundene Begrünung. Hinzu kommen Mischformen beider Bauweisen.

Bodengebundene Fassadenbegrünungen

Wurzeln Pflanzen zur Begrünung von Fassaden/Wänden, Brandwänden, Grenzmauern usw. im Boden, beziehen sie ihr Wasser und die benötigten Nährstoffe aus dem anstehenden Erdreich bzw. aus einem ersatzweise hergestellten Bodenvolumen. Dabei kann es sich um gewachsenen Boden oder auch um ein künstlich bereitgestelltes Bodenmaterial (Intensivsubstrat) handeln. Entscheidend sind eine pflanzengerechte Bodenqualität sowie ein Bodenwasseranschluss mit ausreichender Zuführung und Speicherfähigkeit von Regenwasser.

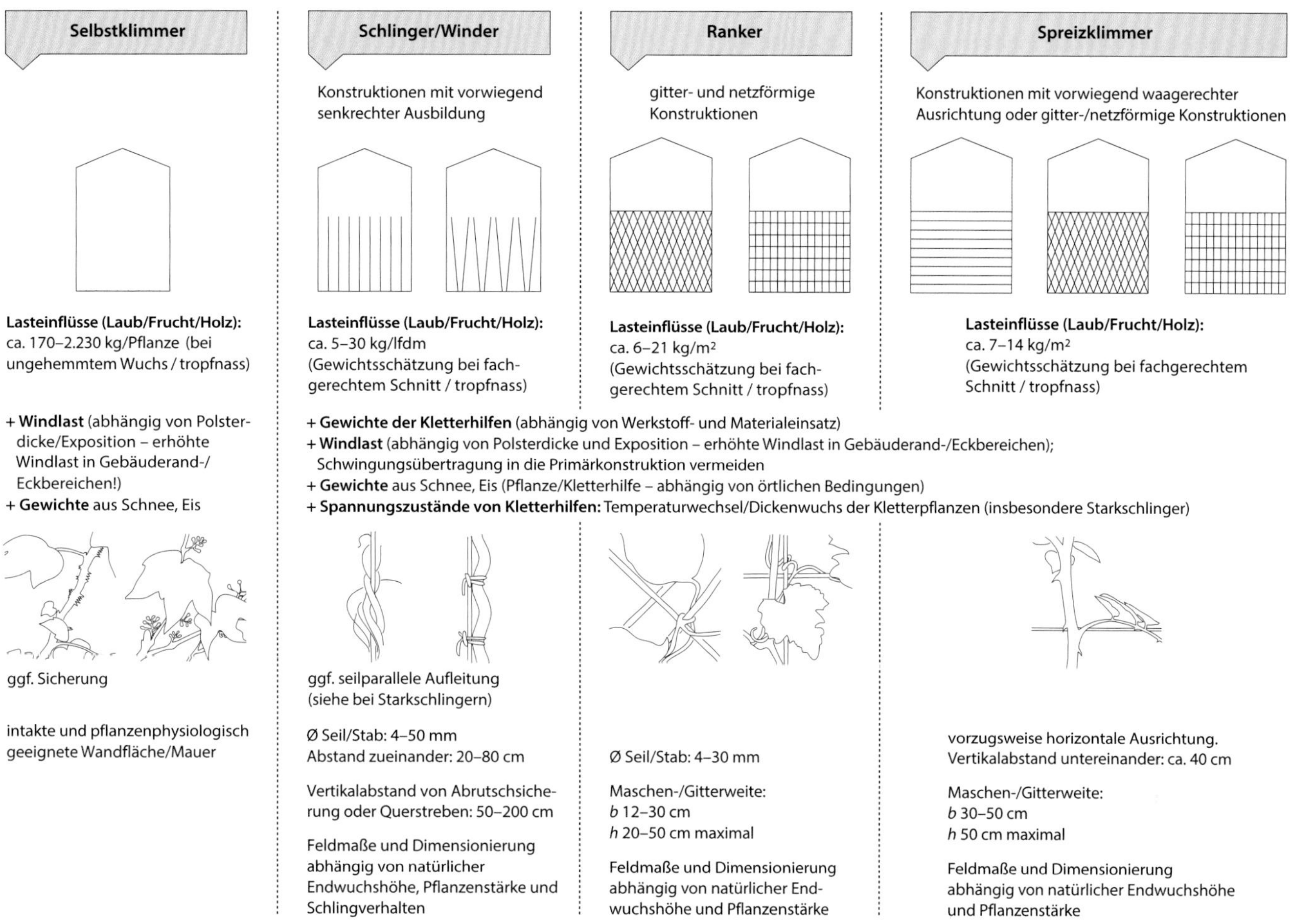

Abb. 4.42: Konstruktive Berücksichtigung der Wuchsstrategien von Kletterpflanzen

Bei zu tief liegendem Bodenwasserspiegel, unzureichend regenbeaufschlagten Pflanzorten oder nahen Bauwerksdrainagen sowie aufgrund der zunehmenden langen Trockenperioden ist eine zuverlässige Ersatzbewässerung notwendig (manuell oder automatisch).

Die Bauweise und Gestaltung der Wuchskonstruktion sowie die unterschiedlichen Kletterstrategien der Pflanzen sind im Zusammenhang zu betrachten, sie müssen funktional aufeinander abgestimmt werden. Bei der Pflanze gilt dies für die genetischen Daten (Verankerungstechnik der Pflanze, Dickenwachstum, Windekraft, Wuchsdynamik) ebenso wie für ihre physikalische Größe (Eigengewicht, Niederschlagsgewicht und Windangriffsfläche im ausgewachsenen Stadium). Wuchskonstruktionen sollten vorausschauend und langlebig entwickelt werden: Ihr späterer Austausch hätte einen umfassenden Rückschnitt oder den Verlust der Begrünung zur Folge.

Bei der Entscheidung für bodengebundene Fassadenbegrünungen müssen die Wand/Fassade, die Wuchsvorkonstruktion und die Pflanze aufeinander abgestimmt sein. In Abb. 4.42 sind daher die Wuchsstrategien der Kletter-/Gerüstkletterpflanzen sowie die Wand-/Fassadeneignung aufgeführt. Weitere Planungskriterien bei der bodengebundenen Fassadenbegrünung sind u. a.:

- Dimensionierung und Rasterweiten der Wuchsvorkonstruktion,
- Abstand der Kletterhilfe zur Wand (Durchlüftung/Entfeuchtung),
- Triebdurchmesser am Wurzelhals (Abstand der Pflanzen zur Wand auch im Dickenwachstum),
- Wuchshöhe (maximale Wuchshöhe möglichst niedriger, als die Höhe der Wuchsaufleitung),
- Wuchsbreite der Pflanze und daraus resultierender Pflanzabstand einzelner Pflanzen,
- Lasteinflüsse von Laub, Frucht, Holz bzw. Tau, Regen, Schnee, Eis und Windlasten sowie Gewichte aus Spannungszuständen der Wuchsvorkonstruktion,
- Abstände zueinander bzw. Feldweiten der Wuchsaufleitungen.

Die Lasteinflüsse und weitere vegetationstechnische Kriterien sind in Abb. 4.42 für die bodengebundene Fassadenbegrünung aufgeführt. Ein wichtiges Entscheidungskriterium sind zudem die Kosten. Bei der Fassadenbegrünung ist das Verhältnis von Bau- und Pflegekosten zu berücksichtigen:

In der Herstellung günstige Bauweisen, wie z. B. die Direktbegrünung mit Selbstklimmern (insbesondere Efeu), verursachen aufgrund der Wüchsigkeit der Pflanzen meist höhere Pflegekosten in der Altersform oder, bei mangelnder Pflege, Schäden an Gebäude oder Bauteilen.

Kostenintensivere Bauweisen mit Gerüstkletterpflanzen, die eine Wuchsvorkonstruktion benötigen, führen aufgrund ihres Abstands zum Gebäude meist zu geringeren Pflegekosten, sofern Pflanze und Kletterhilfe aufeinander abgestimmt sind.

Der finanzielle Aufwand steigt mit der Höhe der Begrünung und ist abhängig von der Begeh- und Anfahrbarkeit. Leitern werden ab 1,80 m Höhe erforderlich. Je nach Situation kommen ab 5 bis 7 m Höhe Steiger, Gerüste, Hubbühnen oder gärtnerisch ausgebildete Fassadenkletterer zum Einsatz.

Keine Begrünung ist kosten- oder pflegefrei, auch nicht bodengebundene Begrünungen. Ihr gebäudeoptimierender sowie umfeldverbessernder Beitrag ist dafür eine dauerhafte Investition in eine lebenswerte und lebendige urbane Umgebung.

Wandgebundene Begrünungen

Neben den bodengebundenen Varianten gewinnen Fassadenbegrünungen ohne Boden- und Bodenwasseranschluss zunehmend an Bedeutung, denn sie stoßen auf viele innerstädtische Anwendungsmöglichkeiten, hohe Akzeptanz und Forschungsinteresse.

Die Pflanzen werden dabei in Regalbauweisen (gestapelte horizontale Vegetationsflächen) oder in senkrecht vor der Gebäudewand montierte bzw. in die Fassade integrierte Vegetationsflächen (vertikale Gärten) als modulare oder flächige Begrünungen installiert.

Unabhängig von der Art der wandgebundenen Begrünung ist eine frühe planerische Integration in die architektonische Fassadengestaltung erforderlich auch bei Bestandssanierungen: In der Regel ist eine Fassadenbegrünung eine Themenüberlagerung von Fassadengestaltung und natürlichem Pflanzenwuchs und selten in eine gestaltete Synergie gebracht. Begrünungen sind jedoch im besten Fall Teil einer integrativen Planung und Vorstellung des gestalterischen Fertigzustands.

Die Pflanze wird so zum kalkulierten Bestandteil des Fassadenaufbaus und der Gestaltung und bedarf in regelmäßigen Intervallen entsprechend durchzuführender Instandhaltungsarbeiten zur Versorgung und Trimmung ihrer Wuchsform. Gründe zur Ausführung einer kosten- und pflegeintensiveren wandgebundenen Begrünung:

- Es steht kein qualifizierter Boden- und Bodenwasseranschluss zur Verfügung.
- Die Ebene null ist mechanisch bzw. chemisch so stark belastet, dass sie als regelrechter Pflanzenstandort ausscheidet (hoher Nutzungsdruck der Fläche im öffentlichen Raum, unzureichende Platzverhältnisse, Belastungen durch Tausalz, Urin usw.).
- Die Begrünung kann ausschließlich an höher gelegenen Gebäudeflächen realisiert werden, z. B. wenn die Begrünungsfläche überbaut ist (Vordächer, auskragende Geschosse) oder wenn sie durch nicht begrünbare Flächen vom Boden getrennt ist (z. B. Garagenzufahrten oder durchgehend horizontal gegliederte Fensterbänder).
- Die Gestaltungsbreite ist bei wandgebundenen Begrünungen aufgrund der Planbarkeit als architektonisches Element, des artifiziellen Charakters und der kaum eingeschränkten Pflanzenwahl größer.

Mischformen

Mischformen aus bodengebundenen und wandgebundenen Begrünungen sind vorwiegend den örtlichen Verhältnissen angepasste Lösungen. Sie müssen den Versorgungsanforderungen beider Bauweisen gerecht werden. Ein Anlass zur Realisierung von Mischformen kann in den Pflanzenarten liegen: Die ausgewählten bodengebundenen Pflanzen erreichen eine begrenzte Höhe, darüber liegende Geschosse erhalten eine wandgebundene Begrünung. Es kann aber auch die zeitliche Komponente wichtig sein (Ergänzung der bodengebundenen Begrünungen durch Fassadenbegrünungen in Pflanzbehältern, bis die bodengebundenen Begrünungen die gewünschte Höhe zur Begrünung der gesamten Fassade erreicht haben). Auch Sonderwünsche die Gestaltung betreffend können zur Wahl einer Mischform veranlassen.

4.2.3 Pflanzenauswahl und Pflanzung

Die Berücksichtigung vegetationstechnischer Kriterien ist bei einer Fassadenbegrünung entscheidend für ihre Funktionalität und Langlebigkeit. Dazu gehören Faktoren wie das lokale Klima, die Zusammensetzung des Substrats, die Fähigkeit zur Wasserspeicherung sowie die Auswahl geeigneter Pflanzenarten. Insbesondere sind die Widerstandsfähigkeit der Pflanzen gegenüber extremen Witterungsbedingungen, ihre Toleranz gegenüber Trockenheit und Nährstoffmangel sowie der notwendige Pflegeaufwand von Bedeutung. Lichtverhältnisse, Wasserhaushalt, Windverhältnisse und allgemeine klimatische Bedingungen müssen bereits in der Planung der Anlagen Berücksichtigung finden, um eine standortangepasste Vegetation und geeignete Maßnahmen zur Pflanzung/Befestigung zu wählen. Die Tragfähigkeit der Flächen zur Fassadenbegrünung muss gewährleistet sein. Die Last durch Substrat, Pflanzen, Wasser, Schnee und Wind muss den statischen Eigenschaften aller Konstruktionen entsprechen.

Bei bodengebundenen Fassadenbegrünungen kommen Kletterpflanzen (Selbstklimmer), Gerüstkletterpflanzen (Schlinger/Winder, Ranker oder Spreizklimmer) und gegebenenfalls Pflanzen zur Unterpflanzung (bodendeckende Stauden, Gräser und Kleingehölze) zum Einsatz (siehe Abb. 5.32 bis 5.40). Bei wandgebundenen Begrünungen richtet sich die Pflanzenauswahl nach der Begrünungsform. Für Einzel- und Linearbehälter mit horizontaler Wuchsebene kommen Stauden (u. a. Gräser, Farne, bedingt Zwiebel- und Knollengewächse), Kleingehölze und Gerüstkletterpflanzen zum Einsatz. Geeignete Pflanzen für vertikale Gärten (senkrechte Vegetationsflächen, modular oder flächig) sind Stauden (u. a. auch Gräser und Farne), Kleingehölze, Moose und möglicherweise Kletterpflanzen (Wurzelkletterer, Spreizklimmer). Die Pflanzplanung wandgebundener Begrünungen erfolgt durch den Systemanbieter (projekt- und systemabhängig). Pflanzenlisten für wandgebundene Begrünungen sind in den aktuellen Fassadenbegrünungsrichtlinien zu finden (Fassadenbegrünungsrichtlinien, 2018).

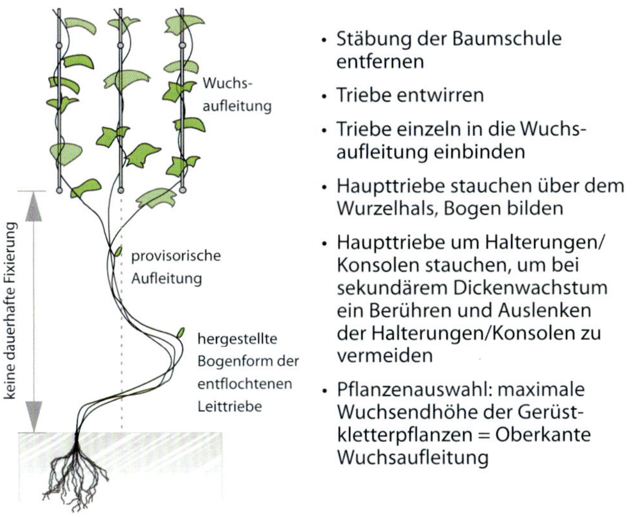

Abb. 4.43: Das richtige Pflanzen nach Brandhorst und Brandwein

Bei bodengebundenen Begrünungen sowie bei der Lieferung von Einzelpflanzen für wandgebundene Begrünungen werden die Pflanzen bei der Anlieferung geprüft. Dabei werden Art/Sorte, Größe, Vitalität, mögliche Beschädigungen, Ballenfeuchtigkeit, Ballenfestigkeit, der Zustand hinsichtlich Schädlingsbefall sowie die Pflanzenvitalität kontrolliert.

Bei vorkultivierten Elementen, wie Modulen oder Pflanzgefäßen, findet eine entsprechende Prüfung statt. Der Transport und das Abladen der Pflanzen oder Module sollten geschützt erfolgen, beispielsweise durch Töpfe, Sackleinen oder Vliesumhüllungen. Der Abstellort für die Zwischenlagerung muss gesichert werden, etwa durch Absperrungen oder Bauzäune. Die Lagerung der Pflanzen/Module sollte von kurzer Dauer sein, maximal 48 Stunden lang abgedeckt, schattig und feucht. Wenn die Lagerung länger andauert, müssen offene Wurzelballen geschützt („eingeschlagen") werden. Dabei ist darauf zu achten, dass die Ballen nicht gequetscht werden und Triebe unversehrt bleiben; Rinden sollten bei Bedarf mit Vlies geschützt werden. Pflanzungen sollten nicht vor Mitte April erfolgen.

Stützstäbe sind bei der Pflanzung zu entfernen, Triebe zu entwirren, Triebe gegebenenfalls in die Wuchsaufleitung einzubinden. Bei jungen, noch flexiblen Pflanzen ist der Haupttrieb oberhalb des Wurzelhalses leicht zu stauchen (Bildung eines Bogens; siehe Abb. 4.43).

4.2.4 Versorgungstechnik

Eine kontinuierliche Versorgung und Pflege der Pflanzen sind maßgeblich für vitale Fassadenbegrünungen, sowohl für boden- als auch für wandgebundene. Die Versorgungstechnik umfasst alle notwendigen Maßnahmen zur Wasser- und Nährstoffversorgung. Durch eine sorgfältige Umsetzung dieser Maßnahmen kann die Funktionsfähigkeit der Begrünung langfristig gewährleistet werden.

Substrat

Ist der Boden ungeeignet oder steht den Pflanzen kein Bodenanschluss zur Verfügung, kommen Substrate zum Einsatz. Die Zusammensetzung von Substraten für Fassadenbegrünungen wird an die spezifischen Anforderungen der Pflanzen, den Standort und die Exposition angepasst. In der Regel bestehen Substrate zur Fassadenbegrünung aus einer Mischung mineralischer Komponenten wie Lava und Blähton (Luftporen und Wasserspeicher), Granit (Frostschutz) und Sand sowie aus organischen Bestandteilen, wie z. B. Harttorf, Tonstein, Xylit, Leonardit und gegebenenfalls kleinen Mengen Kompost.

Substrate gewährleisten eine gute Drainage, eine ausreichende Nährstoffversorgung, Strukturstabilität und den nötigen Halt für die Pflanzen. Die Wasserspeicherkapazität des Substrats ist von besonderer Bedeutung (für Kletterpflanzen: Wasserspeicherkapazität von über 30 % erforderlich), um in Trockenperioden genügend Feuchtigkeit bereitzustellen. Die Substratzusammensetzung muss auf die Art der Begrünung (boden- oder wandgebunden) abgestimmt sein. Für bodengebundene Begrünungen variiert das Substrat zudem je nach Standort: Nicht überbaubare Substrate eignen sich für unversiegelte Flächen, wie z. B. tiefgründige Pflanzung neben Verkehrsflächen, oder in Grünanlagen bei beengten Platzverhältnisse Dagegen kommen überbaubare Substrate in versiegelten Bereichen zum Einsatz.

Die Qualität des Substrats bestimmt maßgeblich den Erfolg der Dachbegrünung. Wesentliche Kriterien:

- hohe Formstabilität
- wenige organische Bestandteile
- geringes Gewicht (im Trockenzustand)
- hohe durchgängige Wasserspeicherfähigkeit
- ausreichende Luftkapazität bei Wassersättigung
- gute Aufnahmefähigkeit für Nährstoffe
- gute Resistenz gegen pH-Wert-Verschiebung (z. B. gegen sauren Regen)
- frei von Schädlingen, Krankheitserregern und Samenverunreinigung
- geringer Feinanteil, um Verhärten/Verschlämmen zu vermeiden

Versorgung mit Wasser und Nährstoffen

Bei bodengebundenen Begrünungen ist in der Regel nur während der Anwuchsphase eine regelmäßige Bewässerung notwendig, gelegentlich können aber Notbewässerungen in lang anhaltenden Trockenperioden erforderlich sein.

Bei wandgebundenen Begrünungen ist eine automatisierte und kontrollierte Wasser- und Nährstoffversorgung unerlässlich. Um längere Trockenperioden zu überbrücken, kann auch bei bodengebundenen Begrünungen ein Wasseranschluss zur manuellen oder teilautomatisierten Bewässerung notwendig sein. Weist das Substrat eine geringe Wasserhaltefähigkeit auf oder stehen die Pflanzen im Regenschatten, wird ebenfalls eine automatisierte Wasser- und Nährstoffversorgung erforderlich.

Eine automatische Bewässerung ist wirtschaftlich, weil sie Arbeitszeit und Wasser spart. Die meist für Fassadenbegrünungen eingesetzten Tropfrohre versorgen die Wurzeln direkt und effektiv (siehe Abb. 4.44). Im Gegensatz zu einer Überkopfberegnung wird kein Wasser verdunstet.

Abb. 4.44: Bewässerung über Tropfschläuche in wandgebundener Begrünung

Die Taktung der Bewässerungszyklen erfolgt über einen kleinen Bewässerungscomputer (Zeitsteuerung). Die Beregnung kann bei natürlichen Regenereignissen durch einen Regensensor unterbrochen werden. Die Steuerung übernimmt ein kostengünstiger Bewässerungscomputer, der eine Fernwartung ermöglicht. Wesentlich zur Überprüfung ist der daran angeschlossene Wasserzähler. Der Steuerungscomputer übermittelt umgehend Warnmeldungen, wenn die eingestellte Bewässerungsmenge unter- oder überschritten wird. Zusätzlich ist der Bewässerungscomputer mit den nächstgelegenen Wetterstationen verbunden, sodass die Bewässerung schon im Vorfeld auf vorhergesehene Wetterereignisse reagieren kann. Beide Funktionen zusammen machen weitere Sensoren überflüssig, insbesondere Feuchtesensoren. Feuchtesensoren sind teuer, empfindlich, wartungsaufwendig und nicht langlebig (Brandhorst, 2024).

Die Wartung der Bewässerungsanlage erfolgt zweimal pro Jahr. Im Herbst ist diese winterfest zu machen, im Frühjahr wieder in Betrieb zu nehmen (Brandhorst, 2024).

Der Trinkwasserschutz nach E DIN EN 1717 „Schutz des Trinkwassers vor Verunreinigungen in Trinkwasser-Installationen und allgemeine Anforderungen an Sicherungseinrichtungen zur Verhütung von Trinkwasserverunreinigungen durch Rückfließen“ (2023) und E DIN 1988-100 „Technische Regeln für Trinkwasser-Installationen – Teil 100: Schutz des Trinkwassers, Erhaltung der Trinkwassergüte“ (2024) ist einzuhalten. Trinkwasserleitungen sind von Nichttrinkwasser und gefährdenden Flüssigkeiten zu trennen. Gemäß E DIN EN 1717 entspricht eine Unterflurbewässerung (mit Erdkontakt) der Flüssigkeitskategorie fünf. Daher ist das Wasser mit freiem Auslauf von der Trinkwasserleitung zu trennen. Dies hat zur Folge, dass das Gießwasser für die Kletterpflanzen gepumpt werden muss, da der Druck der Trinkwasserleitung nach einem freien Auslauf nicht mehr zur Verfügung steht. Im häuslichen Bereich ist die E DIN EN 1717 (Anwendungen in Wohnhäusern, Schulen, Hotels, Kindergärten usw.) zu berücksichtigen. Sie stellt die Risikominimierung für diese Gebäude sicher. Entsprechend kann im häuslichen Bereich eine Unterfluranlage mit einer Sicherungseinrichtung ausgestattet werden, die für die Flüssigkeitskategorie vier geeignet ist. Ein Systemtrenner gewährleistet eine solche zugelassene Sicherungseinrichtung und ist einer (Garten-)Bewässerungsanlage vorzuschalten (Brandhorst, 2024).

Weiterführende Literatur zu verschiedenen Einzelthemen:

- Thema Bodenarbeiten: DIN 18915 „Vegetationstechnik im Landschaftsbau – Bodenarbeiten“ (2018)
- Thema Pflanzarbeiten: DIN 18916 „Vegetationstechnik im Landschaftsbau – Pflanzen und Pflanzarbeiten“ (2016)
- Thema gehölzartige Kletterpflanzen: TL-Baumschulpflanzen (2020)
- Thema staudenartige Kletterpflanzen: Gütebestimmungen für Stauden (2015)
- Thema Planung: Empfehlungen für Planung, Bau und Instandhaltung der Übergangsbereiche von Freiflächen zu Gebäuden (2012)

Bewässerungsanlagen für boden- und wandgebundene Begrünungen

Beim Einsatz von Trinkwasser sind der Trinkwasserschutz gemäß E DIN EN 1717 bzw. die E DIN 1988 zu berücksichtigen. Des Weiteren sind die „Empfehlungen für Planung, Bau und Instandhaltung der Übergangsbereiche von Freiflächen zu Gebäuden“ (2012) der Forschungsgesellschaft Landschaftsentwicklung Landschaftsbau e. V. (FLL) zu beachten.

Die Intensität der Bewässerung ist von folgenden Faktoren abhängig (Leitfaden Fassadenbegrünung, 2013):

- Verdunstungsintensität, Windstärke, Windrichtung, Exposition (z. B. Randlage, Gebäudeeckbereiche),
- Wasserspeicherfähigkeit des Bodens/Substrats bzw. des Substratersatzes,
- Staunässeverträglichkeit bzw. Trockenresistenz von Pflanzen,
- Frostresistenz von Pflanzen,
- Nährstoffbedarf von Pflanzen,
- örtliche Niederschlagsmengen bzw. Art der Zusatzbewässerung (z. B. Anstaubewässerung, Tropfschläuche, Sprühschläuche; siehe Abb. 4.45).

Abb. 4.45: Estée Lauder, Paris: wandgebundene Begrünung mit Randblech zur Kaschierung der Hinterlüftung und Leitungsführung

Abb. 4.46: Zisterne Bunker St. Pauli, Hamburg

Abb. 4.47: Kö-Bogen 2, Düsseldorf: Bewässerungstechnik (u. a. Leitungsführung, Vorlaufbehälter, Druckregelung, Schwefelsäurezugabe)

Es ist sinnvoll, Regenwasser zur Bewässerung der Pflanzen vorzusehen. In diesem Fall wird eine Regenwasserbevorratung nötig (z. B. Zisterne). Jede Versorgungsanlage sollte gut geplant werden (siehe Abb. 4.46 und 4.47). Folgende Fragestellungen werden vorangestellt:

- Wo steht ein Technikraum zur Verfügung?
- Ist ein geschlossenes oder offenes System möglich oder erwünscht?
- Welches Wasser steht zur Verfügung (Qualität, Herkunft)?
- Wo und wie können Steuerung und Düngung erfolgen?

Bewässerung mit Regenwasser

Zur Berechnung der Zisternengröße wird die Verbrauchsmenge mit den Vorhaltetagen multipliziert. Die Mindestvorhaltezeit sind 21 Tage. In Hinblick auf zunehmende Trockenperioden und Hitzestresstage ist jedoch eine längere Vorhaltezeit sinnvoll.

Die Einzugsfläche, die die Zisterne speist, spielt ebenfalls eine Rolle für die Berechnung. Aus der Einzugsfläche dürfen keine Biozide (z. B. aus Fassadenanstrichen/Dachabdichtungen) oder anderweitige wasserschädliche Bestandteile in die Zisterne gelangen.

Die Zisternentechnik besteht aus folgenden Komponenten:

- Filterung,
- Pumpe,
- Wasserstandsmessung und -anzeige,
- automatische Nachspeiseeinrichtung.

Die Filterung des Regenwassers ist für die weitere Verwendung insbesondere von Bewässerungssystemen von Bedeutung. In der Regel wird das Regenwasser fünfmal gefiltert. Es durchläuft dabei nacheinander folgende Filter:

1. Sieb am Dachablauf für grobe Bestandteile,
2. Filter in oder am Ende der Einspeiseleitung der Zisterne (wichtigster Filter!),
3. Schwimmende Entnahme,
4. Fußventil an der Schwimmenden Entnahme,
5. Filter im Bewässerungssystem.

Die Pumpe wird entsprechend dem zu erwartenden Volumenstrom (größter Verbraucherkreis) und dem benötigten Druck ausgewählt. Der Druck am Verbraucher (Tropfrohre oder Regner) sollte zwischen 1,5 und 3,5 bar liegen. Der Druckverlust durch die zu überwindende Höhe (1 bar pro 10 m) und der Reibungsverlust durch die Rohre (Dimension, Länge, Verengungen und Winkel) sind hinzuzurechnen. Die Pumpe kann durch einen Druckschalter oder durch ein Relais aktiviert werden.

Es können sowohl Tauchpumpen als auch Ansaugpumpen zum Einsatz kommen. Bei der Schwimmenden Entnahme wird das Ansaugventil (Fußventil mit Siebkörper) mittels einer Boje ca. 20 cm unter der Wasseroberfläche gehalten. So werden von der Pumpe weder Schwebstoffe noch Sedimente angesaugt.

Die Wasserstandsmessung erfolgt über Sensoren oder kalibrierte Datenkabel. Die Anzeige über Display informiert über den Zisterneninhalt. Sinkt der Pegel unter den eingestellten Tiefpunkt, öffnet die Zisternentechnik das Magnetventil einer Nachspeiseleitung, ein Hochpunkt schließt das Ventil wieder. So kann garantiert werden, dass die Zisterne immer genügend Wasser für die Bewässerung enthält. Die Nachspeiseeinrichtung muss immer oberhalb des zu erwartenden Maximalwasserstands liegen (Höhe Überlaufleitung).

Um Stauwasser in der Nachspeiseleitung zu vermeiden, ermöglicht die Zisternentechnik eine Spülung in einstellbaren Intervallen durch kurzeitiges Öffnen des Magnetventils (Brandhorst, 2024).

Bewässerung mit Trinkwasser

Bei einer Bewässerung mit Trinkwasser ist der Lebensmittelschutz zu gewährleisten.

Die Trennung von Wasser mit Erdkontakt von der Trinkwasserleitung ist zwingend erforderlich. Wasser mit Erdkontakt wird, wie bereits beschrieben, als Flüssigkeitskategorie fünf eingestuft, da darin Mikroben vorhanden sein können (siehe Tabelle 4.3). Entsprechend den genannten Normen ist diese Flüssigkeitskategorie mit freiem Auslauf zu trennen.

Tabelle 4.3: Flüssigkeitskategorien

Kategorien	Beschreibung
1	Wasser für den menschlichen Gebrauch, das direkt aus einer Trinkwasserinstallation entnommen wird
2	Flüssigkeit, die keine Gefährdung der menschlichen Gesundheit darstellt Flüssigkeiten, die für den menschlichen Gebrauch geeignet sind, einschließlich Wasser aus einer Trinkwasserinstallation, das eine Veränderung in Geschmack, Geruch, Farbe oder Temperatur (Erwärmung oder Abkühlung) aufweisen kann
3	Flüssigkeit, die eine Gesundheitsgefährdung für Menschen durch die Anwesenheit einer oder mehrerer weniger giftiger Stoffe darstellt
4	Flüssigkeit, die eine Gesundheitsgefährdung für Menschen durch die Anwesenheit einer oder mehrerer giftiger oder besonders giftiger Stoffe oder einer oder mehrerer radioaktiver, mutagener oder kanzerogener Substanzen darstellt
5	Flüssigkeit, die eine Gesundheitsgefährdung für Menschen durch die Anwesenheit von mikrobiellen oder viralen Erregern übertragbarer Krankheiten darstellt

Für die Trennung mit freiem Auslauf wird ein Behälter verwendet, bei dem das Wasser – ähnlich wie bei einem Toilettenspülkasten – mit einem Nachspeiseventil eingeleitet wird. Ein solches Nachspeiseventil ist mit einem Schwimmer ausgestattet, der es stets über dem Wasserspiegel hält. Der steigende Wasserspiegel schließt das Nachspeiseventil.

Der Behälter sollte, falls das Nachspeiseventil versagt, mit einem Notüberlauf ausgestattet sein, der an einen Abwasserstutzen anzuschließen ist.

Eine Zisterne kann als Trennstation gewertet werden, wenn die Nachspeisung von Trinkwasser keine Berührung mit dem Zisternenwasser hat (Brandhorst, 2024).

Wasserqualität

Bei Trinkwasser ist die Wasserqualität zu berücksichtigen, insbesondere die Wasserhärte. Je nach Region gibt es unterschiedliche Härtegrade. Die Wassergesamthärte wird in °dH angegeben und entspricht meist beinahe vollständig der Carbonathärte (Säurekapazität). Ab 14 °dH spricht man von hartem Wasser. Hartes Wasser ist für einige Pflanzen (z. B. Moose) unverträglich. Im Außenbereich ist die Wasserhärte der Trinkwasserversorgung zumeist unkritisch: Da es in der Regel kaum zu thermischen Ausfällungen kommt, sind auch Ablagerungen in den Leitungen und Tropfrohren selten.

Bei geschlossenen Systemen und Gefäßen kann die Wasserhärte jedoch im Dauerbetrieb problematisch werden. Es ist ein höherer Wartungsaufwand einschließlich Überwachung der Wasserqualität zu berücksichtigen.

Als Wasseraufbereitungsanlagen werden üblicherweise Umkehrosmoseanlagen oder Ionenaustauscher eingesetzt. Die Umkehrosmose trennt das Wasser durch eine semipermeable Membran in geklärtes Wasser, das sogenannte Permeat, und „versalzenes“ Wasser. Das Verhältnis von Permeat zu Abwasser reicht von 1:3 bis 1,5:1. Das Permeat enthält kaum Mineralien. Die Leitfähigkeit beträgt je nach System nur noch 0 bis 30 µs (Mikrosiemens). Permeat sollte niemals pur zur Pflanzenbewässerung verwendet werden. Es gibt spezielle Osmosewasserdünger oder Remineralisierungskartuschen. Bei Ionenaustauschern wird das Wasser über ein Harzbett geleitet. Je langsamer der Durchfluss, desto besser ist das Ergebnis. Die Harzbettkartuschen halten je nach Größe und Wasserqualität nur eine Zeitlang vor. Entsprechend häufig müssen sie gewechselt werden. Das ist relativ teuer und wartungsaufwendig. Andererseits brauchen Ionenaustauscher keinen Abwasseranschluss wie die Osmoseanlagen und haben keinen erhöhten Wasserverbrauch. Es gibt übrigens auch Teilentsalzungsanlagen (Brandhorst, 2024). Welche Wasseraufbereitungsanlage im Einzelfall verwendet wird, entscheiden die Gegebenheiten.

Es ist Teil der Pflege- und Wartungsarbeiten, die Wasserqualität während der Wartungsgänge regelmäßig zu prüfen und zu messen. Die beauftragte Firma sollte mit den entsprechenden Messeinrichtungen ausgerüstet sein.

Folgende Messungen werden benötigt:

- bei jedem Wasser und bei jeder Bewässerungsmethode Bestimmung des EC-Gehalts (EC = Electrical Conductivity),
- bei geschlossenen Systemen und bei Brunnenwasser zusätzlich Bestimmung des pH-Wertes, der Konzentrationen der Hauptnährstoffe bzw. von Nitrat und Phosphat sowie des Härtegrads.

Bei einem entsprechenden Anfangsverdacht können darüber hinaus tiefergehende Messungen extern beauftragt werden (Brandhorst, 2024).

Bewässerungstechnik

Eine automatische Bewässerung ist wirtschaftlich, weil sie Arbeitszeit und Wasser spart. Die zumeist für Fassadenbegrünungen (boden- und wandgebunden) eingesetzten Tropfrohre versorgen die Wurzeln direkt und effektiv.

Im Vergleich zu einer Überkopfberegnung (siehe Abb. 4.48) wird weniger Wasser verdunstet. Die Taktung der Bewäs-

Abb. 4.48: Überkopfberegnung – sinnvoller wären Tropfrohre auf Abstand zum Wurzelhals, sodass das Wasser weniger verdunstet und sich die Wurzeln ausbreiten müssen.

serungszyklen erfolgt über einen Bewässerungscomputer, der eine Fernwartung ermöglicht. Bei horizontalen Flächen kann die Bewässerung, wenn es regnet, durch einen Regensensor unterbrochen werden. Wesentlich ist ein Impulswasserzähler. Der Steuerungscomputer übermittelt umgehend Warnmeldungen, wenn die eingestellte Bewässerungsmenge unter- oder überschritten wird. Zusätzlich ist der Bewässerungscomputer mit den nächstgelegenen Wetterstationen verbunden, sodass die Bewässerung, wie bereits beschrieben, rechtzeitig auf vorhergesagte Wetterereignisse reagieren kann. Beide Funktionen zusammen machen weitere Sensoren überflüssig, insbesondere teure, empfindliche und wartungsaufwendige Feuchtesensoren (Brandhorst, 2024).

Die Bewässerung bodengebundener Begrünungen oder in Gefäßen mit großem Volumen ist insbesondere bei sommergrünen Pflanzen nur saisonal während der Vegetationsperiode nötig. Vor dem Winter werden die Leitungen ausgeblasen, und die Bewässerung wird abgestellt. Nach der Frostperiode wird die Bewässerung wieder in Betrieb genommen. Immergrüne Pflanzungen müssen hingegen ganzjährig mit Wasser versorgt werden (siehe Abb. 4.49).

Wandgebundene Begrünungen enthalten meist immer- oder wintergrüne Pflanzen, um einen akzeptablen Ganzjahresaspekt zu gewährleisten. Diese Pflanzen sind frosttrocknisgefährdet, wenn sie unter Sonneneinstrahlung im Winter/Frühjahr transpirieren und, aufgrund von Frost, dem gefrorenen Boden/Substrat kein Wasser entnehmen können. Für diesen Fall wird eine Winterautomatik benötigt. Diese besteht aus zwei Komponenten: zum einen aus einem Frostsensor, der die Bewässerung bei z. B. + 3 °C ein- oder abschaltet, zum anderen aus einer automatischen Leitungsentleerung. Weisen die Leitungen in Richtung Entleerungsvorrichtung ein Gefälle auf, sind automatische Entleerungsventile ausreichend. Sie öffnen, wenn der Druck auf 0,5 bar sinkt. Sind Wassersäcke im frostgefährdeten Bereich der Leitungen unvermeidlich, werden die Leitungen mit einer stationären Druckluftanlage nach jedem Bewässerungsgang ausgeblasen (Brandhorst, 2024).

Abb. 4.49: Stücki Shopping, Basel: Sommer- und immergrüne Gerüstkletterpflanzen in Pflanzbehältern stellen über das Jahr unterschiedliche Anforderungen an die Bewässerung.

Die Bewässerungstechnik bedarf der Planung. Zu den Planungsleistungen gehören das Berechnen der Leitungsgrößen, das Aufteilen der Flächen in Bewässerungskreise, das Erstellen von Schaltplänen sowie die Abstimmung und Schnittstellenkoordination mit anderen Gewerken. Für die Leitungsverlegung und -isolierung sowie für Wanddurchbrüche und deren Abdichtung ist eine Koordinationsplanung notwendig, da diese Leistungen in der Regel durch Fremdgewerke zu anderen Zeiten des Bauablaufs erbracht werden.

Technikzentrale

Die Technikzentrale (siehe Abb. 4.47) wird mit der Steuerung, der Trennstation und einer Düngedosiereinrichtung sowie mit einem Bodenablauf ausgerüstet. Sie sollte in einem frostfreien Raum (z. B. im Keller) oder für Begrünungen in größerer Höhe in Begrünungsnähe untergebracht werden. Der Technikbereich muss mit Strom, Frischwasser und/oder Zisternenwasser und einem Schmutzwasseranschluss ausgestattet werden. Ferner ist auch ein WLAN-Signal sinnvoll. Falls nicht vorhanden, wird ein Router installiert.

Das Steuergerät wird entsprechend seiner Leistungsfähigkeit und seinen technischen Möglichkeiten ausgesucht. Stand der Technik sind Web-basierte Geräte, die eine Fernsteuerung und -überwachung ermöglichen. Düngedosiereinrichtungen regeln elektronisch oder mechanisch die Nährstoffzufuhr über den Wasserfluss. In beiden Fällen wird Flüssigdünger aus einem Stammlösungsbehälter der Bewässerung beigemischt. Elektronische Düngedosierpumpen können in der Regel etwas feiner eingestellt werden.

Sensoren, Niveauschalter und Relais sowie sämtliche elektronischen und elektrischen Komponenten müssen sicher und übersichtlich verbaut und VDE-geprüft werden (VDE = Verband Deutscher Elektrotechniker) (Brandhorst, 2024).

4.2.5 Instandhaltung (Pflege und Wartung)

Eine Fassadenbegrünung ist nur bei artgerechter Pflege der Pflanzen und konstanter Wartung und Überwachung der Bewässerung dauerhaft vital. Eine erfolgreiche Pflege beginnt mit einer durchdachten Planung und der anschließenden richtigen Umsetzung/Pflanztechnik. Die Planung berücksichtigt die Standortverhältnisse (Boden, pH-Wert, Feuchtigkeitsverhältnisse, Exposition usw.) sowie auch die Geselligkeit bzw. das Konkurrenzverhalten der Pflanzen. Grundsätzlich ist die Pflege der Pflanzen als Lebewesen von der Wartung technischer Einrichtungen zu unterscheiden. Die Pflege der Pflanzen setzt gärtnerische und biologische Fachkenntnisse voraus. Neben dem richtigen Schnitt zur richtigen Zeit bedarf es einer fachlichen Einschätzung der Vitalität sowie Kenntnisse über Mangelerscheinungen und Pflanzenkrankheiten sowie deren Abhilfe.

Die Wartung der Be- und Entwässerungsanlage setzt technisches Verständnis sowie die einschlägigen Fertigkeiten voraus. Zur Wartung gehört zudem die Kontrolle der Wuchsvorkonstruktionen auf Standfestigkeit und Funktionstüchtigkeit. Alle Pflege-, Dünge- und Wartungsarbeiten sind zu dokumentieren und zu archivieren. Eine der ersten Klärungen ist die Zugänglichkeit aller Bereiche. Die

Abb. 4.50: Living Wall, Mannheim Q7: Instandhaltungsarbeiten mit Hubarbeitsbühne an einer modularen wandgebundenen Begrünung

Abb. 4.51: Entwicklungspflege einer wandgebundenen Begrünung (Quelle: Stefan Brandhorst, Kirchzarten)

Erreichbarkeit der begrünten Flächen zur Pflege und Wartung muss dauerhaft sichergestellt sein.

Bei Höhenarbeiten gehören zusätzliche Ausbildungen, die Einschätzung von Gefahren und Rettungstechniken zur Eignung des Personals (siehe Abb. 4.50). Die Bestimmungen der Unfallverhütungsvorschriften sind einzuhalten.

Wenn Leitern oder Gerüstböcke nicht ausreichen, werden entsprechende Einrichtungen, wie Anschlagpunkte für die Seilklettertechnik, benötigt bzw. Hubeinrichtungen, Gerüste o. Ä. Deren Zufahrt und Aufstellfläche muss vor Ausführung ganzjährig über die gesamte Lebensdauer der Begrünung sichergestellt sein. Verkehrsrechtliche Genehmigungen sind rechtzeitig einzuholen (Gebäude Begrünung Energie, 2014; Brandhorst, 2024).

Pflege

Ziele der Pflege sind die Erreichung und der langfristige Erhalt des Begrünungsziels sowie eine Optimierung und positive Entwicklung der Vertikalbegrünung.

Grundsätzlich wird unterschieden in

- Fertigstellungspflege sowie
- Entwicklungs- und Unterhaltungspflege (siehe Abb. 4.51).

Die Fertigstellungspflege entsprechend der Fassadenbegrünungsrichtlinie der FLL (Fassadenbegrünungsrichtlinien, 2018) erfolgt in Anlehnung an die DIN 18916. Sie umfasst alle Leistungen, die zum Erreichen des abnahmefähigen Zustands erforderlich sind. Die Fertigstellungspflege ist notwendig, um eine sachgemäße und funktionsgerechte Begrünung zu etablieren und um das angestrebte Begrünungsziel in einem angemessenen Zeitraum zu erreichen. Die Fertigstellungspflege ist daher explizit im Leistungsverzeichnis auszuschreiben.

Die Instandhaltungsleistungen zur Entwicklung und Unterhaltung analog den Fassadenbegrünungsrichtlinien (2018) erfolgen in Anlehnung an die DIN 18919 „Vegetationstechnik im Landschaftsbau – Instandhaltungsleistungen für die Entwicklung und Unterhaltung von Vegetation (Entwicklungs- und Unterhaltungspflege)" (2016). Die Entwicklungspflege beginnt nach der Abnahme der Fertigstellungspflege und sorgt für eine langfristig funktionsfähige Begrünung. Zu erbringende Leistungen sind vorab zu vereinbaren. In Hinblick auf den Brandschutz und auf die Gesamtentwicklung sollten langfristige Verträge angestrebt werden, unter keinen Umständen jedoch eine Vertragsdauer kürzer als die Gewährleistungsfrist (Brandhorst, 2024).

Pflanzen im Boden oder in Pflanzgefäßen

Empfohlene Pflegemaßnahmen:

- Wässern
- Bodenlockerung
- Entfernen von Fremdbewuchs
- Entfernen von Totholz
- Nachpflanzen ausgefallener Pflanzen
- Freihalten von Einbauten (z. B. Fenstern, Türen, Traufen, Fallrohren, Blitzableitern, Kabeln)
- seil- oder strukturparallele Aufleitung von Starkschlingern in den ersten Jahren
- gegebenenfalls Rückschnitt von Stauden und Gehölzen von Unterpflanzungen

Pflanzenspezifische Schnitte zum geeigneten Zeitpunkt:

- starker Rückschnitt vieler sommerblühender Pflanzen sowie Gräser im Vorfrühling
- Kurztriebschnitt an z. B. Blauregen oder Wein
- Verjüngungsschnitt von Selbstklimmern zur Förderung der Haftung von Halteorganen an der zu begrünenden Fläche
- Sommerschnitt zur Förderung der Blühwilligkeit der Pflanzen
- Herbstschnitt an einziehenden Stauden oder blutenden Gehölzen

Bei bodengebundenen Begrünungen sind je nach Gestaltungsziel und Pflanzenauswahl ein bis sechs Pflegegänge pro Jahr ausreichend. Bei der Pflanzung von Gerüstkletterpflanzen, insbesondere Schlingern, wird die Stäbung der Baumschule vollständig entfernt, die Triebe werden entwirrt und einzeln in die Wuchsvorkonstruktion eingebunden. Die Haupttriebe werden gestaucht, um Spannungen sowohl an der Pflanze als auch an der Wuchsvorkonstruktion vorzubeugen (Pfoser, 2016; Brandhorst, 2024).

Wandgebundene Begrünungen, modular und flächig

Empfohlene Pflegemaßnahmen (Pfoser, 2016; Brandhorst, 2024):

- Entfernen von Fremdbewuchs
- Entfernen von Totholz
- Nachpflanzen ausgefallener Pflanzen
- Freihalten von Einbauten (z. B. Fenstern, Türen, Traufen, Fallrohren, Blitzableitern, Kabeln)
- gegebenenfalls Rückschnitt von Stauden und Gehölzen

Pflanzenspezifische Schnitte zum geeigneten Zeitpunkt:

- Pflegegang im Herbst (nicht zu früh ausführen, da manche Spätblüher bis zum Frost blühen; abgestorbene, verblühte, störende oder zu lang gewordene Pflanzenteile werden geschnitten und entfernt; siehe Abb. 4.52)
- Frühjahrspflege (sollte erst stattfinden, wenn kein oder kaum Frost mehr zu erwarten ist; Verjüngungsschnitte, damit die Pflanzen kompakt bleiben; bei allen immer- und wintergrünen Pflanzen sind verwelkte oder schlaffe Blätter/Triebe des alten Jahres zu beseitigen)

Bei wandgebundenen Begrünungen sind je nach Pflanzenauswahl, Anordnung und Vitalität zwei bis vier Pflegegänge pro Jahr ausreichend.

Für wandgebundene Bauweisen empfiehlt es sich, regelmäßig eine Analyse des Überschuss- oder des bevorrateten Wassers durchzuführen, insbesondere in Bezug auf

- EC-Gehalt,
- pH-Wert,
- Nachweis von Einzelnährstoffen (sofern erforderlich) und
- gegebenenfalls die Temperatur.

Bei der Feststellung von Mangelerscheinungen sind entsprechende Maßnahmen zu ergreifen:

Abb. 4.52: Abgestorbene, verblühte, störende oder zu lang gewordene Pflanzenteile werden im Rahmen des Pflegegangs im Herbst geschnitten/entfernt (Quelle: Stefan Brandhorst, Kirchzarten).

- Anpassung des pH-Wertes, um die Nährstoffaufnahme zu optimieren,
- Düngemaßnahmen, Gabe von Spurenelementen, falls erforderlich,
- Einsatz von Pflanzenstärkungsmitteln,
- Anwendung von Bodenhilfsstoffen.

Hinweis

Sollten Schadorganismen festgestellt werden, sind im Sinne des integrierten Pflanzenschutzes geeignete Pflanzenschutzmaßnahmen durchzuführen. Diese Maßnahmen stellen besondere Leistungen dar und sind mit dem Auftraggeber abzustimmen.

Wartung und Instandhaltung

Die Instandhaltung gemäß DIN 31051 „Grundlagen der Instandhaltung“ (2019) umfasst die Kombination aller technischen und administrativen Maßnahmen zur Erhaltung oder Wiederherstellung des funktionsfähigen Zustands (Instandsetzung). Alle Bauten, Bauteile, Maschinen und Geräte unterliegen aufgrund chemischer, physikalischer und biologischer Prozesse einer Abnutzung, die im Fall des Überschreitens der Abnutzungsgrenze zu einem Ausfall führt. Die Aufgabe der Instandhaltung besteht darin, durch Inspektion den funktionsfähigen Zustand festzustellen, ihn durch Wartung zu bewahren und bei Erreichen der Abnutzungsgrenze durch Instandsetzung oder gegebenenfalls durch Verbesserungsmaßnahmen wiederherzustellen (Bewässerungsrichtlinien, 2015).

Die technischen Einrichtungen für Vertikalbegrünungen umfassen neben der Bewässerungsanlage die Düngeeinrichtung, möglicherweise eine Wasseraufbereitungsanlage, gegebenenfalls eine Winterautomatik mit/ohne stationären Kompressor, eventuell eine Entkeimungsanlage sowie gegebenenfalls eine Zisternentechnik, ebenso die Konstruktion für den Halt der Pflanzen. Im Rahmen der Wartung erfolgen die Kontrolle der Sekundärkonstruktion bzw. des Begrünungsträgers auf Verkehrssicherheit und eventuell erforderliche Schnittmaßnahmen zum Schutz des Gebäudes und um die Vitalität (und gegebenenfalls Blühwilligkeit) der Pflanze zu erhalten. Begrünungen mit Kletterpflanzen an Seilen erfordern ein regelmäßiges Lockern oder Nachspannen der Seile und das Prüfen von Überlastsicherungen (siehe Abb. 4.53).

Alle Einrichtungen sind regelmäßig von Fachkundigen zu überprüfen und zu reinigen. Die Prüfung erfolgt durch Sichtkontrolle und durch Funktionstests. Die Intervalle für die Prüfung und/oder den Austausch einzelner technischer Komponenten werden durch Herstellervorgaben oder durch die (besondere) Beanspruchung definiert. Bei Einsatz einer Regenwasserzisterne sind deren Funktion und die vorgeschalteten Grob- und Feinsiebe in angemessenen Intervallen zu überprüfen bzw. zu reinigen. Der Zustand von Wuchshilfen und Wandmontagesystemen muss auf Schäden (Korrosion, Brüche/Risse, Überlastung) überprüft werden. Im Zuge der Pflege und Wartung ist auf Nestbau usw. der angesiedelten Fauna Rücksicht zu nehmen (siehe Abb. 4.54).

Abb. 4.53: Regelmäßige Prüfung der Seile, Seilschellen und Überlastsicherungen, eventuell Lockern/Nachspannen der Seile im Rahmen der Wartung einer Vertikalbegrünung

Abb. 4.54: Vogelnest in einer Fassadenbegrünung

Für jede technische Einrichtung ist ein Wartungs- und Instandhaltungskonzept zu erstellen, in dem alle technischen Komponenten aufgeführt, dem Bedienungsanleitungen beigefügt und in dem Wartungs- oder Austauschintervalle aufgeführt sind. Alle Reinigungsmittel müssen, sofern sie eingesetzt werden, schonend für die Umwelt und verträglich für die Pflanzen sein. Die Einwinterung bzw. die Aktivierung der Winterautomatik werden entsprechend dem jeweiligen Wartungs- und Instandhaltungskonzept vorgenommen. Dabei sind zum Schutz vor Frostschäden alle dem Frost ausgesetzten Leitungen zu entleeren. Inspektionen können vom Betreiber vorgenommen, Wartungen, Instandhaltungen und Austausch dürfen dagegen nur von Fachkundigen durchgeführt werden.

Vorteile einer regelmäßigen Instandhaltung:

- dauerhafte Erhaltung des vorgesehenen Begrünungsziels und der vorgesehenen Funktion der Fassadenbegrünung
- Verlängerung der Funktionalität der Konstruktionen
- Werterhaltung der Bausubstanz
- Vermeidung von unerwünschtem Wildwuchs und Erhalt der geplanten Vegetation
- Einhalten brandschutzrechtlicher Anforderungen
- Minimierung von Schäden und Folgekosten
- Erhaltung des positiven Images von Fassadenbegrünungen

Monitoring

Da die Pflanzen und letztlich der Begrünungserfolg direkt vom einwandfreien Betrieb der Bewässerungsanlage abhängen, sind die Kontrolle und das Monitoring wichtige Voraussetzungen für den Betrieb einer Anlage. Der Warneinrichtung bzw. Fehlermeldung kommt eine zentrale Bedeutung zu, da sie ein rechtzeitiges Eingreifen ermöglicht. Es stehen verschiedene Methoden zur Kontrolle und zum Monitoring zur Verfügung (Brandhorst, 2024):

- mobilfunkbasiertes Monitoring mit SMS-Warnoption,
- Bluetooth-Verbindung,
- Online-Schaltung mit App und/oder Browser-unterstützter Software,
- Schaltung auf Gebäudeleittechnik, bzw. Gebäudekontrollsystem,
- Verbindung mit Smart-Home Systemen bzw. KI-Programmen wie „Amazon Alexa".

Hilfreiche Sensoren für die Kontrolle und Überwachung:

- Impulswasserzähler zur Erfassung der Wassergaben und des Durchflussstroms
- Aufschaltung der verschiedenen Sensoren
- im Steuergerät integrierte Sensorik/Programmierung zur Detektion von Verkabelungsfehlern, Fehlströmen und Netzverlust der Anlage
- Infrarotkamera zur Kontrolle des Feuchtestands

Der Wasserbedarf ändert sich mit der Wetterlage und im Laufe des Vegetationsjahrs. Besonders im Sommer wird aufgrund höherer Temperaturen und der damit verbundenen Evapotranspiration mehr Wasser benötigt. Um den wechselnden Wasserbedarf möglichst optimal zu steuern, stehen verschiedene Sensoren und Einstellungen für Steuergeräte auf dem Markt zur Verfügung:

- Bodenfeuchtesensoren,
- Sonneneinstrahlungssensoren,
- Regensensoren,
- Luftfeuchtigkeitssensoren,
- Temperatursensoren,
- vorkonfigurierte, saisonale Anpassung,
- Online-Anpassung an lokale Wetterdaten.

Die Erfahrung zeigt, dass nicht alle Sensoren für Fassadenbegrünungen dauerhaft hilfreich sind oder dass sie nur mit erheblichem Aufwand eine zufriedenstellende Lösung darstellen. Beispielsweise müssen Feuchtesensoren regelmäßig kalibriert werden und liefern lediglich einen Referenzwert für einen einzelnen Punkt. Daher ist es kaum sinnvoll, die Bewässerung ausschließlich auf Basis dieses einen Referenzwerts auszulegen. Der Einsatz vieler Feuchtesensoren, verteilt auf größere Flächen, ist dagegen meist unwirtschaftlich.Demgegenüber ist eine Erfassung des Durchflusses in Kombination mit einer Anpassungsmöglichkeit an Wetterereignisse ein probates und bezahlbares Mittel und zentraler Bestandteil der Dokumentation. Alle Pflegemaßnahmen und Wartungsarbeiten, die Düngereingaben mit Art und Menge sowie eventuelle besondere Maßnahmen, wie Pflanzenschutz, sind in einem Pflege- und Wartungsbuch festzuhalten. Das Pflege- und Wartungsbuch ist um die digitalen Aufzeichnungen des Steuergeräts über Wasserdurchfluss, Temperaturverlauf und Wetterereignisse zu ergänzen. Es muss so lange fortgeführt werden, wie der Vertrag gültig ist (Brandhorst, 2024).

Zugänglichkeit

Ein wesentliches Planungskriterium ist die ganzjährige und dauerhafte Zugänglichkeit aller begrünten Flächen für Pflege- und Wartungsarbeiten.

Abb. 4.55: Kleinere Anlagen lassen sich mit Leitern oder Gerüstböcken erreichen (Quelle: Stefan Brandhorst, Kirchzarten).

Die Erreichbarkeit ist abhängig von der Fassaden-/Wandgröße, insbesondere von der Höhe sowie von der Begeh-/Anfahrbarkeit. In einer Höhe bis 1,80 m sind Begrünungen fußläufig erreichbar. Darüber kommen Gerüstböcke oder Leitern (bis 5 oder maximal 7 m) Standhöhe zum Einsatz (siehe Abb. 4.55). Für höhere Anlagen werden Steiger, Gerüste, Hubbühnen oder Industriekletterer (mit Gärtnerausbildung) benötigt.

Qualitätssicherung

Für Fassadenbegrünungen muss der abnahmefähige Zustand gemäß den Vorgaben der DIN 18916 bzw. FLL-Fassadenbegrünungsrichtlinien (Fassadenbegrünungsrichtlinien, 2018) festgestellt werden. Die Instandhaltungsleistungen zur Entwicklung und Unterhaltung anlog den FLL-Fassadenbegrünungsrichtlinien erfolgt in Anlehnung an die DIN 18919. Die RAL Gütegemeinschaft Vertikalbegrünungen e. V. vergibt nach festgelegten Gütesicherungsrichtlinien das RAL-Gütezeichen Vertikalbegrünung RAL GZ 580 für Produkte zur Wand- und Fassadenbegrünung. Sie ist eine vom RAL Deutschen Institut für Gütesicherung und Kennzeichnung e. V. anerkannte Organisation. Die Qualitätssicherung erstreckt sich dabei über die gesamte Prozesskette: von der Planung und Projektabwicklung über die Verwendung hochwertiger Baumaterialien und Komponenten bis hin zur Pflanzenqualität und Fernüberwachung während der Umsetzung und Erhaltung der Anlagen. Diese Qualitätsstandards gewährleisten die Nachhaltigkeit der ausgeführten Begrünungsprojekte und bieten dadurch einen Mehrwert sowohl für die Auftraggeber als auch für die Umwelt.

> **Hinweis**
>
> Die in diesem Kapitel zusammengefassten Kriterien basieren auf den FLL-Fassadenbegrünungsrichtlinien (Fassadenbegrünungsrichtlinien, 2018), die als umfassende Grundlage für die Planung, Ausführung und Pflege von Fassadenbegrünungen dienen. Weitere technische Regelwerke sind die DIN 18916, die DIN 18919 und die DIN 1986-30 „Entwässerungsanlagen für Gebäude und Grundstücke – Teil 30: Instandhaltung" (2012).

5 Lösungen für Wand- und Fassadenbegrünungen

Fassadenbegrünungen im Bestand kommt wegen ihres gestalterischen und ökologischen Potenzials eine wachsende Bedeutung zu. Mögliche Varianten werden nachfolgend genauer betrachtet.

In diesem Kapitel sind die wesentlichen Bauweisen zur Fassadenbegrünung mit ihren gestalterischen, bau- und vegetationstechnischen und wirtschaftlichen Kriterien beschrieben. Darüber hinaus sind die systemtypischen Vorteile einer jeden Begrünungsform. Für zu begrünende Gebäude sind neben den vorab genannten Punkten (Bodenverhältnisse, Wasserversorgung, Besonnung) vor allem die Wuchshöhe und die Wuchsleistung entscheidend: Eine rasche Begrünung ist gewünscht, eine zu hohe Wuchsleistung erhöht jedoch den Pflegeaufwand. Ein Einwachsen in sensible Bereiche oder versorgungstechnische Elemente ist zu verhindern. Ausschlusskriterium kann zudem die Giftigkeit von Pflanzen sein (Beeren, zum Teil auch Blätter).

Fassadenbegrünung mit Bodenanschluss

In unversiegelten Bereichen ist eine Begrünung von Fassaden meist unproblematisch. Dennoch sind die Bodenwasserverhältnisse zu klären (z. B. Beschaffenheit, Verläufe von Hausanschlüssen und Bauwerksdrainagen), gegebenenfalls geeignete Pflanzsubstrate zu verwenden und die Wasserspeicherfähigkeit des Standorts zu verbessern. Es ist insbesondere in der Anwuchsphase auf eine unterstützende Bewässerung zu achten und darauf, dass junge Pflanzen nicht beschädigt werden. Folgende Lösungen bieten sich je nach gewünschter Fassadenbeschaffenheit und gestalterischen Vorgaben bezüglich der Wuchsaufleitung der Pflanzen an:

- Selbstklimmer, immergrün,
- Selbstklimmer, sommergrün,
- Gerüstkletterpflanzen an vertikalen Seilen/Stäben,
- Gerüstkletterpflanzen an Netzstrukturen/Gittern,
- Gerüstkletterpflanzen an horizontalen Seilen/Stäben,
- einjährige Gerüstkletterpflanzen.

Werden Gerüstkletterpflanzen installiert, müssen eventuell vorhandene Bepflanzungen im Rahmen der Arbeiten (Anbringen der Wuchsaufleitung) geschützt werden. Vorhandene Balkone oder Loggien können bei der Wahl von Gerüstkletterpflanzen in die Gestaltung einbezogen werden. Auch vor Fensterflächen und Glasfassaden können sommergrüne Gerüstkletterpflanzen zum Einsatz kommen.

Fassadenbegrünungen mit Selbstklimmern oder Gerüstkletterpflanzen in versiegelten Bereichen sind anspruchsvoll in der Planung und Ausführung. Es ist davon auszugehen, dass dort unterirdisch Kabeltrassen und Hausanschlüsse für Gas, Wasser, Abwasser, Strom oder Kommunikationstechnik verlaufen. Der Boden ist zudem stark verändert. Deshalb muss auf ein geeignetes, überbaubares Pflanzsubstrat zurückgegriffen werden.

Bei bedingt geeigneten Bodenverhältnissen und/oder einer teilweisen Überbauung der Pflanzgrube kann gegebenenfalls auf folgende Lösungen zurückgegriffen werden:

- Wurzelraum im Boden mit Pflanzscheibe/Pflanzstreifen,
- Wurzelraum in Rücksprüngen/Nieschen,
- Wurzelraum in Pflanzbehältern/Containern.

Es ist zu prüfen, inwieweit Dachüberstände oder bestehende Gehölze die Wasserversorgung behindern oder verändern (Regenschatten).

Wandgebundene Begrünungen

Alternativ bieten sich die Lösungen der wandgebundenen Begrünung an, die keinen Anspruch an einen Boden- und Bodenwasseranschluss haben, da sie künstlich mit Wasser und Nährstoffen versorgt werden:

- Pflanzen in horizontalen Pflanzgefäßen (Einzel-/Linearbehälter),
- Pflanzen in modularen, vertikal ausgerichteten Einheiten,
- Pflanzen in flächigen Begrünungsträgern.

Bei engen Straßenquerschnitten gewährleisten Fassadenbegrünungen im Gegensatz zu großkronigen Bäumen eine bessere Durchlüftung der Straße und wirken somit der Ansammlung von Luftschadstoffen im Straßenraum (Tunneleffekt) entgegen.

In den folgenden Unterkapiteln werden unterschiedliche Lösungen bodengebundener und wandgebundener Fassadenbegrünung vorgestellt, um eine große Entscheidungsbandbreite zu bieten.

Mögliche Zielsetzungen der Fassadenbegrünung (Ökologie/Umweltaspekte, Umfeldverbesserung, Imagefaktor, Pflege-/Wartungsanspruch und Kostenvorteile) werden für eine erste Einschätzung bei jeder Lösung zum Vergleich mittels Piktogrammen dargestellt.

Ökologie-/Umwelt-aspekte	Umfeldver-besserung	Imagefaktor	Pflege-/Wartungs-anspruch	Kosten-vorteile

5.1 Direktbegrünung mit Bodenanschluss

Begrünungslösungen mit Boden-/Bodenwasseranschluss zeichnet in der Regel ein geringer Investitions- und Erhaltungsaufwand aus. Selbstklimmer haben den Vorteil, dass sie Fassadenflächen ohne die Hilfe von Rankgerüsten oder Wuchsvorkonstruktionen und daher kostengünstig bewachsen können. Sie bilden im Laufe der Jahre einen dichten Bewuchs (in der Altersform gegebenenfalls Sicherung gegen Abrutschen erforderlich) und stellen daher ein wichtiges Habitat und Trittsteinbiotop für Vögel und andere Tiere dar. Sie bilden sowohl im Sommer als auch im Winter eine homogene Fläche. Eine Direktbegrünung mit Selbstklimmern hat den höchsten Biotopwert aller Lösungen (Nektar im Herbst und Früchte in der Winterzeit). Andererseits bedürfen Selbstklimmer aber auch einer kontinuierlichen Pflege (Rückschnitt), um bautechnisch sensible Bereiche nicht zu gefährden. Mit Selbstklimmern lassen sich vor allem flächig wirkende Begrünungseffekte erzielen.

5.1.1 Selbstklimmer, immergrün

Gestalterische Kriterien

Die flächige Wirkung der Selbstklimmer wird durch die Auswahl immergrüner Pflanzen betont. Die Fassadenbegrünung bildet sowohl im Sommer als auch im Winter eine homogene Fläche. Sie stärkt damit den monolithischen Charakter eines Gebäudes. Wird der immergrüne Bewuchs nur in bautechnisch sensiblen Bereichen zurückgenommen, bleibt der archaische Habitus erhalten. Soll das architektonische Moment stärker betont werden, ist auch ein flächiger Schnitt möglich.

Die Begrünung mit Selbstklimmern ist eine Entscheidung auf Dauer (sichtbare Haftorgane und möglicherweise Verfärbung der Fassadenfläche nach Entfernung des Bewuchses).

Vegetationstechnische Kriterien

Hedera helix (Efeu) ist eine immergrüne Pflanze, die für diesen Einsatzzweck geeignet ist, entsprechende Pflege (Rückschnitt) vorausgesetzt (siehe Abb. 5.1). Wuchsbegrenzungen schützen vor Einwuchs in konstruktiv sensible Bereiche. Der geeignete Standort ist absonnig bis vollschattig, die Pflanze kann sich an die Bodenverhältnisse anpassen. Die Wuchsgeschwindigkeit beträgt ca. 1 m pro Jahr (Wuchshöhe ca. 25 m in ca. 25 Jahren. Efeu wächst in den ersten Jahren kaum, nach ca. zehn Jahren holt die Pflanze aber auf). Zur Blütenbildung kommt es erst nach ca. sieben bis zehn Jahren. Dann ist Efeu ein sehr wertvolles Nährgehölz für Bienen usw. im Herbst (Herbstblüher, Monate IX bis X). Die Früchte reifen im darauffolgenden Winter/Frühjahr (Nährgehölz für Vögel; siehe Abb. 5.2). Beeren verursachen möglicherweise Probleme durch Fleckenbildung und Selbstaussaat. Efeu lässt sich durch Stecklinge vermehren, Stecklinge aus Blütentrieben entwickeln jedoch keine Halteorgane (May, 2024).

Aufgrund des negativen Phototropismus (Einwuchs lichtfliehender Pflanzentriebe) sind ein fugen- und rissfreier Untergrund und der Schutz bautechnisch sensibler Bereiche durch jährlichen Pflegeschnitt zwingend erforderlich. Die erforderliche Infrastruktur zur Pflege beinhaltet Steiger

Abb. 5.1: Vollbegrünung eines ungedämmten Reihenendhauses aus den 1950er-Jahren mit Efeu

Abb. 5.2: Efeu: Bienen- und Vogelweide, Nistplatz und Rückzugsmöglichkeit, Nahrung auch im Winter

oder Hubbühne, insbesondere wenn der Efeu flächig geschnitten werden soll.

Bautechnische Kriterien

Ein rissfreier und fugenloser Untergrund ist erforderlich (Massivwand, Beton oder Mauerwerk). Das Gesamtgewicht wird in die Wand eingeleitet, eventuell erfolgt eine unterstützende Lastabtragung über wärmebrückenreduzierte Halterungen. Oberflächen, wie kunststoffvergütete Anstriche und dünne Spachtelputze, sind für eine Begrünung mit Selbstklimmern ungeeignet (pflanzenphysiologisch geeigneter Untergrund erforderlich). Die Bewässerung in Trockenperioden muss in der Anwuchsphase gewährleistet sein (kein kalkreiches Wasser). Anforderungen an die Pflanzgrube und mögliche Kabeltrassen sind zu berücksichtigen.

Wirtschaftliche Kriterien

Diese Art der Begrünung ist, je nach gewünschter Wirkung, besonders preiswert (Pflanzenkosten und Installation). Pflege und Wartung sind mindestens einmal jährlich durchzuführen. Die Kosten dafür, wie auch der ökologische

Wert, steigen mit dem Alter der Begrünung und dem Höhenwachstum.

Kostengünstige Realisierungen sind durch eine einfache Zugänglichkeit möglich (Bau, Wartung). Nach Baukostenindex 2024 ist eine Begrünung mit Efeu mit ca. 0,50 €/m^2 besonders preiswert. Die Kosten für die Pflege/Wartung belaufen sich auf etwa 0 bis 15 €/(m^2 · a) (ohne Bewässerung), abhängig von der gewünschten Wirkung, zunehmend mit dem Höhenwachstum der Pflanze (z. B. wenn Leitern/Steiger erforderlich werden), jedoch abnehmend mit der Flächengröße (proportionale Einsparung, z. B. der Anfahrt).

Systemspezifische Vorteile

- Geringer Investitionsaufwand für die Begrünung
- keine Sekundärkonstruktion erforderlich, jedoch riss- und fugenfreier Untergrund
- Boden- und Bodenwasseranschluss (je nach Bodenbeschaffenheit keine künstliche Versorgung erforderlich)
- ganzjähriger Witterungs- und UV-Schutz der Fassade
- Substitution einer farblichen bzw. strukturellen Gestaltung der Fassadenoberfläche
- Lebensraum und Nahrung für Insekten und Vögel
- immergrüne Pflanze: Wärmehaltung durch Luftpolsterbildung, Schutz vor Auskühlung

Hinweise für einen größtmöglichen Begrünungserfolg

Die Begrünung mit Selbstklimmern ist eine Entscheidung auf Dauer (sichtbare Haftorgane und eventuell Verfärbung der Fassadenfläche, sichtbar nach Entfernung des Bewuchses; siehe Abb. 5.3).

Die Pflanzen sind negativ phototrop (Einwuchs lichtfliehender Pflanzentriebe), daher sind ein riss-/fugenfreier Untergrund und der Schutz bautechnisch sensibler Bereiche durch einen jährlichen Pflegeschnitt erforderlich.

Hedera-Arten und -Sorten haften primär an ihren jungen Trieben. Deshalb ist ein regelmäßiger Verjüngungsschnitt notwendig, um die Pflanze stabil an der Wand zu halten. Ein bloßer Rückschnitt der äußeren Triebe (ähnlich einem Heckenschnitt) fördert nicht die Bildung neuer Triebe, die für das Anhaften wichtig sind, mit der Gefahr, dass die Pflanze von der Wand abrutscht (siehe Abb. 5.4). Auch das Eigengewicht der Pflanze in ihrer Endgröße sowie Wind-, Schnee- und Eislasten ist zu berücksichtigen.

Zudem führt ein falscher Schnitt dazu, dass Efeu aufgrund seiner Wachstumsstruktur vermehrt Totholz bildet und Feinstaub einlagert. Das stellt eine erhebliche Brandlast dar und erhöht das Risiko im Vergleich zu anderen Kletterpflanzen deutlich. Aufgrund des Lichtfliehens immergrüner Direktbegrünungen (Hedera, Euonymus) sind Begrünungen von Fassaden/Wänden mit Fugen oder Vorschädigungen zu vermeiden (Fugeneinwuchs, Verstärkung von Vorschädigungen/Rissen und Sprengwirkung; siehe Abb. 5.5).

Abb. 5.3: Efeu-Haftorgane nach Bewuchsentfernung

Abb. 5.4: Abrutschen einer alten Efeubegrünung nach einem Sturmereignis (Quelle: Jörg Dettmar, Darmstadt)

Abb. 5.5: Einwuchs und Sprengwirkung durch lichtfliehende Triebe

Auch Holzfassaden und andere sensible Bekleidungen werden nicht direkt begrünt, sondern z. B. an einer Vorkonstruktion mit Gerüstkletterpflanzen, um eine Hinterlüftung zu gewährleisten. So werden Schädigungen, Verrottung, Pilz- und Schimmelbildung der Fassade vermieden (Feuchtebindung bei eng stehendem Bewuchs). Insbesondere die

Abb. 5.6: Wuchsbegrenzung durch korrosionsfreie Metallwinkel oder Fassadenrücksprünge

Abb. 5.7: Flächige Begrünung einer Wand mit Euonymus

Nichtbeachtung der Wuchshöhe selbstklimmender Pflanzen führt zum Einwachsen in Dachrandbereiche. Ein regelmäßiger Pflegeschnitt ist unumgänglich.

Wuchsbegrenzungen können zudem durch korrosionsfreie Metallrandwinkel oder Rücksprünge in der Wand-/Fassadenfläche erreicht werden (siehe Abb. 5.6). Unter bestimmten Umständen (z. B. größere Höhe) können leitende Profile mit gepulstem Strom (vgl. Weidezaun) installiert werden, um den Pflegeaufwand zu reduzieren.

Als Vorleistungen für Pflege und Wartung sind die Wasserversorgung in der Anwuchsphase und in extremen Trockenphasen sowie ein Stromanschluss vorzusehen. Mit zunehmender Wuchshöhe sind Hubsteiger o. Ä. unumgänglich. Efeu erweist sich in höherem Alter als trockenheitsresistent, anspruchslos und widerstandsfähig gegenüber Wind, benötigt jedoch zunehmend eine intensivere Pflege und sollte in der Altersform zusätzlich zu den Haftorganen mit wärmebrückenreduzierten Halterungen an der Wand fixiert werden. Als immergrüne Pflanze bietet er ganzjährig Nahrungs- und Lebensraum. Durch seine späte Blüte und Fruchtbildung ist er eine wunderbare Bienen- und Insektenweide im Herbst, bietet Vögeln Nahrung im Winter und leistet so einen unverzichtbaren Beitrag zur Biodiversität. Eine weitere selbstklimmende immergrüne Pflanze ist Euonymus fortunei (Kriechspindel). Er verhält sich ähnlich wie Efeu, ist jedoch in allen Belangen wesentlich langsamer und harmloser. Ein gelegentlicher Verjüngungsschnitt ist empfehlenswert, um Totholz zu vermeiden. Mit Euonymus entstehen dichte, vollbegrünte Flächen mit geringer Aufbauhöhe, die trockenheitsverträglich, anspruchslos und windfest sind (siehe Abb. 5.7).

5.1.2 Selbstklimmer, sommergrün

Gestalterische Kriterien

Durch die Auswahl eines sommergrünen Selbstklimmers wird die flächig-monochrome Wirkung der Direktbegrünung aufgehoben. Die Fassade erlebt einen jahreszeitlichen Wandel: im Austrieb bronzefarben, im Sommer glänzend grün (siehe Abb. 5.8), dann leuchtend goldorange bis scharlachrot oder dunkelkarminrot im Herbst (siehe Abb. 5.9), schließlich als dunkle Astnetzstruktur im Winter. Dadurch bieten sich sommergrüne Selbstklimmer besonders für ein spannungsvolles Spiel aus architektonischer Strenge und vegetativer Dynamik an. Durch Blüte und Fruchtbildung sind sie ebenso wie Efeu ein wichtiges Bienen- und Vogelnährgehölz, allerdings mit einer geringeren Habitatwirkung als Efeu, da sommergrün.

Abb. 5.8: Sommeraspekt von Parthenocissus cinquefoglia (Wildem Wein) – sommergrüne Fassadenbegrünung

Abb. 5.9: Herbstaspekt von Parthenocissus tricuspidata (Wildem Wein) – sommergrüne Fassadenbegrünung

Vegetationstechnische Kriterien

Parthenocissus tricuspidata ‚Veitchii' (Dreispitz-Jungfernrebe oder Wilder Wein) wäre für den Einsatzzweck geeignet, entsprechende Pflege (Rückschnitt) vorausgesetzt. Der Standort sollte sonnig bis halbschattig sein. Die Pflanze ist anpassungsfähig an den Boden, kann jedoch in sehr strengen Wintern leiden. Die Wuchsgeschwindigkeit beträgt ca. 1,3 m pro Jahr (erwartete Wuchshöhe ca. 12 bis 15 m [bis 20 m]), stark horizontal wachsend (Breite bis 40 m). Die Blütezeit ist in den Monaten VI bis VII, die Traubenausbildung im Herbst. Der Wilde Wein ist ein Nährgehölz für Vögel, verursacht aber Probleme mit Fleckenbildung und Selbstaussaat.

Wie Efeu ist die Pflanze negativ phototrop (Einwuchs durch lichtfliehende Triebe). Daher sind ein fugenloser Untergrund und der Schutz bautechnisch sensibler Bereiche durch jährlichen Pflegeschnitt zwingend erforderlich. Als Infrastruktur zur Pflege eignen sich Steiger oder Hubbühnen.

Bautechnische Kriterien

Ein fugenloser Untergrund ist erforderlich (Massivwand, Beton oder Mauerwerk). Das Gesamtgewicht wird in die Primärkonstruktion eingeleitet. Vom Statiker ist zuvor die maximale Belastbarkeit der Wand zu prüfen. Anstriche oder Putze, die ein Haften der Selbstklimmer verhindern, sind zu vermeiden – der Wuchsuntergrund muss pflanzenphysiologisch geeignet sein (siehe Abb. 5.10).

Die Bewässerung in Trockenperioden muss in der Anwuchsphase gewährleistet sein. Anforderungen an die Pflanzgrube und mögliche Kabeltrassen sind zu berücksichtigen, Wuchsbegrenzungen durch Metallrandwinkel sind gegebenenfalls erforderlich. Auch Fassadenrücksprünge sind zur Klärung des Wuchsbildes geeignet.

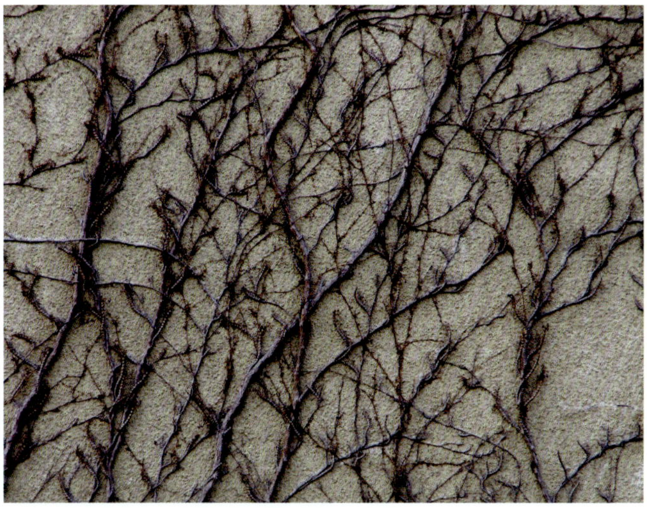

Abb. 5.10: Winteraspekt von Parthenocissus tricuspidata (Wildem Wein) – sommergrüne Fassadenbegrünung

Wirtschaftliche Kriterien

Die Kosten resultieren aus den Vorleistungen für die Pflege und Wartung: Ein Wasseranschluss sollte für die Anwuchsphase und für extreme Trockenzeitem vorgesehen sein, auch ein Stromanschluss ist anzuraten. Mit zunehmender Wuchshöhe werden Hubsteiger o. Ä. unumgänglich. Eine einfache Zugänglichkeit (für Pflege und Wartung) und die Krafteinleitung in Bestandswände/-fassaden ermöglichen eine kostengünstige Realisierung. Diese Begrünungsform ist besonders preiswert. Pflege und Wartung sollten einmal pro Jahr erfolgen. Die Kosten dafür steigen mit dem Höhenwachstum der Pflanzen (Problem: schwierige Erreichbarkeit).

Systemspezifische Vorteile

- Geringer Investitionsaufwand für die Begrünung
- keine Sekundärkonstruktion erforderlich, jedoch riss- und fugenfreier Untergrund
- je nach Bodenbeschaffenheit keine künstliche Versorgung erforderlich
- Witterungs- und UV-Schutz der Fassade im Sommer
- Substitution einer farblichen bzw. strukturellen Gestaltung der Fassadenoberfläche
- Lebensraum und Nahrung für Insekten und Vögel
- unterschiedliches Erscheinungsbild über das gesamte Jahr („sich wandelnde Fassade")

Hinweise für einen größtmöglichen Begrünungserfolg

Zur Vermeidung von Schäden durch sommergrüne Selbstklimmer, wie z. B. Wilden Wein (Parthenocissus tricuspidata und Parthenocissus quinquefolia), Kletterhortensie (Hydrangea petiolaris), Spalthortensie (Schizophragma hydrangeoides und Schizophragma integrifolium) sowie Trompetenblume (Campsis radicans und Campsis x tagliabuana), ist eine regelmäßige Pflege mit einem kontrollierten Rückschnitt entscheidend, um zu verhindern, dass die lichtfliehenden Pflanzen in sensible Bereiche (z. B. Fensterrahmen, Dachdeckungen) eindringen (siehe Abb. 5.11). Dies könnte langfristig zu baulichen Schäden führen.

Selbstklimmende Pflanzen (insbesondere Wilder Wein) sollten daher nicht über das vorgesehene Areal hinauswachsen, da die Haftscheiben nur schwer zu entfernen sind. Bauliche Wuchsbegrenzungen (Profile/Fassadenrücksprünge; siehe Abb. 5.12) sind hilfreich, um das Wachstum zu lenken. Man gewinnt dadurch etwas Zeit aufgrund der Richtungsänderung des Pflanzenwuchses.

Zudem sollte der Zustand der Fassadenoberfläche intakt und ohne Vorschädigungen sein, da die lichtfliehenden Pflanzen dort einwachsen und durch ihr Dickenwachstum Schaden anrichten würden. Eine regelmäßige Sichtprüfung der Wand/Fassade ist daher sinnvoll. Fassaden, die systematisch Fugen aufweisen (z. B. Ständer- und Fachwerkbauweisen, mehrschalige hinterlüftete und nicht hinterlüftete

Abb. 5.11: Vermeidung des Einwachsens in Dachrandbereiche durch Auskragung des Giebels und regelmäßige Pflege

Abb. 5.12: Rahmung durch Fassadenrücksprung nach nachträglicher Dämmung eines Bestandsgebäudes

Abb. 5.13: Rückverankerung eines Parthenocissus-Haupttriebs nach Fassadensanierung mit Neuaustrieb

Abb. 5.14: Hydrangea als mögliche Alternative zu Parthenoscissus

Abb. 5.15: Blühaspekt der Campsis

Konstruktionen sowie Luftkollektorfassaden), sind für diese Begrünung ungeeignet. Massive Wandaufbauten können mit sommergrünen selbstklimmenden Pflanzen begrünt werden, sofern sie keine Fugen aufweisen oder die Fugen geschlossen sind (z. B. Sichtmauerwerk). Durch gezielte Begrenzung des Wuchses und rechtzeitige Pflege lassen sich Schäden an der Bausubstanz verhindern. Das „Abrutschen" älterer Begrünungen lässt sich durch eine regelmäßige Verjüngung und/oder durch Rückbinden der Pflanzen erreichen (mit wärmebrückenreduzierten Halterungen).

Wird ein Gebäude saniert, kann die Pflanze auf den Haupttrieb zurückgeschnitten werden. Die Haupttriebe werden vorsichtig abgelöst (ohne Stauchung des Wurzelhalses), mit Vlies geschützt und für den Zeitraum der Sanierung am Baugerüst befestigt. Im Anschluss an die Fassadensanierung werden die Triebe an wärmebrückenreduzierte Halterungen angebunden (siehe Abb. 5.13).

Die Haupttriebe treiben dann wieder aus, und die Fassade ist in kurzer Zeit wieder vollflächig begrünt. Parthenocissus tricuspidata und Parthenocissus quinquefolia (Wilde Weine) bilden Haftscheiben als Halteorgane aus. Dicke und schwere Triebe können jedoch nicht von den Haftscheiben gehalten werden. Daher sollten die Pflanzen in ausreichendem Abstand gepflanzt werden, auch, damit sich dicke Triebe nicht überlagern. Zudem sollten sie regelmäßig zurückgeschnitten werden.

Ein Verjüngungsschnitt sorgt für eine gleichmäßige Verteilung der Triebe und verhindert die Bildung von Totholz. Der Schnitt sollte vorzugsweise in der Vegetationsruhe erfolgen, jedoch nicht kurz vor dem Neuaustrieb. Wilder Wein ist trockenheitsverträglich, anspruchslos und windfest (Brandhorst, 2024).

Hydrangea anomala ssp. petiolaris ist eine kräftige und schwerwüchsige Kletterpflanze (siehe Abb. 5.14), Schizophragma (Spalthortensie) ist weniger kräftig im Wuchs. Campsis (Trompetenblume) hat einen ausladenden und schweren Wuchs.

Für diese Arten werden trotz ihrer Haftorgane, aufgrund ihres Pflanzengewichts und weil sie nur punktuell haften (Hydrangea in schattigen, Campsis in sonnigen Bereichen), Wuchsvorkonstruktionen empfohlen. Anders als Gerüstkletterpflanzen wachsen sie jedoch über die Wuchsvorkonstruktion hinaus und können aufgrund ihrer lichtfliehenden Eigenschaft in sensible Bereiche vordringen (Fassadenfugen, Dach usw.). Ein jährlicher Rückschnitt ist daher notwendig, insbesondere wegen der weit ausladenden Triebe. Der optimale Zeitpunkt für den Rückschnitt ist im Spätwinter oder frühen Frühjahr. Campsis wird dabei ausgelichtet, um die Blütenbildung zu fördern (siehe Abb. 5.15). Da Hydrangea am mehrjährigen Holz blüht, sollten nur einzelne große Triebe entfernt werden. Stehengebliebene Triebe sollten im darauffolgenden Jahr geschnitten werden. Beide bevorzugen nährstoffreiche, eher feuchte Böden. Hydrangea ist empfindlich gegenüber Hitze. Campsis liebt warme Standorte und ist empfindlich gegenüber Wind (Brandhorst, 2024).

5.2 Gerüstkletterpflanzen

Gerüstkletterpflanzen bieten vielfältige Möglichkeiten, um die architektonische Aussage des Gebäudeentwurfs zu unterstreichen oder zu brechen. Zusätzlich zu den selbstklimmenden Pflanzen werden als Entscheidungs- und Anwendungshilfe zur Auswahl geeigneter Gerüstkletterpflanzen in den Abb. 5.32 bis 5.40 Kletterpflanzentafeln aufgeführt. Es sind vertikale, horizontale oder (partiell) flächenhafte Lösungen realisierbar. Durch die separate Wuchsebene bzw. Wuchsaufleitung können Gerüstkletterpflanzen besser geleitet werden als Selbstklimmer und sind daher an Bestandsbauten in Bereichen mit bautechnisch sensiblen Bauteilen weniger problematisch. Wichtig ist die Abstimmung von Pflanze und Wuchshilfe aufeinander. Diesbezüglich passieren durch fehlende Informationen oder fehlendes Fachwissen oft vermeidbare Fehler. Die Varianten können in den ersten Jahren durch temporäre, einjährige Pflanzen unterstützt werden, bis die gewünschte Wirkung der dauerhaften Pflanzen erreicht ist.

5.2.1 Gerüstkletterpflanzen an vertikalen Seilen, Stäben oder Rohren

Gestalterische Kriterien

Vertikale Wuchshilfen betonen die Höhe des Gebäudes und lassen es bei punktueller Verteilung gleichzeitig leichter erscheinen (vgl. Stadthaus M1, Freiburg; siehe Abb. 5.16). Es stehen immergrüne und sommergrüne Pflanzen zur Auswahl. Die Strenge der architektonischen Aussage kann durch die vertikalen Strukturen gesteigert werden, wird aber von Passanten und Anwohnern aufgrund des vegetativen Moments als angenehm empfunden.

Abb. 5.16: Stadthaus M1, Freiburg i. Br.: senkrechte Aufleitung der Begrünung an nicht rostenden Stahlseilen mit Abrutschsicherungen

Vegetationstechnische Kriterien

Die Wisteria sinensis (Glycine) führt schnell zum Begrünungserfolg und wird aufgrund ihres schönen Blütenschmucks gern verwendet. Als Starkschlinger und aufgrund ihrer extremen Wüchsigkeit sowie ihrer lichtfliehenden Eigenschaft ist sie jedoch von Fachfirmen zu pflanzen und zu pflegen – sie wird seilparallel aufgeleitet. Aristolochia macrophylla (Pfeifenwinde) ist als Schlinger/Winder bei regelmäßiger Pflege sehr gut geeignet. Ihre Wuchsgeschwindigkeit beträgt ca. 1,80 m pro Jahr, die Endhöhe liegt bei ca. 10 bis 12 m. Ein geeigneter Standort ist halbschattig bis schattig. Die Pflanze bevorzugt nahrhafte und ausreichend feuchte Böden. Ihre Blütezeit liegt in den Monaten VII bis VIII. Sie bildet kapselförmige Früchte sowie große herzförmige Blätter (30 cm groß) und hat eine auffallend grüne Rinde. Alternativ kann neben anderen Schlingern/Windern auch Actinidia arguta oder Actinidia chinensis (Kiwi, Höhe bis 7 m) zum Einsatz kommen. Beide sind aber etwas frostempfindlich und bevorzugen einen sonnigen Standort. Bei Actinidia chinensis ist der rote Jungaustrieb auffallend.

Die Wuchsaufleitung muss auf die Wuchskraft der Pflanze und das Fruchtgewicht abgestimmt sein. Der Schutz bautechnisch sensibler Bereiche durch jährlichen Pflegeschnitt ist erforderlich. Gerüstkletterpflanzen an vertikalen Wuchsaufleitungen (nicht rostenden Stahlseilen, Stäben und Rohren) sind besonders einfach zu pflegen, da der Pflegeschnitt nicht durch konstruktive horizontale Elemente erschwert wird, wie beispielsweise bei engen Rastern oder Rauten erschwert wird. Als Infrastruktur zur Pflege sind Steiger oder Hubbühne erforderlich.

Bautechnische Kriterien

Es sind stabile Aufleitungen auf Distanz zur Fassade anzubringen, dahinter eine punktweise Einleitung des Gesamtgewichts über die Tragkonsolen in die Primärkonstruktion. Die Bewässerung in Trockenperioden muss gewährleistet sein. Anforderungen an die Pflanzgrube und mögliche Kabeltrassen sind auch bei dieser Variante zu berücksichtigen. Gegebenenfalls sind Wuchsbegrenzungen erforderlich (z. B. korrosionsfreie Metallrandwinkel).

Wirtschaftliche Kriterien

Vorleistungen sind ein Wasseranschluss für extreme Trockenphasen sowie ein Stromanschluss. Mit zunehmender Wuchshöhe werden Hubsteiger o. Ä. unumgänglich. Die Kosten für Begrünungen mit Gerüstkletterpflanzen resultieren aus der Pflanzenwahl und der Wuchsvorkonstruktion. Pflege und Wartung sollten ein- bis zweimal jährlich erfolgen. Die Kosten für Pflege und Wartung steigen mit dem Höhenwachstum. Möglicherweise ist eine Baugenehmigung erforderlich.

Systemspezifische Vorteile

- Leitbare und separate Ebene
- wirtschaftlich sinnvolle Lösung
- größere Pflanzenauswahl als bei Selbstklimmern
- bei sinnvoller Planung wenig Auswirkung auf die Gebäudestatik
- Begrünung der bereits vorgesehenen Fassadenkonstruktionen möglich
- keine Schädigung der Fassadenoberfläche bei richtiger Anwendung und Pflege
- Witterungs- und UV-Schutz der Fassade
- vergleichsweise geringer Investitionsaufwand
- je nach Bodenbeschaffenheit nur in der Anwuchsphase künstliche Versorgung erforderlich
- Substitution einer farblichen bzw. strukturellen Gestaltung der Fassadenoberfläche
- Lebensraum und Nahrung für Insekten und Vögel
- Blüh- und Farbaspekte und bei sommergrünen Pflanzen zudem unterschiedliches Erscheinungsbild über das gesamte Jahr („sich wandelnde Fassade")

Hinweise für einen größtmöglichen Begrünungserfolg

Der statische Nachweis der Lastaufnahme in die tragende Konstruktion und für alle konstruktiv relevanten Teile ist zu erbringen (vertikale Lasten, Windlasten, thermische Materialveränderungen). Zur Aufleitung an senkrechten Wuchsvorkonstruktionen sind schlingende/windende Gerüstkletterpflanzen geeignet. Es können jedoch eventuell auch Pflanzen mit einer anderen „Kletterstrategie" (rankende Pflanzen und Spreizklimmer) angebunden werden. Dies erhöht jedoch den Pflegeaufwand. Vor Glas- und Luftkollektorfassaden sowie bei Fassaden mit transparenter Wärmedämmung (TWD-Fassaden) sollten ausschließlich sommergrüne Pflanzen gewählt werden, um im Sommer von der natürlichen Verschattung zu profitieren und in den Winter- und Übergangsmonaten die solaren Licht- und Wärmegewinne optimal nutzen zu können. Stütz- und Leitkonstruktionen sollten grundsätzlich rund oder abgerundet sein, damit sich die Pflanzen nicht im Zuge ihres sekundären Dickenwachstums verletzen. Bei starkschlingenden Pflanzen sollten stabile Rohre verwendet werden, oder es sollte an filigranen Konstruktionen (Stäbe, Seile) eine parallele Aufleitung der Pflanzen erfolgen (siehe Abb. 5.17). Dabei werden die jungen Triebe jährlich von der Aufleitung abgewickelt und angebunden. Bei Starkschlingern sollte in den ersten Jahren eine seilparallele Erziehung des Haupttriebs erfolgen, um Seilverkürzungen durch Dickenwachstum und damit verbundene Zugspannungen bzw. Zwängungen zu vermeiden.

Begrünungen an Seilen erfordern zudem ein regelmäßiges Lockern oder Nachspannen der Seile. Bei Konsolen/Wandhaltern im Seilverlauf wird der Trieb gestaucht und im Abstand (maximales Dickenwachstum beachten) bogenförmig herumgeführt, sodass es später nicht zum Einwachsen bzw. Abdrücken der Halterung/Konsole kommt. Um Auslenkungen zu vermeiden, sind pflanzenabhängig entsprechende Abstände zwischen den Aufleitungen zu berücksichtigen (siehe Abb. 5.18 und 5.19). Sollen mehrere Geschosse begrünt werden und kommen daher wüchsige Pflanzen zum Einsatz, genügen Aufleitungen alle 60 cm.

Jährlich sind die Seitentriebe bis auf wenige Augen zurückzunehmen, damit sie nicht den Haupttrieb umwachsen. Das könnte im Dickenwachstum zu pflanzenphysiologischen Schäden, ausbleibender Blühwilligkeit und Verkahlen führen.

Einige Schlinger entwickeln lichtfliehende Triebe (siehe Abb. 5.32 bis 5.40), die in Vorschädigungen oder offene Fugen eindringen und dadurch potenzielle Bauschäden verursachen können. Daher sollten diese Pflanzen mit ausreichendem Abstand installiert und in der Pflege kontrolliert werden (siehe Abb. 5.20).

Pflanzen an senkrechten Aufleitungen sind sehr einfach zu pflegen – vertikal an den drei offenen Seiten z. B. mit der Heckenschere. Nur an der rückwärtigen Seite ist auf Halterungen/Konsolen zu achten.

Ein Bepflanzungskonzept aus einheimischen Pflanzen ist nicht empfehlenswert, da die Auswahl zu gering ist und keine gestalterisch ansprechende Begrünung erreicht wird. Ist das Konzept auf die Stärkung der Biodiversität ausgelegt, können Pflanzen mit einem hohen Wert für Bienen, Schmetterlinge und Vögel bevorzugt werden (siehe Abb. 5.32 bis 5.40).

Wisteria sinensis (siehe Abb. 5.21) ist ein kräftig wachsender Starkschlinger mit enormer Wuchskraft der Triebe und der Wurzel. Mit einem jährlichen Zuwachs von 2 bis 4 m gehört sie laut FLL-Richtlinie zu einer eigenen Lastklasse. Aufgrund ihres hohen Gewichts und der damit verbundenen Kräfte benötigt die Pflanze viel Wurzelraum, einen großzügigen Abstand zur Wand sowie äußerst stabile Kletterhilfen bzw. eine parallele Aufleitung. Die Pflanze ist lichtfliehend. Sie wird mindestens zweimal jährlich zurückgeschnitten – die Langtriebe sowie die kräftigen Seitentriebe im Spätwinter und im Juli bzw. August die Seitentriebe auf zwei bis drei Augen, um die Blühfreudigkeit zu fördern. Im Alter sollte die Pflanze bei jedem Schnitt auf Totholz überprüft werden. Da die Pflanze Ausläufer bildet, sind alle bodennahen Triebe gründlich zu entfernen. Wisteria floribunda und Wisteria frutescens bleiben kleiner, werden jedoch genauso gepflegt.

Celastrus orbiculatus ist ein Starkschlinger mit erheblichem Dickenwachstum und Gewicht. Er verträgt einen kräftigen Rückschnitt, der idealerweise im Spätwinter erfolgen sollte. Eine parallele Aufleitung wird empfohlen, und bodennahe Triebe sind zu entfernen.

Fallopia baldschuanica ist eine sehr wüchsige Pflanze mit starkem Ausbreitungsdrang. Obwohl sie filigraner wirkt als andere Starkschlinger, ist ihr Gewicht infolge der massenhaften Triebe nicht zu unterschätzen. Die Pflanze ist nur schwer zu kontrollieren und bildet viel Totholz aus (Brandhorst, 2024). Daher ist sie zur Begrünung von Fassaden weniger zu empfehlen. Als Bienenweide ist sie jedoch von großem Nutzen und kann gut an Mauern und fensterlosen Wänden eingesetzt werden. Sie verträgt einen kräftigen Rückschnitt, vorzugsweise im Spätwinter. Fallopia benötigt konstant feuchte, nährstoffreiche Böden und ist empfindlich gegenüber Trockenheit und Wind.

Actinidia chinensis (Kiwi) ist äußerst wüchsig, mit stacheligen Trieben und großem Platzbedarf. Sie benötigt Abrutschsicherungen (integrierte Schellen oder waagerechte Strukturen) und muss mindestens zweimal jährlich zurückgeschnitten werden – überstehende Seitentriebe nach der Fruchtbildung und Langtriebe nach der Ernte. Eine gute Wasser- und Nährstoffversorgung sowie geschützte, warme Standorte sind wichtig. Actinidia arguta ist kleiner und pflegeleichter und kann auch in raueren Lagen Früchte bilden. Auch für diese Pflanze werden Abrutschsicherungen empfohlen. Actinidia kolomikta ist eine pflegeleichte Mini-Kiwi, die im Spätwinter zurückgeschnitten wird.

Lonicera periclymenum, das Waldgeißblatt, wächst stark und ist pflegeleicht, benötigt aber gelegentlich einen Auslichtungsschnitt. Lonicera tellmanniana ist ebenfalls stark wachsend, benötigt einen geschützten Standort und ist wenig anfällig für Schädlinge. Lonicera henryi ist eine immergrüne Pflanze, die bis zu 10 m hoch wachsen kann und ebenfalls pflegeleicht ist, jedoch eine gute Wasser- und Nährstoffversorgung benötigt. Lonicera heckrottii hat ähnliche Ansprüche wie Lonicera caprifolium, wächst jedoch schwächer. Lonicera brownii wächst langsam und ist anfällig für Schädlinge, benötigt jedoch nur gelegentliche Pflege. Lonicera japonica ist robust und pflegeleicht, während Lonicera caprifolium für ihren Blütenduft bekannt ist (siehe Abb. 5.22). Sie schätzt eine gute Wasser- und Nährstoffversorgung.

Abb. 5.17: Best Practice: seilparallele Aufleitung einer starkschlingenden Gerüstkletterpflanze (Wisteria)

Abb. 5.18: Auslenkung von Profilen (Umwinden, unzureichende Abstände) und Herauslösen der Halterungen

Abb. 5.19: Anders als diese Abbildung zeigt, sollten starkschlingende Pflanzen Halterungen nicht berühren und Seile nicht umwinden. Triebe sind deshalb mit ausreichendem Abstand bogenförmig um Halterungen herumzuführen, damit es mit dem Dickenwachstum der Pflanzen nicht zu einer Seilverkürzung oder dem Auslenken von Halterungen/Konsolen kommt.

Abb. 5.20: Stadthaus M1, Freiburg i. Br.: senkrechte Aufleitung der Begrünung mit ausreichenden Abständen zur Fassadenbekleidung

Abb. 5.21: Wisteria an einem denkmalgeschützten Altbau. Wuchsbegrenzung ist die Lisene zwischen Erdgeschoss und 1. OG.

Abb. 5.22: Blühaspekt von Lonicera im Herbst

Periploca graeca gedeiht an geschützten Standorten und ist pflegeleicht. Eine regelmäßige Kontrolle auf abgestorbene Triebe ist erforderlich. Schisandra chinensis wächst stark und benötigt gelegentliche Auslichtungsschnitte.

Akebia quinata ist eine schlank wachsende Pflanze für sonnige bis halbschattige Standorte. Für eine gute Deckung braucht sie engere vertikale Strukturen, um viele Verzweigungen bilden zu können, mit horizontalen Elementen, Abrutschsicherungen oder Sprossen. Ein Auslichtungsschnitt alle zwei Jahre genügt. Menispermum canadense ist eine filigrane Kletterpflanze, die bis zu 4 m hoch wächst und pflegeleicht ist, jedoch hochgiftig.

Aristolochia macrophylla wächst breit und hoch, ist pflegeleicht und gut schnittverträglich, während Aristolochia tomentosa kleiner und windverträglicher ist, bei gleichen Pflegeansprüchen (Brandhorst, 2024).

5.2.2 Gerüstkletterpflanzen an Netzstrukturen oder Gittern

Gestalterische Kriterien

An Gittern und Netzen kommen vor allem Rankpflanzen zum Einsatz, die sich mit ihren Blatt- oder Sprossranken an der Struktur fixieren. Ranker sind sommergrün. Somit tritt die Struktur in der Aufwuchsphase und im Winter, wenn die Pflanzen unbelaubt sind, als Gestaltungselement deutlich in Erscheinung. Im Sommer kann durch netz- oder gitterartige Rankhilfen der Eindruck eines grünen Vorhangs erzeugt werden. Je filigraner die Ausführung, desto stärker ist die schwebende Wirkung der Fassade als separate Ebene. Diese Lösung vermittelt eine große Leichtigkeit, mit der sie das Gebäude vollständig „umhüllt", etwa wie an der PTH St. Georgen, Frankfurt. So kann die Wirkung von selbstklimmenden Pflanzen ohne deren Nachteile erreicht werden. Die Fülle der Gestaltungsoptionen ist umfangreich – Raster/Rauten unterschiedlicher Feldweiten und eine große Pflanzenauswahl stehen zur Verfügung. Fassadenöffnungen, Regenfallrohre usw. müssen dabei sensibel eingebunden werden, um Gestaltung und Bauteilschutz zu vereinen.

Vegetationstechnische Kriterien

Neben angebundenen Kletterrosen (siehe Abb. 5.23) eignen sich dafür vor allem Ranker, wie z. B. Vitis-Arten (echter Wein), einige Clematis-Arten (Waldrebe) oder Ampelopsis glandulosa (Scheinrebe). Ein konsequenter Pflegeeinsatz ist auch bei dieser Variante erforderlich, um das gewünschte Wuchsbild zu erreichen. Durch die netz-/gitterartige Struktur wird allerdings die Pflege erschwert, und damit der Schutz bautechnisch sensibler Bereiche. Das Rankgerüst muss auf die Wuchskraft der Pflanze abgestimmt sein. Als Infrastruktur zur Pflege/Wartung dienen Steiger oder Hubbühnen.

Bautechnische Kriterien

Die Fassade/Wand wird von der separaten Begrünungsebene kaum beeinflusst. Lediglich für die Tragstruktur zwischen Begrünung und Gebäudefassade sind Montagevoraussetzungen bereitzustellen. Die Aussteifung wird u. a. über Konsolen erreicht. Diese unterliegen einem statischen Nachweis. Die Rankkonstruktion muss auf die Wuchskräfte und das Gesamtgewicht (Gerüst, Pflanze, Frucht, Schnee-, Eis- und Windlast) abgestimmt sein (siehe Abb. 5.24). Die Bewässerung in Trockenperioden muss sichergestellt werden (künstlich/manuell). Anforderungen an die Pflanzgrube und mögliche Kabeltrassen sind zu berücksichtigen.

Abb. 5.23: Rosenspalier: Holzkonstruktion im Prinz-Georgs-Garten, Darmstadt

Abb. 5.24: PTH, Frankfurt: Laubengangverschattung und gleichzeitig Absturzsicherung

Wirtschaftliche Kriterien

Auch bei dieser Lösung bestehen die Vorleistungen für Pflege und Wartung aus der Errichtung eines Wasseranschlusses für extreme Trockenphasen und eines Stromanschlusses. Zur Pflege und Wartung werden gegebenenfalls mit zunehmender Wuchshöhe Hubsteiger o. Ä. erforderlich. Kosten resultieren zudem aus der Pflanzenauswahl, der Rankstruktur sowie einer eventuell nötigen Bewässerung in Anwuchs- und Trockenphasen. Pflege und Wartung sollten zweimal jährlich erfolgen. Die Kosten steigen mit dem Breiten- und Höhenwachstum der Pflanzen. Möglicherweise ist eine Baugenehmigung erforderlich.

Systemspezifische Vorteile

- Leitbare und separate Ebene
- wirtschaftlich sinnvolle Lösung
- Rankpflanzen nicht lichtfliehend, somit keine Gefahr für fugenreiche Fassaden
- bei sinnvoller Planung geringe Auswirkung auf die Gebäudestatik und die Fassade/Wand
- keine Schädigung der Fassadenoberfläche bei richtiger Pflanzenauswahl, Hinterlüftung und fachgerechter Konstruktion und Pflege
- Witterungs- und UV-Schutz der Fassade möglich
- je nach Bodenbeschaffenheit keine künstliche Versorgung erforderlich (außer in der Anwuchsphase und in lang anhaltenden Trockenperioden)
- Substitution einer farblichen bzw. strukturellen Gestaltung der Fassadenoberfläche möglich
- Lebensraum und Nahrung für Insekten und Vögel
- Blüh- und Farbaspekte und bei sommergrünen Pflanzen zudem unterschiedliches Erscheinungsbild über das gesamte Jahr („sich wandelnde Fassade")

Hinweise für einen größtmöglichen Begrünungserfolg

Ranker haben den großen Vorteil, dass sie nicht lichtfliehend sind. Es stehen jedoch nur sommergrüne Arten zur Auswahl, und die Pflege ist etwas aufwendiger. Rankende Pflanzen entwickeln spezielle Halteorgane, die auf Berührungsreize reagieren (Blattstiele, Sprossranken). Sie benötigen Rankhilfen mit geringen Durchmessern und Abständen. Die Maschenweite eines Gitters oder Netzes sollte jedoch so gewählt sein, dass eine Hand mit Gartenschere problemlos hindurchpasst (für die Pflege) und Triebe bequem geführt werden können (mindestens 12 cm in der Breite). Eine größere Maschenweite unterstützt die Selbstreinigungskraft der Begrünung, da Blätter abwehen können.

An diesen Konstruktionen dürfen keine schlingenden bzw. starkschlingenden Pflanzen aufgeleitet werden. Diese würden starke Auslenkungen in den Netzen/Gittern verursachen. Das Anbinden von Spreizklimmern ist möglich.

Vitis vinifera, der echte Wein, ist für eine Fassadenbegrünung mit rankenden Pflanzen geeignet, sofern herabfallende Trauben nicht stören. Die Pflanze benötigt einen regelmäßigen Schnitt, insbesondere im Spätwinter, um einen schönen Habitus und guten Ertrag zu gewährleisten. Vitis gmelinii ist eine geschützte Art, die bis zu 40 m hoch wachsen kann und einen tiefgründigen, feuchten Boden benötigt. Vitis coignetiae, der Scharlachwein, ist eine große, schwer wachsende Pflanze, die tiefgründigen, frischen bis mäßig feuchten Boden in sonnigen bis absonnigen, windgeschützten Lagen benötigt. In absonnigen Lagen werden die Blätter jedoch sehr groß und sind farblich weniger ansprechend. Die Pflanze ist gut schnittverträglich. Vitis riparia braucht eine gute Wasser- und Nährstoffversorgung in kalkarmen, frischen bis feuchten Böden. Es gibt traubenlose Züchtungen, die geringere Pflegeansprüche haben. Vitis amurensis ist hingegen schwachwüchsig und pflegeleicht, benötigt jedoch einen nährstoffreichen, frischen bis mäßig feuchten Boden mit gelegentlichem Auslichtungsschnitt.

Eine weitere Option ist Parthenocissus inserta, ein Wilder Wein ohne Haftorgane, dessen Pflegeansprüche ähnlich denen von Parthenocissus quinquefolia sind. Die Pflanze ist jedoch schwer zu beschaffen.

Die Gattung Clematis umfasst etwa 300 Arten mit unterschiedlichen Wuchs- und Pflegeansprüchen. Alle Clematis-Arten benötigen einen beschatteten Wurzelhals und sind empfindlich gegenüber Verdichtung, Austrocknung und Wurzelverletzungen. Clematis vitalba ist eine einheimische Art, die in mitteleuropäischen Wäldern bis zu 20 m lange Lianen bildet. Sie braucht im zeitigen Frühjahr einen starken Rückschnitt, um gut durchzutreiben. Clematis maximowicziana blüht im September/Oktober und wird im Spätwinter stark zurückgeschnitten. Clematis-Hybriden sind anspruchsvoll und benötigen einen nährstoffreichen, gut durchlässigen Boden. Ein kräftiger Rückschnitt im Frühjahr ist für die meisten von ihnen von Vorteil. Clematis viticella ist weniger anspruchsvoll, braucht aber ebenfalls einen kräftigen Rückschnitt. Clematis texensis wird bis zu 1,5 m hoch, bevorzugt geschützte Standorte und benötigt frischen, durchlässigen Boden. Clematis montana wächst stark und benötigt keinen Schnitt außer einer gelegentlichen Auslichtung nach der Blüte. Clematis macropetala ist pflegeleicht und braucht halbschattige, kühle Standorte mit gelegentlichem Auslichtungsschnitt. Clematis tangutica ist windfest, frosthart und pflegeleicht und benötigt ebenfalls nur gelegentlich einen Auslichtungsschnitt. Clematis alpina ist eine schwachwüchsige Kletterpflanze, die bis zu 3 m hoch wird und keinen Schnitt braucht (Brandhorst, 2024).

5.2.3 Gerüstkletterpflanzen an horizontalen Seilen und Stäben

Gestalterische Kriterien

Horizontale Wuchshilfen betonen die Länge eines Gebäudes, es wirkt dadurch niedriger und weniger monolithisch. Je nach Positionierung kann die Basis oder der obere Abschluss optisch hervorgehoben werden. Durch regelmäßigen Rückschnitt der Begrünung wird das horizontale Moment betont, bei fehlendem Rückschnitt ergibt sich ein eher bauschiges, wolkenartiges Bild. Es sind nur Kletterpflanzen mit entsprechend geringem Höhenwachstum geeignet. Folgt man der Kletterstrategie, so stehen Kletterrosen (fakultativ wintergrün; siehe Abb. 5.25) sowie die Bandbreite der Ranker als sommergrüne Pflanzen zur Auswahl (jahreszeitliche Dynamik).

Abb. 5.25: Kletterrose zur horizontalen Betonung der Bestandsfassade (Quelle: Sven Taraba, FassadenGrün, Leipzig)

Vegetationstechnische Kriterien

Neben den Kletterrosen ist Aristolochia macrophylla (Pfeifenwinde) als Schlinger/Winder bei regelmäßiger Pflege ebenso für den Einsatzzweck geeignet. Eventuell muss sie im Rahmen der Pflegearbeiten an die horizontale Kletterhilfe geleitet werden. Ihre Wuchsgeschwindigkeit liegt bei ca. 1,80 m pro Jahr, die Endhöhe beträgt ca. 10 bis 12 m. Ein geeigneter Standort ist halbschattig bis schattig. Die Pflanze bevorzugt nahrhafte und ausreichend feuchte Böden und blüht in den Monaten VII und VIII. Sie bildet kapselförmige Früchte und große herzförmige Blätter (30 cm groß). Ihre Rinde ist auffallend grün. Alternativ bieten sich Actinidia arguta oder Actinidia chinensis (Kiwi) sowie Campsis radicans und Campsis x tagliabuana ‚Mme. Galen' (Klettertrompete) an. Letztere ist eigentlich ein Selbstklimmer, der aber auch leicht schlingt und weniger Haftwurzeln ausbildet. Ein konsequenter Pflegeeinsatz ist erforderlich, um das gewünschte Wuchsbild zu erreichen. Gleiches gilt für die zahlreichen Lonicera-Arten (Geißblatt) und die sehr attraktive Akebia (Akebia). Das Rankgerüst muss auf die Wuchskraft der Pflanze abgestimmt sein. Ein Schutz bautechnisch sensibler Bereiche ist durch jährliche Pflegeschnitte zu erreichen. Als Infrastruktur zur Pflege der Pflanzen und zur Wartung der Wuchsvorkonstruktion dienen Steiger oder Hubbühnen.

Bautechnische Kriterien

Stabile Wuchshilfen mit ausreichender Feldweite und genügend Abstand zur Fassade sind erforderlich. Punktweise wird das Gesamtgewicht über die Tragkonsolen in die Primärkonstruktion eingeleitet. Eine Bewässerung muss in Trockenperioden gewährleistet sein (künstlich/manuell). Anforderungen an die Pflanzgrube und das Vorhandensein möglicher Kabeltrassen sind zu prüfen. Wuchsbegrenzungen in Form von Metallrandwinkeln sind je nach Pflanzenwahl gegebenenfalls erforderlich.

Wirtschaftliche Kriterien

Die Vorleistungen für die Pflege und Wartung sind ein Wasseranschluss für extreme Trockenphasen sowie ein Stromanschluss. Mit zunehmender Wuchshöhe wird ein Hubsteiger o. Ä. unumgänglich. Die Kosten entstehen durch die Pflanzenauswahl, die Wuchs-/Rankstruktur, die Installation und eine eventuell erforderliche Versorgung mit Wasser und Nährstoffen (zumindest in der Anwuchsphase). Die Pflege-/Wartungskosten sind abhängig von der Lage der Begrünung und steigen mit einem eventuellen Höhenwachstum. Pflege und Wartung sollten ein- bis zweimal jährlich erfolgen. Gegebenenfalls ist eine Baugenehmigung erforderlich.

Systemspezifische Vorteile

- Leitbare und separate Ebene
- vergleichsweise geringer Investitionsaufwand mit Kletterrosen und Rankern
- größere Pflanzenauswahl als bei Selbstklimmern
- bei sinnvoller Planung wenig Auswirkung auf die Gebäudestatik
- keine Schädigung der Fassadenoberfläche bei richtiger Planung, Umsetzung und Instandhaltung
- Witterungs- und UV-Schutz der Fassade möglich
- je nach Bodenbeschaffenheit keine künstliche Versorgung erforderlich
- Lebensraum und Nahrung für Insekten und Vögel
- Blüh- und Farbaspekte und bei sommergrünen Pflanzen zudem unterschiedliches Erscheinungsbild über das gesamte Jahr („sich wandelnde Fassade")

Hinweise für einen größtmöglichen Begrünungserfolg

Spreizklimmer nutzen ihre steifen Triebe, Dornen oder Stacheln, um sich in vorhandene Strukturen einzuhaken. Sie benötigen horizontale Strukturen oder große Maschenweiten, um ihre Triebe in die Kletterhilfen einflechten zu können. Sie sind nicht geeignet vor sensiblen Vorfassaden (z. B. vor Folienfassaden und als fakultativ wintergrüne Pflanzen auch nicht vor Luftkollektorfassaden). Zur Kategorie der Spreizklimmer gehören Kletterrosen (Climber und Rambler), aber auch Winterjasmin und Feuerdorn (keine Kletterpflanze, dennoch geeignet). Bei engeren Aufleitungen müssen Spreizklimmer angebunden werden, was den Pflegeaufwand erhöht. Rosen bevorzugen tiefgründige Böden, die jedoch nicht so feucht sein müssen wie bei vielen anderen Kletterpflanzen.

Beim Schnitt von Kletterrosen werden in der Regel nur drei Haupttriebe erhalten, während die übrigen entfernt werden. Falls nötig, können auch die Haupttriebe ersetzt werden. Totholz sollte immer beseitigt werden. Die Seitentriebe werden so gekürzt, dass ein schöner Habitus und ein guter Deckungsgrad an der Fassade entstehen. Dünne Triebe werden auf drei bis fünf Augen zurückgeschnitten, während schwache Triebe vollständig entfernt werden. Der ideale Zeitpunkt für den Schnitt ist im Frühjahr.

Bei öfter blühenden Rosa-Kletterrosen-Hybriden erfolgt ein Rückschnitt im Frühjahr und im Sommer während der Blüte, um die Blütenbildung zu fördern. Einmal blühende Rosen erhalten einen Sommerschnitt. Die meisten Hybriden benötigen tiefgründigen Boden mit mäßiger Wasser- und guter Nährstoffversorgung in voller Sonne.

Rosa arvensis, die Bodendeckerrose, wächst bis zu 5 m hoch, wenn ihr eine geeignete Kletterhilfe zur Verfügung steht. Sie benötigt einen nährstoffreichen Lehmboden und einen warmen Standort (sonnig bis halbschattig). Sie ist anspruchslos und braucht lediglich einen Rückschnitt im Frühjahr. Sie hat zudem einen hohen ökologischen Wert als Vogelschutz- und Nährgehölz. Rosa multiflora ist robust, windfest und wird bis zu 3 m hoch. Sie ist zudem anspruchslos und benötigt nur einen Frühjahrsschnitt. Auch sie ist von hohem ökologischem Wert. Rosa rubiginosa, die Weinrose, hat ähnliche Ansprüche, ist jedoch unempfindlich gegenüber Kalk.

Rambler-Rosen können sehr stark wachsen und erreichen Höhen von bis zu 12,50 m. Sie sind ebenfalls windfest und sollten nur im Frühjahr geschnitten werden, um den Vögeln die Hagebutten als Futter zu überlassen.

Rubus fruticosus, die Brombeere, ist invasiv und sollte nur eingesetzt werden, wenn eine intensive Pflege möglich ist. Rubus henryi, die Kletterhimbeere, ist ein immergrünes, anspruchsloses Gehölz, das bis zu 4 m hoch wächst. Sie benötigt einen windgeschützten Standort im Halbschatten und ist pflegeleicht. Ein Schnitt ist kaum nötig, kann jedoch die Blütenbildung fördern.

Pyracantha coccinea, der Feuerdorn, ist eine immergrüne Pflanze, die in Norddeutschland als Kletterpflanze beliebt ist, jedoch in der Schweiz wegen der Gefahr von Feuerbrand verboten ist. Sie benötigt eine weitmaschige Kletterhilfe und kann bis zu 5 m hoch werden. Der Feuerdorn verträgt Trockenheit gut, sollte jedoch nicht in zu nährstoffreichen Böden gepflanzt werden, da dies die Frostgefahr erhöht. Feuerdorn ist gut schnittverträglich. Es wird empfohlen, den Schnitt im Frühjahr durchzuführen.

Jasminum nudiflorum, der Winterjasmin, ist ein hitzeverträgliches, windfestes Gehölz, das bis 4 m hoch wird. Es benötigt nährstoffreichen, durchlässigen, tiefgründigen Boden und ist pflegeleicht. Ein gelegentlicher Auslichtungsschnitt ist erforderlich, besonders wenn die Pflanze als Hängepflanze verwendet wird (Brandhorst, 2024).

5.2.4 Einjährige Gerüstkletterpflanzen

Gestalterische Kriterien

Diese Lösung hat durch den einjährigen Wuchs bzw. durch den staudigen Wuchscharakter deutliche Vorteile in Hinblick auf den Schutz bautechnisch sensibler Bereiche.

Die Wahl einjähriger bzw. staudig wachsender Kletterpflanzen macht einen schnellen Begrünungserfolg auch temporär möglich. Die rasche Wuchsleistung der Pflanzen wirkt sich positiv auf die Gestaltung und Wahrnehmung des Gebäudes aus.

Abb. 5.26: Hopfen zur Begrünung mit einfährigen Kletterpflanzen (Quelle: Sven Taraba, FassadenGrün, Leipzig)

Vegetationstechnische Kriterien

Humulus lupulus (gewöhnlicher Hopfen) kommt als einjährige Kletterpflanze infrage, denn die Triebe der mehrjährigen Kletterstaude sind nur einjährig. Er erreicht eine Höhe von ca. 2,5 bis 6,0 m (auch 12,0 m). Die Standortansprüche sind halbschattig bis sonnig, tiefgründige, gleichmäßig frische Substrate werden bevorzugt.

Sollen die typischen Hopfen-Früchte sichtbar sein, müssen auch weibliche Pflanzen gesetzt werden. Die Blätter sind sehr rau (siehe Abb. 5.26). Das ergibt in öffentlichen Bereichen einen guten Selbstschutz vor mechanischer Beschädigung. Da die Triebe einjährig sind, ist eine dauerhafte Beschädigung (bei Schutz der Austriebsstelle) kaum möglich.

Auch u. a. Feuerbohnen eignen sich sehr gut für einen üppigen Begrünungserfolg bereits im ersten Jahr. Da die Pflanze nur einjährige Triebe hervorbringt, können keine Triebe dauerhaft einwachsen – ein großer Vorteil dieser Lösung. Ob die Triebe im Winter bzw. im darauffolgenden Frühjahr zurückgeschnitten werden, hängt von der gewünschten gestalterischen Wirkung ab. Abgestorbene Vorjahrestriebe können störend wirken. Als Infrastruktur zur Pflege dienen Steiger oder Hubbühnen.

Weitere einjährige Kletterpflanzen sind den Pflanzentafeln in Abb. 5.32 bis 5.40 zu entnehmen.

Bautechnische Kriterien

Stabile vertikale Aufleitungen auf Distanz zur Fassade mit punktweiser Einleitung des Gesamtgewichts über Tragkonsolen in die Primärkonstruktion sind erforderlich. Die Bewässerung in Trockenperioden muss gewährleistet sein. Anforderungen an die Pflanzgrube und mögliche Kabeltrassen sind zu berücksichtigen.

Wirtschaftliche Kriterien

Bei dieser Form der Begrünung werden für Pflege und Wartung ebenfalls ein Wasseranschluss (für extreme Trockenphasen) sowie ein Stromanschluss benötigt. Hubsteiger usw. erleichtern die Pflege und den Rückschnitt der vorjährigen Triebe. Kosten resultieren hauptsächlich aus der

Pflanzenwahl und der Wuchsaufleitung sowie aus der Instandhaltung, die ein- bis zweimal jährlich erfolgen sollte. Ob eine Baugenehmigung erforderlich ist, sollte geprüft werden.

Systemspezifische Vorteile

- Leitbare und separate Ebene
- temporäre Lösung, auch zur Ergänzung langsam wachsender dauerhafter Pflanzungen
- bei frühzeitiger Pflanzung einjähriger Gerüstkletterpflanzen bereits im Frühjahr bzw. frühen Sommer Erreichen der maximalen Wuchshöhe
- geringer Investitionsaufwand
- große Pflanzenauswahl für sonnige Standorte
- bei fachgerechter Planung geringe Auswirkung auf die Gebäudestatik
- keine Schädigung der Fassadenoberfläche bei richtiger Planung, Umsetzung und Instandhaltung
- je nach Bodenbeschaffenheit keine künstliche Versorgung erforderlich
- bienenfreundliche Arten
- Blüh- und Farbaspekte und zudem unterschiedliches Erscheinungsbild über das gesamte Jahr

Hinweise für einen größtmöglichen Begrünungserfolg

Die Wuchsaufleitung muss auf die Wuchskraft der Pflanze abgestimmt sein. Bei ausreichendem Abstand zu bautechnisch sensiblen Bereichen ist kein weiterer Schutz durch einen jährlichen Pflegeschnitt erforderlich. Von Vorteil ist der rasche Begrünungs- und gegebenenfalls Blüheffekt direkt im ersten Jahr. Allerdings bedarf es bei einjährigen Kletterpflanzen – sollte es sich nicht um eine einmalige Aktion handeln – eines jährlichen Organisationsaufwands. Denn die Pflanzen müssen (bis auf Hopfen) im Gegensatz zu Klettergehölzen/-stauden jährlich als Samen oder als vorkultivierte Pflanzen in den Boden eingebracht werden.

Humulus lupulus (Hopfen) ist eine Staude, die eine gute Wasser- und Nährstoffversorgung benötigt. Hopfen sollte im Herbst bodennah zurückgeschnitten werden, um brandschutztechnischen Anforderungen zu genügen. Durch den jährlichen bodennahen Rückschnitt kann er auch dort zum Einsatz kommen, wo eine Pflege in der Höhe nicht gut möglich ist (z. B. wenn keine Aufstellfläche für einen Steiger vorhanden ist; siehe Abb. 5.27).

Weibliche Hopfenpflanzen verströmen während der Blütezeit einen intensiven Geruch, der in konzentrierter Form als unangenehm wahrgenommen werden kann (bei Sonneneinstrahlung verstärkt). Männliche Pflanzen bilden keine duftenden Blütenzapfen aus und sind daher für Gebäudebegrünungen eher geeignet, es sei denn, Ziel ist die Ernte der Zapfen.

Abb. 5.27: Begrünung von Balkonen mit Hopfen (Quelle: Sven Taraba, FassadenGrün, Leipzig)

5.2.5 Sonderform spalierbare Gehölze

Gestalterische Kriterien

Spalierbare Gehölze eignen sich ebenfalls zur Fassadenbegrünung. Ihre flächenprägende, klare Wuchsform wird durch Leiten und Beschneiden der Pflanzen erzielt. Die Pflanzen können in verschiedenen Mustern wie dem klassischen Fächer, als Gitter oder in horizontalen, parallelen Linien gezogen werden. Sie können Fassaden betonen, Eingangsbereiche rahmen oder als natürliche Trennwände und Sichtschutz dienen. Spaliergehölze bieten das ganze Jahr über unterschiedliche visuelle Reize: Im Frühling und Sommer bilden die Blätter eine dichte, grüne Struktur, während im Herbst das Laub Farbwechsel zeigt. Im Winter bleibt oft das geometrische Astgerüst sichtbar, das eine ästhetische Wirkung durch klare Linien entfaltet. Laubabwerfende Arten bieten somit eine ganzjährige gestalterische Veränderung, während immergrüne Gehölze konstant grüne Akzente setzen. Einige spalierbare Gehölze (z. B. Apfel oder Birne) bieten zusätzlich dekorative Blüten oder Früchte (siehe Abb. 5.28).

Abb. 5.28: Junges Obstspalier zur Fassadenbegrünung und Nahrungsmittelgewinnung

Vegetationstechnische Kriterien

Gängige spalierbare Gehölze (in der Regel Spalierobst; siehe Abb. 5.29) bevorzugen sonnige bis halbschattige Standorte. Der richtige Lichteinfall ist wichtig, damit die Pflanze gleichmäßig wächst und Blüten oder Früchte entwickeln kann. Ein gut durchlässiger, nährstoffreicher Boden ist für die meisten Gehölze ideal.

In kalten Regionen sind frostharte Gehölze notwendig, die niedrigen Temperaturen standhalten. Bei Begrünungen in Pflanzscheiben/-streifen oder Pflanzgefäßen muss die Bewässerung dem begrenzten Wurzelraum angepasst werden. Integrierte Bewässerungssysteme können dabei unterstützen. Die Eignung der Gehölze hängt von ihrer natürlichen Wuchsform und ihrem Triebverhalten ab. Geeignete spalierbare Gehölze zeichnen sich durch flexible, leicht formbare Triebe aus, die sich gut an Trägersystemen (Spalieren, Drähten oder Gittern) befestigen lassen.

Ein regelmäßiger Rückschnitt ist notwendig, um die Pflanzen in ihrer Form zu halten und die gewünschte Struktur zu fördern. Beim Schnitt sollte darauf geachtet werden, dass die Pflanze nicht dauerhaft geschädigt wird. Sonst besteht das Risiko von Infektionen. Spalierbare Gehölze sind pflegeintensiv, da sie regelmäßig geschnitten werden müssen, um ihre Form zu erhalten. Die Wuchsgeschwindigkeit ist abhängig von der Veredelungsunterlage. Die Auswahl langlebiger und pflegeleichter sowie krankheitsresistenter Arten kann den Pflegeaufwand reduzieren.

Abb. 5.29: Spaliergehölze zur Nahrungsmittelgewinnung: Apfel

Bautechnische Kriterien

Spaliergehölze benötigen stabile Stützhilfen, die sowohl das Gewicht der Pflanzen tragen als auch eine geordnete Wuchsführung ermöglichen. Spaliere sollten aus korrosionsbeständigen Materialien bestehen, wie z. B. aus nicht rostendem Stahl, glasfaserverstärkten Kunststoffen oder wetterfestem Holz, um langfristig den Witterungseinflüssen standzuhalten. Die Dimensionierung ist daher sorgfältig zu planen. Ein ausreichender Abstand zur Fassade (mindestens 10 bis 15 cm) ist notwendig, um die Fassade vor Feuchtigkeit zu schützen und eine ausreichende Belüftung zu gewährleisten. Bei schweren Lasten (ausgewachsene, möglicherweise fruchttragende Gehölze) muss die Verankerung in tragenden Wänden oder soliden Unterkonstruktionen erfolgen, um die Stabilität zu gewährleisten. Windlasten müssen berücksichtigt werden. Es müssen Zugangsmöglichkeiten für die langfristige Instandhaltung der Spaliergehölze und die Ernte bedacht werden.

Abb. 5.30: Platanenkubus in Nagold (Quelle: © Ludwig/Schoenle)

Eine Innovation im Bereich des Begrünens mit Gehölzen ist der sogenannte Platanen-Kubus (10 × 10 × 10 m, Landesgartenschau Nagold 2012; siehe Abb. 5.30). Dabei wurden junge Platanen nebeneinander und übereinander angeordnet und zunächst durch leichte Stahlfachwerke stabilisiert. Diese Konstruktion ist ebenfalls denkbar an Wänden/Fassaden und kombiniert bodengebundene und in Substratbehältern gezogene Bäume. Durch das Veredeln der Gehölze zu einer „Gesamtpflanze" entsteht ein vernetzter Baumverbund, der seine endgültige Höhe, Stabilität und eine dichte Blattmasse in kürzerer Zeit erreicht als ein einzelner Baum. Sobald das verwachsene Baumgeflecht zu einer standfesten, vollständig bodengebundenen Struktur herangewachsen ist, können die Substratbehälter und das Traggerüst schrittweise entfernt werden.

Wirtschaftliche Kriterien

Der Preis für spalierbare Gehölze variiert je nach Art, Größe und Qualität der Pflanzen. Je nach Material des Trägersystems/Spaliers und der Komplexität der Bauweise können die Kosten erheblich variieren. Installations- und Baukosten sind zu berücksichtigen (Montageaufwand, abhängig von der Gebäudehöhe, und gegebenenfalls erforderliche bauliche Anpassungen, wie z. B. die Einrichtung von Bewässerungssystemen). Auch Pflege- und Wartungskosten müssen bedacht werden (regelmäßiger Rückschnitt, Wartung des Spaliers, eventuell der Betrieb eines Bewässerungssystems). Ein potenzieller Kostenausgleich entsteht, abgesehen von den üblichen Gebäudeoptimierungen und Umfeldverbesserungen, durch eine reiche Ernte von Spalierobst.

Systemspezifische Vorteile

- Leitbare und separate Ebene
- platzsparende Lösung auch für begrenzte Flächen
- klar definierte Struktur durch Steuerung der Wuchsform
- vielfältige Gestaltungsmöglichkeiten durch verschiedene Spalierformen und unterschiedliche Spaliergehölze
- langlebige Begrünungslösung
- Wirtschaftlichkeit in der Pflege durch klar strukturierte und gut zugängliche Triebe
- bei Spalierobstbäumen hohe Erträge auf kleinem Raum
- leichte Ernte durch gute Zugänglichkeit
- schnellere Fruchtbildung im Vergleich zu freistehenden Obstbäumen durch gezielte Wuchsführung und gleichmäßige Sonneneinstrahlung auf alle Pflanzenteile
- Kombination ästhetischer Vorteile mit dem Nutzen von erntefähigen Früchten
- vielfältige Sortenwahl
- keine Schädigung der Fassadenoberfläche bei richtiger Planung, Umsetzung und Instandhaltung
- je nach Bodenbeschaffenheit nach der Anwuchsphase keine künstliche Wasserversorgung erforderlich
- bienenfreundliche Lösung
- Blüh- und Farbaspekte und zudem unterschiedliches Erscheinungsbild über das gesamte Jahr

Hinweise für einen größtmöglichen Begrünungserfolg

Bei der Begrünung mit spalierfähigen Gehölzen ist eine stabile und langlebige Befestigung an einem Spalier oder an wärmebrückenreduzierten Halterungen erforderlich, um das Gewicht der Pflanzen zu tragen (inklusive Fruchtgewicht und Windlasten sowie Lasten aus Schnee und Eis). Ein ausreichender Abstand zwischen dem Gehölz und der Fassade gewährleistet eine gute Luftzirkulation und vermeidet Flecken durch verrottende Blätter und/oder Früchte sowie Feuchtigkeitsansammlungen, die zu Schimmelbildung führen können. Regelmäßige fachgerechte Rückschnitte sind für eine gute Fruchtbildung und die Erhaltung der Spalierform erforderlich. Dazu gehören der Formierungsschnitt in den ersten Jahren (Erziehungsschnitt), der Sommerschnitt, um z. B. bei Obstspaliergehölzen die Fruchtbildung zu fördern und die Nährstoffe in die Früchte zu lenken, der Winterschnitt in der Vegetationsruhe (Entfernen überflüssiger und zu langer Triebe, Zurückschneiden der Fruchttriebe auf ein bis zwei Augen), um Platz für neue Fruchtansätze im kommenden Jahr zu schaffen, und das Entfernen von Altholz, um das Wachstum neuer Fruchttriebe zu fördern und die Pflanze gesund zu halten.

5.3 Anwendungshilfe zur Begrünung mit Kletterpflanzen

Die folgenden Pflanzentafeln (siehe Abb. 5.32 bis 5.40 mit Erläuterung der Abkürzungen und Symbole in Abb. 5.31) ermöglichen eine mehrstufige Entscheidungsfindung zur Wahl einer geeigneten Kletterpflanze und ihrer entsprechenden Wuchshilfe.

Bei einer Entscheidung für Selbstklimmer sind Individualkriterien zu berücksichtigen, wie die Außenwandeignung und das Schadenspotenzial (lichtfliehende Triebe, Haftorgane), notwendige Wuchsbegrenzungen sowie Bedingungen im Fall eines Rückbaus der Begrünung.

Bei einer Entscheidung für Gerüstkletterpflanzen steht die Auswahl der Kletterhilfe im Vordergrund. Sie ist für das Gebäude gestaltungsrelevant, bestimmt über Form und Bereich der Begrünungsausbreitung (horizontale, vertikale oder gerasterte Ausbildung) und korreliert mit ihrem Aufbau (Stäbe, Rohre, Seile, Gitter, Netze) stark mit der Pflanzenauswahl im Hinblick auf die Übereinstimmung mit ihrer Kletterstrategie, das Pflanzeneigengewicht, die Schnee- bzw. Eislast und auch die Windlast sowie die Brandlast (Fassadenbegrünungsrichtlinien, 2018). Wuchshilfen müssen den Bedürfnissen der Pflanzen Rechnung tragen. So sollten Rasterabstände, Dimensionierung, Materialwahl und Vermeidung zu hoher Temperaturen durch eine helle Farbgebung, Anbringungstechniken (elastische Stabprofile, knicksichere Profile und hängende oder gespannte Seile) berücksichtigt werden (Fassadenbegrünungsrichtlinien, 2018). Bei für Starkschlinger unterdimensionierten Seilen und Stäben müssen die Triebe in der Aufwuchsphase regelmäßig abgewickelt und parallel zum aufgehenden Seil/Stab angeheftet werden (seilparallele Aufleitung).

Für eine saisonale Beschattung (z. B. vor Fenstern, Balkonen, Loggien, Luftkollektorfassaden und Fassaden mit transparenter Wärmedämmung) ist die Gruppe der laubabwerfenden Pflanzen (sommergrün) geeignet. Begrünungseinsätze in Synergie zu energieaktiven Außenwandfunktionen (Kühlung im Nahbereich von Photovoltaikanlagen, saisonale Beschattung) müssen interdisziplinär abgeklärt werden.

Hinweis

Die Giftigkeit der Pflanzen ist abhängig von der Verzehrmenge. Bei in den Abb. 5.31 bis 5.40 mit einem einzelnen, schwarzen Kreuz markierten Pflanzen sind tödliche Verzehrmengen unwahrscheinlich. Die mit roten Kreuzen gekennzeichneten Arten stellen eine ernstzunehmende Gefahr dar.

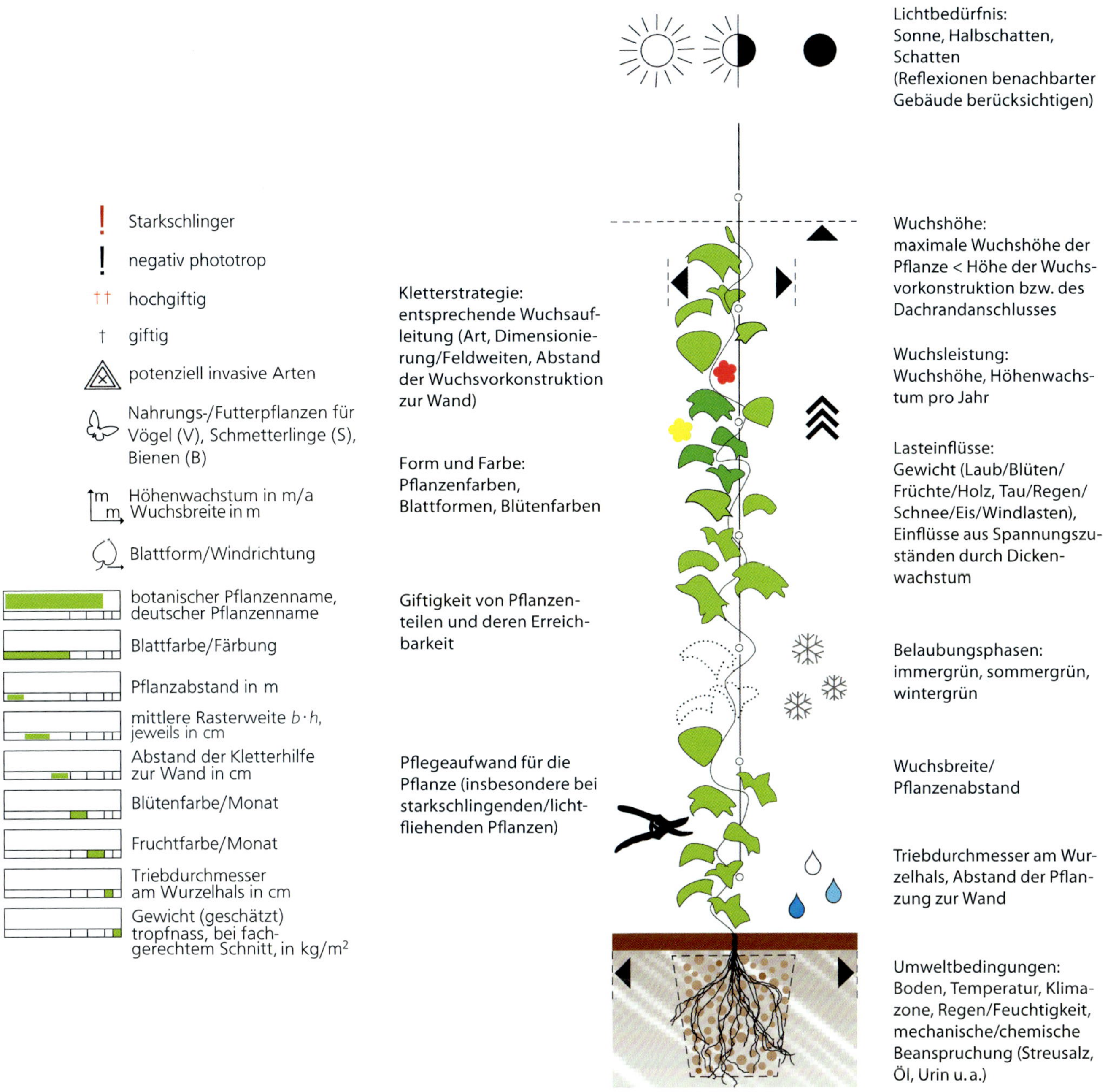

Abb. 5.31: Kriterien zur Pflanzenauswahl bodengebundener einjähriger und mehrjähriger Fassadenbegrünung (rechts) sowie Legende zu den Pflanzentafeln (links) in den Abb. 5.32 bis 5.40. Die in den Pflanztafeln verwendeten Abkürzungen hinter den botanischen und den deutschen Pflanzennamen entsprechen den in den FLL-Fassadenbegrünungsrichtlinien verwendeten: Blattranker/Blattstielranker (RB), Sprossranker (RS), Haftscheibenranker (RH), Spreizklimmer (K), Schlinger/Winder (S) und Wurzelkletterer (WK).

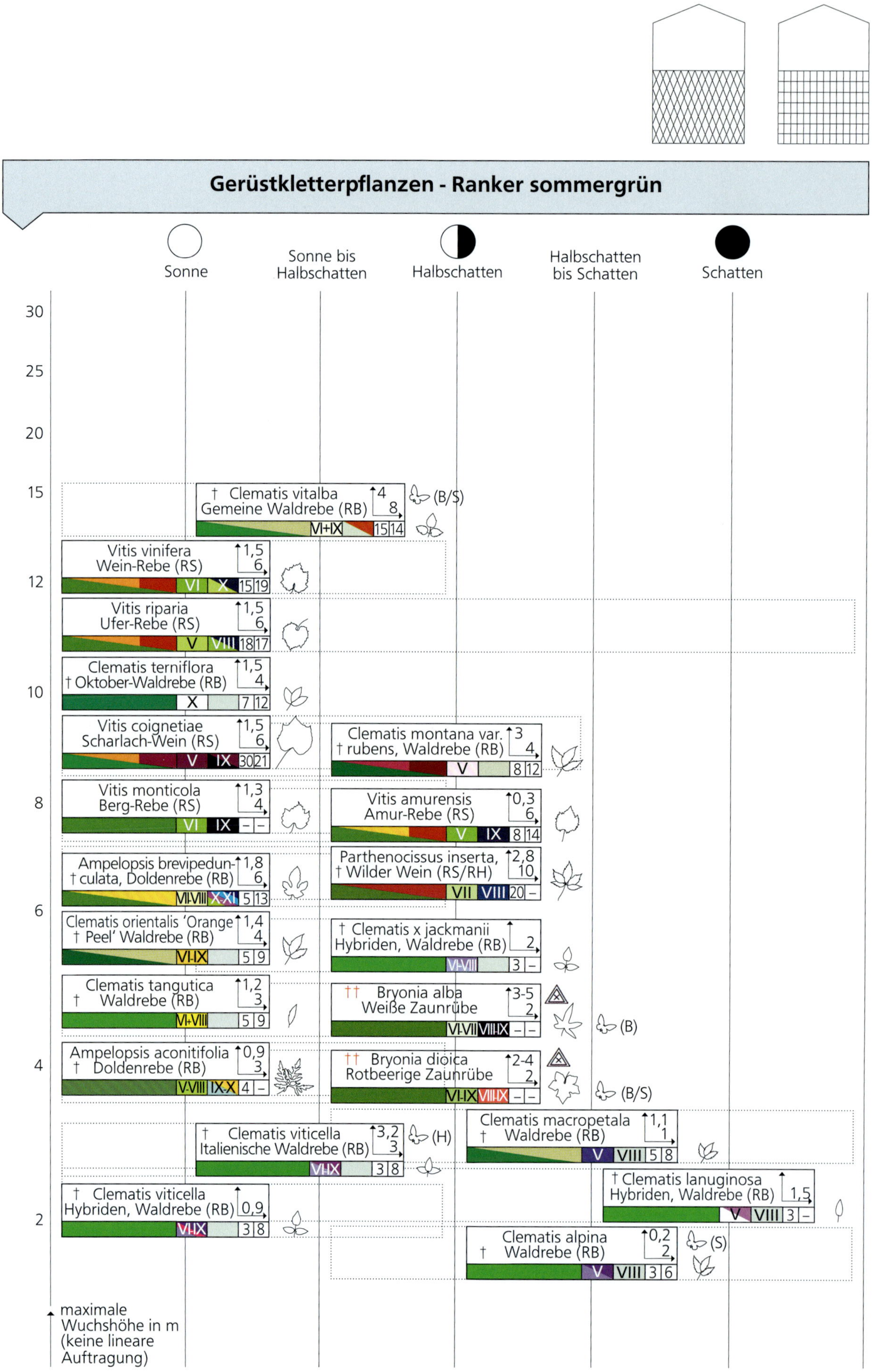

Abb. 5.32: System- und Pflanzenauswahl zur Begrünung mit Kletterpflanzen: Pflanztafel 1 (ohne Gewähr für Richtigkeit und Vollständigkeit) (Quellen der Daten: Althaus et al., 1991; Ludwig, 1994; Richtlinie für die Planung, Ausführung und Pflege von Fassadenbegrünungen mit Kletterpflanzen, 2000; Kiermeier, 2005; Haeupler/Muer, 2007; Global Nature Fund (GNF), 2017 [persönliche Mitteilung]; Fassadenbegrünungsrichtlinien, 2018; Van Groeningen, 2022; FloraWeb, 2024; Kletterpflanzen – Übersicht, 2024)

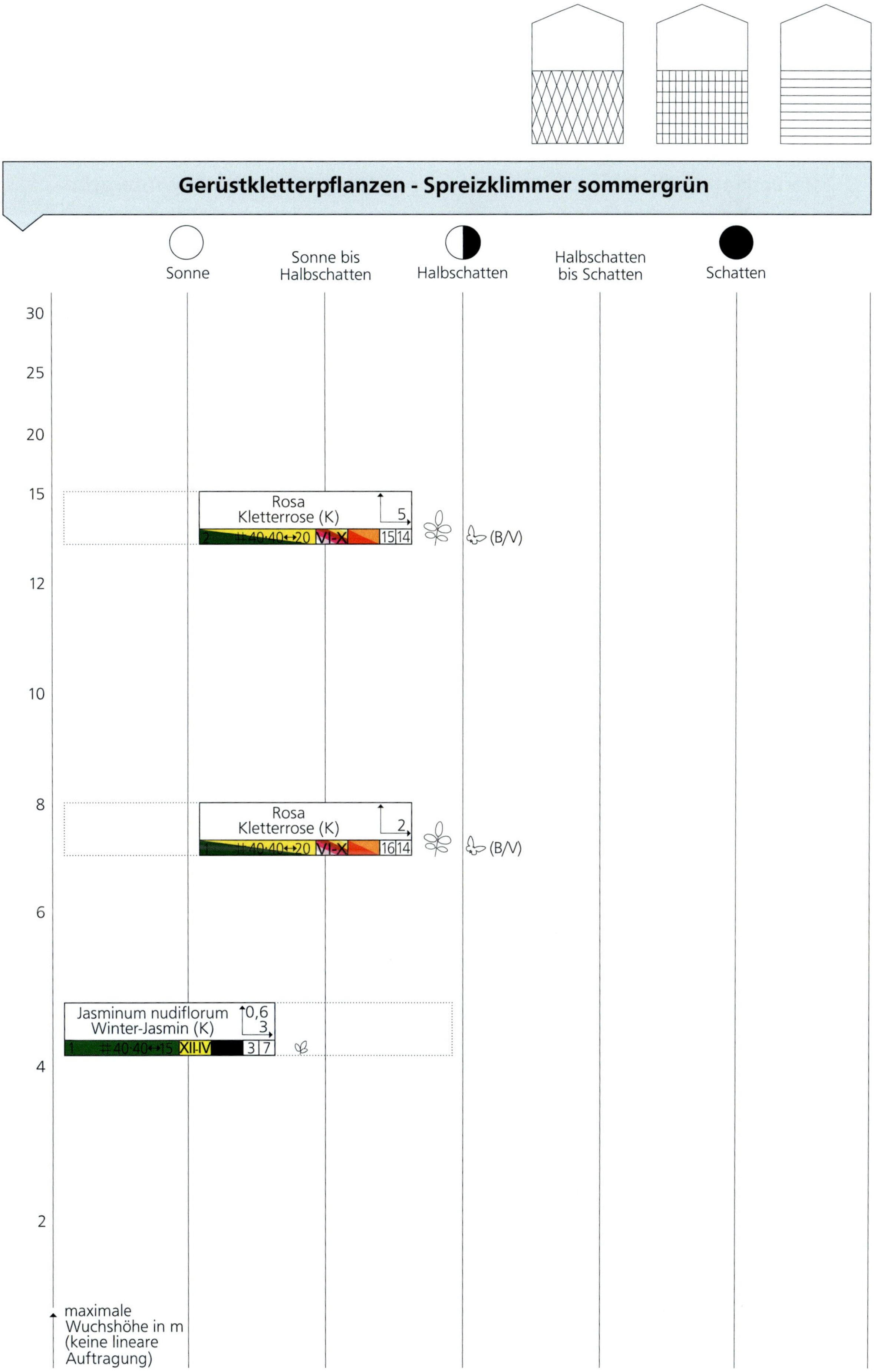

Abb. 5.33: System- und Pflanzenauswahl zur Begrünung mit Kletterpflanzen: Pflanztafel 2 (ohne Gewähr für Richtigkeit und Vollständigkeit) (Quellen der Daten: Althaus et al., 1991; Ludwig, 1994; Richtlinie für die Planung, Ausführung und Pflege von Fassadenbegrünungen mit Kletterpflanzen, 2000; Kiermeier, 2005; Haeupler/Muer, 2007; Global Nature Fund (GNF), 2017 [persönliche Mitteilung]; Fassadenbegrünungsrichtlinien, 2018; Van Groeningen, 2022; FloraWeb, 2024; Kletterpflanzen – Übersicht, 2024)

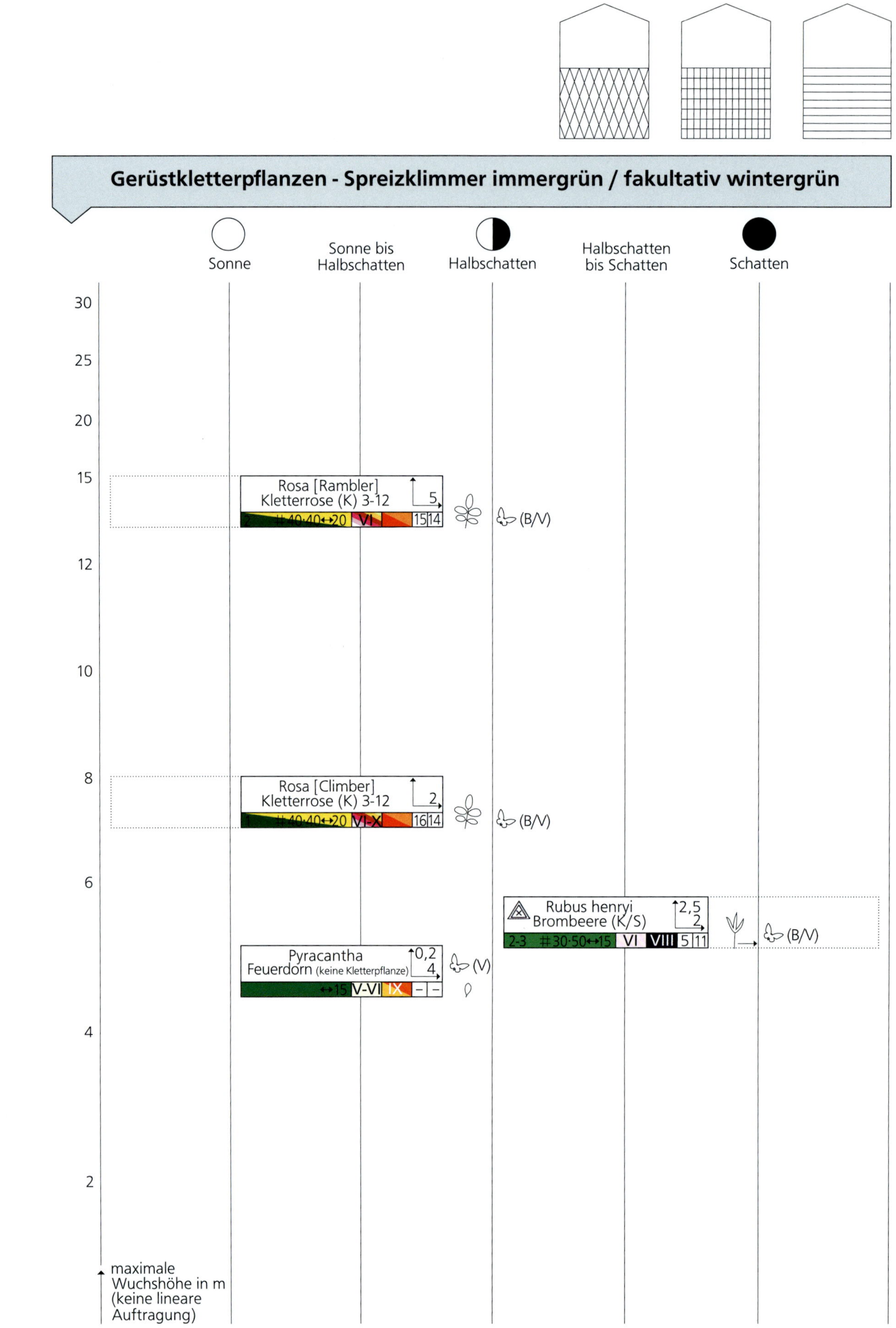

Abb. 5.34: System- und Pflanzenauswahl zur Begrünung mit Kletterpflanzen: Pflanztafel 3 (ohne Gewähr für Richtigkeit und Vollständigkeit) (Quellen der Daten: Althaus et al., 1991; Ludwig, 1994; Richtlinie für die Planung, Ausführung und Pflege von Fassadenbegrünungen mit Kletterpflanzen, 2000; Kiermeier, 2005; Haeupler/Muer, 2007; Global Nature Fund (GNF), 2017 [persönliche Mitteilung]; Fassadenbegrünungsrichtlinien, 2018; Van Groeningen, 2022; FloraWeb, 2024; Kletterpflanzen – Übersicht, 2024)

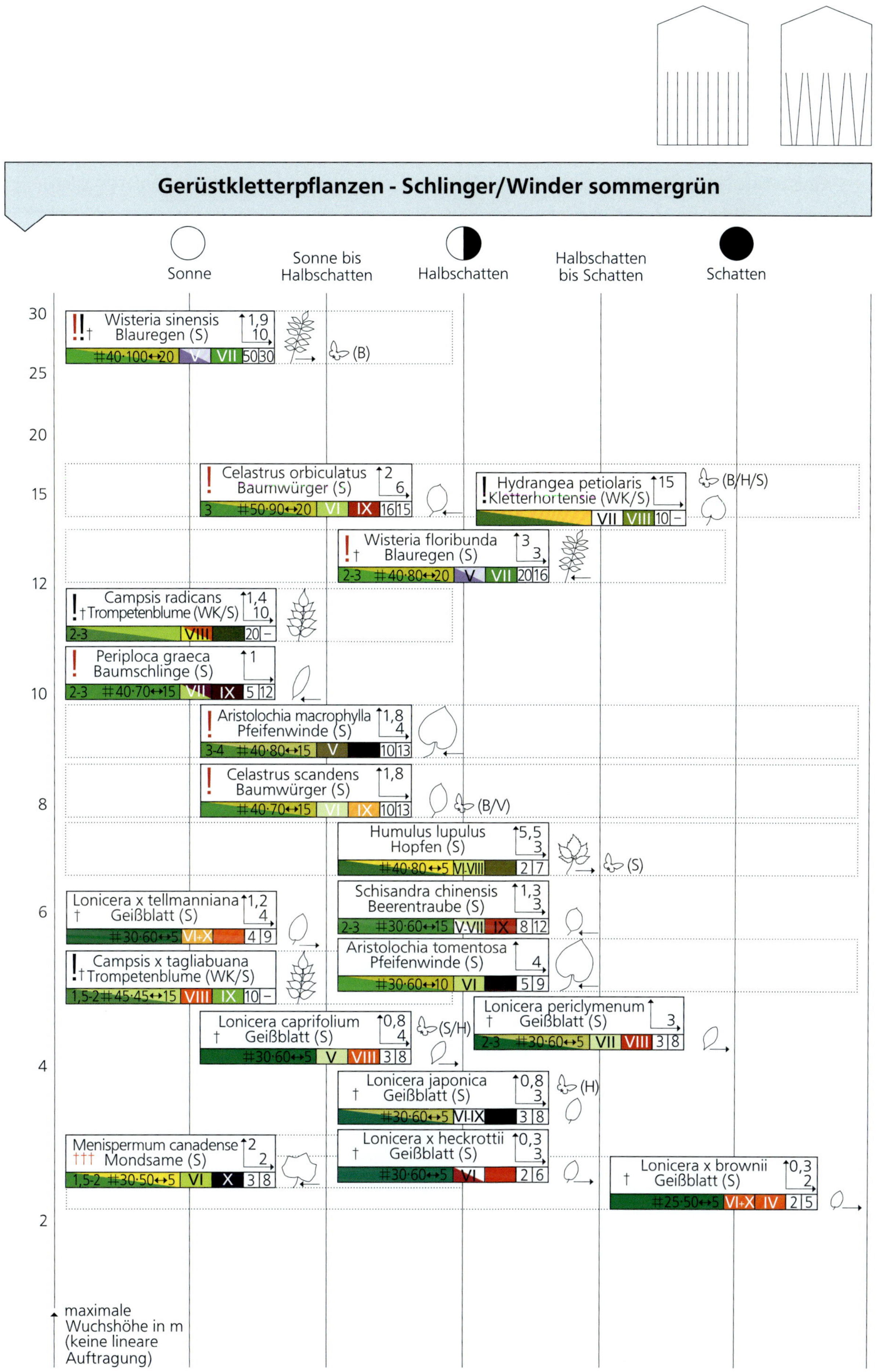

Abb. 5.35: System- und Pflanzenauswahl zur Begrünung mit Kletterpflanzen: Pflanztafel 4 (ohne Gewähr für Richtigkeit und Vollständigkeit) (Quellen der Daten: Althaus et al., 1991; Ludwig, 1994; Richtlinie für die Planung, Ausführung und Pflege von Fassadenbegrünungen mit Kletterpflanzen, 2000; Kiermeier, 2005; Haeupler/Muer, 2007; Global Nature Fund (GNF), 2017 [persönliche Mitteilung]; Fassadenbegrünungsrichtlinien, 2018; Van Groeningen, 2022; FloraWeb, 2024; Kletterpflanzen – Übersicht, 2024)

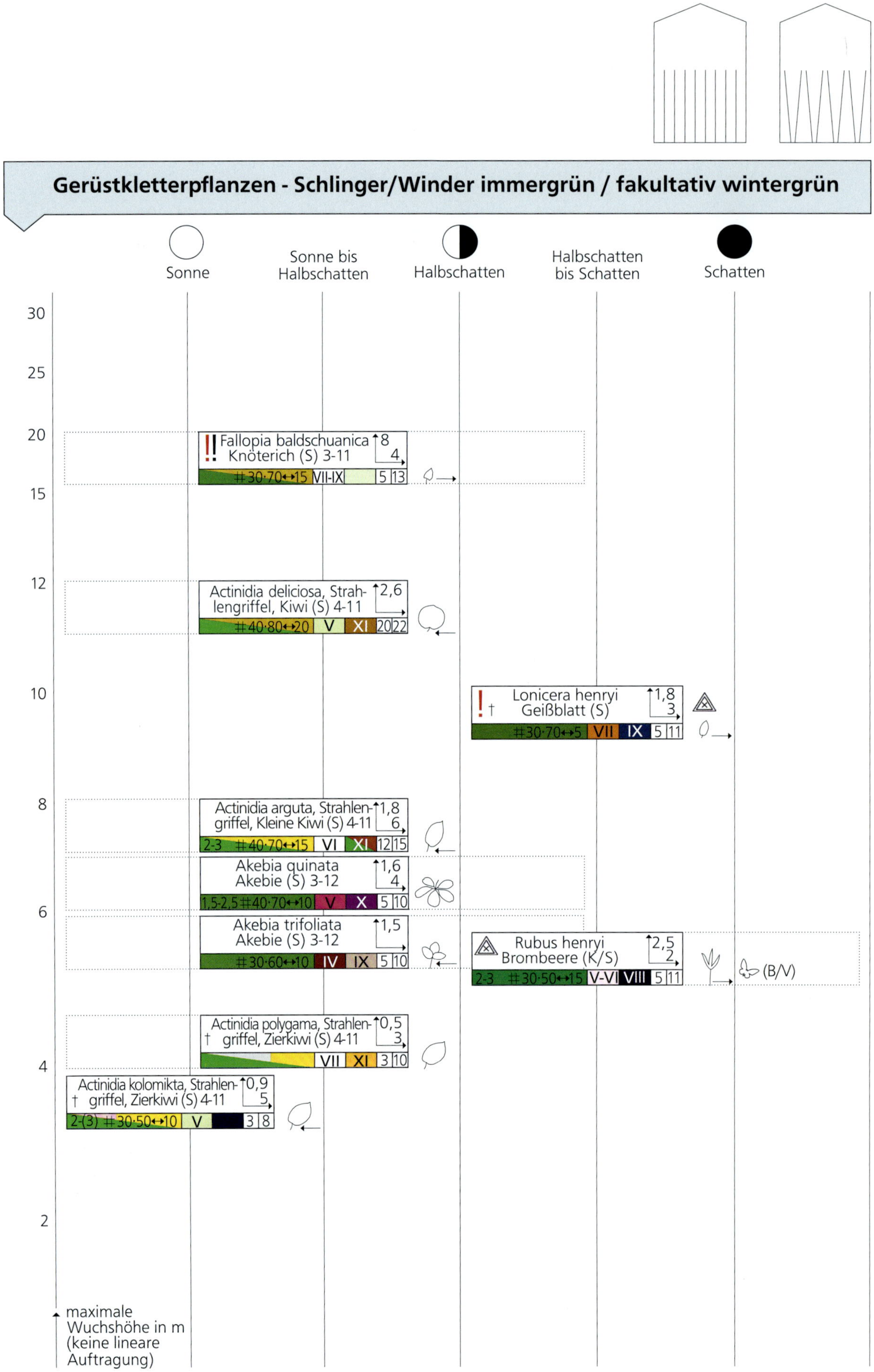

Abb. 5.36: System- und Pflanzenauswahl zur Begrünung mit Kletterpflanzen: Pflanztafel 5 (ohne Gewähr für Richtigkeit und Vollständigkeit) (Quellen der Daten: Althaus et al., 1991; Ludwig, 1994; Richtlinie für die Planung, Ausführung und Pflege von Fassadenbegrünungen mit Kletterpflanzen, 2000; Kiermeier, 2005; Haeupler/Muer, 2007; Global Nature Fund (GNF), 2017 [persönliche Mitteilung]; Fassadenbegrünungsrichtlinien, 2018; Van Groeningen, 2022; FloraWeb, 2024; Kletterpflanzen – Übersicht, 2024)

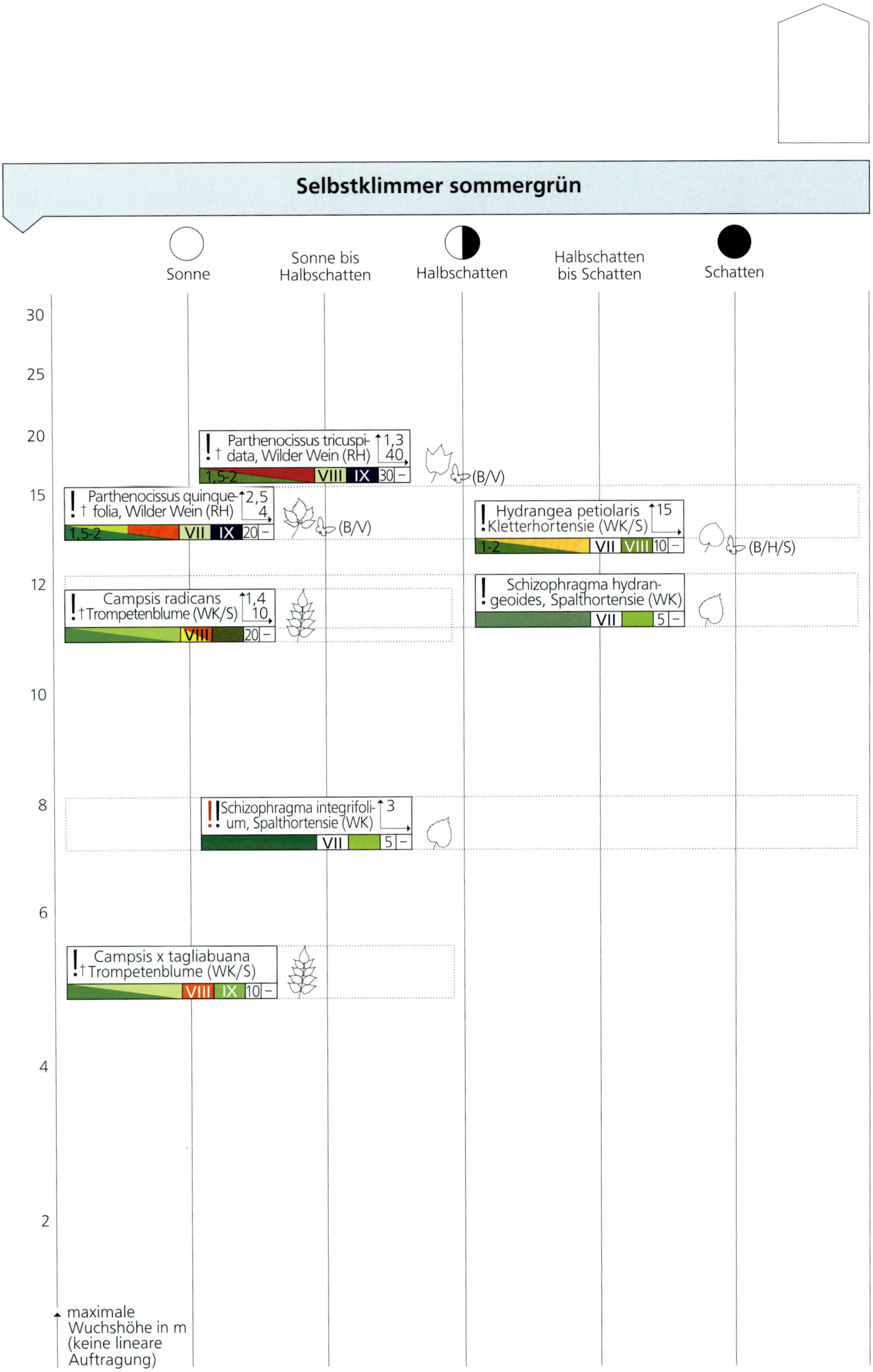

Abb. 5.37: System- und Pflanzenauswahl zur Begrünung mit Kletterpflanzen: Pflanztafel 6 (ohne Gewähr für Richtigkeit und Vollständigkeit) (Quellen der Daten: Althaus et al., 1991; Ludwig, 1994; Richtlinie für die Planung, Ausführung und Pflege von Fassadenbegrünungen mit Kletterpflanzen, 2000; Kiermeier, 2005; Haeupler/Muer, 2007; Global Nature Fund (GNF), 2017 [persönliche Mitteilung]; Fassadenbegrünungsrichtlinien, 2018; Van Groeningen, 2022; FloraWeb, 2024; Kletterpflanzen – Übersicht, 2024)

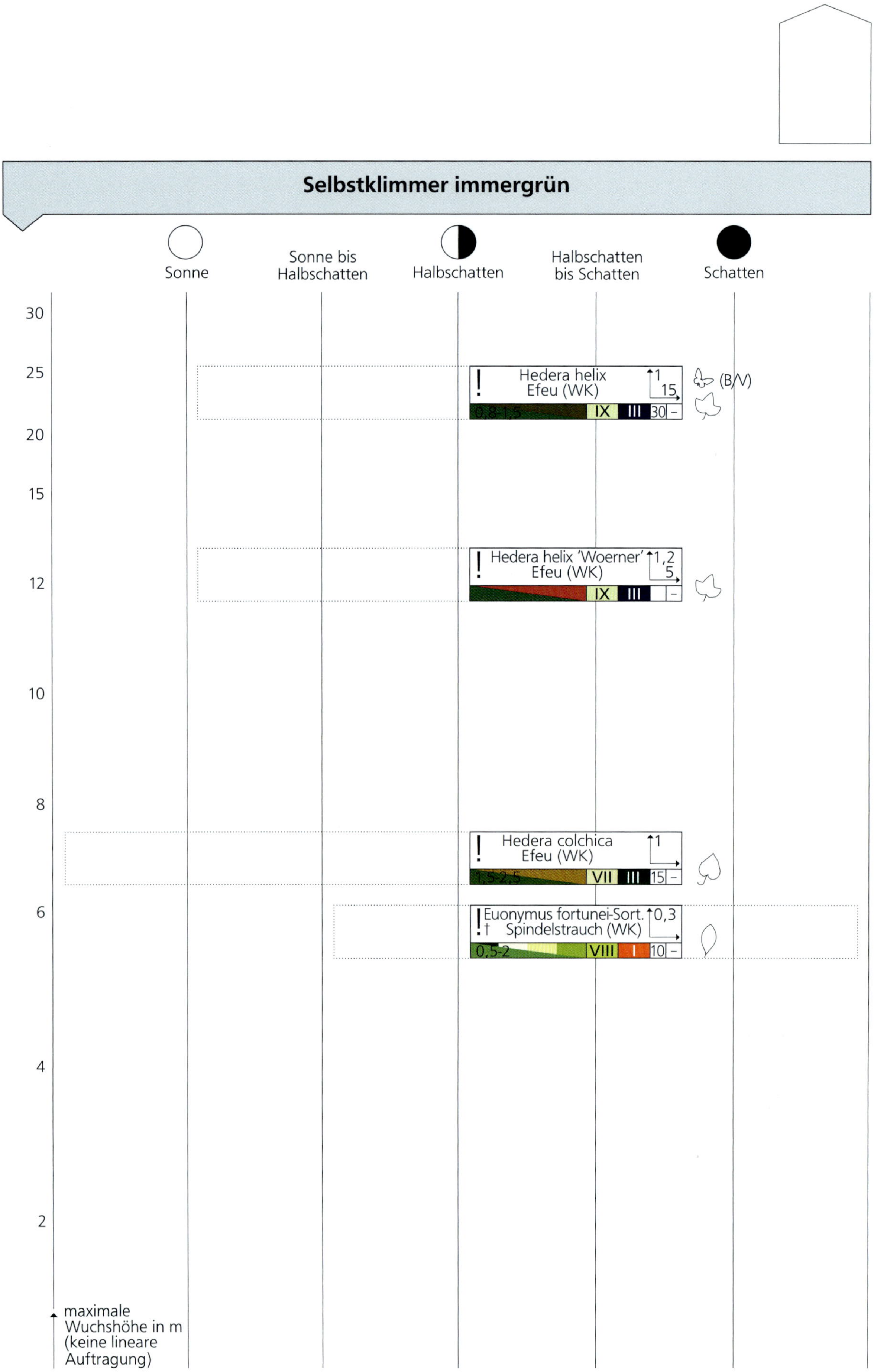

Abb. 5.38: System- und Pflanzenauswahl zur Begrünung mit Kletterpflanzen: Pflanztafel 7 (ohne Gewähr für Richtigkeit und Vollständigkeit) (Quellen der Daten: Althaus et al., 1991; Ludwig, 1994; Richtlinie für die Planung, Ausführung und Pflege von Fassadenbegrünungen mit Kletterpflanzen, 2000; Kiermeier, 2005; Haeupler/Muer, 2007; Global Nature Fund (GNF), 2017 [persönliche Mitteilung]; Fassadenbegrünungsrichtlinien, 2018; Van Groeningen, 2022; FloraWeb, 2024; Kletterpflanzen – Übersicht, 2024)

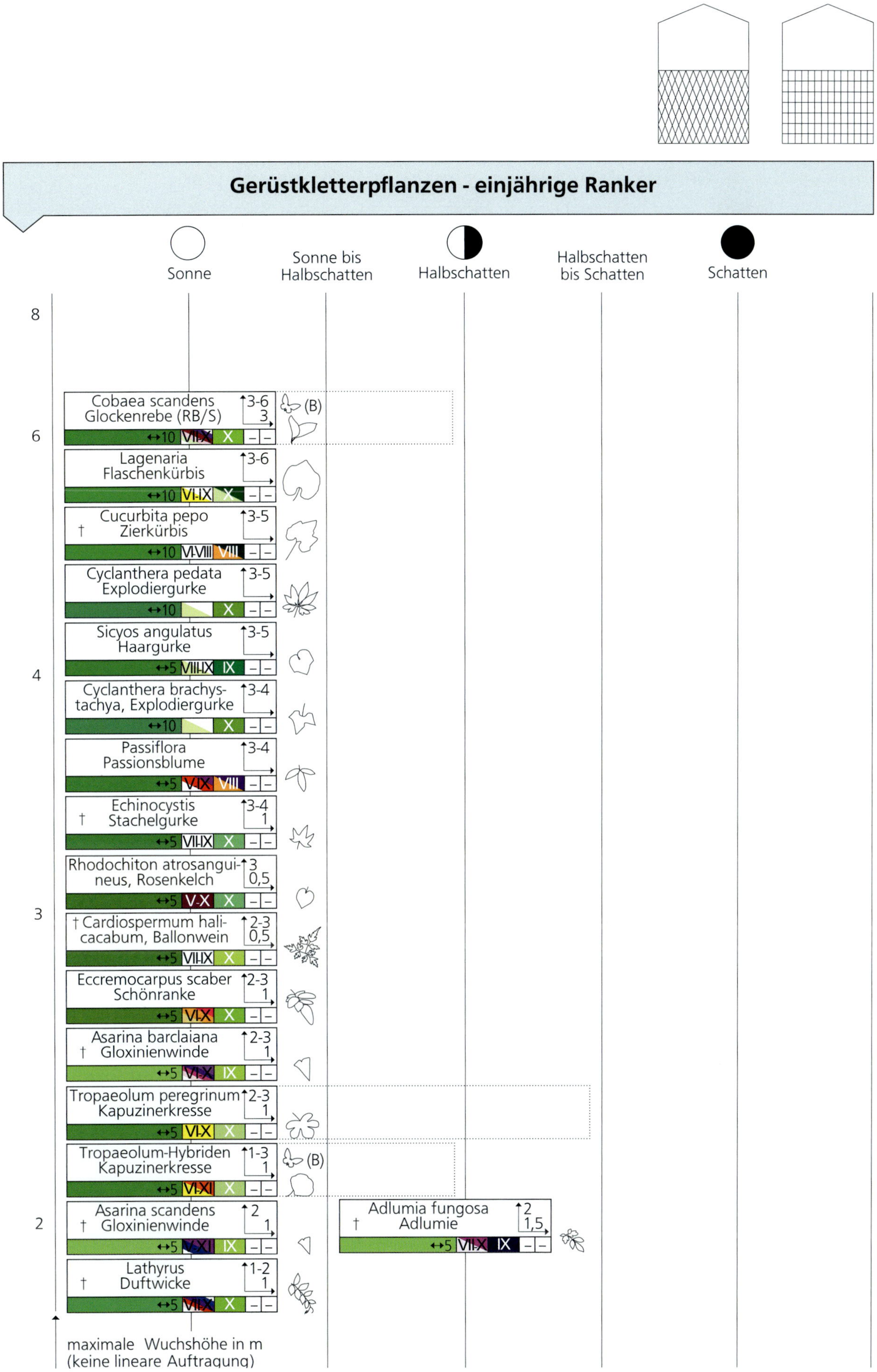

Abb. 5.39: System- System- und Pflanzenauswahl zur Begrünung mit Kletterpflanzen: Pflanztafel 8 (ohne Gewähr für Richtigkeit und Vollständigkeit) (Quellen der Daten: Althaus et al., 1991; Ludwig, 1994; Richtlinie für die Planung, Ausführung und Pflege von Fassadenbegrünungen mit Kletterpflanzen, 2000; Kiermeier, 2005; Haeupler/Muer, 2007; Global Nature Fund (GNF), 2017 [persönliche Mitteilung]; Fassadenbegrünungsrichtlinien, 2018; Van Groeningen, 2022; FloraWeb, 2024; Kletterpflanzen – Übersicht, 2024)

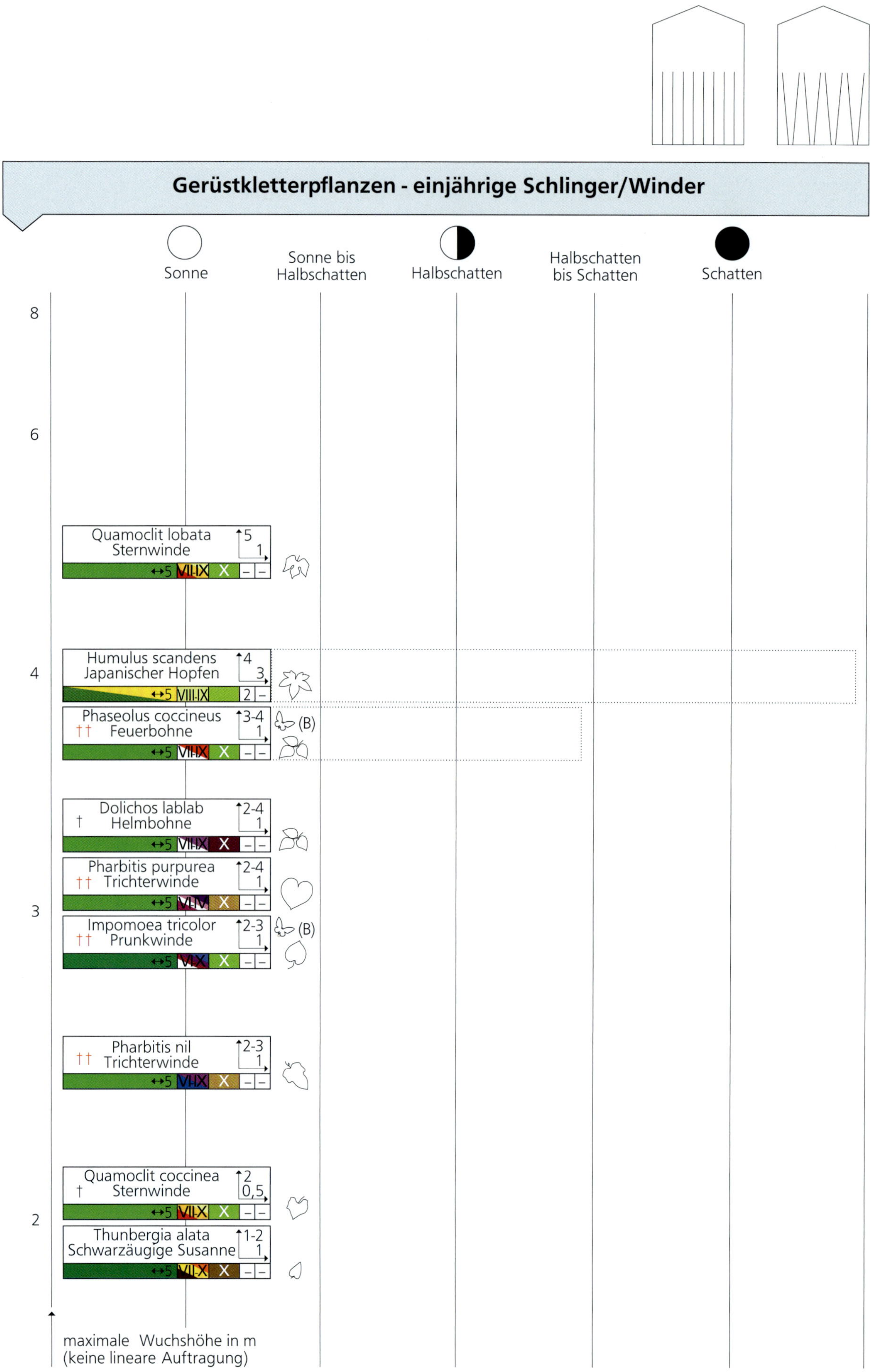

Abb. 5.40: System- und Pflanzenauswahl zur Begrünung mit Kletterpflanzen: Pflanztafel 9 (ohne Gewähr für Richtigkeit und Vollständigkeit) (Quellen der Daten: Althaus et al., 1991; Ludwig, 1994; Richtlinie für die Planung, Ausführung und Pflege von Fassadenbegrünungen mit Kletterpflanzen, 2000; Kiermeier, 2005; Haeupler/Muer, 2007; Global Nature Fund (GNF), 2017 [persönliche Mitteilung]; Fassadenbegrünungsrichtlinien, 2018; Van Groeningen, 2022; FloraWeb, 2024; Kletterpflanzen – Übersicht, 2024)

5.4 Wandgebundene Begrünungen

5.4.1 Horizontale Bauweise, Pflanzbehälter oder -regal

Gestalterische Kriterien

Begrünte Pflanzbehälter sind die technische und gestalterische Weiterentwicklung des klassischen Blumenkastens zu einer architekturbestimmenden Pflanzenintegration in die Fassade. Die steuerbare Wuchsdichte kann als Sonnenschutz, Ein- und Ausblickschutz oder als Gartenersatz (Terrassenumgrenzung mit Brüstungsfunktion, Vertical Farming) genutzt werden (siehe Abb. 5.41). Eine gleichzeitige Nutzung als saisonale Verschattung gelingt mit sommergrünen, laubabwerfenden Pflanzen. Bei einer Vorkultivierung der Pflanzen ist die sofortige Flächenwirkung mit Baufertigstellung möglich. Wesentlicher Teil der Gestaltung sind die Form- und Materialwahl der stark in Erscheinung tretenden Pflanzgefäße. Pflanzen sind in geeigneter Endgröße zu wählen. Andernfalls werden je nach Wuchshöhe, -breite und -geschwindigkeit Rückschnitte erforderlich.

Abb. 5.41: Fassadenbegrünung in Form von Gehölzen in Wuchsbehältern mit Brüstungsfunktion

Vegetationstechnische Kriterien

Die Pflanzenbandbreite reicht von Stauden, Gräsern, Farnen, Zwiebel- und Knollengewächsen über Kleingehölze bis hin zu Kletterpflanzen. Die Wuchsrichtung (steigend, kragend oder hängend) ist ebenso wie die Blattfärbung, die Blüh- und die Belaubungsphase in der Planung zu bedenken. Substrate für Kübelpflanzen kommen zum Einsatz. Bewässerungsanlagen (automatisch oder manuell gesteuert) benötigen eine Drainage, um der Substratübernässung bzw. dem Überlaufen der Pflanzgefäße vorzubeugen. Die Versorgungsdaten (Wassermenge, Nährstoffart und -menge, Lichtverhältnisse, Höhenlage usw.) haben Einfluss auf die Auswahl der Pflanzen und Pflanzengesellschaften. Die Pflanzbehälter begrenzen den Wurzelraum der Pflanzen. Daher ist die Pflanzenauswahl je nach Anforderungen an Winterhärte und Wurzelraum eingeschränkt. Die Mindestgröße von Pflanzgefäßen beträgt 60 × 60 cm ($h \times b$) im Querschnitt – je breiter, desto besser. Die Breite ist dabei von größerer Bedeutung als die Höhe. Eine Anstaubewässerung wird empfohlen. Andernfalls muss eine Überwässerung mit Ablauf erfolgen, ein Vielfaches an Wasser wird verbraucht und die Kanalisation wird belastet. Ist die Begrünung nicht gut erreichbar (z. B. über Wartungs-/Laubengänge, Loggien), wird die Pflege mithilfe eines Hubsteigers o. Ä. ausgeführt.

Bautechnische Kriterien

Die Einleitung des Gesamtgewichts erfolgt in die Primärkonstruktion oder wird über Loggien oder über eine Vorkonstruktion mit separaten Fundamenten abgetragen (siehe Abb. 5.42). Auf eine ausreichende Hinterlüftung der Begrünung und den Einsatz reflexionsarmer Gläser ist zu achten (Pflanzenwachstum, Vermeidung von Vogelschlag).

Abb. 5.42: Begrünung des Gästehauses Hunziker, Zürich: Abtragung des Gesamtgewichts der Begrünung über die Balkone

Wirtschaftliche Kriterien

Kosten resultieren aus der Pflanzenauswahl, den gestalterischen und konstruktiven Entscheidungen sowie der künstlichen Wasser- und Nährstoffversorgung. Zur Pflege/Wartung werden gegebenenfalls, je nach Konstruktion, mit zunehmender Wuchshöhe Hubsteiger o. Ä. erforderlich. Pflege und Wartung sollten je nach Pflanzenauswahl ein- bis zweimal jährlich erfolgen. Die Kosten steigen mit der Wüchsigkeit der Pflanzen. Eine Baugenehmigung ist erforderlich.

Systemspezifische Vorteile

- Variable Bepflanzung, bodenfrei, große Pflanzenauswahl
- keine Anforderungen an Boden-/Bodenwasseranschluss
- Vorkultivierung der Pflanzen möglich (gestalterische und ökologische Sofortwirkung)
- Flächenwirkung und Gestaltwechsel im Jahresverlauf über die Pflanzenauswahl steuerbar (Textur, Blattfärbung, Wuchsbild, Pflanzabstand, Dimension)
- Anpassungsfähigkeit an Maße der Fassadengeometrie
- Ein- und Ausblickschutz (abhängig von der Bauweise
- gegebenenfalls Substitution der Gebäudeaußenhaut, Brüstungsfunktion
- leichter Ersatz von Teilbereichen bei Pflanzenausfall (systemabhängig)
- durch Modularität Weiterbau oder Ergänzung nach Bedarf möglich
- Niederschlags- und UV-Schutz der Gebäudeaußenwand (abhängig von Pflanzendichte und -dimension)

Hinweise für einen größtmöglichen Begrünungserfolg

Die Lastaufnahme der tragenden Wand ist sicherzustellen, Befestigungen erfolgen wärmebrückenreduziert. Tragprofile müssen korrosions- und witterungsbeständig sein, Pflanzgefäße (Einzel- oder Linearbehälter) und Wasserleitprofile korrosions-, witterungs-, UV- sowie chemiebeständig und wasserdicht. Thermische Längenausdehnungen sind zu berücksichtigen. Weitere Anforderungen an die Pflanzmodule sind eine ausreichende Verformungsstabilität, Schadstofffreiheit und Recycelbarkeit. Vegetationstragschichten müssen bei ausreichender Wasser- und Lufthaltefähigkeit verrottungsstabil und wasserdurchlässig sein. Es gilt die Gütesicherung Substrate für Pflanzen RAL-GZ 250 (RAL-GZ 2520, 2018). Eine gute Durchwurzelbarkeit und Strukturstabilität sowie Schadstofffreiheit müssen gegeben sein. Der Substrat-pH-Wert ist auf die Pflanzen abzustimmen bzw. die Pflanzen auf den Substrat-pH-Wert. Der durchwurzelbare Raum muss ausreichend groß dimensioniert sein (mindestens 60 × 60 cm), um ein optimales Pflanzenwachstum sicherzustellen und Langlebigkeit zu gewährleisten (RAL-GZ 580, 2021). Best-Practice-Projekte, wie der MFO-Park in Zürich und das Institut für Physik der Humboldt-Universität Berlin-Adlershof, sind bald 25 Jahre alt, ohne dass Pflanzfgefäße aufgrund einer Durchwurzelung hätten ausgetauscht werden müssen (siehe Abb. 5.43).

Stand- und Windsogsicherheit sind nachzuweisen. Eine Anstaubewässerung ist im Sinne eines verantwortlichen Umgangs mit der Ressource Wasser sinnvoll. Die Pflanzen sind somit ausreichend versorgt, ohne eine andernfalls notwendige dreifache Überwässerung (mit Trinkwasser, das durchläuft und in die Kanalisation abgeleitet wird). Wurzelstaunässe ist durch Drainagen zu vermeiden. Die Be- und Entwässerung müssen der E DIN EN 1717 sowie der E DIN 1988-100 (Sicherung des Trinkwassers) gerecht werden. Das Bewässerungssystem ist automatisiert, frostgeschützt und mit einer Vorfilterung, Steuerungseinheiten (VDE-geprüft), Düngevorrichtung und Druckminderung auszustatten. Eine automatische Abschaltung ist für den Havariefall erforderlich. Notüberläufe und eine Winterautomatik samt Leitungsentleerung sind zu berücksichtigen. Tropfrohre sind horizontal zu verlegen und druckkompensiert mit Einwurzelungsschutz und einer Spülvorrichtung auszuführen. Die Austauschbarkeit der Bewässerungsleitungen/-tropfrohre usw. muss gewährleistet sein. Die Querschnitte müssen ausreichend dimensioniert sein. Eine Dämmung der Pflanzbehälter ist von Vorteil (Überhitzung). Pflanzabstände, Standortbedingungen und die Versorgung müssen den Lebensbereichkriterien der Pflanzen entsprechen, Pflanzengesellschaften müssen aufeinander abgestimmt sein. Regelmäßige Pflege und Wartung müssen sichergestellt werden.

Abb. 5.43: MFO-Park, Zürich, (links) und Physikinstitut Humboldt-Universität, Berlin-Adlershof (rechts)

5.4.2 Modulare Bauweise

Gestalterische Kriterien

Das Kennzeichen modularer Begrünungen ist die Gliederung der Sichtebene in ein Flächenraster. Neben dem Vorteil der Sofortwirkung (mögliche Vorkultivierung) und leichter Änderbarkeit können Oberflächentextur, Aufbaustärke, Farbgebung und Blühphase frei gestaltet werden.

Vegetationstechnische Kriterien

Für wandgebundene modulare Bauweisen steht eine umfängliche Pflanzenvielfalt zur Verfügung, wie Stauden (u. a. auch Gräser und Farne), Kleingehölze, Moose und Kletterpflanzen. Bezüglich Bauweise, Substrattechnik und zuverlässiger Wasser- und Nährstoffversorgung soll kein Kompromiss gemacht werden – Hochwertigkeit zahlt sich aus. Versorgungsdaten (Substratdicke, Wasserspeicherfähigkeit, Nährstoffart und -menge, Lichtverhältnisse, Höhenlage

Abb. 5.44: Vorkultivierte Module zur wandgebundenen Begrünung auf der Baustelle (vor Installation)

Abb. 5.45: Mannheim Q7: modulare wandgebundene Begrünung während der Installation

usw.) haben Einfluss auf die Auswahl der Pflanzen und Pflanzengesellschaften. Das senkrecht gehaltene Substratvolumen besteht in der Regel aus strukturstabilen, feuchtespeichernden Materialien mit ausreichender Luftkapazität (siehe Abb. 5.44). Die Substratdicke bestimmt das Wurzelvolumen sowie Wasseraufnahme, Pflanzenentwicklung und Resilienz. Be- und Entwässerungsleitungen sowie eventuell elektrische Leitungen für Temperatur- und Feuchtefühler sind erforderlich. Rinnensysteme zur Aufnahme von Schüttstoffsubstrat können ohne Begrünung ein fertiges Fassadenbild liefern. Deshalb kann bei dieser Bauweise mit sommergrüner Bepflanzung möglicherweise eine Winterbewässerung eingespart werden.

Abb. 5.46: Modulare Begrünung in Form vorgehängter hinterlüftetetn Bleche mit Pflanzrinnen

Bautechnische Kriterien

Durch handliche Montagevorgänge, leichten Geräteeinsatz und Vorkultivierung werden die Ergebnisse (besonders in Innenstädten) mit relativ kleiner und schneller Baustelleneinrichtung ermöglicht (siehe Abb. 5.45). Module sind vertikale, quadratische/rechteckige Substratkästen mit Bautiefen von ca. 8 bis 25 cm. Sie werden aus korrosionsfreien Metallen angeboten. Die Module werden auf die abgestimmte Unterkonstruktion montiert und durch ein Rohrsystem mit Wasser und Nährstoffen versorgt. Die Modulgröße wird bei händischer Montage durch das Eigengewicht begrenzt.

Größere Module erfordern ein geeignetes Hebegerät. Gegen Durchfeuchtung der Primärkonstruktion ist eine Abdichtungsebene oder eine ausreichende Hinterlüftung erforderlich (siehe Abb. 5.46). Der bauseitige Untergrund muss die Montagebedingungen der Begrünungskonstruktion aufnehmen können. Die Einleitung des Gesamtgewichts erfolgt in der Regel in die Primärkonstruktion (Prinzip vorgehängte hinterlüftete Fassade, wärmebrückenreduzierte Halterungen). Wuchsbegrenzungen an Leibungen von Fenstern und Türen (Brandschutz) und zu anderen sensiblen Bereichen in Form von Metallrandwinkeln sind erforderlich.

Wirtschaftliche Kriterien

Eine versorgungstechnische Anlage (Stromversorgung, Wasseranschluss, Steuerung und Dosierung der Wasser-/Nährstoffverteilung, gegebenenfalls Regenwasserbevorratung) wird benötigt (Betrieb, zwei- bis viermal pro Jahr Pflege sowie Wartung). Bei größeren Anlagen ist ein Hubsteiger erforderlich.

Systemspezifische Vorteile

- Bodenfreie, variable Bepflanzung
- umfangreiche Pflanzenauswahl
- Anpassungsfähigkeit an Maßvorgaben der Fassadengeometrie
- gute Hinterlüftung des Fassadenzwischenraums
- Transport, Zwischenlager und Montage ohne großen Platzbedarf
- Witterungs- und UV-Schutz der Gebäudeaußenwand
- gestalterische, klimatische und stadtökologische Sofortwirkung nach Vorkultivierung der Module
- Gestaltwechsel möglich
- Substitution der Gebäudesichtverkleidung möglich
- hohe Kühlwirkung durch künstliche Bewässerung (Verdunstung)
- abhängig von der Bauweise Erhöhung der Dämmwirkung
- Montagegeschwindigkeit wie bei einer Wandbekleidung
- Untergrund je nach Bauweise revisionierbar

Hinweise für einen größtmöglichen Begrünungserfolg

Die Tragfähigkeit der Wand muss gewährleistet sein, Brandschutzrichtlinien sind einzuhalten. Wärmebrückenreduzierte Halterungen sind erforderlich. Tragprofile müssen korrosions- und witterungsbeständig sein, während Pflanzmodule sowie Wasserleitprofile korrosions-, witterungs-, UV- sowie chemikalienbeständig und wasserdicht sein müssen. Zudem sollten sie gegen Herausheben (z. B. durch Vandalismus) gesichert sein, zugleich aber auch leicht austauschbar. Die Konstruktion sollte eine effektive Wärmedämmung des bestehenden Gebäudes ermöglichen und thermische Längenausdehnungen berücksichtigen. Zusätzlich müssen die Pflanzmodule eine ausreichende Verformungsstabilität, Schadstofffreiheit und Recycelbarkeit aufweisen. Der durchwurzelbare Raum sollte ausreichend dimensioniert sein, um optimales Pflanzenwachstum und Langlebigkeit zu fördern. Das verwendete Substrat bzw. der Substratersatz muss die erforderlichen Lastannahmen erfüllen und auf eine optimale Wasserdurchlässigkeit bei ausreichender Wasser- und Luftspeicherfähigkeit abgestimmt sein. Es darf kein Substrat austreten oder herabfallen. Zudem müssen gute Durchwurzelbarkeit, Strukturstabilität und Schadstofffreiheit gegeben sein. Der pH-Wert des Substrats sollte den Bedürfnissen der Pflanzen entsprechen, bzw. die Pflanzen sollten nach dem pH-Wert des Substrats ausgewählt werden.

Die Be- und Entwässerung muss den Normen E DIN EN 1717 sowie E DIN 1988-100 entsprechen. Die Wasseraufbereitung sollte gemäß der örtlichen Wasserqualität erfolgen, Rohre sowie Fittings müssen DVWG-geprüft sein. Das Bewässerungssystem muss automatisiert sein und eine Vorfilterung, Steuerungseinheiten (VDE-geprüft), eine Düngevorrichtung sowie eine Druckminderung beinhalten. Winterautomatik und Leitungsentleerung sind ebenfalls zu berücksichtigen, und gegebenenfalls sollte eine UV-Anlage mit Vorfilterung installiert werden. Für den Fall einer Havarie sind eine automatische Abschaltung und Notüberläufe vorzusehen. Tropfrohre müssen horizontal verlegt, druckkompensiert und mit Wurzelschutz sowie einer Spülvorrichtung ausgestattet sein. Die Austauschbarkeit der Bewässerungsleitungen und Tropfrohre muss sichergestellt sein, die Querschnitte sollten ausreichend dimensioniert sein. Die Pflanzabstände, die Standortbedingungen und die Versorgung müssen den Lebensraumanforderungen der Pflanzen entsprechen, und die Pflanzengesellschaften sollten aufeinander abgestimmt sein. Es dürfen ausschließlich Pflanzen verwendet werden, die in vertikalen Anwendungen getestet wurden. Sie müssen gesund, gut entwickelt und frei von Schädlingen sein. Regelmäßige Pflege und Wartung sind zu gewährleisten (RAL-GZ 580, 2021). Viele kleinere Einzelflächen sind eventuell gestalterisch ansprechend, minimieren jedoch die Robustheit der Begrünungen sowie die ökologischen Leistungen und benötigen zudem oft mehrere Kilometer an Leitungslängen (siehe Abb. 5.47).

Abb. 5.47: Modulare Begrünung mit erheblichem Leitungsaufwand zur Versorgung vieler kleinerer Einzelflächen

5.4.3 Flächige Bauweise

Gestalterische Kriterien

Wandgebundene flächige Begrünungen bieten Lösungen für eine teil- oder ganzflächig homogene Fassadenbegrünung, wo ein Boden- bzw. Bodenwasseranschluss nicht verfügbar ist (siehe Abb. 5.48 und 5.49). Die Bepflanzung erfolgt in der Regel nach dem Entwurf eines Pflanzplans. Der Aufbau ist schnell realisierbar (bester Wert für begrünte Fläche pro Zeit aller Begrünungslösungen). Das fertige Begrünungsbild ist in der Regel binnen zwei bis drei Monaten gegeben. Da bei flächigen Bauweisen die Bepflanzung meist vor Ort erfolgt (im gleichen Substrat vorkultivierte Planzen mit Pflanzung in Einschlitzungen des Geotextils), benötigt sie etwas Zeit, um sich zu etablieren und einen Flächenschluss zu erreichen und damit das angestrebte Begrünungsbild.

Abb. 5.48: Musée du Quai Branly, Paris: flächige wandgebundene Begrünung

Abb. 5.49: Glogauer Straße, Berlin: flächige wandgebundene Begrünung

Vegetationstechnische Kriterien

Die Pflanzenauswahl erfolgt nach den Kriterien Geselligkeit, Ausmaß der Wuchsdynamik, Färbungen und Licht-, Wasser- bzw. Nährstoffbedarf. Es steht eine umfängliche Pflanzenvielfalt zur Verfügung, wie Stauden (u. a. auch Gräser und Farne), Kleingehölze, Moose und Kletterpflanzen. Die Pflanzen werden einzeln mit ihren Wurzeln in Einschlitzungen des Geotextils eingesetzt und überwachsen es vollständig.

Eine dauerhafte technische Versorgung mit Wasser und Nährstoffen ist unumgänglich. Auf ökologischen Einsatz und Wirtschaftlichkeit der Anlage ist zu achten. Wirtschaftlich sind größere zusammenhängende Begrünungen. Die Aufteilung einer Fassadenbegrünung in mehrere kleinere Einzelflächen führt zu Mehrkosten durch einen erhöhten Leitungsaufwand für die Versorgung mit Wasser und Nährstoffen.

Die Bewässerung, die Nährstoffart und -menge, die Lichtverhältnisse, die Exposition usw. haben Einfluss auf die Auswahl der Pflanzengesellschaften. Während die Hauptverteilung der Wasser- und Nährstoffversorgung in der tragenden Sekundärkonstruktion liegt, sind die dünneren Tropfschläuche in der Regel direkt hinter dem Vlies verlegt. Be- und Entwässerungsleitungen sowie gegebenenfalls elektrische Leitungen für Temperatur- und Feuchtefühler sind erforderlich. Je weniger Substrat verwendet wird, desto kürzer sind die Intervalle der Wasser- und Nährstoffversorgung. Bei größeren Anlagen ist der Einsatz von Hubsteigern o. Ä. erforderlich. Eine geeignete Aufstellfläche ist vorzusehen.

Bautechnische Kriterien

Die Montage erfolgt an einer systemeigenen, hinterlüfteten, ganzflächigen, verrottungsfreien Trägerplatte bzw. Unterkonstruktion. Horizontal- und Vertikalkräfte werden über die Hinterlüftungsfuge hinweg in die tragende Außenwand eingeleitet (Eigengewicht feucht, Pflanzen- und Niederschlagsgewicht, Windkräfte). Die Lastabtragung erfolgt in die Gebäudewand/Primärkonstruktion. Der bauseitige Untergrund muss die Montagebedingungen der Begrünungskonstruktion aufnehmen können (Prinzip vorgehängte hinterlüftete Fassade, wärmebrückenreduzierte Halterungen; siehe Abb. 5.50 und 5.51). Der Zwischenraum muss gut hinterlüftet sein.

Be- und Entwässerungsleitungen sowie eventuell elektrische Leitungen für Temperatur- und Feuchtefühler sind erforderlich. Flächenausschnitte können wie bei Modulbauweisen auf die Fenster bzw. die Verglasung der Gebäudeaußenwand reagieren.

Dem Brandschutz ist Rechnung zu tragen (z. B. durch Mindestabstand zum Dachrand, Brandriegel zwischen den Geschossen, Metallrandwinkel an Fenstern und Türen).

Abb. 5.50: Best Practice: weit auskragende, stabile Halterungen zur Aufleitung der Begrünung, um eine ausreichende Hinterlüftung zwischen der Begrünung und der gedämmten Fassade zu gewährleisten

Abb. 5.51: Kö-Bogen 2, Düsseldorf: Begrünung mit 8 km Hainbuchenhecken

Abb. 5.52: Kö-Bogen 2, Düsseldorf: Steuerungszentrale für die Begrünungen

Wirtschaftliche Kriterien

Eine versorgungstechnische Anlage (Stromversorgung, Wasseranschluss, Steuerung und Dosierung der Wasser-/ Nährstoffverteilung, möglicherweise Regenwasserbevorratung) ist das Herz der Anlage. Zur Instandhaltung sind regelmäßige Wartungs-/Pflegeintervalle vorzusehen (bei guter Planung der Begrünung und Technik etwa zwei- bis viermal pro Jahr).

Systemtypische Vorteile

- Freihaltung der Bodenfläche (z. B. Schaufenster, Garagenzufahrten, Gebäudeeingänge)
- kurzfristige Flächenwirkung (zwei bis drei Monate) sowie gestalterische, klimatische und stadtökologische Wirkung
- leichte Bauweise, bester Wert für begrünte Fläche pro Zeit
- zusätzliche Kühlwirkung durch künstliche Bewässerung, erhöhte (temperaturabhängige) Verdunstungsleistung
- Erhöhung der Dämm-/Pufferwirkung (abhängig von der Bauweise)
- ganzjähriger Witterungs- und UV-Schutz der Gebäudeaußenwand
- spätere Erweiterung nach Bedarf möglich
- Substitution der Gebäudesichtverkleidung

Hinweis

Die Planung, Ausführung und dauerhafte Pflege wandgebundener Begrünungen müssen nach anerkannten Regeln der Technik erfolgen und sind von Fachfirmen der Gebäudebegrünung auszuführen, um ein fehlerfreies und dauerhaftes Ergebnis sicherzustellen.

Hinweise für einen größtmöglichen Begrünungserfolg

Die Konstruktion sollte eine Wärmedämmung des Bestandsbaus ermöglichen und thermische Längenausdehnungen berücksichtigen.

Die Tragfähigkeit der Wand muss sichergestellt werden, während die Brandschutzrichtlinien eingehalten werden. Befestigungen müssen wärmebrückenreduziert sein.

Tragprofile müssen zwängungsfrei sowie korrosions- und witterungsbeständig sein. Verbindungs- und Befestigungselemente müssen ebenfalls korrosions- und witterungsbeständig sein. Trägerplatten müssen wasser- und chemiebeständig sein und dauerhaft elastisch und wasserdicht auf Fuge gesetzt werden. Wasserleitprofile sind korrosionssicher und wasserdicht auszuführen. Weitere Anforderungen an die Fläche und Vlieslagen sind eine ausreichende Verrottungsstabilität, Tragfähigkeit und Wasserdurchlässigkeit. Herstellerprüfzeugnisse müssen vorliegen.

Das Substrat oder der Substratersatz muss die erforderlichen Lastannahmen erfüllen und eine optimale Wasserdurchlässigkeit sowie ausreichende Wasser- und Lufthaltefähigkeit aufweisen. Organische Bestandteile sollten minimiert werden, und es darf kein übermäßiges Substrat austreten oder herabfallen. Eine gute Durchwurzelbarkeit, Strukturstabilität und Schadstofffreiheit sind ebenfalls erforderlich.

Der pH-Wert des Substrats sollte auf die Pflanzen abgestimmt sein, oder die Pflanzen sollten an den pH-Wert des Substrats angepasst werden. Be- und Entwässerung müssen der E DIN EN 1717 sowie E DIN 1988-100 entsprechen.

Die Wasseraufbereitung sollte entsprechend der örtlichen Wasserqualität erfolgen, Rohre sowie Fittings müssen DVWG-geprüft sein (siehe Abb. 5.52). Das automatisierte Bewässerungssystem sollte mit einer Vorfilterung, Steuerungseinheiten (VDE-geprüft), einer Düngevorrichtung und einer Druckminderung ausgestattet sein. Eine Winterautomatik mit Leitungsentleerung ist ebenfalls vorzusehen. Gegebenenfalls sollte eine UV-Anlage mit Vorfilterung installiert werden. Für den Fall einer Störung muss eine

Abb. 5.53: Für die Vertikale geeignete Pflanzen einer wandgebundenen Begrünung

automatische Abschaltung vorgesehen sein, und Notüberläufe sind zu realisieren. Tropfrohre sind horizontal zu verlegen und druckkompensiert auszuführen. Sie sollten mit Wurzelschutz und einer Spülvorrichtung ausgestattet sein. Die Austauschbarkeit der Bewässerungsleitungen und Tropfrohre muss gewährleistet sein. Leitungsquerschnitte sind ausreichend zu dimensionieren.

Pflanzabstände, Standortbedingungen und die Versorgung müssen den Lebensraumanforderungen der Pflanzen entsprechen, und die Pflanzengesellschaften sollten aufeinander abgestimmt sein (siehe Abb. 5.53). Die Pflanzen sollten im Konkurrenzverhalten verträglich sein. Dann sind zwei Pflegegänge im Jahr ausreichend. Ausläufertreibende Pflanzen sollten sich in der Fläche verbreiten dürfen. Es dürfen nur Pflanzen verwendet werden, die in vertikalen Anwendungen getestet wurden.

5.5 Entscheidungshilfe für Lösungen zur Fassadenbegrünung im Vergleich

Um das Pflanzenthema dauerhaft nutzbringend und beherrschbar in die Bestandsarchitektur aufzunehmen, stehen zahlreiche Grundsatzentscheidungen an. Die Kombination der zur Erstellung der Fassade und der Fassadenbegrünung nötigen Techniken legt nahe, einen Überblick über die aktuellen Anwendungsmöglichkeiten zu geben. Dazu stellt Abb. 5.54 eine Grundlage zur Erfassung der jeweiligen Planungskriterien und ihrer Lösungswege zur Verfügung. Die Abbildung gibt Informationen zu Bauweise und Anwendungsbedingungen und nennt wirtschaftliche sowie ökologische Kriterien zu verschiedenen Arten der boden- und der wandgebundenen Gebäudebegrünung und zu ihren Mischformen. Grundlagen dafür sind Recherchen und Auswertungen zur Systembreite der Begrünungsmöglichkeiten, zu Gestaltung, Leistungsfaktoren sowie konstruktiven und vegetationstechnischen Kriterien, die das Gerüst für Abb. 5.54 bilden:

- Art der Begrünungsanwendung (Grundsatzwahl boden- oder wandgebunden, eventuell Mischform),
- bevorzugte Pflanzenverwendung und -wirkung,
- Art der Sekundärkonstruktion,
- gestalterische Kriterien in Abstimmung auf Gestaltungsspielraum, Flächenwirkung,
- bautechnische Anforderungen (Versorgung, Statik und Bautenschutz),
- Eignung in Bezug auf die Primärkonstruktion,
- wirtschaftlich möglicher Rahmen sowie gegebenenfalls mögliche Einsparungen (Investition/Substitution),
- ökologische Potenziale in Abstimmung mit dem Anspruch an die energetische Wirkung, die mögliche Artenvielfalt sowie die mikroklimatische Relevanz.

Mit diesen Vorklärungen leiten die Entscheidungsparameter in die weitere Planungsabfolge und Realisierung über.

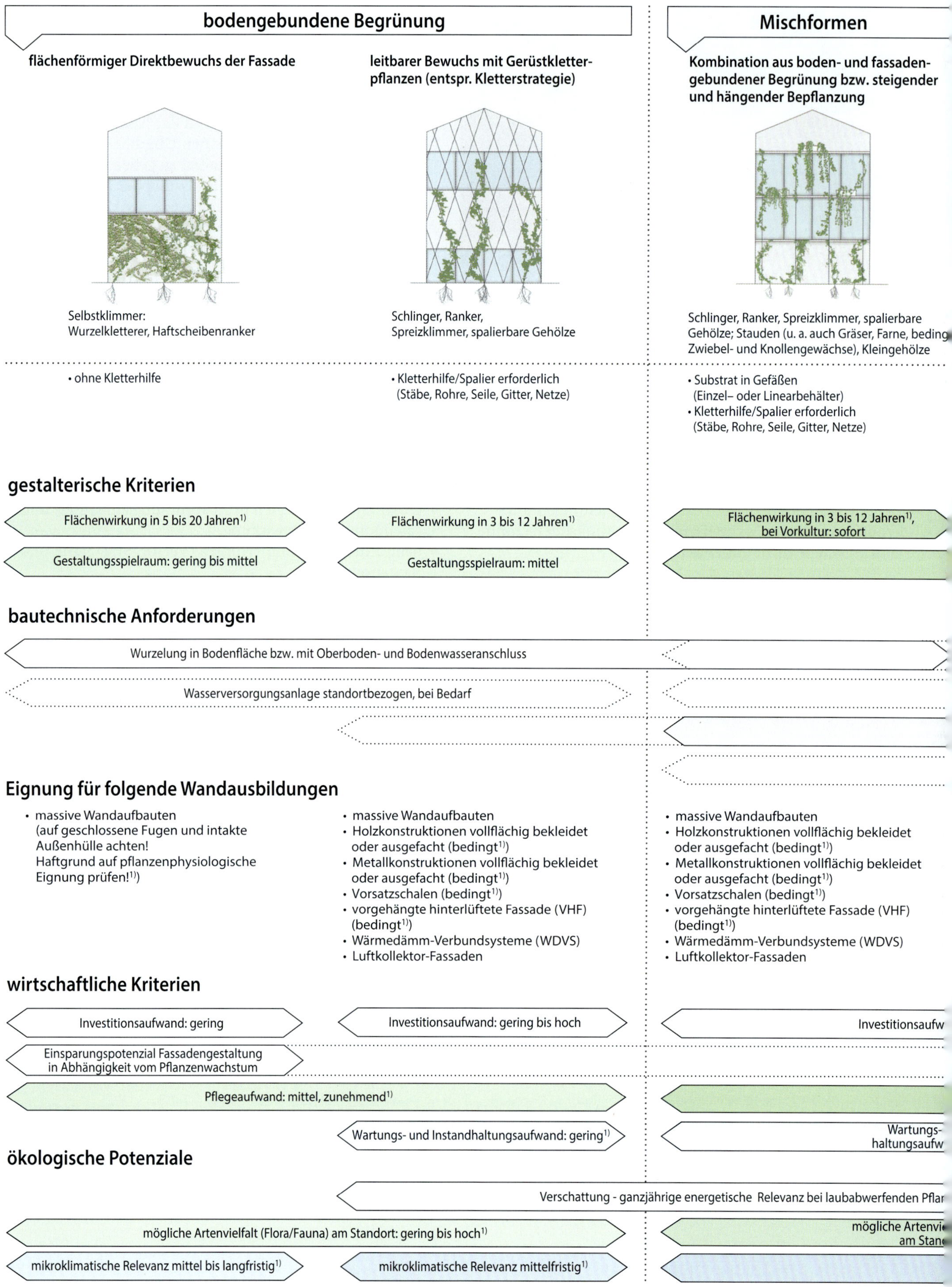

Abb. 5.54: Systematische Übersicht über Fassadenbegrünungslösungen

wandgebundene Begrünung

flanzen in horizontalen Vegetationsflächen
Pflanzgefäße an Tragkonstruktionen

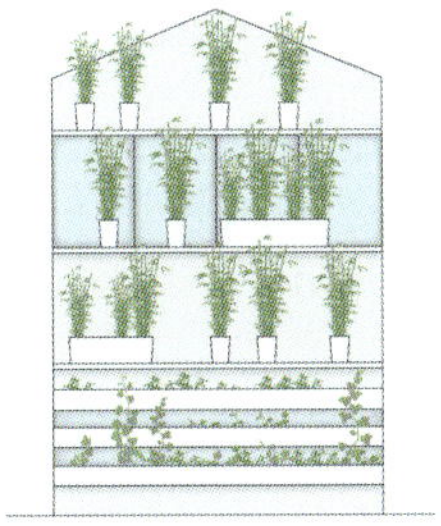

Stauden (u. a. auch Gräser, Farne, bedingt Zwiebel- und Knollengewächse), Kleingehölze; Schlinger, Ranker, bedingt Spreizklimmer

- Substrat in Gefäßen (Einzel- oder Linearbehälter)

Pflanzen in senkrechten Vegetationsflächen, vertikale Gärten

modulare Systeme

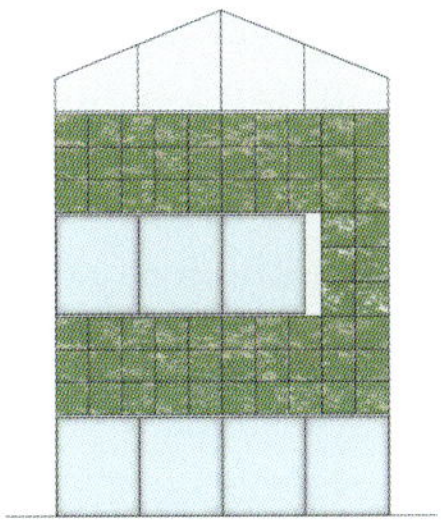

Stauden (u. a. auch Gräser, Farne), Kleingehölze, Moose; bedingt Wurzelkletterer, Spreizklimmer

- Substrat in Elementeinheiten aus Körben/Gabionen, Matten, Kassetten
- Substrat tragende Rinnensysteme
- direkt begrünte Kunst- und Natursteinplatten mit begrünungsfördernder Oberflächenrauheit

flächige Konstruktionen

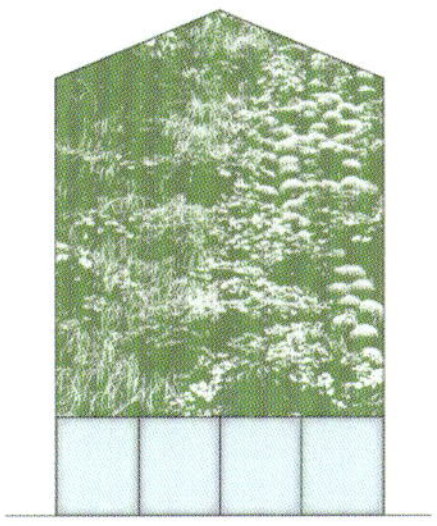

Stauden (u. a. auch Gräser, Farne), Kleingehölze, Moose; bedingt Wurzelkletterer, Spreizklimmer

- Textilsysteme
- Textil-Substrat-Systeme
- Metallblechsystem mit Öffnungen zu Vegetationsflächen (Textil bzw. Substratträger)
- Direktbegrünung auf nährstofftragender Wandschale

Flächenwirkung bei Vorkultur: sofort

Flächenwirkung bei Vorkultur: kurzfristig

Gestaltungsspielraum: groß

Wurzelung in Substratsystemen, keine Anforderung an Bodenausbildung und Bodenwasseranschluss, ohne Kontakt zum Baugrund

Wasser- und Nährstoffversorgungsanlage erforderlich

aufsichtlich relevant, statischer Nachweis erforderlich, tragende Bauteile: Korrosionsschutz oder nicht rostendes Material

Schutz der Fassade gegen Feuchte und Durchwurzelung erforderlich

- massive Wandaufbauten
- Holzkonstruktionen vollflächig bekleidet oder ausgefacht (bedingt[1])
- Metallkonstruktionen vollflächig bekleidet oder ausgefacht (bedingt[1])
- Vorsatzschalen (bedingt[1])
- vorgehängte hinterlüftete Fassade (VHF) (bedingt[1])
- Wärmedämm-Verbundsysteme (WDVS)
- Luftkollektor-Fassaden

- massive Wandaufbauten
- Holzkonstruktionen vollflächig bekleidet oder ausgefacht (bedingt[1])
- Metallkonstruktionen vollflächig bekleidet oder ausgefacht (bedingt[1])
- Vorsatzschalen (bedingt[1])
- vorgehängte hinterlüftete Fassade (VHF) (stattdessen[1])
- Wärmedämm-Verbundsysteme (WDVS), bedingt

- massive Wandaufbauten
- Holzkonstruktionen vollflächig bekleidet oder ausgefacht (bedingt[1])
- Metallkonstruktionen vollflächig bekleidet oder ausgefacht (bedingt[1])
- Vorsatzschalen (bedingt[1])
- vorgehängte hinterlüftete Fassade (VHF) (stattdessen[1])
- Wärmedämm-Verbundsysteme (WDVS)

el bis hoch

Investitionsaufwand: hoch

sofortiges Einsparungspotenzial der Fassadengestaltung

Pflegeaufwand: mittel bis hoch / gärtnerisch[1]

nd-
el bis hoch[1]

Wartungs- und Instandhaltungsaufwand: hoch[1]

a/Fauna)
el[1]

mögliche Artenvielfalt (Flora/Fauna) am Standort: groß[1]

sofortige mikroklimatische Relevanz bei Vorkultur[1]

5.6 Hinweise zu Verträgen und Ausschreibungen

5.6.1 Vorbemerkungen

Nach Klärung der Konstruktion, der standortabhängigen Entscheidung zur Art der Begrünung nach Anspruch, Lebensbereich und Habitus (z. B. Wuchsverhalten, Belaubungsphase, Textur, Färbung) und nach der interdisziplinären Entwurfsplanung mit der Festlegung aller technischen und vegetationstechnischen Details (z. B. Position, Konstruktion, Material, Wasser- und Nährstoffversorgung) erfolgt die Ausschreibung der Leistungen zur Umsetzung (u. a. vertragliche Vereinbarungen von Bauleistungen, Gewährleistungen, Pflege und Wartung). Diese berücksichtigt neben Versorgung und Infrastruktur auch die Terminierung, den Umfang, die Gewährleistung sowie die Pflege- und Wartungsleistungen.

> **Hinweis**
>
> Dieses Unterkapitel beinhaltet allgemeine Hinweise zu Verträgen und Leistungsbeschreibungen zur Fassadenbegrünung. Die aufgeführten Positionen müssen jeweils an spezielle Anforderungen des Bauvorhabens angepasst und können gegebenenfalls durch individuelle Punkte ergänzt werden.

Grundsätzlich werden die erforderlichen Leistungen für Pflege und Wartung unterschieden in die Pflege der Pflanzen und die Wartung der technischen Anlagen.

Der Bieter muss garantieren, dass er die Kompetenz hat, die Vitalität der Pflanzen zu beurteilen. Er muss erkennen können, ob und welche Mangelerscheinungen vorliegen und wie diese beseitigt werden können. Ein Schädlingsbefall muss von ihm bestimmt werden können. Er muss geeignete Maßnahmen im Sinne des integrierten Pflanzenschutzes vorschlagen und durchführen können. (Hinweis: Chemische Pflanzenschutzmaßnahmen dürfen nur im äußersten Notfall eingesetzt werden. Der Auftraggeber oder der Betreiber ist darüber in Kenntnis zu setzen bzw. sein Einverständnis ist einzuholen.) Darüber hinaus muss der Bieter garantieren, in Hinblick auf Gefährdungsbeurteilung und Höhenarbeit geschultes und entsprechend ausgerüstetes Personal bei den Pflegemaßnahmen einzusetzen.

Die folgenden Unterkapitel enthalten mehrere stichpunktartige Aufzählungen, die Ausschnitte aus Leistungsbeschreibungen verschiedener Firmen und Unternehmer wiedergeben (raderschallpartner Landschaftsarchitekten, freiraumsüd Landschaftsarchitekten und Stefan Brandhorst). Sie dienen dem Verständnis, der Anregung sowie der Unterstützung in Projekten. Abrechnungseinheiten sind projektspezifisch mit Mengenangaben zu ergänzen.

5.6.2 Leistungsbeschreibung

Eine Leistungsbeschreibung zur Fassadenbegrünung im Bestand sollte klar und detailliert einzelne Arbeitsschritte sowie Anforderungen für die Umsetzung an bestehenden Wand-/Fassadenflächen darlegen. Die im Folgenden aufgeführten allgemeinen Hinweise müssen geprüft und an das spezifische Bauvorhaben angepasst werden. Dabei sind Faktoren wie Erreichbarkeit, Fassadengröße, Statik und bauliche Gegebenheiten zu berücksichtigen. Gemäß § 7 VOB/A vom 31. Januar 2019, zuletzt geändert am 6. September 2023, ist der Auftraggeber verpflichtet, die geforderten Leistungen so eindeutig und umfassend zu beschreiben, dass alle Bieter die Angaben gleichermaßen verstehen und ihre Preise sicher und ohne aufwendige Vorarbeiten kalkulieren können.

Einrichtung der Baustelle

> **Hinweis**
>
> In den Einheitspreisen der nachfolgend beschriebenen Baustelleneinrichtung ist eine einmalige, vollständige Bauunterbrechung von bis zu zwei Monaten einzukalkulieren.

Folgende Leistungen sind laut persönlichen Mitteilungen von Stefan Brandhorst, raderschallpartner Landschaftsarchitekten und freiraumsüd Landschaftsarchitekten in die Leistungsbeschreibung aufzunehmen.

Baustelleneinrichtung

- Baustelle einrichten, inklusive Bereitstellung von Wasser und Strom, inklusive aller zur Durchführung der Arbeiten erforderlichen Geräte, Werkzeuge und Hilfsmittel (Vorhalten und Räumen inklusive Materialtransport)
- Bestandspläne und Revisionsunterlagen erstellen und aushändigen
- Bauzaun einrichten/umsetzen
- Wegeprovisorien wie z. B. Fußgängerbrücken herstellen/entfernen (Bedarfsposition)
- Plattendruckversuche gemäß DIN 18134 „Baugrund – Versuche und Versuchsgeräte – Plattendruckversuch" (2012) zur Überprüfung der Tragfähigkeit des anstehenden Untergrunds und des verbauten Tragschichtmaterials durchführen (Bedarfsposition)
- Gerüst aufstellen (Bedarfsposition)
- Mobilkran an- und abtransportieren (Bedarfsposition)
- Mobilkran einsetzen, inklusive Fahrer bzw. Fahrerin (Bedarfsposition)
- Hubarbeitsbühne (Größe nach Anforderung für Installation/Pflege an der Grünfassade) liefern, aufstellen, vorhalten und räumen, inklusive aller Nebenkosten wie Kraft- und Schmierstoffe, Versicherung, An- und Abfahrt und gegebenenfalls Fachpersonal der Verleihfirma (Bedarfsposition)

Verkehrsrechtliche Anordnung

- Verkehrsrechtliche Anordnung (VAO) zur Sondernutzung der Straße / des Gehwegs / des Platzes im öffentlichen Bereich beantragen, inklusive Erstellen eines Verkehrszeichenplans
- Genehmigung einholen, inklusive aller anfallenden Gebühren (siehe Abb. 5.55)

Abb. 5.55: Genehmigungen für Teilsperrungen sind rechtzeitig einzuholen.

Kontrolle nach ZTV-SA

(Zusätzliche Technische Vertragsbedingungen und Richtlinien für Sicherungsarbeiten an Arbeitsstellen an Straßen [ZTV-SA])

- Preis pro Begehung/Kontrollfahrt
- Abrechnung nach durchgeführten Kontrollen

Absperrmaßnahmen

- Absperrmaßnahmen gemäß genehmigtem Verkehrszeichenplan liefern, aufstellen und räumen, inklusive Abnahme durch die Polizei und inklusive Mietgebühren

Wartung und Unterhaltung der Verkehrszeichenanlage

- Wartungs- und Unterhaltungsarbeiten der Verkehrszeichenanlagen wie Blinklichter oder Ampeln während der Sondernutzung der Straße / des Gehwegs / des Platzes im öffentlichen Bereich durchführen, inklusive Verbrauchskosten

Stundenlohnarbeiten

- Stundenverrechnungssätze gemäß den preisrechtlichen Vorgaben ermitteln

Die Stundenverrechnungssätze gelten unabhängig von der Anzahl der zu verrechnenden Stunden. Der Verrechnungssatz für die jeweilige Fachkraft umfasst sämtliche Aufwendungen, insbesondere den tatsächlichen Lohn einschließlich vermögenswirksamer Leistungen mit Zuschlägen für Gemeinkosten (Sozialkassenbeiträge, Winterbauumlage u. Ä.) sowie Lohn- bzw. Gehaltsnebenkosten und Zuschläge für Überstunden. Arbeiten auf Stundenlohnbasis werden nur dann vergütet, wenn ihre Ausführung von der Bauüberwachung angeordnet wurde (gemäß § 2 Nr. 10 VOB/B vom 7. Januar 2016). Zuschläge für Mehrarbeit, Nachtarbeit, Sonntags- und Feiertagsarbeit sowie Erschwerniszuschläge sind nicht in den Stundenverrechnungssätzen enthalten, sondern müssen gesondert vereinbart und nachgewiesen werden.

Reisekosten für Arbeitnehmer / Übernachtungsaufwand

- Logis und Auslöse für Mitarbeiter

Verantwortlicher Mitarbeiter

- Verantwortlichen Mitarbeiter gemäß MVAS 99 „Merkblatt über die Rahmenbedingungen für erforderliche Fachkenntnisse zur Verkehrssicherung von Arbeitsstellen an Straßen" (1999) und ZTV-SA 97 (ZTV-SA 97, 2001) mit Nachweis, Eignung und Qualifikation für Arbeitsstellensicherung für die gesamte Bauzeit stellen (verantwortlich für die Richtigkeit der Beschilderung und der Durchführung der Verkehrsumlegung über die gesamte Bauzeit)

Stundenlohnarbeiten durch Baugeräte

Stundenlohnarbeiten durch Baugeräte (z. B. Lkw, Radbagger, Radlader, Minibagger, Kleingeräte wie Bohrmaschine, Motorsäge) erfolgen auf ausdrückliche Anforderung durch den Auftraggeber (AG). Der Verrechnungssatz für das jeweilige Gerät umfasst sämtliche Aufwendungen für den Einsatz, insbesondere Gerätevorhalte- und Betriebsstoffkosten sowie sämtliche Zuschläge einschließlich der Kosten für das Bedienungspersonal. Der Verrechnungssatz gilt für das zum Zeitpunkt des Abrufs einsatzbereit auf der Baustelle befindliche Baugerät. Vergütet werden die tatsächlich geleisteten Arbeitsstunden ohne An- bzw. Abtransport.

Standortaufbereitung für bodengebundene Fassadenbegrünungen

(Persönliche Mitteilungen von raderschallpartner Landschaftsarchitekten und freiraumsüd Landschaftsarchitekten)

Abbrucharbeiten

- Strauchfläche/Strauch/Kleinbaum roden, Grasnarbe zerkleinern, Oberböden, Rohböden abräumen/lösen, laden und abfahren
- Beläge, Tiefborde, vorhandene Fundamente, Rohrleitungen, Elektroleitungskabel usw. auf-/abbrechen und entsorgen
- Rinnenplatten, Schächte, Kies, Natursteine, Findlinge usw. aufnehmen, reinigen und zur Wiederverwertung lagern
- Unrat entsorgen, Elektroverteilerschacht abbauen
- Leuchten abklemmen, ausbauen, reinigen, lagern

Geländebearbeitung

- Rohböden lösen, laden, zwischenlagern und wieder einbauen, Zulage Handaushub nach Aufwand
- Wandkies liefern und einbauen
- Aushub entlang von Bestandsgebäuden lösen und abfahren, Mauern/Gebäudesockel freilegen (gegebenenfalls Handaushub einkalkulieren), abfahren
- Bodenaushub für Leitungsgräben und Schachtbauwerke profilgerecht (bis 1 m UK Gelände, Sohlenbreite 40 bis 60 cm gemäß DIN EN 1610 „Einbau und Prüfung von Abwasserleitungen und -kanälen" [2012]) und zur Wiederverwendung lagern

- Bodenaushub profilgerecht für Wurzelgruben der Kletterpflanzen (Volumen bis 2 × 1,5 m (Breite/Tiefe) unter OK Gelände) entsorgen
- Bodenaushub für Fundamente für Einbauten (bis 1 m unter OK Gelände, Aushubbreite 40 bis 80 cm) entsorgen
- Suchgraben (zur Freilegung von Kabeln/Leitungen) lösen und zur Wiederverfüllung lagern, Aushubtiefe bis 1,75 m, einschließlich Handarbeit, Leitungen einmessen und als Skizze der Bauleitung aushändigen
- Planum herstellen (für Fundamentsohlen, Leitungsgräben und Schachtbauwerke)
- Gräben verfüllen
- Aushubmaterial laden und abfahren
- Füllstoff (Sand) für Einbettung von Kabeln und Rohrleitungen (Bettung 1 und 2 nach DIN EN 1610) verfüllen und verdichten, Mengenermittlung nach DIN EN 1610

Hinweis

Erschwernis durch Kabel- und Rohrkreuzungen im Aushubbereich einschließlich Sicherung wird nicht gesondert vergütet und ist miteinzuberechnen.

Entwässerungsarbeiten – Drainagen

- Spül- und Kontrollschacht mit/ohne Sandfang nach DIN 4095 „Baugrund; Dränung zum Schutz baulicher Anlagen; Planung, Bemessung und Ausführung" (1990) mit füllbarem Doppelboden zur Stand- und Auftriebsicherheit inklusive Kiesfüllung, Reduktionsmuffen DN 200/100 und Schachtabdeckung (Guss) liefern und einbauen
- Stangendrähnrohre DN 100 in erforderlicher Länge (inklusive Verbindungsmuffen) liefern und verlegen (Mindestgefälle 0,5 %), Wasseraufnahme und Abflussleistung nach DIN 4095
- Sickerpackung für Drainagegräben in Korngrößenabstufung 16/32, Sieblinie B (DIN 1045 „Tragwerke aus Beton, Stahlbeton und Spannbeton" [Normenreihe]), liefern und einbauen
- Filtervlies (aus 100 % Polyester-Endlosfilamenten, filterstabil, Geotextil-Robustheitsklasse 2, Gewicht 125 g/m^2, 1,1 mm dick, Stempeldurchdrück-Kraft 1,3 kN, charakteristische Öffnungsweite 0,08 mm, Wasserdurchlässigkeit 90 l/(s · m^2), für Drainagegräben und Versickerungsmulde liefern und vollständig und lückenlos (Überlappung > 10 cm) nach Herstellerangaben verlegen

Entwässerungsarbeiten – Entwässerungsleitungen

- Entwässerungskanal/-leitungen DN 100 (DIN 4033 „Entwässerungskanäle und -leitungen aus vorgefertigten Rohren – Richtlinien für die Ausführung" [1963]) gemäß DIN EN 14758-1 „Kunststoff-Rohrleitungssysteme für erdverlegte drucklose Abwasserkanäle und -leitungen – Polypropylen mit mineralischen Additiven (PP-MD) – Teil 1: Anforderungen an Rohre, Formstücke und das Rohrleitungssystem" (2023) und unter Beachtung der DIN EN 1610 und der Hersteller-Verlegeanleitung verlegen
- Bögen, Reduzierstücke, Abzweige, Überschiebmuffen, Muffenstopfen als Zulage
- Kanalanschluss an bestehende Leitung bis DN 150 inklusive Freilegen des Anschlussstutzens und Einsetzen der Bögen und Muffen
- Höhenanpassung der Schachtbauwerke, Schachtabdeckung auspflasterbar, inklusive Füllung der Deckelwanne/Schachtabdeckung entsprechend DIN EN 124 „Aufsätze und Abdeckungen für Verkehrsflächen" (Normenreihe), ohne Lüftungsöffnungen, einschließlich Schmutzfangkorb mit einbau- und fahrtrichtungsunabhängiger rutschfester Oberfläche
- Entwässerungsrinnen nach DIN EN 1433 „Entwässerungsrinnen für Verkehrsflächen –Klassifizierung, Bau- und Prüfgrundsätze, Kennzeichnung und Beurteilung der Konformität" (2005) und DIN 19580 „Entwässerungsrinnen für Verkehrsflächen – Dauerhaftigkeit, Einheitsgewicht und Bewertung der Konformität" (2010), frost-/tausalzbeständig, mit Sicherheitsfalz und integriertem Kantenschutz, flüssigkeitsdicht, mit Abdeckung (mit allgemeiner bauaufsichtlicher Zulassung Z-74.4-51)
- erforderliche Erdarbeiten und Untergrundverdichtung sowie das Versetzen auf Betonfundament nach Herstellerangaben in EP einkalkulieren
- Entwässerungsrinne als gedeckte Kastenrinne mit durchgehender Rostauflage, aus Edelstahl (Belastung A 15, in Anlehnung an DIN EN 1433) mit integriertem Sinkkasten, Schlammeimer und Ablaufstutzen (DN 100) inklusive Abdeckung (z. B. Längsstabrost aus V2A) liefern sowie nach Herstellerangaben verlegen
- Seitenstützen aus mindestens Betongüte C12/15 nach DIN EN 206-1 „Beton – Teil 1: Festlegung, Eigenschaften, Herstellung und Konformität" (2001)
- Hofablauf mit Einlaufrand stückverzinkt nach DIN EN ISO 1461 „Durch Feuerverzinken auf Stahl aufgebrachte Zinküberzüge (Stückverzinken) – Anforderungen und Prüfungen" (2022)mit quadratischem Einlaufrand aus Stahl S235JR, hohlraumfrei unterfüttert, liefern sowie nach Herstellervorschrift höhen- und fluchtgerecht auf Betonfundament verlegen, mit umlaufenden, 8 cm breiten Seitenstützen aus mindestens Betongüte C12/15 nach DIN EN 206-1, und an die Rohrleitung anschließen

Elektrotechnische Vorarbeiten

- Kabelschutzrohre D(a) = 75 mm unter Beachtung der DIN EN 1610 und der Verlegeanleitung des Herstellers liefern und fachgerecht nach Planung verlegen
- Zulage für Bögen inklusive Lieferung und fachgerechtem Einbau
- Abstandhalter, Muffen, Doppelsteckmuffen, Endkappen, Markierung von Kabeltrassen liefern und montieren/verlegen
- Fundamente für Leuchten inklusive Lieferung und Einbau durch Elektrogewerk (ausrichten, fixieren, verfüllen)
- Kabelzugschacht wiederaufbauen

Wasseranlagen

- Entleerungsschacht DN 300 (Betonrohr und Schachtabdeckung) liefern und höhen- und fluchtgerecht versetzen
- Unterwassermotorpumpen-Set (Pumpe mit Steuerung, Rückschlagventil, schwimmendem Ansaugfilter, Schlauch- und Befestigungsmaterialien) liefern und nach Herstellerangaben in bestehendem Grundwasserschacht einbauen
- Druckleitungen (1″) liefern und in vorbereiteten Leitungsgraben verlegen
- Schrägsitzventil für Winterentleerung des Standrohrs liefern und fachgerecht montieren, einschließlich Montage- und Dichtmaterial
- Bewässerungsanlage für Tropfbewässerung der Kletterpflanzen
- Getriebergner der Staudenpflanzung inklusive Steuergerät, Grundverrohrung (einschließlich der erforderlichen Leitungen, Verbinder, Winkel, Übergangsverschraubungen, Zuleitungen, Kupplungen), Bodenfeuchtesensor und Ventilkästen für Feinfilter (einschließlich der erforderlichen Niederspannungsleitungen), Durchflussüberwachung, Mikrobewässerung mit druckkompensiertem Tropfrohr, Beetbewässerung für die Staudenpflanzung
- Bewässerungsanlage planen und auslegen, inklusive Datenaustausch (Fertigungsbeginn erst nach schriftlicher Freigabe durch die Objektüberwachung bzw. den Auftraggeber)
- Bewässerungsanlage gemäß freigegebener Planung liefern und vor Ort installieren, einschließlich aller erforderlichen Bestandteile zur betriebsbereiten Nutzung
- Auftraggeber einweisen

Baukonstruktion

- Sauberkeitsschichten für erforderliche Punkt- und Streifenfundamente herstellen (je nach Planung)
- Schnitt vorhandener Tiefbordsteine 12 × 30 cm als Passstück und Randanschluss
- Noppenfolie (als mechanischer Schutz der Grundmauern und Betonfertigteile) liefern und fachgerecht auf senkrechter Fläche verlegen; Verlegung und mechanische Befestigung nach Herstellervorschrift; auf sorgfältige Überlappung (mindestens 20 cm) der Bahnen achten

Befestigte Flächen

- Erdplanum unter Massenausgleich herstellen und Untergrund der Beläge verdichten
- Geogitter und Vliesstoff als geosynthetische Trenn- und Bewehrungslage zur Bodenbewehrung frei Baustelle liefern und nach Herstellerangabe einbauen (auf dem Erdplanum); die Bahnen an den Stößen mindestens um 0,50 m überlappen; den Verbundstoff im Vor-Kopf-Einbau beschütten (Die Überlappungen, Verschnitt, Windsicherung und Mehraufwendungen werden nicht gesondert vergütet, sondern sind in die Einheitspreise einzukalkulieren.)
- Frostschutz- und Tragschicht gemäß ZTV T-StB 95 (2002), in Platzflächen und Gehwegen, Verformungsmodul mindestens EV_2 100 MN/m², Verdichtungsgrad D_{Pr} mindestens 103 %, Mindestwasserdurchlässigkeit $k_f \geq 5{,}4 \cdot 10^{-5}$ m/s, aus Kies-Sand-Gemisch, Körnung 0/45, Schichtdicke über 15 bis 50 cm, einschließlich Herstellung des Planums
- Zulage für gebrochenes Material (Bedarfsposition)
- Ausgleichsschicht auf vorhandener Tragschicht, Einbau von Splitt-Sand-Gemisch gemäß ZTV SoB StB 04 (2007) in Platzflächen, Verformungsmodul mindestens EV_2 100 MN/m², Verdichtungsgrad D_{Pr} mindestens 103 %, Mindestwasserdurchlässigkeit $k_f \geq 5{,}4 \cdot 10^{-5}$ m/s, aus Kiesschotter-Sand-Gemisch, Körnung 0/16 mm, Schichtdicke bis 10 cm, Abrechnung nach Auftragsprofilen (Die Wasserdurchlässigkeit und der Verdichtungsgrad sind unbedingt einzuhalten.); vorhandene Tragschicht vorher oberflächig auflockern, um eine Verzahnung der Körnungen zu gewährleisten
- Pflaster-/Plattenbeläge mit garantierter Frost- und Tausalzbeständigkeit, erhöhtem Abrieb- und Witterungswiderstand, ansonsten Güteeigenschaften nach DIN EN 1338 „Pflastersteine aus Beton – Anforderungen und Prüfverfahren" (2003) und DIN EN 1339 Berichtigung 1 „Platten aus Beton – Anforderungen und Prüfverfahren" (2006) liefern und verlegen; die Steine/Platten entsprechend dem vorgegebenen Verlegemuster auf einer Bettung aus Edelbrechsand-Splitt-Gemisch der Körnung 0 bis 5 mm in 3 bis 5 cm Stärke verlegen, mit Edelbrechsand-Splittgemisch der Körnung 0 bis 5 mm einsanden, einschlämmen und abrütteln
- SZ-Wert des Fugenmaterial ≥ 18; dabei VOB/C ATV DIN 18318 „Pflasterdecken und Plattenbeläge, Einfassungen" (2019), Abschnitt 3.3, die ZTVP-StB 2000 vom 15. Mai 2005, das Merkblatt für Flächenbefestigungen mit Pflasterdecken und Plattenbelägen in ungebundener Ausführung (MF P 1, 2024) und die Einbauempfehlungen des Herstellers beachten; die RStO 12/24 (2024), die ZTV SoB-StB 04 (2007) und die TL SoB-StB 04 (2007) beachten
- Bettungsmaterial, bestehend aus Edelbrechsand-Splitt-Gemisch 0 bis 5 mm, Hartgestein, gebrochene Gesteinskörnung, SZ 8/12 ≤ 18 (Schlagzertrümmerungswert), geeignet für die Anforderungen der zu erwartenden Belastung Bk0,3 liefern und einbringen (Die Sieblinien von Tragschicht- und Bettungsmaterial müssen aufeinander abgestimmt und filterstabil sein.); Bettungsdicke nach Verdichtung gemäß VOB/C ATV DIN 18318 4 ± 1 cm (Abrechnung nach Flächenaufmaß)
- Zulage für Einbau des Flächenpflasters als Einzeiler
- Pflaster-/Plattenmaterialien per Nassschnitt schneiden (Abrechnung nach Längenaufmaß)
- Unterhaltungspflege der ungebundenen Fugen: ungebundene Fugen nach 3 Monaten nach Verkehrsfreigabe auf vollständige Füllung hin überprüfen und gegebenenfalls nachfugen
- gegebenenfalls Zulage für Flächenvertiefung für Sauberläufer, Einbau der Sauberläufer bündig in die Pflaster-/Plattenbeläge
- gegebenenfalls wassergebundene Wegedecke: dynamische Schicht aus Splitt-Brechsand-Gemisch gemäß „Fachbericht zu Planung, Bau und Instandhaltung von Wassergebundenen Wegen" des FLL (2007)

Hinweis

Die Geotextil-Robustheitsklasse des Vliesstoffs (siehe Abb. 5.56) ist gemäß „Merkblatt für die Anwendung von Geotextilien und Geogittern im Erdbau des Straßenbaus" (1994) nachzuweisen. Der Geoverbundstoff verfügt über ein gültiges IVG-Produktzertifikat, Nachweise einer Eigen- und Fremdüberwachung und eine CE-Kennzeichnung. Liegt kein IVG-Produktzertifikat vor, muss eine Baustoff-Eingangsprüfung gemäß ZTV E-Stb 09 (2009) durchgeführt werden.

Abb. 5.56: Geotextil einer wandgebundenen Begrünung mit Jungpflanze nach dem Einbringen in die zu begrünende Fläche

Abb. 5.57: Überbaubares Substrat mit Luftporen und wasserspeichernden Bestandteilen, Langzeit-Organikträgern, Sand zur Drainage sowie, falls erforderlich, z. B. Granit für den Frostschutz

Vegetationstechnische Vorarbeiten

- Tiefenlockerung der Pflanzquartiere, Breite der Quartiere über 50 bis ca. 200 cm
- Arbeitstiefe über 30 cm bis ca. 1 m unter GOK (Sohle der Wurzelgrube), flächige Lockerung durch Aufreißen vor Auftrag des Pflanzsubstrats, Bearbeitungstiefe 30 cm, Bodenklasse 3 bis 5 (VOB/C ATV DIN 18300 „Erdarbeiten" [2019])
- Substrat, überbaubar (siehe Abb. 5.57):
  - Untersubstrat A1, überbaubar, Einbaudicke je nach Substrat 30 cm über verzahnter Sohle, liefern und profilgerecht einbauen; Ausführung gemäß Detailplan/Profilschnitt (Lieferung einer homogenen Mischung mit folgender Zusammensetzung in Vol.-%: 40 % Schottergemisch 32/64, 25 % Schottergemisch 16/32, 15 % Blähschiefer 8/16, 10 % Brechsand 0/4), und in separater Lieferung einstreuen und leicht einschwemmen auf fertig eingebauter Schicht: 10 % Baumgruben-Kohlesubstrat grob; Einbau in Wurzelgruben, Einbaubreite über 50 bis 200 cm; Abrechnung nach Volumenaufmaß im eingebauten Zustand
  - Untersubstrat A2, überbaubar, Einbaudicke bis 60 cm, liefern und profilgerecht über Untersubstrat A1 einbauen; Ausführung gemäß Detailplan/Profilschnitt (Lieferung einer homogenen Mischung mit folgender Zusammensetzung in Vol.-%: 25 % Mischschotter 16/32, 35 % Mischschotter 8/16, 15 % Blähschiefer 8/16, 10 % Brechsand 0/4, 10 % Bionika Baumgrubenkohle, 5 % Bionika Schwarzerde TP30); Einbau in Wurzelgruben, Einbaubreite über 50 bis 200 cm; Abrechnung nach Volumenaufmaß im eingebauten Zustand
  - Vegetationssubstrat Untersubstrat: tragfähiges Wurzelsubstrat vom Typ B gemäß ZTV-Vegtra-Mü (2018) liefern und profilgerecht aufbringen, Ausführung gemäß Detailplan/Profilschnitt, tragfähiges mineralisches Einschichtsubstrat zur unterirdischen Erweiterung von Wurzelgruben unter Verkehrsflächen als durchwurzelbarer Unterbau liefern, in Lagen von 50 und 40 cm einbauen und mechanisch verdichten auf > 95 % D_{Pr}; zu erreichende Tragfähigkeit EV_2 > 80 MPa; erforderliche Eigenschaften des Substrats (gemessen bei Verdichtungsgrad 95 % D_{Pr}): verdichtungsstabil, korngestuft Körnung 0/32 mm, Korngrößenverteilung gemäß TL SoB-StB, Kies 0/32, Schlämmkorngehalt (d < 0,063 mm) < 10 Masse-%, Sandkorngehalt (d = $0{,}063^{-2}$ mm) > 30 Masse-%, Überkorn 32 bis 63 mm < 10 Masse-%, Gesamtporenvolumen: > 35 Vol.-%, Luftgehalt bei p_F 1,8: > 15 Vol.-%, maximale Wasserkapazität > 25 Vol.-%, Wasserdurchlässigkeit 0,0005 bis 0,0500 cm/s, Wassergehalt bei Lieferung: < wPr (= ca. 15 Masse-%), pH-Wert: 6,5 bis 8,2, Salzgehalt in wässriger Lösung < 150 mg pro 100 g TM, Salzgehalt in Gipslösung < 100 mg pro 100 g TM, Anteil an organischer Substanz 1 bis 2 Masse-%, Schüttdichte lieferfeucht: 1,25 bis 1,35 t/m³ (DIN EN 1097-3 „Prüfverfahren für mechanische und physikalische Eigenschaften von Gesteinskörnungen – Teil 3: Bestimmung von Schüttdichte und Hohlraumgehalt" [1998]), Einbau in Wurzelgruben, Einbaubreite über 50 bis 200 cm, Auftragsstärke über 50 bis ca. 90 cm, Abrechnung nach Volumenaufmaß im eingebauten Zustand
- Substrat, nicht überbaubar (siehe Abb. 5.58):
  - Obersubstrat A, nicht überbaubar, liefern und profilgerecht einbauen (Einbaudicke 50 cm über Untersubstrat A2), einschließlich Feinplanie; zulässige Abweichung von der Sollhöhe: 2 cm, Ausführung gemäß Detailplan/Profilschnitt; Lieferung einer homogenen Mischung mit folgender Zusammensetzung in Vol.-%: 30 % Schottergemisch 8/16, 20 % Blähschiefer 8/16, 10 %

Abb. 5.58: Nicht überbaubares Substrat: Materialien mit Luftproen, wasserspeichernd, Sand zur Drainage, ggf. mit Langzeit-Organikträgern

Brechsand 1/4, 20 % Landerde sandig/lehmig, 20 % Bionika Schwarzerde TP30
- Vegetationssubstrat Obersubstrat: nicht tragfähiges Baumsubstrat gemäß Typ A der ZTV-Vegtra-Mü (2018) und gemäß FLL-Empfehlung für Baumpflanzungen (Empfehlungen für Baumpflanzungen – Teil 2, 2010), PG-Bauweise 1, als Obersubstrat für intensive Begrünungen liefern und profilgerecht aufbringen, einschließlich Feinplanie; zulässige Abweichung von der Sollhöhe: 2 cm; Ausführung gemäß Detailplan/Profilschnitt; Einbau in Pflanzquartiere, Einbaubreite über 60 bis 100 cm; Auftragsstärke über 20 bis 65 cm, im Bereich der Fassadenbegrünung; Verwendung als nicht überbaubares Vegetationssubstrat für den einschichtigen Einbau in offene Wurzelgruben der Kletterpflanzen; mit dauerhafter Stabilität gegen Verrüttelungen; durchwurzelbar bis mindestens 200 cm Tiefe; erforderliche Eigenschaften des Substrats (gemessen bei Verdichtungsgrad 85 % D_{Pr}): verdichtungsstabil, korngestuft mit Körnung 0/16 bis 0/32 mm, Korngrößenverteilung gemäß Sieblinienband A, Schlämmkorngehalt (d < 0,063 mm) 10 bis 20 Masse-%, Sandkorngehalt (d = $0{,}063^{-2}$ mm) > 35 Masse-%, Gesamtporenvolumen: > 45 Vol.-%, Luftgehalt bei WK_{max}: > 10 Vol.-%, maximale Wasserkapazität: > 35 Vol.-%, Wasserdurchlässigkeit k_F: 0,001 bis 0,010 cm/s, Wassergehalt bei Lieferung: < WPr (= ca. 20 Masse-%), pH-Wert: 6,5 bis 7,9, Salzgehalt in wässriger Lösung: < 200 mg pro 100 g TM, Salzgehalt in Gipslösung: < 100 mg pro 100 g TM, Anteil an organischer Substanz: 2,5 bis 4,0 Masse-%, Schüttdichte lieferfeucht: 1,0–1,1 t/m^3 (DIN EN 1097-3), Einbau in Wurzelgruben, Einbaubreite über 50 bis 200 cm; Auftragsstärke über 50 bis ca. 100 cm; Abrechnung nach Volumenaufmaß im eingebauten Zustand
- Lieferscheine kontrollieren

- Bodenaktivator für Neuanpflanzungen und Aussaaten als Bodenhilfsstoff unter Verwendung von pflanzlichen Stoffen; Nährstoffgehalte: 1,5 % N Gesamtstickstoff, 1,0 % P_2O_5 Gesamtphosphat, 1,0 % K_2O Gesamtkaliumoxid, 35,0 % organische Substanz bewertet als Glühverlust, 6,0 % basisch wirksame Bestandteile bewertet als CaO (Neutralisationswert); Ausgangsstoffe und Nebenbestandteile: Traubenkernmehl, Dolomit-Gesteinsmehl, kohlensaurer Magnesiumkalk, Tonminera-lien, Knochenmehl (Kategorie 2 gemäß Verordnung [EG] Nr. 1069/2009 vom 21. Oktober 2009), 2,0 % MgO Gesamtmagnesiumoxid; Bedarf: 100 bis 150 g/m^2 in die oberste Bodenschicht einarbeiten; Oberboden, bauseits in Bodenmiete gelagert, laden, zum Einbau im Baustellenbereich fördern und profilgerecht auftragen, Boden steinfrei; Auftragsfläche eben bis leicht geneigt bis maximal 1:4, Auftrag in Rasenflächen 10 cm, in Pflanzflächen 30 cm
- Vegetationstragschicht der Pflanz- und Rasenflächen lockern durch Fräsen in zusammenhängenden Flächen, Tiefe 15 cm, Steine ab 5 cm Durchmesser, Fremdkörper und schwer verrottbare Pflanzenteile ablesen, nach Stoffen getrennt sammeln (Stoffe werden Eigentum des Auftragnehmers und sind zu beseitigen), Bodengruppe vier bis fünf nach DIN 18915; Feinplanum für Pflanz-, Rasen- und Wiesenflächen, Arbeiten in zusammenhängenden Flächen, zulässige Abweichung von der Sollhöhe: 2 cm, Anschlüsse an Kanten, Wege- und Platzbeläge oberflächengleich, Steine von mehr als 3 cm Durchmesser, Fremdkörper und schwer verrottbare Pflanzenteile ablesen (Stoffe werden Eigentum des Auftragnehmers und sind zu beseitigen), Bodengruppe vier bis fünf nach DIN 18915; Pflanzflächen düngen, mit organisch-mineralischem NPK-Dünger mit Magnesium und Eisen 12-4-6(-2) mit Sofort- und Langzeitwirkung; Menge: 60 g/m^2

Pflanz- und Saatarbeiten

- Pflanzenlieferung Fassadenbegrünung (Kletterpflanzen):
  - Mengengerüst gemäß Pflanzliste in Anlage
  - Pflanzenlieferung einschließlich aller Transporte, Abladen und fachgebundenen Nebenarbeiten gemäß den Qualitätsbestimmungen der DIN 18916, der FLL-Richtlinien, des BDB und der Deutschen Staudenzüchter BDS (Der Lieferbetrieb ist verbindlich vorgegeben und kann vom Auftragnehmer nicht verändert werden. Zur Abrechnung kommt der Netto-Lieferwert zuzüglich Ab- bzw. Aufschlag des Bieters für die Abwicklung der Leistungen der Pflanzenlieferung [Einkaufsrabatt/Wiederverkäufervorteil, Aufwand für Organisation, Abwicklung, Zuschläge für Wagnis und Gewinn, Gebühren für Vorfinanzierungen, Nebenkostenumlage].)
  - Pflanzarbeit für Fassadenbegrünung: Leistung einschließlich Baustelleninstallation, Geräteeinsatz, Pflanzentransport und -verteilung gemäß Bepflanzungsplan, in vorhandenes Substrat setzen, Stäbungen in den Kletterpflanzen entfernen, Pflanzen an bestehender Seilkonstruktion aufbinden, düngen, gut angießen, Erstellungspflege, Baustelle reinigen (Als Abrechnungsgrundlage dient die Pflanzenliste.); Abrechnung nach Stückzahlen, Wuchshöhen über 150 bis 500 cm
- Pflanzenlieferung Gehölze, Kletter- und Heckenpflanzen:
  - Mengengerüst gemäß Pflanzliste (Anlage)
  - Pflanzenlieferung einschließlich aller Transporte, Abladen und fachgebundenen Nebenarbeiten gemäß den Qualitätsbestimmungen der DIN 18916, der FLL-

Richtlinien, des BDB und der Deutschen Staudenzüchter BDS (Der Lieferbetrieb ist nicht verbindlich vorgegeben und kann vom Auftragnehmer frei gewählt werden. Er ist bei Auftragsvergabe zu benennen. Der Auftraggeber behält sich vor, die Pflanzenqualität im Lieferbetrieb zu überprüfen.)

- Pflanzenlieferung Kletterpflanzen, mehrtriebig, verpflanzt, mit Ballen oder Container, Höhe bis 200 cm:
  - in herzustellende Pflanzgrube pflanzen
  - Haupttriebe fachgerecht an der Wuchsvorkonstruktion anbinden
  - Topfballen vor dem Pflanzen durchdringend wässern
- Pflanzenlieferung Bodendecker, Kleinstrauch, Halbstrauch, Staude, Ziergras mit Topfballen, Blumenzwiebeln:
  - in herzustellende Pflanzgrube pflanzen, in Vegetationsflächen als Gruppenpflanzung bis maximal 20 Stück (Die Zwiebeln dürfen sich in der Pflanzgrube nicht berühren.)
  - Topfballen vor dem Pflanzen durchdringend wässern
  - Mulchschicht herstellen, ganzflächig auf Pflanzflächen, Mulchstoff: Rindenmulch aus Kiefernrinde, Körnung 10/40, gütegesichert, Dicke über 5 bis 7 cm

Hinweis

Die Pflanzung der Kletterpflanzen und Gehölze erfolgt im Herbst.

Fertigstellungspflege

- Zeitraum zwischen Pflanzung und Abnahme der Vegetationsflächen
- Pflegemaßnahmen Fassadenbegrünung im ersten Standjahr:
  - Zeitraum ein Jahr beginnend ab Pflanzdatum
  - Pflege und Unterhaltsleistungen für die Fassadenbegrünung mit Gerüstkletterpflanzen, Sorten und Lieferqualität gemäß Pflanzenliste, mit Garantie für Pflanzenersatz während der Dauer von Pflege- und Unterhaltsmaßnahmen
  - Unterhaltsleistungen: Bewässerung und Düngung kontrollieren und regulieren, Pflanzen pflegen, schneiden, formieren, binden und Pflanzenschutz artgerecht, nach Bedarf; nicht angewachsene oder durch unsachgemäße Pflege abgestorbene Pflanzen ersetzen
  - Pflege unter Zuhilfenahme von notwendigem technischem Gerät wie Arbeitsbühne, Leiter usw. (Der Einsatz einer Arbeitsbühne wird gesondert vergütet.), Abfuhr von Grüngut auf Deponie des Auftragnehmers, einschließlich Deponiegebühren
  - Abrechnungsgrundlage: Pflanzenliste; Abrechnung nach Anzahl der Pflegegänge, Wuchshöhen über 150 bis 600 cm
  - Zulage für Scherenarbeitsbühne bis Arbeitshöhe 12,5 m, Abrechnung nach Einsatz, arbeitstäglich, inklusive Anfahrt
  - Ausführung der Pflegegänge der Pflanzflächen im 3-Wochen-Rhythmus (witterungsabhängig)
  - Pflanzflächen lockern: unerwünschten Aufwuchs abtrennen und beseitigen, Bearbeitungstiefe unter Beachtung der jeweiligen Pflanzenart, im Mittel 3 cm, ausdauernde Wurzeln von unerwünschtem Aufwuchs ausgraben, Abfall und Steine ab 5 cm Durchmesser entfernen (Anfallende Stoffe werden zum Eigentum des Auftragnehmers und sind zu beseitigen.)
  - Pflanzflächen wässern; Mindestwassermenge je Arbeitsgang: 15 l/m², Anzahl der Arbeitsgänge: ca. acht pro Jahr
  - Mulchschicht nachbessern, ganzflächig, auf Pflanzflächen, Mulchstoff: Rindenmulch aus Kiefernrinde, Körnung 10/40, gütegesichert, Dicke über 5 bis 7 cm
  - Pflanzflächen düngen: organisch-mineralischer NPK-Dünger mit Magnesium und Eisen 12-4-6(-2) mit Sofort- und Langzeitwirkung, Menge: 60 g/m²

Standortaufbereitung für Gerüstkletterpflanzen in Linearbehältern
(Persönliche Mitteilung von Stefan Brandhorst)

Wuchsvorkonstruktion, Pflanztröge

- Wuchsvorkonstruktion: Rankgitter aus Edelstahl V2A aus punktgeschweißten Stäben, 6 mm, mit Einzelpunkthaltern, Maße 200 × 100 cm, Maschenweite 25 cm, inklusive Befestigungsmaterial, wärmebrückenreduziert, liefern und montieren
- Pflanztrog aus Aluminium, Materialstärke 3,0 mm, Höhe 600 mm, Breite 1.200 mm, Tiefe 600 mm, Sichtseiten beschichtet in Standard-RAL-Farbe 7016, inklusive angeschweißtem Rohr Stirnblech (DN 50, dreimal), Innenseiten gedämmt mit Styrodur 30 mm, liefern, montieren und nach FLL-Richtlinien befüllen (siehe Abb. 5.59)

Abb. 5.59: Begrünung in Linearbehältern

Pflanzen

- Gerüstkletterpflanzen, vorkultiviert, 150 bis 200 cm, mTb, für die Begrünung der Wuchsvorkonstruktion liefern, einpflanzen und wässern; Stützstäbe entfernen, alle Triebe entwirren und jeweils einzeln in die Wuchsvorkonstruktion einbinden (Leistung inklusive Bindegut und fachgerechtem Pflanzschnitt)
- Stauden als Unterpflanzung der Bodenquartiere liefern und einpflanzen (Tiarella cordifolia 12 Stk./m², Vinca minor 12 Stk./m²)

Bewässerung

- Tropfschlauch verlegen (m): Tropfschlauch 16 mm, Tropferabstand 30 cm, liefern und in Pflanzbeeten und Pflanztrögen der Kletterpflanzen als Ringleitung verlegen (inklusive aller notwendigen Fittings und Erdanker)
- Bewässerungstechnik bestehend aus: Mobilfunk-Router, Düngedosiereinrichtung über elektrische Injektionspumpe und Wasserzähler, Stammlösungsbehälter 200 l, Filter, sieben Magnetventile (Anzahl der notwendigen Bewässerungskreisläufe), Manometer, Pumpenstart-Relais, Frostsensor, Steuerung mit Fernwartung (Web-basiert), Zugriff über Smartphone oder Tablet möglich, 24 V AC, automatischer Winterbetrieb mit Druckluftentleerung und stationärem Kompressor, Vorlaufbehälter für die Wassertrennung nach E DIN EN 1717 mit mindestens 125 l Füllmenge
- Vorlaufbehälter mit folgenden Einrichtungen ausstatten: Nachspeiseeinrichtungen (Anschluss ½“ AG), Anschlussmuffe für Notüberlauf HT 50 o, Niveauschalter Niedrigwasserstand als Trockenlaufschutz für die Pumpe, Hochdruckpumpe, Warneinrichtungen (online) über Fernwartung möglich für Stromausfall, Niedrigwasserstand im Vorlaufbehälter, Netzverlust, Leckage, kein Durchfluss
- Ausstattung Technikraum Wasser herstellen, Rohre/Leerrohre/Kabel, Anschlüsse, Leitungen verlegen (Frischwasserleitung/Trennstation, Trennstation/Bewässerungskabinett, Bewässerungskabinett/Winterautomatik, Winterautomatik/Begrünung inklusive Material)
- Ausstattung Technikraum Elektrik herstellen, Kabel verlegen, Anschlüsse Elektrik (Wasserstandssensorik Trennstation/Steuergerät, Frostsensorik/Steuergerät, Tauchpumpe/Steuergerät inklusive Material)

> **Hinweis**
>
> Die Wassertrennung hat gemäß E DIN EN 1717 mit freiem Auslauf zu erfolgen.

Übergabe

- Übergabe und Dokumentation: Dokumentation der gesamten Anlage; Unterlagen digital einreichen (USB-Speichergerät), auf Wunsch auch in Papierform
- Inbetriebnahme und Übergabe an den Vertreter des Auftraggebers vor Ort; Einweisung in Steuerung, Pflege und Wartung

Pflege von Kletterpflanzen und Unterpflanzungen

Vorratsdüngung bei Kletterpflanzen

- Vorratsdüngung der Pflanzflächen mit 50 g/m² hochwertigem umhülltem Langzeitdünger mit sechs Monaten Vorhaltezeit (6M) im Frühjahr (entweder bei Pflanzung oder bei Fertigstellungspflege)
- insgesamt ca. X m² Pflanzfläche

Fertigstellungspflege

- Fertigstellungspflege Kletterpflanzen nach DIN 18916 bis zum abnahmefähigen Zustand über ein Jahr:
  - Unkraut entfernen, Pflanzflächen lockern, Schnittmaßnahmen, Triebe einbinden
  - Hubsteiger anliefern, vorhalten und räumen
  - insgesamt ca. X m² Pflanzfläche und X m² Fassadenfläche
- Fertigstellungspflege bodendeckender Stauden, Gräser und Kleingehölze nach DIN 18916 bis zum abnahmefähigen Zustand über ein Jahr:
  - bodendeckende Pflanzen entsprechend ihren Anforderungen im angepassten Rhythmus schneiden
  - einziehende Stauden im Herbst zurückschneiden, Halbsträucher und Gräser im Frühjahr
  - abgeblühte Blütenstände über das Jahr entfernen
  - welke und tote Triebe entfernen (Über den Rand der Pflanzgefäße überhängende Stauden sind erwünscht, sofern allzu auskragende Triebe vermieden werden.)
  - Schnittgut und Unkraut abtransportieren und Schnittgut an dafür vorgesehenen Schnittgut-Sammelstellen entsorgen
  - insgesamt ca. X m² Pflanzfläche

Entwicklungs- und Unterhaltungspflege

- Entwicklungs- und Unterhaltungspflege der Kletterpflanzen nach DIN 18919 bis zum abnahmefähigen Zustand über fünf Jahre nach der Abnahme der Pflanzen mit mindestens zwei Pflegegängen pro Jahr:
  - pflanzengerechter Rückschnitt, Schnittgut abtransportieren, inklusive Entsorgungskosten
  - Pflanzflächen und Pflanzen hinsichtlich Krankheits- und Schädlingsbefall überwachen
  - Funktionsfähigkeit der Pflanztröge, Verankerungen, Wuchsaufleitungen/Rankhilfen sowie Be- und Entwässerungseinrichtungen überprüfen
  - Boden lockern und unerwünschten Aufwuchs beseitigen
  - Kletterpflanzen schneiden und Stauden pflegen, Schnittgut abtransportieren
  - Triebe einbinden
  - Hubsteiger anliefern, vorhalten und räumen
  - insgesamt ca. X m² Pflanzfläche und X m² zu begrünende Fassadenfläche
- Entwicklungs- und Unterhaltungspflege bodendeckender Stauden, Gräser und Kleingehölze nach DIN 18919 bis zum abnahmefähigen Zustand über vier Jahre nach der Abnahme der Pflanzen mit mindestens vier Pflegegängen pro Jahr:
  - bodendeckende Pflanzen entsprechend ihren Anforderungen im angepassten Rhythmus schneiden
  - einziehende Stauden im Herbst zurückschneiden, Halbsträucher und Gräser im Frühjahr
  - abgeblühte Blütenstände über das Jahr entfernen
  - welke und tote Triebe vermeiden (Über den Rand der Pflanzgefäße überhängende Stauden sind erwünscht, sofern allzu auskragende Triebe vermieden werden.)
  - Schnittgut und Unkraut abtransportieren und Schnittgut an dafür vorgesehenen Schnittgut-Sammelstellen entsorgen
  - insgesamt ca. X m² Pflanzfläche

Pflege wandgebundener Begrünungen

Visuelle Kontrolle

- Visuelle Kontrolle der Begrünung auf Vitalität sowie eventuellen Befall mit Krankheiten und Schädlingen
- Kontrollberichte erstellen (Die Kontrollberichte sind dem AG innerhalb von drei Werktagen vorzulegen und gegebenenfalls gegenzeichnen zu lassen.)

Rückschnitt der Vegetation

- Abgestorbene, verblühte, störende oder zu lang gewordene Pflanzenteile zurückschneiden (Die pflanzenphysiologischen Besonderheiten sind beim Schnittzeitpunkt zu berücksichtigen.)
- Fremdaufwuchs entfernen
- anfallendes Material aufnehmen und geordnet entsorgen, inklusive Deponiegebühren pro Jahr (Abrechnung je Arbeitsgang)

Nachpflanzung für ausgefallene oder kümmerliche Pflanzen

- Pflanzenlieferung: Ausfall ermitteln (siehe Abb. 5.60) und Pflanzen gemäß Pflanzplan und ursprünglichem Pflanzbild liefern
- Pflanzarbeit: Pflanzen wurzelnackt in den Pflanzträger einpflanzen und befestigen (Sofern die Pflanzen in mineralischem Substrat angezogen wurden, dürfen sie auch mit dem Ballen eingepflanzt werden.)

Abb. 5.60: Erforderliche Nachpflanzung ausgefallener Pflanzen

Wartung der technischen Anlage und Düngung

> **Hinweis**
>
> Der Anbieter garantiert, dass er die technischen Kenntnisse für die Wartung sämtlicher Komponenten der Bewässerungsanlage besitzt und in der Lage ist, unter Beanspruchung stehende Teile im Turnus der Betriebsmodi zu tauschen oder zu reparieren.

Über sämtliche Wartungsarbeiten ist Buch zu führen. Das Wartungsbuch bzw. einzelne Blätter daraus sind dem Auftraggeber oder dem Betreiber auf Wunsch vorzulegen. Das Wartungsbuch muss eine lückenlose Dokumentation aller Wartungsmaßnahmen beinhalten. Bei Verwendung einer Web-basierten Steuerung ist zusätzlich eine lückenlose digitale Dokumentation nachzuweisen.

Die nachfolgenden Ausschreibungsstichpunkte beziehen sich jeweils auf die Jahreskosten. Alle Abrechnungseinheiten sind für ein Jahr anzufragen. Die Preise der Bieter dienen als Grundlage für einen im Anschluss an die Herstellung der Vertikalbegrünung zu schließenden Wartungsvertrag.

- Entwässerungsrinne reinigen, Laub und Unrat entfernen, auf Dichtigkeit und eventuelle Korrosion überprüfen, Sieb über Fallrohranschluss reinigen und spülen (Leistung bei jedem Pflege- und Wartungsgang)
- Pflanzgefäße von außen säubern und Entwässerungsanschluss kontrollieren (Leistung bei jedem Pflege- und Wartungsgang)
- Düngen über automatische Düngedosieranlage: Stammlösung mit für Flüssigdünger geeigneten, gut löslichen Nährsalzen ansetzen (Beim Ansetzen ist darauf zu achten, dass der Dünger komplett aufgelöst wird; es ist ein entsprechendes Rührwerk einzusetzen.)

> **Hinweis**
>
> Der Dünger ist entsprechend der Jahreszeit, (stickstoffbetont im Frühjahr, kaliumbetont im Sommer und verwässert im Herbst), der verfügbaren Wasserqualität, dem Nährstoffbedarf der Pflanzen und dem Bodengefüge zu wählen.

Wartung einer Bewässerungsanlage

Allgemeine Wartungsleistungen

- Wartung und Inspektion der Bewässerungsanlage nach Wartungsbuch turnusmäßig zweimal pro Jahr durch einen Bewässerungstechniker (siehe Abb. 5.61)

Abb. 5.61: Wartung der Komponenten einer Bewässerungsanlage

- alle Bauteile wie Magnetventile und Pumpen auf einwandfreie Funktion prüfen
- Filter säubern, Vorlaufbehälter/Becken reinigen
- Wartungsbuch mit Log-Daten führen
- Verbrauchsgüter wie Osmosefilter und Verschleißteile wie Pumpen, Pumpenköpfe, Dichtungen und Magnetventile austauschen, regelmäßige Verschleißteile (außer Pumpe) und Verbrauchsgüter inbegriffen
- Anlage im Herbst winterfest machen durch Ausblasen sämtlicher Leitungen (Ein mobiler Kompressor inklusive erforderlichem Zubehör ist vom Auftragnehmer mitzubringen.)
- Wiederinbetriebnahme im Frühjahr: sämtliche Leitungen auf Dichtigkeit bzw. Tropfrohre auf Funktion überprüfen; alle technischen Einrichtungen, insbesondere bewegliche Teile, auf Funktion und reibungslosen, einwandfreien Betrieb überprüfen; gleichmäßige Durchfeuchtung der Vegetationsflächen überprüfen; Niederschrift des Prüfprotokolls in das Wartungsbuch
- Düngung gemäß Düngeplan entsprechend der Vegetation und der Wasserqualität (Für Fassadenbegrünungen sind jahreszeitlich angepasste Düngergaben vorzunehmen.); Düngestammlösung im Stammlösungsbehälter mit hochwertigen Flüssigdüngern mischen und herstellen; Inbetriebnahme der Düngedosiereinrichtung inklusive Reinigung des Fußventils und Entlüften der Anlage

Hinweis

Die Düngelösung ist zweimal im Jahr anzusetzen: im Frühjahr mit einem stickstoffbetonten Dünger, im Sommer mit einem kalibetonten Dünger. Über die verwendeten Dünger und die eingesetzte Menge ist Buch zu führen.

Wartung der elektronischen Düngedosieranlage

- Stammlösungsbehälter ausspülen und reinigen (einmal jährlich im Herbst)
- Fußventil bei Ansetzen einer neuen Stammlösung reinigen (bei jedem Neuansetzen)
- Niveauschalter kontrollieren, alle drei Jahre austauschen
- Anlage entlüften (bei jedem Neuansetzen)
- Funktion der gesamten Anlage bei jedem Neuansetzen kontrollieren (Der Impuls des Wasserzählers muss den Injektionsschlag auslösen; daraufhin muss die Stammlösung eingespritzt werden.)
- Ansaug- und Injektionsschläuche kontrollieren und spülen (dreimal jährlich), bei Bedarf austauschen (alle drei Jahre)
- Düngedosierkopf bei Bedarf austauschen (alle drei Jahre)

Wartung des Vorlaufbehälters bzw. der Trennstation

- Behälter ausspülen und reinigen (zweimal jährlich)
- Nachspeiseeinrichtung auf Funktion des Ventils sowie richtige Position des Schwimmers und festen Sitz kontrollieren (bei jedem Wartungsgang)
- Nachspeiseeinrichtung/Schwimmer austauschen (alle fünf Jahre)
- Niveauschalter kontrollieren (bei jedem Wartungsgang), alle drei Jahre austauschen
- Hauptpumpe tauschen (alle fünf Jahre)

Wartung einer Osmoseanlage

- Filterset nach Herstellerangaben und entsprechend der Wasserqualität tauschen (mindestens alle sechs Monate)
- Nachkohlefilter tauschen (mindestens einmal jährlich)
- Membran tauschen inklusive Dichtringen (mindestens alle zwei Jahre)
- Pumpe kontrollieren (bei jedem Wartungsgang), alle drei Jahre bei Bedarf austauschen
- auf Dichtigkeit der gesamten Anlage kontrollieren (bei jedem Wartungsgang)
- auf Funktion der Anlage/Wassermessung kontrollieren (bei jedem Wartungsgang)

Wartung der Winterautomatik

- Winterautomatik durch Öffnen der entsprechenden Ventile aktivieren (im Herbst, vor Frost), durch Schließen der Ventile deaktivieren (nach der Frostperiode)
- automatische Entleerungsventile auf Funktion kontrollieren (bei Frühjahrswartung), bei Bedarf austauschen (alle drei Jahre)
- Tropfröhrchen und Tropfer auf Funktion überprüfen (nach der Frostperiode), bei Bedarf austauschen (alle zwei Jahre)

Wartung einer Bewässerungsanlage ohne Winterautomatik

- Anlage im Herbst einwintern: Leitungen ausblasen, kontrollieren, dass an keiner frostgefährdeten Stelle Wasser verblieben ist, Steuerung abschalten
- Anlage im Frühjahr wieder in Betrieb nehmen: Filter reinigen und Dichtungen ersetzen, jeden einzelnen Kreis ansteuern, dabei Magnetventile auf Funktion prüfen, Magnetventile nach Bedarf austauschen (alle drei Jahre), alle Fittings/Verbindungen auf Dichtigkeit prüfen, Verbraucher (Tropfer, Regner) auf Funktion prüfen

Wartung weiterer technischer Einrichtungen der Bewässerungsanlage

- Filter reinigen (bei jedem Wartungsgang)
- Filter auf Dichtigkeit kontrollieren (bei jedem Wartungsgang), Dichtungen der Filter nach Bedarf austauschen (alle drei Jahre)
- Magnetventile, speziell der elektrischen Anschlüsse, kontrollieren (bei jedem Wartungsgang), nach Bedarf austauschen (alle drei Jahre)

Hinweis

Motorventile sind kostspieliger, jedoch langlebiger. Das kann eine Bewässerungsanlage insgesamt wirtschaftlicher machen. Sie können jedoch nicht im Außenraum eingesetzt werden.

Prüfen der elektrischen Komponenten

- Elektrische Komponenten nach VDE durch einen Elektriker prüfen lassen, inklusive Erstellen des Prüfberichts (Der Prüfbericht ist bei der Anlage zu hinterlegen und mit einem Stempel nachzuweisen.)

Fernwartung

- Regelmäßige Fernwartung an jedem Arbeitstag (siehe Abb. 5.62)
- Störmeldungen umgehend bearbeiten (Fehler an elektrischen Leitungen oder Netzverlust werden dem Auftraggeber nach deren Auftreten mitgeteilt.)
- wöchentlich Programmeinstellungen und Sensorik überprüfen
- alle wichtigen Werte speichern und/oder ausdrucken (für eine lückenlose Dokumentation)

Sicherung des Netzwerks

- Router installieren
- Netzwerkvertrag durch pünktliche Vorauszahlung dauerhaft aufrechterhalten

Abb. 5.62: Steuerungseinheiten einer Bewässerungsanlage mit Möglichkeit der Fernwartung

6 Bedingungen für eine erfolgreiche Dachbegrünung im Bestand

Die erfolgreiche Umsetzung von Dachbegrünungen im Bestand erfordert eine sorgfältige Planung und die Berücksichtigung zahlreicher technischer, ökologischer und rechtlicher Faktoren. Anders als bei Neubauten, bei denen die Begrünung von Anfang an in die Planung einbezogen werden kann, stellt die Begrünung bestehender Dächer eine besondere Herausforderung dar. Für die nachträgliche Realisierung einer Dachbegrünung müssen bauliche Voraussetzungen genau analysiert, muss die Tragfähigkeit des Daches geprüft und müssen klimatische sowie standortbezogene Faktoren berücksichtigt werden. Nur durch eine sorgfältige Vorbereitung können langfristige Schäden vermieden werden, und der gewünschte Nutzen der Begrünung erreicht wird erreicht.

Besonders im Bestand spielen auch wirtschaftliche und rechtliche Aspekte eine wichtige Rolle. Eine gründliche Kosten/Nutzen-Analyse und die Prüfung potenzieller Fördermöglichkeiten sind entscheidend, um die wirtschaftliche Rentabilität sicherzustellen. Zudem müssen rechtliche Rahmenbedingungen, wie Planungs- und Baurechtsvorschriften sowie mögliche Nachbarschaftsrechte, von Anfang an in die Planung einbezogen werden. Die Kombination dieser Faktoren schafft die Grundlage für eine erfolgreiche und dauerhafte Begrünung, die nicht nur das Mikroklima verbessert, sondern auch zur Energieeffizienz und ästhetischen Aufwertung des Gebäudes beiträgt.

Darüber hinaus bietet die Begrünung von Bestandsdächern die Möglichkeit, bestehende Sanierungsmaßnahmen ökologisch zu erweitern. Konzepte, die eine Sanierung mit einer Begrünung verbinden, ermöglichen Verbesserungen in gebäudeenergetischer Hinsicht, wie z. B. Schutz vor Witterung und Temperaturextremen. Auch multifunktionale Dächer (u. a. Solargründächer, Biodiversitätsdächer, Retentionsdächer) stellen zukunftsweisende Lösungen dar.

In den folgenden Unterkapiteln werden Anwendungs- und Ausschreibungshilfen für Dachbegrünungen im Bestand vorgestellt, die die verschiedenen Einflussfaktoren, die funktionalen und gestalterischen Zielsetzungen sowie die notwendigen Handlungsschritte zeigen.

6.1 Grundlagenanalyse

Für den bestmöglichen Begrünungserfolg ist eine umfassende Analyse unerlässlich. Diese beinhaltet zunächst eine finanzielle Klärung, gefolgt von der Ermittlung standortbezogener Rahmenbedingungen, wie Lage, Exposition und Klimadaten. Darüber hinaus müssen planungsrelevante Aspekte in Hinblick auf eine bauamtliche Genehmigung geprüft werden, einschließlich planungs- und nachbarrechtlicher Vorgaben. Bei Sanierungsprojekten sollte zudem untersucht werden, wie die Begrünung im Bestand synergetisch in ein ökologisches oder energetisches Sanierungskonzept integriert werden kann. Konstruktive Klärungen, wie z. B. die Klärung der vorhandenen Dachkonstruktion, der Dacheignung und der Tragfähigkeit, sind entscheidend für die Auswahl der Art der Dachbegrünung.

Schritte der Grundlagenanalyse

1. Ermittlung von Kosten und Nutzen (Klärung des vorhandenen Budgets, möglicher Förderungen und potenziell möglicher Einsparungen durch eine Dachbegrünung)
2. standortbezogene Klärungen, wie Lage, Exposition und Klimadaten
3. Klärung planungsrechtlicher und nachbarrechtlicher Bedingungen und Vorgaben des Denkmalschutzes (Auflagen, Abstandsflächen, Brandlast, Eingriffs- und Ausgleichsregelung)
4. konstruktive Klärungen, wie z. B. Dachkonstruktion und Dacheignung (Tragfähigkeit, Statik)
5. Chancenklärung eines energetischen/ökologischen Begrünungseinsatzes
6. Klärung der Art der Begrünung (Priorität Gewichtseinsparung oder Nutzung?)

6.1.1 Klärung von Kosten und Nutzen der Dachbegrünung

Bei der Realisierung einer Dachbegrünung stellt sich auch die Frage nach der Wirtschaftlichkeit. Investitions- und Betriebskosten sollten in einem günstigen Verhältnis zu den langfristigen Vorteilen stehen. Investitionskosten für die Begrünung setzen sich aus den Aufwendungen für die Planung, die Realisierung (Materialien, wie Substrat, Pflanzen, Drainage), die Instandhaltung (Pflege und Wartung) und eventuell nötige statische Anpassungen zusammen. Eine frühzeitige Kostenplanung und die Einholung mehrerer Angebote sind wichtig, um unnötige Mehrkosten zu vermeiden. In vielen Kommunen gibt es zudem Förderprogramme, die Dachbegrünungen finanziell unterstützen. Diese Programme können einen Teil der Investitionskosten decken und sollten bei der Finanzplanung berücksichtigt werden. Langfristige Kosteneinsparungen und positive Aspekte für das Allgemeinwohl sind ebenfalls zu berücksichtigen. So bieten Dachbegrünungen sowohl für Gebäudeeigentümer als auch für die Kommune Vorteile. Diese ergeben sich vor allem aus ökologischen Vorteilen, dem baulichen Schutz und einer erhöhten Aufenthaltsqualität. Auch mögliche Substitutionen durch Dachbegrünungen (z. B. Bekiesung oder im Rahmen einer Sanierung auszutauschende Dachdeckungen/Dachbeläge) können gegengerechnet werden (siehe Abb. 6.1).

Um die Ressourcennutzung einer Begrünung umfassend zu bewerten, ist eine wirtschaftliche Lebenszyklusanalyse empfehlenswert. Dabei werden alle Phasen des Lebenszyklus betrachtet: von der Planungsphase über die Herstellung (inklusive Materialwahl, Produktion und Transport), die Konstruktion (Lieferung, Baustelleneinrichtung, Montage) und die Nutzungsphase (Betriebs-, Pflege- und Instandhaltungskosten) bis hin zur Erneuerung (Teil- oder Gesamterneuerung) sowie zu Rückbau und Entsorgung (Recycling, Weiterverwendung oder Deponie).

Eine Untersuchung von neun begrünten Dächern in Hamburg erfasste sowohl Investitions- als auch Unterhaltungskosten und analysierte ihren ökonomischen Nutzen sowie ihre Wirkung (Auf die Dächer – fertig – grün!, 2024). Die Ergebnisse zeigen, dass mit zunehmender Dachgröße die Kosten pro Quadratmeter Dachfläche sinken. Dies gilt ebenfalls für die nachträgliche Begrünung von Bestandsbauten. Je früher und konsequenter Dachbegrünungen in die Planungsphase einer Sanierung integriert werden, desto rentabler wird die Investition. Über einen Zeitraum von 40 Jahren sind die Lebenszykluskosten von frei bewitterten Dachabdichtungen und Gründächern nahezu identisch (Gebäude Begrünung Energie, 2014; Auf die Dächer – fertig – grün!, 2024). Die Herstellungskosten einer extensiven Dachbegrünung liegen zwischen 40 und 45 €/m² Dachfläche. Laut Expertenmeinung entstehen für Begrünungen bei Aufstockungen oder Umbauten unter der Voraussetzung sorgfältiger Planung keine signifikanten Mehrkosten bei statischen Anforderungen, erforderlichen Änderungen der Attika oder während des Bauprozesses. Der zusätzliche statische Aufwand für eine Extensivbegrünung beträgt maximal 3 bis 4 €/m², und eine Attikaerhöhung ist oft nicht notwendig. Sollte sie dennoch erforderlich sein, liegen die Kosten bei etwa 6,50 bis 8,50 €/m². Zusätzliche Baukosten treten in der Regel nicht auf, es sei denn, es handelt sich um eine reine nachträgliche Begrünungsmaßnahme. Um unnötige Kosten zu vermeiden, wird empfohlen, Angebote von mehreren Firmen einzuholen und verschiedene Bauweisen sowie Baustoffe zu vergleichen. Bereits in der Planungsphase sollte auf Kostenoptimierung geachtet werden. Zudem sollten die Funktionalität sowie auch Synergieeffekte berücksichtigt werden.

Im Rahmen der naturschutzrechtlichen Eingriffsausgleichsregelung werden Gründächer als Minderungsmaßnahme bei der Bilanzierung berücksichtigt. Dadurch können Eingriffe in die ökologischen Werte eines Grundstücks direkt vor Ort teilkompensiert werden. Dadurch verringert sich der Bedarf an kostenintensiven Ausgleichsmaßnahmen an anderer Stelle. Repräsentative Bauwerksbegrünungen verbessern zudem die Akzeptanz bei den Nutzern und steigern den Wert des Gebäudes durch die Schaffung zusätzlicher nutzbarer Freiflächen. Die Nutzung von Gründächern für Freizeit und Erholung bietet darüber hinaus die Möglichkeit, durch Vermietung, Verpachtung oder Verkauf zusätzliche Einnahmen zu generieren. Laut einer Schätzung des TÜV Süddeutschland kann der finanzielle Mehrwert intensiv begrünter Immobilien zu einer Steigerung der Mieteinnahmen um 6 bis 8 % führen (Auf die Dächer – fertig – grün!, 2024).

Betriebskosteneinsparungen durch nachträgliche Gründächer sind ebenfalls möglich, beispielsweise durch eine eventuelle Reduktion der Niederschlagswassergebühren pro Quadratmeter Gründach und Jahr (abhängig von den Regelungen der jeweiligen Kommune). Zusätzlich lassen sich durch den zusätzlichen Schutz vor Auskühlung in der

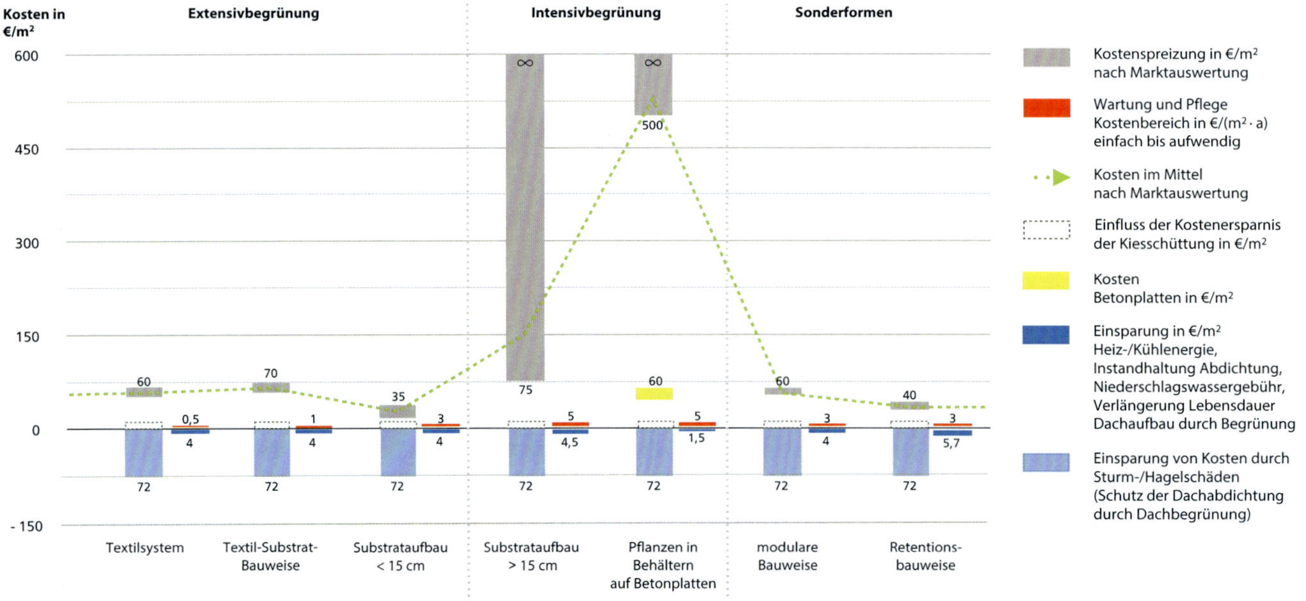

Abb. 6.1: Unterschiedliche Lösungen der Dachbegrünung im Kostenvergleich. Die Variablen sind abhängig vom Auftragsvolumen, von den Systemkosten, von der Pflanzenauswahl und -dichte, von der Technik der Wasser- und Nährstoffversorgung sowie von der Lage und Erreichbarkeit.

kalten Jahreszeit Heizkosten senken und durch die Verdunstungskühlung im Sommer Kühlkosten reduzieren. Der Schutz der Dachabdichtung vor Witterungseinflüssen und mechanischen Belastungen sowie vor extremen Temperaturunterschieden und UV-Strahlung trägt ebenso zur Verlängerung der Lebensdauer der Abdichtung bzw. des Daches bei. In Kombination mit Photovoltaikanlagen kann die Verdunstungskühlung die Umgebungstemperatur senken. Dies erhöht den Wirkungsgrad der Module und verkürzt die Amortisationszeit der Investition. Gründächer werden im Rahmen der DGNB-Zertifizierung für nachhaltiges Bauen als positiver Faktor berücksichtigt. Auch in den Förderprogrammen der KfW können Dachbegrünungen bei Sanierungen oder energetischen Einzelmaßnahmen gefördert werden. Darüber hinaus sind ökonomische Vorteile zu nennen, die sich aus der Verbesserung des Arbeits- und Wohnumfelds, der Aufwertung der Gebäudegestaltung, der Verbesserung des Mikroklimas, der Schallminderung sowie der Bindung und Filterung von Schadstoffen und der Förderung der Artenvielfalt ergeben. Diese Aspekte sind jedoch im Zusammenhang mit den Baukosten nicht quantifizierbar.

6.1.2 Standortbezogene Klärungen

Eine erfolgreiche nachträgliche Dachbegrünung im Bestand hängt maßgeblich von der Berücksichtigung standortbezogener Faktoren ab. Die Begrünung muss an die spezifischen Gegebenheiten des Gebäudes und seiner Umgebung angepasst werden, um sicherzustellen, dass die Pflanzen optimal gedeihen und die ökologischen, ästhetischen und energetischen Vorteile ausgeschöpft werden können. Zu den wesentlichen Standortfaktoren zählen die Lage des Gebäudes, klimatische Bedingungen, Lichtverhältnisse sowie die individuellen Bedürfnisse der Pflanzengesellschaften (z. B. Temperatur, Feuchtigkeit und Versorgung mit Nährstoffen).

Erforderliche Vorklärungen zur Position und Art der Begrünungsfläche:

- Höhe über Normalnull
- Klimazone/Winterhärte
- Himmelsrichtung (Nord, Süd, Ost, West)
- durchschnittlicher Jahrestemperaturverlauf (Tiefst-/Höchsttemperaturen)
- durchschnittliche Sonnenscheindauer (Globalstrahlung)
- regionaler Jahresverlauf der Niederschlagsmengen
- vorherrschende Windrichtung und -stärke
- Sonstiges (z. B. Einflüsse des Klimawandels oder regionale klimatische Besonderheiten)

Lage und Ausrichtung des Gebäudes

Die geografische Lage und die Ausrichtung des Daches sind für den Erfolg der Begrünung zu berücksichtigen. Der Grad der Besonnung/Beschattung beeinflusst die Pflanzenwahl. Dächer, die starkem Wind oder großen Niederschlagsmengen ausgesetzt sind, erfordern spezielle Anpassungen bei der Auswahl der Pflanzen und Drainagen sowie bei der Planung des Begrünungsaufbaus.

Wind kann insbesondere auf höheren Gebäuden, in offenen Lagen und in Eck- und Randbereichen problematisch für die Begrünung sein. Schutzstreifen, windfeste Pflanzen und ein entsprechend stabiler Aufbau (Lagesicherung) der Dachbegrünung sind dort besonders wichtig.

Die Dauer und Intensität der Sonneneinstrahlung beeinflussen die Auswahl der Pflanzenarten. Auf sonnenexponierten Dächern kommen hitze- und trockenheitsresistente Pflanzen zum Einsatz, während schattigere Dächer Pflanzen erfordern, die an weniger Licht angepasst sind.

Zu berücksichtigende Einflussfaktoren der umgebenden Elemente:

- dauerhaft freistehendes Gebäude oder Erwartung späterer Anbauten
- regelmäßige Verschattung aus Baulichkeiten des Umfelds
- regelmäßige Verschattungen aus nahebei stehender oder geplanter Vegetation (z. B. Bäumen)
- Pflanzenstandort im Regenschatten aufsteigender Bauteile oder anderer Hochbauten
- gründachtangierende Überbauungen (z. B. Sonnenschutz, Dachüberstände, Balkone)
- regelmäßige Sonnenlichtreflexion durch benachbarte helle Wandflächen, Glas- bzw. Spiegelfassaden oder Glas- bzw. Solardächer
- Aufheizung naher Wandoberflächen, insbesondere Metallfassaden, sowie dunkler Putzschichten auf Wärmedämmung

Klima

Das lokale Klima gibt vor, welche Pflanzenarten für eine Dachbegrünung geeignet sind und wie sie sich langfristig entwickelt. Zu den relevanten klimatischen Faktoren gehören Temperatur, Niederschlagsmengen, Frostperioden sowie die Luftfeuchtigkeit.

Dachflächen sind großen Temperaturunterschieden ausgesetzt (über den Tag bzw. über das Jahr). Während sie sich im Sommer stark aufheizen und schnell abkühlen (durch Sonne, Wolken, Niederschläge), sind sie im Winter Frost und Kälte ausgesetzt. Die Auswahl von Pflanzen, die temperaturtolerant sind und sowohl Hitze als auch Frost überstehen, ist daher entscheidend. Hitze ist für Pflanzen weniger problematisch, sofern sie gut mit Wasser versorgt sind.

In Regionen mit geringen Niederschlagsmengen muss ein effizientes Bewässerungssystem eingeplant werden, um die Pflanzen mit ausreichend Wasser zu versorgen. In regenreichen Gebieten sollte das Dach über eine gute Drainage verfügen, um Staunässe zu vermeiden.

Ebenfalls zu beachten sind Veränderungen infolge des Klimawandels: Auf langanhaltende Hitze, Trockenperioden bis zu einem halben Jahr und unvorhersehbare Starkregenereignisse ist mit einer vorausschauenden Planung der Bewässerungsinfrastruktur zu reagieren.

Lichtverhältnisse

Die Lichtverhältnisse auf Dächern variieren je nach Standort, Gebäudehöhe und umgebender Bebauung. Pflanzen haben unterschiedliche Ansprüche an Licht, sodass die Planung der Begrünung auf die spezifischen Lichtverhältnisse des Standorts abgestimmt werden muss.

Gründächer, die der Sonne ungeschützt ausgesetzt sind, erfordern Pflanzen, die an intensive Sonneneinstrahlung angepasst sind, wie Moose, Sukkulenten sowie trockenheitsresistente Gräser, Kräuter und Kleingehölze.

Auf Dächern mit wenig direkter Sonneneinstrahlung, beispielsweise auf Gebäuden, die von höheren Bauten umgeben sind, sind schattenverträgliche Pflanzenarten, wie Moose und Stauden (u. a. auch Gräser und Farne), für halbschattige oder absonnige Standorte geeignet.

Boden- und Substratbedingungen

Für die Auswahl geeigneter Pflanzen ist die Beschaffenheit des verwendeten Substrats entscheidend. Das Substrat muss den Pflanzen nicht nur Halt bieten, sondern auch ihre Nährstoffversorgung und Wasseraufnahme sicherstellen.

Je nach geplanter Pflanzenauswahl muss die Substratdicke angepasst werden. Extensivbegrünungen benötigen in der Regel eine dünnere Substratschicht (ca. 5 bis 15 cm), während intensivere Begrünungen, wie Rasenflächen oder Sträucher, eine dickere Substratschicht brauchen (>15 cm und mehr).

Die Substratwahl erfolgt auf der Basis, dass eine langfristige Nährstoffversorgung der Pflanzen gesichert sein muss. Eine regelmäßige Düngung kann insbesondere bei extensiven Dachbegrünungen notwendig sein, da der Nährstoffgehalt des Substrats im Laufe der Zeit abnimmt.

Ausgewählte Pflanzen

Die Wahl der Pflanzen ist wesentlich für eine erfolgreiche Dachbegrünung. Sie muss auf die Standortbedingungen abgestimmt sein und die Bedürfnisse der Pflanzen in Bezug auf Licht, Wasser, Nährstoffe und Pflege berücksichtigen:

- Trockenheitsresistente Pflanzen: Für Dächer mit intensiver Sonneneinstrahlung und geringem Niederschlag sind Pflanzen wie Sukkulenten, Sedum-Arten und spezielle Gräser geeignet, da sie mit wenig Wasser auskommen. Steht ausreichend Wasser zur Verfügung, sind Pflanzen mit guter Transpirationsrate zur Verbesserung des Klimas zu bevorzugen.
- Pflegeleichte Pflanzen: Besonders bei extensiven Dachbegrünungen sollten pflegeleichte Pflanzen gewählt werden, die sich an die natürlichen Gegebenheiten anpassen und nur wenig Pflegeaufwand erfordern. Dazu zählen vor allem Sedum-Arten, Moose und niedrige Stauden. Kann Pflege darüber hinaus gewährleistet werden, sind Pflanzen zu bevorzugen, die der Biodiversität und Verdunstung dienen (siehe Abb. 6.2).
- An widrige Bedingungen angepasste Pflanzen: In Bereichen mit extremen Witterungsbedingungen, wie starken Winden oder großen Temperaturunterschieden, sollten widerstandsfähige Pflanzen verwendet werden, die sowohl Trockenheit und Wind als auch Kälte vertragen. Ist mit Wind zu rechnen, müssen Pflanzen mit einer Windangriffsfläche gesichert werden.

Abb. 6.2: Biodiverse Dachbegrünung auf der Wohnanlage Wagnis 4 in München

Wasser- und Nährstoffversorgung

Die kontinuierliche Wasserversorgung ist essenziell für die Vitalität der Pflanzen. Besonders bei intensiven Dachbegrünungen oder in trockenen Regionen sollten effiziente Bewässerungssysteme eingeplant werden, um eine ausreichende Versorgung sicherzustellen und Trockenstress der Pflanzen zu vermeiden.

Je nach Standort und Pflanzenwahl kann es notwendig sein, eine automatische Bewässerung zu integrieren, um die Pflanzen zu jeder Zeit mit ausreichend Wasser zu versorgen (siehe Abb. 6.3). Der Wasserfluss wird regelmäßig kontrolliert.

Die regelmäßige Zufuhr von Nährstoffen (Düngung) ist für ein gesundes Wachstum der Pflanzen unerlässlich. Auch bei extensiven Dachbegrünungen sollten regelmäßig Nährstoffgaben erfolgen. Intensivbegrünungen sind von einer regelmäßigen pflanzenangepassten Nährstoffversorgung abhängig.

Abb. 6.3: Tropfschläuche der frisch gepflanzten intensiven Begrünung des Bunkers in St. Pauli, Hamburg

6.1.3 Planungs- und nachbarrechtliche Umfeldbedingungen

Die Klärung planungs- und nachbarrechtlicher Rahmenbedingungen ist ein wesentlicher Bestandteil der Dachbegrünung im Bestand. Nur durch eine frühzeitige und umfassende Prüfung der rechtlichen Voraussetzungen können spätere Konflikte und Verzögerungen vermieden werden, damit die Begrünung langfristig erfolgreich umgesetzt werden kann. Die nachfolgenden Beschreibungen dienen als Grundlage. Es empfiehlt sich, Fachkräfte aus den Bereichen Baurecht, Brandschutz und Nachbarrecht einzubeziehen, um alle relevanten Aspekte zu berücksichtigen und rechtliche Sicherheit zu gewährleisten.

Bauplanungsrecht

Planungsrechtliche Rahmenbedingungen legen fest, welche baulichen Maßnahmen in bestimmten Gebieten oder auf einzelnen Gebäuden zulässig sind. Bei der Planung einer Dachbegrünung im Bestand muss u. a. der Bebauungsplan berücksichtigt werden:

Der Bebauungsplan der jeweiligen Kommune legt fest, welche baulichen Maßnahmen auf einem Grundstück erlaubt sind. In vielen Kommunen gibt es Vorschriften, die Dachbegrünungen ausdrücklich fördern oder sogar vorschreiben. In der Regel werden im Plan Vorgaben für Neubauvorhaben definiert. Es können jedoch auch Bestandsbauten mitaufgeführt sein, die in bestimmtem Umfang geändert, saniert oder renoviert werden. Es ist daher notwendig, den lokalen Bebauungsplan zu prüfen, um zu klären, ob Dachbegrünungen zulässig sind und ob bestimmte Vorgaben, wie etwa die Art der Begrünung oder die Verwendung von bestimmten Materialien, eingehalten werden müssen.

Denkmalschutz

Bei denkmalgeschützten Gebäuden gelten besondere Auflagen, die auch eine Dachbegrünung betreffen können. In solchen Fällen müssen die zuständigen Denkmalschutzbehörden frühzeitig in den Planungsprozess einbezogen werden, um zu prüfen, ob und unter welchen Bedingungen eine Dachbegrünung möglich ist. Für eine Dachbegrünung bei baulichen Anlagen, die in der Denkmalliste eingetragen oder als Denkmal anerkannt sind, ist eine denkmalschutzrechtliche Genehmigung im Einzelfall erforderlich. Es muss geprüft werden, ob die Begrünung mit den Schutzzielen und dem Schutzumfang des Denkmals vereinbar ist. Dabei sind die Gebäudefassaden in ihrem ursprünglichen Zustand zu erhalten. Sollte der Begrünungsaufbau nicht hinter einer bestehenden Attika, die von außen nicht sichtbar ist, untergebracht werden können, muss er so weit vom Dachrand zurückgesetzt werden, dass die Ansichten des Gebäudes unverändert bleiben. Zudem ist der Nachweis erforderlich, dass die geschützte Bausubstanz für die zusätzlichen Lasten durch den Gründachaufbau, die Wasserrückhaltung und die Sicherheitsbauteile, wie Absturzsicherungen, geeignet ist.

Brandschutz

Dachbegrünungen müssen die geltenden Brandschutzvorschriften erfüllen. Je nach Gebäudeart und Begrünungstyp können besondere Anforderungen an die Materialien und die bauliche Ausführung gestellt werden, um den Brandschutz sicherzustellen, wie z. B. in Hinblick auf Substratdicke, Abstände und Schutzstreifen. Es muss geklärt werden, ob spezielle Brandschutzauflagen für das Gebäude gelten und ob die geplante Begrünung diesen Anforderungen entspricht. Insbesondere bei Dachgärten, die als Aufenthaltsfläche genutzt werden sollen, muss sichergestellt werden, dass die Zugänglichkeit für die Feuerwehr im Brandfall gewährleistet ist.

> **Hinweis**
>
> In der Regel ist für nachträgliche Dachbegrünungen eine Baugenehmigung der Bauaufsichtsbehörde erforderlich, da sie die Gebäudestatik beeinflussen werden.

Nachbarrecht

Neben den planungsrechtlichen Vorgaben müssen auch nachbarrechtliche Regelungen beachtet werden, um Konflikte mit angrenzenden Grundstückseigentümern oder Mietern zu vermeiden. Nachbarrechtliche Aspekte sind daher in der Planung zu berücksichtigen:

- Sicht- und Lichtschutz: Eine Dachbegrünung kann die Sicht- oder Lichtverhältnisse von Nachbargrundstücken beeinflussen. Pflanzen sind keine baulichen Elemente und daher nicht abstandsflächerelevant. Dennoch sollte insbesondere bei intensiven Dachbegrünungen eine mögliche Beeinträchtigung der Nachbarschaft geprüft werden. In einigen Fällen kann es notwendig sein, Einverständniserklärungen einzuholen, um spätere Streitigkeiten zu vermeiden.
- Wasserabfluss und Entwässerung: Dachbegrünungen können das Abflussverhalten von Regenwasser verändern. Es muss sichergestellt werden, dass die Entwässerung des Daches keine negativen Auswirkungen auf angrenzende Grundstücke hat. Die Planung eines geeigneten Entwässerungssystems ist daher unerlässlich.
- Laub- und Pflanzenwachstum: Besonders bei intensiven Dachbegrünungen oder Begrünungen, die über die Dachkante hinausragen, können herunterfallende Blätter, Früchte oder überhängende Pflanzen zu Konflikten mit Nachbarn oder im öffentlichen Raum führen. Daher ist sicherzustellen, dass das Pflanzenwachstum keine Beeinträchtigungen verursacht und eine regelmäßige Pflege eingeplant wird, um Probleme dieser Art zu vermeiden.
- Als Aufenthaltsfläche nutzbare Dachgärten: Es ist zu bedenken, dass es zu Belästigungen von Nachbarn durch Lärm und unerwünschte Einblicke kommen kann. Vorkehrungen dagegen können die vorherige Abstimmung mit den Betroffenen, Nutzungsbeschränkungen und gegebenenfalls mit den Nachbarn abzustimmender Sichtschutz sein.

Nutzungsrecht und Zugänglichkeit

Bei der Planung einer Dachbegrünung im Bestand ist die Zugänglichkeit des Daches für die Realisierung, Pflege und Wartung sicherzustellen. Dabei spielen sowohl eigentumsrechtliche als auch nachbarrechtliche Fragen eine Rolle.

Bei Mehrparteienhäusern oder Mietobjekten ist zu klären, ob alle Eigentümer oder Mieter einer Dachbegrünung zustimmen und wie der Zugang zu den Dächern für Installation und Pflege organisiert werden kann. Falls eine gemeinsame Nutzung von Freiflächen wie Dachterrassen vorgesehen ist, müssen klare Nutzungsregelungen getroffen werden.

Dachbegrünungen erfordern eine regelmäßige Pflege, etwa in Form von Bewässerung, Rückschnitt und Überprüfung der Entwässerung. Verantwortlichkeiten zur Instandhaltung müssen geklärt werden und ebenso, wie der Zugang zum Dach langfristig gewährleistet werden kann, insbesondere in Mehrparteiengebäuden oder Gewerbeimmobilien.

Hinweis

Bei der Planung von als Aufenthaltsflächen nutzbaren Dachflächen ist zu beachten, dass giftige Pflanzenbestandteile eine Gefahr für Kleinkinder sein können (z. B. Kindergärten, Krankenhaus-Freiräume und Spielplätze). Deshalb dürfen diese Pflanzen nicht für Kinder zugänglich sein (DGUV Information 202-023, 2006).

Verantwortlichkeiten und Haftungsrecht

Mit der Installation einer Dachbegrünung entstehen neue Verantwortlichkeiten und Haftungsfragen, die frühzeitig geklärt werden müssen.

Im Falle von Schäden, die durch die Begrünung entstehen, wie etwa durchfeuchtete Dächer oder Schäden an benachbarten Gebäuden infolge unzureichender Pflege, müssen klare Regelungen zur Haftung getroffen werden. Es ist ratsam, frühzeitig die Haftungsfrage zwischen Eigentümern, Mietern und eventuell beauftragten Dienstleistern zu klären.

Vor der Installation einer Dachbegrünung sollten bestehende Gebäudeversicherungen überprüft werden, um sicherzustellen, dass mögliche Schäden im Zusammenhang mit der Begrünung abgedeckt sind. In einigen Fällen kann es erforderlich sein, den Versicherungsschutz anzupassen oder spezielle Versicherungen abzuschließen. Elementarversicherungen sowie Sturm- und Hagelversicherungen können sich wegen des Schutzes der Dachhaut durch die Dachbegrünungen positiv auf den Beitrag auswirken.

6.1.4 Konstruktive Grundlagen zur Dachbegrünung im Bestand

Die Realisierung einer Dachbegrünung im Bestand erfordert eine detaillierte Auseinandersetzung mit den baulichen und technischen Voraussetzungen. Anders als bei Neubauten, bei denen die Begrünung von Anfang an Teil der Planung ist, müssen im Bestand die vorhandenen Strukturen genügen oder angepasst werden. Häufig müssen zusätzliche Maßnahmen ergriffen werden. Im Folgenden werden wesentliche konstruktive Grundlagen für Dachbegrünungen im Bestand beschrieben sowie Anforderungen an die Tragfähigkeit, Dachabdichtung, Dränage, Substratschichten und auch technische und vegetationstechnische Grundlagen.

Durch sorgfältige Analyse, Planung und Ausführung kann die Dachbegrünung optimal an die baulichen und klimatischen Bedingungen angepasst werden, um sowohl die Erfüllung technischer Anforderungen als auch die Entwicklung einer gesunden Vegetation zu gewährleisten.

Generelle Vorklärungen zu baulichen und technischen Voraussetzungen

Notwendige Voruntersuchungen

Vor der Begrünung müssen Voruntersuchungen zur Unversehrtheit vorhandener Dachabdichtungen und Klärungen zu technischen Einrichtungen durchgeführt werden. Das geplante Begrünungsziel ist dabei zu berücksichtigen.

Zuerst muss der aktuelle Zustand des Daches beurteilt werden: offenliegende Dachabdichtung, Zustand der An- und Abschlüsse, Zustand der Dachrandabdeckung, Zustand der Anschlussschienen und Koppleisten, Zustand der Fugenversiegelung, Wurzelschutz (ja/nein, FLL-konform), Dachneigung, Lichtkuppeln sowie Rauch- und Wärmeabzugsanlage (Art und Zustand), Zugangsmöglichkeit, Art und Intensität der Nutzung und zulässige Verkehrslast in kN/m^2.

Anschließend werden die zu begrünenden Flächen, die Begrünungsart und die Pflegeziele festgelegt. Es muss geklärt werden, ob technische Anlagen nötig sind bzw. nachgerüstet werden müssen und ob und wie sie später gewartet werden müssen.

Wichtig ist auch zu wissen, ob es einen Wasseranschluss und eine Entwässerung gibt (Anzahl der Abläufe, Notüberläufe, Lage) und ob Kontrollschächte (Anzahl, Lage), eine Rinnenheizung (ja/nein; Zustand) sowie ein Stromanschluss vorhanden sind (Lage, Stromstärke).

Geklärt werden muss auch, ob Eindeckungen (Kies), Rand- und Sicherheitsstreifen (Kies, Platten) vorhanden sind und in welchem Zustand sie sind.

Zudem muss bestimmt werden, welche Pflege-, Wartungs- und Instandhaltungsmaßnahmen erforderlich sind, einschließlich Art, Umfang und Fristen für die Ausführung. Unerlässlich ist auch die Klärung, ob es Aufenthalts- und Sanitärräume sowie Lagermöglichkeiten gibt.

Erforderliche Vorklärungen zu baulichen Elementen:

- statische Prüfung von lastaufnehmenden Bauteilen, Abstimmung der Begrünungsform (extensiv/intensiv) und Pflanzenwahl (z. B. bei Bäumen)
- Klärung der Erhaltungsqualität, baulicher Renovierungsbedürftigkeit des Daches und voraussichtlicher Renovierungsintervalle
- Vorklärungen zur Sicherung gegen Windverwirbelung bzw. -umlenkung sowie der Windschleusenbildung
- Auswahl der passenden Begrünungsform bzw. geeigneter Pflanzen in Abhängigkeit von der Dachnutzung (z. B. begehbare Flächen, Solarenergiegewinnung mit Überlagerung/Verschattung)
- Bestimmung der Lage und Ausbildung erforderlicher Begrenzungen der Wuchsausbreitung (z. B. unter Fenstern, zu aufsteigenden Bauteilen, zu Flächen aktiver Solarenergiegewinnung)

Klärung vorhandener technischer Infrastruktur

Zur Planung und Realisierung einer nachträglichen Dachbegrünung im Bestand ist eine Analyse der vorhandenen technischen Infrastruktur des Gebäudes notwendig. Diese Prüfung dient der Klärung, ob bestehende bauliche Gegebenheiten und technische Installationen für eine Dachbegrünung geeignet sind. Mögliche erforderliche Anpassungen weden identifiziert. Neben der Prüfung der Zugänglichkeit, der Dachkonstruktion und deren Tragfähigkeit, der Dachabdichtung, der Brandschutzauflagen sowie der zur Verfügung stehenden Entwässerung müssen die vorhandene elektrische Infrastruktur und eine mögliche Wasserversorgung überprüft werden (siehe Abb. 6.4).

Zur nachträglichen Installation von Dachbegrünungen, nutzbaren Freiräumen oder der Kombination von Dachbegrünung und Photovoltaikanlagen muss sichergestellt werden, dass Stromanschlüsse zur Instandhaltung oder Nutzung der Fläche über Dach geführt werden können und eine eventuell vorhandene Gebäudeinstallation erweiterbar ist.

Bei intensiv genutzten Dachflächen wie Dachgärten oder -terrassen kann eine Lichtinstallation erforderlich sein. Daher wird geprüft, ob die elektrische Infrastruktur dies zulässt oder ob zusätzliche Installationen notwendig sind.

Der vorhandene Blitzschutz ist zu klären und im Zuge der Flächenänderungen für die Dachbegrünung entsprechend anzupassen.

Es wird geklärt, ob bereits Wasseranschlüsse auf dem Dach vorhanden sind oder ob diese nachträglich installiert werden müssen. Bekannte Problemstellen sind zu berücksichtigen (z. B. Druckverluste durch Leitungslängen bzw. vertikalen Anstieg).

Für eine effiziente Wasserversorgung und um den Pflegeaufwand zu minimieren, kann eine automatisierte Bewässerung mit Sensoren/Wasserverbrauchskontrolle sinnvoll sein. Die Bewässerung muss auf die spezifischen Bedürfnisse der Pflanzen abgestimmt sein. Dafür müssen die Leitungsführungen und die Wasserzufuhr geprüft und gegebenenfalls nachgerüstet werden.

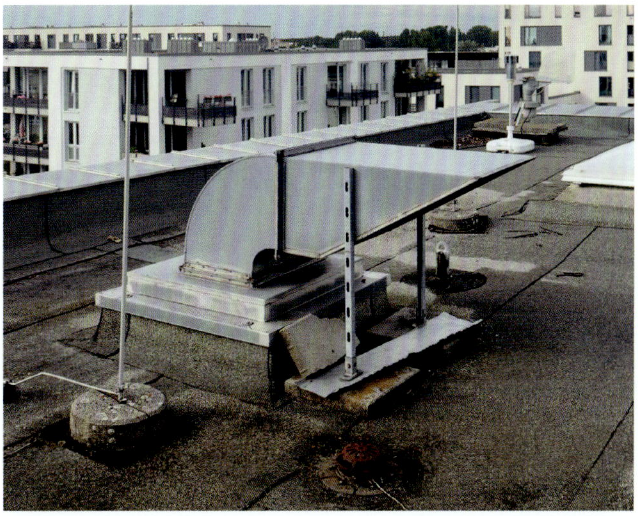

Abb. 6.4: Bestandsdach: Klärung der vorhandenen Konstruktion und Infrastruktur

Eventuell steht eine Wasserspeicherlösung/Zisterne zur Wasserbevorratung zur Verfügung oder wird nachgerüstet. Für den Pumpenstrom ist in diesem Fall ein Stromanschluss erforderlich. Zu beachten ist, dass für Zisternenwasser Feinstaubfilter notwendig sind, um Feinstoffablagerungen in Leitungen und Abgabestellen zu verhindern (Versinterung). Wird das gespeicherte Wasser zur Bewässerung der Pflanzen genutzt, ist sicherzustellen, dass es keine wachstumshemmenden Bestandteile hat (u. a. Biozide aus Fassadenanstrichen, Weichmacher oder wachstumshemmende Chemikalien aus z. B. Dachabdichtungen oder Wurzelschutzbahnen).

Erforderliche Vorklärungen zu Infrastruktur und Versorgung:

- Klärung der Erreichbarkeit der Dachfläche für Pflege/Wartung (Treppe, Aufzug), Vorhaltung von Stellflächen für Wartungsgerät und -gerüst (Standort für Steiger bzw. Scherenhubtisch und Lagerort für Materialanlieferung)
- Klärung, ob ein Leitungswasseranschluss bzw. eine Regenwasserbevorratung (z. B. Zisterne) vorhanden ist und ob sie sich für die Bewässerung eignen
- Überprüfung der Möglichkeit der frostfreien Unterbringung einer Bewässerungsanlagentechnik, gegebenenfalls mit Nährstoffdosieranlage
- Bestimmung der Möglichkeit zur Abführung von überschüssigem Wasser unterhalb der Begrünungsebene; falls erforderlich, Abstimmung mit der Stadtentwässerung
- Klärung der Energieversorgung (Geräte zur Pflege und Wartung, Klärung der Kabelstränge/Leitungsführung)
- Berücksichtigung von Zuluft-, Abluft- bzw. Abgas- oder Dampfauslässen
- Berücksichtigung zusätzlicher Installationen (z. B. Absturzsicherung, Blitzschutz, Kabel)

Klärung von Tragfähigkeit und Statik

Die Begrünung bringt zusätzliches Gewicht auf die Dachkonstruktion. Die Dachstruktur muss daher ausreichende Tragfähigkeit (Krafteinleitung, Kraftweiterleitung) aufweisen, um das zusätzliche Gewicht inklusive Substrat, Pflanzen und gegebenenfalls Wasseranstau zu tragen. Eine statische Berechnung durch einen Fachingenieur ist notwendig, um die Belastbarkeit des Daches zu prüfen.

Dabei müssen sowohl die statischen Lasten (Eigengewicht der Begrünung; siehe Abb. 6.5) als auch die dynamischen Lasten (Nutzlasten, Wasser, Schnee, Wind) berücksichtigt werden. Für die Planung der Dachbegrünung ist es erforderlich zu wissen, in welchen Bereichen keine oder eine leichte Begrünung (Extensivbegrünung) möglich ist oder ob über tragenden Strukturen (tragenden Wänden oder Stützen) genügend Lastreserven vorhanden sind, um eventuell auch Intensivbegrünungen aufbringen zu können. Ist das Bestandsdach bekiest, sind nach der Entfernung der Kiesschicht in der Regel ausreichend Lastreserven vorhanden, um stattdessen nachträglich eine extensive Dachbegrünung aufbringen zu können. Eine statische Überprüfung ist dennoch erforderlich.

Im Folgenden werden übliche Dachkonstruktionen aufgeführt, die bei Bestandsbauten vorzufinden sind.

Abb. 6.5: Berlin, Darwinstraße: Dachbegrünung mit Großbaumverpflanzungen (Gestaltung: Grüntuch Ernst Architekten)

Abb. 6.6: Einschalig ungedämmte Dachkonstruktionen: Massivkonstruktion, Ortbeton oder Fertigteil mit Abdichtung

Generelle Vorklärungen zur Begrünungsanwendung

Die statische Belastbarkeit der Konstruktion und die Bedürfnisse der Pflanzen stehen im Vordergrund einer Planung. Diese Kriterien bilden die Basis für technische Lösungsmöglichkeiten von Dachbegrünungen. Der langfristige Erfolg einer Begrünung kann nur gewährleistet werden, wenn die Pflanzen unter möglichst natürlichen Bedingungen gedeihen können. Eine Vorklärung der baulichen Eignung der bestehenden Dachkonstruktion (für Bewuchs und Installation) ist unerlässlich.

Mögliche Dachkonstruktionen in Bestand oder Sanierung:

- ungedämmte Dachkonstruktionen: einschalig ungedämmte Dachkonstruktionen und zweischalig ungedämmte Dachkonstruktionen
- gedämmte Dachkonstruktionen: einschalig gedämmte, unbelüftete Dachkonstruktionen, Umkehrdächer und zweischalig gedämmte Dachkonstruktionen

Einschalig ungedämmte Dachkonstruktionen

Ungedämmte Massivdächer (z. B. von Unterführungen, Garagen oder Nebengebäuden) sowie auch ungedämmte Dächer in Skelettbauweise mit intakter Abdichtung eignen sich, je nach möglicher Auflast, für alle Begrünungsaufbauten (siehe Abb. 6.6, 6.7 und 6.8). Eine statische Nachberechnung ist jedoch erforderlich.

Zweischalig ungedämmte, belüftete Dachkonstruktionen

Bei dieser Art der Dachkonstruktion sind alle leichten Begrünungsaufbauten über einer intakten Abdichtung möglich (siehe Abb. 6.9). Die Tragkraft ist jedoch vor Begrünung zu prüfen.

Abb. 6.7: Einschalig ungedämmte Dachkonstruktionen: Stahlskelett-Bauweise, Trapezblech, Wellblech, Platten

Abb. 6.8: Einschalig ungedämmte Dachkonstruktionen: Holzskelett-Bauweise, Brettlage/Tafeln mit Abdichtung

Abb. 6.9: Zweischalig ungedämmte, belüftete Dachkonstruktionen: Massivkonstruktion und Gefälleaufbau in Holzbauweise mit Abdichtung

Einschalig gedämmte, unbelüftete Dachkonstruktionen

Für Dämmungen unter Dachlasten, wie Dachbegrünungen, Pflanzbehältern und Retentionsaufbauten (siehe Abb. 6.10, 6.11 und 6.12), gilt maximale Druckfestigkeit. Punktlasten sind zu vermeiden, um die Dämmung und Elastizität der Dachhaut nicht zu überbeanspruchen. Eine innere Dampfsperrebene ist unerlässlich, weil durch die Kühle begrünter Dächer selbst in der warmen Jahreszeit ein Temperaturgefälle von innen nach außen herrschen kann, sodass Undichtigkeiten eine Kondensation innerhalb der Dämmebene bewirken können.

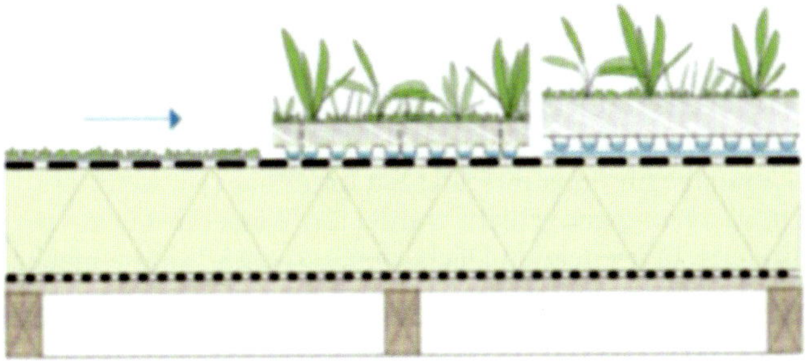

Abb. 6.10: Einschalig gedämmte, unbelüftete Dachkonstruktionen: Holzskelett-Bauweise mit Trapezblech und Dampfsperre, gedämmt, Abdichtung

Abb. 6.11: Einschalig gedämmte, unbelüftete Dachkonstruktionen: Massivkonstruktion mit Dampfsperre, gedämmt, Abdichtung

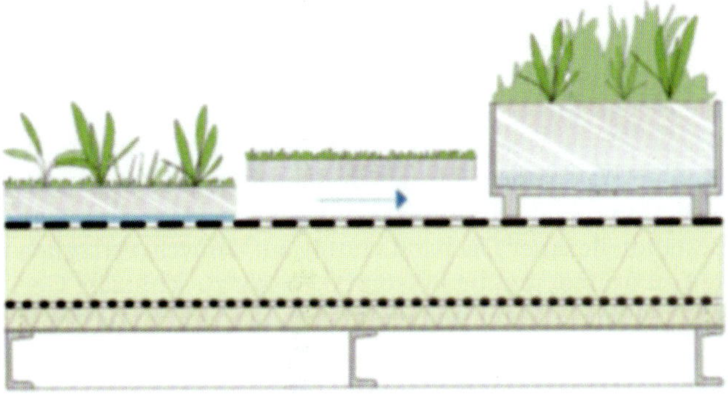

Abb. 6.12: Einschalig gedämmte, unbelüftete Dachkonstruktionen: Stahlskelett-Bauweise mit Trapezblech und Dampfsperre, gedämmt, Abdichtung

Umkehrdächer

Bereits abgedichtete tragende Konstruktionen (z. B. Stahlbetondecken), die nachträglich gedämmt werden, bezeichnet man als Umkehrdächer. Die Wärmedämmung liegt im Nassen auf der Abdichtung und muss daher gut ablüften können. Es dürfen auf diesen Dachkonstruktionen keine dampfsperrenden Begrünungen oder ein flächiger Wasseranstau ohne Hinterlüftung aufgebracht werden. Zur Begrünung ist eine druckfeste Dämmung erforderlich (siehe Abb. 6.13 und 6.14). Die Tragkraft der Konstruktion muss zuvor geklärt werden.

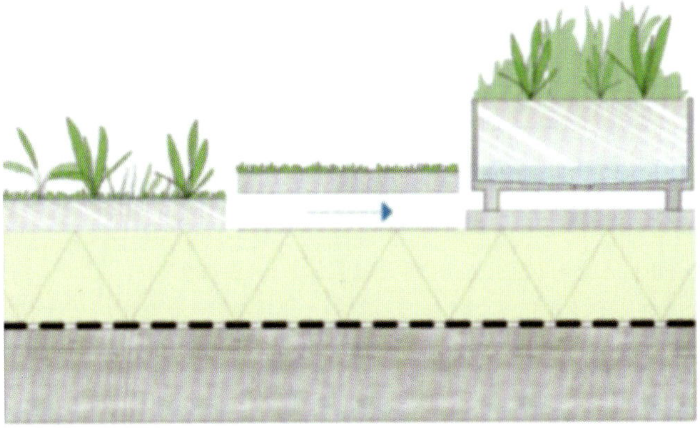

Abb. 6.13: Umkehrdächer: Massivkonstruktion mit Perimeterdämmung über Abdichtung, sturmsicher beschwert

Abb. 6.14: Umkehrdächer: Massivkonstruktion mit Dampfsperre, gedämmt und abgedichtet, mit zusätzlicher Perimeterdämmung, sturmsicher beschwert

Zweischalig gedämmte, belüftete Dachkonstruktionen

Sparrendächer und Massivkonstruktionen mit Gefälleaufbau eignen sich für alle „leichten" Begrünungstechniken auf einer separaten, abgedichteten Tragschicht (siehe Abb. 6.15 und 6.16). Eine statische Nachberechnung ist erforderlich. Im Rahmen einer Sanierung können anstelle einer Neueindeckung mit z. B. Dachziegeln, Dachsteinen oder Metalleindeckungen Begrünungen aufgebracht werden. Die Kosten für harte Bedachungen können zugunsten der Begrünung eingespart werden.

Die bestehende Dachdämmung muss ausreichend bemessen sein, um den Anforderungen der Energieeinsparverordnung (EnEV) bzw. des Gebäudeenergiegesetzes (GEG) zu entsprechen. Eine Analyse durch einen Bauphysiker ist ratsam, um die Gesamteffizienz zu gewährleisten.

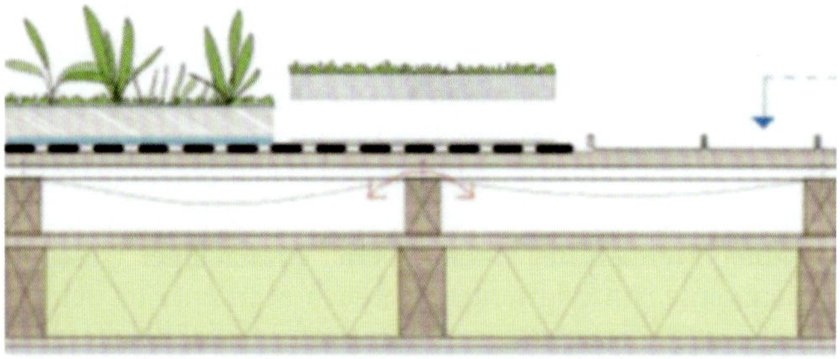

Abb. 6.15: Zweischalig gedämmte, belüftete Dachkonstruktionen: Sparrendach mit Schalung, Unterspannbahn und Dachdeckung aus z. B. Dachziegeln, Dachstein, Schindeln, Platten, Blech

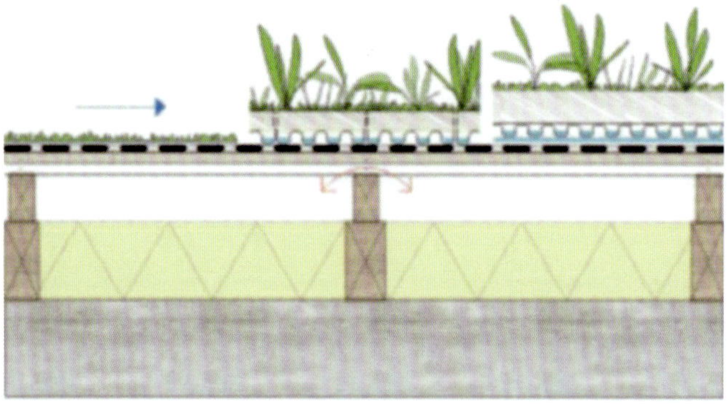

Abb. 6.16: Zweischalig gedämmte, belüftete Dachkonstruktionen: Massivkonstruktion mit Gefälleaufbau in Holzbauweise mit Abdichtung

Generelle Vorklärungen zur Dachabdichtung

Der Schutz vor Feuchtigkeit ist ein zentrales Thema. Eine mangelhafte Abdichtung oder unzureichender Feuchteschutz können zu schweren Schäden an der Bausubstanz führen. Feuchtigkeitsansammlungen sind daher zu vermeiden. Es muss sichergestellt werden, dass keine Staunässe innerhalb des Begrünungsaufbaus entsteht, die die Dachabdichtung belastet oder ein Eindringen von Wasser in die Dachkonstruktion ermöglicht. Die Dachabdichtung muss vor der Begrünung auf ihre Funktionstüchtigkeit überprüft werden. Eine intakte, wurzelfeste Abdichtung ist entscheidend, um langfristig das Eindringen von Wasser in die Bausubstanz zu verhindern. Falls notwendig, muss eine zusätzliche Wurzelschutzfolie verlegt werden.

Bauphysikalische Aspekte

Die Dachbegrünung beeinflusst sowohl das thermische als auch das feuchtigkeitsbezogene Verhalten des Daches. Bauphysikalische Faktoren sind zu klären, um das Gebäude vor Schäden zu schützen und die Funktionsfähigkeit der Begrünung zu sichern. Zunächst wirkt sich eine Dachbegrünungen positiv auf die Wärmehaltung des Gebäudes aus, da sie Temperaturschwankungen auf der Dachfläche mindert und die Energieeffizienz verbessert. Wechselwirkungen zwischen der eventuell bestehenden Dachdämmung und der Begrünung sind jedoch zu berücksichtigen.

Bei nachträglichen Begrünungen ist es wesentlich, die bauphysikalische Balance zwischen Dämmschicht und Dachkonstruktion zu erhalten. Eine korrekt angebrachte Dampfsperre verhindert, dass Wasserdampf aus dem Inneren des Gebäudes in die Dachkonstruktion aufsteigt und dort Kondenswasser bildet, das zu Feuchteschäden führen könnte.

Ein fehlerhafter Schichtenaufbau (eingeschlossenes Wasser) führt zwangsläufig zu Bauschäden. Auch Wärmebrücken sind zu vermeiden. Eine durchdachte Planung, die Statik, Abdichtung, Entwässerung und Wärmedämmung berücksichtigt, ist unerlässlich, um die bauphysikalischen Anforderungen zu erfüllen und eine langfristige Funktionalität sicherzustellen. Eine enge Zusammenarbeit mit Bauphysikern, Statikern und Fachplanern ist daher erforderlich, um alle statischen und bauphysikalischen Anforderungen zu erfüllen.

Dachneigung

Die Neigung des Daches hat Einfluss auf die Art der Begrünung und die notwendigen technischen Maßnahmen. Flachdächer mit einer Neigung von bis zu 5 ° eignen sich besonders gut für Begrünungen. Sie bieten eine stabile Grundlage für Substratschichten und Pflanzen, wenn die Entwässerung gut geplant wurde, um Wasseranstau zu verhindern. Bei geneigten Dächern bis etwa 15 ° sind einfache Begrünungen ebenfalls realisierbar. Bei steileren Dächern werden spezielle Konstruktionen (z. B. Schubsicherungen oder Gitterstrukturen) erforderlich, um ein Abrutschen des Substrats zu verhindern.

Dachabdichtung und Wurzelschutz

Eine wurzelfeste Dachabdichtung oder eine zusätzlich auf die Dachabdichtung aufgebrachte Wurzelschutzbahn (materialabhängig in einem Stück oder überlappend verlegt) verhindert Schäden durch eindringendes Wasser. In der DIN 18531-3 „Abdichtung von Dächern sowie von Balkonen, Loggien und Laubengängen – Teil 3: Nicht genutzte und genutzte Dächer – Abdichtungsbauarten, Ausführung und Details" (2024) wird auf den Nachweis gemäß DIN EN 13948 „Abdichtungsbahnen – Bitumen-, Kunststoff- und Elastomerbahnen für Dachabdichtungen – Bestimmung des Widerstandes gegen Wurzelpenetration" (2008) hingewiesen. Um bauliche Schäden an Dachbahnen durch den Begrünungsaufbau bzw. die Vegetation zu vermeiden, sollten die Dachbegrünungsrichtlinien der Forschungsgesellschaft Landschaftsentwicklung Landschaftsbau (FLL) berücksichtigt werden (Dachbegrünungsrichtlinien, 2018).

Um zu verhindern, dass Wurzeln der Pflanzen die Abdichtung durchdringen und Schäden verursachen, ist in der Regel ein Wurzelschutz erforderlich. Bei Kunststoff-Abdichtungsbahnen wird die Wurzelfestigkeit durch mechanische Widerstandsfähigkeit sichergestellt. Bei Bitumenabdichtungen gibt es neben Bahnen mit „mechanisch-technischem" Wurzelschutz auch Bahnen, die mit einem chemischen Wurzelschutz versehen sind. Der dabei eingesetzte chemische Wirkstoff kann jedoch bei Regen ausgewaschen werden (wachstumshemmend, daher nicht für eine Wasserspeicherung zur Pflanzenbewässerung geeignet) und in das Grundwasser gelangen. Daher sind die Bestandteile einer Dachabdichtung auf Umweltverträglichkeit zu prüfen, um die Ressource Wasser zu schützen. Gegebenenfalls ist ein mechanisch-technischer Wurzelschutz vorzuziehen. Folien müssen langlebig und witterungsbeständig sein.

Dichtigkeitsprüfung von Dachabdichtungen

Eine intakte Dachabdichtung ist unerlässlich, um die Gebäudesubstanz vor eindringendem Wasser zu schützen. Vor der Installation der Begrünung sollte daher geprüft werden, ob die bestehende Abdichtung Schäden aufweist oder alterungsbedingt erneuert werden muss (siehe Abb. 6.17).

Abb. 6.17: Dachsanierung aufgrund einer Undichtigkeit

Folgende Verfahren stehen u. a. zur Verfügung:

- Visuelle Inspektion: Das Dach wird von Fachkräften visuell auf sichtbare Schäden, Risse oder Undichtigkeiten geprüft. Dies ist eine kostengünstige und schnelle Lösung, mögliche Leckagen, die nicht oberflächlich sichtbar sind, können jedoch übersehen werden.
- Wasseranstau: Ein Teil des Daches oder das gesamte Dach wird mit Wasser geflutet, um festzustellen, ob Feuchtigkeit eindringt. Dieses Verfahren eignet sich nur zur Kontrolle der Dichtigkeit von Flachdächern. Eventuelle Undichtigkeiten können dabei jedoch zu Schäden führen.
- Rauchgasverfahren: Ein gesundheitlich unbedenklicher Rauch-Luft-Mix wird mit Überdruck in das Schichtenpaket geleitet. Im Bereich von Leckagen tritt dann sichtbarer Rauch aus. Dieses Verfahren zeigt Leckagen auch an schwer zugänglichen Stellen. Bei sehr großen Dächern kann jedoch (zu) schnell ein Druckabfall erfolgen.
- Tracer-Gas-Verfahren/Formiergasverfahren: Ein ungiftiges Prüfgas wird in den Dachaufbau eingebracht. Mithilfe von Gasdetektoren wird in geringsten Konzentrationen nachgewiesen, ob und wo Gas entweicht. Dies dient der genauen Lokalisierung von Leckagen, ist jedoch relativ aufwendig und kostspielig.
- Thermografie (Infrarotprüfung): Mit einer Infrarotkamera werden Temperaturunterschiede im Dachaufbau analysiert. Undichtigkeiten verursachen oft Feuchtigkeitsansammlungen, die zu Temperaturschwankungen führen. Vorteil dieses Verfahrens ist die schnelle Analyse großer Flächen (sichtbare Wärmeverluste auch bei Kies und bis 12 cm Begrünungsaufbau)ohne Beeinträchtigung des Daches. Die Prüfung ist jedoch abhängig von Wetterbedingungen (kühle Nacht nach einem warmen Tag). Drohnen, ausgestattet mit Thermografie- oder Multispektralkameras, können zur Inspektion großer Dachflächen genutzt werden.
- Widerstandsmessverfahren/Elektronenstrommessung: Diese Variante ist zur Leckageortung sinnvoll, wenn bereits Undichtigkeiten im Innenraum sichtbar sind. Auf einer befeuchteten Dachfläche fließt gepulster Strom zur Leckage. Eine sehr genaue Lokalisierung von undichten Stellen ist somit auch bei minimalen Schäden möglich. Das Messgerät wird an die Gebäudeerdung angeschlossen. Das Verfahren funktioniert auf allen nicht leitfähigen Dachabdichtungen, auch unter Kies und vorhandenen Begrünungen.
- Ortsfeste bzw. integrierte sensorgestützte Leckageortung: Sensoren werden beim Neubau oder bei einer Sanierung in gleichmäßigen Abständen oder an besonders anfälligen Bereichen in Dämmplatten eingefügt und anschließend mit einem Dachscanner initial erfasst. Jeder Sensor kann dauerhaft daraufhin überprüft werden, ob seine Umgebung feucht oder trocken ist. Das Auslesen erfolgt kabel- und batterielos über ein Lesegerät via App mit dem Smartphone/Tablet (Temperatur, Luftfeuchte und Wasser).

Schutzlage

Das Schutzvlies ist wichtiger Bestandteil des Schichtaufbaus einer Dachbegrünung. Es schützt die Dachabdichtung vor mechanischen Beschädigungen, die durch das Substrat, Pflanzenwurzeln oder die Dränageschicht verursacht werden könnten. Die Schutzlage (Masse mindestens 300 g/m^2) wird auf der wurzelfesten Abdichtung/Wurzelschutzbahn und unterhalb der Dränageschicht verlegt. Dies stellt sicher, dass die Dachabdichtung bei der Installation und während des Betriebs des Gründachs nicht beschädigt wird. Das Vlies sollte vollflächig, überlappend (nach Herstellerangabe) und faltenfrei verlegt werden, um eine durchgehende Schutzschicht zu gewährleisten.

Drainage und Wassermanagement

Für eine langfristig vitale Dachbegrünung ist eine gut funktionierende Drainage unerlässlich. Sie bietet Pflanzen Wasser in kürzeren Trockenphasen, sorgt dafür, dass überschüssiges Regenwasser zuverlässig abgeleitet wird, und verhindert Staunässe, die die Pflanzen schädigen oder die Dachkonstruktion belasten könnte.

In der Regel werden spezielle Drainageschichten installiert, die überschüssiges Wasser ableiten, gleichzeitig aber eine ausreichende Feuchtigkeit für die Pflanzenwurzeln halten. Diese Schichten bestehen z. B. aus Kies oder vorzugsweise aus leichterem Bims, häufig jedoch auch aus Kunststoffplatten oder -matten mit Hohlräumen, in denen das Wasser gespeichert wird, bis es über die Entwässerung abgeführt wird (siehe Abb. 6.18). Besonders bei Flachdächern ist eine effiziente Entwässerung entscheidend. In den meisten Fällen sind die bestehenden Entwässerungslösungen auf den erhöhten Wasserabfluss einer nachträglichen Begrünung nicht ausgelegt. Deshalb müssen die Kapazitäten der Dachentwässerung überprüft und eventuell angepasst werden. Es können zusätzliche Entwässerungspunkte oder größere Wasserableitungsquerschnitte erforderlich werden. Notüberläufe, z. B. als zusätzliche Wasserspeier am Dachrand (sekundäre Tiefpunkte), sind vorgeschrieben.

Abb. 6.18: Drainagen aus Kies, Bims oder (Bio-)Kunststoff

Abb. 6.20: Bunker St. Pauli, Hamburg: temporäres Baugeländer

Generelle Vorklärungen zur Zugänglichkeit und Verkehrssicherheit

Die Pflege und Wartung einer Dachbegrünung ist entscheidend für deren langfristige Vitalität und Gestaltungswirkung. Daher muss bereits vor der Planung geklärt werden, wie der Zugang zum Dach für Pflegearbeiten gewährleistet werden kann. Es sollten sichere Zugangsmöglichkeiten zum Dach vorhanden sein, um regelmäßige Inspektionen, Wartungsarbeiten und Pflege der Pflanzen unfallfrei durchführen zu können. Dies kann über Wartungsluken, Leitern oder Außengerüste erfolgen. Aus Erfahrung werden jedoch Gründächer besser gepflegt, wenn ein direkter Zugang über Räumlichkeiten, ein Treppenhaus oder einen über Dach geführten Aufzug möglich ist. Die Zugänglichkeit muss zudem den Sicherheitsbestimmungen der Feuerwehr entsprechen. Genügend Platz für die Anlieferung von Materialien sollte gebäudenah zur Verfügung stehen. Für eventuell erforderliche Teilsperrungen im öffentliche Raum sind rechtzeitig Genehmigungen einzuholen.

Sicherheitsvorkehrungen sind einzuhalten. Je nach Gebäudehöhe und Dachneigung sind Absturzsicherungen (siehe Abb. 6.19) oder Geländer (siehe Abb. 6.20) notwendig, um Bau- und Wartungsarbeiten sicher durchführen zu können. Diese müssen bei der Planung der Begrünung berücksichtigt und gegebenenfalls nachgerüstet werden. Im Bestand eignen sich insbesondere auflastgehaltene Vorrichtungen, mit denen nachträgliche Dachdurchdringungen vermeidbar sind.

Abb. 6.19: Auflastgehaltener Sicherungspunkt

Extensive Begrünungen sind relativ pflegeleicht und erfordern nur gelegentlich Nährstoffversorgung, Rückschnitte und Freihalten der Sicherheitsstreifen sowie Entfernen unerwünschter Vegetation (etwa ein bis zwei Kontrollgänge pro Jahr). Falls nötig, kann auch Nachpflanzen und Wässern erforderlich werden. Intensive Begrünungen hingegen müssen regelmäßig bewässert und gepflegt werden, was einen höheren Pflege- und Wartungsaufwand bedeutet. Um die sichere Instandhaltung/Nutzung des Daches zu gewährleisten, muss, den entsprechenden Richtlinien folgend, die Verkehrssicherheit nachgewiesen werden. Planung und Ausschreibung richten sich nach den Anforderungen der Unfallverhütungsvorschriften und Schutzmaßnahmen, wie etwa Absturz- und Durchsturzsicherungen für Bau- und Instandhaltungsarbeiten.

Wichtige Vorschriften umfassen u. a. die berufsgenossenschaftlichen Regelungen BGV C22 „Unfallverhütungsvorschrift Bauarbeiten" (DGUV Vorschrift 38, 2019) und die dazugehörigen Durchführungsanweisungen sowie die Vorschriften der Gartenbau-Berufsgenossenschaft VSG 4.2 „Unfallverhütungsvorschrift Gartenbau, Obstbau und Parkanlagen" (VSG 4.2, 2021).

Für spätere Pflege- und Wartungsarbeiten sind ausreichend hohe und stabile Brüstungen oder Geländer erforderlich. Andernfalls ist die Installation eines Anseilschutzes gemäß DIN EN 795 „Persönliche Absturzschutzausrüstung – Anschlageinrichtungen" (2012) unumgänglich. Dafür müssen entsprechende Anschlagpunkte (siehe Abb. 6.19) bauseits zur Verfügung gestellt werden. Bei bestehender Dachabdichtung empfiehlt es sich, Anschlagpunkte zu installieren, die die Dachhaut nicht durchdringen. Beispielsweise können sie an tragenden, aufsteigenden Bauteilen oder durch Sicherungssysteme, die mittels Auflasten fixiert werden, befestigt werden. Arbeitstechnisch sicherer und zu bevorzugen sind jedoch Geländer, die ebenfalls nachträglich auflastgehalten installiert werden können, oder Brüstungen.

6.1.5 Chancenklärung eines energetischen/ökologischen Begrünungseinsatzes

Neben der Verbesserung des Umfelds durch Maßnahmen wie Kühlung, Regenwasserrückhaltung und eine erhöhte Aufenthaltsqualität liegt der Fokus auf der Steigerung der Energieeffizienz von Bestandsgebäuden, um den Energieverbrauch zu senken und gleichzeitig Komfort und Behaglichkeit zu gewährleisten. Sowohl bei Sanierungen als auch im Neubau erfolgt dies in zwei aufeinanderfolgenden Schritten: zunächst durch passive Strategien, um Energieverbräuche und -verluste zu minimieren, dann gegebenenfalls ergänzend durch die Nutzung erneuerbarer Energien in Form von aktiven Systemen und regenerativen Energiequellen.

Gebäudeoptimierung durch Dachbegrünung

Um die Potenziale von Dachbegrünungen hinsichtlich einer energetischen Optimierung zu verdeutlichen, werden im Folgenden deren Auswirkungen auf die Bedarfe Wärme, Kälte, Luft, Licht und elektrische Energie näher erläutert.

Wärmehaltung

Gebäudebegrünungen tragen zur Minderung von Temperaturextremen bei, indem sie eine ausgeglichenere Temperaturamplitude im Vergleich zur Außentemperatur aufweisen (siehe Abb. 6.21). Begrünte Dächer zeigen im Vergleich zu einem Bitumendach eine deutlich geringere Tag-Nacht-Temperaturdifferenz.

Dies ist vor allem dem sommerlichen Wärmeschutz zuträglich, dem im Vergleich zum winterlichen Wärmeschutz eine größere Relevanz zugeschrieben wird. Bei begrünten Dächern führt der Substrataufbau zusätzlich zur Verringerung von Wärmeverlusten, abhängig von der vorhandenen Dämmstärke, der beruhigten Luftschicht, dem Volumen der Blattmasse, der Substratschicht und des Dachaufbaus (Höhe, Material, Wassersättigung bzw. Luftschicht bei Drainage). Ein extensiv begrüntes Dach mit einer 10 cm dicken Substratschicht bietet unter maximaler Wassersättigung einen zusätzlichen *R*-Wert von 0,14 bis 0,40 m^2K/W. Verglichen mit einem bekiesten Dach führt eine 10 bis 15 cm dicke extensive Dachbegrünung zu 3 bis 10 % geringeren Wärmeverlusten im Winter (Köhler/Malorny, 2009; Scharf et al., 2012). Da in der Regel etwa 15 bis 20 % der Wärme über das Dach verloren geht, ist dieser Puffereffekt besonders vorteilhaft. Messungen auf den Dächern der Ufa-Fabrik in Berlin ergaben eine Temperaturamplitude von 50 K bei einem Bitumendach gegenüber nur 10 K bei einem begrünten Dach (siehe Abb. 6.22 und 6.23). Das sorgt für angenehmer temperierte Räume und bietet auch bei maschineller Klimatisierung wirtschaftliche Vorteile (Konzepte der Regenwasserbewirtschaftung, 2010).

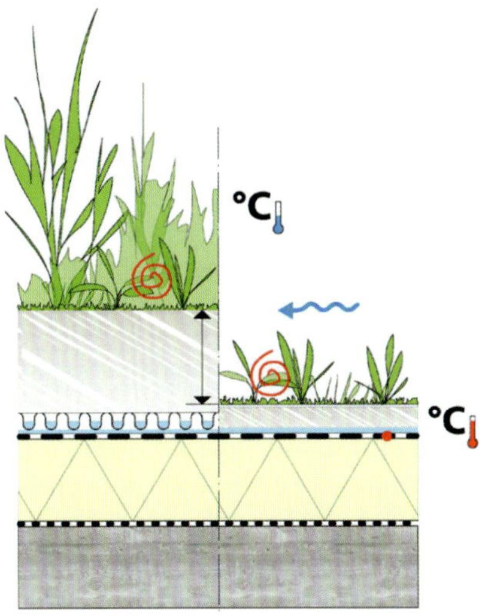

Abb. 6.21: Pufferwirkung intensiver/extensiver Dachbegrünung: Darstellung der Einflussfaktoren (vorhandene Dämmstärke, beruhigte Luftschicht durch Volumen/Blattmasse, Substratschicht des Dachaufbaus [Höhe, Material, Wassersättigung, Luftanteil der Drainage])

Abb. 6.22: Ufa-Fabrik, Berlin: Die Begrünung des Gründachs (hier Herbst-/Winteraspekt) erhöht die Dämmwirkung um 3 bis 10 %.

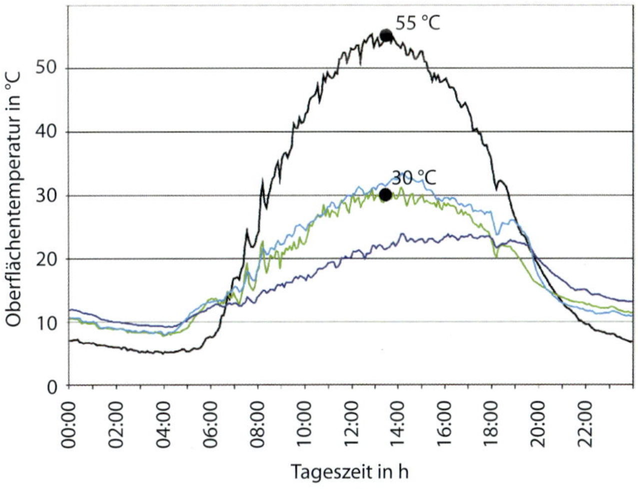

Abb. 6.23: Ufa-Fabrik, Berlin-Tempelhof, Messung der Oberflächentemperatur: Temperaturverlauf auf dem Bitumendach (schwarze Kurve) im Vergleich zum Temperaturverlauf auf dem extensiv begrünten Flachdach (grüne Kurve) (nach einer Untersuchung von Schmidt [Schmidt, 2003])

Kühlung

Der Verdunstungskühlung liegt der thermodynamische Prozess des Phasenwechsels von Wasser zugrunde. Bei einem Phasenwechsel von flüssig zu gasförmig entzieht Wasser der Umgebung Energie: 680 kWh/m³ bei einer Temperatur von 30 °C.

Diese Energiemenge wird der Luft in Form von Wärme entzogen, wodurch die Lufttemperatur sinkt. Bezogen auf 1 l Wasser entspricht dies 0,68 kWh. Dieser Wert entspricht der Verdunstung von 1 mm Wasser auf 1 m² Fläche (Konzepte der Regenwasserbewirtschaftung, 2010). In einer Messung zur Verdunstung über Pflanzgefäße auf einem Dachgarten wurde während einer Vegetationsperiode eine Verdunstungsmenge von 200 l/m² festgestellt (Bambach, 2012). Dies führte durch die Verdunstungsenergie zu einer Abkühlung der Luft um 136 kWh/m².

So können sich Bitumen- oder Kiesdächer im Sommer auf 40 bis 55 °C und weit mehr aufheizen, während begrünte Dächer deutlich niedrigere Oberflächentemperaturen aufweisen (Konzepte der Regenwasserbewirtschaftung, 2010).

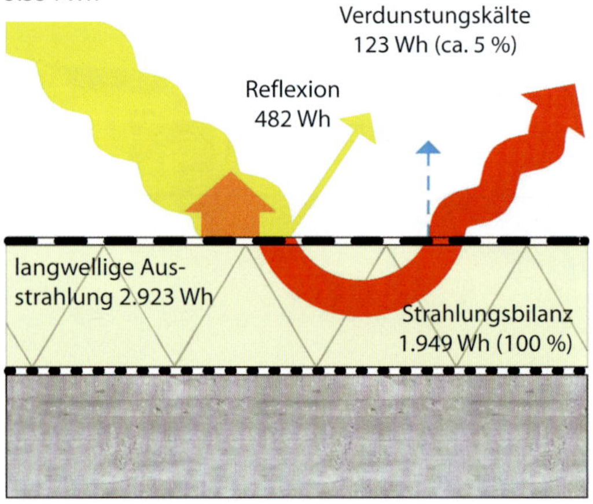

Abb. 6.24: Energiebilanz eines unbegrünten Daches im Tagesmittel. Es findet keine Kühlung statt, da die Verdunstung ohne Pflanzen sehr gering ist und nur auf der Verdunstung von Oberflächenwasser beruht (nach einer Untersuchung von Schmidt [Schmidt, 2003]).

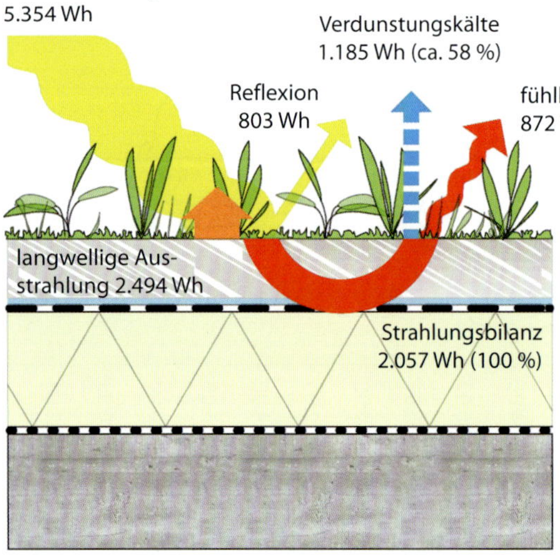

Abb. 6.25: Energiebilanz eines Gründachs im Tagesmittel. 58 % der Strahlungsbilanz werden in Verdunstungskälte umgewandelt (nach einer Untersuchung von Schmidt [Schmidt, 2003]).

Sind die Begrünungen vital, werden die Flächen in der Regel niemals wärmer als die Umgebungslufttemperatur. Das kann im Vergleich zu einer frei bewitterten Dachabdichtung eine Temperaturreduktion der Fläche von bis zu 50 °C und mehr bedeuten (siehe Abb. 6.24 und 6.25). Das Umfeld wird gekühlt, Wärmeinseleffekte werden stark abgemildert.

Lüftung

Dachbegrünungen können die natürliche Lüftung unterstützen, indem sie die Temperaturextreme auf Bauteilen reduzieren: Im Sommer kühlen sie die umliegenden Flächen, während im Winter die Pflanzen und das Substrat als natürlicher Puffer wirken. Wie bereits erläutert, erfolgt die Senkung der Oberflächentemperatur im Sommer durch die Verdunstungskühlung der Pflanzen und des Substrats, die langwellige Strahlung wird verringert. Dadurch wird die nächtliche Zuluft nicht durch die abstrahlende Wärme der Gebäudehülle aufgeheizt, was den Effekt der Nachtabsenkung verstärkt. Weitere Vorteile sind die Luftbefeuchtung sowie die Filterung von Feinstaub durch die Pflanzen, deren Blattoberfläche zur Ab- und Adsorption atmosphärischer Schadstoffe beiträgt und so die Luftqualität in der Nähe von Gebäuden verbessert (siehe Abb. 6.26) (Kuttler, 2010).

Abb. 6.26: Dachgarten FIAT, Turin: Lüftung

Licht- und Sonnenschutz

Die Verschattung und die Verdunstungskühlung von Pflanzen erzeugen einen Kühleffekt, indem sie die langwellige Strahlung vermindern (Konzepte der Regenwasserbewirtschaftung, 2010). Konventionelle Sonnenschutzsysteme reduzieren zwar die kurzwellige Sonneneinstrahlung, wandeln diese jedoch in langwellige Strahlung und sensible Wärme um, im Gegensatz zur Begrünung, die durch ihre natürliche Verdunstungskälte diese Umwandlung verhindert (Konzepte der Regenwasserbewirtschaftung, 2010).

Zur Anwendung kommt ein Licht-/Sonnenschutz in Form von Kletterpflanzen an Dachpergolen (siehe Abb. 6.27) oder vor Luftkollektorflächen. Für den saisonalen Einsatz sind sommergrüne Pflanzen geeignet, da ihre Verschattungswirkung und Begrünungsdauer zeitlich mit dem notwendigen Sonnenschutz übereinstimmen: Im Sommer verschattet das Laub die Sonneneinstrahlung, während durch

Abb. 6.27: MFO-Park, Zürich, Neu-Oerlikon: Pflanzendach (Großpergola) zur Beschattung

Abb. 6.28: Solargründach: Photovoltaik-Aufdachanlage auf einer extensiven Dachbegrünung (Erhöhung des Wirkungsgrads der Photovoltaikanlage um ca. 1 bis 2 %)

den Laubfall im Herbst/Winter bis in das Frühjahr hinein solare Wärmegewinne möglich werden. Der Zwischenraum von Luftkollektorfassaden kann sich ungeschüzt auf 80 °C aufheizen – im Winter willkommen zur Aufheizung von Flächen (Bauteilaktivierung) oder Innenräumen, im Sommer kein Problem, da die erwärmte Luft einfach abgeführt werden kann. Besser ist es jedoch, gerade im Sommer dem städtischen Umfeld weniger Wärme zuzuführen. Unter einfachen begrünten Dachpergolen wird im Sommer eine hervorragende Aufenthaltsqualität erreicht, während dahinter liegende Räume angenehm temperiert bleiben. Die Pflanzen tragen in beiden Anwendungsfällen maßgeblich zur Reduzierung von Kühllasten bei.

Einsparung elektrischer Energie

Das Thema der Energieeinsparung auf Dachbegrünungen betrifft gleich mehrere Anwendungsfälle, so z. B. vordergründig die Gewinnung solarer Energien, aber auch die Einsparung durch technische Verbraucher (z. B. durch Prozesswasserkühlung).

Photovoltaik (PV) wird zur regenerativen Stromerzeugung aus Sonnenlicht genutzt. Eine Dachbegrünung kann dabei den Wirkungsgrad der PV-Anlage positiv beeinflussen. Die Verdunstungskühlung verringert die Aufheizung der PV-Module und fördert so deren Effizienz. Aktuelle Forschungen beweisen Leistungssteigerungen von 1,0 bis 2,6 % bei PV-Modulen auf begrünten Flachdächern im Vergleich zu frei bewitterten Dächern (siehe Abb. 6.28) (Dong et al., 2020). Die Module dürfen jedoch nicht beschattet werden, um eine Ertragsminderung zu vermeiden.

Bei Solarthermie ist die Leistung sowohl von der direkten Sonneneinstrahlung als auch von der Umgebungstemperatur abhängig. Je größer der Temperaturunterschied zwischen Außenluft und Absorber, desto höher ist der Wärmeverlust des Kollektors. Zwar können Verdunstungskühlung und Verschattung leistungsmindernd wirken, jedoch ist dieser Effekt gering. Typische Betriebstemperaturen von Flachkollektoren liegen zwischen 60 und 90 °C (Hegger et al., 2007), und bei einer Temperaturdifferenz von 7 K kann der Wirkungsgrad eines aufgeständerten Flachkollektors

Abb. 6.29: Kelterei Possmann, Frankfurt a. M.: Das Retentionsdach mit Prozesskühlung ermöglicht eine Kühlkostenseinparung von 6.000 € pro Jahr.

um etwa 4 % sinken, wobei der Nutzungsgrad um etwa 1 % abnimmt.

Das Wasser des Wassergründachs der Kelterei Possmann in Frankfurt wird zur Prozesskühlung im Kreislauf geführt: Wasser wird auf das Dach geleitet, wo ihm durch Verdunstung und die natürliche Verschattung der Wasserpflanzen Wärme entzogen wird (siehe Abb. 6.29). Das gekühlte Wasser wird anschließend in das Lager der Kelterei geleitet, um den produzierten Apfelsaft und Apfelwein zu kühlen. Über einen Wärmetauscher wird dem Wasser zusätzlich Energie entzogen, bevor es zurück auf das Dach geleitet wird und der Kühlkreislauf erneut beginnt. Dieser Prozess führt zu einer jährlichen Einsparung von Kühlenergie in Höhe von 6.000 €. Zudem bieten Wassergründächer auch Potenzial für die Reinigung von Betriebswasser. So nutzt beispielsweise die Firma John Deere in Mannheim eine auf dem Dach installierte Pflanzenkläranlage, um Chemikalien aus dem Produktionswasser zu filtern und dieses erneut in den Produktionsprozess zurückzuführen.

Material- und Ökobilanz

Dachbegrünungen und ihre Substrate schützen Dachabdichtungen vor UV-Belastung und vor Temperaturschock (Undichtigkeiten der Abdichtung aufgrund hoher Temperaturgegensätze im Sommer). Sturm- und Witterungsereignisse (vor allem Hagelkörner von 4 cm Durchmesser) sind in der Lage, harte Bedachungen und frei bewitterte Dachabdichtungen zu zerstören. Die Folgen sind hohe Sanierungskosten (ca. 75 €/m²). Die Lebensdauer der Dachabdichtung wird durch eine Begrünung deutlich verlängert. Der durchschnittliche Sanierungszyklus begrünter Dächer liegt bei etwa 40 Jahren und mehr, im Vergleich zu unbegrünten, frei bewitterten Dächern mit Sanierungsaufwendungen ca. alle 25 Jahre.

Umfeldverbesserung durch Dachbegrünung

Dachbegrünungen bieten nicht nur Vorteile im Hinblick auf die Gebäudeoptimierung, sondern tragen auch positiv zum städtischen Umfeld bei. Sie gewährleisten eine Rückhaltung von Regenwasser bei Regen-/Starkregenereignissen und schaffen zusätzliche Flächen für die Verdunstung. Es enstehen Rückhalteflächen auf privatem Grund, die wichtige Schnittstellen zum Stadtraum darstellen. In diesem Zusammenhang rückt das gebäudenahe Umfeld in den Fokus (Gebäude Begrünung Energie, 2014). Im Folgenden werden Aspekte wie Regenwasserverdunstung, Überhitzungsvermeidung, Reduktion der Luftverschmutzung, Akzeptanz, Lärmminderung und Förderung der Biodiversität im Zusammenhang mit dem Thema Dachbegrünung näher betrachtet.

Vermeidung von Überhitzung

Dachbegrünungen erzeugen durch Evapotranspiration – also die Verdunstung über Pflanzen und Substrate – einen natürlichen Kühlungseffekt. Dieser wirkt hauptsächlich außerhalb der Gebäudehülle, kühlt dabei die Bauteiloberflächen und reduziert die langwellige thermische Strahlung. Unbegrünte Dächer hingegen wandeln etwa 95 % der Strahlung in Wärme um. Dies führt aufgrund der höheren Oberflächentemperaturen zu einer verstärkten langwelligen Abstrahlung. Im Gegensatz dazu nutzt eine extensive Dachbegrünung in den Sommermonaten rund 58 % der Strahlungsenergie für Verdunstungskälte (Konzepte der Regenwasserbewirtschaftung, 2010). Diese Kühlung der Gebäudeoberflächen wirkt sich positiv auf das städtische Mikroklima aus.

Verdunstungsleistung

Durch den hohen Versiegelungsgrad in Städten wird Niederschlagswasser schnell abgeleitet, was zu einem Mangel an Verdunstungsleistung führt. Die Nutzung der städtischen Flächenressource Dach zur Begrünung bietet ein großes Potenzial, zum Feuchterückhalt als Ausgleich für versiegelte Flächen.

In Forschungen von Daniel Kaiser und Manfred Köhler (Kaiser et al., 2019) wurde eine Verdunstungsleistung dünnschichtiger bewässerter, vitaler Dachbegrünungsaufbauten (8 cm) von ca. 4 l/(m² · Tag) festgestellt (siehe Abb. 6.30). Diese Verdunstung spielt eine wesentliche Rolle

Abb. 6.30: Ufa-Fabrik, Berlin, Dachbegrünung: Verdunstungsleistung von ca. 4 l/(m² · Tag) der dünnschichtigen bewässerten Aufbauten (8 cm) (Quelle der Daten: Kaiser et al., 2019)

bei der Gebäudekühlung und hilft, die Bildung von „Hitzeinseln" in dicht bebauten Stadtgebieten zu verhindern. Es ist daher wichtig, den Versiegelungsgrad so gering wie möglich zu halten, auch, weil Regenwasserverdunstung entscheidend für die Bildung von neuem Niederschlag ist. Ein Rückgang der lokalen Verdunstung führt zu einer direkten Reduktion der regionalen und überregionalen Niederschläge und in der Folge zu lang anhaltenden Trockenperioden.

Regenwasserrückhalt

Die Regenwasser-Rückhaltefunktion von Gebäudebegrünungen trägt zudem dazu bei, Überlastungen der Kanalisation und Rückstau infolge von Starkregenereignissen zu verringern. So können urbane Überschwemmungen verhindert werden kann. Besonders intensive Dachbegrünungen weisen eine hohe Rückhalteleistung auf: Das Wasser wird im Substrat und in der Drainageebene zurückgehalten und steht somit den Pflanzen zu Verfügung, kann verdunsten, für die Bewässerung z. B. in einer Zisterne gespeichert oder zeitverzögert in die Kanalisation abgeleitet werden.

Abb. 6.31: Wilmina-Hotel, Berlin: Die Dachbegrünungen bewirken eine Senkung der Niederschlagswassergebühr (Gestaltung: Grüntuch Ernst Architekten).

Je nach Aufbau und Bepflanzung kann eine intensive Dachbegrünung 60 bis 90 % der jährlichen Niederschlagsmenge auf der Fläche zurückhalten und wieder in den natürlichen Wasserkreislauf einbringen. Diese hohe Rückhalteleistung wirkt Überschwemmungen entgegen und entlastet städtische Abwassersysteme besonders bei Starkregenereignissen. In einigen Kommunen greift die gesplittete Abwassersatzung als Anreiz zur Flächenentsiegelung. Eigentümer werden so zur Senkung der Niederschlagswassergebühr dazu motiviert, Regenwasser dezentral zu versickern und/oder zu speichern (Flächenentsiegelung, Dachbegrünung, Regenwasserspeicherung in Zisternen; siehe Abb. 6.31).

Reduktion der Luftbelastung

Ein weiterer positiver Effekt von Dachbegrünungen ist ihre Fähigkeit, Staub und Feinstaub zu binden. Die Blattoberfläche der Pflanzen ermöglicht die Ab- und Adsorption von Spurenstoffen, was zu einer Verbesserung der Luftqualität führt (Kuttler, 2010).

Im Vergleich zu herkömmlichen Dachmaterialien bietet die Begrünung zudem den Vorteil, über ihre Lebensdauer klimawirksames CO_2 zu speichern. Die Lebensdauer einer extensiven Dachbegrünung wird üblicherweise auf etwa 40 Jahre geschätzt (Nutzungsdauern von Bauteilen, 2017). In einer Untersuchung zu extensiven Gründächern wurde nach drei Jahren eine CO_2-Bindung von 0,8 bis 0,9 kg/m^2 in der oberirdischen Biomasse festgestellt (Herfort et al., 2013). Intensive Begrünungen und Moose erzielen dabei höhere Werte (Frahm, 2008; Weber, 2011). Es ist jedoch zu beachten, dass die CO_2-Reduktion durch die Speicherung in der Biomasse nicht dauerhaft ist, da beim Verrottungsprozess CO_2 wieder freigesetzt wird (Herfort et al., 2013).

Minderung der Lärmbelastung

Eine Reduktion der Lärmintensität kann durch Entfernung (Minderung), Reflexion (Streuung) und Absorption (Dämpfung) erreicht werden. Dachbegrünungen weisen ein signifikantes Potenzial zur Schallminderung auf. Insbesondere Begrünungsaufbauten mit hohem Massegewicht des Substrats, wie bei intensiven Begrünungen, fördern den Abbau der Schallenergie. Die auftreffenden Schallschwingungen verbrauchen durch die Erregung der Substratmasse einen wesentlichen Teil ihrer Energie, während die Reflexion infolge der weichen, unebenen Oberfläche gering bleibt. Dabei wirkt sich positiv aus, dass die lose Schüttung von Substratmischungen eine gute „Schallschluckfähigkeit" besitzt: Sie können infolge ihres hohen Feuchtgewichts und ihrer amorphen Zusammensetzung kaum zu Schwingungen angeregt werden, da ihnen selbst im durchwurzelten Zustand eine Reaktion als Membran nicht möglich ist. Poröse Materialien, wie Erde, Kies oder Dämmstoffe, absorbieren Schallenergie durch interne Reflexionen, während dichte, raue Oberflächen die Schallenergie diffus streuen (Pfoser, 2016).

Der Minderungseffekt durch die Pflanzen selbst hängt von der Blätterdichte, der Blattfläche und -dicke sowie der Blattstellung ab (siehe Abb. 6.32) (Kunstmann/Dietrich, 2009). In Forschungsprojekten wurden folgende Werte zur Lärmminderung ermittelt: Bei einem begrünten Satteldach konnte eine Reduktion des Verkehrslärms von 1,1 dB bei

Abb. 6.32: Lärmminderung durch Dachbegrünung (je nach Substrathöhe bzw. Pflanzen um −5 bis −46 dB) erhöht die Passanten- und Besucherfreundlichkeit sowie die Aufenthalts- und Kommunikationsqualität.

einer Fahrgeschwindigkeit von 30 km/h und 3,3 dB bei 130 km/h nachgewiesen werden. Bei einem begrünten Flachdach betrug die maximale Lärmminderung des Verkehrlärms bei 1.000 Hz 6 dB.

Erhöhung der Attraktivität

Die Akzeptanz von Dachbegrünungen ist infolge der ökologischen, sozialen und gestalterischen Aspekte hoch.

Dachbegrünungen dienen der ästhetischen Aufwertung von Gebäuden, sie schaffen Aufenthaltsqualität durch attraktive und nutzbare Freiflächen und bieten neue soziale Treffpunkte in urbanen Gebieten (siehe Abb. 6.33). Besonders in dicht besiedelten Stadtteilen, wo Freiraum knapp ist, sind diese Flächen wertvolle Ergänzungen für das Stadtleben.

Ein wachsendes Interesse gibt es zudem am innerstädtischen Obst- und Gemüseanbau auf Dachgärten (siehe Abb. 6.34). Diese Form der urbanen Landwirtschaft bietet nicht nur die Möglichkeit, frische Lebensmittel direkt in der Stadt anzubauen, sondern stärkt auch das Bewusstsein für Nachhaltigkeit und Selbstversorgung.

Abb. 6.33: Köbogen 2, Düsseldorf: Die Dachbegrünung bietet Grün- und Freiraum trotz städtischer Dichte.

Abb. 6.34: Wagnis 4, München: Die Dachbegrünung wird für die lokale Nahrungsmittelerzeugung genutzt und fördert so bei kurzen Wegen das soziale Miteinander.

Abb. 6.35: Highline, New York

Ein herausragendes Beispiel für die Akzeptanz und den Erfolg begrünter städtischer Flächen ist die Highline in New York, ein städtischer Park, der auf einer stillgelegten Hochbahnstrecke im Westen Manhattans errichtet wurde. Er erstreckt sich über etwa 2,3 km und verbindet das Viertel Meatpacking District im Süden mit der 34th Street im Norden. Dieser Park zieht jedes Jahr Millionen von Besuchern an und zeigt so eindrucksvoll, wie die Begrünung von Bestandsbauten nicht nur zur ästhetischen Aufwertung von Stadträumen beitragen kann, sondern auch als sozialer Raum, als Ort der Erholung, Begegnung und ökologischen Bildung dient, der die Lebensqualität und das Wohlbefinden der Stadtbewohner verbessert (siehe Abb. 6.35).

Vergrößerung der Biodiversität

Dachbegrünungen fördern die Flora und Fauna in urbanen Räumen. Je nach Art der Dachbegrünung, insbesondere in Bezug auf die Erfüllung möglichst vollständiger Lebensraumanforderungen, können unterschiedliche Tiergruppen und -arten vorkommen. Auf flachen Extensivbegrünungen sind vor allem flugfähige Blütenbesucher zu finden, darunter Käfer, Ameisen, Wanzen, Zikaden sowie Larven von

Abb. 6.36: Dachbegrünungen zur Vorbeugung des Artensterbens (z. B. durch Sicherung der Nahrungskette und der Bestäubung)

Zweiflüglern und Marienkäfern. Da die dünnen Substratschichten im Jahresverlauf extremen Temperaturschwankungen ausgesetzt sind, können sich jedoch die meisten Bodenlebewesen dort nicht dauerhaft ansiedeln. Deshalb wird die Population jährlich neu aufgebaut. Dennoch bieten geeignete Pflanzen über das Jahr verteilt Nahrungsquellen für fliegende Insekten, wie Wildbienen, Schmetterlinge und Schwebfliegen (siehe Abb. 6.36).

Schon Extensivbegrünungen können somit ganzjährig als Nahrungsquelle für Bienen und Schmetterlinge dienen. Ein Vergleich von drei begrünten Dächern zeigte, dass die Käferpopulationen auf zwei extensiv begrünten Dächern 78 bzw. 183 Tiere (aus fünf Familien) umfassten, während auf einem intensiv begrünten Dach 358 Käfer gezählt wurden. Wildbienen wurden auf allen Dächern beobachtet. Dabei wurden bei den Extensivbegrünungen zehn bzw. 13 Arten und bei der Intensivbegrünung 18 Arten gezählt. Erst ab einer Substrathöhe von 15 cm können trockenheits- und frostempfindliche Tierarten überleben. Dadurch erhöht sich die Biodiversität signifikant, und stabile Nahrungs- und Nährstoffkreisläufe werden gefördert (Mann, 1996).

In der Kombination Gründach/Solarenergienutzung zeigen erste Erkenntnisse des Forschungsprojekts SMARTRoofs (Zürcher Hochschule), dass Solargründächer eher als Trockenhabitate zu bezeichnen sind. In feuchten Nischen können sich jedoch verschiedene Tiergruppen, wie z. B. Asseln, Hundertfüssler und Gehäuseschnecken, ansiedeln, die ansonsten auf extensiven Dachbegrünungen kaum überleben können. Arten, die auf größere besonnte Flächen angewiesen sind (z. B. viele Heuschreckenarten), werden durch Solaranlagen eher benachteiligt. Bienenarten profitieren kaum, da sie wärmeliebend sind und besonnte Standorte bevorzugen. Für viele Pflanzenarten bringen die zusätzlichen beschatteten und feuchten Bereiche jedoch Vorteile.

Ingesamt zeigt sich, dass durch höhere Substrataufbauten, Oberflächenmodulationen, eine vielfältige Bepflanzung, vegetationsfreie Areale (z. B. Sand- oder Lehmlinsen, Kiesbeete, Schotterflächen) und die Einbringung von Totholz, Nisthilfen und Wasserelementen sowie durch zusätzliche beschattete Bereiche wertvolle ganzjährige Lebensräume und komplexe ökologische Beziehungen entstehen. Durch die Förderung von Nährstoffkreisläufen und die Schaffung vielfältiger Habitate tragen gerade intensive Begrünungen wesentlich zur Stärkung des städtischen Ökosystems bei und unterstützen die Anpassungsfähigkeit der Flora und Fauna an urbane Bedingungen.

6.2 Bedingungen für die Realisierung

Die Realisierung einer Dachbegrünung im Bestand erfordert eine gründliche Planung, die sowohl technische, rechtliche und gestalterische als auch wirtschaftliche Aspekte berücksichtigt. Bestehende Gebäude stellen spezifische Anforderungen, die es zu analysieren und in das Begrünungskonzept zu integrieren gilt. Im Folgenden werden wesentliche technische und vegetationstechnische Faktoren beschrieben, die für eine erfolgreiche Umsetzung von Dachbegrünungen im Bestand entscheidend sind.

6.2.1 Brandschutztechnik

Zur Eindämmung von Flächenbränden bei trockenen Dachbegrünungen gilt die DIN 4102-7 „Brandverhalten von Baustoffen und Bauteilen – Teil 7: Bedachungen – Anforderungen und Prüfungen" (2018). Für Extensiv- und Intensivbegrünungen gibt es dabei unterschiedliche Anforderungen. Bei Intensivbegrünungen ist der Aufwand geringer, da diese aufgrund regelmäßiger Bewässerung und Pflege sowie wegen der dickeren Substratschicht als weniger brandgefährdet eingestuft werden.

Bei Extensivbegrünungen wird ein ausreichender Widerstand gegen Flugfeuer und strahlende Wärme vorausgesetzt, wenn eine Substratschicht von mindestens 3 cm Dicke mit maximal 20 % organischen Bestandteilen verwendet wird. Sollte diese Anforderung nicht erfüllt sein oder werden Vegetationsmatten aus Kunstfasern verwendet, muss ein Einzelnachweis nach DIN 4102-7 bei 15 ° Dachneigung in trockenem Zustand ohne Begrünung erbracht werden.

Zudem müssen Gebäudeabschlusswände, Brandwände oder vergleichbare Wände mindestens 30 cm über das begrünte Dach hinausgeführt werden (bezogen auf die Oberkante der Substratschicht). Falls diese Wände nicht über das Dach hinausgeführt werden müssen, genügt eine 30 cm hohe Aufkantung aus nicht brennbaren Materialien oder ein 100 cm breiter Streifen aus massiven Platten (Baustoffklasse A) bzw. eine mindestens 5 cm dicke Schicht aus Grobkies (siehe Abb. 6.37 und 6.38).

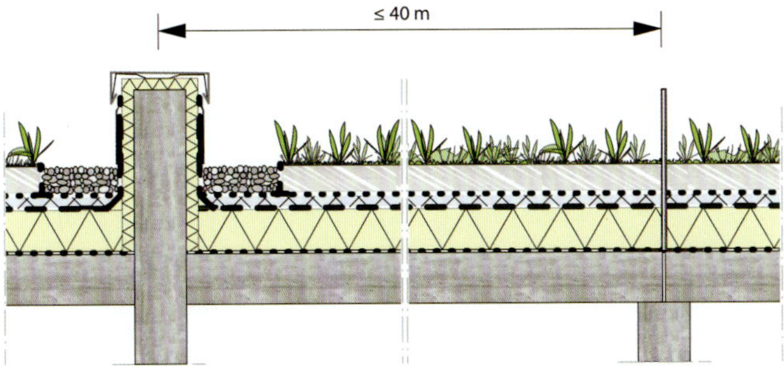

Abb. 6.37: Alle 40 m über das Dach reichende aufgehende Wände, mindestens aus Baustoffklasse A gemäß DIN 4102-7 (nach Slama, 1989)

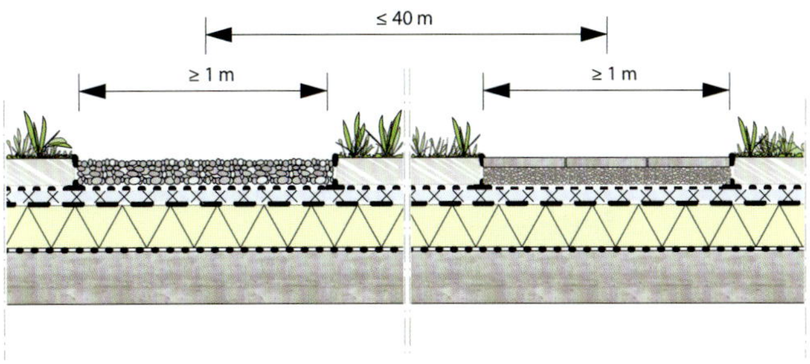

Abb. 6.38: Alternativ mindestens alle 40 m Streifen aus Kies oder Betonplatten nach DIN 4102-7 (nach Slama, 1989)

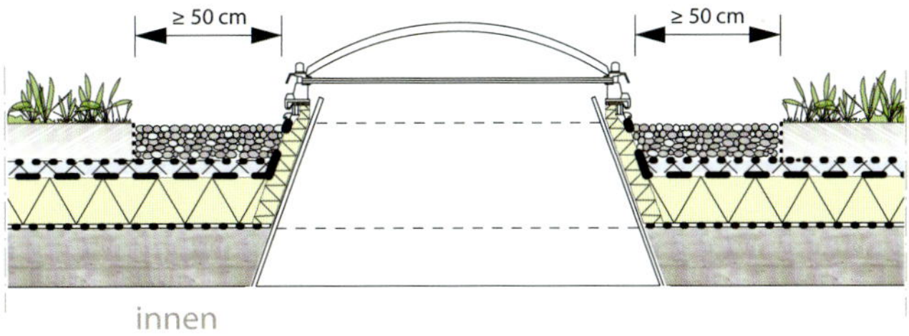

Abb. 6.39: Schutzstreifen um Dachöffnungen nach DIN 4102-7 (nach Slama, 1989)

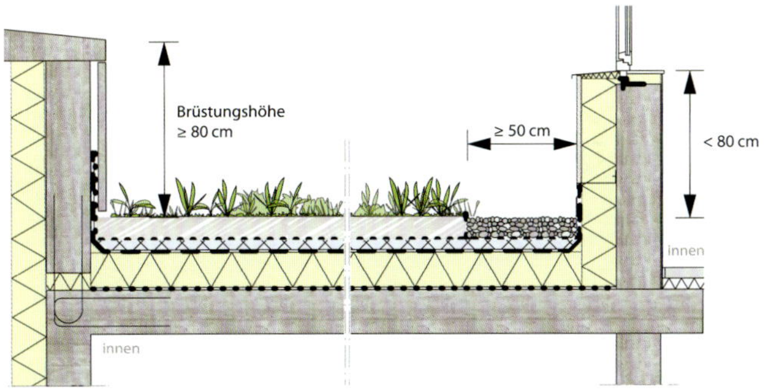

Abb. 6.40: Kiesstreifen vor aufgehenden Wänden mit Brüstungshöhe der Fenster < 80 cm nach DIN 4102-7 (nach Slama, 1989)

Abb. 6.41: DESY, Hamburg: Schutzstreifen mit Rasengittersteinen anstelle von Kies

Vor Öffnungen in der Dachfläche, wie Dachfenstern oder Lichtkuppeln, sowie vor Wänden mit Öffnungen ist ein mindestens 50 cm breiter Streifen aus massiven Platten oder aus einer mindestens 5 cm dicken Schicht aus Grobkies anzulegen (siehe Abb. 6.39 und 6.40), es sei denn, die Brüstung der Wandöffnung liegt mehr als 0,8 m über der Oberkante des Substrats.

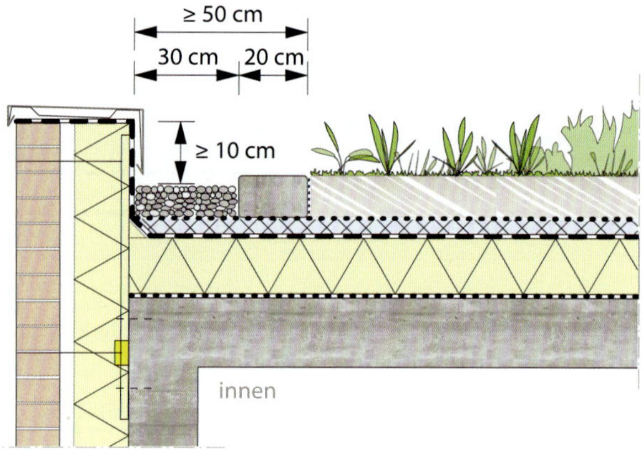

Abb. 6.42: Abstandsstreifen aus Kies und Betonrandstein, aufgehende Abdichtung durch abnehmbares Vorhangblech geschützt (nach Krupka, 1992)

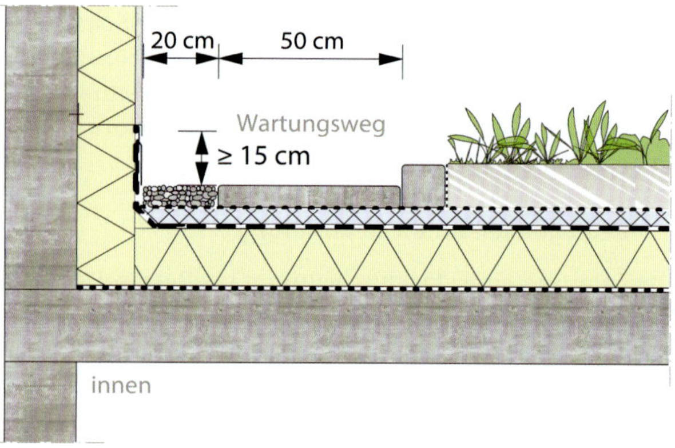

Abb. 6.46: Schutzstreifen am aufgehenden Bauteil, gleichzeitig den Brandschutzanforderungen genügend; Abdichtung durch Vorhangblech geschützt (nach Krupka, 1992)

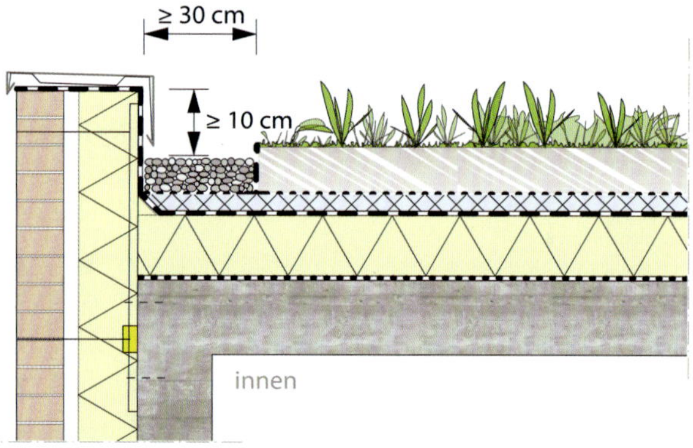

Abb. 6.43: Lösung ohne Betonrandstein, stattdessen Winkellochblech als Randstütze aus nicht rostendem Stahl (nach Krupka, 1992)

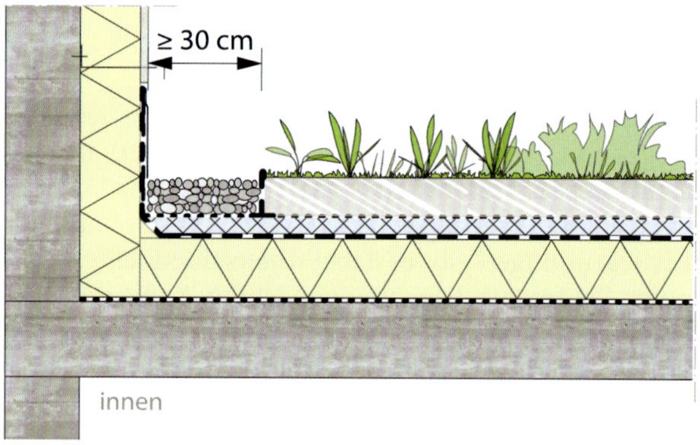

Abb. 6.47: Ausreichender Schutzstreifen bei erhöhter Abdichtung gegen Einwurzelung; durch Abdeckprofil verwahrte Abdichtung (nach Köhler et al., 2012)

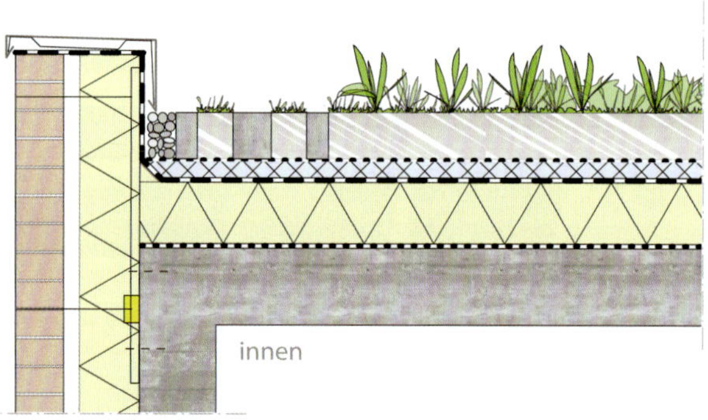

Abb. 6.44: Erhöhte Auflast im Dachrandbereich durch Rasengittersteine, Kiesstreifen für Maßtoleranzen und Temperaturschwankungen (nach Köhler et al., 2012)

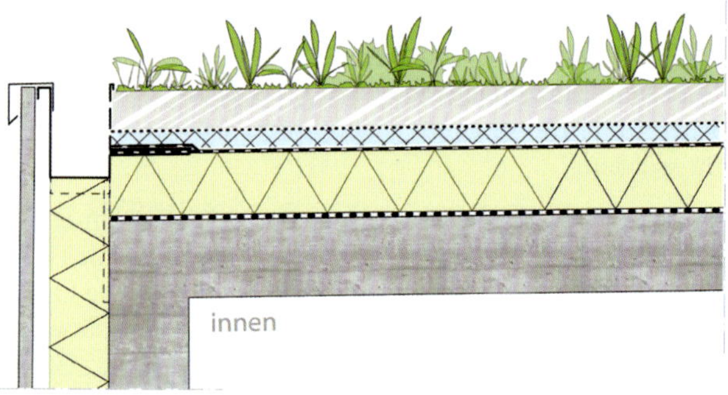

Abb. 6.48: Formal reduzierte Randausbildung; Vorkehrungen gegen Substratverwirbelung durch Windkräfte erforderlich (z. B. Textil-Substrat-Bauweise)

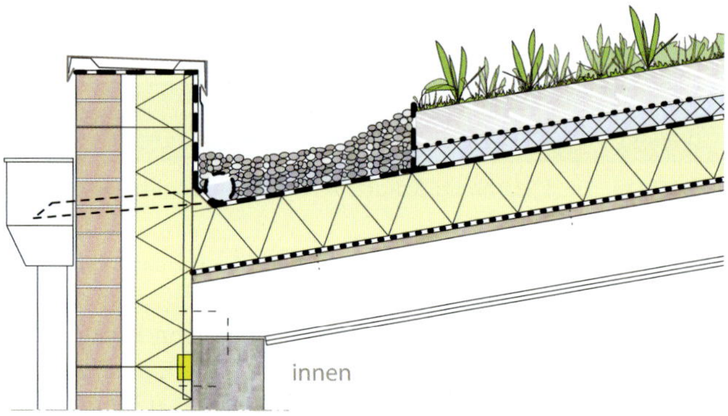

Abb. 6.45: Substratbegrenzung und Ausbildung der Randrinne mit Drainage sowie Entwässerung bei leicht geneigtem Dach

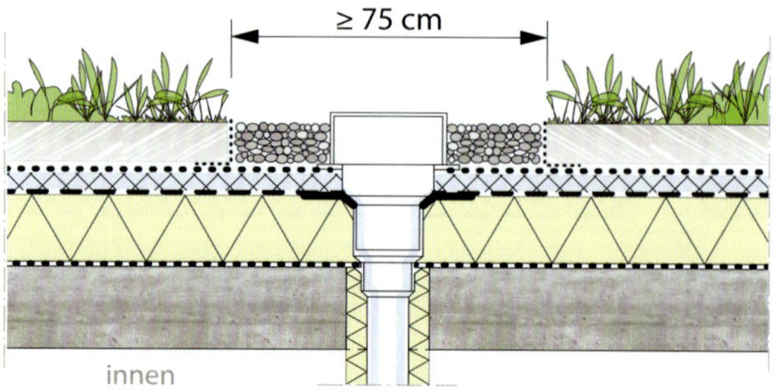

Abb. 6.49: Vegetationsfreier Schutzstreifen um einen Dachablauf mit Kontrollschacht (nach Krupka, 1992)

Für Dachausstiege ist eine Fläche von mindestens 1 m × 1 m mit massiven Platten oder einer mindestens 5 cm dicken Schicht aus Grobkies zu versehen. Bei Reihenhäusern mit giebelständigen Gebäuden muss im Bereich der Traufe ein horizontal gemessener, mindestens 100 cm breiter, stets unbegrünter Streifen mit einer nicht brennbaren Dachhaut versehen werden.

6.2.2 Schutzstreifen

Dachbegrünungen und ihre Randbereiche sowie auf Dächern installierte technische Anlagen sind erheblichen natürlichen Einflüssen ausgesetzt. Die verwendeten Materialien und Verbindungen müssen nicht nur jahreszeitlichen, sondern auch spontanen Temperaturschwankungen standhalten. Es ist daher wichtig, eine entsprechende Dilatation (Flexibilität) der Verbindungen, Randausbildungen und Materialzuschnitte zu berücksichtigen. Abdichtungsränder und -anschlüsse müssen zudem zuverlässig gegen das Eindringen von Pflanzenwurzeln gesichert sein. Der Schutzstreifen kann entweder horizontal (siehe Abb. 6.41) oder durch ein vertikales Hochführen der Abdichtung ausgeführt werden.

Die gesamte Abdichtung sollte vollflächig vor UV-Strahlung und thermischen Belastungen geschützt werden. Besonders sensible Anschlussbereiche zwischen der Begrünung und technischen Elementen, wie Dachabläufen, Entwässerungsrinnen und Dachrändern, müssen jederzeit zugänglich sowie leicht zu reinigen und zu warten sein. Wie in den Prinzipschnitten dargestellt (siehe Abb. 6.42 bis 6.49), sind ausreichend breite, sturmsichere Randausbildungen (eventuell mit Wartungswegen) vorteilhaft, um die Anschlussbereiche übersichtlich und kontrollierbar zu halten (siehe Abb. 6.50). Für die Begrünung von Hochhausdächern oder Dächern, die an Hochhausfassaden angrenzen, gelten spezielle brandschutztechnische Anforderungen. Laut den Vorschriften des Brandschutzes müssen die Dachbauteile grundsätzlich aus nicht brennbaren Materialien bestehen.

Ausnahmen sind möglich, wenn vor der aufragenden Hochhausfassade oder Fassadenteilen ein durchgehender Streifen von mindestens 50 cm Breite aus nicht brennbarem Material verlegt wird (z. B. massive Platten der Baustoffklasse A oder eine mindestens 5 cm dicke Schicht Grobkies). Pflanzen mit hohem Gehalt an ätherischen Ölen, wie beispielsweise Kiefern, sind für Dachbegrünungen auf Hochhausdächern nicht zulässig.

Im Rahmen des Baugenehmigungsverfahrens muss eine Dachaufsicht vorgelegt werden, die Angaben zur Bepflanzung sowie zur Pflege- und Wartungskonzeption enthält. Darin sind zudem Rückschnitt- und Bewässerungsmaßnahmen sowie weitere notwendige Pflege- und Wartungsmaßnahmen zur Instandhaltung zu erläutern.

Weiterführende Literatur:

- Flachdachrichtlinie (FR Flachdach, 2016)
- Dachbegrünungsrichtlinien des FLL (Dachbegrünungsrichtlinien, 2018)

Abb. 6.50: Horizontaler und vertikaler Schutzstreifen: sturmsichere Randausbildung mit angrenzendem Weg

- DIN 18531 „Dachabdichtungen; Begriffe, Anforderungen, Planungsgrundsätze [zurückgezogen]“ (1991)
- DIN 18195 „Abdichtung von Bauwerken – Begriffe“ (2017)
- DIN 4102-7 „Brandverhalten von Baustoffen und Bauteilen – Teil 7: Bedachungen – Anforderungen und Prüfungen“ (2018)
- DIN V ENV 1187 „Prüfverfahren zur Beanspruchung von Bedachungen durch Feuer von außen [zurückgezogen]“ (2006)
- Mustererlass der ARGEBAU „Brandverhalten begrünter Dächer“ (Mustererlass der ARGEBAU, 1989)
- § 4 VStättVO (Versammlungsstättenverordnung vom 28. April 2004, zuletzt geändert durch Verordnung vom 21. Dezember 2021)

6.2.3 Naturschutz und ökologische Aufwertung

In § 9 Abs. 3 Satz 1 Nr. 4 BNatSchG (Bundesnaturschutzgesetz vom 29. Juli 2009, zuletzt geändert am 23. Oktober 2024) werden die Anforderungen und Maßnahmen zur Verwirklichung der Ziele des Naturschutzes und der Landschaftspflege definiert. Die Umsetzung fördert insbesondere den Biotopverbund und die Biotopvernetzung sowie die Entwicklung von Vielfalt, Eigenart und Schönheit der Natur und Landschaft. Sie zielen zudem auf den Schutz von Luft und Klima, die Steigerung des Erholungswerts und die Erhaltung sowie Schaffung von Freiräumen in besiedelten Gebieten ab. Eine Dachbegrünung kann als Minderungs- oder Ausgleichsmaßnahme für Eingriffe in Natur und Landschaft dienen, wenn sie bestimmte Bausteine der Biodiversität umsetzt, darunter:

- Auswahl eines geeigneten Substrats und Oberflächenmodulation zur Förderung der Artenvielfalt,
- Schaffung vegetationsfreier Zonen, wie Sand- oder Lehmlinsen, Kies- oder Schotterflächen,
- Rückzugsmöglichkeiten für Bodentiere, z. B. durch Substratanhügelungen, Gehölzpflanzungen oder erhöhte Pflanzbeete,
- Integration von Futterpflanzen für Insekten und Vögel in die Bepflanzung (Blühaspekte ganzjährig),

Abb. 6.51: In die Dachbegrünung integrierte Nisthilfe

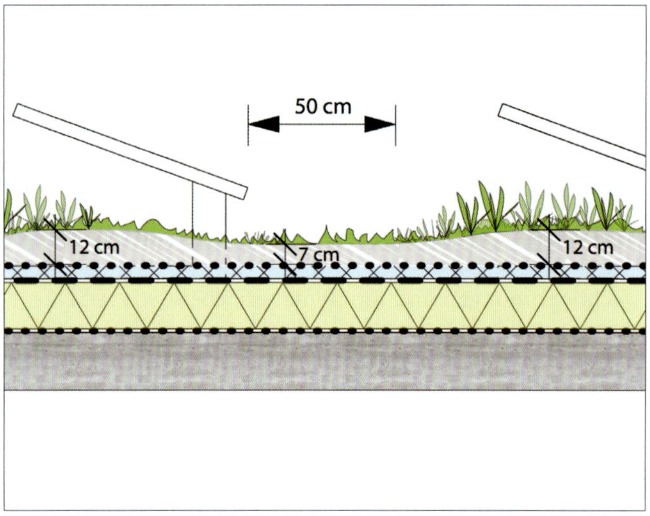

Abb. 6.52: Solaranlagen und Dachbgerünung: Unterschiedliche Substrathöhen sind das Grundprinzip der Habitatverbesserung von Lebewesen.

- Einbringen von Totholz, wie Asthaufen, Wurzelstöcken oder Baumscheiben,
- Nutzung von wind- und wassersicheren Nisthilfen für Vögel und Insekten (siehe Abb. 6.51),
- Einfügen von Wasserelementen, wie Wassertränken oder Teichen, gegebenenfalls mit geeigneter Flora (Dachbegrünungsrichtlinien, 2018).

Diese Elemente der Biodiversität eignen sich zur ökologischen Aufwertung von begrünten Dächern sowohl bei Bestandsgebäuden als auch bei Neubauten. Ziel ist die Erweiterung des Lebensraums und des Nahrungsangebots, um die Artenvielfalt zu steigern. Ein detaillierter Ausführungsplan sollte idealerweise unter Einbeziehung von Biologen erstellt werden. Je nach örtlicher Flora und Fauna können weitere spezifische Maßnahmen erforderlich sein. Um die Biodiversität zu fördern, und zur Anrechnung der Dachbegrünung als Minderungs- oder Ausgleichsmaßnahme kann die Verwendung von standortgerechtem Pflanzenmaterial oder gebietseigenem Saatgut vorgeschrieben werden.

Bei der Ableitung des von begrünten Dächern abfließenden Niederschlagswassers in Gewässer (Grund- oder Oberflächengewässer) ist es wichtig, dass Dachabdichtungen und Gründachaufbauten ohne wachstumshemmende Materialien hergestellt werden (biozidfrei, weitgehend frei von Weichmachern aus Kunststoffen, ohne Altlasten usw.).

Hinweis

Ist ein Dachbegrünungsvorhaben auch auf die Lebensbedingungen von Wildtieren, wie Bienen, Schmetterlingen, Käfern und Vögeln, gerichtet, sind zweckdienliche Informationen bei der Deutschen Wildtierstiftung erhältlich.

6.2.4 Umgang mit technischen Aufbauten

Es ist das Ziel, den Platzbedarf für Gebäudetechnik zugunsten von Begrünungen zu minimieren.

Solaranlagen

Um die Grünfläche nicht einzuschränken, können Solaranlagen (Photovoltaik/Solarthermie) aufgeständert in eine Dachbegrünung integriert werden. Die Pflanzenhöhe vor den Solarpaneelen wird durch eine geringere Substrathöhe (bis 7 cm) und eine gute Entwässerung kontrolliert, um Verschattungen zu vermeiden (siehe Abb. 6.52). Niedrigwachsende Arten ohne oder mit kurzen Blütenständen sind für eine solche Dachbegrünung geeignet. Hinter den Paneelen kann die Substrathöhe auf bis zu 12 cm erhöht werden, um die Artenvielfalt zu fördern und das Pflanzenwachstum zu unterstützen (Naturschutz auf Dachbegrünungen in Verbindung mit Solaranlagen, 2013).

Entlüftungs- und Klimaanlagen

Emissionen aus Verbrennungsprozessen enthalten schädliche Stoffe, wie Säuren und Pflanzengifte. Diese Schadstoffe können den Stoffwechsel und das Erbgut der Pflanzen beeinträchtigen. Durch die Emissionen von Warm- und Kaltluft sowie die von diesen Anlagen erzeugten Luftströmungen können Frost- und Trockenschäden an Pflanzen entstehen. Abgase aus Kaminen, insbesondere SO_2, schädigen vor allem immergrüne Pflanzen. Daher sollte im Einflussbereich von Abgasen und Luftströmungen geprüft werden, welche Pflanzenarten geeignet sind. Falls erforderlich, sollten entsprechende Abstandsflächen vorgesehen werden (Dachbegrünungsrichtlinien, 2018).

Absturzsicherung

Die Vorgaben der Gartenbau- und Bau-Berufsgenossenschaften bezüglich Absturzsicherungen bei Ausführungs-, Pflege- und Wartungsarbeiten auf Bauwerken müssen eingehalten werden (z. B. bauliche Absturzsicherungen, wie Absperrungen, Geländer oder Zäune sowie Anschlagpunkte für den Anseilschutz). Bei Arbeiten auf Dächern sind gemäß den geltenden Unfallverhütungsvorschriften Absturzsicherungen erforderlich, wenn die Absturzhöhe mehr als 3 m beträgt.

Abb. 6.53: Arbeitsgeländer um extensive Dachbegrünung

Abb. 6.54: Schutz der Wurzelballen zur Zwischenlagerung

Für andere Arbeitsbereiche mit Absturzgefahr, wie beispielsweise Fassadenarbeiten, ist eine Sicherungsmaßnahme ab einer Höhe von 2 m vorgeschrieben. Dies gilt für Arbeiten auf Dächern, Dachterrassen, Balkonen und Fassaden ebenso wie für Begrünungsarbeiten, Bau- und Instandhaltungsmaßnahmen. Sind keine Sicherungen vorhanden, gilt die Herstellung dieser Vorkehrungen als eine besondere Leistung.

Bei Neubauten ebenso wie bei Bestandsbauten sind ortsfeste Absturzsicherungen vorzuziehen. Geeignete Absturzsicherungen:

- ortsfeste Geländer (unter Beachtung der jeweiligen Landesbauordnung)
- nachträglich angebrachte Geländer gemäß Unfallverhütungsvorschrift, mit Handlauf (mindestens 100, maximal 130 cm Höhe), Knieleiste (mindestens 30, maximal 50 cm Höhe) und Fußleiste (mindestens 5 cm Höhe)
- Anschlagpunkte für Seile mit Sicherungsgeschirren, angepasst an die Fallstrecke und die Stoßkraft (Änderungen durch Falldämpfer berücksichtigen)

Sind keine Absturzsicherungen vorhanden, müssen für jedes Betreten der Fläche geeignete Sicherungsmaßnahmen eingerichtet werden, wie z. B. mobile Geländer (siehe Abb. 6.53), Gerüste, Fangnetze oder Hubarbeitsbühnen. Diese Sicherungen sind vom Auftraggeber zu vergüten.

6.2.5 Pflanzenauswahl und Pflanzung

Bei einer Dachbegrünung ist die Berücksichtigung vegetationstechnischer Kriterien zentral für ihre Funktion und Langlebigkeit. Diese Kriterien umfassen Aspekte wie das lokale Klima, die Zusammensetzung des Substrats, die Wasserspeicherung und die Auswahl geeigneter Pflanzenarten. Dabei spielen die Widerstandsfähigkeit der Pflanzen gegen extreme Witterungsbedingungen, ihre Toleranz gegenüber Trockenheit und Nährstoffmangel sowie der Pflegeaufwand eine entscheidende Rolle. Diese Faktoren müssen sorgfältig auf die spezifischen Bedingungen des Daches (Neigungswinkel, Sonneneinstrahlung und Niederschlagsmenge) abgestimmt werden, um eine erfolgreiche und und langfristig vitale Begrünung sicherzustellen.

Für extensive Begrünungen, die sich aufgrund des geringen Gewichts besonders gut für nachträgliche Begrünungen im

Abb. 6.55: Bunker St. Pauli, Hamburg: Lagerung der Pflanzen für die Dachbegrünung

Bestand eignen, kommen Pflanzen mit wenig Wasserbedarf infrage, wie Sedum, Moose, Gräser und Kräuter. Diese Pflanzen sind pflegeleicht und kommen auch mit extremen Wetterbedingungen gut zurecht. Intensive Dachbegrünungen bieten eine größere Pflanzenvielfalt, darunter Stauden, Gehölze und sogar Bäume. Sie können auf Bestandsbauten über tragenden Stützen, Wänden und anderen stabilen Tragstrukturen zum Einsatz kommen, erfordern jedoch eine intensivere Pflege, regelmäßige Bewässerung und Nährstoffversorgung. Dafür bieten sie diverse ökologische Vorteile (höhere Verdunstungsleistung, Nahrungs- und Lebensraum für Insekten und Vögel, Gestaltungsvielfalt usw.).

Pflanzen sind bei der Anlieferung zu prüfen (Art/Sorte, Größe, Vitalität, Beschädigung, Ballenfeuchtigkeit, Ballenfestigkeit, Schädlinge, Allgemeinzustand). Der Transport und das Abladen müssen geschützt erfolgen (Sackleinen, Vliesummantelung, Tragegurt). Der Abstellort zur Zwischenlagerung sollte durch eine Absperrung oder einen Bauzaun geschützt werden. Die Pflanzen sollten abgedeckt, beschattet und feucht gehalten maximal 48 Stunden gelagert werden. Dauert die Lagerung länger als 48 Stunden, müssen die Wurzelballen eingeschlagen werden (siehe Abb. 6.54 und 6.55).

Ballen dürfen nicht gequetscht werden, denn die Versorgung der Pflanzen erfolgt über ihre Wurzelspitzen. Der restliche Ballen dient nur der Statik. Triebe sollten nicht abbrechen, Rinden müssen z. B. mit Vlies geschützt werden. Pflanzungen sollten nicht vor dem 30. April erfolgen.

Saatgut

Saatgut bezeichnet trockene, ruhende, generative Fortpflanzungsorgane, wie Samen, Früchte, Scheinfrüchte, Fruchtstände oder Teile davon. Heimisches Saatgut fördert die Biodiversität auf der Dachbegrünung. Samen sind jedoch nicht unbegrenzt lagerbar.

Sprossen

Sedum-Sprossen sind lebendige Pflanzenteile bzw. Triebe der Sedum-Pflanzen. Es sollten mindestens vier verschiedene Sorten ausgebracht werden, um den Anwuchserfolg zu erhöhen. Sedum-Sprossen bilden einen flächigen ökologischen „Schutzbelag" (60 bis 80 g/m^2). Sie werden ausgestreut, eingearbeitet (z. B. mit einem Mauerhammer), gewalzt, gewässert (mit 10 l/m^2) und brauchen dann etwa sechs bis acht Wochen, bis sie anwachsen (erst werden Wurzeln ausgebildet, bevor das Wachstum beginnt). In den ersten Wochen ist eine durchdringende Wässerung erforderlich. Sprossen sollten vor dem Ausbringen nur kurz gelagert werden, maximal 24 Stunden (im Kühlschrank oder kalten Kaller, nicht im Plastiksack).

Vegetationsmatten

Dabei handelt es sich um in Gärtnereien vorkultivierte Pflanzenmatten mit/ohne Trägermaterial. Sie eignen sich für eine schnelle/sofortige Flächendeckung bei Windsog und möglicher Erosion und sind daher auch eine sehr gute Lösung für Schrägdachbegrünungen. Sie werden auf dem Substrat aufgelegt, ausgerollt, überlappend verlegt, gegebenenfalls fixiert (mit Holzankern, Netzen und Verbindern) und durchdringend gewässert (mit 10 l/m^2).Verrottbare Trägermatten werden eingesetzt, wenn eine schnelle Verwurzelung möglich ist. Nicht verrottbare Trägermatten sind für den Schrägdachbereich geeignet. Vegetationsmatten sollten nach der Anlieferung sofort ausgerollt werden.

Zwiebeln

Pflanzenzwiebeln lieben die Sonne und haben es in der Regel in absonnigen Bereichen schwer. Das unterirdische Speicherorgan versorgt die Pflanze auch in Trockenzeiten. Kleine Zwiebeln funktionieren auf Dachbegrünungen sehr gut. Geliefert werden sie im Topfballen, in der Topfpalette oder wurzelnackt. Zwiebeln werden ausgetopft, ausgelegt, eingepflanzt (Tiefe = zwei- bis dreimal die Zwiebelhöhe) und gewässert (mit 10 l/m^2).

Stauden

Darunter versteht man krautige mehrjährige Pflanzen, die als Rhizome, Wurzelsprosse oder Erneuerungsknospen überwintern. Klein- und Flachballenstauden sind für Dachbegrünungen gut geeignet. Sie sollten gezielt in sandigem, mineralischem, nährstoffarmem Substrat angezogen werden. Sie werden im Topfballen, in der Topfpalette oder wurzelnackt geliefert. Rhizombildende Pflanzen sind für Dachbegrünungen ungeeignet, da die Rhizome Wurzelschutzbahnen und Dachabdichtungen durchdringen. Stauden und Halbsträucher werden ausgetopft, es wird ein Pflanzloch gebildet (1.5-mal so groß wie der Ballen), die Pflanze wird eingestellt und ausgerichtet, das Ballentuch wird belassen und nur geöffnet. Das Pflanzloch wird verfüllt, die Pflanze wird angedrückt und gewässert (mit 10 bis 15 l/m^2, bzw. mit 10 l/m^2 bei einem Halbstrauch). Man benötigt ca. 12 bis 15 Stück/m^2 Kleinballenstauden, auf einem Schrägdach bis zu 20 Stück/m^2.

Sträucher

Sträucher sind verholzende Pflanzen (Gehölze). Sie bilden keinen Stamm als Hauptachse aus, sondern mehrere grundstämmige Triebe. Daher sind sie weniger windanfällig als Bäume (weniger Windlasten, Punktlasten, Hebel). Geliefert werden sie mit Ballen, im Topf oder wurzelnackt. Zunächst erfolgt ein Pflanzschnitt. Die Pflanzen werden ausgestellt, es wird ein Pflanzloch hergestellt (1.5-mal so groß wie der Ballen), die Pflanze wird eingestellt und ausgerichtet (Höhe = Oberkante des Ballens). Das Ballengewebe wird belassen und nur umgeschlagen. Der Wurzelballen wird gesichert. Unterflurverankerungen bestehen aus Matten, Platten oder Strukturgittern – es sollten keine Pfähle oder Schlaganker verwendeet werden. Das Pflanzloch wird verfüllt, angetreten und bei wurzelnackter Ware eingerüttelt und eingeschlämmt, um die Hohlräume zu schließen. Kleinsträucher werden mit 15 bis 20 l Wasser pro Pflanze eingegossen, Sträucher bis 175 cm Höhe mit 35 bis 50 l pro Pflanze.

Bäume

Bäume sind ausdauernde und verholzende Pflanzen, die eine dominierende Sprossachse aufweisen, die durch sekundäres Dickenwachstum an Umfang zunimmt. Sie sollten als Spalier erzogen werden (Äste horizontal führen). Ein gesteuerter Astwuchs führt zu weniger großen und weniger dichten Kronen und damit zu weniger Windangriff und größerer Windsicherheit. Geliefert werden Bäume mit Ballen, im Topf oder wurzelnackt. Für Dachbegrünungen nicht geeignet sind tiefwurzelnde Bäume, wurzelagressive Bäume (z. B. Akazien) und bruchgefährdete Arten (z. B. Robinien). Klimabäume weisen eine größere Toleranz bezüglich Trockenheit, Regen/Starkregen und Frost auf. Bäume mit einem Stammumfang bis 18 werden mit 80 bis 120 l eingegossen, bis Stammumfang 25 cm mit 100 bis 150 l und bis Stammumfang 50 cm mit 200 bis 300 l pro Pflanze (Traut, 2024).

6.2.6 Versorgungstechnik

Substrat

Die Zusammensetzung von Substraten für Dachbegrünungen orientiert sich an den speziellen Bedürfnissen der Pflanzen und den klimatischen Bedingungen auf Dächern. Substrate bestehen meist aus einer Mischung von mineralischen Materialien wie Lava, Bims (Luftporen, Wasserspeicher) oder Ziegelsplitt (Wasserspeicher) und organischen Bestandteilen wie Kompost. Die Mischung sorgt für gute Drainage, ausreichende Nährstoffversorgung und Stabilität der Pflanzen. Wichtig ist die Wasserspeicherfähigkeit des Substrats, um den Pflanzen in Trockenperioden ausreichend Feuchtigkeit zu bieten. Sowohl die Wasseraufnahmefähigkeit des Substrats als auch die Rückhaltefunktion der Drainschicht dienen sowohl bei Extensiv- als auch bei Intensivbegrünungen als temporärer Wasserspeicher.

Dicke und Zusammensetzung der Substratschicht hängen von der Art der Begrünung ab (extensiv oder intensiv). Bei extensiven Begrünungen, die pflegeleichte und trockenheitsresistente Pflanzen wie Sedum oder Gräser umfassen, ist die Substratschicht in der Regel 5 bis 15 cm dick. Das Substrat muss für diese Begrünungsform leicht, durchlässig und nährstoffarm sein, um den Wasserabfluss zu erleichtern und das Gewicht zu minimieren. Intensive Begrünungen, bei denen auch Rasen, Sträucher und sogar Bäume gepflanzt werden, erfordern eine dickere Substratschicht von mehr als 15 cm (für Bäume mindestens 80 cm). Das Substrat muss für eine intensive Begrünung nährstoffreicher und schwerer sein, um größere Pflanzen zu stützen und zu versorgen.

Bei einer künstlichen Bewässerung muss die Wasserhärte beachtet werden (pH-Wert 6–8,5, Carbongehalt max. 6g/l). Ggf. muss eine Entkalkung des Wassers erfolgen.

Die Qualität des Substrats bestimmt maßgeblich den Erfolg der Dachbegrünung (Preiss, 2013). Wesentliche Kriterien:

- hohe Formstabilität
- wenig organische Bestandteile
- geringes Gewicht (Trockenzustand)
- hohe durchgängige Wasserspeicherfähigkeit
- ausreichende Luftkapazität bei Wassersättigung
- gute Aufnahmefähigkeit von Nährstoffen
- gute Resistenz gegen pH-Wert-Verschiebung (z. B. bei saurem Regen)
- frei von Schädlingen, Krankheitserregern und Samenverunreinigung
- geringer Feinanteil, um Verhärten/Verschlämmen zu vermeiden

Be- und Entwässerung

Jede Art von Dachbegrünung erfordert eine sorgfältig geplante Be- und Entwässerung, die bereits in der frühen Planungsphase berücksichtigt werden sollte. Eine durchdringende Startbewässerung ist erforderlich, weitere Bewässerungen erfolgen in Trockenphasen nach Bedarf.

Um Trockenperioden zu überbrücken, sollte für Extensivbegrünungen eine Bewässerungsmöglichkeit (z. B. Wasseranschluss zur manuellen Bewässerung) eingeplant werden, sodass die Wasser- und Nährstoffversorgung bei Bedarf sichergestellt ist (siehe Abb. 6.56). Während bei Extensivbegrünungen eine Bewässerung meist nur während der Anwuchsphase notwendig ist und vereinzelt Notbewässerungen in langanhaltenden Trockenperioden erforderlich werden, bleibt eine ausreichende Bewässerung und Nährstoffversorgung bei Intensivbegrünungen in allen Wachstumsphasen unverzichtbar. Sinnvoll ist eine gesteuerte Wasser- und Nährstoffversorgung (gegebenenfalls Steuerung durch Feuchtesensoren).

Insbesondere bei Flachdächern ist die Entwässerung entscheidend, um überschüssiges Wasser zuverlässig abzuführen. Staunässe ist unbedingt zu vermeiden. Intensive Begrünungen oder solche in trockenen Regionen erfordern ein effektives Bewässerungssystem, um das langfristige Überleben der Pflanzen sicherzustellen. Automatische Bewässerungssysteme können den Pflegeaufwand reduzieren.

Folgende Lösungen zur Bewässerung gibt es:

- oberirdische Beregnung über Getrieberegner (für große Flächen), Düsen (kleinere Flächen), Tropfer (für Einzelpflanzen) oder Tropfschläuche (für eine flächige oder lineare Versorgung; siehe Abb. 6.57),
- Unterflurbewässerung mit Verteilerplatten, Tropfschläuchen oder Retentionsflächen/-boxen.

Für Tropfer und Tropfschläuche werden Druckminderer benötigt.

Rechtliche Vorgaben erfordern eine Systemtrennung für die Bewässerung einer Dachbegrünung: Im Sinne des Trinkwasserschutzes darf keine direkte Einleitung in das Trinkwassernetz erfolgen.

Abb. 6.56: Wagnis 4, München: Möglichkeit der manuellen Bewässerung einer Dachbegrünung mit Regenwasser

Abb. 6.57: Bewässerung mit Tropfschläuchen

Tabelle 6.1: Erforderliche Tätigkeiten zum Betrieb einer Bewässerungsanlage

Tätigkeitsbereiche	Aufgaben
Einwinterung	• Zuleitung vor Ventilen absperren (langsam) • Steuerung auf „off" stellen • System ausblasen • Ventile manuell geöffnet lassen • Filter reinigen • Dokumentation erstellen
Inbetriebnahme im Frühjahr	• Ventile schließen • Zuleitung öffnen (langsam, um Druckschlag auf die Leitungskomponenten zu vermeiden) • nacheinander einzelne Kreise manuell öffnen und befüllen, bis keine Luft mehr kommt, dann schließen • Steuerung auf „on" stellen • Testlauf aller Kreise mit manueller Ansteuerung durchführen • Regner, Düsen und Filterpatrone reinigen/ersetzen • Einstellungen kontrollieren/korrigieren • Dokumentation erstellen
allgemeine Wartung (Reinigung, Prüfung, Ersatz)	• Vorfilter kontrollieren und reinigen • Filtersätze der Düsen kontrollieren/ersetzen • Ventile kontrollieren und bei Undichtigkeit austauschen • Verschraubungen auf festen Sitz und Dichtigkeit prüfen • Düsenaufsätze austauschen • Düsen bei Regnern tauschen, gegebenenfalls Getriebe tauschen • Batterie am Steuergerät tauschen • Dokumentation erstellen

Die Steuerung erfolgt über eine elektronisch programmierbare Steueranlage. Es sind mechanisch oder elektrisch geregelte Absperreinrichtungen erforderlich.

Die Wasserentnahme sollte (zur Bewässerungskontrolle) auf getrennten Zählern erfolgen. Wird ein separater Wasserzähler für die Begrünungsbewässerung installiert, können zudem Zahlungen für Abwasser vermieden werden.

Eventuell geltende kommunale Vorgaben für eine maximale Wasserentnahme sind zu berücksichtigen.

Wesentliche Kriterien zur Planung und Dimensionierung der Bewässerung:

- Zwischen 4 und 5 bar Druck sollten am Übergabepunkt messbar sein.
- Es ist zu überprüfen, ob eine ausreichende Wasserfördermenge gewährleistet ist.
- Der Leitungsdurchmesser muss ausreichend sein (Druckverlust in der Leitung beachten: 10 m Leitungsanstieg = Druckverlust von 1 bar).
- Kenndaten von Regnern und Düsen sind zu berücksichtigen.
- Beregnungskreise müssen sinnvoll angelegt werden. Sollte der Druck nicht ausreichen, empfiehlt es sich, zwei Wasserkreise zu installieren und die Anzahl der Düsen zu halbieren.
- Die erforderliche Länge der Tropfschläuche ist zu berechnen.
- Leitungstrassen müssen festgelegt werden, um Konflikte mit Einbauten, anderen Leitungen und Bepflanzungen zu vermeiden.
- Für die Wartung muss die Zugänglichkeit sichergestellt werden.
- Die Steuerkabellängen sind zu begrenzen (maximal 5 bis 20 m, je nach Hersteller).

Die Steuerungs-/Ventiltechnik ermöglicht eine automatisierte Steuerung der Bewässerung mit verschiedenen Einstellungen (z. B. Wochentag, Uhrzeit, Bewässerungskreis, Dauer, Zyklen, Pausen). Eine manuelle Steuerung ist möglich. Eine automatisierte Steuerung ist entweder batteriebetrieben oder netzgebunden (dann Anschluss durch Elektrofachkraft). Eine Fernsteuerung über Smartphone-App oder WLAN ist möglich, ebenso die Installation von Regensensoren und Erdfeuchtemessern.

Die für den erfolgreichen Betrieb einer Bewässerungsanlage erforderlichen Maßnahmen sind in Tabelle 6.1 zusammengefasst.

Eine automatisierte Bewässerung bedarf eines Pflege-/Wartungsvertrags.

6.2.7 Instandhaltung (Pflege und Wartung)

Dachbegrünungen unterscheiden sich wesentlich von bodengebundenen Grünflächen. Gerade Extensivbegrünungen sind extremen Temperaturunterschieden, starkem Wind, langen Trockenphasen und kurzzeitigen Überflutungen ausgesetzt. Der fehlende Bodenanschluss, die begrenzte Substratschicht und die Höhenlage machen Dächer zu stark exponierten Flächen, zum Teil sogar zu Extremstandorten. Diese Herausforderungen müssen bei der Planung, aber auch bei der Ausführung sowie der späteren Pflege/Wartung beachtet werden. Neben den Anforderungen, die einzelne Pflanzenarten mit sich bringen, sollten auch die lokalen Gegebenheiten, wie z. B. das Mikroklima, berücksichtigt werden. Dazu zählen zudem Faktoren wie die Dachneigung, die örtliche Niederschlagsmenge und -verteilung, Lichtverhältnisse (Sonne, Schatten), Windverhältnisse sowie Reflexionen von Glas-, Metallflächen und Fassadenoberflächen (z. B. bei weißem Anstrich). Je sorgfältiger die Dachbegrünung unter Berücksichtigung dieser spezifischen Gegebenheiten geplant und umgesetzt wird, desto schneller wird das Begrünungsziel erreicht. Dadurch können anschließende Pflegeaufwendungen minimiert werden. Um eine wirtschaftliche Pflege und Wartung sicherzustellen, sollten bereits während der Planung folgende Punkte bedacht werden:

- Maßnahmen zur Gewährleistung der Arbeitssicherheit,
- Zugänglichkeit der Dachfläche,
- ausreichend dimensionierte und gut erreichbare Wasseranschlüsse,
- Stromanschlüsse.

Die Dachbegrünungsrichtlinien regeln die Gewährleistung (Verjährungsfrist) für den Schichtenaufbau und die Begrünung (Dachbegrünungsrichtlinien, 2018). Darin wird empfohlen, die folgenden Verjährungsfristen für die Gewährleistung zu vereinbaren:

- zwei Jahre für die Herstellung des Schichtenaufbaus und der technischen Einrichtungen,
- zwei Jahre für die Herstellung der Vegetation, sofern der Auftragnehmer mit der Entwicklungspflege beauftragt wurde.

Die Gewährleistung nach Abnahme innerhalb der Verjährungsfrist greift nur, wenn die Mängel auf fehlerhafte Leistungen des Auftragnehmers zurückzuführen sind. Andernfalls bedarf es der Klärung, wer den Mangel zu vertreten und zu beseitigen hat.

Vorteile einer regelmäßigen Instandhaltung:

- dauerhafte Erhaltung des vorgesehenen Begrünungsziels und der vorgesehenen Funktion der Dachbegrünung, auch als Ausgleichmaßnahme
- Verlängerung der Funktionalität der Abdichtung
- Sicherstellung der Gebrauchstauglichkeit technischer Einrichtungen
- Werterhaltung der Bausubstanz
- Vermeidung von unerwünschtem Wildwuchs und Erhalt der geplanten Vegetation
- Einhalten brandschutzrechtlicher Anforderungen
- Minimierung von Folgeschäden und Folgekosten
- Erhaltung des positiven Images von Dachbegrünungen

Pflege

Eine Dachbegrünung benötigt, je nach Art der Begrünung (extensiv oder intensiv), unterschiedliche Pflegemaßnahmen. Einsatz und Zeitpunkt richten sich nach den Pflanzengesellschaften, dem Bedarf, der Witterung und dem Anspruch des Arbeitgebers. Zeitansätze für die Pflege sind individuell zu kalkulieren. In der Regel werden folgende Pflegemaßnahmen unterschieden:

- Fertigstellungspflege (während der Anwuchsphase vor der Abnahme),
- Entwicklungspflege (laufende Maßnahmen nach Etablierung der Dachbegrünung nach der Abnahme),
- Unterhaltungspflege.

Die Fertigstellungspflege gehört zur Erstellung einer Dachbegrünung. Nach etwa zwölf bis 15 Monaten sollte ein abnahmefähiger Zustand erreicht sein. Dieser ist erreicht, wenn eine ordnungsgemäße Ausführung der Begrünungsarbeiten festgestellt wird (siehe Abb. 6.58). Bei ordnungsgemäßer weiterer Pflege können eine artgerechte Weiterentwicklung und eine anhaltende Funktionsfähigkeit der Begrünung erwartet werden. Mindestanforderungen der Abnahmefähigkeit nach Dachbegrünungsrichtlinien (2018):

- Ansaat: 60 % Flächendeckung und 60 % der ausgesäten Arten nachweisbar
- Sprossensaat: 75 % der Sprossen angewachsen und 60 % Flächendeckung
- Fertigrasen: 95 % Flächendeckung
- Vegetationsmatten: 80 % Flächendeckung

Die Leistungen der Fertigstellungspflege sind besondere Leistungen, die in Einzelpositionen auszuschreiben sind. Dazu gehören nach eventuellem Ausfall von Pflanzen auch Ersatzpflanzungen bis hin zum gewünschten Deckungsgrad.

Abb. 6.58: Pflanzung einer Dachbegrünung. Im Anschluss erfolgt die Fertigstellungspflege (etwa zwölf bis 15 Monate) (Quelle: Oswald gARTen, Wendisch-Evern).

Die Entwicklungspflege von Extensivbegrünungen umfasst ein bis zwei Kontrollgänge pro Jahr. Sie beinhaltet die Nährstoffversorgung, die Überprüfung auf Krankheits- und Schädlingsbefall und anderweitige erkennbare Schäden, das Entfernen von unerwünschtem Aufwuchs, Rückschnitt und Freihalten der Sicherungsstreifen, Nachsaaten oder Nachpflanzungen sowie die Kontrolle und Reinigung der technischen Einrichtungen, insbesondere der Be- und Entwässerung. Ziel ist eine Bodendeckung von 90 % nach in der Regel zwei Jahren.

Im Anschluss erfolgt die Unterhaltungspflege mit den zuvor genannten Maßnahmen der Entwicklungspflege zur Aufrechterhaltung der Zielvegetation.

Eine fehlende Pflege kann Schäden nach sich ziehen, wie Windverwehungen und Substratabrutschungen, Ansiedelung von unerwünschtem Fremdbewuchs, Zusetzen von Dachabläufen mit Laub, Zusetzen von Dachabläufen mit Laub usw.

> **Hinweis**
>
> Die mögliche Entsorgung von Grünschnitt/Biomasse ist im Vorfeld zu klären (gegebenenfalls Kompostierung).

Extensive Dachbegrünung

Extensivbegrünungen erfordern vergleichsweise wenig Pflege. In der Regel sind vier bis sechs Einsätze pro Jahr für die Fertigstellungspflege ausreichend, für die Entwicklungspflege genügen zwei bis drei Einsätze. Ein bis zwei Kontrollgänge pro Jahr reichen in der anschließenden Unterhaltungspflege aus. Der Richtwert zur Pflege extensiver Begrünungen liegt bei ca. 1,5 bis 2,5 min./m^2 und Einsatz. Dabei können folgende Arbeiten notwendig werden:

- Düngung,
- Bewässerung,
- Lockern des Substrats,
- Auffüllen von Substrat bei Fehlstellen,
- Mähen/Schnitt (siehe Abb. 6.59),
- Entfernen von Konkurrenz/Fremdaufwuchs,
- Entfernen von Laub und abgestorbenen Pflanzenteilen,
- Beseitigung von Schnittgut,
- Beseitigung von Unrat,
- Nachsaat bei Fehlstellen,
- Nachpflanzen bei Lücken,
- erforderlicher Pflanzenschutz.

Abb. 6.59: Pflege/Mähen einer extensiven Dachbegrünung (Quelle: Oswald gARTen, Wendisch-Evern)

Intensive Dachbegrünung

Der Pflegeaufwand für intensive Dachbegrünungen ist mit dem für einen intensiv gepflegten Garten vergleichbar.

Sie benötigen regelmäßige Pflege und Kontrolle, wobei vier bis acht Pflegegänge pro Jahr notwendig sein können. Dabei sollte während der Pflege und Wartung Rücksicht auf die ansässige Fauna genommen werden (z. B. Nestbau). Zur Pflege von Intensivbegrünungen können folgende Maßnahmen erforderlich werden:

- Auflockern und Säubern der Pflanzflächen,
- Rückschnitt, Verjüngung von Pflanzen, Auslichtung und Entfernen von Konkurrenz/Fremdaufwuchs,
- Beseitigung von Unrat,
- Düngung,
- Bewässerung,
- Auftragen von Mulch,
- Entfernen von Laub und abgestorbenen Pflanzenteilen,
- Maßnahmen zum Winterschutz,
- Überprüfung und gegebenenfalls Entfernen/Korrektur von Verankerungen,
- Kontrolle der Funktionalität der Bewässerungsanlagen.

Rasen- und Wiesenflächen

Rasen- und Wiesenflächen auf Dächern zählen ebenfalls zu den Intensivbegrünungen. In der Regel sind dafür zwei bis zwölf Pflegegänge pro Jahr notwendig. Dabei können folgende Pflegemaßnahmen anfallen:

- Mähen und Entfernen/Schneiden von Fremdaufwuchs,
- Beseitigung des Schnittguts,
- Entfernen von Unrat,
- Düngung,
- Bewässerung,
- Pflanzenschutzmaßnahmen,
- Entfernen von Laub und abgestorbenen Pflanzenteilen,
- Vertikutieren,
- Belüftung des Bodens (Aerifizieren),
- Aufbringen von Sand,
- Überprüfung und Funktionskontrolle der Bewässerungsanlagen.

Wartung und Instandhaltung

Die Häufigkeit von Wartungsmaßnahmen hängt von verschiedenen Faktoren ab, wie der Dachneigung, den thermischen, mechanischen, chemischen, biologischen und sonstigen Umwelteinflüssen sowie der Belastung und Alterung der Dachabdichtung. In der Regel sollten Wartungsarbeiten zweimal jährlich durchgeführt werden. Ein Mängelprotokoll ist zu erstellen und vom Auftragnehmer und Auftraggeber zu unterzeichnen.

Die Wartung hat zum Ziel, den Sollzustand zu erhalten und die Funktionsfähigkeit von Sicherheitseinrichtungen, technischen Anlagen sowie der Dachabdichtung und aller An- und Abschlüsse sicherzustellen. Dabei umfasst die Wartung die regelmäßige Überprüfung der Funktionsfähigkeit und gegebenenfalls Maßnahmen wie Reinigung, kleinere Nachbesserungen und Reparaturen. Sollten umfangreichere Maßnahmen zur Wiederherstellung des Sollzustands notwendig sein, sind diese als Instandsetzungsarbeiten separat zu vereinbaren. Instandsetzungsmaßnahmen, wie das Ergänzen oder Erneuern der Wärmedämmung, die Reparatur von beschädigten Dachabdichtungen, das Erneuern von Kittfugen oder die Befestigung von Verwahrungen, Abdeckungen und Kappleisten, gelten als besondere Leistungen und sind nicht Teil der regulären Wartung. Diese Leistungen müssen individuell vereinbart werden.

Zur Wartung gehören auch die Kontrolle und Reinigung der Entwässerungseinrichtungen (z. B. Ablaufschächte und Rinnen) sowie die Prüfung ihrer Funktionsfähigkeit, insbesondere bei Regen. Zudem werden Aussinterungen überprüft. Sicherheitsrelevante und technische Einrichtungen, wie Absturzsicherungen, Rinnenheizungen, Lichtkuppeln, Rauch- und Wärmeabzugsanlagen und Dachentlüfter, werden ebenfalls inspiziert. Spezielle Leistungen im Rahmen der Wartung:

- Freihalten von Rand- und Sicherheitsstreifen sowie Platten- und anderen Belägen von unerwünschtem Bewuchs
- Reinigung von Rinnen, Kontrollschächten, Dachabläufen und weiteren Entwässerungseinrichtungen
- Überprüfung und Funktionskontrolle der Bewässerungsanlage (einschließlich Batterien, Ventilen, Filtern, Schwimmern usw.)
- Überprüfung der Funktion und Stabilität von Absturzsicherungen und Befestigungsvorrichtungen für den Anseilschutz
- Funktionsprüfung, Wartung und Reinigung von Lichtkuppeln und anderen Belichtungseinrichtungen
- Reinigung von Be- und Entlüftungsöffnungen
- Wartung von Rauch- und Wärmeabzugsanlagen
- Funktionskontrolle und Reinigung der Rinnenheizung
- Untersuchung von Holz auf Schädlings- oder Fäulnisbefall und gegebenenfalls Erneuerung des Holzschutzes
- Reinigung von Dachrinnen und Fallrohren
- Reinigung von Dachabläufen (Ablaufschächten und Notüberläufen)
- Frostsicherung der Wasserleitungen
- Instandhaltung und Wartung der Dachabdichtung

Um die Lebensdauer der Begrünung und des Daches zu verlängern, sollten frei bewitterte Bereiche der Dachabdichtung regelmäßig auf Schäden oder Abnutzungserscheinungen überprüft werden. Dies gilt besonders für Übergänge zu Drainagesystemen, Durchdringungen, Stützen, Einbauteile sowie weitere An- und Abschlüsse. Die Wartung kann darüber hinaus folgende Aufgaben umfassen:

- Entfernen von Verschmutzungen, Laub und unerwünschtem Pflanzenbewuchs in den Bereichen von Rand- und Sicherheitsstreifen sowie an Anschlüssen, Abschlüssen, Durchdringungen und Einbauteilen,
- Reinigung von Plattenbelägen, einschließlich Säuberung der Fugen,
- Überprüfung von Abdeckungen, Verwahrungen und Kappleisten sowie gegebenenfalls Nachbesserung der mechanischen Befestigung,
- Kontrolle und, falls erforderlich, Nachbesserung von Kittfugen,
- Ausgleich von Unebenheiten oder Verwehungen bei Schüttgütern.

Zugänglichkeit

Ein wichtiges Planungskriterium ist die ganzjährige, dauerhafte Zugänglichkeit aller begrünten Flächen für Pflege- und Wartungsarbeiten. Regelmäßige Pflanzenkontrollen sind unerlässlich, und die Wartungsintervalle müssen eingehalten werden. Der Einsatz von Feuchtesensoren bzw. einer Bewässerungssteuerung mit Fernwartung ist von Vorteil. Dafür müssen Stromanschlüsse vorhanden sein.

Es empfiehlt sich, ein Pflegekonzept zu erstellen, das alle notwendigen Maßnahmen zur Instandhaltung systematisch erfasst, insbesondere bei wechselnden Pflegefachkräften. Dabei sollten Daten, wie Wasserqualität, Nachspeisung, Nährstoffgehalt, Wartungsintervalle und die Lage der Entleerungsstellen, dokumentiert werden.

Qualitätssicherung

Für Intensivbegrünungen muss der abnahmefähige Zustand gemäß den Vorgaben der DIN 18916 bzw. der DIN 18917 „Vegetationstechnik im Landschaftsbau – Rasen und Saatarbeiten" (2018) festgestellt werden. Bei Extensivbegrünungen gelten ergänzend zu oder abweichend von diesen Normen sowie der VOB/C ATV DIN 18320 „Landschaftsbauarbeiten" (2019) die Kriterien der aktuellen FLL-Dachbegrünungsrichtlinie. Zur Überwachung der Dachbegrünungen, beispielsweise zur Überprüfung der Vitalität und des Deckungsgrads durch die genehmigenden Behörden, können Infrarot- und Luftbildaufnahmen dienlich sein.

Hinweis

Die in diesem Kapitel zusammengefassten Kriterien basieren auf den FLL-Dachbegrünungsrichtlinien, die als umfassende Grundlage für die Planung, Ausführung und Pflege von Dachbegrünungen dienen (Dachbegrünungsrichtlinien, 2018). Weitere technische Regelwerke wurden bereits erwähnt: die Flachdachrichtlinie (FR Flachdach, 2016), die DIN 18916, DIN 18917 und DIN 18919 sowie die DIN 18531, die DIN 18195, die DIN 1986-30 und die DIN 4102-7. Darüber hinaus gilt die DIN 18532-1 „Abdichtung von befahrbaren Verkehrsflächen aus Beton – Teil 1: Anforderungen, Planungs- und Ausführungsgrundsätze" (2017).

7 Lösungen für Dachbegrünungen

Dachbegrünungen finden wegen ihrer gestalterischen und ökologischen Potenziale, vor allem aber aufgrund der multifunktionalen Flächennutzung, zunehmend Beachtung. Mögliche Varianten werden nachfolgend beschrieben.

Extensive Dachbegrünungen

Dabei handelt es sich um naturnah gestaltete Vegetationsformen, die sich weitgehend selbst erhalten und weiterentwickeln und mit geringem Aufwand herstellbar und zu unterhalten sind. Die extensive Begrünung ist kostengünstig und wartungsarm. Sie lässt sich in verschiedenen Varianten ausführen:

- Spontanbegrünung,
- Sedum-/Moosmatten (Vegetationsmatten),
- Begrünung in Textil-Substrat-Bauweise (Vegetationsmatten auf Substrat),
- Begrünung auf Substratschüttung 5 bis 15 cm.

In Anlehnung an Spontanbegrünungen gibt es eine Reihe geeigneter Trägersysteme mit oder ohne Substrat, die einerseits dem Anspruch an Gewichtsreduktion sowie andererseits dem Wunsch nach einer größeren Pflanzenbandbreite gerecht werden. Die Vielfalt von Begrünungslösungen ist auf den meisten flachen und schrägen Bestandsdachflächen umsetzbar (statische Prüfung erforderlich). Auch Extensivbegrünungen dienen dem heute zunehmenden Anspruch der Flächenmultifunktionalität, z. B. als Solar- oder Biodiversitätsgründach.

Intensive Dachbegrünungen

Für Begrünungen von nutzbaren Dachgärten besteht die Forderung nach einer möglichst wenig eingeschränkten Pflanzenwahl, da diese, zumal in öffentlichen Bereichen, höheren mechanischen und klimatischen Belastungen sowie Vorgaben für Gestaltung und Nutzung der Oberfläche gerecht werden muss. Es gibt flächige Lösungen sowie auch punktuelle Lösungen ohne flächigen Begrünungsaufbau:

- Begrünung auf einer Substratschüttung > 15 cm,
- Begrünung in Pflanzgefäßen.

Der Aufbau verlangt jeweils eine qualitative Nachbildung des gewachsenen Bodens. Mit der Speicherfähigkeit von geeigneten Substraten beginnt die Schütthöhe mit 15 cm, kann aber flächig oder stellenweise (Standorte für Gehölze/Bäume) deutlich darüber liegen (Bäume ab 80 cm). Wo solche Aufbauhöhen wegen der örtlichen Verhältnisse nicht flächig realisiert werden können, besteht die Möglichkeit, mit Modulation oder Pflanzgefäßen bzw. flächig begrenzten, punktuellen Begrünungen bereichsweise Raum für ein ausreichendes Substratvolumen als Wurzelraum zu schaffen.

Multifunktionsdächer

Neben den häufig ausgeführten klassischen Begrünungen gibt es inzwischen bewährte multifunktionale Lösungen, die im Folgenden zusammengefasst und als Unterkategorien ebenfalls ausführlich beschrieben werden:

- Retentionsdach,
- Wassergründach,
- Solargründach,
- Biodiversitätsdach,
- gebäudeintegrierte Farmwirtschaft.

Der Aufbau eines Retentionsdachs ist z. B. für eine möglichst große Abflussrückhaltung des Regenwassers optimiert. Wasserdächer bieten zudem mit ihrer sichtbaren Wasserflächen zusätzliche Gestaltungspotenziale und Biodiversität. Weitere Lösungen sind Solar- und Biodiversitätsgründacher. 360 Millionen m^2 Dachfläche in Deutschland eignen sich für den Anbau von Obst/Gemüse (Gassmann, 2015). Diese Varianten sind zum Teil untereinander und mit extensiven/intensiven Begrünungen kombinierbar.

Mögliche Zielsetzungen der Dachbegrünung (Ökologie/Umweltaspekte , Umfeldverbesserung, Imagefaktor, Pflege-/Wartungsanspuch und Kostenvorteile) werden im Folgenden zum Vergleich der Varianten mittels Piktogrammen dargestellt.

7.1 Varianten mit Priorität Gewichtseinsparung (extensive Dachbegrünungen)

Extensive Begrünung ist die Bezeichnung für kostengünstige, wartungsarme Flachdachbegrünungen. Sie lässt sich in verschiedenen Varianten ausführen: Neben einer Direktbegrünung von Stein-/Ziegelflächen mit Moosen und Flechten in Anlehnung an Spontanbegrünungen gibt es Lösungen ohne oder mit Substrat. Je mehr Substrat der einfachen Begrünung (auch mit heimischen Arten) zur Verfügung steht, desto größer ist die Gestaltungsbandbreite.

Die Vielfalt erfolgreicher Begrünungslösungen ist auf flachen und schrägen Dachflächen mit geringem Wartungs- und Pflegeaufwand einsetzbar.

7.1.1 Spontanbegrünung

Gestalterische Kriterien

Spontanbegrünungen in der Natur (siehe Abb. 7.1) sind dafür das Vorbild: Moosdecken auf Felsen oder Decken aus unterschiedlich farbigen Flechten bilden sich spontan – unmittelbar von selbst – aus ihren Standortbedingungen. Dieser Entwicklung haben Forscher der Politecnica de Catalunya in Barcelona nachgespürt und entwickeln daraus Techniken aus begrünbaren mehrschichtigen Betonteilen („Biological Concrete“). Diese Begrünungstechnik bietet die seltene gestalterische Möglichkeit, Flach- oder Steildachflächen mit einer einheitlichen Begrünungsgestaltung herzustellen. Sogar Muster werden durch das Verhindern einer Wasserraufnahme partieller Bereiche auf Flächen möglich.

Abb. 7.1: Spontanbegrünung einer Mauerkrone aus Naturstein mit Moosen, Flechten und Sedum

Vegetationstechnische Kriterien

Moose (ca. 125 Arten) ernähren sich von den in den Luftstäuben enthaltenen mineralischen und organischen Partikeln. Sie sind langlebig (>100 Jahre) und äußerst widerstandsfähig gegen Trockenheit, Sonnenstrahlung, Kälte und Hitze (70 °C). Sie besitzen keine Wurzeln, sondern Halteorgane. Sie passen ihren Wassergehalt an die Feuchtigkeit ihrer Umgebung an. Die Oberflächenabwicklung von Moosen ist durch mikrofeine Furchungen um das 30-Fache vergrößert. Dies ermöglicht ihnen eine sehr gute Wasserspeicherung (bis zu 20 l/m^2), eine entsprechend wirksame Verdunstungskühlung und eine gute Schallabsorption. Moose unterscheiden sich von anderen Pflanzen dadurch, dass sie Wasser und Nährstoffe aus der Luft aufnehmen und nicht aus dem Boden/Substrat.

Durch einen antistatischen Effekt können sie Feinstaub binden, durch Ionenaustausch adsorbieren und verstoffwechseln, ebenso Giftstoffe und Schwermetalle. Sie brauchen keine Nährstoffzuführung, haben ein geringes Gewicht und sind pflegeleicht. Sie regulieren sich selbst, indem sie bei mangelnder Feuchtezufuhr ihre Stoffwechselfunktion einstellen und im Ruhestadium rostrot/braun werden. Der Prozess ist bei erneuter Befeuchtung nach nicht allzulanger Trockenzeit (je nach Art Wochen bis Monate/Jahre) reversibel (BOTT-Produktkatalog, 2012; Brandhorst/Siemens, 2012). Moose dürfen ausschließlich mit Regenwasser oder Wasser aus einer Umkehrosmoseanlage versorgt werden, da sie kein kalkhaltiges Wasser vertragen.

Flechten (ca. 25.000 Arten) steigern ihren Wassergehalt mit der zunehmenden Luftfeuchte der Abend- und Nachtstunden. Nach Sonnenaufgang erfolgt durch Fotosynthese die CO_2-Aufnahme. Mit der Erhöhung der Lufttemperatur vermindert sich die Umgebungsluftfeuchte, die Flechten geben Wasser ab und fallen in eine Trockenstarre (Lange/Bertsch, 1965). Die maximalen Nettosyntheseraten subalpiner Flechten liegen zwischen 1,2 und 1,7 mg $CO_2/(g \cdot h)$ bei optimalen Temperatur-, Feuchte- und Lichtbedingungen (Türk, 1981). Flechten kommen mit den Nährstoffen aus, die Luft und Wasser bieten, sie vertragen ebenfalls Umgebungstemperaturen bis zu 70 °C sowie direkte Sonneneinstrahlung und können in getrocknetem Zustand Jahre in einer stoffwechsellosen Ruhepause überdauern. Nur bei Flechten ist die Fotosynthese noch weit unterhalb des Gefrierpunkts möglich. Flechten sind abhängig von der Luftfeuchte, von Regen oder Tau und saugen sich voll wie ein Schwamm. Der pH-Wert ist ein Unterscheidungsmerkmal für verschiedene Arten, von denen es sonnen- und schattensuchende gibt (Hesse, 2005).

Bautechnische Kriterien

Eine bauseitige wasserableitende Flächenabdichtung ebener und leicht geneigter Dachflächen ist die Voraussetzung für den Aufbau eines flächenbündigen Plattenaufbaus. Bei Neigungen ab 25 ° (Schrägdach) können überlappende Ziegel angewandt werden, die die Anforderungen an eine übliche Dachsteindeckung erfüllen. Die Betonstein-/Ziegelelemente werden mit einer begrünungsfördernden rauen, porösen Oberflächenschicht ausgestattet, um Regenwasser so zurückzuhalten, dass eine ausreichende Oberflächenfeuchte für die Moosbildung zur Verfügung steht. Damit dieser Vorgang auf die Oberfläche begrenzt bleibt, sind die Materialien mit einer eigenen innenliegenden Wassersperre auszustatten, um einer Zerstörung durch Frost vorzubeugen. Die Dachstatik muss für einen vollflächigen Belag aus Platten bzw. für eine Eindeckung mit Betondachsteinen/Ziegeln ausreichend dimensioniert sein. Die Begrünungsentscheidung kann insoweit bauaufsichtlich relevant sein. Bei Warmdächern muss auf eine lückenlose Dampfsperre geachtet werden, da die Feuchteverhältnisse des begrünten Belags auch in der warmen Jahreszeit eine kühle Oberfläche des Dachaufbaus bewirken. Die begrünten Belagsmodule werden wie Terrassenplatten bzw. auf Schrägdächern wie Dachziegel montiert.

Wirtschaftliche Kriterien

Die Kleinteiligkeit der Formate und ihre Eingliederung in marktübliche Bauweisen ist eine gute Voraussetzung für eine hohe Wirtschaftlichkeit, besonders bei einer Flachdachbelegung auf der ohnehin nötigen Abdichtungsebene. Bei Schrägdächern sind die Deckelemente zugleich die wasserableitende Schicht. Dabei wird die Anordnung einer zweiten Dichtungsebene unterhalb der Eindeckung erforderlich, weil die starke Wasserbindung von Moosen und die verlangsamte Wasserableitung zu einem Rückstau in die Elementfugen führen können. Da diese Art der Begrünung sich in Forschung befindet bzw. als Prototyp einer experimentellen Entwicklung entspricht, liegen keine Kostenrichtwerte vor. Die Wartungs- und Pflegekosten werden wegen des autarken Bewuchses im unteren Bereich liegen.

Systemtypische Vorteile

- Besondere Pflegeleichtigkeit
- positive Flächenwirkung unabhängig vom Grad der Begrünung sofort gegeben, Vorkultur möglich
- Widerstandsfähigkeit gegen Witterung und Trockenheit
- ohne künstliche Bewässerung bis ca. 85 ° Neigung möglich (dann bei Trockenheit orangefarbene/rostrote Färbung)
- ebene Textur und monochrome Farbwirkung
- Ausprägung eines natürlichen ganzjährigen Farbenspiels
- Moose und Flechten auch für Steildachflächen geeignet
- Feinstaubbindung und Verstoffwechselung von bis zu 75 % (Frahm, 2008)
- durch das Trägermaterial Schutz der Abdichtungsebene gegen UV-Strahlen

Hinweise für einen größtmöglichen Begrünungserfolg

Vorkulturen auf Trägermaterialien ermöglichen ein sofortiges Begrünungsbild. Moose sind jedoch standorttreu – es kann daher am Installationsort zu Ausfällen kommen. Zur Ansiedelung von Moosen und Flechten dienen raue, poröse und feuchtespeichernde Oberflächen, die karg, nährstoffarm und ungestört sind.Chemikalien, wie Herbizide und Pestizide (auch Reinigungsmittel), schädigen Moose und Flechten.

Findet eine Bewässerung statt, muss diese mit Regenwasser oder alternativ mit entkalktem Wasser (Umkehrosmoseanlage) erfolgen.

Vögel schätzen Moose für den Nestbau (siehe Abb. 7.2). Aus diesem Grund können bemooste Flächen im Frühjahr größere Lücken aufweisen. Die Moose wachsen dort jedoch wieder nach.

Abb. 7.2: Meise mit Moos für den Nestbau im Schnabel

7.1.2 Moos-/Sedum-Matten (Textilbauweise)

Gestalterische Kriterien

Textilmattenbegrünungen bieten den Vorteil ihrer möglichen Vorkultivierung, sodass ein fertiger Moos-/Moos-Sedum-Teppich schon mit der Gebäudefertigstellung optisch wirksam und ökologisch einsatzbereit sein kann (siehe Abb. 7.3). Beim konventionellen Aufbau als Rohmatte mit eingebrachten Sprossen benötigt ein gestalterisch und ökologisch wirksamer Anwuchs der Fläche etwa drei bis vier Jahre. Gängig ist jedoch der Einsatz vorkultivierter Matten. Der Gestaltungsspielraum begrenzt sich auf die Flächenwahl, das Farbenspiel ergibt sich aus den gewählten Moos-/Sedum-Arten. Bei sichtbaren Flächen werden häufig Moos-Sedum-Matten verwendet, um gestalterisch von der Farbigkeit und der Blüte der Sedum-Pflanzen zu profitieren. Reine Moosmatten zeigen sich in Trockenperioden rostrot/braun. Im bewässerten Zustand reicht das Farbspektrum je nach Feuchtezustand bis hin zu hell-/dunkelgrün.

Abb. 7.3: Kongresshaus, Baden-Baden: extensive Dachbegrünung mit Moosmatten (Quelle: BOTT Begrünungssysteme GmbH, Bühl)

Vegetationstechnische Kriterien

Vorkultivierte Sedum-/Moosmatten bestehen aus einem Wasserspeichervlies und eventuell einem dreidimensionalen Wirrgewebe als Vegetationsträger. Sie werden mit ihrem Gewicht von ca. 20 kg/m² direkt auf der Dachabdichtung verklebt.

Für den Fall der Anforderung einer dauerhaften frischen Grünwirkung reiner Moosmatten ist die Entscheidung zugunsten einer künstlichen Bewässerung zu treffen (mit Regenwasser bzw. kalkfreiem Wasser).

Bautechnische Kriterien

Der Einsatz von Moos-/Sedum-Matten ist im Bestand eine gute Lösung, wenn nur eine geringe zusätzliche Auflast möglich ist, wie z. B. im Industrie- und Gewerbebau. Es können aber auch herkömmliche Flach- und Schrägdachaufbauten mit dieser Technik begrünt werden.

In der Regel werden die Matten auf der vorhandenen Dachabdichtung verklebt (Verträglichkeit prüfen). Sind genug Lastreserven vorhanden, können die Matten auch über eine Kiesdeckung auflastgesichert werden. Die Dachstatik muss unabhängig von der Art der Lagesicherung (auch für die „leichte" Form der Begrünung) ausreichend dimensioniert sein. Die Entscheidung zur Begrünung ist insoweit bauaufsichtlich relevant.

Bei Warmdächern muss auf eine lückenlose Dampfsperre geachtet werden, da die Feuchteverhältnisse des begrünten Belags auch in der warmen Jahreszeit eine kühlere Oberfläche des Dachaufbaus bewirken können. Die Entwässerung von flachen und schrägen Flächen erfolgt über die Mattenoberfläche, unkorrekte Gefälleausbildungen würden daher zu anstauenden Pfützenbildungen führen. Eine zusätzliche mechanische Fixierung der Dachabdichtung ist gegebenenfalls erforderlich – wegen möglicher Sogkräfte, besonders bei Attikaaufbauten. An Traufen von Schrägdächern ist eine sorgfältige, linear durchlaufende Befestigung der Mattenabschlüsse in der einliegenden Kehlrinne nötig, damit Windverwirbelungen den Aufbau nicht unterfahren können.

Wirtschaftliche Kriterien

Der Investitionsaufwand der reinen Begrünungstechnik (ohne künstliche Bewässerung und eventuelle Nährstoffversorgung) liegt im unteren Bereich, ebenso der Wartungs- und Pflegeaufwand. Insbesondere sonnenexponiert wird durch Trockenphasen kein Fremdbewuchs aufwachsen. Dennoch sind Abläufe zu prüfen, und Wildwuchs muss entfernt werden.

Die Kosten für den Begrünungsaufbau sind abhängig von der Bauweise, vom Trägermaterial und dessen Wasserrückhaltekapazität, von der Pflanzenauswahl, der Gesamtgröße und Erreichbarkeit sowie von Dachdurchdringungen und einem möglicherweise erforderlichen Bewässerungssystem.

Systemtypische Vorteile

- Vorkultivierung möglich (Kunst-/Kokosfasermatte)
- geringes Gewicht (30 kg/m²)
- geeignet für alle Dachneigungen
- ökologische Relevanz nach Vorkultur sofort verfügbar
- preisgünstige Herstellung
- besonders schnelle Fertigstellung
- geringer Pflege-/Wartungsaufwand
- ebene Textur
- Schutz der Abdichtungsebene gegen UV-Strahlen
- Feinstaubbindung und Verstoffwechselung von bis zu 75 %
- Wasserrückhalt von bis zu 24 l/m²

Hinweise für einen größtmöglichen Begrünungserfolg

Es stehen reine Moosmatten und Moos-Sedum-Matten zur Verfügung. Ist die Fläche einsehbar, hat sich die Kombination bewährt, da Moose in Trockenzeiten austrocknen und braun/rostrot werden. Die Fläche kann daher trist wirken. In Kombination mit Sedum (Moos-Sedum-Matten) bleibt dagegen selbst in Trockenperioden ein grüner, blühender und farbenfroher Aspekt erhalten.

Die Trägermaterialien von Vegetationsmatten (Kunstfaser-/Kokosfasermatten) speichern Feuchtigkeit und leiten überschüssiges Wasser ab. Die Wasserrückhaltefähigkeit der Matten ist entsprechend dem Standort und der Dachneigung festzulegen.

Eine regelmäßige Bewässerung ist insbesondere in den ersten Wochen nach der Verlegung für die Etablierung der Matten unerlässlich. Moose vertragen kein kalkhaltiges Wasser. Deshalb muss eine Bewässerung mit Regenwasser oder entkalktem Wasser erfolgen.

Die Matten sind äußerst pflegeleicht. Dennoch ist eine jährliche Pflege erforderlich, um das Wachstum zu fördern und die Matten gesund zu halten (Entfernen von Laub, Schmutz und unerwünschtem Aufwuchs sowie Kontrolle der Feuchte). Auf übermäßiges Düngen sollte verzichtet werden, da Moos und Sedum nährstoffarme Bedingungen bevorzugen. Vögel, insbesondere Amseln, schätzen Moose für den Nestbau. Daher können die Flächen im Frühjahr größere Lücken aufweisen. Die Moose wachsen jedoch langsam wieder nach.

Fixierungen der Matten mit dem Untergrund sind zu prüfen. Die Wartungsarbeiten (z. B. Entwässerungseinrichtung, eventuell Bewässerungsanlage) entsprechen den allgemeinen Wartungsarbeiten von Gründächern.

7.1.3 Begrünung in Textil-Substrat-Bauweise

Gestalterische Kriterien

Die Bauweise ist mit der Textilbauweise (Moos-/Sedum-Matten) verwandt, jedoch nicht gleichartig. Der Einfluss auf die Gestaltung ist infolge einer möglichen umfangreicheren Pflanzenauswahl infolge einer enthaltenen Substratschicht größer. Als ebenfalls leichter Begrünungsaufbau ist diese Begrünungsbauweise, vorbehaltlich einer statischen Klärung, auf allen bestehenden Dachkonstruktionen mit geeigneter Neigung anwendbar. Da die Vegetationsmatten unterschiedlich bepflanzt werden können, ergeben sich weitere gestalterische Möglichkeiten (z. B. Streifen, Raster), der Pflegeaufwand nimmt dann aber zu.

Vegetationstechnische Kriterien

Vorkultivierte Sedum-Matten (siehe Abb. 7.4) kommen bei dieser Begrünungsform zum Einsatz. Zusätzlich befindet sich darunter eine Substratschicht auf einem Schutz- und Speichervlies. Der höhere Systemaufbau führt durch die Rückhaltefähigkeit des Substratschicht in trockenen Phasen zu einer temporär überbrückenden Feuchtespeicherung.

Abb. 7.4: Extensive Dachbegrünung: Vorkultur der Sedum-Matten (Quelle: BOTT Begrünungssysteme GmbH, Bühl)

Bautechnische Kriterien

Es gelten prinzipiell die für die Textilbauweise aufgeführten Kriterien. Auch bei dieser Variante ist die mechanische Fixierung des Aufbaus an der Dachabdichtung erforderlich. Vorkultiviert mit einer Sedum-Bepflanzung, wiegt der Begrünungsaufbau etwa 30 bis 50 kg/m², bei Bepflanzung mit Sedum und Flachballenstauden etwa 60 bis 90 kg/m². Die zusätzliche Substratschicht verbessert die Versorgungsbedingungen der Begrünung und führt zu einem widerstandsfähigeren, dichteren Bewuchs. Aufgrund der zunehmend längeren Trockenperioden ist dennoch über eine künstliche Wasser- und Nährstoffversorgung nachzudenken oder zumindest ein Wasseranschluss über Dach für eine Notbewässerung vorzusehen.

Wirtschaftliche Kriterien

Mit der zusätzlichen Substratschicht steigt der Investitionsaufwand in den mittleren Bereich. Der Pflegeaufwand sowie der Wartungs- und Instandhaltungsaufwand sind gering bis mittel einzustufen. Durch ihr Auflagegewicht kann die sonst übliche Flächenauflast gegen Windsogkräfte eingespart werden. Der Kostenrichtwert des Begrünungsaufbaus ist abhängig von der Pflanzenauswahl, von Dachdurchdringungen, von der Gesamtgröße und Erreichbarkeit und einem eventuell erforderlichen Bewässerungssystem. Kosten für Wartung und Pflege entstehen u. a. durch Nährstoffversorgung und gegebenenfalls durch Bewässerung sowie für das Freihalten von Fremdaufwuchs.

Systemtypische Vorteile

- Zeitsparende Herstellung
- sofortige gestalterische Flächenwirkung bei Vorkultur
- größere Pflanzenauswahl (Stauden, insbesondere Sukkulenten, Kleingehölze, Moose)
- Substratfeuchte, dadurch zusätzliche Wasser- und Nährstoffversorgung auch in Trockenphasen
- ökologische Relevanz sofort verfügbar (Bindung von Staub- und Luftschadstoffen, Verbesserung des Mikroklimas)
- Schutz der Dachabdichtung vor starken Temperaturschwankungen und UV-Belastung)
- geringe Pflege- und Wartungskosten
- Witterungs-/UV-Schutz der Dachabdichtung
- Wasserrückhalt von bis zu 20 l/m²
- Begrünung bei Dachneigung von 0 bis 35 ° möglich, bei Dachneigung bis 85 ° nur bedingt
- Gewicht ca. 30 bis 90 kg/m²

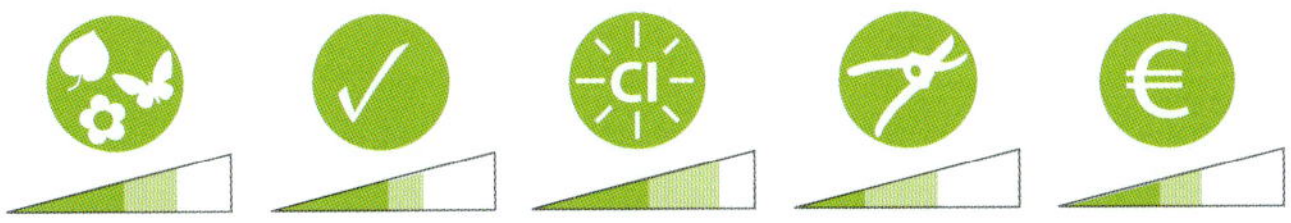

Hinweise für einen größtmöglichen Begrünungserfolg

Der Erfolg hängt von der Auswahl des Substrats ab, das eine optimale Balance zwischen Nährstoffversorgung, Wasserspeicherung und Drainage gewährleisten muss. Dabei stellen Vegetationsmatten einen möglichen Lösungsansatz zur nachträglichen Begrünung minderwertiger Substrate dar, die einen Flächenschluss der Begrünung zuvor nicht erlaubt haben.

Die Textil-Substrat-Bauweise ist eine gute Lösung für Schrägdächer, um Substratverwehungen durch Wind zu vermeiden und einen sofortigen Begrünungserfolg zu erzielen. Ein integriertes Bewässerungssystem ist nicht erforderlich, kann jedoch sicherstellen, dass in langanhaltenden Trockenperioden Trockenstress vermieden wird. Durch Erwärmung schrumpfen die Vegetationsmatten. Daher sind sie in der Installation überlappend zu verlegen, um die Abdichtungsebene dauerhaft vor Temperaturextremen und UV-Belastung zu schützen.

7.1.4 Begrünung auf Substratschüttung 5 bis 15 cm

Gestalterische Kriterien

Die Gestaltung der klassischen Extensivbegrünung zeigt sich in der Flächenwirkung mittelfristig je nach Pflanzenauswahl (Art, Textur, Farbgebung, Belaubungsphase; siehe Abb. 7.5).

Abb. 7.5: Wohnanlage Fideleopark, München: extensive Dachbegrünungen

Vegetationstechnische Kriterien

Die Auswahl der Pflanzen erfolgt nach Winterhärte, Herkunft des Pflanzguts (autochthones, regionales Saat- und Pflanzgut, gegebenenfalls auch lokales Druschgut) und seinen Umweltanforderungen (Lichtverhältnisse, Wasserbedarf, pH-Wert) sowie Geselligkeit, Blatt-, Blüh- und Farbaspekten. Aufgrund der niedrigen Substratschüttung sind bei Staudenverwendung Flachballenstauden zu wählen. Der Aufbau besteht aus einer höhenvariablen Substratschüttung sowie einer Schutz-, Speicher- und Entwässerungslage oberhalb der Abdichtungsebene. Aufgrund der wasserspeichernden Substratschicht und der robusten Pflanzenauswahl ist in der Regel keine künstliche Bewässerung erforderlich. Um die Vitalität in langanhaltenden Trockenperioden zu erhalten, sollte jedoch zumindest ein Wasseranschluss vorgesehen werden.

Bautechnische Kriterien

Alle Dachkonstruktionen mit entsprechender Neigung können unter Berücksichtigung der Bauphysik und der erhöhten Dachlast begrünt werden. Der Aufbau mit Substratschüttung kann infolge seines höheren Gewichts eine bestehende Kies- oder Plattenbeschwerung ersetzen. Daher ist eine Fixierung der Dachabdichtung nicht erforderlich. Kostengünstig ist eine extensive einschichtige Dachbegrünung (Substrat über Schutzlage, ohne Entwässerungslage). Dies stellt hohe Ansprüche an die Substratqualität (z. B. an die Wasserspeicherfähigkeit und Durchlässigkeit).

Wirtschaftliche Kriterien

Der Pflege- sowie der Wartungs- und Instandhaltungsaufwand sind als gering bis mittel einzustufen.

Die Investition für den Begrünungsaufbau ist abhängig von der Pflanzenauswahl, der Gesamtgröße und Erreichbarkeit und der eventuellen Installation eines Bewässerungssystems zur Unterstützung in langanhaltenden Trockenperioden. Kostenrichtwerte für den Begrünungsaufbau sowie für Wartung und Pflege sind Abb. 6.1 zu entnehmen.

Systemtypische Vorteile

- Einfacher, kostengünstiger Aufbau
- Begrünung bei Dachneigung von 0 bis 35 ° möglich, bei Dachneigung bis 45 ° nur bedingt
- Gewicht 50 bis 190 kg/m²
- durch einfache Aufbringtechnik schnelle Fertigstellung
- Flächenwirkung mittelfristig
- robuste, langlebige Begrünungsvariante
- Substratfeuchte und Wasserspeicherschicht
- selten Zusatzbewässerung erforderlich (nur in Trockenphasen)
- Schutz der Abdichtungsebene gegen Witterung und UV-Belastung
- Verminderung der Auskühlung durch Pufferwirkung
- Wirkungsgradverbesserung von Photovoltaik durch Kühlung
- guter Wasserrückhalt 30 bis 50 l/m² (30 bis 70 % N/a)

Hinweise für einen größtmöglichen Begrünungserfolg

Verschiedene Arten von Schäden können bei dieser Begrünungsform auftreten. Zu den häufigsten Schadensfällen zählen Probleme durch eine unzureichende Abdichtung (Durchwurzelung in der vorgeschädigten Fläche oder im nicht fachgerecht verklebten Nahtbereich), die Wasserschäden zur Folge haben.

Potenzielle Fehler können durch eine zu dünne Schutzschicht über der Dachabdichtung entstehen (mögliche Beschädigung der Dachabdichtung) sowie auch in der Dränschicht. Fehlendes Gefälle, eine zu geringe Drainagehöhe sowie eine Drainagestörung des Dachbegrünungsaufbaus führen zu einer zu geringen Ableitkapazität, damit zu Wasseranstau und zu erhöhten Lasten, lückenhaftem Bewuchs, Ausfall von Pflanzen und insgesamt zu einer gestörten Vegetationsentwicklung. Auch eine Filterschicht mit zu geringer Wasserdurchlässigkeit verursacht Vernässung und Vegetationsumbildung.

Abb. 7.6: Schrägdachbegrünung mit vorkultivierten Vegetationsmatten auf Substrat (Quelle: Oswald gARTen, Wendisch-Evern)

Weist die Vegetationstragschicht eine zu geringe Wasserdurchlässigkeit auf, entstehen höhere Flächenlasten, und die Vegetation entwickelt sich anders als geplant. Ist die Wasserspeicherkapazität der Vegetationstragschicht zu gering, erschwert dies die Etablierung der Vegetation, erhöht den erforderlichen Pflegeaufwand und führt, im schlimmsten Fall zu Erosion. Das eingesetzte Substrat muss daher eine optimale Wasserdurchlässigkeit bei ausreichender Wasser- und Luftspeicherfähigkeit gewährleisten und die erforderlichen Lastannahmen erfüllen. Es muss zudem frei von Pilzbefall, Sporen und unerwünschten Samen sein. Der pH-Wert des Substrats sollte an die Bedürfnisse der Pflanzen angepasst werden, oder die Pflanzen sind entsprechend nach dem pH-Wert des Substrats auszuwählen. Ungeeignete Schubsicherungen von Schrägdachbegrünungen (z. B. aus Holz) und ungeeignete (z. B. nicht UV-stabile) Befestigungsmaterialen wie Kabelbinder können für das Abrutschen einer Dachbegrünung verantwortlich sein. Sind die einzelnen Schichten oder Pflanzen nicht ausreichend gegen Windsog gesichert, kann Wind die Begrünung ruinieren. Erhöhte Windbelastungen treten in den Rand- und Eckbereichen auf. Sicherheitsstreifen sind dort sinnvoll. Ist die Qualität der Pflanzen ungenügend oder die Aufwandsmenge pro Quadratmeter zu gering, sind die Zielvegetation und die Flächendeckung gefährdet und damit die Abnahme. Im Schrägdachbereich sind Vegetationsmatten sinnvoll, um vor Substratverwehungen zu schützen (siehe Abb. 7.6). Wird dort stattdessen eine konventionelle Bepflanzung vorgenommen, kann die Etablierung der Vegetation mehr Zeit in Anspruch nehmen, mit den Risiken von Erosion und erhöhtem Pflegeaufwand.

Auch eine unzureichende Instandhaltung (Kontrolle, Nährstoffversorgung, Rückschnitt und Freihalten von Sicherheitsstreifen, Entfernen unerwünschter Vegetation, Nachpflanzen und Wässern) wird als häufige Ursache für Schäden identifiziert. Substraterosionen, eine unzureichende Vegetationsentwicklung, aber auch Überwucherungen (Problem nicht eingeplanter Lasten), Aufwuchs von Fremdvegetation (Einwuchs in die Dränageebene, Unterwanderung von Abdichtungen und Wurzelschutzfolien durch rhizombildende Pflanzen, wie z. B. Quecke) und das Zusetzen von Entwässerungen bis hin zum Verlust der Dachbegrünung können die Folgen sein. Einer Beanspruchung oder einem Vegetationsausfall der Begrünung durch Reflexionen und Wärmeabstrahlungen durch nahe Fassaden (reflektierende Fenster, weiße Anstriche) kann durch eine vorausschauende Pflanzenauswahl und gegebenenfalls durch zusätzliche Bewässerung vorgebeugt werden.

Diese Punkte unterstreichen die Bedeutung einer kompetenten Planung und die Notwendigkeit regelmäßiger Inspektionen und Instandhaltungsmaßnahmen, um eine langfristige Funktionalität der Dachbegrünung zu sichern (Mann, 2016).

7.1.5 Begrünung in modularer Bauweise

Gestalterische Kriterien

Ein schneller Weg zu einer dauerhaften oder temporären Begrünung unterbauter Flächen bzw. Dächer ist die Verlegung vorkultivierter, modularer Elementeinheiten aus Körben bzw. Kassetten, die, bereits fertig begrünt, termingenau die Baustelle fertigstellen. Alternativ gibt es substrattragende Rinnen. Die Gestaltungsfreiheit ist besonders groß und behält ihre Flexibilität hinsichtlich Lage und Bepflanzung der Module. Die Artenvielfalt ist in vollem Umfang der geeigneten Pflanzen gegeben. Die Module können, die Lebensbereichkriterien in der Auwahl berücksichtigend, je nach Gestaltungswunsch unterschiedlich bepflanzt werden (Textur, Struktur, Farbaspekte) und bieten so eine große gestalterische Bandbreite. Ein sinnvoller Anwendungsbereich dieser materialintensiveren Variante sind vor allem Interimslösungen, wie z. B. die Begrünung von Schul- oder Wohncontainerbauten, da die Module mit den Containern weiterziehen können.

Vegetationstechnische Kriterien

Die Bauweise ist mit der modularen Wand-/Fassadenbegrünung verwandt. Dementsprechend können neben einfachen Sedum-Modulen (siehe Abb. 7.7) je nach Bauweise auch andere Stauden (u. a. auch Gräser und Farne) sowie Kleingehölze und Moose eingesetzt werden. Eine Wasser- und Nährstoffversorgungsanlage ist möglicherweise erforderlich.

Bautechnische Kriterien

Diese Lösung ist auf Flachdächern sowie auch bei um bis zu 20 ° geneigten Flächen nachträglich einsetzbar. Ein- und mehrschalige Dachkonstruktionen aller Art, flach oder flach geneigt, können mit dieser Bauweise begrünt werden. Die Begrünung steilerer Dachneigungen erfordert aufwendige Unterkonstruktionen, z. B. eine Fixierung des Aufbaus. Der bestehende Unterbau muss auf gegebenenfalls einwirkende Punktlasten unter den Modulen vorbereitet sein. Der Einbau ist zu jeder Jahreszeit möglich, eine Installation direkt über der Abdichtung (auf einem Schutzvlies) ist möglich.

Wirtschaftliche Kriterien

Der Herstellungs-, Pflege-, Wartungs- und Instandhaltungsaufwand liegt, u. a. wegen eventuell erforderlicher Bewässerungskosten, im mittleren und im Falle einer nötigen Unterkonstruktion im hohen Bereich.

Abb. 7.7: Modulare Dachbegrünung mit vorkultivierten Sedum-Kisten (Quelle: BOTT-Begrünungssysteme GmbH, Bühl)

Systemtypische Vorteile

- Vorkultivierung
- geringes Gewicht (50 kg/m²)
- Begrünung bei Dachneigung von 0 bis 20 ° möglich, bei Dachneigung bis 85 ° nur bedingt
- ökologische Relevanz nach Vorkultur sofort verfügbar
- preisgünstige Herstellung
- besonders schneller Aufbau
- geringer Pflege-/Wartungsaufwand
- temporäre Begrünung möglich
- Schutz der Abdichtungsebene gegen UV-Strahlen
- Sonderform, immergrün/wintergrün
- Substitution einer Gewichtsauflage

Hinweise für einen größtmöglichen Begrünungserfolg

Die Pflanzmodule müssen korrosions- und witterungsbeständig sowie UV- und chemikalienbeständig sein. Die Elemente sollten zur Schichtensicherung genügend Auflast bieten und leicht austauschbar sein. Sie müssen eine ausreichende Verformungsstabilität aufweisen und schadstofffrei sein. Recycelbarkeit ist im Sinne der Nachhaltigkeit von Vorteil. Der durchwurzelbare Raum bzw. die Vegetationstragschicht muss ausreichend dimensioniert sein, um optimales Pflanzenwachstum und Langlebigkeit zu fördern. Die verwendeten Module und das Substrat müssen den erforderlichen Lastannahmen entsprechen und auf eine optimale Wasserdurchlässigkeit bei ausreichender Wasser- und Luftspeicherfähigkeit abgestimmt sein. Eine gute Durchwurzelbarkeit sowie Strukturstabilität und Schadstofffreiheit sind ebenfalls erforderlich. Der pH-Wert des Substrats sollte an die Bedürfnisse der Pflanzen angepasst sein, oder die Pflanzauswahl muss entsprechend dem pH-Wert des Substrats erfolgen.

Die Standortbedingungen und die Versorgung müssen den Lebensraumkriterien der Pflanzen entsprechen. Die Pflanzengesellschaften sollten aufeinander abgestimmt sein. Die Pflanzen müssen gesund, gut entwickelt und frei von Schädlingen sein. Regelmäßige Pflege und Wartung sind erforderlich.

7.2 Varianten mit Priorität Nutzung (intensive Dachbegrünungen)

Das Potenzial bestehender ungenutzter Flachdächer als begrünter Dachgarten, als Spielraum, als gewerbliches Angebot oder hochwertige Wohnungserweiterung usw. ist groß. Ein wertvoller Gebrauchsnutzen ist eine gute Grundlage für Erhalt und Pflege.

Die Nutzung begrünter Dächer umfasst meist befestigte Wege und Terrassenflächen. Eine gesamtflächige Nutzung der Dachbegrünung setzt entsprechend belastbare Gras-/Wiesenflächen voraus. Umwehrungen zum Schutz gegen Absturz und Durchsturz (z. B. durch Lichtkuppeln) sind bei Nutzung erforderlich. Zu beachten sind die Regelwerke zum barrierefreien Bauen DIN 18040-1 „Barrierefreies Bauen – Planungsgrundlagen – Teil 1: Öffentlich zugängliche Gebäude“ (2010), DIN 18040-2 „Barrierefreies Bauen – Planungsgrundlagen – Teil 2: Wohnungen“ (2011) und DIN 18040-3 „Barrierefreies Bauen – Planungsgrundlagen – Teil 3: Öffentlicher Verkehrs- und Freiraum“ (2014) (Dachbegrünungsrichtlinien, 2018). Bautechnische Gesichtspunkte zur Nutzung werden in DIN EN 1991-1-1 „Einwirkungen auf Tragwerke – Teil 1-1: Allgemeine Einwirkungen auf Tragwerke – Wichten, Eigengewicht und Nutzlasten im Hochbau“ (2010), DIN 18531-1 „Abdichtung von Dächern sowie von Balkonen, Loggien und Laubengängen – Teil 1: Nicht genutzte und genutzte Dächer – Anforderungen, Planungs- und Ausführungsgrundsätze“ (2017), DIN 18195 und, soweit relevant, in der Fachregel für Abdichtungen (FR Flachdach, 2016) vorgegeben (Dachbegrünungsrichtlinien, 2018). Zur statischen Berechnung und Ermittlung der Nutzlasten in Abhängigkeit von den Nutzungskategorien nach DIN EN 1991-1-1 ist die vorgesehene Nutzung festzulegen. Nutzungsänderungen der Dachbegrünung sind zu beachten (Dachbegrünungsrichtlinien, 2018). Voraussetzungen einer sicheren Nutzung sind eine ganzjährige gefahrlose Begehbarkeit (Nachweis zur Tragfähigkeit, Verkehrssicherheit/Absturzsicherung), die Berücksichtigung der Unfallverhütungsvorschriften, der Brandschutz sowie die Einhaltung nachbarrechtlicher Regelungen. Nutzungsumfang, Erhaltungsbeitrag und Pflegezuständigkeit sind zu klären. Für spätere Pflege- und Wartungsarbeiten ist ein Anseilschutz nach DIN EN 795 oder besser ein Geländer oder eine Brüstung vorzusehen. Es sind bauseits entsprechende Anschlagpunkte erforderlich.

Da im Bestandsbau die Dachabdichtung bereits fertiggestellt ist, empfiehlt sich für den Einbau das Anbringen von Anschlagpunkten unter Vermeidung einer Durchdringung der Dachhaut (z. B. Befestigung an tragenden aufgehenden Bauteilen oder durch Auflast gehaltene Sicherungssysteme) (Dachbegrünungsrichtlinien, 2018).

Für eine Dachbegrünung baulicher Anlagen, die in die Denkmalliste eingetragen bzw. als Denkmal anerkannt sind, ist im Einzelfall eine vorausgehende denkmalschutzrechtliche Genehmigung erforderlich (Dachbegrünungsrichtlinien, 2018). Zu prüfen ist die Vereinbarkeit einer Dachbegrünung mit dem Schutzziel und dem Schutzumfang. Kann der Begrünungsaufbau nicht hinter einer Bestandsattika (von außen nicht sichtbar) untergebracht werden, ist er so weit vom Dachrand zurückzusetzen, dass die Gebäudeansichten unverändert bleiben. Die konstruktive Eignung der geschützten Substanz für die Aufnahme von Zusatzlasten (Gründachaufbau/Wasserrückhalt) und Sicherheitsbauteilen (Absturzsicherung) ist zur Genehmigung nachzuweisen.

7.2.1 Begrünung auf Substratschüttung > 15 cm

Gestalterische Kriterien

Der Pflanzenauswahl sind bei dieser Form von Intensivdächern bei entsprechender Substrathöhe keine Grenzen gesetzt. Es ist die Variante mit der größtmöglichen Pflanzenauswahl (standortabhängig). Auch Baumpflanzungen sind möglich, vorausgesetzt, die Substratstärke ist ausreichend (mindestens 80 cm; siehe Abb. 7.8). Die geplante Flächenwirkung wird mittelfristig erreicht, je nach Pflanzenauswahl, Art, Textur, Farbgebung sowie Belaubungsphase. Gestalterisch reicht die Bandbreite von Wildblumenwiesen über Gartendächer bis hin zu Landschaftsdächern (Substrathöhen, Bewässerung und Gesamt-Endgewicht beachten).

Abb. 7.8: Bunker St. Pauli, Hamburg: intensive Dachbegrünung

Vegetationstechnische Kriterien

Die Pflanzenauswahl stellt hohe Ansprüche an den Schichtaufbau. Intensivbegrünungen sind nur durch intensive Pflege und regelmäßige Wasser- und Nährstoffversorgung dauerhaft zu erhalten. Die Pflanzenauswahl wird je nach Winterhärte, Lebensform, Geselligkeit, Blatt-, Blüh- und Farbaspekten getroffen. Eine künstliche Bewässerung ist empfehlenswert. Zumindest sollte eine Einrichtung zur Notbewässerung für Trockenzeiten (möglichst als Regenwasser) vorhanden sein.

Bautechnische Kriterien

Geeignete Dachkonstruktionen sind Massivbauten mit flachen oder flach geneigten Betondecken (0 bis 5 °), unterirdische Betonbauwerke oder andere statisch stabile Konstruktionen. Der Aufbau hat folgende Lagen (von unten nach oben):

- wurzelfeste Dachabdichtung,
- Schutz- und Speichervlies,
- Drain- und Wasserspeicherelemente (optional Wurzelschutzbahn, Speichervlies, mineralisches Drainsubstrat),

- Filtervlies,
- Substratschichten auf Vegetation abgestimmt (Rasen, Stauden und Gehölze, Bäume bei einer Substrathöhe ab 80 cm).

Das Aufbaugewicht ist statisch relevant und muss bei der Planung berücksichtigt werden.

Wirtschaftliche Kriterien

Der Pflege-, Wartungs- und Instandhaltungsaufwand ist hoch und, wie auch die Nutzungsmöglichkeiten und die Gestaltungsvielfalt, mit dem Aufwand bei bodengebundenen Freiräumen vergleichbar. Anfallende Kosten für die Installation, Pflege und Wartung sind abhängig von der gewählten Substratstärke, der Pflanzenauswahl, von Gestaltungsvorgaben (artifiziell/naturnah), der Gesamtgröße und Erreichbarkeit der Fläche sowie der Versorgung mit Wasser und Nährstoffen.

Systemtypische Vorteile

- Begrünung bei Dachneigung von 0 bis 5 ° möglich
- Gewicht 190 bis 700 kg/m^2, gegebenenfalls mehr
- Ausbildung als „Garten" bis hin zu Landschaftsdächern möglich (Substrathöhen, Bewässerung und Gesamt-Endgewicht beachten)
- vielfältigste Pflanzenauswahl (lediglich standortabhängig)
- Baumpflanzungen möglich (bei ausreichender Substrathöhe)
- Nutzertrag möglich (Urban Farming)
- Schutz der Abdichtungsebene gegen Witterungs- und UV-Belastung
- besonders gute Schallabsorption
- besonders ausgeprägtes ökologisches Leistungspotenzial, u. a. Lebensraum und Nahrung für Insekten und Vögel
- hoher Wasserrückhalt von 30 bis 160 l/m^2 und mehr (60 bis 90 % N/a)

Hinweise für einen größtmöglichen Begrünungserfolg

Die Tragfähigkeit des Daches samt Begrünungsaufbau muss gewährleistet sein. Windsog ist sowohl für die Substratlage als auch für Pflanzen nachzuweisen, denn Bäume stellen z. B. hohe Punktlasten mit zusätzlicher Windangriffsfläche dar. Alle exponierten Materialien sowie auch Leitungen müssen korrosions-, witterungs-, UV- und chemikalienbeständig sein. Thermische Längenausdehnungen sind zu berücksichtigen. Die Vegetationstragschichten sollten so ausgeführt werden, dass sie verrottungsstabil und wasserdurchlässig sind, mit einer ausreichenden Wasser- und Lufthaltefähigkeit. Die Gütesicherung für Substrate ist zu beachten (RAL-GZ 250, 2018). Des Weiteren müssen eine gute Durchwurzelbarkeit und Strukturstabilität gewährleistet sein. Der pH-Wert des Substrats und der durchwurzelbare Raum sollten auf die gewählten Pflanzen abgestimmt werden, um das Wachstum, die Vitalität und die Langlebigkeit der Pflanzen zu fördern. Wildwiesen benötigen etwa 15 cm Substrathöhe, Stauden, Rasen und Kleingehölze (bis 1,5 m Höhe) etwa 20 cm, Sträucher (bis 3 m) ca. 30 cm, Großsträucher 40 cm, Kleinbäume 60 cm und Bäume mindestens 80 cm Substrat. In den ausgewählten Bereichen sind aber auch Substratanhügelungen oder flächige Substraterhöhungen möglich.

Eine automatisierte künstliche Bewässerung und Nährstoffversorgung ist unumgänglich, um die Pflanzen optimal zu versorgen. Be- und Entwässerung müssen den Normen E DIN EN 1717 und E DIN 1988-100 zur Sicherung des Trinkwassers entsprechen. Eine Vorfilterung, VDE-geprüfte Steuerungseinheiten, Düngevorrichtungen und Druckminderungen sind erforderlich. Eine automatische Abschaltung und Notüberläufe sind zu installieren. Frostschutzmaßnahmen sowie eine Winterautomatik mit Leitungsentleerung sind zu berücksichtigen. Tropfrohre sollten druckkompensiert und mit Wurzelschutz sowie Spülvorrichtungen ausgestattet sein. Die Austauschbarkeit einzelner Komponenten der Bewässerung (Leitungen, Tropfrohre) muss sichergestellt sein, Be- und Entwässerungsquerschnitte müssen ausreichend dimensioniert sein. Pflanzabstände, Standortbedingungen und Versorgungsanforderungen müssen den Lebensbereichkriterien der Pflanzen entsprechen, die Pflanzengesellschaften sollten aufeinander abgestimmt sein. Regelmäßige Pflege und Wartung sind ebenfalls sicherzustellen.

7.2.2 Begrünung mit Pflanzgefäßen

Gestalterische Kriterien

Das große Potenzial der Begrünung mit Pflanzgefäßen liegt in der flexiblen Handhabung und Veränderbarkeit. Intensivbegrünungen sind so ohne flächigen Gründachaufbau (siehe Abb. 7.9) oder zur Ergänzung extensiver Gründächer möglich (Erhöhung der Biodiversität). Diese Lösung hat aber nicht nur gestalterischen Nutzen, sondern eignet sich auch für Absperrungen, Einfassungen und den Sichtschutz von Bereichen. Über eine Leitbepflanzung und Begleitpflanzen kann eine jahreszeitlich abgestimmte Gestaltung erreicht werden.

Abb. 7.9: Wagnis 4, München: Dachbegrünung ohne flächigen Gründachaufbau (Hochbeete zur Selbstversorgung)

Vegetationstechnische Kriterien

Vorkultivierte Füllungen mit Stauden, Gräsern, dichtem Buschwerk aus Gehölzen und Bäumen sind möglich. Substratfeuchte, Wasserspeicherschicht, Drainage, Wasser- und Nährstoffversorgung sind der Pflanzenauswahl anzupassen. Staunässe in den Behältern muss vermieden werden. Eine Drainage, abgedeckt mit einem Vlies, ist daher zu empfehlen. Die Exposition (Licht- und Windverhältnisse) sowie die Pflege- und Wartungszugänglichkeit sind bei der Planung zu berücksichtigen. Die geplante Bepflanzung hat direkten Einfluss auf die Behälterhöhe (für ca. 2 m hohe Sträucher mindestens 50 cm).

Bautechnische Kriterien

Zur Begrünung eignen sich alle statisch ausreichend dimensionierten ebenen Flächen (maximal ca. 5 ° Gefälle). Bei druckempfindlichen Materialien, wie Flachdächern mit Dämmungsaufbau, müssen druckverteilende Platten untergelegt werden. Wichtig ist die Beachtung der Standfestigkeit auch unter Sturmeinfluss. Bei einem Einsatz auf Umkehrdächern oder nachträglich mit Perimeterdämmung gedämmten Flächen sollte für eine Durchlüftung der Standflächen gesorgt werden.

Wirtschaftliche Kriterien

Kosten resultieren vor allem aus der Gefäß- und Pflanzenwahl sowie aus der gewählten Bewässerungslösung und dem nötigen Wartungs- und Pflegeaufwand (bei dieser Begrünungsform vor allem Wasser- und Nährstoffversorgung sowie Pflanzenschnitt).

Systemtypische Vorteile

- Begrünung bei Dachneigung von 0 bis 5 ° möglich
- Gewicht abhängig von Gefäß- und Pflanzenwahl
- große Pflanzenauswahl, durch mögliche Wintereinlagerung nicht winterharter Pflanzen erweiterbar
- sofortige Begrünungswirkung bei Vorkultur
- Intensivbegrünung ohne flächigen Gründachaufbau möglich (manuelle/künstliche Versorgung erforderlich)
- durch Umsetzen Gestaltungsänderungen erreichbar (Statik beachten)
- auch als Interimslösung mit vorkultivierten Pflanzencontainern denkbar
- Nutzertrag möglich (Urban Farming)

Hinweise für einen größtmöglichen Begrünungserfolg

Die Tragfähigkeit der darunter liegenden Struktur muss gesichert sein, Stand- und Windsogsicherheit sind nachzuweisen. Pflanzgefäße sowie Wasserleitprofile müssen korrosions-, witterungs-, UV- und chemikalienbeständig sowie wasserdicht sein. Thermische Längenausdehnungen sind zu berücksichtigen. Die Pflanzcontainer müssen verformungsstabil, schadstofffrei und recycelbar sein. Vegetationstragschichten sind so zu gestalten, dass sie verrottungsstabil und wasserdurchlässig sind, mit einer ausreichenden Wasser- und Lufthaltefähigkeit.

Die Gütesicherung für Substrate ist zu beachten (RAL-GZ 250, 2018). Zudem müssen eine gute Durchwurzelbarkeit und Strukturstabilität gewährleistet sein. Der pH-Wert des Substrats sollte auf die gewählten Pflanzen abgestimmt werden. Der durchwurzelbare Raum der Behälter muss mindestens 60 cm × 60 cm groß sein, um optimales Pflanzenwachstum und Langlebigkeit sicherzustellen (je breiter, desto besser). Eine Anstaubewässerung ist von Vorteil. Wurzelstaunässe ist durch eine geeignete Drainage zu vermeiden. Die Be- und Entwässerung muss den Normen E DIN EN 1717 und E DIN 1988-100 zur Sicherung des Trinkwassers entsprechen.

Die Bewässerung sollte automatisiert erfolgen und mit einer Vorfilterung sowie Steuerungseinheiten (VDE-geprüft), Düngevorrichtungen und Druckminderung ausgestattet sein. Eine automatische Abschaltung ist für Notfälle erforderlich, Notüberläufe sind zu installieren. Zudem ist Frostschutz zu berücksichtigen bzw. es ist eine Winterautomatik mit Leitungsentleerung zu installieren. Eine Dämmung der Pflanzbehälter ist vorteilhaft, um Überhitzung zu vermeiden. Tropfrohre sind druckkompensiert mit Wurzelschutz und Spülvorrichtungen auszustatten. Die Austauschbarkeit der Bewässerungsleitungen und Tropfrohre muss sichergestellt sein. Be- und Entwässerungsquerschnitte sind ausreichend zu dimensionieren.

Standortbedingungen und die Versorgung müssen den Pflanzen entsprechen, Pflanzengesellschaften und Pflanzabstände sollten aufeinander abgestimmt sein. Regelmäßige intensive Pflege und Wartung sind sicherzustellen.

7.3 Multifunktionsdächer

Die zunehmende bauliche Dichte erfordert alternative Lösungswege. Eine konsequente Durchgrünung und Entsiegelung zur Maximierung der Verdunstungsleistung, um städtischer Überhitzung und Starkregenereignissen entgegenzuwirken, sowie eine maximale Nutzung des Hüllflächenpotenzials von Gebäuden sollten das Leitbild zukünftiger Planungen prägen.

Ziel ist es, zugunsten von Begrünungen den Platzbedarf für Gebäudetechnik möglichst zu begrenzen. Im Folgenden werden multifunktionale Flächenlösungen vorgestellt.

7.3.1 Solargründach

Gestalterische Kriterien

Um die Begrünungsfläche nicht unnötig einzuschränken, können Anlagen zur solaren Energiegewinnung aufgeständert in die Dachbegrünung integriert werden. Verschattender Pflanzenaufwuchs im Bereich von niedrigen Solaranlagen ist zu vermeiden. Dafür kann die zu erwartende Pflanzenhöhe vor energieaktiven Paneelvorderseiten durch eine reduzierte Substrathöhe (bis 7 cm) oder durch eine geringere Wasserhaltung in diesem Bereich geregelt werden. Zur Bepflanzung eignen sich niedrigwachsende Arten ohne Blütenstände bzw. solche mit kurzen Blütenständen.

Zur Unterstützung einer höheren Artenvielfalt am Standort kann die Substrathöhe unter und hinter den Paneelen höher aufgebaut werden (12 cm). Damit wird in der Regel auch der Pflanzenaufwuchs kräftiger (Naturschutz auf Dachbegrünungen in Verbindung mit Solaranlagen, 2013).

Vegetationstechnische Kriterien

Es gelten die zuvor beschriebenen vegetationstechnischen Kriterien des geplanten Begrünungsaufbaus. Eine technisch funktionale und sichere Bündelung der Energieversorgung kommt auch der Instandhaltung der Begrünung zugute. Abstände der Paneelreihen sind in Abhängigkeit von Substratdicke, Pflanzenart, Wuchshöhe und Wartungszugänglichkeit festzulegen. Das Pflanzenwachstum wird über die Substratdicke und die Bewässerung gesteuert. Der Aufwand für Pflege und Wartung der Dachbegrünung kann durch eine gute Planung wirtschaftlich gestaltet werden (Naturschutz auf Dachbegrünungen in Verbindung mit Solaranlagen, 2013). Pflege- und Wartungsintervalle sind festzulegen und einzuhalten. Ziel ist eine optimierte PV-Anlage auf einem vitalen Gründach mit all seinen Leistungsfaktoren zur Gebäudeoptimierung und Umfeldverbesserung.

Bautechnische Kriterien

Die Dachkonstruktion ist auf ihre Eignung für ein Solargründach zu prüfen, die Tragfähigkeit bzw. mögliche Punkte zur Lasteinleitung sind zu ermitteln. Auflast und Windsog müssen dabei berücksichtigt werden.

Alle Dachkonstruktionen mit entsprechender Neigung von 0 bis 5 ° können unter Berücksichtigung der Bauphysik sowie der erhöhten Dachlast mit einer Kombination aus Dachbegrünung und Solaranlagen ausgestattet werden. Neben den Richtlinien zur Dachbegrünung ist dabei die DIN VDE 0100-712 „Errichten von Niederspannungsanlagen – Teil 7-712: Anforderungen für Betriebsstätten, Räume und Anlagen besonderer Art – Photovoltaik-(PV)-Stromversorgungssysteme“ (2016) zu beachten.

Außerdem ist zu klären, ob und auf welche Weise umgebende Gebäude und Vegetation die geplante Installation beeinflussen. Die Entwässerung des Daches muss optimal gewährleistet sein (Gefälle, Drainage, Entwässerung), um einen höheren Pflanzenwuchs durch Überbewässerung zu vermeiden (siehe Abb. 7.10). Aus dem gleichen Grund müssen Vegetationsschichten (Schichtstärken) sorgfältig geplant werden: Je höher das Substrat, desto höher ist der Pflanzenaufwuchs.

Folgende Anwendungen sind in der Kombination Solargründach möglich:

- Flachkollektoren bieten eine flächenanteilige Nutzung (monofunktional). Die Module liegen benachbart zur Begrünung (extensive oder einfache, nicht verschattende Intensivbegrünungen) direkt auf einer Kiesschicht auf. Die Vorteile sind ein geringer Windangriff und eine klare Gewerketrennung (Pflege/Wartung).
- Sheddächer mit PV-Nutzung in flächenanteiliger Nutzung (monofunktional), als Aufdachlösung oder gebäudeintegriert (semitransparente Photovoltaik), haben den Vorzug einer klaren Gewerketrennung (Pflege/Wartung). Extensiv- oder einfache Intensivbegrünungen können benachbart angelegt werden, z. B. auf dazwischen liegenden Wartungsgängen.
- Neigungsoptimierte PV-Module können mit extensiven und einfachen Intensivbegrünungen kombiniert werden. Große freigespannte Distanzen mit minimierter Durchdringung der Abdichtungsebene sind realisierbar und ermöglichen die Kombination/Überlagerung auch auf Dächern mit geringen Lastreserven. Die Auflast der Solaranlagen wird dabei direkt in darunter liegende tragende Strukturen abgetragen (Stützen, Wände/Außenwände). Ein weiterer Vorteil ist die gute Pflege- und Wartungszugänglichkeit (keine regelmäßigen Abstützungen der Anlage).
- Lichtgesteuert nachgeführte PV-Module ermöglichen eine bifunktionale Flächenbelegung mit Extensiv- bis hin zu Intensivbegrünungen (siehe Abb. 7.11). Zwar sind punktuelle Durchdringungen der Abdichtungsebene nötig, die nachträglich eingedichtet werden müssen. Ein Vorteil ist jedoch die gute, uneingeschränkte Zugänglichkeit für Pflege- und Wartungsarbeiten.
- Aufgeständerte Paneele in Kombination mit ausschließlich extensiven Dachbegrünungen in bifunktionaler Flächenbelegung haben einen entscheidenden Vorteil: keine Durchdringung der Abdichtungsebene. Es ist eine ver-

Abb. 7.10: Solargründach mit Kiesstreifen vor den Paneelen, um ankommendes Wasser schneller abzuführen

Abb. 7.11: Ufa-Fabrik, Berlin: neigungsoptimierte PV-Module auf Stahlträgern und lichtgesteuert nachgeführte Module

Abb. 7.12: Dachpergola mit semitransparenten PV-Modulen (Quelle: Irene Zluwa, BOKU Wien)

breitete Anwendungsart, die zudem eine Lagesicherheit der Paneele gegen Wind bietet.

- Ost-West-Anlagen (bestenfalls semitransparent) machen ebenfalls eine bifunktionale Flächenbelegung möglich. Von Vorteil ist dabei eine Vermeidung von Durchdringungen der Abdichtungsebene, zudem eine Minimierung der Wartungswege. In der Kombination sind extensiv begrünte Flächen möglich.
- Bifaziale Paneele mit senkrechter Aufständerung sind ebenfalls eine Lösung für eine bifunktionale Flächenbelegung in Kombination mit Extensivbegrünungen. Die Abdichtungsebene bleibt dabei durchdringungsfrei. Eine gute Zugänglichkeit (Pflege/Wartung) und die in der Regel gegebene Staub- und Schneefreiheit sind wesentliche Vorteile dieser Lösung.
- Semitransparente Paneele auf Dachpergolen bieten eine Mehrfachnutzung des Daches: nutzbarer Freiraum, Vegetationsfläche (auch Intensivbegrünungen) und Solarenergiegewinnung zugleich (siehe Abb. 7.12). Größere freigespannte Distanzen sind möglich, um die Last in vorhandene tragende Strukturen abzuleiten und die Zahl punktuell notwendiger Durchdringungen der Abdichtungsebene zu minimieren. Größere Abstände der Vegetation zu den Modulen und eine uneingeschränkt gute Zugänglichkeit (Pflege/Wartung) der Begrünung sind weitere Vorteile.

Wirtschaftliche Kriterien

Die Kombination aus solarer Energiegewinnung und Dachbegrünung bietet bei der Flächennutzung diverse Vorteile. Diese liegen, je nach Art der Kombination, in der Leistungssteigerung der PV-Module durch eine Senkung der Betriebstemperatur infolge der Verdunstungskühlung durch die Pflanzen, in der Sicherung der Module gegen Kippen durch Beschweren der Aufständerung mit Substrat und Begrünung sowie in einer einfachen und schnellen Montage. Eine Kosteneinsparung bei Dacheindichtungsarbeiten durch die Vermeidung von Durchdringungen der Dachabdichtung und Punktlasten sowie der Schutz der Dachabdichtung vor UV-Belastung, Temperaturextremen und Witterungseinflüssen bilden die wesentlichen Vorteile der Begrünung für das Bauwerk.

Systemtypische Vorteile

- Begrünung bei Dachneigung von 0 bis 5 ° möglich
- Gewicht extensiv: ca. 80 bis 180 kg/m² zuzüglich Auflast der Solarmodule und Aufständerung, Gewicht intensiv: ab 180 kg/m² zuzüglich Auflast der Solarmodule und Aufständerung, jeweils zuzüglich Windsog, Schnee- und Nutzlast
- Ausbildung als Extensivdach oder als Intensivdach bis hin zum nutzbaren Gartendach (Solarpergola) möglich
- Leistungssteigerung der Solarstrommodule durch Senkung der Betriebstemperatur infolge Verdunstungskühlung durch die Pflanzen
- Sicherung der Module gegen Kippen durch Beschweren der Aufständerung mit der Begrünung
- einfache und schnelle Montage
- Dachbegrünung als Auflast zur Windsogsicherung geeignet (keine Durchdringung der Dachabdichtung erforderlich)
- Vermeidung von Punktlasten
- Kosteneinsparung bei Dacheindichtungsarbeiten
- Schutz der Dachabdichtung vor UV-Belastung, Temperaturextremen und Witterungseinflüssen

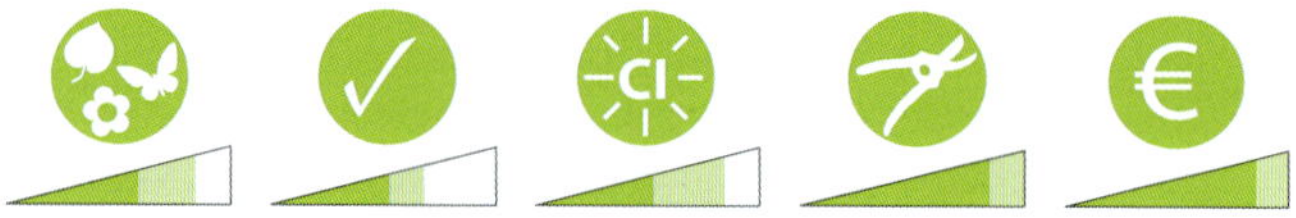

Hinweise für einen größtmöglichen Begrünungserfolg

Für die nachhaltige Umsetzung von Solargründächern sind mehrere Grundsätze zu beachten: Zur Vermeidung von sogenannten Hot Spots auf der Anlage ist es wichtig, die Verschattung von Solarmodulen oder deren Teilbereichen durch Dachaufbauten und Pflanzen zu vermeiden. Dies kann andernfalls zu Ertragseinbrüchen bis hin zu Moduldefekten führen (siehe Abb. 7.13). Die Auswahl eines sterilen Substrats ist deshalb von Vorteil (kein anfänglicher Fremdaufwuchs). Vorsicht ist geboten bei Substraten aus Recyclingmaterialien und/oder Bauaushub.

Verwendung semitransparenter bzw. besser bifazialer Solarmodule fördert insbesondere bei Schmetterlingsausfüh-

Abb. 7.13: Durch Vegetation verschattete Photovoltaik

rung die Vegetation und einen Mehrertrag. Eine Verwendung von Halbzellenmodulen ist eine Lösung zum Schutz vor Ertragseinbrüchen bei Teilverschattungen. Senkrecht aufgeständerte bifaziale Module sind zunächst zwar kostenintensiver, bieten jedoch den Vorteil, dass auf ihnen kein Staub und Schnee liegenbleiben kann.

Die Module und Modulreihen sollten so aufgestellt werden, dass eine gute Instandhaltung gewährleistet ist. Regelmäßige, fachgerechte Instandhaltungsarbeiten (Pflege und Wartung) sind unerlässlich. Zum Schutz der Bausubstanz empfiehlt es sich, auflastgehaltene Solarmodulträger zu verwenden. Dabei müssen sowohl die Tragfähigkeit der Dachkonstruktion als auch Wind-, Schnee- und Verkehrslasten berücksichtigt werden.

Die Höhe der Aufständerung der Module, die Substrathöhe und die Auswahl der Pflanzen sind sorgfältig aufeinander abzustimmen. Zudem ist es notwendig, die verschiedenen Gewerke und Ausführungsschritte, wie Dachaufbau und -abdichtung, Be- und Entwässerung, Dachbegrünung sowie Gebäudetechnik (einschließlich Solaranlage, Blitzableitung, Klima und Lüftung), im Vorfeld entsprechend zu koordinieren. Die Nutzung vorkultivierter Vegetationsmatten unter den Modulen hat sich als vorteilhaft erwiesen.

Für Unterhalt und Pflege sollte die Zugänglichkeit für die Bereitstellung und den Transport von Materialien sowie für Pflege und Wartung sichergestellt sein. Es sind konsequent Absturzsicherungen für Installation und Zugänglichkeit vorzusehen. Die Pflanzenauswahl sollte möglichst die biologische Vielfalt unterstützen. Die Abstände der Paneelreihen müssen in Abhängigkeit von der Substratstärke, der Pflanzenart, der Wuchshöhe und der Wartungszugänglichkeit festgelegt werden. Schließlich sind die Pflege- und Wartungsintervalle vertraglich zu vereinbaren und einzuhalten.

7.3.2 Biodiversitätsgründach

Gestalterische Kriterien

Biodiversitätsdächer sind Extensivbegrünungen mit Anhügelungen, Zonen einfacher Intensivbegrünungen mit einer Wildstauden-Gehölze-Vegetation und/oder intensiv begrünten Bereichen. Unterschiedliche Substrathöhen mit einer hohen Pflanzendiversität, Wasserflächen, vegetationsfreie Bereiche, Totholz und Insektennisthilfen bieten zusätzlichen Arten Heimat. Auf dem Dach entstehen somit ungestörte Lebensräume mit geringem Konkurrenzdruck zur Biotopvernetzung und zur Förderung der Artenvielfalt am Standort (siehe Abb. 7.14).

Vegetationstechnische Kriterien

Ziel ist eine Erfüllung möglichst vollständiger Lebensraumansprüche durch die Einbindung von Bauwerken in Ökosysteme, die Bildung eines „urbanen Biotopverbunds“ aus u. a. Parkanlagen, Fassadenbegrünungen, Baumalleen und Dachbegrünungen sowie stadtnahen Grünflächen.

Höhere Vegetationen (z. B. Grasbestände), die niedrigwüchsigere Arten verschatten, müssen gekürzt/gemäht werden. Das Kürzen/Mähen darf erst nach der Blüte durchgeführt werden. Fremdbewuchs, insbesondere unerwünschte Gehölze, sowie anfallendes Mähgut müssen vom Dach entfernt werden. Biodiversitätsbausteine, wie Steinhaufen,

Abb. 7.14: Aufgrund der große Biodiversität gibt es auf dem Dach des Wagnis 4 besondes viele Wildbienen, Hummeln, Schmetterlinge und Vögel.

Sandlinsen und Wasserflächen, sollten von überwucherndem Bewuchs und Verunreinigungen befreit werden. Eventuell ist eine Erhaltungsdüngung notwendig, um die Artenvielfalt zu fördern. Je nach Gründachaufbau kann bei langanhaltender Trockenheit eine zusätzliche Bewässerung notwendig werden (Frischwasser, Grauwasser, Regenwasser oder Grundwasser). Nisthilfen müssen kontrolliert und gegebenenfalls gesäubert bzw. ausgetauscht werden. Ein Biodiversitätsdach unterliegt der natürlichen Entwicklung, es bilden sich mit der Zeit also andere Vegetationsformen aus (BuGG-Marktreport Gebäudegrün, 2021).

Bautechnische Kriterien

Ein Biodiversitätsgründach mit unterschiedlichen Substrathöhen ist eine äußerst sinnvolle Möglichkeit der Begrünung eines Bestandsdachs. Extensiv begrünte Bereiche finden Platz über Dachflächen, die wenig zusätzliche Auflast tragen. Anhügelungen bis hin zu Intensivbegrünungen können über tragenden Wänden, Trägern und Stützen installiert werden. Diese Variante kann als Vermeidungs- und Minimierungsmaßnahme und möglicherweise auch als Ausgleichsmaßnahme für Eingriffe in die Naturschutzgüter geeignet sein, wenn folgende Bausteine der Biodiversität umsetzt werden (Dachbegrünungsrichtlinien, 2018):

- passende Substratauswahl, Oberflächenmodulation für Begrünungsziel und Artenreichtum,
- vegetationsfreie Areale (z. B. Sand- oder Lehmlinsen, Kiesbeete, Schotterflächen),
- Rückzugsmöglichkeiten für Bodentiere (Substratanhügelungen, Gehölzpflanzungen, höhere Pflanzbeete,
- Einbeziehung von Futterpflanzen für Insekten und Vögel in das Bepflanzungskonzept (ganzjährig),
- Einbringen von Totholz (Haufen aus Ästen, Wurzelstöcken, Baumscheiben),
- Einsatz von wind- und wassersicheren Nisthilfen für Vögel und Insekten,
- Platzierung von Wasserelementen, gegebenenfalls mit geeigneter Flora (z. B. Wassertränken, Teiche).

Ein detaillierter Ausführungsplan ist möglichst unter Einbeziehung von Biologen zu erstellen. Als Beitrag zur Artenvielfalt sowie nach dem Grad der vorgesehenen Anrechnung der Dachbegrünung für Minderung oder Ausgleich kann die Verwendung von standortgerechtem Pflanzenmaterial bzw. gebietseigenem Saatgut gefordert werden (Dachbegrünungsrichtlinien, 2018).

Das Bundesnaturschutzgesetz (BNatSchG), städtische Biodiversitätsziele, der städtische Aktionsplan Biodiversität, die örtliche Bauordnung sowie die Strategie zur biologischen Vielfalt sind zu berücksichtigen.

Wirtschaftliche Kriterien

Die Erweiterung der Nahrungs- und Lebensraumangebote und damit die Vorbeugung des Artensterbens (z. B. Sicherung von Nahrungskette/Bestäubung) stellen einen unbezahlbaren Wert dar.

Systemtypische Vorteile

- Gewicht ca. 60 bis 140 kg/m² zuzüglich Gewicht der Substratanhügelungen (12 bis 14 kg/m² pro Zentimeter Substratstärke)
- Biotopvernetzung (Verknüpfung/Erweiterung der städtischen Nahrungs- und Lebensraumangebote)
- Pflanzen- und Strukturvielfalt
- ungestörte Lebensräume
- geringer Konkurrenzdruck
- Förderung der Artenvielfalt am Standort
- Sicherung der Nahrungskette/Bestäubung
- Kompensation städtischer Bodenversiegelungen

Hinweise für einen größtmöglichen Begrünungserfolg

Stimmen die baulichen und vegetationstechnischen Voraussetzungen, lässt sich der blühende, artenreiche Vegetationsaspekt mit wenig Pflegeaufwand erhalten. Je nach Vegetations- und Pflegeziel sollte das Biodiversitätsdach zwei- bis viermal im Jahr begangen werden. Nisthilfen und Entwässerungseinrichtungen sind regelmäßig zu kontrollieren und gegebenenfalls zu reinigen oder auszutauschen. Um die Artenvielfalt zu erhalten und zu fördern, kann eine Düngung notwendig sein. Bei langanhaltender Trockenheit sollte eine Bewässerung erfolgen. Dafür kann Regenwasser, aufbereitetes Grauwasser, Frischwasser oder Grundwasser verwendet werden.

Hinweis

Das Ergebnis eines Biodiversitätsdachs ist abhängig vom Deckungsgrad und Abwechslungsreichtum der Vegetation sowie von der resultierenden Individuenzahl und -dichte der Fauna, der Art der Dachbegrünung, der Lage bzw. der städtischen Situation, der Flächengröße, der Rückzugsfläche (Boden-, Wasser-, Wind-, Temperatur-, Nährstoffverhältnisse) und vom Alter des Lebensraums (Reifezeit) (Zimmermann, 1987; Mann, 1996).

7.3.3 Retentionsdach

Gestalterische Kriterien

Wasser ist eine unverzichtbare Ressource und im Klimasystem gleichzeitig ein wichtiger Energieträger. Das Ableiten von Regenwasser in die Kanalisation hat erhebliche Nachteile für das Klima. Daher gilt es, Wasserrückhalt, Verdunstung und Kondensation zu fördern (Konzepte der Regenwasserbewirtschaftung, 2010). Retentionsdächer unterscheiden sich optisch nicht von Extensiv- oder Intensivdächern. Der Unterschied liegt lediglich in der Rückhaltefunktion/Drainage sowie in der Art, Stärke- und Zusammensetzung des Substrats.

Vegetationstechnische Kriterien

Das Pflanzenwachstum entspricht dem klassischer Gründächer. Hinweise zur Versorgung gelten entsprechend. Der Fokus kann jedoch auf einer höheren Verdunstungsleistung ausgewählter Pflanzen liegen. In Trockenphasen ist dann eine Mindestwasserversorgung (z. B. über eine Regenwasserzisterne) zu gewährleisten (Köhler et al., 2022). Spezielle Drainagen halten Wasser mittel- oder längerfristig zurück (bis zu 80 l/m²). Über einen kapillaren Anschluss kann das Substrat so langfristig feuchtgehalten und die Pflanzen können mit Regenwasser versorgt werden (siehe Abb. 7.15).

Abb. 7.15: GKR Hydro, München: Retentionsdach-Musterflächen

Bautechnische Kriterien

Eine erhöhte Speicherfunktion extensiver oder intensiver Dachbegrünungen wird zunächst über eine dickere Substratschicht erreicht. Größere Drainschichten, gegebenenfalls mit besonderen Vorrichtungen zur Wasserstandsregulierung, verstärken die Rückhaltung wesentlich (Köhler et al., 2022). Im Grundzustand wird Regenwasser für Trockenzeiten gespeichert und steht der Vegetation zur Verfügung. Vor starken Regenereignisssen kann, je nach Bauweise, gespeichertes Wasser kontrolliert an die Kanalisation abgegeben werden, um dann wiederum Niederschläge aufnehmen zu können. So kann bei Starkregenspitzen ein zusätzlicher Abfluss in die Kanalisation verhindert werden. Der erhöhten Wasserspeicherkapazität ist mit einer ausreichend statisch dimensionierten Primärkonstruktion Rechnung zu tragen. Retentionsräume sind inzwischen in Form von nicht rostenden Aufständerungen oder auch aus recycelten oder Biokunststoffen verfügbar.

Wirtschaftliche Kriterien

Die Regenwasserverdunstung unterstützt nicht nur die Kühlung von Gebäuden, sondern spielt auch eine unmittelbare Rolle bei der Vermeidung von Hitzeinseln in Stadträumen. Ein weiterer Vorteil liegt, je nach Aufbau, in der Einsparung von Trinkwasser zur Bewässerung der Pflanzen.

Systemtypische Vorteile

- Flächenwirkung mittelfristig
- Begrünung bei Dachneigung von 0 bis 5 ° möglich, bei Dachneigung bis 15 ° nur bedingt
- Gewicht 20 bis 210 kg/m^2 und mehr, je nach Pflanzenauswahl und möglicher Anstauhöhe
- durch einfache Aufbringtechnik schnelle Fertigstellung
- robuste, langlebige Begrünungsmöglichkeit
- Substratfeuchte durch Wasserspeicherschicht
- Zusatzbewässerung nur in extremen Trockenphasen
- Schutz der Abdichtungsebene gegen Witterung und UV-Belastung
- Verminderung der Auskühlung durch Pufferwirkung (vor allem durch Lufteinschluss im Aufbau)
- Wirkungsgradverbesserung von Photovoltaik durch Kühlung der Pflanzen
- hoher Wasserrückhalt, Verzögerung der Einleitung in die Kanalisation von 30 bis 80 l/m^2 (50 bis 90 % N/a)

Hinweise für einen größtmöglichen Begrünungserfolg

Pflege und Wartung sind grundsätzlich wie bei allen anderen Formen der Dachbegrünung durchzuführen. Jedoch sollte aufgrund der gesteigerten Feuchte bei Retentionsdächern mit einem üppigeren Wachstum gerechnet werden, sodass eventuell häufiger gemäht und unerwünschter Fremdbewuchs entfernt werden muss. Bei Retentionsdächern, die mit einem Wasseranstau und einem Drosselablauf ausgestattet sind, können neben den üblichen Wartungsarbeiten zusätzliche Maßnahmen erforderlich sein, wie etwa eine Absenkung des Wasseranstaus (Anstaurohr manuell hochziehen), um das Wasser kontrolliert ablaufen zu lassen. Der Drosselablauf ist regelmäßig zu prüfen und, falls nötig, zu reinigen. Dabei ist es wichtig, die vorgegebenen Abflussverhältnisse nicht zu verändern, um die Funktionsfähigkeit des Systems dauerhaft zu gewährleisten.

7.3.4 Wassergründach

Gestalterische Kriterien

Die Artenvielfalt der Fauna wird durch Wasserflächen und Repositionspflanzen erhöht. Wassergründächer bieten einen andersartigen Lebensraum und damit eine positive Erweiterung für die städtische Fauna. Die gewünschte Flächenwirkung entsteht kurzfristig, bei Vorkultur sofort.

Vegetationstechnische Kriterien

Bei Bauweisen mit einer Wasserführung oberhalb der Substratschicht werden Repositionspflanzen feuchter Lebensbereiche verwendet (Seggenarten, Binsen, Sumpfdotterblumen usw.; siehe Abb. 7.16). Der Pumpenkreislauf muss immer aufrechterhalten werden. Die Pflege von Wasserdächern beschränkt sich auf das regelmäßige Entfernen unerwünschter Spontanvegetation.

Abb. 7.16: Kelterei Possmann, Frankfurt a. M.: Wasserdach

Bautechnische Kriterien

Die Dachoberfläche als Aufbaugrund muss dauerhaft und zuverlässig dicht sein. Dachflächen als Umkehrdach mit nachträglich aufgebrachter Dämmung sind ungeeignet für diese Begrünungsform. Aufschwimmende Bauteile müssen vermieden werden.

Gebäudebegrünung kann an dieser Stelle sichtbar zur Nutzung von Regenwasser beitragen. Über Wasserdächer wird Regenwasser zurückgehalten (50 bis 90 % N/a). Bestenfalls dient es zur direkten Kühlung des Bauwerks bzw. zur indirekten Kühlung über die Nutzung des Regenwassers für technische Kühlzwecke. Wasserdächer können demnach bei Gebäuden zum Einsatz kommen, bei denen ein hoher Bedarf an Klimatisierung von Räumen oder an Energieeinsparung bei der Rückkühlung von Energiekreisläufen besteht (Dörries/Zens, 2003).

Regenwasser ist für Kühlzwecke besonders geeignet, da es im Vergleich zu Trinkwasser aus dem Versorgungsnetz einen geringeren Anteil gelöster Stoffe enthält und eine Aufbereitung (Entsalzen/Enthärten) entfallen kann (Kaiser, 2008). Bei Einsatz von Betriebswasser (technische, gewerbliche oder hauswirtschaftliche Anwendung) wird dieses durch die Begrünung gereinigt, Schadstoffe werden herausgefiltert.

Wirtschaftliche Kriterien

Das Ziel dieser Bauweise ist die Regenwasserrückhaltung zu klimatischen, pflanzenspezifischen oder verfahrenstechnischen Zwecken. Auch die Regenwasserableitung insgesamt und besonders ihrer Spitzenwerte bei Starkregen können im Umfang des Retentionsvermögens des jeweiligen Daches verbessert werden.

Anfallende Kosten für die Begrünung, Pflege und Wartung sind äußerst gering (Pflanzenkosten nach Pflanzenauswahl).

Systemtypische Vorteile

- Flächenwirkung kurzfristig, bei Vorkultur der Pflanzen sofort
- Begrünung bei Dachneigung von 0 bis 5 ° möglich
- Gewicht abhängig von der Anstauhöhe des Wassers
- zusätzliche Kühlwirkung durch die offene Wasserfläche
- gebäudenahe Umgebungskühlung (Kleinklima)
- Direktkühlung von Produktionsprozessen möglich
- Klärungseinsatz möglich (Chemie, Grauwasser)
- Abführung überschüssiger Energie (Wärmetauscher) möglich
- Wasserspeichervolumen (Wasserrückhalt je nach möglicher Anstauhöhe)
- erweiterte Flora und Fauna im Wasserbiotop (durch z. B. Wasser-/Sumpfpflanzen)
- Schutz der Abdichtungsebene gegen Witterung und UV-Belastung

Hinweise für einen größtmöglichen Begrünungserfolg

Für Wassergründächer, die zur Prozesskühlung oder als Pflanzenkläranlage genutzt werden, ist die Auswahl geeigneter Pflanzen entscheidend. Dabei sollten Arten gewählt werden, die sowohl an wechselnde Wasserstände als auch an feuchte Umgebungen gut angepasst sind (Wasserpflanzen, Repositionspflanzen).

Zusätzlich sind eine gelegentliche Pflege und Wartung unerlässlich, um das System langfristig funktionsfähig zu halten. Dazu gehören die Kontrolle des Wasserstands und die Entfernung von Pflanzenresten, die die Effizienz beeinträchtigen könnten. Schließlich muss die Bewässerungsanlage in allen Teilen regelmäßig gewartet werden (Zuleitungen, Technik). Der Wasserzufluss (in der Regel Pumpenkreislauf) muss reguliert werden, um sicherzustellen, dass die Pflanzen gut versorgt sind und der Kühl- bzw. der Klärprozess optimal funktioniert.

7.3.5 Gebäudeintegrierte Farmwirtschaft

Gestalterische Kriterien

Die Zukunftsfähigkeit von Städten ist u. a. abhängig von ihrer Energie- und Ressourceneffizienz. Ein sinnvoller Ansatz ist die In-Wert-Setzung ungenutzter Flächen. Anbauflächen unter freiem Himmel und Dachgewächshäuser können u. a. auf Flachdächern von Supermärkten, Kulturzentren, Schulen, Restaurants, Industrie- und Wohngebäuden errichtet werden (siehe Abb. 7.17).

Deutschlands Städte bieten nach Einschätzung von Fraunhofer-Forschern rund 360 Millionen m² an Flachdächern von Nichtwohngebäuden, die für den Anbau von Pflanzen in Gewächshäusern genutzt werden können (Landwirtschaft auf dem Dach der Forschung, 2011). Das entspricht in etwa einem Viertel der Größe von Deutschlands Ackerflächen, die für den Gemüseanbau verwendet werden. Zusätzlich stehen vertikale Gebäudeflächen für die Nahrungsmittelproduktion zur Verfügung.

Abb. 7.17: Gewächshaus und Anbauflächen für Obst und Gemüse auf dem Dach des Genossenschaftswohnbaus Wagnis 4 in München

Vegetationstechnische Kriterien

Abhängig von der Art gebäudeintegrierter Farmwirtschaft (Anbau auf Dächern bzw. in Dachgewächshäusern, Nutzung von Fassaden) sind die Bereitstellung und der Transport von Materialien für Pflege und Wartung zu klären, ebenso der Abtransport von Erzeugnissen und nicht kompostierbarem Abfall. Details zur Wasserver- und -entsorgung sind festzulegen. Einzelne Produkte stellen unterschiedliche Ansprüche an den Aufbau. So benötigen beispielsweise Kräuter andere Substratstärken, als Wurzelgemüse. Substratstärken ab 8 cm sind geeignet für Salate und Kräuter, ab 20 cm u. a. für Zucchini, Auberginen, Kürbis, Kohl, Melonen und Erdbeeren. Ab 40 cm Substratstärke gedeihen u. a. Tomaten, Bohnen und Beerenfrüchte sowie Wurzelgemüse (Pfoser, 2015). Auch ein gewerblicher Anbau ist möglich, insbesondere in Dachgewächshäusern. Grundsätzlich muss abgewogen werden, welches Anbauverfahren (Anbau in Erde, in Substrat, Hydroponik, Aquaponik) und welcher Gewächshaustyp für die jeweilige Zielsetzung geeignet ist (Es wächst etwas auf dem Dach, 2013).

Bautechnische Kriterien

Relevante Standortkriterien für eine gebäudeintegrierte Farmwirtschaft sind Flächengröße, Aufbau und Belastbarkeit der Primärkonstruktion, die Zugänglichkeit, die Belichtung sowie rechtliche Aspekte (Es wächst etwas auf dem Dach, 2013). Anbauflächen auf dem Dach unterscheiden sich im Aufbau nicht von flächigen Intensivbegrünungen.

Eine Schutzlage schützt den Dachaufbau vor mechanischer Einwirkung. Das Substrat sollte den Kriterien des Nahrungsmittelanbaus genügen. Pflanztröge und Hochbeete auf dem Dach sind heute keine Seltenheit mehr. Die Größe der Anbaufläche ist abhängig vom Nutzungskonzept (Pfoser, 2015). Die Personensicherheit muss gegeben sein, die Versorgung mit Wasser und Nährstoffen sowie deren Entsorgung sind sicherzustellen.

Dachgewächshäuser kommerzieller Projekte haben, abhängig von der Produktions- und Vertriebsplanung, in der Regel eine Mindestfläche von ca. 1.000 m². Eine umweltgerechte Optimierung von Dachgewächshäusern kann beispielsweise durch den Einsatz von Kraft-Wärme-Koppelungen, Wärmepumpen, Solarenergie, adiabate Abluftkühlung, Abwasserwärmerückgewinnung und Betriebswassernutzung erfolgen (Es wächst etwas auf dem Dach, 2013). Es gelten die Richtlinien der Gebäudebegrünung sowie zusätzlich DIN EN 13031-1 „Gewächshäuser – Bemessung und Konstruktion – Teil 1: Produktionsgewächshäuser" (2021) und DIN EN 1991-1-1.

Wirtschaftliche Kriterien

Innerstädtischer Obst- und Gemüseanbau auf, an oder in Gebäuden ist durch kurze Versorgungswege, Wasser-, Energie- und Stoffkreisläufe energie- sowie ressourcenschonend und CO_2-reduzierend. Multifunktionale, nachhaltige Infrastrukturentwicklung und urbane Resilienz sind wesentliche Zukunftsthemen.

Systemtypische Vorteile

- Gewicht extensiv: ca. 100 bis 200 kg/m², Gewicht intensiv: ab 200 kg/m² zuzüglich Windsog, Schnee- und Verkehrslasten, gegebenenfalls zuzüglich der Auflast des Gewächshausaufbaus
- Substrathöhen: ab 8 cm für Salate und Kräuter, ab 20 cm u. a. für Zucchini, Auberginen, Kürbis, Kohl, Melonen und Erdbeeren, ab 40 cm u. a. für Tomaten, Wurzelgemüse, Bohnen und Beerenfrüchte
- intensive Dachbegrünung zur lokalen Nahrungsmittelversorgung (Anbau von Gemüse und Obst)
- Vegetation gegenüber Sonne und Regen exponiert
- energie- und ressourcenschonend (Wasser-/Energiekreisläufe, kurze Versorgungswege)
- stadtökologischer Beitrag (Biodiversität statt Monokultur, Artenvielfalt)
- Regenwasserrückhalt, Kühlung, Verdunstung
- Schutz der Dachabdichtung vor UV-Strahlen und Witterungseinflüssen
- Einsparung ökologisch wertvoller Bodenflächen
- Energie- und Ressourceneinsparung durch kurze Versorgungs- und Transportwege
- Erholung/Umweltbildung, soziale Stadtentwicklung

Hinweise für einen größtmöglichen Begrünungserfolg

Abhängig von der Art gebäudeintegrierter Farmwirtschaft (Anbau auf Dächern bzw. in Dachgewächshäusern; siehe Abb. 7.18) sind die Bereitstellung und der Transport von Materialien für Pflege und Wartung zu klären, ebenso wie der Abtransport von Erzeugnissen und nicht kompostierbarem Abfall. Die Versorgung und Pflege der Anbauflächen sowie Produkte entsprechen denjenigen in Klein-, Saisongärten und Gewächshäusern am Boden. Der saisonale Anbau von Produkten ist sinnvoll, um kostengünstig zu produzieren. Fruchtwechsel und Mischkulturen vermindern Anbauprobleme durch Nährstoffmangel, Parasiten und Krankheiten. Aussaat-, Anbau- und Erntezeiträume sind zu berücksichtigen. Gute Bestäuber sind z. B. Bienen- und Hummelvölker sowie Schmetterlinge. Entsprechend sind ungestörte Lebensräume auch für den Winter zu schaffen (z. B. Substratmodulation, Pflanzenstängel, hohle Äste oder Insektennisthilfe), damit sie die kalte Jahreszeit überstehen. Die lange Winterpause ist zudem mit Nahrungsangeboten zu überbrücken (z. B. mit Erika, Krokus, Huflattich) bzw. mit frühblühenden Pflanzen, wie z. B. Winterlingen, Märzenbechern und anderen Frühblühern, zu verkürzen. Ressourcen- und Stoffkreisläufe sind sinnvolle Strategien (z. B. Speicherung und Einsatz von Regenwasser, Nutzung von Solarenergie, Kompostierung organischer Abfälle).

7.4 Entscheidungshilfe für Lösungen zur Dachbegrünung im Vergleich

Die Übersicht in Abb. 7.19 fasst die konstruktiven und vegetationstechnischen Merkmale der aktuellen Begrünungslösungen für Flach- und Steildächer zusammen. Darüber hinaus werden gestalterische, konstruktive und wirtschaftliche Aspekte sowie die ökologischen Potenziale der verschiedenen Bauweisen vergleichend dargestellt.

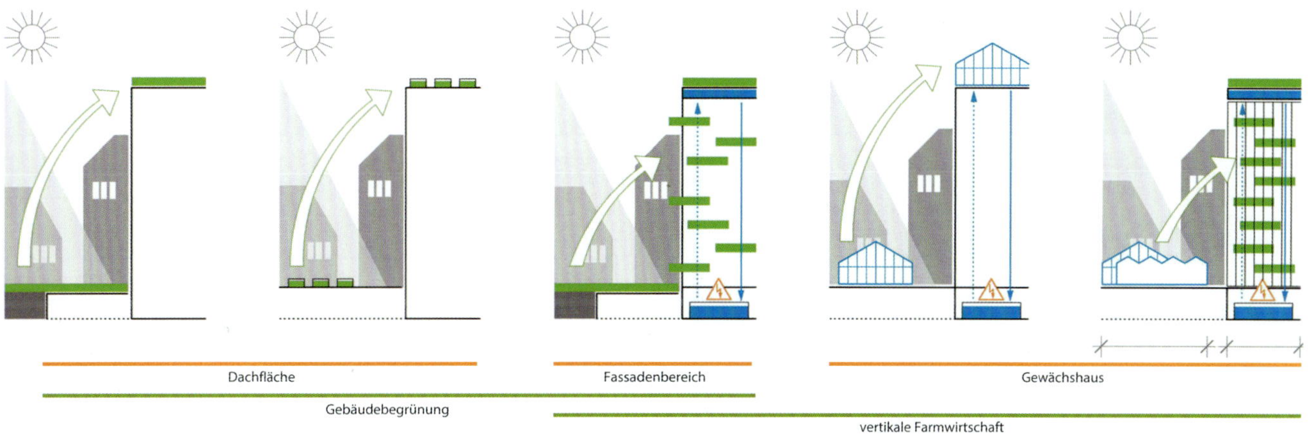

Abb. 7.18: Lösungen gebäudeintegrierter Farmwirtschaft mit Dach- und Fassadennutzung

Extensivbegrünung

Direktbegrünung	Textilsystem	Textil-Substrat-System	Substratschüttung 5-15 cm
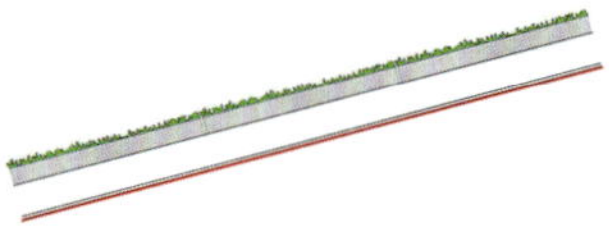	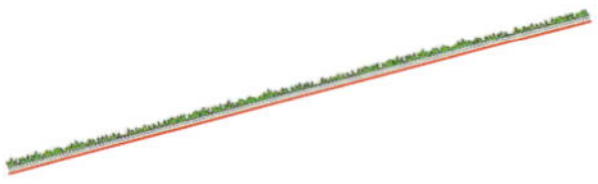		
Moose, Flechten	Moos / Moos und Sedum	Stauden (u. a. Sedum, Gräser, Kräuter), Kleingehölze, Moose	Stauden (u. a. Sedum, Gräser, Kräuter), Kleingehölze, Moose
• direkt begrünte Ziegel/Steinplatten mit begrünungsfördernder Oberflächenplastizität	• Kunstfasermatte • Kokosfasermatte	• organische Fasermatte auf Substratschicht	• Aufbau mit einer in der Höhe variablen Substratmischung (5-15 cm

gestalterische Kriterien

- Flächenwirkung: mittel- bis langfristig, bei Vorkultur sofort
- Flächenwirkung: kurzfristig bis mittelfristig, bei Vorkultur sofort
- Flächenwi
- Gestaltungsspielraum: gering
- Gestaltungsspielraum: mittel

bautechnische Ausführungen

- Begrünung Flachdach bis Steildach (0-35 ° (-85 ° bedingt))
- Begrünung Flachdach bis Steildach (0-35 ° (-45 ° bedingt)
- Wasserversorgungsanlage standortbezogen / bei Bedarf
- Wasserversorgung, Dränung und Entwässerung vorsehen, Wasserversorgungs
- bauaufsichtlich relevant, statischer Nachweis erforderlich; Bauteile nicht rostend
- ggf. bauaufsichtlich relevant und statischer Nachweis erforderlich; Bauteile nicht rostend
- bauaufsichtlich relevant, statischer Nachweis erforderlich; tragende Ba
- Sturmsicherheit von Konstruktion, Substratverank
- Schutz des Dachaufbaus gegen Feuchte und Durchwurzelung erforderlich

geeignete Dachkonstruktionen

Direktbegrünung	Textilsystem	Textil-Substrat-System	Substratschüttung 5-15 cm
• einschalig ungedämmt (bedingt) • zweischalig ungedämmt, belüftet (bedingt) • einschalig, gedämmt, unbelüftet (Warmdach - auf hochwertige Dampfsperre achten! / bedingt) • einschalig, gedämmt, unbelüftet (Umkehrdach - keine dampfsperrenden Schichten oder flächiger Wasseranstau!) • einschalig, gedämmt, unbelüftet mit Zusatzdämmung (keine dampfsperrenden Schichten oder flächiger Wasseranstau!) • zweischalig, gedämmt, belüftet (Kaltdach - Tragkraft beachten! / bedingt)	• einschalig ungedämmt (bedingt) • zweischalig ungedämmt, belüftet (bedingt) • einschalig, gedämmt, unbelüftet (Warmdach - auf hochwertige Dampfsperre achten! / bedingt) • einschalig, gedämmt, unbelüftet (Umkehrdach - keine dampfsperrenden Schichten oder flächiger Wasseranstau!) • einschalig, gedämmt, unbelüftet mit Zusatzdämmung (keine dampfsperrenden Schichten oder flächiger Wasseranstau!) • zweischalig, gedämmt, belüftet (Kaltdach / bedingt)	• einschalig ungedämmt (bedingt) • zweischalig ungedämmt, belüftet (bedingt) • einschalig, gedämmt, unbelüftet (Warmdach - auf hochwertige Dampfsperre achten! / bedingt) • einschalig, gedämmt, unbelüftet (Umkehrdach - keine dampfsperrenden Schichten oder flächiger Wasseranstau!) • einschalig, gedämmt, unbelüftet mit Zusatzdämmung (keine dampfsperrenden Schichten oder flächiger Wasseranstau!) • zweischalig, gedämmt, belüftet (Kaltdach - Tragkraft beachten! / bedingt)	• einschalig ungedämmt (bedingt) • zweischalig ungedämmt, belüftet (bedingt) • einschalig, gedämmt, unbelüftet (Warmdach - auf hochwertige Dampfsperre achten! / bedingt) • einschalig, gedämmt, unbelüftet (Umkehrdach - keine dampfsperre Schichten oder flächiger Wasseran • einschalig, gedämmt, unbelüftet m Zusatzdämmung (keine dampfsperrenden Schichten oder flächig Wasseranstau!) • zweischalig, gedämmt, belüftet (K dach - Tragkraft beachten! / beding

wirtschaftliche Kriterien

- Investitionsaufwand: gering bis hoch
- Investitionsaufwand: gering
- Investitionsaufwand: mittel
- Substitution Gewichtsauflage (Platten oder Kies)
- Substitution Gewichtsa
- Pflegeaufwand: gering
- Pflegeaufwand: gering bis mittel
- Wartungs- und Instandhaltungsaufwand: gering bis hoch
- Wartungs- und Instandhaltungsaufwand: gering bis mittel

ökologische Potenziale

- Kühlung/Dämmwirkung: ganzjährige energetische Rele
- mögliche Artenvielfalt am Standort: gering
- mögliche Artenvielfalt am Standort: mittel
- sofortige mikroklimatische Relevanz bei Vorkultur
- mikroklima
- Wasserrückhalt/Abflussverzögerung: gering
- Wasserrückhalt/Abflussverzögerung: gering bis mittel
- Wasserrückhalt/Abflussverzögerung: mittel

Abb. 7.19: Systematische Übersicht über Dachbegrünungslösungen

Intensivbegrünung

Substratschüttung > 15 cm

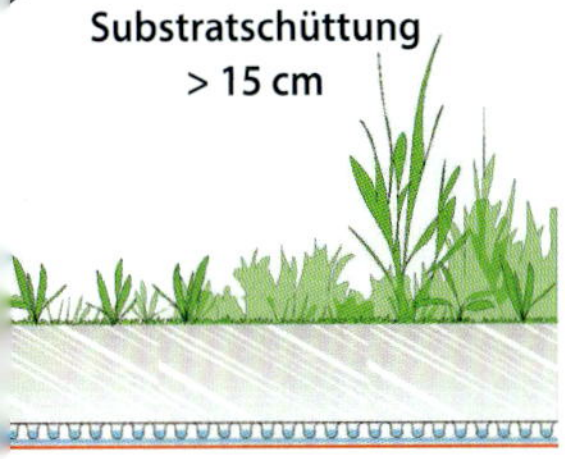

n, Stauden (u. a. Sedum, Gräser, Kräuter, bel- und Knollengewächse), Gehölze ngt Bäume; Substrataufbau > 80 cm)

bau mit einer in der Höhe ablen Substratmischung > 15 cm

Pflanzgefäße

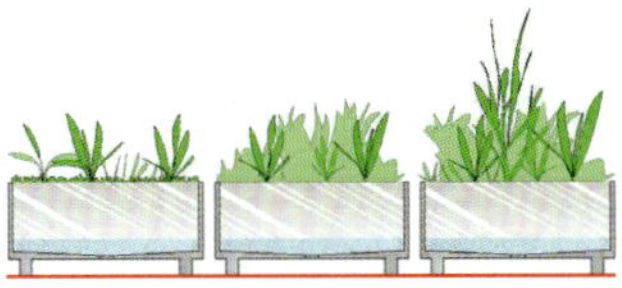

Stauden (u. a. auch Gräser, Farne, bedingt Zwiebel- und Knollengewächse), Gehölze (bedingt Bäume), Moose

- Substrat in Gefäßen (Einzel- oder Linearbehälter)

Sonderformen

modulare Systeme

Stauden (u. a. Sedum, auch Gräser und Farne), Kleingehölze, Moose

- Substrat in Elementeinheiten aus Körben/Kassetten
- Mattensysteme
- substrattragende Rinnensysteme

Retentions-/Wasserdächer

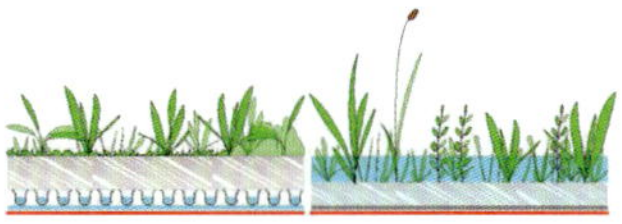

Stauden (u. a. Sedum, Gräser, Kräuter), Kleingehölze, bedingt Moose

- regulierte Wasserführung auf Substrat
- regulierte Wasserführung in Substrat
- regulierte Wasserführung unter Substrat

---

fristig | Flächenwirkung: kurzfristig, bei Vorkultur sofort

Gestaltungsspielraum: groß | Gestaltungsspielraum: mittel bis groß

Begrünung Flachdach bis flachgeneigtes Dach (0-5 °) | Begrünung Flachdach (0-5 °) | Begrünung Flachdach bis Steildach (0-20 ° (-85 ° bedingt)) | Begrünung Flachdach bis flach geneigtes Dach (0-5 ° (-15 ° bedingt))

rtbezogen / bei Bedarf | Dränung, Wasserversorgungsanlage standortbezogen / bei Bedarf | Dränung, Wasserversorgungsanlage standortbezogen / bei Bedarf | Wasserpumpenkreislauf/ Dränung ggf. erforderlich

ionsschutz oder rostfreies Material | ggf. statischer Nachweis erforderlich; Verankerungen nicht rostend | bauaufsichtlich relevant, statischer Nachweis erforderlich; Bauteile: rostfreies Material

epflanzung (Winddruck/Windsog)

Schutz des Dachaufbaus gegen Feuchte und Durchwurzelung erforderlich

---

Substratschüttung:

schalig ungedämmt (bedingt)
ischalig ungedämmt, belüftet dingt)
schalig, gedämmt, unbelüftet rmdach - auf hochwertige npfsperre achten! / bedingt)
schalig, gedämmt, unbelüftet kehrdach - keine dampfsperrenden ichten oder flächiger Wasseranstau!)
schalig, gedämmt, unbelüftet mit atzdämmung (keine dampf- rrenden Schichten oder flächiger seranstau!
ischalig, gedämmt, belüftet (Kalt- n - Tragkraft beachten! / bedingt)

Pflanzgefäße:

- einschalig ungedämmt (bedingt)
- zweischalig ungedämmt, belüftet (bedingt)
- einschalig, gedämmt, unbelüftet (Warmdach - auf hochwertige Dampfsperre achten! / bedingt)
- einschalig, gedämmt, unbelüftet (Umkehrdach - auf Hinterlüftung der Pflanzgefäße achten!)
- einschalig, gedämmt, unbelüftet mit Zusatzdämmung (auf Hinterlüftung der Pflanzgefäße achten!)
- zweischalig, gedämmt, belüftet (Kaltdach - Tragkraft beachten! / bedingt)

modulare Systeme:

- einschalig ungedämmt (bedingt)
- zweischalig ungedämmt, belüftet (bedingt)
- einschalig, gedämmt, unbelüftet (Warmdach - auf hochwertige Dampfsperre achten! / bedingt)
- einschalig, gedämmt, unbelüftet (Umkehrdach - keine dampfsperrenden Schichten oder flächiger Wasseranstau!)
- einschalig, gedämmt, unbelüftet mit Zusatzdämmung (keine dampfsperrenden Schichten oder flächiger Wasseranstau!)
- zweischalig, gedämmt, belüftet (Kaltdach - Tragkraft beachten! / bedingt)

Retentions-/Wasserdächer:

- einschalig ungedämmt (bedingt)
- zweischalig ungedämmt, belüftet (bedingt)
- einschalig, gedämmt, unbelüftet (Warmdach - auf hochwertige Dampfsperre achten! / bedingt)
- zweischalig, gedämmt, belüftet (Kaltdach - Tragkraft beachten! / bedingt)

Investitionsaufwand: mittel bis hoch

n oder Kies); Bautenschutz | Substitution Gewichtsauflage (Platten oder Kies); Bautenschutz | Kühlung, Grauwasserklärung; Bautenschutz

Pflegeaufwand: mittel bis hoch | Pflegeaufwand: gering bis hoch | Pflegeaufwand: mittel bis hoch

Wartungs- und Instandhaltungsaufwand: hoch | Wartungs- und Instandhaltungsaufwand: mittel bis hoch

Kühlung/Dämmwirkung: ganzjährige energetische Relevanz | Kühlenergie: ganzjährige energetische Relevanz

mögliche Artenvielfalt am Standort: groß

nz: mittelfristig | sofortige mikroklimatische Relevanz bei Vorkultur

asserrückhalt/Abflussverzögerung: mittel bis hoch | Wasserrückhalt/Abflussverzögerung: gering bis mittel | Wasserrückhalt/Abflussverzögerung: mittel | Wasserrückhalt/Abflussverzögerung: hoch

7.5 Hinweise zu Verträgen und Ausschreibungen

7.5.1 Vorbemerkungen

Verdingungsordnung für Bauleistungen

Bestimmte Auftraggeber sind verpflichtet, bei der Vergabe von Instandhaltungsarbeiten die VOB/A (Vergabe- und Vertragsordnung für Bauleistungen) Teil A (Allgemeine Bestimmungen für die Vergabe von Bauleistungen) anzuwenden und die Teile B (Allgemeine Vertragsbedingungen für die Ausführung von Bauleistungen) und C (Allgemeine technische Vertragsbedingungen für Bauleistungen) in den Vertrag aufzunehmen. Auch privaten Auftraggebern wird dies empfohlen, um rechtliche Klarheit und Vertragssicherheit zu gewährleisten.

Insbesondere betrifft dies die bereits erwähnte VOB/C ATV DIN 18320 zu den Landschaftsbauarbeiten sowie die VOB/C ATV DIN 18299 „Allgemeine Regelungen für Bauarbeiten jeder Art“ (2023), VOB/C ATV DIN 18336 „Abdichtungsarbeiten“ (2023) und VOB/C ATV DIN 18338 „Dachdeckungsarbeiten“ (2019).

Besondere Leistungen

Gemäß VOB sind besondere Leistungen solche, die nur Teil des Vertrags sind, wenn sie explizit in der Leistungsbeschreibung aufgeführt werden. Besondere Leistungen ergänzen die Regelungen aus Abschnitt 4.2 der VOB/C ATV DIN 18299, DIN 18320 und DIN 18338. Beispiele für besondere Leistungen gemäß Abschnitt 6 der genannten VOB/C ATV DIN-Normen:

- Bereitstellung von Versorgungsleitungen bis zu den Dachflächen (Wasser, Energie)
- Errichtung und Wartung von Absturzsicherungen
- Beseitigung und Entsorgung von Unrat/Abfall
- Entfernung von Kalkablagerungen

Abnahme und Gewährleistung von Pflege und Wartung

Nach Abschluss der Pflege- und Wartungsarbeiten ist der Auftraggeber entsprechend zu informieren. Zum Ende der vereinbarten Pflege- und Wartungsperiode oder nach dem letzten Arbeitsdurchgang sollte eine gemeinsame Begehung als Vorbereitung auf die Abnahme stattfinden. Für die Entwicklungs- und Unterhaltungspflege sowie die Wartung wird keine Gewährleistung über die Endabnahme hinaus übernommen, wenn der Pflege- oder Wartungsvertrag endet (vgl. § 13 Abs. 1 VOB/A).

Für Intensivbegrünungen gelten für den abnahmefähigen Zustand DIN 18916 und 18917. Extensivbegrünungen mit vereinbarter Fertigstellungspflege (siehe Abb. 7.20) regeln die aktuellen FLL-Dachbegrünungsrichtlinien (Dachbegrünungsrichtlinien, 2018). Diese sind zu berücksichtigen. Ergänzend bzw. abweichend gelten DIN 18916 und DIN 18917.

Inspektions- und Wartungsvertrag

Dachflächen sind stark der Witterung ausgesetzt, UV- und Infrarotstrahlung beschleunigen ihre Alterung. Chemische Umweltbelastungen können die Dachabdeckung schädigen, Staub-, Kalk- und Schmutzablagerungen beeinträchtigen die Entwässerung. Flugsamen und Sameneinträge durch Vögel verursachen Fremdaufwuchs. Die damit verbundenen Risiken können durch regelmäßige, fachgerechte Inspektion, Pflege und Wartung vermieden werden. Vertragliche Regelungen für eine jährliche Inspektion sowie für Wartungen und Instandsetzungen im Frühjahr und im Spätherbst (pauschal in €/m^2 zuzüglich Mehrwertsteuer abzurechnen) sichern den ordnungsgemäßen Zustand der Dachabdichtung und der Dachbegrünung. Die Pauschale umfasst die vereinbarten Inspektionen der Dachfläche, die Erstellung von Zustandsberichten, die Ausarbeitung von Empfehlungen für Pflege- und Instandsetzungsmaßnahmen sowie entsprechende Kostenübersichten. Wartungs- und Instandsetzungsarbeiten müssen vom Auftraggeber separat beauftragt werden.Die Vertragsdauer ist festzulegen. Der Vertrag verlängert sich jeweils um ein weiteres Jahr, sofern er nicht von einer der Parteien mit einer Frist von drei Monaten vor Ablauf schriftlich gekündigt wird. Der Vertrag kann vorzeitig gekündigt werden, wenn eine der Parteien mit ihren vertraglich vereinbarten Leistungen länger als sechs Wochen in Verzug gerät. Beide Parteien haben das Recht, eine jährliche Anpassung der Wartungspauschale entsprechend den tariflichen Lohnerhöhungen im Dachdeckerhandwerk zu verlangen. Änderungen des Vertrags bedürfen der Schriftform. Vertragsbestandteile der Wartung sind z. B.:

Abb. 7.20: Pflege einer Extensivbegrünung (Quelle: Oswald gARTen, Wendisch-Evern)

- Überprüfung der Dichtheit von An- und Abschlüssen, Übergängen, Durchdringungen und Einbauteilen,
- Kontrolle der mechanischen Stabilität von Profilen, Lüftungselementen, Lichtkuppeln und anderen Bauelementen,
- Reinigen aller Entwässerungselemente (u. a. Dachrinnen, Fallrohre, Dachabläufe/Schächte),
- Beseitigung von Schmutzablagerungen auf der Fläche sowie an Rändern, Ecken und Kanten,
- Entfernen von Pflanzeneinwuchs.

In der Pauschale enthaltene Vertragsbestandteile der Instandsetzung (maximal drei Stunden) sind u. a.:

- Nachschweißen oder Nachkleben von Nähten (siehe Abb. 7.21),
- Pflege des Oberflächenschutzes,
- Nachziehen mechanischer Befestigungen von Lichtkuppeln und anderen Bauelementen,

Abb. 7.21: Instandsetzung: Nachschweißen/Nachkleben von Nähten, Beseitigung von Undichtigkeiten

- Beseitigung kleinerer Undichtigkeiten mit dauerelastischen Kunststoffen oder anderen geeigneten Mitteln.

Der Auftraggeber erhält ein Wartungsprotokoll sowie einen Zustandsbericht über notwendige und empfohlene Instandsetzungsarbeiten. Sofern diese nicht in der Instandsetzungspauschale enthalten sind, erfolgt ein detailliertes Angebot mit einer Kostenübersicht. Eventuelle Stundensätze für zusätzliche Arbeiten werden festgelegt. Weist der Zustandsbericht keine Mängel auf, haftet der Unternehmer bis zur nächsten Begutachtung für die Dichtigkeit des Daches sowie für alle Folgeschäden, jedoch maximal bis zu einem Betrag, der dem Fünffachen der im Vertrag vereinbarten Wartungspauschale entspricht. Der Unternehmer haftet jedoch nicht für Folgeschäden, die durch versteckte Mängel verursacht wurden, sofern diese bei der Wartung trotz Anwendung üblicher Sorgfalt nicht erkennbar waren. Sollte der Auftraggeber vorgeschlagene, als notwendig erachtete Instandsetzungsarbeiten ablehnen, kann er sich später nicht auf eine unzureichende Beratung im Rahmen des Wartungsvertrags berufen.

Vertragliche Regelungen der Entwicklungs-/Unterhaltungspflege

Für Verträge zur Entwicklungs- und Unterhaltungspflege von Dachbegrünungen dienen die VOB/B und VOB/C sowie das Standardleistungsbuch für das Bauwesen (StLB) bzw. die darauf aufbauende STLB-Bau, Leistungsbereich 003 „Landschaftsbauarbeiten" (STLB-Bau-Ausschreibungstexte, 2024), sowie die aktuellen FLL-Dachbegrünungsrichtlinien für Extensivbegrünungen und einfache Intensivbegrünungen (Dachbegrünungsrichtlinien, 2018) als Grundlage.

Für Intensivbegrünungen sind Art, Umfang und Ausführungszeiten in gleicher Art wie bei entsprechenden Grünanlagen mit Bodenanschluss auf die jeweilige Begrünung abzustimmen. Folgende Beschreibungen sollten Bestandteil der vertraglichen Regelung der Entwicklungs-/Unterhaltungspflege sein:

- Lage: Art und Lage des Objekts, Anzahl der Geschosse, Höhe über Gelände in m, Zugänglichkeit und eventuelle Nutzungseinschränkungen,
- Dach: Dachneigung (Grad/Gefälle in %), Art der Dachkonstruktion und Wärmedämmung, Art der Dachabdichtung, Art der vorhandenen Dachdeckung, zulässige Verkehrslast in kN/m^2, Anzahl, Art und Größe der Dachdurchdringungen,
- Entwässerungseinrichtungen: Art und Anzahl der Dachabläufe, Kontrollschächte und Sicherheitsrinnen in m,
- Versorgung: Angaben zu Strom- und Wasseranschlüssen (ja/nein) und zu einer gegebenenfalls vorhandenen Bewässerungsanlage,
- Dachbegrünung: Angaben zu Begrünungsart (extensiv/intensiv), zur Vegetationsform, zum Zustand der Vegetation, zur Art der Dachabdichtung und zum Wurzelschutz (wurzelfest / nicht wurzelfest nach FLL) und Art der Schutzlage, zudem zum Schichtaufbau (einschichtig/mehrschichtig) und zu dessen Zustand sowie zur durchwurzelbaren Schichtdicke in cm, zur Gesamtgröße der zu pflegenden begrünten Fläche in m^2 sowie zur Anzahl und Größe von Einzelflächen in m^2,
- Rand- und Sicherheitsstreifen: Beschreibungen zu Art (z. B. Kies, Platten) und Abmessungen (Länge, Breite) und zur zu pflegenden Gesamtgröße in m^2 der Sicherheitsstreifen,
- verschließbare Aufenthalts-, Sanitär- und Lagerräume: Lage, Abmessungen,
- Sicherheitseinrichtungen: Art, Zustand und Lage gegebenenfalls vorhandener Sicherheitseinrichtungen.

Vertragsbedingungen:

- Wasser und Strom können an vorhandenen Anschlüssen unentgeltlich entnommen werden.
- Behälter für die Beseitigung von anfallendem Material stellt der Auftraggeber. Die Lage ist anzugeben.
- In einem Einheitspreisvertrag festgelegte Arbeitsgänge basieren auf durchschnittlichen Standardannahmen. Abweichende Leistungen (sowohl Mehr- als auch Minderleistungen) werden zu den vereinbarten Einheitspreisen abgerechnet.
- Bei der Ausführung vereinbarter Pflegeleistungen ist zu prüfen, ob zusätzliche Maßnahmen erforderlich sind, um das angestrebte Begrünungsziel zu erreichen oder aufrechtzuerhalten (z. B. Pflanzenschutzmaßnahmen, Nachsaaten, Nachpflanzungen, Substratauffüllungen, Überprüfung und Funktionskontrolle technischer Einrichtungen). Die erforderlichen Leistungen müssen abgestimmt und gesondert vergütet werden.
- Der Einsatz von Pflanzenschutzmitteln ist nur mit Zustimmung des Auftraggebers zulässig.
- Erschwernisse und Beeinträchtigungen bei der Durchführung sind anzugeben.
- Notwendige Teilleistungen sind ohne spezielle Anweisung termingerecht durchzuführen.
- Die durchgeführten Pflegearbeiten sind zu protokollieren. Das Protokoll ist vom Auftraggeber innerhalb von drei Arbeitstagen zu bestätigen, Einwände sind schriftlich zu melden. Protokolle, die nicht fristgerecht bestätigt werden, gelten als akzeptiert.
- Vertragsänderungen müssen schriftlich erfolgen.

Sonstige individuelle Beschreibungen zur vertraglichen Regelung der Entwicklungs- und Unterhaltungspflege sind zu ergänzen.

Abb. 7.22: Bunker St. Pauli, Hamburg: Vorfeld und Baustelleneinrichtung der Begrünung

Zusätzliche technische Vertragsbedingungen

Allgemeine Aspekte

Allgemeine zusätzlichen Vertragsbedingungen sind Bestandteil der Leistungsbeschreibung und enthalten folgende Angaben (Auf die Dächer – fertig – grün!, 2024):

- Ausführungsunterlagen: Diese müssen mit einem Vermerk zur Freigabe des Auftraggebenden (AG) und dessen Architekten (A) oder Landschaftsarchitekten (LA) versehen sein. Nicht freigegebene Unterlagen dürfen nicht verwendet werden.
- Bauvorbereitung inklusive Materialbestellung: Diese erfolgt auf der Grundlage freigegebener Zeichnungen und Unterlagen.
- Zulassungen/Nachweise: Bauaufsichtliche Zulassungen sowie die Herstellerrichtlinien der zur Verwendung vorgesehenen Baustoffe sind vor Ausführung der Objektüberwachung zu übergeben. Sie werden Vertragsbestandteil. Der Nachweis der Gleichwertigkeit angebotener Produkte obliegt dem Anbietenden.
- Baustelleneinrichtung: Der Umfang zur Nutzung des Geländes (z. B. Stell- und Lagerfläche) wird gemäß Baustelleneinrichtungsplan festgelegt (siehe Abb. 7.22). Dieser beinhaltet Angaben zu folgenden Punkten:
  - Räume für Personalunterkünfte und Materiallagerung (Aufenthalts- und Lagerräume) sowie Sanitärcontainer sind für die Dauer der vertraglich vereinbarten Leistungen vorzuhalten und zu betreiben.
  - Die Versorgung der Baustelle mit Baustrom muss bauseits sichergestellt sein.
  - Eine Baustellenbeleuchtung ist entsprechend der Baustellenordnung bauseits zu errichten.
  - In der Nähe zum Baustellenbereich befindliche Oberflurhydranten sind für die Feuerwehr freizuhalten.
  - Die Versorgung der Baustelle mit Bauwasser wird bauseits sichergestellt. Die Entsorgung anfallenden Schmutzwassers ist bauseits zu regeln.
  - Erforderliche Gerüste werden bauseits gestellt.
  - Die Baustelle wird durch einen Bauzaun begrenzt (verschraubter Drahtgitterzaun).
- Materiallieferungen und Transport auf das Dach: Der Auftragnehmer ist dafür verantwortlich, die Lieferung von Materialien und Baustoffen so zu koordinieren, dass diese bedarfsgerecht auf der Baustelle bereitgestellt werden. Der Baustelleneinrichtungsplan o. Ä. dient als Kalkulationsgrundlage. Erhöhte Transportaufwendungen (z. B. durch erschwerte Zugänglichkeit) sind in Einheitspreise einzukalkulieren.

Spezielle Aspekte: Landschaftsbauarbeiten und Dachbegrünung

Die Ausführung erfolgt auf Grundlage der VOB/C ATV DIN 18320 für Landschaftsbauarbeiten sowie der darin aufgeführten weiterführenden Normen. Zusätzlich gelten die aktuellen FLL-Dachbegrünungsrichtlinien (Dachbegrünungsrichtlinien, 2018; Auf die Dächer – fertig – grün!, 2024):

- Baustoffe, Bauteile, Bauarten, Konstruktionen: Ein Nachweis der Überwachung (Güteüberwachung) ist dem Arbeitgeber oder dem Bauleitenden als Arbeitgebervertreter zu übergeben. Der fortlaufend zu führende Gütenachweisbericht beinhaltet Übergabedatum, Übergabebestätigung der Bauleitung und produktspezifische Daten (Produkt, Hersteller sowie u. a. Herkunftsnachweis, Zuschlagsstoffe). Für die Vegetationstragschicht ist ein Prüfzeugnis von einem anerkannten Prüfinstitut vorzulegen (nicht älter als ein Jahr).
- Muster: Für die Materialien sind vor der Ausführung Handmuster (mindestens 20 cm × 20 cm groß) zur Freigabe durch den Auftraggeber vorzulegen. Für alle weiteren Einbauteile sind Katalogauszüge, Fotos und Datenblätter einzureichen.
- Werkstatt- und Montageplanung: Die Pläne müssen nach Detaillierungsgrad und Maßstab alle zur Bestellung und Prüfung erforderlichen Inhalte und Maßangaben enthalten. Für folgende Bauteile ist der Bauüberwachung vor Bestellung zur Genehmigung eine Werkstatt- und Montageplanung vorzulegen, die in Abstimmung mit den Ausführungsplänen der Landschaftsarchitekten erstellt wurde:
  - Fallschutzeinrichtungen,
  - statische Berechnung des Windsogs (insbesondere wenn Photovoltaik-/Solarthermieanlagen geplant sind).
- Holz: Bei Hölzern, die bis zu zwei Jahre gelagert werden (Baustellensicherung), ist, sofern nicht anders angegeben, auf eine Behandlung mit Holzschutzmitteln zu verzichten. Alle zu verwendenden Holzprodukte müssen nach Forest Stewardship Council (FSC) und Programme for the Endorsement of Forest Certification Schemes (PEFC) zertifiziert sein oder die jeweiligen Kriterien des FSC oder PEFC für das Herkunftsland erfüllen.
- Terminabstimmung, Koordination und Bauzeitenplan: Die Arbeiten sind in verschiedenen Bereichen abschnittsweise durchzuführen. Diese abschnittsweise Ausführung erstreckt sich über den gesamten Ausführungszeitraum. Dabei ist mit Arbeitsunterbrechungen zu rechnen. Die endgültige Reihenfolge der Arbeitsabschnitte wird nach Auftragserteilung in Abstimmung mit den Gewerken (Dachdecker, gegebenenfalls Photovoltaik) festgelegt. Darauf basierend ist der Auftragnehmer verpflichtet, innerhalb von fünf Werktagen nach Beauftragung einen Bauzeitenplan vorzulegen.
- Abnahme und Beweissicherung: Nach der Herstellung der Vegetationsflächen wird eine technische, informelle Begutachtung zur Beweissicherung durchgeführt, gefolgt von einer Endabnahme nach Abschluss der Fertigstellungspflege. Die Fertigstellungspflege endet mit der Abnahme der Pflanzung gemäß VOB/C ATV DIN 18320

bzw. nach Erreichen der Deckungsgrade gemäß den FLL-Dachbegrünungsrichtlinien, jedoch frühestens nach einer vollen Vegetationsperiode. Anschließend folgt eine zweijährige Instandhaltungsphase zur Entwicklung und Pflege der Vegetation gemäß DIN 18919.
- Dokumentation: Folgende Unterlagen sind dem Arbeitgeber bei Fertigstellung der Leistung in zweifacher Form in Papierform zu übermitteln:
  - Inhaltsverzeichnis,
  - Produktlisten sämtlicher Baumaterialien,
  - endgültige Fassung der Werkstattpläne,
  - endgültige Fassung der Werkstattstatik für Windsog,
  - Angaben zu Wartung und Prüfung innerhalb der Gewährleistung,
  - Pflegeanweisungen für die Bepflanzungen.

Abrechnung

Gemäß VOB/C ATV DIN 18320 ist Folgendes zu berücksichtigen:

- Bei der Pflege von Dachbegrünungen wird die tatsächliche Vegetationsfläche einschließlich eventueller Randstreifen zur Leistungsermittlung herangezogen.
- Bei der Abrechnung nach Flächenmaß in m² werden Aussparungen, die größer als 2,5 m² sind, von der Fläche abgezogen.

7.5.2 Leistungsbeschreibung

Eine Leistungsbeschreibung zur Dachbegrünung im Bestand sollte detailliert einzelne Arbeitsschritte und Anforderungen für die Umsetzung einer Dachbegrünung auf Bestandsflächen beschreiben. Die im Folgenden angegebenen allgemeinen Hinweise sind individuell zu prüfen und dem jeweiligen Bauvorhaben anzupassen (z. B. bezüglich Erreichbarkeit, Dachgröße, Statik, baulichen Gegebenheiten). Gemäß VOB/A ist der Auftraggeber gehalten, die geforderten Leistungen *„eindeutig und so erschöpfend zu beschreiben, dass alle Unternehmen die Beschreibung im gleichen Sinne verstehen müssen und ihre Preise sicher und ohne umfangreiche Vorarbeiten berechnen können"* (§ 7 Abs. 1 Nr. 1 VOB/A).

Musterleistungsbeschreibungen zur extensiven Dachbegrünung, für Retentionsdächer mit extensiver Begrünung, für intensive Dachbegrünungen sowie extensive Dachbegrünung in Kombination mit Solarnutzung (Solargründach) werden in der Broschüre der Stadt Hamburg „Auf die Dächer – fertig – grün!", präsentiert. Leistungsbeschreibungen zur Dachbegrünung enthalten beispielhaft die in den folgenden Textabschnitten aufgezählten Positionen.

Einrichtung der Baustelle

> **Hinweis**
>
> In den Einheitspreisen der nachfolgend beschriebenen Baustelleneinrichtung ist eine einmalige, vollständige Bauunterbrechung von bis zu zwei Monaten einzukalkulieren.

Baustelleneinrichtung

- Baustelle einrichten/räumen inklusive Gestellung von Wasser und Strom
- Mobilkran an- und abtransportieren (Bedarfsposition)
- Mobilkran einsetzen, einschließlich Fahrerin oder Fahrer (Bedarfsposition)

Stundenlohnarbeiten

Stundenverrechnungssätze werden unter Beachtung der preisrechtlichen Vorschriften ermittelt. Sie gelten unabhängig von der Anzahl der abzurechnenden Stunden. Stundenlohnarbeiten werden nur vergütet, wenn ihre Ausführung von der Bauüberwachung angeordnet wurde (§ 2 Abs. 10 VOB/B). Zuschläge für Mehr-, Nachts-, Sonntags- und Feiertagsarbeit sowie Erschwerniszuschläge sind nicht in die Stundenverrechnungssätze einzubeziehen, sondern sind im Bedarfsfall zu vereinbaren und gesondert nachzuweisen. Aufgeführt werden die Stundenlohnarbeiten von Vorarbeitenden, von Landschaftsgärtnern und -gärtnerinnen sowie Bauhelfenden inklusive Kosten und Zuschlägen.

Extensive Dachbegrünung (einschichtiger Aufbau, Warmdach)

Vorarbeiten

- Vorbereitende Maßnahmen (Untergrund reinigen, Dachabdichtung prüfen)
- Schutzschichten aufbringen (Schutzlage über der Dachbahn, mindestens 300 g/m², Schutzlage hochführen)
- Vegetationstragschicht aufbringen (Angabe von Material, Körnung und Dicke, Kornverteilungsbereich nach FLL-Dachbegrünungsrichtlinien sowie Wasserhaltekapazität, Flächenlast bei maximaler Wassersättigung und Mengenanteil organischer Substanzen)
- Vegetationsschicht aufbringen (Angabe von Material, Körnung und Dicke, Kornverteilungsbereich nach FLL-Dachbegrünungsrichtlinien sowie Wasserhaltekapazität, Flächenlast bei maximaler Wassersättigung und Mengenanteil organischer Substanzen)
- Maßnahmen zur Erhöhung des Artenreichtums (Zulagen für Herstellung von z. B. Planum, Sandlinsen, Totholz)
- Kiesschüttung herstellen (Sicherheitsstreifen für die Dachbegrünung)
- Kontrolleinrichtungen vorsehen (Kontrollschächte aus nicht rostendem Stahl oder aus Kunststoff; siehe Abb. 7.23)
- Sicherungseinrichtungen anbringen (Anschlageinrichtungen oder Geländer)
- Nachweise sicherstellen (Werkstatt- und Montageplanung für Fallschutzeinrichtungen)

> **Hinweis**
>
> Sofern Schutzstreifen nicht aus brandschutzrechtlichen Gründen erforderlich sind, sollten ihr Einsatz, ihre Breite und ihr Aufbau projektspezifisch geprüft werden. Dabei sind insbesondere der Typ der Attika sowie Aspekte der Instandhaltung zu berücksichtigen.

Abb. 7.23: Kontrolleinrichtungen aus nicht rostendem Stahl, in Sicherheitsstreifen integriert

Abb. 7.24: Behörde für Umwelt, Energie, Klima und Agrarwirtschaft (BUKEA), Hamburg: extensive Dachbegrünung

Pflanz- und Saatarbeiten

Ansaat und Bepflanzung (z. B. Sedum-Sprossen, Ansaat/Aussaat unter Berücksichtigung regionalen Saatguts bzw. heimischer Arten, Zulage für Keimsubstrat, gegebenenfalls Pflanzung von Flachballenpflanzen/-stauden, gegebenenfalls Verwendung von Vegetationsmatten; siehe Abb. 7.24)

Fertigstellungspflege

Die Fertigstellungspflege von Extensivbegrünungen (u. a. Pflegen inklusive Entsorgung, Wässern [Angabe in l/m^2], Düngen; zeitliche Angaben zu den Jahresgängen) regeln DIN 18916 und DIN 18917. Ergänzend gelten die FLL-Dachbegrünungsrichtlinien (Dachbegrünungsrichtlinien, 2018). Darin ist der abnahmefähige Zustand/Deckungsgrad einer Extensivbegrünung definiert.

Instandhaltungspflege

Diese Leistung (u. a. Pflegen inklusive Entsorgung, Wässern und Düngen) beginnt nach der Abnahme und endet nach zwei Vegetationsperioden. Ziel ist ein Deckungsgrad von 90 %. Es gelten die VOB, die FLL-Dachbegrünungsrichtlinien (Dachbegrünungsrichtlinien, 2018) sowie die STLB-Bau als Weiterentwicklung des STLB (STLB-Bau-Ausschreibungstexte, 2024).

Retentionsgründach (Warmdach)

Vorarbeiten

- Vorbereitende Maßnahmen (Untergrund reinigen, Dachabdichtung prüfen)
- Schutzschichten aufbringen (Schutzlage über der Dachbahn, mindestens 300 g/m^2, Schutzlage hochführen)
- Drainageschicht aufbringen (aus Kunststoff oder Schüttstoffen oder in Form einer Aufständerung, Filtervlies mit Angaben zur Überlappungsbreite, des Massegewichts pro Quadratmeter sowie der Wasserdurchlässigkeit)
- Vegetationstragschicht aufbringen (Angabe von Material, Körnung und Dicke, Kornverteilungsbereich nach FLL-Dachbegrünungsrichtlinien sowie Wasserhaltekapazität, Flächenlast bei maximaler Wassersättigung und Mengenanteil organischer Substanzen)
- Kiesschüttung herstellen (Sicherheitsstreifen für Dachbegrünung)
- Kontrolleinrichtungen vorsehen (Kontrollschächte aus nicht rostendem Stahl oder aus Kunststoff)
- Sicherungseinrichtungen anbringen (Anschlageinrichtungen oder Geländer)
- Nachweise sicherstellen (Werkstatt- und Montageplanung für Fallschutzeinrichtungen)

> **Hinweis**
>
> In einigen Kommunen ist der Einsatz von PVC-Produkten nicht zulässig.

Pflanz- und Saatarbeiten

Ansaat und Bepflanzung (z. B. Sedum-Sprossen, Ansaat/Aussaat unter Berücksichtigung regionalen Saatguts bzw. heimischer Arten, Zulage für Keimsubstrat, gegebenenfalls Pflanzung von Flachballenpflanzen/-stauden, gegebenenfalls Verwendung von Vegetationsmatten; siehe Abb. 7.25)

Fertigstellungspflege

Die Fertigstellungspflege von Extensivbegrünungen (u. a. Pflegen inklusive Entsorgung, Wässern [Angabe in l/m^2] und Düngen [Angabe in Arbeitsgang pro Quadratmeter) regeln DIN 18916 und DIN 18917. Ergänzend gelten die FLL-Dachbegrünungsrichtlinien (Dachbegrünungsrichtlinien, 2018). Darin ist der abnahmefähige Zustand/Deckungsgrad einer Extensivbegrünung definiert.

Instandhaltungspflege

Diese Leistung (u. a. Pflegen inklusive Entsorgung, Wässern und Düngen) beginnt nach der Abnahme und endet nach zwei Vegetationsperioden. Ziel ist ein Deckungsgrad von 90 %. Es gelten die VOB, die FLL-Dachbegrünungsrichtlinien (Dachbegrünungsrichtlinien, 2018) sowie die STLB-Bau als Weiterentwicklung des STLB (STLB-Bau-Ausschreibungstexte, 2024).

Abb. 7.25: Bunker St. Pauli, Hamburg: extensiver und intensiver Gründachaufbau als Retentionsdach mit Einleitbeschränkung/Drossel

Abb. 7.26: Ackermannbogen, München: Intensive Dachbegrünung und Garten auf einem Supermarktgebäude

Intensivgründach (Warmdach)

Vorarbelten

- Vorbereitende Maßnahmen (Untergrund reinigen, Dachabdichtung prüfen)
- Schutzschichten aufbringen (Schutzlage über der Dachbahn, mindestens 300 g/m², Schutzlage hochführen)
- Drainageschicht aufbringen (aus Kunststoff [falls in dieser Kommune die Verwendung von PVC erlaubt ist] oder Schüttstoffen oder in Form einer Aufständerung, Filtervlies mit Angaben zur Überlappungsbreite, des Massegewichts pro Quadratmeter, der Wasserdurchlässigkeit und der Stempeldurchdrückkraft)
- Ausgleichsschichten aufbringen (mehrschichtiges Untersubstrat)
- Vegetationstragschicht aufbringen (Angabe Material, Körnung und Dicke, Kornverteilungsbereich nach FLL-Dachbegrünungsrichtlinien sowie Wasserhaltekapazität, Flächenlast bei maximaler Wassersättigung und Mengenanteil organischer Substanzen, Zulage für Planum zur stellenweisen Erhöhung des Wurzelraums für z. B. Gehölzpflanzungen [siehe Abb. 7.26]; Substrat auf Schwermetalle und auf eventuell vorhandene Wassertrübung/-färbung untersuchen, wenn das durchfließende Regenwasser zur Toilettenspülung gespeichert wird)
- Kiesschüttung herstellen (Sicherheitsstreifen für Dachbegrünung; siehe Abb. 7.27)
- Kontrolleinrichtungen vorsehen (Kontrollschächte aus nicht rostendem Stahl oder aus Kunststoff)
- Sicherungseinrichtungen anbringen (Anschlageinrichtung oder Geländer)
- Nachweise sicherstellen (Werkstatt- und Montageplanung für Fallschutzeinrichtungen)

> **Hinweis**
>
> Sind Schutzstreifen nicht aus brandschutzrechtlichen Gründen erforderlich, sollten ihre Verwendung und ihre Dimension projektspezifisch festgelegt werden. Dabei sind insbesondere bauliche Gegebenheiten (z. B. Fassadenattika, Brüstungen, aufgehende Bauteile) sowie Instandhaltungsaspekte zu berücksichtigen.

Abb. 7.27: Die Schutzstreifen sind regelmäßig von Fremdaufwuchs zu befreien.

Pflanz- und Saatarbeiten

Ansaaten und Bepflanzungen sind objektabhängig. Detaillierte Vorgaben werden durch den Fachplaner festgelegt.

Fertigstellungspflege

Die Fertigstellungspflege von Intensivbegrünungen regeln die DIN 18916 und DIN 18917 (u. a. Pflege der Dachgartenfläche inklusive Entsorgung, Wässern [Angabe in l/m²] und Düngen [Angabe in Arbeitsgang pro Kilogramm]). Ergänzend gelten die FLL-Dachbegrünungsrichtlinien (Dachbegrünungsrichtlinien, 2018). Darin ist der abnahmefähige Zustand/Deckungsgrad einer Extensivbegrünung definiert.

Instandhaltungspflege

Diese Leistung (u. a. Pflege inklusive Entsorgung, Wässern mit z. B. Nachweis durch dokumentiertes Ablesen der Wasseruhren und Düngen mit Angabe von Art des Düngers in g/m²) beginnt nach der Abnahme und endet nach zwei Vegetationsperioden. Ziel ist ein Deckungsgrad von 90 %. Es gelten die VOB, die FLL-Dachbegrünungsrichtlinien (Dachbegrünungsrichtlinien, 2018) sowie die STLB-Bau als Weiterentwicklung des STLB (STLB-Bau-Ausschreibungstexte, 2024).

Hinweis

Die Pflege intensiver Dachbegrünungen und Bepflanzungen ist objektabhängig. Detaillierte Vorgaben sind durch den Fachplaner im Detail festzulegen. Die aufgeführten Positionen sind entsprechend zu ergänzen. Insbesondere sind Pflegeintervalle abgestimmt auf die Gestaltung und eventuelle Vorgaben durch Festsetzungen/ Forderungen festzulegen.

Solargründach (Warmdach)

Vorarbeiten

- Vorbereitende Maßnahmen (Untergrund reinigen, Dachabdichtung prüfen)
- Schutzschichten aufbringen (Schutzlage über der Dachbahn, gegebenenfalls bitumenverträglich, mindestens 300 g/m^2, Schutzlage hochführen; Angabe der Dicke und Wasserspeicherkapazität als mechanische Schutzlage gemäß DIN 18531 ff. mit ausreichender Stoßüberdeckung, vollflächig verlegt)
- Drainageschicht aufbringen (auch zur Rückhaltung von Regenwasser; Drainageschicht aus Kunststoff [PVC in einigen Kommunen nicht zulässig], Schüttstoffen oder in Form einer Aufständerung, Filtervlies mit Angaben zur Überlappungsbreite, des Massegewichts pro Quadratmeter, der Wasserdurchlässigkeit und der Stempeldurchdrückkraft)
- Solarunterkonstruktion installieren (Solarbasisplatte, Solargrundrahmen, Solarwindverband und Solarmontageprofile)
- Vegetationstragschicht aufbringen (Angabe von Material, Körnung und Dicke, Kornverteilungsbereich nach FLL-Dachbegrünungsrichtlinien sowie Wasserhaltekapazität, Flächenlast bei maximaler Wassersättigung und Mengenanteil organischer Substanzen; Zulage für Herstellung von Planum zur stellenweisen Erhöhung des Wurzelraums bei modellierten Substrathöhen; Substrat auf Schwermetalle und auf eventuell vorhandene Wassertrübung/-färbung untersuchen, wenn das durchfließende Regenwasser zur Toilettenspülung gespeichert wird)
- Kiesschüttung herstellen (Sicherheitsstreifen für Dachbegrünung aus gewaschenem kalkfreiem Kies; Angabe der Körnung und Schichtdicke; projektspezifische Prüfung von Einsatz, Breite und Aufbau, sofern Schutzstreifen nicht aus brandschutzrechtlichen Gründen erforderlich sind; Typ der Attika sowie Aspekte der Instandhaltung berücksichtigen)
- Kontrolleinrichtungen vorsehen (Kontrollschächte aus nicht rostendem Stahl oder aus Kunststoff)
- Sicherungseinrichtungen anbringen (gemäß DIN EN 795, Klasse E, als auflastgehaltenes System ohne Dachdurchdringung oder auflastgehaltenes Geländer; Auflast bei 0 bis 2 ° Dachneigung mindestens 90 kg/m^2, bei 2 bis 5 ° mindestens 110 kg/m^2)
- Nachweise sicherstellen (Werkstatt- und Montageplanung für Fallschutzeinrichtungen)
- statischen Nachweis für die Auflast der Photovoltaikanlage auf der Grundlage der Normenreihe DIN 1055 „Einwirkungen auf Tragwerke“ in der jeweils gültigen Fassung und der DIN EN 1991-1-4/NA „Nationaler Anhang – National festgelegte Parameter – Eurocode 1: Einwirkungen auf Tragwerke – Teil 1-4: Allgemeine Einwirkungen – Windlasten“ (2010) erbringen

Hinweis

Aus Gewährleistungsgründen ist vor Bestellung und Ausführung die Eignung der Schutzlage für beide Einsatzzwecke (Solar- und Gründach) mit dem Dachdeckergewerk abzustimmen und schriftlich freigeben zu lassen.

Die Planung der Solarunterkonstruktion ist objektspezifisch (siehe Abb. 7.28). Detaillierte Vorgaben sind vom Fachplaner für die Dachbegrünung (Landschaftsarchitekt) in enger Zusammenarbeit mit dem Fachplaner für Elektrotechnik (Solarmodule) festzulegen. Die aufgeführten Positionen sind an das jeweilige Objekt anzupassen. Nach der Montage der Solargrundrahmen sind Modultragschienen unverzüglich zu montieren.

Pflanz- und Saatarbeiten

Ansaat und Bepflanzung (z. B. Sedum-Sprossen, Ansaat/ Aussaat unter Berücksichtigung regionaler Saatguts bzw. heimischer Arten, Zulage für Keimsubstrat, gegebenenfalls Pflanzen von Flachballenpflanzen/-stauden, gegebenenfalls Einsatz von Vegetationsmatten)

Fertigstellungspflege

Die Fertigstellungspflege von Intensivbegrünungen regeln die DIN 18916 und DIN 18917 (u. a. Pflege der Dachgartenfläche inklusive Entsorgung, Wässern [Angabe in l/m^2] und Düngen [Angabe in Arbeitsgang pro Kilogramm]). Ergänzend gelten die FLL-Dachbegrünungsrichtlinien (Dachbegrünungsrichtlinien, 2018). Darin ist der abnahmefähige Zustand/Deckungsgrad einer Extensivbegrünung definiert.

Instandhaltungspflege

Diese Leistung (u. a. Pflege inklusive Entsorgung, Wässern mit z. B. Nachweis durch dokumentierte Ablesung der Wasseruhren und Düngen mit Angabe von Art des Düngers in g/m^2) beginnt nach der Abnahme und endet nach zwei Vegetationsperioden. Ziel ist ein Deckungsgrad von 90 %. Es gelten die VOB, die FLL-Dachbegrünungsrichtlinien (Dachbegrünungsrichtlinien, 2018) sowie die STLB-Bau als Weiterentwicklung des STLB (STLB-Bau-Ausschreibungstexte, 2024).

Abb. 7.28: Ufa-Fabrik, Berlin: Solargründach

8 Schlussbetrachtung

Die Begrünung von Bestandsgebäuden bietet eine Vielzahl an ökologischen, ästhetischen und funktionalen Vorteilen. Sie trägt zur Verbesserung des Mikroklimas, zur Erhöhung der Energieeffizienz und zur Aufwertung des Stadtbilds bei. Gleichzeitig wird durch die gestalterischen Möglichkeiten ein zusätzlicher Mehrwert geschaffen (siehe Abb. 8.1).

Jedoch erfordert die Begrünung von Bestandsgebäuden eine sorgfältige Planung und individuelle Lösungen, um technischen Herausforderungen, wie der Integration in bestehende Dämmebenen, oder statischen Anforderungen gerecht zu werden. Es müssen Materialien und Begrünungslösungen verwendet werden, die auf die vorhandenen Bauweisen abgestimmt sind, um Schäden, wie Wärmebrücken oder Feuchtigkeitsprobleme, zu vermeiden. Die langfristige Wartung und Pflege der Begrünung sollten dabei stets mitbedacht werden.

Inzwischen gibt es immer bessere Möglichkeiten für das Monitoring von Gebäudebegrünungen, um deren Leistungsfaktoren zu messen und zu bewerten (siehe Abb. 8.2). Da auch der Aspekt des Lebenszyklus und der Ökobilanz von Baumaterialien immer mehr Beachtung findet, werden Bauwerksbegrünungen zukünftig weiter in den Fokus rücken.

Bauherren und Planer werden zunehmend klimarelevante Entscheidungen in ihre gestalterischen und technischen Konzepte einbeziehen. Dabei können mit Gebäudebegrünungen im Bestand potenzielle Synergien mit baulichen Maßnahmen zur Energieeinsparung, zu gestalterischen Aspekten und stadtökologischen Vorgaben berücksichtigt werden. Eine interdisziplinäre Planung ist bereits in den frühen Entwurfsphasen eines Modernisierungs- oder Sanierungsprojekts unerlässlich, um sicherzustellen, dass stadtplanerische Ziele und die Effizienz der eingesetzten Ressourcen im Hinblick auf die klimatischen und ökologischen Anforderungen ebenso zuverlässig erfüllt werden wie die üblichen Abstimmungen zwischen Architektur, Bauphysik und Tragwerksplanung.

Interdisziplinarität ist notwendig, um zeitgemäß zu handeln und die ökologischen, wirtschaftlichen und gestalterischen Ziele bestmöglich zu erreichen. Dazu gehören technische und vegetationstechnische Entscheidungen zur ganzjährigen Versorgung der Pflanzen, Klärungen zur Instandhaltung sowie die optimale Gestaltung der Flächen, auch hinsichtlich Multifunktionalität. Dies erfordert die Zusammenarbeit von Landschaftsarchitekten, Botanikern, Ökologen, Architekten, Fassadenplanern, Gebäudetechnikern, Tragwerksplanern und Systemherstellern. Eine frühzeitige Teamarbeit führt zur Entwicklung system- und anwendungsgerechter Lösungen, um die jeweiligen Projekte effizient und angepasst an die spezifischen Anforderungen zu realisieren.

Maßnahmen im Bestand betreffen in erheblichem Umfang auch öffentliche Gebäude, die Vorbildfunktion einnehmen werden, aber auch das private Eigentumsrecht. Ähnlich wie

Abb. 8.1: DESY, Hamburg: Ertüchtigung der statisch unterdimensionierten Bestandsfassade durch die Wuchsvorkonstruktion zur Fassadenbegrünung. Dadurch wurde der Erhalt der Laborhalle möglich.

Abb. 8.2: DESY, Hamburg: extensive Dachbegrünung mit umfassendem Monitoring

der Denkmalschutz, der ohne Einwilligung des Eigentümers gelten kann, aber zugleich steuerliche Vorteile bietet, sollten auch zur Begrünung attraktive Anreizprogramme geschaffen werden. Informationen über nationale und internationale Entwicklungen sowie erfolgreiche Best-Practice-Projekte beeinflussen die öffentliche Wahrnehmung positiv und steigern das Interesse an blau-grüner Infrastruktur in der Stadt.

Mit diesem Buch konnte das Thema Gebäudebegrünung weiter vertieft werden. Es soll helfen, Vorurteile, Informationslücken, Anwendungsfehler und Fehlinvestitionen zu vermeiden. Angesichts der zunehmenden urbanen Verdichtung, der klimatischen Herausforderungen und des Bedarfs an Einsparungen von Primärenergie gewinnt die Gebäudebegrünung weiter an Bedeutung.

Eine fehlerfreie Anwendung wird die Akzeptanz erhöhen und gleichzeitig den wirtschaftlichen Nutzen steigern. Dies ist eine Voraussetzung für die frühzeitige Berücksichtigung von Gebäudebegrünungen in der Weiterentwicklung des Gebäudebestands sowie deren kontinuierliche Integration in die zukünftige Stadtentwicklung.

Durch die vielen Vorteile, die Begrünungen von Gebäudeflächen bietet, eröffnen sich umfangreiche Einsatz- und Nutzungsmöglichkeiten in städtischen Gebieten. Der öffentliche Sektor wird sich der Vorbildrolle zunehmend bewusst, während für den privaten und gewerblichen Bereich die Strategie „Forderung und Förderung" erfolgversprechend ist. Durch den konsequenten Einsatz von Begrünungen im Gebäudebestand, mit oder ohne Erdbodenkontakt, kann der Grünanteil in urbanen Gebieten erheblich erweitert werden. Dies leistet einen wertvollen Beitrag zu einer gesünderen Umwelt und einer nachhaltigeren Stadtentwicklung. Der Blick in die Zukunft zeigt, dass die Stadtbegrünung eine Schlüsselrolle in der nachhaltigen Stadtentwicklung einnimmt. In Zeiten zunehmender Verdichtung und Urbanisierung bieten dabei grüne Fassaden und Dächer die Möglichkeit, Grünflächen in urbane Räume zurückzubringen und Umweltbelastungen zu reduzieren. Darüber hinaus können zukünftige Technologien und fortschrittliche Materialien (z. B. Recyclingmaterialien und Biokunststoffe) die Integration von Begrünungssystemen noch ökologischer und effizienter gestalten (siehe Abb. 8.3 und 8.4). Insgesamt ist und bleibt die Bauwerksbegrünung eine zukunftsweisende Maßnahme für ökologische und ästhetische Verbesserungen im urbanen Raum.

Abb. 8.3: Botanic Horizon, Boxom: Saatschnüre (Quelle: Niklas Weisel, Cranzahl)

Abb. 8.4: Einsatz von wasserspeichernden Secalflor Panels aus 100 % natürlichen, regionalen Rohstoffen anstelle herkömmlicher Kunststoffdrainagen (Quelle: Oswald gARTen, Wendisch-Evern)

9 Anhang

9.1 Literaturverzeichnis

Normen

DIN 1045 Tragwerke aus Beton, Stahlbeton und Spannbeton [Normenreihe]

DIN 1055 Einwirkungen auf Tragwerke [Normenreihe]

DIN 1986-30:2012-02 Entwässerungsanlagen für Gebäude und Grundstücke – Teil 30: Instandhaltung

E DIN 1988-100:2024-07 Technische Regeln für Trinkwasser-Installationen – Teil 100: Schutz des Trinkwassers, Erhaltung der Trinkwassergüte

DIN 4033:1963-05 Entwässerungskanäle und -leitungen aus vorgefertigten Rohren – Richtlinien für die Ausführung [zurückgezogen]

DIN 4095:1990-06 Baugrund; Dränung zum Schutz baulicher Anlagen; Planung, Bemessung und Ausführung

DIN 4102-7:2018-11 Brandverhalten von Baustoffen und Bauteilen – Teil 7: Bedachungen – Anforderungen und Prüfungen

DIN 18040-1:2010-10 Barrierefreies Bauen – Planungsgrundlagen – Teil 1: Öffentlich zugängliche Gebäude

DIN 18040-2:2011-09 Barrierefreies Bauen – Planungsgrundlagen – Teil 2: Wohnungen

DIN 18040-3:2014-12 Barrierefreies Bauen – Planungsgrundlagen – Teil 3: Öffentlicher Verkehrs- und Freiraum

DIN 18134:2012-04 Baugrund – Versuche und Versuchsgeräte – Plattendruckversuch

DIN 18195:2017-07 Abdichtung von Bauwerken – Begriffe

DIN 18531:1991-09 Dachabdichtungen; Begriffe, Anforderungen, Planungsgrundsätze [zurückgezogen]

DIN 18531-1:2017-07 Abdichtung von Dächern sowie von Balkonen, Loggien und Laubengängen – Teil 1: Nicht genutzte und genutzte Dächer – Anforderungen, Planungs- und Ausführungsgrundsätze

DIN 18531-3:2024-02 Abdichtung von Dächern sowie von Balkonen, Loggien und Laubengängen – Teil 3: Nicht genutzte und genutzte Dächer – Abdichtungsbauarten, Ausführung und Details

DIN 18532-1:2017-07 Abdichtung von befahrbaren Verkehrsflächen aus Beton – Teil 1: Anforderungen, Planungs- und Ausführungsgrundsätze

DIN 18915:2018-06 Vegetationstechnik im Landschaftsbau – Bodenarbeiten

DIN 18916:2016-06 Vegetationstechnik im Landschaftsbau – Pflanzen und Pflanzarbeiten

DIN 18917:2018-07 Vegetationstechnik im Landschaftsbau – Rasen und Saatarbeiten

DIN 18919:2016-12 Vegetationstechnik im Landschaftsbau – Instandhaltungsleistungen für die Entwicklung und Unterhaltung von Vegetation (Entwicklungs- und Unterhaltungspflege)

DIN 19580:2010-07 Entwässerungsrinnen für Verkehrsflächen – Dauerhaftigkeit, Einheitsgewicht und Bewertung der Konformität

DIN 31051:2019-06 Grundlagen der Instandhaltung

DIN EN 124 Aufsätze und Abdeckungen für Verkehrsflächen [Normenreihe]

DIN EN 206-1:2001-07 Beton – Teil 1: Festlegung, Eigenschaften, Herstellung und Konformität [zurückgezogen]

DIN EN 795:2012-10 Persönliche Absturzschutzausrüstung – Anschlageinrichtungen

DIN EN 1097-3:1998-06 Prüfverfahren für mechanische und physikalische Eigenschaften von Gesteinskörnungen – Teil 3: Bestimmung von Schüttdichte und Hohlraumgehalt

DIN EN 1338:2003-08 Pflastersteine aus Beton – Anforderungen und Prüfverfahren

DIN EN 1339 Berichtigung 1:2006-11 Platten aus Beton – Anforderungen und Prüfverfahren

DIN EN 1433:2005-09 Entwässerungsrinnen für Verkehrsflächen –Klassifizierung, Bau- und Prüfgrundsätze, Kennzeichnung und Beurteilung der Konformität

DIN EN 1610:2012-12 Einbau und Prüfung von Abwasserleitungen und -kanälen

E DIN EN 1717:2023-07 Schutz des Trinkwassers vor Verunreinigungen in Trinkwasser-Installationen und allgemeine Anforderungen an Sicherungseinrichtungen zur Verhütung von Trinkwasserverunreinigungen durch Rückfließen

DIN EN 1991-1-1:2010-12 Einwirkungen auf Tragwerke – Teil 1-1: Allgemeine Einwirkungen auf Tragwerke – Wichten, Eigengewicht und Nutzlasten im Hochbau

DIN EN 1991-1-4/NA:2010-12 Nationaler Anhang – National festgelegte Parameter – Eurocode 1: Einwirkungen auf Tragwerke – Teil 1-4: Allgemeine Einwirkungen – Windlasten [zurückgezogen]

DIN EN 13031-1:2021-12 Gewächshäuser – Bemessung und Konstruktion – Teil 1: Produktionsgewächshäuser

DIN EN 13948:2008-01 Abdichtungsbahnen – Bitumen-, Kunststoff- und Elastomerbahnen für Dachabdichtungen – Bestimmung des Widerstandes gegen Wurzelpenetration

DIN EN 14758-1:2023-11 Kunststoff-Rohrleitungssysteme für erdverlegte drucklose Abwasserkanäle und -leitungen – Polypropylen mit mineralischen Additiven (PP-MD) – Teil 1: Anforderungen an Rohre, Formstücke und das Rohrleitungssystem

DIN EN ISO 1461:2022-12 Durch Feuerverzinken auf Stahl aufgebrachte Zinküberzüge (Stückverzinken) – Anforderungen und Prüfungen

DIN VDE 0100-712:2016-10 Errichten von Niederspannungsanlagen – Teil 7-712: Anforderungen für Betriebsstätten, Räume und Anlagen besonderer Art – Photovoltaik-(PV)-Stromversorgungssysteme

DIN V ENV 1187:2006-10 Prüfverfahren zur Beanspruchung von Bedachungen durch Feuer von außen [zurückgezogen]

VOB/C ATV DIN 18299: 2023-09 Allgemeine Regelungen für Bauarbeiten jeder Art

VOB/C ATV DIN 18300: 2019-09 Erdarbeiten

VOB/C ATV DIN 18318: 2019-09 Pflasterdecken und Plattenbeläge, Einfassungen

VOB/C ATV DIN 18320: 2019-09 Landschaftsbauarbeiten

VOB/C ATV DIN 18336: 2023-09 Abdichtungsarbeiten

VOB/C ATV DIN 18338: 2019-09 Dachdeckungsarbeiten

Rechtsvorschriften

Allgemeine Vertragsbedingungen für die Ausführung von Bauleistungen (VOB/B Ausgabe 2016), geändert durch Bekanntmachung vom 07.01.2016 (BAnz AT 19.01.2016 B3; ber. BAnz AT 01.04.2016 B1)

Baugesetzbuch (BauBG) in der Fassung der Bekanntmachung vom 03.11.2017 (BGBl. I S. 3634), das zuletzt durch Artikel 3 des Gesetzes vom 20.12.2023 (BGBl. 2023 I Nr. 394) geändert worden ist

Bauordnungsnovelle 2023: Gesetz, mit dem die Bauordnung für Wien, das Wiener Kleingartengesetz 1996 und das Wiener Garagengesetz 2008 geändert werden, Inkrafttreten am 14.12.2023 und 13.03.2024

Bekanntmachung der Vergabe- und Vertragsordnung für Bauleistungen Teil A (VOB/A) vom 31.01.2019 (Banz AT 19.02.2019 B2), geändert durch die Verwaltungsvorschriften vom 16.06.2023 (BAnz AT 04.07.2023) und vom 06.09.2023 (BAnz AT 25.09.2023 B4)

Bürgerliches Gesetzbuch (BGB) in der Fassung der Bekanntmachung vom 02.01.2002 (BGBl. I S. 42, 2909; 2003 I S. 738), das zuletzt durch Artikel 14 des Gesetzes vom 23.10.2024 (BGBl. 2024 I Nr. 323) geändert worden ist

[Bundesnaturschutzgesetz]: Gesetz über Naturschutz und Landschaftspflege (BNatSchG) vom 29.07.2009 (BGBl. I S. 2542), das zuletzt durch Artikel 48 des Gesetzes vom 23.10.2024 (BGBl. 2024 I Nr. 323) geändert worden ist

Musterbauordnung (MBO) in der Fassung vom November 2002, zuletzt geändert durch Beschluss der Bauministerkonferenz vom 23./24.11.2023

Verordnung (EG) Nr. 1069/2009 des Europäischen Parlaments und des Rates vom 21.10.2009 mit Hygienevorschriften für nicht für den menschlichen Verzehr bestimmte tierische Nebenprodukte und zur Aufhebung der Verordnung (EG) Nr. 1774/2002 (Verordnung über tierische Nebenprodukte)

Versammlungsstättenverordnung: Verordnung des Wirtschaftsministeriums über den Bau und Betrieb von Versammlungsstätten (VStaettVO) vom 28.04.2004 (GBl. S. 311, ber. S. 653), in Kraft getreten am 01.07.2004, zuletzt geändert durch Verordnung vom 21.12.2021 (GBl. 2022 S. 1) m.W.v. 08.01.2022

Wohnungseigentumsgesetz: Gesetz über das Wohnungseigentum und das Dauerwohnrecht (WEG) in der Fassung der Bekanntmachung vom 12.01.2021 (BGBl. I S. 34), das zuletzt durch Artikel 1 des Gesetzes vom 10.10.2024 (BGBl. 2024 I Nr. 306) geändert worden ist

Literatur

Althaus, C.; Kiermeier, P.; Schuppler, E.: Empfehlungen zur Fassadenbegrünung an öffentlichen Bauwerken. Düsseldorf: MBW Ministerium für Bauen und Wohnen des Landes Nordrhein-Westfalen, 1991

Ansel, W.: Leitfaden Dachbegrünung für Kommunen – Nutzen, Fördermöglichkeiten, Praxisbeispiele. Nürtingen: Deutscher Dachgärtner Verband e. V., 2011

Auf die Dächer – fertig – grün! Hamburger Gründachförderung. Dachbegrünung – Mustertexte für Ausschreibungen [online]. Hamburg: Behörde für Umwelt, Klima, Energie und Agrarwirtschaft (BUKEA), 2024. Internet: https://www.hamburg.de/resource/blob/997998/d3d97923033744f5d07ea7cfe904f395/d-dachbegruenung-mustertexte-fuer-ausschreibungen-broschuere-data.pdf [Zugriff: 01.01.2025]

Bambach, G.: Feuchtigkeit in Grünen Wänden messen und steuern. In: Tagungsband 5. FBB-Symposium Fassadenbegrünung 2012 [online]. Ditzingen: Fachvereinigung Bauwerksbegrünung e. V. (FBB), 2012, S. 23–29. Internet: https://www.gebaeudegruen.info/fileadmin/website/downloads/bugg-symposien/Fassadenbegruenungssymposium/5_FBB-Fassadenbegruenungssymposium_2012.pdf [Zugriff: 28.12.2024]

Basel – Schwarzplan & Stadtplan [online]. Schwechat (Österreich): Figuregrounds, 2024. Internet: https://www.figuregrounds.com/de/product/schwarzplan-basel/ [Zugriff: 12.12.2024]

Becker, A.; Deutschländer, T.; Friedrich, K. et al.: Nationaler Klimareport [online]. Offenbach am Main: Deutscher Wetterdienst; 2022. Internet: https://www.dwd.de/DE/leistungen/nationaler klimareport/download_report.pdf;jsessionid=DE33C3A061FB63CEC38CA4F03155ADED.live21071?__blob=publicationFile&v=15 [Zugriff: 01.12.2024]

Berlin – Schwarzplan & Stadtplan [online]. Schwechat (Österreich): Figuregrounds, 2024. Internet: https://www.figuregrounds.com/de/product/schwarzplan-berlin/ [Zugriff: 09.12.2024]

Bewässerungsrichtlinien – Richtlinien für die Planung, Installation und Instandhaltung von Bewässerungsanlagen in Vegetationsflächen. Bonn: Forschungsgesellschaft Landschaftsentwicklung Landschaftsbau e. V. (FLL), 2015

BOTT-Produktkatalog 4. Neustadt: BOTT Begrünungssysteme GmbH, 2012

Brandhorst, S.: Zertifizierungslehrgang Gebäudebegrünung. Weihenstephan: Akademie Landschaftsbau Weihenstephan, 2024

Brandhorst, S.; Siemens, M.: Besondere Begrünungsformen an Wänden, Fassaden und Konstruktionen. Mooswände: Aufbau und Funktionsweise. In: Tagungsmappe 5. FBB-Fassadenbegrünungssymposium 2012. Ditzingen: Fachvereinigung Bauwerksbegrünung e. V. (FBB), 2012, S. 40–42

Brandschutz großflächig begrünter Fassaden. München: Fachausschuss Vorbeugender Brand- und Gefahrenschutz der deutschen Feuerwehren, 2020

BuGG-Marktreport Gebäudegrün 2021. Dach-, Fassaden- und Innenraumbegrünung Deutschland. Berlin: Bundesverband GebäudeGrün e. V., 2021 [online]. Internet: https://www.gebaeudegruen.info/fileadmin/website/downloads/bugg-fachinfos/Marktreport/BuGG-Marktreport_Gebaeudegruen_2021.pdf [Zugriff: 18.11.2024]

Dachbegrünung – Leitfaden zur Planung. Begründungsunterlagen für Dachbegrünungen in der verbindlichen Bauleitplanung sowie in der Baugenehmigungspraxis. Hamburg: Freie Hansestadt Hamburg, Behörde für Umwelt und Energie, 2018

Dachbegrünung – Leitfaden zur Planung [online]. Hamburg: Freie und Hansestadt Hamburg, Behörde für Umwelt und Energie, 2023. Internet: https://www.hamburg.de/resource/blob/281294/35d14726744a3f9082d2fd4265b85576/d-leitfaden-dachbegruenung-data.pdf [Zugriff: 06.11.2024]

Dachbegrünungsrichtlinien – Richtlinien für die Planung, Bau und Instandhaltungen von Dachbegrünungen. Bonn: Forschungsgesellschaft Landschaftsentwicklung Landschaftsbau e. V. (FLL), 2018

Der Biotopflächenfaktor. Berlin: Senatsverwaltung für Umwelt, Verkehr und Klimaschutz, 2021 [online]. Internet: https://www.berlin.de/sen/uvk/_assets/natur-gruen/landschaftsplanung/bff-biotopflaechenfaktor/broschuere_bff_als_oekologisches_planungsinstrument.pdf [Zugriff: 31.01.2025]

Dettmar, J.; Pfoser, N.; Sieber, S.: Gutachten Fassadenbegrünung. Darmstadt: Technische Universität Darmstadt, 2016 [online]. Internet: https://dontwastemy.energy/wp-content/uploads/2020/01/gutachten_fassadenbegruenung.pdf [Zugriff: 18.11.2024]

Dettmar J.; Drebes, C.; Sieber, S.: Energetische Stadtraumtypen. Strukturelle und energetische Kennwerte von Stadträumen. Stuttgart: Frauenhofer IRB Verlag, 2020

Deutschlandwetter im Jahr 2018 [online]. Offenbach am Main: Deutscher Wetterdienst, 2018. Internet: https://www.dwd.de/DE/presse/pressemitteilungen/DE/2018/20181228_deutschlandwetter_jahr2018_news.html [Zugriff: 01.12.2024]

DGUV Information 202-023 „Giftpflanzen" [online]. Berlin: Deutsche Gesetzliche Unfallversicherung (DGUV), 2006. Internet: https://www.unfallkasse-nrw.de/fileadmin/server/download/Regeln_und_Schriften/Informationen/202-023.pdf [Zugriff: 16.12.2024]

DGUV Vorschrift 38 (BGV C22) „Unfallverhütungsvorschrift Bauarbeiten". Köln: BG ETEM, 2019

Dörries, J.; Zens, U.: Multifunktionale Dachvegetation. In: Garten und Landschaft 113 (2003), Nr. 10, S. 22 ff.

Dong, J.; Lin, M.; Zuo, J.; Lin, T.; Liu, J.; Sun, C.; Luo, J.: Quantitative study on the cooling effect of green roofs in a high density urban area – a case study of Xiamen, China. In: Journal of Cleaner Production 255 (2020), S. 120152

Eingriffsregelung. Ziele und Grundprinzipien der Eingriffsregelung [online]. Bonn: Bundesamt für Naturschutz (BfN), 2024. Internet: www.bfn.de/eingriffsregelung [Zugriff: 18.11.2024]

Empfehlungen für Baumpflanzungen – Teil 2: Standortvorbereitung für Neupflanzungen; Pflanzgruben und Wurzelraumerweiterung, Bauweisen und Substrate. Bonn: Forschungsgesellschaft Landschaftsentwicklung Landschaftsbau e. V. (FLL), 2010

Empfehlungen für Planung, Bau und Instandhaltung der Übergangsbereiche von Freiflächen zu Gebäuden. Bonn: Forschungsgesellschaft Landschaftsentwicklung Landschaftsbau e. V. (FLL), 2012

Engel, T.: Brandschutz für Fassadenbegrünungen. Ergebnisse des Forschungsvorhabens FireSafeGreen zu begrünten Fassaden. In: Bauen+ 5 (2024), S. 17–22

EnOB: GreenFaBS – Einsatz von Grünfassaden zur Reduzierung des Kühlenergiebedarfs fassadenintegrierter dezentraler Gebäudetechnik (Schul- und Verwaltungsgebäude). Nürnberg: Technische Hochschule Nürnberg, 2022 [online]. Internet: https://www.ibp.fraunhofer.de/content/dam/ibp/ibp-neu/de/dokumente/publikationen/eer/greenfabs-sb-endfassung-220224-cc22-vk.pdf [Zugriff: 19.11.2024]

Es wächst etwas auf dem Dach: Dachgewächshäuser. Müncheberg: Leibniz-Zentrum für Agrarlandschaftsforschung (ZALF) e. V., 2013

Everding, D.: Solarer Städtebau – vom Pilotprojekt zum planerischen Leitbild. Stuttgart: Kohlhammer, 2007

Fabbrizzi, F.: Architettura verso natura. Natura verso architettura. Florenz: Alinea, 2003

Fachbericht zu Planung, Bau und Instandhaltung von Wassergebundenen Wegen. Bonn: Forschungsgesellschaft Landschaftsentwicklung Landschaftsbau e. V. (FLL), 2007

Fassadenbegrünungsrichtlinien – Richtlinien für die Planung, Bau und Instandhaltung von Fassadenbegrünungen. Bonn: Forschungsgesellschaft Landschaftsentwicklung Landschaftsbau e. V. (FLL), 2018

FloraWeb [online]. Bonn: Bundesamt für Naturschutz, 2024. Internet: https://www.floraweb.de/index.html [Zugriff: 13.12.2024]

Förderrichtlinie Dach- und Fassadenbegrünung – Machbarkeitsstudie. Endbericht Kurzfassung [online]. Bonn: Bundesinstitut für Bau-, Stadt- und Raumforschung (BBSR), 2022. Internet: https://www.bbsr.bund.de/BBSR/DE/forschung/programme/weitere/gruen-in-der-stadt/machbarkeitsstudie-gebaeudegruen/endbericht.pdf?__blob=publicationFile&v=5 [Zugriff: 18.11.2024]

Frahm, J. P.: Feinstaubreduktion an Straßenrändern durch Moosmatten. In: Tagungsband. Fachtagung Luftqualität an Straßen 2008. Bergisch Gladbach: Bundesanstalt für Straßenwesen (bast), 2008, S. 46–47

Freiburg im Breisgau – Machbarkeitsstudie Dach- und Fassadenbegrünung. Freiburg im Breisgau: Stadt Freiburg, Umweltschutzamt, 2020 [online]. Internet: https://www.freiburg.de/pb/site/Freiburg/get/params_E623397766/1734486/201220_Ergebnisbericht%20Freiburg_Endfassung.pdf [Zugriff: 18.11.2024]

FR Flachdach. Fachregel für Abdichtungen – Flachdachrichtlinie, Ausgabe: Dezember 2016 einschließlich Änderungen vom Mai 2019 und März 2020. Köln: Zentralverband des Deutschen Dachdeckerhandwerks, 2016

Gassmann M.: Die grüne Revolution oder der nächste Ökoflop? In: Welt, 17.01.2015 [online]. Internet: https://www.welt.de/wirtschaft/article136475654/Die-gruene-Revolution-oder-der-naechste-Oekoflop.html [Zugriff: 01.01.2025]

Gebäude Begrünung Energie – Potenziale und Wechselwirkungen. Bonn: Forschungsgesellschaft Landschaftsentwicklung Landschaftsbau e. V. (FLL), 2014

Globalstrahlung in der Bundesrepublik Deutschland [online]. Hamburg: Deutscher Wetterdienst, Klima- und Umweltberatung, 2012. Internet: https://www.dwd.de/DE/leistungen/solarenergie/strahlungskarten_mvs.html?nn=16102 [Zugriff: 01.12.2024]

Gohlke, R.: Dach- und Fassadenbegrünung im Rahmen der Eingriffsregelung. Ökopunkte und Ökokonto. In: GebäudeGrün 2 (2021), S. 21–24

Gohlke, R.: Gesetzgebungsinitiativen für Gebäudebegrünungen in Deutschland. In: Pfoser, N. (Hrsg.): Grüne Fassaden. Detail Praxis. München: Detail, 2023, S. 20–25

Gorbachevskaya, O.; Schreiter, H.; Kappis, C.: Wissenschaftlicher Erkenntnisstand über das Feinstaubfilterungspotential von Pflanzen (qualitativ und quantitativ). Ergebnisse der Literaturstudie. In: Berliner geographische Arbeiten (2007)

Graf, C.: Programmatische Gestaltungsstile in der Landschaftsarchitektur, Masterthesis. Weihenstephan-Triesdorf: International Master of Landscape Architecture (IMLA), 2008

Greenpass Vorzertifizierung [online]. Wien, Österreich: Greenpass, 2024. Internet: https://www.greenpass.io/de/vorzertifizierung [Zugriff: 10.12.2024]

Gütebestimmungen für Stauden. Bonn: Forschungsgesellschaft Landschaftsentwicklung Landschaftsbau e. V. (FLL), 2015

Hämmerle, F.: Die Wirtschaftlichkeit von Gründächern aus Sicht des Bauherrn – eine Kosten-Nutzen-Analyse. In: Tagungsband 2. EFB-FBB-Gründachsymposium 2004 [online]. Ditzingen: Fachvereinigung Bauwerksbegrünung e. V. (FBB), 2004, S. 18–19. Internet: https://www.gebaeudegruen.info/fileadmin/website/downloads/bugg-symposien/Gruendachsymposium/2_FBB-Gruendachsymposium_2004.pdf [Zugriff: 01.12.2024]

Haeupler, H.; Muer, T.: Bildatlas der Farn- und Blütenpflanzen Deutschlands. Stuttgart: Ulmer, 2007

Handbuch Grüne Wände [online]. Hamburg: Behörde für Umwelt, Klima, Energie und Agrarwirtschaft, 2020. Internet: https://www.hamburg.de/resource/blob/281650/53695980cc5825fe9bfdf3b15f3817ab/d-fassadenguide-data.pdf [Zugriff: 06.11.2024]

Handbuch Stadtklima – Maßnahmen und Handlungskonzepte für Städte und Ballungsräume zur Anpassung an den Klimawandel. Düsseldorf: Ministerium für Klimaschutz, Umwelt, Landwirtschaft, Natur- und Verbraucherschutz des Landes Nordrhein-Westfalen (MUNLV-NRW), 2011 [online]. Internet: https://www.lanuv.nrw.de/fileadmin/lanuv/klimaanpassung/dokumente/handbuch_stadtklima.pdf [Zugriff: 18.11.2024]

Hansen, R.; Stahl, F.: Die Stauden und ihre Lebensbereiche in Gärten und Grünanlagen. Stuttgart: Ulmer, 1997

Hegger, M.; Fuchs, M.; Stark, T.; Zeumer, M. et al.: Energie Atlas. Nachhaltige Architektur. Detail Atlas. München: Birkhäuser, 2007

Heinze, W.; Schreiber, D.: Eine neue Kartierung der Winterhärtezonen für Gehölze in Mitteleuropa. In: Mitteilungen der Deutschen Dendrologischen Gesellschaft 75 (1984), S. 11–56

Herfort, S.; Tschuikowa, S.; Ibanez, A.: Die Wahrheit zur CO_2-Bindung durch begrünte Dächer. Aktuelle Untersuchungsergebnisse und Diskussion. Dietzingen: 11. Internationales FBB-Gründachsymposium, 2013

Hesse, T. A.: Bioindikator „Flechte“, Diplomarbeit. München: Universität der Bundeswehr, 2005

Jocher, T.; Loch, S.: Raumpilot – Grundlagen. Stuttgart: Krämer, 2010

Kaiser, D.; Köhler, M.; Schmidt, M.; Wolf, F.: Increasing evapotranspiration on extensive green roofs by changing substrate depths, construction, and additional irrigation. In: Buildings 9 (2019), S. 173

Kaiser, M.: Kühlen mit Regenwasser. In: Erneuerbare Energie 2 (2008)

Karlsson, M.; Ziebarth, N.: Population health effects and health-related costs of extreme temperatures: comprehensive evidence for Germany. In: Journal of Environmental Economics and Management 91 (2018), S. 93–117

Kiermeier, P.: Pflanzenkatalog und Selektion. 3. Aufl. Hamburg: Lorenz von Ehren, 2005

Kiessl, K.; Rath, J.; Gertis K.: Auswirkungen von Fassadenbegrünung auf den Wärme- und Feuchtehaushalt von Außenwänden und Schadensrisiko. Bauforschungsbericht. Stuttgart: Fraunhofer-Institut für Bauphysik, 1989

Kletterpflanzen – Übersicht [online]. Leipzig: FassadenGrün, 2024. Internet: https://www.fassadengruen.de/uw/kletterpflanzen/kletterpflanzen.html [Zugriff: 13.12.2024]

Köhler, M.: Fassaden- und Dachbegrünung. Stuttgart: Ulmer Fachbuch, 1993

Köhler, M.; Malorny, W.: Wärmeschutz durch extensive Gründächer. In: Europäischer Sanierungskalender 2009. Hrsg.: Venzmer, H. Berlin: Beuth, 2009, S. 195–212

Köhler, M.; Oettelé, M.; Ansel, W.; Mann, G.; Wünschmann, M. S.; Betzler, F.; Appl, R.: Handbuch Bauwerksbegrünung. Planung – Konstruktion – Ausführung. Köln: Verlagsgesellschaft Rudolf Müller, 2012

Köhler, M.; Nistor, C. R.: Wandgebundene Begrünungen – Quantifizierungen einer neuen Bauweise der Klima-Architektur. Neubrandenburg: Forschungsgesellschaft Landschaftsentwicklung Landschaftsbau e. V. (FLL), 2015

Köhler, M.; Kaiser, D.; Wolff, F.: Bewässerte Gründächer [online]. Bonn: Bundesinstitut für Bau-, Stadt- und Raumforschung (BBSR) im Bundesamt für Bauwesen und Raumordnung (BBR), 2022. Internet: https://www.bbsr.bund.de/BBSR/DE/veroeffentlichungen/bbsr-online/2022/bbsr-online-33-2022-dl.pdf?__blob=publicationFile&v=3 [Zugriff: 09.01.2025)

König, H.; Kohler, N.; Kreißig, J.; Lützkendorf, T.: Lebenszyklusanalyse in der Gebäudeplanung. München: DETAIL, 2009

Konzepte der Regenwasserbewirtschaftung. Gebäudebegrünung, Gebäudekühlung. Leitfaden für Planung, Bau, Betrieb und Wartung. Berlin: Berlin Bauen, Senatsverwaltung für Stadtentwicklung, 2010 [online]. Internet: http://www.gebaeudekuehlung.de/SenStadt_Regenwasser_dt_gross.pdf [Zugriff: 18.11.2024]

Krupka, B.: Dachbegrünung. Pflanzen- und Vegetationsanwendung an Bauwerken. Stuttgart: Ulmer, 1992

Kunstmann, H.; Dietrich, F.: Messtechnische Bestimmung der Schalldämmung einer Lärmschutzwand von Typ „COMPACTA“ der Firma Helix-Pflanzensysteme GmbH. Gutachten. Berlin: Bundesverband GebäudeGrün e. V. (BuGG), 2009

Kuttler, W.: Urbanes Klima. Teil 2. In: Gefahrstoffe – Reinhaltung der Luft 70 (2010), S. 378–382

Landwirtschaft auf dem Dach der Forschung; Pressemitteilung vom 23.02.2011 [online]. Oberhausen: Fraunhofer-Institut für Umwelt-, Sicherheits- und Energietechnik (UMSICHT), 2011. Internet: https://www.umsicht.fraunhofer.de/de/presse-medien/pressemitteilungen/2011/infarming.html [Zugriff: 09.01.2025]

Lange, O.; Bertsch, A.: Photosynthese der Wüstenflechte Ramalina maciformis nach Wasserdampfaufnahme aus dem Luftraum. In: Naturwissenschaften 52 (1965), S. 215–235

Leitfaden Fassadenbegrünung [online]. Wien: ÖkoKauf Wien, 2013. Internet: https://www.gruenezukunftschulen.at/wp-content/uploads/2017/10/Leitfaden-Fassadenbegruenung.pdf [Zugriff: 19.11.2024]

Liesecke, H. J.: Untersuchungen zur Wasserrückhaltung extensiv begrünter Flachdächer. In: Zeitschrift für Vegetationstechnik 2 (1988), S. 56–66

Litschike, T.; Kuttler, W.: On the reduction of urban particle concentration by vegetation – a review. In: Meteorologische Zeitschrift 17 (2008), Nr. 3, S. 229–240

Ludwig, K.: Kletterpflanzen. Auswahl, Pflanzung, Pflege. München: BLV, 1994

Mann, G.: Faunistische Untersuchungen von drei Dachbegrünungen in Linz. Dachbegrünungen als ökologische Ausgleichsflächen. In: Öko-L Zeitschrift für Ökologie, Natur- und Umweltschutz 18 (1996), S. 5 ff.

Mann, G.: Schadensfälle bei Gründächern [online]. München: Garten + Landschaft, 2016. Internet: https://www.garten-landschaft.de/dachschaden/ [Zugriff: 19.12.2024]

May, H.: Herbstlicher Lebensspender. Blühenden Efeu nicht beschneiden [online]. Berlin: NABU, 2024. Internet: https://www.nabu.de/tiere-und-pflanzen/pflanzen/pflanzenwissen/11635.html [Zugriff: 02.12.2024]

Merkblatt für die Anwendung von Geotextilien und Geogittern im Erdbau des Straßenbaus. Köln: Forschungsgesellschaft für Straßen- und Verkehrswesen, 1994

MF P 1. Merkblatt für Flächenbefestigungen mit Pflasterdecken und Plattenbelägen in ungebundener Ausführung. Köln: Forschungsgesellschaft für Straßen- und Verkehrswesen, 2024

Mustererlass der ARGEBAU. Brandverhalten begrünter Dächer. Bonn: ARGEBAU, 1989

MVAS 99. Merkblatt über die Rahmenbedingungen für erforderliche Fachkenntnisse zur Verkehrssicherung von

Arbeitsstellen an Straßen. Bonn: Bundesministerium für Verkehr, Bau- und Wohnungswesen, 1999

Naturschutz auf Dachbegrünungen in Verbindung mit Solaranlagen [online]. Basel: Baudepartment des Kantons Basel-Stadt, 2013. Internet: https://www.yumpu.com/de/document/view/10719826/naturschutz-auf-dachbegrunungen-in-verbindung-mit-solaranlagen [Zugriff: 28.12.2024]

Nebel, M.: Die Mooswand in Stuttgart. Mit Moosen gegen Luftschadstoffe? In: Umweltzeitung September/Oktober (2018), S. 26–27

[Nutzungsdauern von Bauteilen]: Nutzungsdauern von Bauteilen für Lebenszyklusanalysen nach Bewertungssystem Nachhaltiges Bauen (BNB), Stand: 24.02.2017 [online]. Bonn: Bundesinstitut für Bau-, Stadt- und Raumforschung (BBSR), 2017. Internet: https://www.nachhaltigesbauen.de/fileadmin/pdf/Nutzungsdauer_Bauteile/BNB_Nutzungsdauern_von_Bauteilen_Änderungsübersicht_2017-02-24.pdf [Zugriff: 18.11.2024]

Oettelé, M.: The Green Building Envelope, Dissertation. Delft: Universität Delft, 2011

Oswalt, P.: Implantationen. Natur in der zeitgenössischen Architektur. In: Arch+ 142 (1998), S. 74–78

Pfoser, N.: Gestaltungspotenzial Fassadenbegrünung. Optimierung architektonischer und stadtplanerischer Entscheidungen. In: 3. FBB-Symposium Fassadenbegrünung 2010, Berlin. Saarbrücken: Fachvereinigung Bauwerksbegrünung e. V. (FBB), 2010

Pfoser, N.: Grüne Fassaden, DETAIL Praxis. München, 2023

Pfoser, N.: Vertikale Begrünung, Fachbibliothek Grün, Eugen Ulmer Verlag. Stuttgart, 2018

Pfoser, N.: Warum Gebäude begrünen? Motivation aus Sicht von Planern, Unterhaltsverantwortlichen und Nutzenden. In: Neue Landschaft 12 (2015), S. 23–27

Pfoser, N.: Fassade und Pflanze. Potenziale einer neuen Fassadengestaltung, Dissertation. Darmstadt: Technische Universität Darmstadt, 2016 [online]. Internet: https://tuprints.ulb.tu-darmstadt.de/5587/1/Dissertation_Pfoser.pdf [Zugriff: 18.11.2024]

Preiss, J.: Programm Fassadenbegrünungen in Wien, Vortrag. Vilm: BfN ExpertInnenworkshop Vilm, 2013

[Pressemitteilung Hitzewarnsystem]: Hitzewarnsystem des Deutschen Wetterdienstes seit 2005 erfolgreich im Einsatz – überdurchschnittlich viele Hitzewarnungen im Sommer 2018. Pressemitteilung vom 12.09.2018 [online]. Offenbach: Deutscher Wetterdienst, 2018. Internet: https://www.dwd.de/DE/presse/pressemitteilungen/DE/2018/20180912_hitzewarnungen.pdf?__blob=publicationFile&v=6 [Zugriff: 06.11.2024]

RAL-GZ 250. Technische Regel. Substrate für Pflanzen. Bonn: RAL, 2018

RAL-GZ 580. Technische Regel. Vertikalbegrünungen – Gütesicherung. Bonn: RAL, 2021

Rath, J., Kiessl, K., Gertis K.: Bauforschungsbericht. Auswirkungen von Fassadenbegrünung auf den Wärme- und Feuchtehaushalt von Außenwänden und Schadensrisiko. Stuttgart: Fraunhofer IRB, 1989

Richtlinie für die Planung, Ausführung und Pflege von Fassadenbegrünungen mit Kletterpflanzen. Bonn: Forschungsgesellschaft Landschaftsentwicklung Landschaftsbau e. V. (FLL), 2000

Rosso, P.: Präsentation. In: Weltkongress Gebäudegrün. Berlin: Bundesverband GebäudeGrün e. V. (BuGG), 2024

RStO 12/24. Richtlinien für die Standardisierung des Oberbaus von Verkehrsflächen, Ausgabe 2012, Fassung 2024. Köln: Forschungsgesellschaft für Straßen- und Verkehrswesen, 2024

Scharf, B.; Pitha, U.; Trimmel, H.: Thermal performance of green roofs [online]. Copenhagen: World Green Roof Congress, 2012. Internet: https://www.academia.edu/6649533/Thermal_performance_of_green_roofs [Zugriff: 19.11.2024]

Schenk, D.: Vision für die Dachbegrünung des 21. Jahrhunderts. In: Zukunftskonzepte der Dachnutzung. Internationaler Gründach-Kongress, Hamburg. Nürtingen: Deutscher Dachgärtner Verband (DDV), 2013

Schlößer, S.: Zur Akzeptanz von Fassadenbegrünung. Meinungsbild Kölner Bürger – eine Bevölkerungsbefragung, PhD-Thesis. Köln: Universität Köln, 2003

Schmidt, M.: Energy saving strategies through the greening of buildings. The example of the Institute of Physics of the Humboldt-University in Berlin-Adlershof, Germany [online]. In: Rio de Janeiro, Brasilien: Proceedings of the World Energy and Climate Event, 2003, S. 481–487. Internet: http://www.rio12.com/rio3/proceedings/RIO3_481_M_Schmidt.pdf [Zugriff: 09.01.2024]

Schmidt, M.: Begrünte Fassaden als Baustein des energieeffizienten Bauens, Vortrag. Lemgo: Hochschule Ostwestfalen-Lippe, 2015

Slama, S.: Anlage 1. Mustererlass der ARGEBAU „Brandverhalten begrünter Dächer“ von Juni 1989 [online]. Internet: https://www.gebaeudegruen.info/fileadmin/website/gruen/Dachbegruenung/Basiswissen/FBB_Brandschutz_Gruendach_Anlage.pdf [Zugriff: 28.12.2024]

Stadtgrün im Klimawandel. Wiesbaden: Hessisches Landesamt für Naturschutz, Umwelt und Geologie, Fachzentrum Klimawandel und Anpassung, 2024 [online]. Internet: https://www.hlnug.de/fileadmin/dokumente/klima/klimprax/Stadtgruen/Broschuere_Stadtgruen_im_Klimawandel.pdf [Zugriff: 08.11.2024]

Stadtraumtypen-Katalog „Solare Flächenpotenziale Berlin“. Köln: Ecofys GmbH, 2008

STLB-Bau-Ausschreibungstexte [online]. Bonn: Gemeinsamer Ausschuss Elektronik im Bauwesen (GAEB), 2024. Internet: https://www.stlb-bau-online.de/Ausschreibungstexte/Leistungsbereiche/1 [Zugriff: 20.12.2024]

Stocker, M.: Biodiversität: Tiere in/an Fassadenbegrünungen, Vortrag. Wien: Technische Universität Wien, 2013

Thönnessen, M.: Elementdynamik in fassadenbegrünendem Wilden Wein (Parthenocissus tricuspidata). In: Kölner geographische Arbeiten 78 (2002)

TL-Baumschulpflanzen. Technische Lieferbedingungen für Baumschulpflanzen (Gütebestimmungen). Bonn: Forschungsgesellschaft Landschaftsentwicklung Landschaftsbau e. V. (FLL), 2020

TL SoB-StB 04. Technische Lieferbedingungen für Baustoffgemische und Böden zur Herstellung von Schichten ohne Bindemittel im Straßenbau, Ausgabe 2004, Fassung 2007. Köln: Forschungsgesellschaft für Straßen- und Verkehrswesen, 2007

Tomik, S.: Lungenärzte für Luftreinhaltung – Grenzwerte aber umstritten. In: Frankfurter Allgemeine Zeitung vom 25.01.2019 [online]. Internet: https://www.faz.net/aktuell/politik/inland/hunderte-lungenaerzte-fuer-luftreinhaltung-grenzwerte-aber-umstritten-16008522.html [Zugriff: 18.11.2024]

Traut, S.: Dachbegrünung. Pflanzung, Pflege, Bewässerung. In: Schulungsunterlagen Zertifikatslehrgang Dach- und Fassadenbegrünung. Weihenstephan: Akademie Landschaftsbau, 2024

Türk, R.: Laboruntersuchungen über den CO_2-Gaswechsel von Flechten aus den mittleren Ostalpen. In: Phyton (Austria) 21 (1981), S. 203–234

Valappil, A. K.; Kumar, P.; Gallagher, J.; McNabola, A.: Air pollution abatement performances of green infrastructure in open road and built-up street canyon environments – a review. In: Atmospheric Environment 162 (2017), S. 71–86

Van Groeningen, I.: Praktische einjährige Kletterpflanzen für raschen Wuchs und Sichtschutz [online]. Berlin: Königliche Gartenakademie, 2022. Internet: https://koenigliche-gartenakademie.de/blog/einjaehrige-kletterpflanzen.html [Zugriff: 13.12.2024]

van Lier, K.: Bauwerksbegrünung als Maßnahme zur Gesundheitsförderung. Bindung von Luftschadstoffen durch wandgebundene Fassadenbegrünungen, Dissertation [online]. Darmstadt: Technische Universität Darmstadt, 2024. Internet: https://tuprints.ulb.tu-darmstadt.de/27750/1/Dissertation_vanLier.pdf [Zugriff: 19.11.2024]

VSG 4.2. Unfallverhütungsvorschrift Gartenbau, Obstbau und Parkanlagen. Fassung 2000. Stuttgart: Sozialversicherung für Landwirtschaft, Forsten und Gartenbau, 2021

Wasserhärte [online]. In: Wasser.de Lexikon. Hagen a. T.W.: Fa. A. Klaas, 2018. Internet: https://lexikon.wasser.de/index.pl?begriff=Wasserh%E4rte&job=te [Zugriff: 10.11.2024]

Weber, M.: Positive Wirkungen begrünter Dächer – Zusammenstellung positiver Fakten aus aller Welt, Diplomarbeit im Studiengang Landschaftsarchitektur. Erfurt: Fachhochschule Erfurt, 2011

Wong, N. H.; Tan, A. Y. K.; Tan, P. Y.; Chiang, K.; Wong, N. C.: Acoustics evaluation of vertical greenery systems for building walls. In: Building and Environment 45 (2010), Nr. 2, S. 411–420

Zahl der Hitzetage [online]. Offenbach am Main: Deutscher Wetterdienst, 2024. Internet: https://www.dwd.de/DE/presse/pressemitteilungen/DE/2018/bilder/20180912_pm_grafik_hitze1.html [Zugriff: 01.12.2024]

Zimmermann, P.: Dachbegrünung. Eine ökologische Untersuchung auf Kiesdach, extensiv und intensiv begrünten Dächern. In: Veröffentlichungen für Naturschutz und Landschaftspflege in Baden-Württemberg 62 (1987), S. 545–547

ZTV E-StB 09. Zusätzliche Technische Vertragsbedingungen und Richtlinien für Erdarbeiten im Straßenbau. Köln: Forschungsgesellschaft für Straßen- und Verkehrswesen, 2009

ZTV P-StB 2000. Zusätzliche Technische Vertragsbedingungen und Richtlinien für den Bau von Pflasterdecken und Plattenbelägen, Ausgabe 2000. Köln: Forschungsgesellschaft für Straßen- und Verkehrswesen, 2000

ZTV-SA 97. Zusätzliche Technische Vertragsbedingungen und Richtlinien für Sicherungsarbeiten an Arbeitsstellen an Straßen, Ausgabe 1997. Bonn: Kirschbaum, 2001

ZTV SoB-StB 04. Zusätzliche Technische Vertragsbedingungen und Richtlinien für den Bau von Schichten ohne Bindemittel im Straßenbau, Ausgabe 2004, Fassung 2007. Köln: Forschungsgesellschaft für Straßen- und Verkehrswesen, 2007

ZTV T-StB 95. Zusätzliche Technische Vertragsbedingungen und Richtlinien für Tragschichten im Straßenbau, Ausgabe 1995, Fassung 2002. Köln: Forschungsgesellschaft für Straßen- und Verkehrswesen, 2002

ZTV-Vegtra-Mü. Zusätzliche Technische Vorschriften für die Herstellung und Anwendung verbesserter Vegetationstragschichten. München: Landeshauptstadt München, Baureferat Gartenbau, 2018

9.2 Stichwortverzeichnis